W9-DJN-943

Los cipreses creen en Dios

Colección Autores Españoles
e Hispanoamericanos

José María Gironella

Los cipreses creen en Dios

Novela

Planeta

© José María Gironella, 1953
Editorial Planeta, S. A., Córcega, 273-277, Barcelona-8 (España)

Diseño colección, sobrecubierta y foto de Hans Romberg (realización
de Jordi Royo)

Primera edición en Colección Autores Españoles e Hispanoamericanos:
setiembre de 1979 (70.ª edición en Colección ómnibus: octubre de 1977)

Depósito legal: B. 27875 - 1979

ISBN 84-320-5389-9
ISBN 84-320-5405-4 (primera publicación)

Printed in Spain - Impreso en España

Talleres «Gráficos Duplex, S. A.», Ciudad de la Asunción, 26-D, Barcelona-30

A mis queridos hermanos Juan (y esposa), Carmen, Pedro y Concepción.

ACLARACIÓN INDISPENSABLE

La empresa en que ando metido consiste en escribir una novela sobre España que abrace los veinticinco últimos años de su historia. Dividida en tres partes: anteguerra civil, guerra civil en los dos bandos, posguerra. En la posguerra incluyendo la odisea de los exiliados, odisea de altísimo interés humano.

Este libro que sale ahora, titulado LOS CIPRESES CREEN EN DIOS, constituye el primer volumen de la trilogía. Abarca, por lo tanto, el período inmediatamente anterior a la contienda, desde 1931 hasta fines de julio de 1936. Es decir, la época de la República, en que las fuerzas se alinearon. El segundo volumen abarcará el período 1936-1939, en que las fuerzas se combatieron; el tercero, partiendo de 1939, alcanzará nuestros días.

Se trata, como queda dicho, de una novela y no de un ensayo histórico, filosófico o político. Vaya por delante esta declaración, justificativa de mil libertades que me he tomado. En efecto, lo que he intentado ha sido la creación de una novela, y en consecuencia, aun manejando en lo posible hechos verídicos, me he reservado en todo momento el derecho de apelar a la fantasía.

Así que me he valido, como medio de penetración en el recentísimo drama de España, de los recursos propios de un novelista: invención de personajes, de circunstancias ambientales, elaboración de un tejido de situaciones, etc. He inventado, sobre todo, una familia, la familia Alvear, que cruzará las tres etapas históricas antedichas, nutriéndolas proporcionalmente con su presencia al tiempo que recibiendo en su carne los correspondientes cascotes de metralla.

7

Entendí que debía eludir el peligro de la elefantíasis geográfica, de la novela de área ilimitada. Por ello he centrado la acción en una pequeña capital de provincia. Tal ha sido mi preocupación en este terreno —apoderarme de un centro inamovible—, que decidí que la ciudad elegida fuera una ciudad amurallada; y después de muchas dudas opté por Gerona.

Varias razones me inclinaron a ello. Gerona, en el ámbito nacional, es una de las ciudades de más musculosa representación. Por su origen remoto, por su ficha guerrera, por las características de su religiosidad, por las sucesivas influencias recibidas. Su arquitectura es nobilísima —pétrea— en el barrio antiguo, horrible en lo contemporáneo. Un menguado río la cruza, sus habitantes perpetúan formas estancadas de vida. Preside una provincia tan completa como la de Guipúzcoa, y en ella se dan cita tres elementos constitutivos de belleza: montañas —el Pirineo—, llanura —el Ampurdán—, mar —el Mediterráneo—. Por si esto fuera poco, está emplazada en una zona clave para participar del problema separatista. Es, por último, población fronteriza, por lo que recibe de Francia, y no sólo meteorológicamente, insistentes ráfagas más o menos huracanadas.

Tal vez sea Gerona demasiado rica para representar a España, y el paisaje que la circunda demasiado armonioso y equilibrado; sin embargo, dado que, a pesar de ello, los corazones de los gerundenses, por causas inexplicables, han latido siempre a un ritmo tan sincopado como los corazones de Ronda, Cuenca o los que cuelgan sangrantes de los picos asturianos, el conflicto subyacente resulta por ley de contraste más intenso y dramático todavía.

Un motivo de tipo personal ha sido, también, determinante de la elección. En Gerona han transcurrido importantes años de mi vida adolescente y juvenil, por lo que su temperatura ha marcado indeleblemente mi espíritu. En el seminario de Gerona me pelaron al rape y me calzaron medias negras; en Gerona se afincaron mis padres, nació mi esposa, fue bautizada una de mis hermanas; a la sombra de sus cipreses creen definitivamente en Dios personas que he querido.

Por lo demás, en Gerona —y esto es básico— vi estallar la revolución.

Ahora bien, no se trata, repito, de redactar los anales de una ciudad. Las exigencias del relato me han obligado con frecuencia a situar en Gerona acontecimientos que ocurrieron en otras partes. Gerona representa, en el libro, la indispensable localización en el espacio, nada más. De modo que cuando en sus calles se produzca una huelga, ello no significa que dicha huelga se produjera forzosamente en la realidad. Y lo mismo cabe decir respecto a los partidos políticos que se citen, a las actividades masónicas, a los generales, administradores de orfanatos, curas, maestros, barberos, limpiabotas, etc., que se describen o que surjan en la narración. Que nadie se dé, pues, por aludido personalmente; que nadie me culpe de falseamiento «localista» por exceso u omisión. Ni siquiera las nomenclaturas se adaptan rigurosamente a las que existieron. Sólo he respetado el orden cronológico y, desde luego, la significación de aquellos sucesos de índole nacional que repercutieron de una manera directa en la ciudad, y la evolución de las costumbres y tradiciones. En los casos en que la precisión se imponía, se citan nombres y apellidos.

Creo que todo ello indica bien a las claras hasta qué punto lo que me ha importado no es el inventario, sino la vida. Ahí sí desearía no haber errado. Consecución de una atmósfera y creación de unos personajes. Que una y otros sean auténticos: esto es lo que primordialmente me interesa. Que la familia Alvear vaya poco a poco cobrando cuerpo y alma, que ella y las personas de su trato e influencia no formen una comunidad fantasmal; que bajo los campanarios de Gerona se sucedan, año tras año, con realismo incluso olfativo y táctil, la primavera, el verano, el otoño y el invierno.

Y que al llegar al final de este libro —julio de 1936—, el lector admita que sí, que los españoles caímos un buen día unos sobre otros, ocasionando un millón de muertos, no por capricho o azar, sino porque en todo el territorio se dieron circunstancias *análogas o equivalentes a las relatadas a lo largo de estas páginas.*

Lo más difícil, casi astral, de mi cometido consiste en esto; en discriminar, en toda su complejidad, las fuerzas psicológicas que, fruto de una elaboración lenta y fatal, fueron alineándose en uno y otro bando.

Para avanzar hacia este objetivo desde el principio, sentí la imperiosa necesidad de que el protagonista del libro, Ignacio Alvear, llevara en sí mismo la guerra civil.

Sólo me falta añadir que cuantos esfuerzos he hecho para acortar el original del libro, han resultado vanos.

JOSÉ MARÍA GIRONELLA

Gerona, verano de 1952.

¿De dónde nacen las riñas y pleitos entre vosotros? ¿No es de vuestras pasiones, las cuales hacen la guerra en vuestros miembros?

(Carta católica de Santiago, 4, 1.)

Primera parte

De Abril de 1931 a Noviembre de 1933

CAPÍTULO PRIMERO

En una de las casas más antiguas de la orilla derecha del río, primer piso, vivían los Alvear. Los balcones de la fachada daban a la Rambla, frente por frente del café Neutral, situado en el centro de la más acogedora hilera de arcos de la ciudad; ventana y balcón traseros colgaban sobre el río, el Oñar.

La casa, pues, comunicaba entre sí dos vidas, al igual que las restantes a lo largo de la Rambla. De ahí que en el piso el misterio fuese alegre y que para crear intimidad fuera preciso cerrar todas las puertas. Si por descuido quedaba abierta alguna, se oían todos los relojes de la población; no obstante, los Alvear sabían que en un puñado de metros podían crear un mundo íntimo y aun infranqueable.

En aquellos pisos era posible porque las casas eran antiguas. Por lo demás, la mayor parte de las puertas no sólo cerraban, sino que a veces se cerraban por sí solas, lo cual era un encanto teniendo en cuenta la proximidad del río y que éste a veces olía mal.

En efecto, el lugar era tenido por insalubre. Tal vez el trecho en que vivían los Alvear fuera el menos afectado, pues el agua del Oñar alcanzaba allí, casi siempre, ambas orillas. En cambio, quinientos metros más abajo, cercana su confluencia con el río Ter, la corriente se encharcaba, formando pequeños remansos pantanosos.

Otro inconveniente lo constituían las periódicas inundaciones. Tampoco éstas afectaban a los Alvear, dada la altura de la ventana y el balcón; en cambio, los inquilinos de la planta baja, cuando el Oñar llegaba crecido, no tenían remedio. El Ter no le admitía el caudal y entonces el pequeño río se hinchaba y se introducía por todas las brechas y agujeros de la casa, cruzaba con furia cocina, comedor y pasillo, y salía en tromba por la puerta de la fachada, vertiendo, en la Rambla, frente por frente del Neutral, mil secretos familiares.

El piso de los Alvear era más bien pequeño —pasillo y tres habitaciones, comedor y cocina—, pero mucho mejor que los que habían ocupado en Madrid, Jaén y Málaga, en las temporadas que residieron en estas ciudades. El cabeza de familia, Matías Alvear, estaba encantado con él, especialmente porque el sol le rondaba todo el día, por la calidad y tono discreto de los mosaicos y por la estratégica situación de ambos balcones. El de la Rambla lo utilizaba después de comer para controlar la entrada en el café de los componentes de su peña de dominó; el del río lo utilizaba a la caída de la tarde, para pescar. Pescar desde el propio hogar, recordando a menudo la penosa esterilidad del Manzanares, en Madrid.

En el dominó era un as, una suerte de seis doble; como pescador, cero. Tan raramente era mordido su anzuelo, que cuando ello ocurría, en algún verano bochornoso, el hombre se ponía a horcajadas, izaba sigilosamente la caña, entraba con ella en el comedor y haciendo bailotear el pececillo, lo restregaba con sorna por las narices de sus hijos. En una ocasión la presa fue de tal tamaño que, algo asustado, entró caña en alto en la mismísima cocina y depositó el pescado directamente en la sartén, ante los atónitos ojos de su esposa, Carmen Elgazu, recia mujer que cuando le llamaba loco lo hacía en vascuence.

Matías Alvear tenía cuarenta y seis años, era funcionario de Telégrafos y en Gerona formaba entre los forasteros. Era madrileño. Llevaba cinco años en la ciudad y parecía haberse aclimatado a ella.

En Madrid dejó un hermano, Santiago, anarquista militante, que no vivía feliz sino rodeado de mujeres y folletos clandestinos. En Burgos otro hermano, casado, también empleado de Telégrafos, de ideas avanzadas pero algo más teórico que Santiago, y con el que Matías sólo se ponía en contacto por Navidad, felicitándose a través de sus respectivos aparatos telegráficos.

Toda la familia de Matías Alvear fue siempre extremista, y sobre todo anticlerical. El padre, muerto joven, proponía fundir todas las custodias de la nación y repartir el oro entre los pobres de Almería y Alicante. Ahora Santiago, en Madrid, encorajinado con la República, repetía por los tranvías la propuesta, si bien Carmen Elgazu, que se preciaba de conocerle bien, decía siempre que le veía capaz de fundir las custodias de la nación, pero no de emplear el oro en lo que su padre propuso.

Matías fue siempre el más reposado. Republicano toda la vida, y también anticlerical, hasta el punto que cuando se casó con Carmen Elgazu apenas si sabía cómo se dobla, ante el Señor, una rodilla; pero Carmen Elgazu había heredado del Norte el tipo de fe que «mueve las montañas», y en este caso la montaña movida fue Matías Alvear. El funcionario de Telégrafos amaba tanto a su mujer, que de pronto la idea de que con la muerte todo termina le horrorizó. Le parecía imposible que Carmen Elgazu no fuera eterna y a su vez deseó vivamente disponer de toda una eternidad para continuar viviendo junto a ella. A los diez años de matrimonio, su deseo era convicción. Creía en todo lo que negaban sus hermanos y se sorprendió persignándose con respeto. Halló gran consuelo en este nuevo orden de pensamientos y acabó escuchando la historia del gallo de San Pedro con una naturalidad que él mismo, pensando en su juventud, no acertaba a explicarse.

La familia de Carmen Elgazu era, ciertamente, lo opuesto. Vasca, tradicional y católica hasta la medula. El padre murió abrazado a un crucifijo, y al morir dijo a sus hijos: «No os caséis con personas que no crean en Dios». La madre vivía aún en un pueblo de Vasconia, erguida a pesar de sus ochenta y tantos años, escribiendo sin cesar cartas y más cartas a sus ocho hijos, en tinta violeta y letra increíblemente enérgica dada su edad; cartas apostólicas que sólo Carmen Elgazu leía enteras, pero que ninguno se atrevía a tirar o quemar.

Carmen Elgazu llevaba en el cuerpo el sello de esta reciedumbre. De mediana estatura, cabellos negrísimos, recogidos en moño, cabeza bien sentada entre los hombros. Cuando, arremangada, lavaba ropa, se veía hasta qué punto tenía los brazos bien torneados. En la cintura se le notaba que había tenido hijos. Sus piernas eran las dos columnas del hogar.

Lo que más destacaba de su persona eran las cejas, pobladas y también muy negras. Matías Alvear las comparaba, riendo, a los arcos de la Rambla. Carmen Elgazu consideraba aquello un piropo, pues para ella una mujer sin cejas no era nada.

Y luego los ojos. Imposible imaginar ojos más opuestos a los de un ciego. Brillantes, expresivos, sin rodar como los de los locos, sin permanecer extáticos como el de Dios. Ojos humanos, cambiantes, auténticas ventanas del alma. A causa de los ojos, las cejas y el alma, le bastaba con ponerse un vestido negro y unos tacones altos para parecer una reina. Una reina con gran ternura en su porte, especialmente cuando se hablaba de alguien que sufría o cuando, terminado el trabajo en la cocina o en los dormitorios, se quitaba el delantal y se sentaba en el comedor a repasar la ropa, bajo un precioso calendario de corcho que representaba una tempestad.

Matías Alvear, seco, tenía más distinción; pero era menos impresionante. Llevar bata gris en Telégrafos, y sobre todo lápiz en la oreja, acaso le restara cierta autoridad. Sin embargo, era un hombre. El sentido del humor se le manifestaba en el bigote, ameno siempre, en un sinnúmero de expresiones irónicas, en la manera de llevar el sombrero. Sus ojos eran más pequeños que los de Carmen Elgazu, pero también negros. La energía se le concentraba en la nariz, pegada a su cara como un impacto. Sus manos eran de funcionario, pero cuando escuchaba tonterías le imprimía unos espasmos de duda muy sutiles, de gran expresividad. Era cuidadoso, vestía preferentemente de gris, corbatas discretas excepto en las fiestas onomásticas de sus hijos. Le gustaba el dominó porque decía que era un juego limpio, que las fichas eran limpias y agradables al tacto. Sin una peña de amigos para cambiar impresiones, hubiera muerto.

Sus querellas con Carmen Elgazu se limitaban a temas religiosos relacionados con la educación de los hijos, y a comparar Madrid y Bilbao. Para Matías Alvear, Madrid; para Carmen Elgazu, Bilbao. Cuando estaban de buen humor, Carmen Elgazu comparaba el Oñar con el Cantábrico y Matías Alvear el edificio de Telégrafos de Gerona con la Telefónica de Madrid, pero luego uno y otro se arrepentían de ello y admitían que Gerona, sobre todo en la parte antigua y la Dehesa, era muy hermosa.

Carmen Elgazu decía a veces que Matías Alvear no era nada sabio, pero que tenía mucho sentido común. Los componentes de la peña de Matías Alvear corroboraban lo segundo y le rebatían lo primero. Creían que Matías era conocedor de más cosas de las que Carmen Elgazu sospechaba, porque sabía leer el periódico y porque los telegramas le habían enseñado a comprender el cruce de los acontecimientos y a sintetizar. De todos modos, lo que más amaba en él Carmen Elgazu eran los sentimientos. Le quería tanto que era evidente que sólo consentiría en parecer reina a condición de que el rey fuera Matías Alvear.

Matías Alvear, después de ganar oposiciones en Madrid, había sido destinado sucesivamente a Jaén, Málaga y Gerona. Todos sus hijos, Ignacio, César y Pilar, habían nacido en Málaga, lo cual se prestaba a muchas bromas. «Los aires del Sur —decía Matías—; los aires del Sur.»

Cuando les llegó el traslado de Málaga a Cataluña, Ignacio, el mayor, tenía diez años. Había nacido el 31 de diciembre de 1916, a las doce de la noche, o sea en un instante solemne y trascendental. Carmen Elgazu, que siempre había prometido a Dios ofrecerle el primero de sus hijos, dio a aquella circunstancia una interpretación profética. Varias vecinas malagueñas, entre ellas una gitana, entendieron que, según los astros, su hijo sería un talentazo, probablemente obispo y sin duda alguna un gran predicador. Matías Alvear arrugó el entrecejo; pero, en efecto, Ignacio a los pocos meses discurseaba de lo lindo: «¡Ya lo ves! —gritaba Carmen Elgazu, alborozada—. ¡Es un ángel y en un santiamén convertirá a la gente!»

César tenía, al llegar a Gerona, ocho años, y era muchacho más tímido que Ignacio. Dotado de grandes orejas, miraba a los que le rodeaban y al mundo como si todo fuese un milagro. Matías siempre contaba que, al bajar del tren y ver la Catedral y a su lado el campanario de San Félix, había dicho que aquello le gustaba más que el mar de Málaga. Luego las vecinas le informaron: «Pues, chico, por campanarios aquí no te vas a quejar».

Pilar tenía un año menos que César: siete. A ella todo lo que fuera viajar le encantaba. Al darse cuenta de que bajaban las maletas, exclamó, mirando a todo lo ancho de la estación: «¡Oh...! ¿Ya se ha terminado?»

* * *

La instalación de la familia en Gerona —en el piso colgando sobre el río— coincidió con un inefable triunfo de Carmen Elgazu y de la gitana malagueña: Ignacio accedió a entrar en el Seminario.

Carmen Elgazu no había cejado un solo instante en inculcar a su hijo la vocación. Cualquier detalle le servía de trampolín. Si Ignacio se quedaba inmóvil contemplando el paso de un entierro, le decía: «¿Qué, te gustaría rociar con agua bendita, verdad?» Si pintaba en un cuaderno un hombre con una corona alrededor de la cabeza, le decía a Matías Alvear: «Ya lo ves: todo lo de la Iglesia le tira».

Ignacio fue adaptando sus ojos a aquella manera de mirar. Sin querer reprimía su temperamento revoltoso. Había sentido sobre su cabeza la mano de varios curas que le preguntaban: «¿De modo, pequeño, que quieres entrar en el Seminario?» Por la noche, al arrodillarse ante la cama para rezar, Carmen Elgazu le señalaba como ejemplo a la atención de César y la pequeña, y aun a la de Matías Alvear.

Cuando, llegados a Gerona, el ambiente eclesiástico de la ciudad facilitó tanto las cosas que Ignacio dijo: «Sí, madre, quiero ser sacerdote», la alegría de Carmen Elgazu fue una especie de inundación que llegó también de una a otra orilla. Las propias vecinas se contagiaron. «¡Mi chico al Seminario, mi chico al Seminario!» Le besó veinte veces; hubiera querido sentarle en la falda del Sagrado Corazón que presidía, majestuoso, el comedor, frente al reloj de pared.

Los preparativos duraron una semana, la semana que faltaba para principiar el curso. Mosén Alberto, importante autoridad eclesiástica, les aconsejó que, visto el temperamento díscolo del chico, le tuvieran interno. A Matías le dolió desprenderse de su hijo, pero Carmen Elgazu le tiraba de la nariz: «¡Tendrías que estar orgulloso, más que tonto!» Iniciales rojas, «I. A.», brotaron en toda la ropa interior del muchacho.

El día en que Ignacio desapareció tras los imponentes muros del Seminario, que se erguían en la parte alta de la ciudad, coronando las escalinatas de Santo Domingo, en el piso de la Rambla hubo gran jolgorio. Carmen Elgazu preparó un bizcocho vasco, cruzado de parte a parte por el nombre de pila de su hijo y debajo una raya ondulada, blanca. Pilar se reía mirando vacía la silla de su hermano, y quería sentarse en ella. Matías dijo: «¡No, que está ocupada por el Espíritu Santo!» Carmen Elgazu también se rió y se dirigió a Matías. «¿Sabes lo que podríamos hacer? Luego voy a buscarte al Neutral y me llevas a la Dehesa a dar una vuelta.»

Así se hizo. Pilar se fue a las monjas del Corazón de María, César, a los Hermanos de la Doctrina Cristiana. También empezaba el curso. En cuanto a Matías, a las tres en punto tuvo que abandonar las sillas del café y trasladarse a los bancos de piedra de la Dehesa.

—¿No te gustan más estos plátanos que las fichas de dominó? —ironizaba Carmen Elgazu.

Matías Alvear se ladeaba el sombrero, pero disfrutaba lo suyo. Porque su mujer era feliz y porque, en efecto, los plátanos de la Dehesa, altísimos y alineados en cantidad incalculable, estaban muy hermosos a la luz del otoño.

De regreso, la madre de Ignacio entendió que era preciso perpetuar la jornada. Detuvo a su marido y le preguntó:

—¿No me tienes prometido un regalo?

—Sí.

—¡Pues ésta es la ocasión!

Matías sonrió, aunque aquello iba a alterar con exceso el presupuesto familiar. Miraron escaparates y por fin se decidieron por algo práctico, que les hacía mucha falta: un perchero. Lo instalaron sin pérdida de tiempo en el vestíbulo, y abrieron dos o tres veces la puerta para comprobar que el efecto era sorprendente.

CAPÍTULO II

Ignacio quería mucho a sus padres, sin saber por qué. Acaso por el ambiente de paz que había creado en torno suyo. Su madre le parecía el centro de su vida. Su padre la persona que más le había hecho reír en el mundo, sin necesidad de hablar mucho, con sólo guiños y gestos. A veces se había esforzado, a su manera infantil, en pensar en cosas serias, y entonces creía que los amaba por el esfuerzo que hacían para que no les faltara nada ni a él, Ignacio, ni a César ni a Pilar, a pesar de ser pobres, a pesar del sueldo ínfimo que le daban en Telégrafos, según oía decir.

Era un chico más bien alto, moreno, de cara estirada. La forma del cráneo, alargada, y la nariz eran de su padre, así como la manía de ir bien calzado; de su madre había heredado las cejas, negras, el sólido emplazamiento del cuello entre los hombros y la fuerza en los brazos. Cuando hablaba, tenía a la vez la gracia de Carmen Elgazu y la capacidad de síntesis de su padre, pero a veces se tornaba taciturno y se pasaba una semana sin abrir la boca.

La entrada en el Seminario le afectó mucho. La primera noche no podía dormir. En el techo, altísimo, leía su pasado. Todo se le aparecía con relieve poderoso, especialmente las escenas que de un modo directo o indirecto se relacionaban con la pobreza. En su casa, el pensamiento de que en el cuarto contiguo estaban sus padres, amortiguaba esta preocupación, innata en él; en aquel edificio, las manchas húmedas de las paredes le acuciaban.

Ésta era la herencia moral que la familia Alvear había introducido en las venas del muchacho: una precosísima preocupación por los problemas de la miseria. Por ejemplo, el viaje de Málaga a Gerona no lo olvidaría jamás. Lo hicieron en tercera clase, en un tren lento, agotador, que cruzó España entera, repleto de viajeros que no cesaron en todo el trayecto de escupir y de pelar naranjas. Había varios enfermos y una niña bizca, de su edad, que continuamente sacaba el brazo por la ventanilla. En el inmenso dormitorio le pareció que aquella niña bizca se paseaba por entre las camas de los seminaristas pidiendo: «¡Una gracia de caridad por el amor de Dios!»

Por fortuna, la herencia moral de la familia Elgazu acudió en su ayuda diciéndole que el objetivo de la religión era precisamente mitigar la pobreza. Y que por ello él se encontraba en el Seminario, bajo aquel techo inalcanzable, para llegar a ser un día vicario —no obispo, como insinuó la gitana—, simple vicario de pueblo, para llamar a las puertas de los ricos y llenar de monedas las manos de aquella niña bizca y de todas las personas de la parroquia que viajaran en tercera mondando naranjas.

Al día siguiente, al levantarse, se colocó en la fila con la mejor voluntad. Llevaba aún pantalón corto y le ordenaron: «Di que te traigan unas medias. Negras».

—¿Medias...?

—Sí. No vas a andar por ahí enseñando esos muslos.

Luego, en el patio, se instaló un barbero con una máquina y unas tijeras, y fue cortando al rape el pelo de todos los nuevos ingresados. Ignacio quedó estupefacto; no había pensado en aquello. Quería seguir el curso de los cabellos que le iban cayendo en el pantalón, en las mangas, en el suelo, pero unos y otros no tardaban en confundirse con los de los seminaristas que le habían precedido.

Todo lo aceptó. Que la inmensidad del edificio le diera vértigo, no le sorprendía. Era tan inmenso, que de repente parecía solitario, a pesar de cobijar a trescientos doce seminaristas y estar bajo la advocación de la Sagrada Familia. Pero tenía muchas ventajas. Estaba situado en el centro del barrio gótico. Todos los edificios circundantes eran nobles y su solidez le recordaba, sin saber por qué, la que a veces se desprendía del cuerpo de Carmen Elgazu. Por otra parte, y para que la ilusión fuera completa, se divisaba la cúpula de Correos y Telégrafos, donde trabajaba Matías Alvear.

Era muy niño. Se le escapaba el sentido de la palabra «trágico». Por ello no acertaba a definir la impresión que, de pronto, a las cuarenta y ocho horas, le causó el Seminario. Rezaba mucho, en la capilla miraba con fijeza el Sagrario, seguía el grave paso de los profesores pensando: «Cuando yo pueda llevar sotana...» En el patio, a la hora de recreo, era una auténtica furia pegándole patadas a una pelota de trapo, las únicas permitidas, porque las de goma saltaban la tapia y las invisibles niñas de un colegio vecino chillaban bromeando y se negaban a devolverlas. Se repetía mil veces por día: «Soy feliz, soy feliz». Pero le invadía el desasosiego.

Él lo atribuía a la brusca separación de la familia. «¿Qué estaría haciendo César, qué estaría haciendo Pilar?» Pero, a pesar suyo, observaba. Le pareció que la comida era escasa, aunque evidentemente la gula era un pecado. Le preguntó a otro chico: «¿No te parece que en este patio hay demasiado polvo? Fíjate, fíjate...» El chico le miró inquisitivamente y aquello selló sus labios por una semana.

A los ocho días tenía hambre. Un hambre atroz. Comprendía que trescientas bocas eran muchas y que el Seminario era pobre; pero tenía hambre. Y además, le dolían los ojos a causa de las bombillas. No había pantallas en ningún sitio. Las bombillas pendían del techo desnudas, amarillentas, temblando por dentro como viejos gusanos. ¡No mirarlas y sanseacabó! Pero una de ellas pendía precisamente frente a sus ojos, en la sala de estudio. Una bombilla horrible con hilillos internos que temblaban como fuego. Aquella bombilla le causaba intenso dolor en las sienes, y le parecía oír un zumbido. «Si pusieran una pantalla...»

La sola idea de que acaso no tuviera vocación le producía tal malestar, que se sentía capaz de soportarlo todo. ¡Vicario, vicario del pueblo! Y las asignaturas le interesaban. ¡Qué hermoso el latín, qué hermosa la Historia! El profesor de Historia era un hombre magnífico, que hablaba de los cartagineses como su padre, Matías Alvear, contaba aventuras de Madrid. «*Musa, musae.*» A su madre se le caería la baba oyéndole: «¡Hijo mío, estás hecho un predicador!»

Pero no todo el mundo se parecía al profesor de Historia. Los ayos, los ayos le tenían obsesionado, aunque en esto no estaba solo; a muchos otros seminaristas les ocurría lo mismo. Todos los ayos llevaban lentes con montura metálica y al leer libros santos durante las comidas arrancaban de sus pechos el más lúgubre tono de voz de que eran capaces. Ignacio pensaba: «Tal vez sea su voz». Pero le extrañaba que las voces de todos los ayos, sin excepción, fueran tan lúgubres. Su vecino le dijo: «Yo, durante el almuerzo, ni lo noto». Y era verdad. Durante el almuerzo llegaba luz de afuera, del patio, rayos de sol que brincaban en las cabezas redondas de los chicos, alegrándolas; pero a la hora de la cena era otro cantar. La tristeza de la noche había ganado los muros. El ayo se sentaba en el púlpito y una de las bombillas amarillentas, pegada a sus sienes, le iluminaba entre sombras chinescas. Y de este modo se ponía a leer.

Cuando sus padres fueron a verle, todo se le pasó. «¡Ya lo creo que me gusta!» Carmen Elgazu le llevó butifarra, queso, chocolate. Hubiera querido abrazarlos a todos una y otra vez, pero no daba tiempo. Diez minutos de conversación. César miró un momento al patio y dijo: «¡Qué bien debes de estar ahí!», y Pilar le tiraba de las orejas. Matías Alvear echó un vistazo a las paredes y luego al chico. Carmen Elgazu hablaba con el padre rector: «Muy bien, muy bien. Estudia mucho. Tal vez un poco criticón...» y se rió.

¡Criticón! Falta de obediencia, poco espíritu de sacrificio. Ignacio, en señal de penitencia, pensó en repartir entre sus condiscípulos la butifarra, el queso y el chocolate. Pero tenía hambre, un hambre atroz. Y en cuatro días se lo comió todo.

¡Qué bien le supo la visita de la familia! Le dieron a leer la última carta de la abuela: «Decidle a Ignacio que rezo por él todos los días».

Terminadas las provisiones, se plantó ante uno de los ventanales y vio su silueta. Entonces enrojeció. ¡Medias! Llevaba medias. Le pareció grotesco. Se pasó las manos por las piernas. «Aunque seminarista, soy hombre», se dijo. Luego vio la forma de su cráneo pelado. Se pasó la mano por él. Cien veces. Pensó en el mechón de pelo que caía sobre la frente de César. ¡Pensó incluso en las trenzas de Pilar! En el moño de su madre. Y en las plateadas sienes de su padre. Menos mal que sus trescientos condiscípulos iban de idéntica suerte. Menos mal que, aparte la familia, no se recibían visitas nunca.

La hora más alegre para él continuaba siendo la de la clase de Historia. Y luego, la de la pelota de trapo. Un día la tiró a propósito, por encima de la tapia, al patio de las chicas del colegio vecino. En todo el Seminario se hizo un silencio aterrador, y él mismo quedó sorprendido de su acto. Un ayo pasó por allí.

—¿Qué le ocurre, Alvear? ¿Juega al tenis?

Y todo el mundo se rió.

* * *

El combate duró tres años. Durante el curso conseguía aclimatarse, porque se nutría en el Sagrario todas las mañanas y porque había una docena de personas que rezaban por él; pero al llegar las vacaciones estaba perdido. El contacto con la ciudad traía el desconcierto a su espíritu.

En primer lugar, la familia. El piso era alegre, pues Carmen Elgazu les sacaba brillo a todos los metales, y Pilar lo barría de arriba abajo a diario. Luego, el perchero. El flamante perchero en el que Matías Alvear colocaba el sombrero, siempre en el mismo gancho, hasta el punto que él, César y Pilar tenían una apuesta hecha para el día en que se equivocara. Luego, la radio galena. Matías Alvear había comprado una radio galena. Por desgracia, sólo se oía la emisora local, y aun en forma vaga y lejanísima. Pero algo es algo y todo aquello era alegre.

Luego, las distintas iglesias. Podía variar de templo, no ocupaba siempre idéntico banco en la misma capilla. Hoy al Sagrado Corazón, mañana a San Félix, pasado mañana a la Catedral.

Y, sobre todo, la gente. Ver pasar gente distinta, varia, la humanidad. Claro está, le estaba prohibido salir de paseo en horas de bullicio y más aún levantar la vista en dirección a paredes y carteles. Pero... en su casa había un balcón que daba a la Rambla. Espléndido palco al mediodía, a la hora en que toda la juventud de la población se daba cita bajo el sol, y antes de cenar, a la salida del trabajo.

El balcón de la Rambla turbaba el espíritu de Ignacio. Tanto, que consiguió que su madre accediera a ponerle pantalones largos, porque no quería ser visto con medias; por desgracia, en lo tocante al pelado al rape no había nada que hacer y mosén Alberto, sabio sacerdote que a través de las confesiones de la madre de Ignacio se había convertido en amigo de la familia, le había dicho al muchacho: «Mala señal, si verdaderamente deseas llevar el pelo largo».

Y con todo, en los primeros veranos no le había ocurrido nada de particular, salvo que en los paseos que daba con su hermano César, el seminarista parecía éste y no Ignacio, habida cuenta la manera de andar y los comentarios que los incidentes provocaban luego en uno y otro.

Éste era uno de los detalles que más habían llamado la atención de Matías Alvear. El contraste se iniciaba en el momento de elegir itinerario. Ignacio proponía siempre correrías alegres: al valle de San Daniel, donde cantaban aguas y pájaros; a un lejano recodo del Ter, donde podían bañarse... ¡con poca ropa! César, por el contrario, no se prestaba a tal complicidad, sino que decía: «No, no, yo prefiero las murallas, la Catedral, el Camino del Calvario».

Ignacio se veía obligado a acceder, y entonces el regocijo era el de César. Porque para el pequeño la Catedral, mole inmensa, con sus corredores, escalinatas —¿cómo llegar al campanario?—, altares jamás iluminados, y fosos, era una granítica caja de sorpresas que le encandilaba y en la que hubiera pasado las vacaciones enteras. Lo mismo que en los conventos, cuya sola fachada le enamoraba, por su seriedad. Lo mismo que el Camino del Calvario, con las catorce capillitas blancas que iban jalonando la colina, hasta llegar a la cima, donde una ermita presidía todos los alrededores de la ciudad. ¡Sí, sí, definitivamente César prefería esto al mar de allá abajo, al mar de Málaga! Sobre todo desde que Ignacio le dijo un día: «Un seminarista me ha asegurado que por ahí, por San Félix, deben de encontrarse las Catacumbas».

¡Las Catacumbas! César soñó noches enteras con esta palabra.

Luego, Matías Alvear oía los comentarios que hacían uno y otro. Al parecer, los dos hermanos discutían siempre durante el trayecto, si no de palabra, pues César era muy tímido y muy callado e Ignacio le quería mucho y además procuraba refrenar sus propios impulsos, por lo menos de obra. Matías Alvear contaba siempre lo que les ocurría al subir al castillo de Montjuich, montaña árida e impresionante, donde todavía asomaban huesos de cuando la guerra con los franceses.

Al parecer, Ignacio quería saltar entre las piedras y los huesos, respirar hondo, y golpearse el pecho de felicidad; César, no. Se detenía, y en cada piedra, brizna de hierba o reflejo mineral, veía lo de siempre: el milagro. «¡Bien, darlo por sabido y adelante, echar a correr!» No, al parecer César quería darle vueltas a ese milagro, y meditarlo. Con lo cual la tarde corría de prisa y había que regresar a casa sin que Ignacio hubiera podido ver la mitad ni la cuarta parte de las cosas que se había propuesto.

—¿Te parece lógico todo esto? —le decía Matías Alvear a Carmen Elgazu. Ésta contestaba:

—¿Qué mal hay en ello? Ignacio está encerrado todo el año. Necesita expansionarse.

Carmen Elgazu no dudaba en absoluto respecto de Ignacio. Sabía que al llegar septiembre el muchacho le diría: «Madre, hay que preparar las camisas, los calzoncillos, los calcetines. Y que las iniciales sean visibles...» Por ello, cuando los veía regresar les daba a uno y otro la merienda que se merecían y luego les decía, con la mayor naturalidad: «Sentaos, chicos, que hay carta de la abuela». Y en la manera de sentarse uno y otro para escuchar, Carmen Elgazu se convencía de que estaba en lo cierto. «Nada, nada —pensaba—. César parece más respetuoso porque es más tímido. Pero Ignacio oye todo sin pestañear.»

Y, no obstante, el tercer verano fue decisivo. Ignacio se contuvo más que nunca, disimuló, se mordía los labios y el alma, pero el balcón de la Rambla le atraía de una manera fatal. Y así como en las vacaciones anteriores contemplaba el ir y venir en abstracto, el de la vida discurriendo tranquila, los chicos que compraban mantecados, la gente que bailaba sardanas, al verano siguiente los ojos se le iban tras las parejas. Muchachos y muchachas mayores que él..., unos y otras con brillante cabellera. Riéndose, cuchicheándose cosas al oído, de repente cogiéndose de la mano o del brazo.

¡Cogerse de la mano! Ignacio no sabía lo que era. Sólo había llevado de la mano a Pilar, algunas veces en que ésta le acompañaba a misa, cuando Carmen Elgazu le decía a la muchacha: «¡A ver si eres más devota, Pilar, que parece que en la iglesia te pinchan!», y otra vez le tomó de la mano César, en ocasión de aparecer en el cielo el arco iris. Pero su hermana era su hermana, y lo de César le resultó desagradable; en cambio, ir de la mano con una chica de quince, de catorce, de dieciséis...

Aquel pensamiento se le clavó en la mente como los auriculares de la galena se clavaban en las orejas de su padre. Y por más que hizo no consiguió arrancarlo. A veces se contemplaba su palma derecha, impecable, casta, que no había rozado nada que no fuera sagrado. Y notaba en ella un ligerísimo temblor, en las diminutas estrías de la piel, en la raya del corazón, en la de la cabeza y, sobre todo, en la de la vida. Sufría mucho por ello y se daba cuenta de que, aun sin mirarlas, había visto las carteleras de los cines. ¡Santo Dios! «Madre, hay que preparar las camisas, los calzoncillos, los calcetines.» «Vicario de pueblo, para ayudar a las niñas bizcas y a la gente que viaja en tercera.» A veces se despertaba sobresaltado. Le parecía tener ante sí el Padre Superior señalándole con el índice: «¡Alvear! ¿Por qué has tirado otra vez la pelota de trapo al otro lado de la tapia?»

Ignacio volvió al Seminario arrastrando los pies. Una docena de personas rezaba por su vocación, entre ellas César. Y, sin embargo, en cuanto la puerta se cerró tras él, se dijo: «No hay nada que hacer». Ya no se trataba del hambre, del horario absurdo, de los corredores sombríos. Ponía objeciones tremebundas, desarrolladas con la edad.

24

¿Por qué los profesores no le hablaban nunca de la pobreza, de la miseria que sufría el mundo, de la que había en Gerona, por el barrio de Pedret y la calle de la Barca? ¿Por qué aquella religión puramente defensiva? Tenía catorce años. Iba para quince. ¿Cómo entendérselas luego, cuando saliera sacerdote, con las personas que pecaban en el mundo, con los amigos de su padre que bromeaban al ver pasar la procesión, con los chicos que escamoteaban el dinero en sus casas para comprarse helados, con las parejas cuyas manos temblaban al enlazarse...? A Ignacio le parecía que las trescientas cabezas que se educaban allí acabarían siendo trescientas cabezas trágicas. Trágicas... ¡Era preciso salir de allí! De lo contrario, entre las trescientas cabezas se contaría la suya.

Combatió hasta que las imágenes entrevistas en el verano se acumularon de tal suerte en su cerebro que le mancharon. No supo cómo ocurrió, no acertó a explicárselo. Navidad se acercaba; la cúpula de Correos resplandecía al sol invernal. Todo el día estudió y jugó como un jabato para agotarse. De pronto, al toque de silencio, después de rezar las oraciones en la capilla, todos los seminaristas subieron en fila a los dormitorios, haciendo resbalar las manos a contrapelo en la barandilla de la escalera.

En silencio entró cada cual en su pequeña morada, corrió las blancas cortinas, se desnudó. Al cabo de diez minutos todas las camas habían crujido, incluyendo la suya. Oyéronse los pasos del ayo, la luz se apagó.

Entonces Ignacio, sin saber cómo, descubrió su cuerpo. Quedó inmóvil y aterrorizado. Le pareció que acababa de verter su última probabilidad. Lloró quedamente y hubiera jurado que oía el llanto de Carmen Elgazu. Y no obstante, una extraña dulzura invadía su cuerpo... ¡Qué misterio, Señor! Escuchó el silencio del dormitorio. Y al no oír una sola respiración fatigosa, una sola convulsión, entendió que todos los demás seminaristas dormían un sueño santo y se sintió culpable único.

Le aterró la pérdida de la gracia, la pérdida de la blancura de su mano. Bajo las sábanas, él y Dios. Le aterrorizaba la confesión del día siguiente, la noche sería interminable.

Al toque de la campana fue a los lavabos. Un seminarista le tiró, bromeando, agua en la cara. Él frotaba, frotaba sin cesar.

Luego, en la capilla, se arrodilló en el confesonario. El confesor era el padre Anselmo, hombre sin tacha.

—Padre, he pecado.

El confesor le escuchó. Luego le hizo preguntas. «No sé, padre, no sé...» El padre Anselmo le habló de la pérdida de la vocación, le preguntó si los muros del Seminario se le antojaban tristes. «Pues... un poco sí, padre...»

¡Natural! El pecado entristece los ojos del alma. Le habló de las pasiones, citó las palabras «estercolero» e «infierno». Le dijo: «Si no te dominas, estás perdido».

Ignacio asentía con la cabeza, presa de un sufrimiento inexplicable. Porque en lo íntimo de su ser pensaba que lo que él necesitaba eran armas para defenderse, y, sobre todo, consuelo. Sufría ya que, por esfuerzos que hiciera, no conseguía justificar la palabra estercolero, ni la palabra infierno le causó el horror esperado.

Por lo demás, ¿cómo era posible que estuviera perdido? Salió del confesonario hipando.

* * *

A las pocas semanas se proclamó la República. Matías Alvear se alegró lo indecible. Al parecer, se alegró Gerona entera. Una llama tricolor iluminaba las casas a derecha y a izquierda del río. En Telégrafos, un compañero de trabajo le dijo al padre del seminarista: «¡A ver si tu hijo, en vez de dar hostias, las recibe antes de tiempo!» Matías se quitó el lápiz de la oreja, sin contestarle como se merecía, porque pensó que es ley que en todo movimiento haya exaltados.

Carmen Elgazu también se alegró. Ella no entendía de política, pero uno de sus hermanos, que había sido *croupier* en el casino de San Sebastián, le escribió que aquélla era la gran ocasión que tenían los vascos para hacer prevalecer sus derechos.

Ignacio, al recibir la noticia, se conmovió. Las caras de los profesores reflejaban una miedosa expectación. La palabra república, oída desde el interior del Seminario, sonaba a algo nuevo, reformador. Ignacio suponía que de un momento a otro llegaría un delegado de la autoridad y diría: «¡A ver, los seminaristas pobres, un paso al frente!» Y que por lo menos los alimentarían con abundancia durante un mes y que luego instalarían calefacción, celdas individuales, pantallas.

Un chico le dijo:

—Sí, sí. Todo eso lo harán en las escuelas laicas, pero en el Seminario...

Y, sin embargo, a Ignacio la noticia le había alegrado sin saber por qué, acaso porque le constaba que su padre consideraría aquello un gran adelanto, lo mismo que toda la familia.

Y así era. En realidad, sólo una persona en el piso de la Rambla, lamentó la venida del nuevo régimen: Pilar.

Para su mentalidad infantil las palabras rey y reina eran mágicas.

Significaban fiestas, carrozas, coronas; por el contrario, las palabras «presidente de la República» dejaban su imaginación totalmente hueca. Cuando se lo dijo a su padre, éste sonrió:

—No seas tonta. Cuando seas mayor comprenderás que lo bueno que tiene es precisamente eso, que el presidente de la República sea un hombre como los demás.

Pero Pilar se retorcía las trenzas inquieta.

CAPÍTULO III

Al mes exacto de la proclamación de la República, en mayo de 1931, estando Matías Alvear de servicio en la oficina, el aparato telegráfico a su cargo comunicó que en Madrid ardían iglesias y conventos, entre ellos el de los Padres jesuitas en la calle de la Flor. Inmediatamente pensó que su hermano Santiago habría figurado entre los asaltantes. Y en efecto, no erró.

A los pocos días el propio Santiago se jactaba de ello en una carta, en la que decía que ya era hora de acabar con tanto cuento. Luego añadía que su hijo José —que por entonces debía de rozar los veinte años— se había portado como un hombre.

La preocupación de Matías Alvear fue escamotear periódicos y cartas para que Carmen Elgazu no se enterara de aquello, y lo consiguió. En cambio, en el Seminario se filtró la noticia. Faltaba un mes para terminar el curso. Ignacio, pasado el primer estupor, reaccionó como su padre: «Unos cuantos exaltados, unos cuantos exaltados...»

César se enteró porque en los Hermanos de la Doctrina Cristiana no se hablaba de otra cosa. ¡Iglesias quemadas! El chico quedó hipnotizado. También pensó: «Quién sabe si mi primo de Madrid... Y mi tío...» Pero tampoco había visto la carta. Le pareció un deber desagraviar de algún modo a Dios. Al salir del Colegio tomó automáticamente la dirección de la Catedral. Y allá permaneció, solo y diminuto bajo la bóveda inmensa, hasta que el sacristán salió de un muro haciendo tintinear sus gruesas llaves.

El aspecto de la ciudad había cambiado. Carmen Elgazu regresó de la compra diciendo: «No sé qué les pasa. No pueden soportar que no hable en catalán». En todas partes se formaban corros, sobre todo en las esquinas y los puentes.

Matías Alvear había notado el cambio en la barbería donde acostumbraba a servirse. «¡Vamos a dar *pal* pelo a más de cuatro!», decían sin precisar. En el Neutral la radio tocaba todo el santo día *La Marsellesa* y el *Himno de Riego*. En los balcones de los partidos políticos que durante la Monarquía llevaban vida lánguida, el rótulo había sido barnizado de nuevo, y siempre se veían, bajo el asta de la bandera, dos o tres hombres fumando.

Aquel mes pasó de prisa e Ignacio se presentó a los exámenes finales. Su decisión estaba tomada, por lo que contestó a los profesores sin nerviosismo alguno. Ello le valió las mejores notas, que nunca había tenido. «¡Con lo contenta que estaría mi madre si esto fuera de veras!», pensaba. No había comunicado a nadie, ni siquiera al padre Anselmo, su proyecto. Siguió las costumbres del Seminario como si tal cosa. Escuchó los consejos para las vacaciones, subió a los dormitorios, preparó la maleta, se despidió afectuosamente de sus condiscípulos. Luego se fue a los lavabos y robó, como recuerdo, una bombilla.

Cruzó el umbral. ¡Gerona! Respiró. Bajó las escalinatas de Santo Domingo. Vio en los balcones las banderas y los hombres fumando. Subió al piso de su casa. Su madre había salido a la función de las Cuarenta Horas y el muchacho se alegró de ello. Prefería hablar primero con su padre a solas. Cuanto antes mejor. Ardía en deseos de hacer los proyectos de su nueva vida, orientarla en algún sentido concreto; pero temía la reacción de su madre. El disgusto que se llevaría sería tan grande, que la idea le anonadaba. Su padre era la única persona en el mundo que podía mitigar las cosas.

Había imaginado mil preámbulos. En el momento de la verdad dijo, simplemente:

—Padre, no quiero volver al Seminario.

Todo fue más fácil de lo que cabía esperar. Matías, que estaba pescando en el balcón, izó lentamente la caña. Luego dio media vuelta y miró a su hijo.

—No te preocupes. Ya lo esperaba.

Ignacio sintió un gran consuelo en su corazón. Quería dar un beso a su padre. Éste entró con lentitud en el comedor y dejó la caña en su rincón de siempre.

—Tu madre se llevará un gran disgusto.

—Ya lo sé.

Matías entró en la cocina a lavarse las manos.

—Vamos a ver si la consolamos.

La cosa se reveló difícil. Carmen Elgazu reaccionó más dramáticamente aún de lo que se había supuesto. Se lo comunicaron después de cenar, cuando Pilar ya se había acostado. Levantó los brazos y estalló en un extraño sollozo. Miró fijamente a Ignacio y estrujó el delantal.

«Pero... ¿Por qué, por qué?» Ignacio optó por retirarse a su cuarto y Matías no sabía qué hacer. Fue preciso pasar la noche prácticamente en vela y al día siguiente llamar a mosén Alberto para que tratara de hacerla comprender. A Carmen Elgazu le parecía que, de pronto, se había convertido en una mujer estéril.

Ignacio pasó unos días en un estado de angustia increíble.

—Madre, ¿qué puedo hacer? No iba a seguir sin vocación, ¿verdad?

—Ya lo sé, hijo, ya lo sé. Pero me había hecho tantas ilusiones...

Pilar miraba a su hermano con el rabillo del ojo. Ella casi se alegraba. Nunca había imaginado a Ignacio sacerdote y cuando llevaba medias se mofaba de él. Ahora les había dicho a sus amigas del Colegio:

—¿Sabéis? ¡Mi hermano no será cura!

Matías Alvear pasaba unos días que no se los deseaba a nadie, ni siquiera a don Agustín Santillana, contertulio antiliberal. Resoplaba buscando soluciones. ¡Era preciso consolar a su mujer! Su esperanza era César, pero éste no se decidía a hablar.

¡Diablo de chico! Todo el día dirigía miradas furtivas, cuando no se encerraba en su habitación como si escondiese un gran secreto.

Una noche Matías, harto de esperar, le llamó y le tiró de la oreja.

—Vamos a ver, pequeño —le dijo—. O yo no soy tu padre, o estás queriendo y no queriendo. ¿Verdad o no?

César se pasó la mano por el mechón de la frente. Miró a su padre con cara entre miedosa y esperanzada.

—¿Qué quieres decir...?

—Pues..., muy sencillo. ¿Quieres cantar misa tú, o no...?

César esbozó una sonrisa, que al pronto su padre no comprendió. Las facciones todavía indefinidas del chico le traicionaban. Finalmente, éste contestó:

—Habla con mosén Alberto.

¡Acabáramos! Matías Alvear se fue al Museo Diocesano, cuyo conservador era mosén Alberto. El sacerdote, impecablemente afeitado, le dijo que aquella visita le alegraba. En efecto, llevaba muchos días estudiando a César...

—Es un chico extraño. Es un alma sensible. El problema es delicado... Tanto más cuanto que creo que no está muy bien de salud.

Matías Alvear se impacientó.

—No es fuerte como Ignacio, desde luego. Pero... ¿tiene vocación o no la tiene?

Mosén Alberto tomó arranque para contestar:

—Señor Alvear, yo creo que su hijo tiene vocación de santo.

Matías soltó una imprecación. Que César era un santo, ¿quién mejor que su padre para saberlo? También era una santa Carmen Elgazu, y otro santo Ignacio, y todos. Todos eran santos.

—De acuerdo, de acuerdo. Pero yo lo que querría saber es eso: si tiene vocación para cura o no.

El reverendo, por fin, sentenció:

—Si en septiembre no le lleva usted al Seminario el chico se muere.

¡Por los clavos de Cristo! Matías se desabrochó el botón del cuello. Tomó asiento. Habló largamente con el sacerdote, aun cuando consideraba a este hombre algo tortuoso. Y se enteró de muchas cosas. Supo que, en realidad, mosén Alberto no había tenido nunca confianza en Ignacio. El sacerdote hablaba del muchacho en tono reticente, como si le inspirara graves temores.

—¿Quiere que le diga una cosa? —cortó Matías.

—Diga.

—Si fuera usted hombre casado, ya querría tener un hijo como Ignacio.

La conversación se dio por terminada. Y el resto, fue coser y cantar. Matías regresó a casa alegre como unas pascuas. Llamó a Ignacio y le comunicó:

—Me parece que tu madre va a llevarse una sorpresa.

Esperó unos días aún. Esperó a que César en persona le dijera: «Padre, de lo que me preguntó, sí», para llamar a su mujer, liar lentamente un cigarrillo y comunicarle la noticia.

—Ahí tienes. Ahí tienes el sustituto. —Y hallándose con las manos ocupadas, con el mentón señaló a César.

Carmen Elgazu comprendió en seguida, pues llevaba días notando algo raro; miradas como diciendo: «Sí, sí, sufre. Para lo que te va a durar».

Miró a César y el muchacho asintió con la cabeza.

—Madre, quiero ser el sustituto de Ignacio.

¡Hijo! Ya no cabía duda. Carmen Elgazu recibió la noticia en pleno pecho. De pie bajo el calendario de corcho, exclamó: «Me vais a matar a emociones». No sabía qué hacer. Le parecía que sus entrañas volvían a ser fecundas. De repente le asaltó una duda.

—¿Lo has consultado ya con mosén Alberto?

César se disponía a contestar, pero Matías se le anticipó:

—¡Sí, mujer, sí! Él mismo va a elegir el otro perchero.

* * *

Era preciso esperar hasta septiembre. César preparándose para el Seminario. Ignacio para emprender su nueva vida. Ignacio miraba a su hermano con agradecimiento, pues su madre volvía a ser dichosa.

En cuanto a él, era libre. ¡Libre! Lástima no poder disponer de la habitación entera. Tendría que continuar compartiéndola con César hasta septiembre.

Pero su vida cobraba ahora tal novedad que los pequeños obstáculos no contaban. El instante más solemne de su victoria lo vivió en la barbería, cuando al tomar asiento ante el espejo pidió una revista y ordenó, en tono grave: «Sólo patillas y cuello».

Matías Alvear entendía que personalmente había ganado con el cambio. Esperaba mucho de Ignacio, seglar. Tampoco creyó que la Iglesia española hubiera perdido nada: César valdría por dos. De Vasconia se recibió una carta quilométrica, llena de advertencias para el desertor y de parabienes para César. En Madrid, en cambio, parecieron tomarse todos aquellos manejos un poco a chacota.

Muy pronto, Ignacio empezó a experimentar una curiosa sensación. De repente, sus cuatro cursos del Seminario le parecían una pesadilla vivida por otro ser; otras veces se presentaban a su memoria con relieve angustioso. En realidad era demasiado sensible para enterrar con tanta facilidad un mundo que fue el suyo. Otros muchos ex seminaristas lo hacían y pregonaban su prisa por vengarse de Dios. Ignacio, en realidad, no sabía. Por el momento sentía una infinita curiosidad.

Porque le ocurría que en los cuatro años había crecido: ya un ligero bozo apuntaba, negro, y se daba cuenta de que su formación intelectual, con ser incompleta, pues en el Seminario había muchas asignaturas importantes que no figuraban en el programa, era muy superior a sus conocimientos «de la vida». En realidad, Ignacio había estudiado unas materias básicas, que le daban cierto sedimento clásico. Se daba cuenta de ello al escuchar a Pilar y enterarse de las tonterías que explicaban las monjas. Y se daba cuenta incluso escuchando a su padre y a sus contertulios del Neutral. De modo que por este lado no había mucho que lamentar. Ahora bien, «de la vida...», nada. Enfrentado con la calle, con la sociedad, sabiendo que podía mirar a la gente cara a cara, leer los periódicos, fisgar las fachadas sin sensación de culpabilidad, se daba cuenta de que no entendía una palabra. De ahí sus ganas de saber. ¿Cómo era el mundo? ¿Por qué unos hombres tenían coche y otros no? ¿Por qué las parejas? ¿Era bueno o malo que el presidente de la República fuera un hombre como los demás?

Se daba cuenta de que no conocía ni su propia habitación. Hasta entonces siempre la había ocupado como algo provisional; ahora sabía que podía arreglarla a su modo, por lo menos la parte de ella que le correspondía, y dos estanterías de armario que Carmen Elgazu le destinó. ¡Pronto pondría allí libros suyos!

Luego, tampoco conocía absolutamente nada de la ciudad. A veces creía que conocía mejor Málaga, como si los ojos de un niño captaran mejor que los ojos de un seminarista. La ciudad... Aquello le atraía de manera irresistible. Conocer Gerona. A veces pensaba: «Debería buscarme un amigo». Pero no. Mejor solo. Salir de madrugada, o hacia el atardecer, y recorrer calles y mirar. Placer de mirar. Analizándolo bien, casi no conocía sino la parte antigua, la del Seminario y edificios nobles, pero de todo el barrio moderno, el ensanche, y los campos que venían luego, nada. Y tampoco de la parte del Oñar, remontándolo, hacia el cementerio, y menos aún del barrio de los pobres, del misterioso barrio que empezaba a los pies del campanario de San Félix y se extendía luego, en casas que parecían de barro.

Allí le llevaba su corazón, hacia la calle de la Barca, Pedret. Aquella aglomeración de edificios húmedos, de balcones con ropa blanca y negra puesta a secar, con gitanos, seres amontonados, mujeres de mala nota.

Empezó por el barrio moderno. No le satisfizo en absoluto. Le decía a su padre: «Pero esto ¿qué es?» Matías le contestaba: «Cubista. ¿Te parece poco?» A Ignacio se le antojaba que la alegría era allí artificial, aunque las tiendas estaban llenas de cosas dignas de ser compradas, no se podía negar.

Luego remontó el río y llegó hasta un pequeño montículo que llamaban Montilivi —monte del Olivo—. Desde la cima descubrió un panorama menos grandioso que el que se divisaba desde Montjuich o el Calvario, pero entrañable. Un pequeño valle, la Crehueta, verde, cuadriculado, por cuyo centro pasaba el tren chillando y despertando la vida. Luego empezaba el bosque, los árboles trepando hasta la ermita de los Ángeles, lugar de peregrinación.

¡Cuántas cosas se veían, cuántos árboles, trenes, personas! ¡Qué dilatado horizonte! Siguiendo la carretera, llegaría al mar. Todo era un poco suyo. Grabó su nombre en una piedra.

Se tendía boca arriba para mirar. Pero luego volvía a mirar el valle porque le parecía más a su medida. «¿Por qué la gente de Gerona no subía a Montilivi a respirar?»

Sin darse cuenta retardaba el momento de irse al barrio pobre. Le atraía, pero le inspiraba temor. Le parecía que descubriría allí algo importantísimo, que tal vez fuera definitivo para él. Cuando su padre decía: «Chico, no sé cómo vamos a hacer para llegar a fin de mes», su expresión era sombría, y, sin embargo, en su casa había un mínimo asegurado; en cambio, bajo el puente del ferrocarril...

Un día tomó la decisión. Y entró en la calle de la Barca. Y la impresión que recibió fue profunda. No le impresionaron ni la basura ni el color de las fachadas ni los perros famélicos: le impresionaron los ojos. Éste fue su gran descubrimiento: que en el fondo de una mirada humana pudiera concentrarse todo el rencor, toda la tristeza y todos los colores sombríos de su mundo circundante.

Aquello no era cubista ni el horizonte era dilatado. Era una calle estrecha y otra y otra de empedrado desigual. Con tabernas llenas de peones ferroviarios, de traperos, de vagabundos. Con escaleras oscuras, con mujeres sentadas en la acera comiendo tomates y sandías y bebiendo en porrón.

Ignacio se exaltó lo indecible. Atardecía. «¡Eh, cuidado, chaval!» Y echaban un cubo de agua.

Se paraba en las esquinas. Afectando indiferencia, estudiaba los rostros. Hombres de boina torcida, hembras de moño loco. Los viejos tenían cierto aire de paralíticos, y eran como espejos del futuro. Los niños jugaban... ¡con pelotas de trapo!

Los nombres de los bares y tabernas eran significativos. Bar «El Cocodrilo», taberna del Gordo, del Tinto. Ningún parangón con los nombres de la parte céntrica: café Neutral, La Alianza, La Concordia. Para no hablar del Casino de los señores...

Vio que se armaba un altercado. Hizo como si se abrochara los zapatos para oír el diálogo.

—Tú lo que eres, un hijo de p...

—Y tú, ídem.

—Me dan ganas de preguntarte si eres hombre.

—Pregúntaselo al obispo.

—Eso tú, que te tuteas con él.

—Anda y que te emplumen.

Ignacio se irguió y echó a andar. Aquel léxico le reveló la ira de los corazones. Corazones como los de la gente que mondaba naranjas en el tren. Ignacio sabía que muchos de aquellos hombres habían llegado de provincias misérrimas, casi todas del Sur, y de Albacete, de Murcia, en busca del pan cotidiano. Ahora vivían allí, poniendo a secar ropa blanca y negra y comiendo sardinas en la acera. Ignacio fue a la calle de la Barca y pasó bajo el puente del ferrocarril muchas tardes. Y poco a poco le parecía que iba conociendo nuevos detalles de aquella humanidad. Le pareció que muchos de ellos, a pesar de su miseria y de la exaltación que les producían los periódicos, no podían sustraerse a una innata y racial alegría. Con frecuencia bastaba que apareciera un organillo para que se formara un corro y sonasen las palmas. Nunca faltaba el profesional de la ira, el más letrado, más

33

hablador o más chulo, que permanecía recostado en un farol, con bufanda de seda, fulminando con la mirada a los que se reían.

Las mujeres eran más vulgares que los hombres, porque utilizaban menos que éstos los ojos para increparse, armar jolgorios u odiar. En seguida chillaban. Gritos, gritos y arañazos y moño loco. Tal vez porque las faenas más tristes y puercas les tocaban más de cerca. Los hombres tenían, algunos de ellos, una misteriosa serenidad. Como si meditaran algo muy hondo, muy hondo. Entre eructos y blasfemias intercalaban refranes muy ajustados e imágenes sorprendentemente poéticas. Las mujeres de mala nota utilizaban los ojos para atraer clientes.

Ignacio regresaba a su casa con vértigo, víctima de sentimientos opuestos. Con frecuencia quería engañarse a sí mismo y adoptaba aires de venir de quién sabe de dónde y de estar estudiando los más delicados problemas sociales. En estos casos se sentaba a la mesa con cara reflexiva, silencioso, o mirando afuera distraídamente. Matías Alvear, que conocía sus correrías, le espiaba divertido y Pilar le señalaba a la atención de César por medio de codazos.

Las reacciones de César eran muy distintas. Desde que su ingreso en el Seminario había quedado decidido, había renunciado voluntariamente a la libertad de mirar y recorrer calles. César tenía trece años y en los Hermanos de la Doctrina Cristiana había recibido una excelente educación. Nunca le interesaron ni las matemáticas, ni jugar al fútbol, ni estudiar francés. A pesar de sus esfuerzos, estaba lejos de ser el primero de la clase. Sin embargo, el Hermano Director había dicho a Matías: «Es el chico más educado del colegio».

Matías suponía que a los eclesiásticos les bastaba que alguien fuera piadoso para considerarle educado. No obstante, tal vez en el caso de César fuera cierto. Ahora, desde que su lucha interior, iniciada el mismo día en que Ignacio había entrado en el Seminario, había cedido, no hacía otra cosa que medir sus gestos, que pensar en su vocación. Comprendía que sus antiguos deseos de entrar en un templo y permanecer en él, que su alegría inexpresable al ver que el campanero de la Catedral era izado triunfalmente por las cuerdas al tocar a gloria, no fueron sino un preludio. Así, pues, el milagro era ya suyo y se detendría en él toda la vida. Por de pronto, no iba más que al Museo Diocesano o a la iglesia, y regresaba a leer o a hablar con su madre. De vez en cuando hacía una visita al Hermano Director, a sus profesores o al Hermano Alfredo, sacristán, que siempre le daba regaliz, que él traspasaba luego a Pilar.

Sólo se olvidaba de sí mismo y de su vocación para pensar en los demás, especialmente en Ignacio. Porque le parecía que éste, con quererle mucho, sentía cierto resquemor hacia él. No siempre, claro está. Lo que ocurría era que el humor de Ignacio era muy variable. Debía de sentirse aún un poco desplazado.

También le parecía que su padre tenía a Ignacio en mayor estima. Entonces pensó: «Yo debo de ser terriblemente antipático». Se preguntaba si sería por las orejas. Sus enormes orejas y sus grandes pies, que le daban al andar un aire un tanto desmazalado. Ello le planteó varios problemas. Su deseo hubiera sido pelarse al rape en seguida, pues le hubiera parecido que, en cierto modo, «recibía las primeras órdenes». Pero comprendía que, con la cabeza al rape, sus orejas aumentarían aún de tamaño. El segundo problema era que su padre le intimidaba. ¿Cómo hablar con él de lo que sentía, de las cosas que le ocurrían?

Por ejemplo, no sabía si confesarle o no que todos los días hacía una visita al cementerio. Temía que su padre considerara aquello enfermizo, pero tampoco quería engañarle. Así que se lo dijo. Matías Alvear se quitó los auriculares de la radio y miró a su hijo como se mira a un loco. «Pero...», y no acertó a continuar. Luego se pasó la mano por la cabeza y gritó: «¡Carmen!» Carmen Elgazu acudió y sonriendo se puso de parte de César. Entonces el padre perdió los estribos y, dirigiéndose al rincón del comedor, cogió la caña de pescar.

El cementerio, que había descubierto Ignacio a los pies de Montilivi, en un recodo de la carretera que venía de la costa, ocupaba la vertiente sur de la montaña de las Pedreras, prolongación de la de Montjuich. A César le gustaba porque en aquella montaña estaban las canteras de piedra con la que se habían construido la Catedral, los puentes y todos los monumentos de la población, así como las tumbas y los panteones del cementerio.

Lo cierto es que César entraba en el recinto de los muertos pisando levemente. Su padre hubiera errado creyéndole morboso; era la suya una actitud familiar hacia la muerte; simplemente se sentía rodeado de hermanos. Contemplaba las cruces del suelo sin que le parecieran puñales. De las fotografías de los nichos le impresionaban especialmente los hombres que aparecían con uniforme de la guerra de África, y un niño que había en un rincón con marinera blanca, sosteniendo un pato de celuloide. César iba allá para rezar, y así lo hacía. Al entrar, el cementerio parecía enorme. Visto desde las Pedreras era un rectángulo diminuto, que daba ideas de la raquitiquez de los esqueletos por más que intenten agruparse.

Aquél era el problema. Matías Alvear juzgaba que Ignacio picaba más alto; a su entender, César se entretenía en minucias. Carmen

Elgazu lo veía de otro modo: «Déjale, déjale, él obedece a mosén Alberto y bien está que lo haga».

Un detalle había que resolver: lo del Seminario. Cuando Ignacio comprendió que la intención de sus padres era llevar a César a la Sagrada Familia, ocupando su puesto, reaccionó en forma que los dejó perplejos a todos.

—¿César allí...? Se moriría.

Carmen Elgazu le interrogó con abrumadora severidad. Entonces Ignacio, que siempre les había ocultado lo que ocurría en el interior del edificio, les explicó. Habló del régimen alimenticio, de la humedad, del frío. «Yo he aprendido a declinar tiritando.»

—¿Tan mal estabas?

—La verdad... César no lo soportaría.

Matías se mordió los labios. Algo había barruntado la primera vez que visitó a Ignacio. Ahora comprendía que éste tenía razón. César no era fuerte. Nada concreto, pero no era fuerte. Varias veces le habían sorprendido apoyándose con la mano en la pared. El médico les había dicho: «Sobre todo, cuidado con la humedad». Por eso en el piso le habían destinado la habitación que daba a la Rambla, no la que daba al río.

César había escuchado a Ignacio estupefacto. «¡Hambre, frío!» ¿Era posible sentir hambre y frío en el Seminario?

Carmen Elgazu dijo:

—Todo esto es una locura. Hay que consultar con mosén Alberto.

Mosén Alberto, por una vez, dio la razón a Ignacio.

—Sí, la Sagrada Familia es algo duro.

Carmen Elgazu, exclamó:

—¿Qué hacer, pues?

Mosén Alberto reflexionó un instante.

—Podría ir al Collell.

¡El Collell! Ignacio puso una objeción.

—En el Collell hay que pagar.

Mosén Alberto dijo:

—Sí, pero está entre montañas, se puede decir que son los Pirineos.

Matías dijo que pagar una pensión crecida le era imposible. Ignacio añadió:

—¡Pues no es poco! Es un internado de ricos. Casi todos estudian comercio.

Mosén Alberto le dejó hablar. Luego intervino:

—Si he hablado del Collell, por algo será —dijo—. El Collell es un internado de ricos, de acuerdo. Pero... hay quince plazas gratis destinadas a seminaristas. Claro, que los seminaristas son los que se encargan de los trabajos cotidianos: de barrer, cortar el pan, hacer las camas, etcétera...

Matías Alvear cortó:

—Para hablar en plata, los criados.

Mosén Alberto levantó los hombros.

—¡Bueno! Es un poco teórico. Yo no los iba a engañar. El trabajo es escaso —hay muchas monjas— y están bien tratados. Los profesores son muy competentes; nutrición, la que quieran. ¡Y el aire! En fin, les aconsejo que vayan a ver.

A Carmen Elgazu la palabra criado la había levantado en vilo. Pero tenía confianza ciega en mosén Alberto.

—Matías, no perdemos nada. Vamos a ver.

* * *

El viaje de Matías, Carmen Elgazu y César a Nuestra Señora del Collell fue un acontecimiento. Tomaron el autobús de línea, destartalado. La comarca era espléndida y pronto todo aquello adquirió un tono de inefable intimidad. A cada curva de la carretera esperaban mujeres con cestos, un hombre con el correo, o simplemente la novia de un soldado con un paquete.

El conductor frenaba el carromato, se apeaba y no sólo los atendía a todos, sino que se sentaba un rato en la cuneta a platicar con uno y otro, liando un cigarrillo.

Matías, que se había tomado todo el día de vacaciones, no tenía prisa. Por ello gozaba de lo lindo, especialmente al oír en el techo del vehículo el baileteo de los que se habían instalado arriba y que armaban un jaleo de mil demonios. Cualquier incidente bastaba para que todos los viajeros estallaran en una risotada. Un neumático que hubiera reventado, y la gente habría alcanzado el límite de la felicidad. A Matías todo aquello le recordó ciertos aspectos del espíritu madrileño.

En Bañolas hubo trasbordo. Otro autobús, éste de color azul. A la salida del pueblo apareció el lago, de indescriptible serenidad matinal. A César se le antojaba que entraban en un paraíso.

Luego empezaba la cuesta. El paisaje iba adquiriendo gravedad, entre colinas de un verde profundo y bosquecillos de salvaje aspecto. El Collell surgió inesperadamente, sobre un promontorio, con esa fuerza telúrica de los monasterios erigidos lejos de la civilización.

El Colegio estaba casi deshabitado; el curso tardaría todavía tres semanas en empezar. Todo les gustó. La naturaleza circundante, la dignidad del edificio, la campechanía del Director, el aspecto diligente de las monjas de la enfermería. El trato quedó cerrado, y fueron advertidos de que a los seminaristas allí se los llamaba «fámulos».

César hubiera querido quedarse. Le encantó su celda, en el último piso, con un reclinatorio que parecía hecho a su medida. El Director pareció acogerle con simpatía. Le dio un golpecito en la espalda y dijo:

—Aquí no es como en la Sagrada Familia, muchacho. ¿Ves allá abajo? —señaló un terreno llano, a unos quinientos metros—. Ahora contruiremos otra pista de tenis.

Regresaron a Gerona, contentos. Sobre todo, César y Carmen Elgazu. Ésta, mecida por el traqueteo del autobús, por un momento imaginó a su hijo con sotana y una raqueta en la mano, luego rechazó el pensamiento por frívolo y se entretuvo recordando lo amable que había estado el Director con ellos. También pensaba: «A lo mejor Ignacio perdió la vocación por eso, porque no se nos ocurrió traerlo aquí».

Sólo una sombra se cernía sobre los resultados del viaje. Matías no quería hablar de ello con su mujer, porque veía que ésta no mencionaba nunca el tema: el Gobierno de la República había anunciado una serie de proyectos que implicaban el laicismo en la enseñanza, la secularización de los cementerios y la separación de la Iglesia y el Estado. Azaña había dicho: «España ha dejado de ser católica». Matías se preciaba de conocer a sus compatriotas y suponía que el porvenir de los seminaristas, aunque los llamaran «fámulos», no se presentaba demasiado brillante.

* * *

Los gobernantes de la República parecían decididos a complicarle la vida a César, pero a mejorarla, en cambio, a millones de españoles.

Por de pronto, orden draconiana para el cultivo de tierras improductivas: ello proporcionaría trabajo a setenta mil obreros en paro, especialmente en Andalucía. Luego reglamentación del Trabajo, que buena falta hacía. Seguro de vejez, reducción del cuadro de oficiales del ejército, que descendería de veinticinco mil a nueve mil, y la creación de siete mil escuelas en el territorio nacional.

—Blanca doble.

—¡Paso!

Un camarero se acercó a la mesa:

—¿No podrían ustedes hablar en catalán?

Matías se quedó perplejo. Aquel asunto se estaba convirtiendo en un verdadero problema, que a él y a muchos como él les impedía saborear a gusto las órdenes draconianas. Con la proclamación de la República catalana los ánimos se habían exaltado hasta tal punto que ser manchego, andaluz o castellano iba suponiendo en Gerona, incluso para jugar al dominó en el Neutral, un auténtico problema.

El hombre no comprendía aquella situación. Le parecía grotesco que la gente se arrodillara al oír tocar la Santa Espina. ¡Y lo más grave era que su propia mujer acababa de recibir de Bilbao una boina de tamaño cinco veces superior al diámetro de su cráneo! ¡Ella, que nunca había leído el periódico, ahora esperaba los del Norte con impaciencia y nunca llegaba al final de la página sin soltar un «¡ené!», que le ponía a uno carne de gallina!

Y el problema no era sólo catalán y vasco. Navarra elaboraba también su estatuto. Galicia seguía el ejemplo, Aragón, Valencia, Extremadura, Baleares y Canarias. ¡Incluso Cádiz se disponía a pedir estatuto de ciudad libre!

—Dentro de un mes —dijo Matías—, un telegrama dirigido desde el centro de Madrid a la Moncloa o Chamberí pagará tarifa de «Extranjero».

Toda la peña se echó a reír. Julio García, el policía, también madrileño, se pasó la boquilla de un extremo a otro de los labios. El empleado de Hacienda, don Agustín Santillana, se quitó las gafas, las limpió y volvió a ponérselas. El tercer jugador era un desconocido, que hablaba con acento aragonés.

Julio García era amigo de la infancia de Matías Alvear, aunque un poco más joven. Era hombre con cara de pequeño crimen pasional, pero que con aquel gesto de la boquilla inspiraba súbitamente cierto respeto. Moreno, frente ligeramente abombada, daba la impresión de tener gran confianza en sí mismo. Había entrado en la policía al regresar del servicio militar y se decía que en la Dirección General de Seguridad había obtenido éxitos espectaculares. Habitualmente hablaba en tono un tanto irónico, y, en ocasiones, de repente se callaba, evidentemente dispuesto a no añadir una palabra más.

Carmen Elgazu le tenía por hipócrita, pero Matías se ponía siempre de su parte, alegando que la vida a veces obliga a defenderse.

A César nunca le hizo el menor caso; en cambio demostraba un gran interés por Ignacio. Se alegró enormemente de que el muchacho dejara la carrera sacerdotal. Julio había recibido una educación religiosa parecida a la de Matías Alvear, con la diferencia de que se casó con una mujer muy distinta de Carmen Elgazu. Vivían en un piso espléndido, cerca de la Plaza del Ayuntamiento. Don Agustín San-

tillana no comprendía cómo podía sostener aquel tren y Carmen Elgazu veía en ello algo misterioso; Matías estaba convencido de que
Julio había heredado algún dinero, y que no tener hijos permite muchas cosas.

Lo cierto era que el policía resolvía siempre las situaciones con
sutil precisión psicológica. El problema de la hostilidad catalana no
le afectaba, por madrileño que fuera. Su actitud había sido radical:
dárselas de más catalanista que los propios catalanes. En la Rambla
bailaba sardanas hasta quedar exhausto y pronunciaba el nombre de
Maciá en tono de visible emoción.

Fue con Julio García con quien consultó Matías Alvear el último
problema que quedaba pendiente: el porvenir de Ignacio.

—Hay dos cosas —dijo Matías—. El muchacho quiere estudiar una
carrera; por lo tanto, tiene que empezar el Bachillerato. Ahora bien
—añadió—, yo necesito que trabaje. Hay que buscarle un empleo y
que estudie en una academia nocturna.

Julio contestó:

—Casi toda la gente que ha llegado a ser algo lo ha hecho así.

Matías continuó:

—Yo conozco aquí poca gente. Tendrás que echarme una mano.
Me refiero a lo del empleo.

Julio se ladeó el sombrero y se echó para atrás en la silla.

—Nada fácil.

—¿Por qué?

—Nada fácil no siendo catalán.

Matías replicó:

—Ignacio lo habla perfectamente.

Julio dijo:

—Lo habla, pero no perfectamente. Y, además, no lo escribe.

Matías hizo un signo meditativo con la cabeza.

—¿Por lo tanto...?

—Por lo tanto... no habrá otro remedio que emplearle en un Banco.

Matías le tendió el librillo de papel de fumar.

—¿Te parece... que hay probabilidad?

—Lo intentaré.

Un Banco. Un Banco no estaba mal: Matías entendía que era un
centro de experiencia.

—Tiene un inconveniente —explicó Julio—. Se cobra poco. Sobre
todo, al empezar. Pero... ya sabes que se cobra poco en todas partes.

Matías respondió:

—La cuestión es que nos ayude en algo.

Permanecieron un rato callados, fumando.

—Y... ¿por qué crees que hay una probabilidad?

—Pues... porque conozco a varios directores.

Julio añadió:

—Especialmente uno, el del Banco Arús.

—¿Banco Arús, Banco Arús...?

—Sí. Esa Banca de la calle Ciudadanos. Poco espectacular..., pero sólida.

Matías asintió con la cabeza.

—Bien, bien. Lo dejo en tus manos.

Luego el policía le preguntó por el bachillerato.

—¿No crees que los cuatro cursos del Seminario podrían valerle?

Matías contestó:

—Pues claro. Mosén Alberto ha ido al Instituto. Le examinarán el día quince, de tres cursos a la vez.

Julio preguntó:

—¿Quién es mosén Alberto?

—El conservador del Museo. Del Museo Diocesano, se entiende. Un cura importante.

Julio sonrió.

La entrevista había sido positiva. Matías sólo tenía una duda: no sabía cómo sería acogido en casa lo del Banco. Carmen Elgazu más bien había pensado en un empleo particular, en el despacho de un notario, de un corredor de fincas...

Tuvo suerte. La noticia fue bien recibida. Su mujer exclamó: «¡Un Banco! Buena cosa. Segura, por lo menos». Luego añadió, sonriendo y recordando varias quiebras célebres en Bilbao: «Si los directores no son unos granujas, naturalmente». Por su parte, Pilar palmoteó. «¡Olé, olé, un Banco!» Le pareció que Ignacio iba a ser rico, que pronto iban a ser ricos todos.

Matías decía:

—No os hagáis ilusiones. Julio ha dicho que lo intentará.

Ignacio lo daba por hecho, y también se alegraba de ello. Lo daba por hecho porque tenía en Julio tanta confianza como Carmen Elgazu en mosén Alberto; y se alegraba porque... podría ayudar a sus padres. ¡Pues no era poco regresar a fin de mes con un sobre y decir: «Tomad. Esto lo gané yo»! O simplemente: «Tomad». Por lo menos podría pagarse los estudios, los libros y la academia nocturna. Por lo demás, un Banco le parecía una especie de laboratorio secreto de la Economía, donde se provocaba por medios científicos la felicidad o la bancarrota de muchas familias.

La confianza que Ignacio le tenía a Julio provenía de un hecho simple: del respeto que le inspiraba la profesión de policía. Suponía que los policías con sus ficheros y olfato debían de estar enterados de terribles secretos individuales; para no hablar de los misterios de la ciudad y aun de la nación. Estaba seguro de que el director del Banco Arús no podría negarle nada a Julio, so pena de verse apabullado por un sinnúmero de acusaciones oficiales, que le llevarían a la cárcel.

Por otra parte, Julio, personalmente, le causaba enorme impresión. Ignacio correspondía al afecto que el policía le profesaba. Especialmente desde que colgó los hábitos charlaba mucho con él, cuando Julio subía al piso a hacerles una visita y le decía a Carmen Elgazu: «Doña Carmen, ¿un cafetito de aquellos que usted sabe...?» Incluso un par de veces fue el chico a casa de Julio invitado, a oír discos y a ver la biblioteca. Julio le ofreció, recorriendo los lomos como si fueran las teclas de un piano: «Lo que te interese de aquí, ya lo sabes».

Ignacio veía en el policía alguien muy a propósito para satisfacer su curiosidad. Julio era muy culto, mucho más desde luego que su padre. Con una experiencia de la vida más... compleja y mundana. Siempre empleaba la palabra «Europa» y hablaba sobre muchas cosas con la misma autoridad con que en el Seminario el catedrático de Historia hablaba de los cartagineses. Muchas veces le decía: «Eso de que la parte moderna de Gerona no te gusta... cuidado, ¿sabes? Naturalmente hay arquitectos malos, y por otra parte aquí copiamos de Alemania y demás. Pero no olvides esto: "arquitectura funcional". Es curioso que un hombre que haya aprendido a declinar, tiritando, en un edificio "de los antiguos" se horrorice porque vea grandes ventanales, aceras limpias y calefacción. Al fin y al cabo, te marchaste del Seminario asqueado, ¿no es eso? —Le ponía un disco de flamenco—. Ya verás, ya verás que la República te irá enseñando muchas cosas».

Eso era lo que Ignacio había pensado: «que la República traería calefacción». Claro que él no lo había enlazado con el resto. Lo evidente era eso: que Julio sabía muchas cosas. Por ejemplo, de política sabía más que su padre, a pesar de que Matías Alvear se leyera de cabo a rabo *La Vanguardia*, artículos de fondo y sesiones del Parlamento, sonriera como un bendito al leer: «Risas en la sala» y se moviera inquieto en la silla al leer: «Tumulto en los escaños». Julio sabía no sólo lo que ocurría sino por qué. Por algo era policía, y además hombre culto. El día que Ignacio quisiera saber con exactitud qué diferencias existían entre radicales, socialistas, radicalessocialistas, etc., no tendría más que acudir a Julio. Claro que de eso su padre también debía de saber lo suyo.

En todo caso, no le sorprendió en absoluto que, apenas transcurridas cuarenta y ocho horas de la conversación en el Neutral, Julio subiera y, después de pedir el cafetito a Carmen Elgazu, les comunicara que el director del Banco Arús estaría encantado de conocer al muchacho.

—¿De veras? —preguntó Matías.

—En realidad, podrá empezar el primero de octubre. Cualquier día le hacéis la visita de cortesía. En fin, que vea la cara que tiene.

Fue desde luego una gran alegría para todos y Carmen Elgazu se preguntó una vez más: «¿Cómo se las arregla ese hombre para tener tanta influencia?» A decir verdad, Julio le daba un poco de miedo. No comprendía por qué se le había despertado aquel interés por Ignacio, dada la diferencia de edad. «En cuanto Ignacio se traiga algún libro suyo —se dijo—, llamo a mosén Alberto. Estoy segura de que será materia prohibida.»

Ignacio, por el contrario, se entregó sin reservas. La seguridad del empleo, la seguridad de poderse pagar las matrículas del bachillerato, la bruma en que iba quedando envuelto el Seminario y la paz de su familia hicieron de él un hombre virtualmente feliz. ¡Los tres cursos de bachillerato los aprobaría en mayo, sin dificultad! Tenía todo el invierno por delante.

Los días que faltaban para llegar al primero de octubre los empleó en eso, en ser feliz. En ser feliz, en hacer rabiar a Pilar porque mojaba las plumillas con la lengua antes de estrenarlas, en ir a la calle de la Barca y en leer. Todavía no había osado pedirle libros a Julio, pero la Biblioteca Municipal, situada en la misma Rambla, estaba abierta y llena de estudiantes con un sentido del humor que, pensando en los ayos del Seminario, le oxigenaban el pecho. También seguía allí con el dedo los títulos de los libros imitando el ademán del policía. Era incapaz de leer nada completo. Husmeaba aquí y allá. Los rusos, el Quijote, Dante. También consultaba en el Diccionario Espasa palabras que le inquietaban; aunque muchas veces los tomos necesarios habían sido requisados antes de su llegada y veía cuatro cabezas de estudiantes concentradas sobre una página.

De repente, en medio de un párrafo cualquiera, encontraba una frase que le penetraba como una bala. Así le ocurrió con un libro de Unamuno. Refiriéndose a las personas sin ímpetu ni curiosidad leyó: «caracoles humanos». ¡Caracoles humanos! Era cierto. El Seminario estaba lleno de caracoles humanos. Debía de estar lleno de ellos el mundo. Los Julio García y los Matías Alvear no abundaban como sería menester. ¿Cuántos caracoles humanos habría en Gerona? ¿Cuántos en el Banco Arús?...

En la cima de Montilivi, sintiendo el azote del viento, se decía luego que por el hecho de ser caracoles los hombres no eran despreciables ni mucho menos. Tal vez tuvieran que ser doblemente amados por eso. Recordaba unas palabras de Carmen Elgazu: «No digas tonterías, hijo. Todos somos hijos de Dios».

De todos modos, su felicidad era tan grande que no podía compartirla con nadie, excepción hecha de su padre. Cuando se cansaba de estar solo, le buscaba donde fuera: en el balcón, en el Neutral y aun en Telégrafos. Varias veces se había presentado en Telégrafos, con cualquier protexto, y al ver a Matías Alvear con bata gris, el paquete de la merienda sobre la mesa, captando misteriosos mensajes, sentado ante una máquina incomprensible, experimentaba una auténtica emoción. Porque pensaba que con aquel aparato su padre ganaba el sustento de todos, los había educado a él, a César y a Pilar. «Ta-ta-ta», «ta-ta-ta». Había algo muy noble en el acto de intercambiar esfuerzo y sustento. Por lo demás, Matías Alvear no perdía su ironía mientras vigilaba el aparato, por lo menos estando él allá, y se veía que los demás funcionarios le querían mucho. «Ya lo ves, hijo. Comunicando horarios de llegada, y si la cigüeña ha traído chico o chica.» Ignacio le preguntaba: «¿No podrías comunicar con el tío de Burgos y decirle que estoy aquí?» Matías se reía. «Hay que pasar por Barcelona, ¿comprendes? Y además... hoy no es Navidad.» Con gusto hubiera leído Ignacio todo el montón de telegramas de la mesa. «Léelos, léelos. De vez en cuando se aprende algo.» Ignacio los leía. «Es verdad —decía—. ¡Cuántas cosas pasan, cuántos problemas hay!»

* * *

Quedaba demostrado que el director de Nuestra Señora del Collell era un hombre irónico. Cuando, en presencia de Matías Alvear y Carmen Elgazu, le dijo a César que aquel año se iba a construir una pista de tenis, no se refirió a que César podría jugar al tenis, sino a que en aquel curso los «fámulos», además de sus trabajos habituales, tendrían éste suplementario: construir dicha pista.

La verdad era que mosén Alberto había pecado de optimista. o tal vez las cosas hubieran cambiado desde que él estuvo allá. Los «fámulos» trabajaban de lo lindo. El director estaba convencido de que la cifra de trece bastaba para servir holgadamente a ciento veinte estudiantes de pago. Este cálculo era erróneo si se tenía en cuenta que las monjas sólo cuidaban de la enfermería, la cocina y el lavado de ropa. Todo lo demás, cortar leña y cortar pan, poner la mesa y servirla, barrer el monstruoso edificio, reparar grifos, matar ratas y hasta quitar el polvo al esqueleto de la clase de Historia Natural, todo iba a cargo de esos trece, el más pequeño y enclenque de los cuales aquel año resultaba ser César Alvear.

El aire era realmente sano, y la comida abundante; pero apenas si les quedaba tiempo para estudiar. En cuanto a los catedráticos, siempre mostraban con los «fámulos» una prisa exagerada.

De los trece había diez que eran de la comarca, surgidos de los bosquecillos salvajes por los que el coche de línea cruzó. Ésos lo resistían todo con facilidad pasmosa y hubieran allanado no una pista de tenis, sino un campo de fútbol; para César y otros dos chiquillos de la ciudad, la cosa resultaba más seria.

Estos dos chiquillos fueron retirados por sus padres a primeros de noviembre, con gran escándalo por parte de las monjas. César, en cambio, se sentía dichoso y así se lo escribía a los suyos y a mosén Alberto.

En realidad, la jornada empezaba para él muy temprano: diana a las cinco y media, capilla a las seis. Desayuno y ayudar a misa hasta las nueve, mientras otros despachaban el comedor y encendían las estufas. A las nueve, primer piso. Cuarenta celdas a su cargo. Cuarenta camas que hacer, cuarenta veces la escoba. Y puesto que los estudiantes durante la noche quedaban incomunicados sin poder siquiera ir a los *waters*, César a la mañana siguiente tenía que llevar consigo, además de la escoba, un cubo de asa muy alta. Cubo que a lo largo del pasillo iba pesando cada vez más.

Lo cierto es que César llegó a conocer las cuarenta celdas mucho mejor que la suya propia. Y a través de ellas, a los cuarenta internos. Cada una llevaba un sello personal, sin razón aparente, pues estaba prohibido pegar nada en las paredes. Especialmente las camas revelaban mil tendencias. De algunos internos se hubiera dicho que no la rozaban; de otros que se peleaban con ella. Muchos vaciaban con cómica exactitud su silueta en el centro del colchón, a un lado, en diagonal. Uno muy joven, pelirrojo, retorcía siempre la almohada como un pingajo. Había noches extrañas, en que los sueños dejaban por doquier humanos documentos.

A las once, clase hasta mediodía. A las doce, almuerzo; a las doce y media, lectura en el gran comedor. Le habían elegido... porque su voz era dulce. Después de comer le situaban ante una enorme cuchilla con la que debía cortar doscientas cuarenta raciones de pan —merienda y cena—. Luego, clase, luego ayudar a las monjas, luego ponerse a las órdenes del director, o barrer la capilla, o reparar fusibles. Y así hasta las nueve de la noche.

Uno de los catedráticos dijo de César que era un pájaro; si la metáfora fue angélica, acertó; si se refería a facilidad para volar... Porque lo cierto era que a César le costaba horrores seguir aquel ritmo, a causa del corazón. Debía de tener un corazón muy grande, pues con frecuencia lo sentía latir aterradoramente.

Pero el chico estaba contento. No consideraba que servir fuera ninguna humillación. Llevaba consigo una estampa de San Francisco de Asís, que le proporcionaba gran consuelo, excepto cuando le obligaban a matar ratas. En estas ocasiones sufría horrores. Sus compañeros campesinos mostraban estar en su elemento, y las perseguían por entre las cajas y montones de leña pegándoles punterazos triunfales. César las buscaba y las evitaba a un tiempo, y no concebía que sus alpargatas se tiñeran de sangre. Los campesinos conocían su flaqueza, y le situaban cubriendo la puerta del almacén, y ellos desde el otro lado lanzaban contra él verdaderos ejércitos de animales despavoridos; entonces César mataba, por obediencia.

De San Francisco de Asís, inconscientemente, imitaba muchas cosas, pero sobre todo la cortesía. Era cortés con todo el mundo, empezando por los objetos. Ni que decir tiene que lo era especialmente con el latín. El latín, idioma de los papas. Estuvo mucho tiempo creyendo que Jesucristo hablaba en latín, y por ello daba a las declinaciones un sentido de acercamiento a la divinidad.

A veces se asustaba. Le parecía ser muy poca cosa y que nunca llegaría a un buen sacerdote. Tenía una idea muy vaga de lo que, desde el punto de vista humano, ser sacerdote pudiera significar. En realidad, no pensaba sino en que podría levantar la Sagrada Forma y perdonar muchos pecados. Perdonarlos y convertir. Su idea fija era convertir a mucha gente, empezando por su primo José, el de Madrid, y su tío Santiago.

Un hecho le estaba resultando incomprensible: que Ignacio, teniendo todo aquello a su alcance, hubiese preferido dejarse crecer el pelo y trabajar en un Banco. Banco significaba dinero y él no entendía qué cosas podían comprarse. Y se azoraba lo indecible cuando de tarde en tarde subían camiones con víveres, y oía a los chóferes hablar de que pronto se iba a utilizar aquel Colegio para la formación de una nueva generación de maestros.

César rezaba mucho, sobre todo muchas jaculatorias. No sabía por qué, pero se acordaba especialmente de su hermana Pilar. Había algo en Pilar que le daba miedo. Sobre todo desde un día en que la halló en el balcón riéndose como una boba porque abajo, en la acera, tres chiquillos habían encendido un pitillo con derecho a dos chupadas por barba.

Otra cosa le azoraba: quitar el polvo de las imágenes de la capilla. El problema era insoluble. Comprendía que la cabeza de San José merecía estar limpia y que dejar crecer telarañas entre las siete espadas de la Dolorosa era sacrílego; pero, por otra parte, no hallaba el medio a propósito para impedirlo. Sus compañeros utilizaban simple-

46

mente el plumero; a él le parecía un instrumento demasiado frívolo. Tampoco un trapo le satisfacía, pues a fuerza de frotar saltaba la purpurina, especialmente la de las coronas y túnicas. Pasó muchas semanas intranquilo, y generalmente se decidía por soplar. Prefería soplar, con cuidado, aun a riesgo de que el polvo regresara como un alud a sus ojos.

Con el esqueleto de la clase de Historia Natural le sucedió algo extraño. Fiel a su propósito de contrariar continuamente sus pequeños impulsos y deseos, había resistido siempre a la tentación de tirar del cordel que salía, por un agujero redondo, de la vitrina. Una mañana tuvo un momento de flaqueza y tiró de él: y entonces el esqueleto se puso a bailar. Su impresión fue tan grande que retrocedió. Porque aquello modificaba por completo su concepción de la muerte, asimilada en el cementerio, que se basaba en la inmovilidad, y aun la del cielo, que se basaba en la contemplación extática. Cuando se confesó de su falta al profesor de latín, éste le preguntó:

—¿Te asustaste mucho?

—Sí, padre.

—Pues en penitencia tirarás del cordel una vez por día, durante una semana.

César obedeció. César obedecía siempre, con lo cual su paisaje interior se iba enriqueciendo. Hablaba poco, pero de repente, como les ocurría a los hombres de la calle de la Barca, acertaba con imágenes extrañamente poéticas, que nadie recogía. Hacía pequeños sacrificios, como dar el mejor pan al interno que le tratara peor. Algunos de estos internos le tomaban por loco y le jugaban bromas pesadas. Siempre salía quien le defendía, y varios habían intentado ofrecerle un par de pesetas de propina, que él había rechazado con gesto entre enérgico y asombrado.

Un día rogó a sus superiores que los domingos por la tarde le permitieran recorrer, solo, durante un par de horas, los alrededores del Collell. Nadie halló inconveniente en satisfacer su deseo; César, entonces, en estas excursiones, alcanzó una compenetración muy directa con la naturaleza.

Porque el mundo en los alrededores del Collell era impresionante. Mucha tierra y muchos árboles y muchos pequeños abismos. Árboles duros, de figura gigantesca, presididos por robles y alcornoques. César palpaba los troncos y, al sentirse totalmente incapaz de trepar por ellos, se reía. Con los pies ponía buen cuidado en no hacer crujir con excesivo dolor la hojarasca. La hojarasca era un gran elemento otoñal y día por día iba tomando el color rojizo y arrugado de la tierra. Tierra apretada, residente allí desde miles de años. De trecho en trecho, un barranco, corte hecho por alguna cuchilla mucho mayor que la que él utilizaba para las raciones de pan. Arroyos venidos de Dios sabe dónde se compadecían de vez en cuando de los barrancos, y bajaban dulces o tumultuosos a arrancar de ellos profundas sonoridades. César se sentaba y oía, y algunas veces se quedaba dormido.

En el fondo, todo aquello era una revelación. El saber que era seminarista había revelado en él mil disposiciones latentes, igual que le ocurrió a Ignacio al saber que no lo era. Desde el punto de vista de cualquier estudiante comodón y bromista procedente de Barcelona, el chico cometía muchas excentricidades; pero este punto de vista era discutido por el profesor de latín, quien decía que ponerse cabeza abajo para ver el cielo puede ser un acto muy meritorio.

El pelado al rape le había dejado al descubierto una cabeza minúscula que, de serle permitido, a gusto hubiera cubierto con una boina, pues sentía frío. Para las faenas duras se ponía una bata amarilla que había encontrado en el almacén, y que por milagro llevaba siempre impecable, mientras los demás «fámulos» andaban siempre con manchas de cloro. Crecía mucho. Él no se daba cuenta, pero se estiraba. Por ello estaba delgado y sus ojos, heredados de Carmen Elgazu, le ocupaban la mitad de la cara, rodeados de un cutis muy fino. Ahora andaba de prisa, como dando grandes saltos. Varias de las monjas sentían una adoración por él.

En Gerona sólo se enteraban del aspecto positivo de su vida en el Collell. Acaso Matías Alvear hubiera olido entre líneas que el trabajo no era tan escaso como se les dijera. Pero Carmen Elgazu asistía alborozada a aquel despliegue de entusiasmo. Mosén Alberto decía: «César llegará al altar».

Le emocionaban mucho las cartas de la familia, en las que casi siempre firmaban todos. Y le parecía hermoso que su madre rayara previamente a lápiz el pedazo de papel que le correspondía, así como que su letra se pareciera grandemente a la de la abuela. Se preguntaba si podía guardar las cartas. Todo el mundo le decía que podía hacerlo; pero él acababa por quemarlas y esparcir las cenizas al viento.

* * *

La marcha de César y la llegada del invierno habían alterado el ritmo de la casa. Le echaban mucho de menos. El chico era un gran elemento de serenidad. Las semanas en que Matías Alvear hacía turno de noche en Telégrafos, había cierto desconcierto en la familia, pues tenía que dormir durante el día. De todos modos, el hombre no faltaba nunca a la mesa, presidiéndola.

Por su parte, Ignacio había empezado a trabajar. Había empezado el primero de octubre, tal como estaba previsto.

El Banco Arús era lo que dijo Julio: poco espectacular, pero sólido. Un oscuro vestíbulo para el público, frente a una hilera de ventanillas bajas. Al otro lado de las ventanillas, doce mesas de escritorio y doce sillones que crujían; ocupando estos sillones, doce «caracoles humanos».

Ignacio fue recibido con perfecta indiferencia, que le humilló. En realidad, pronto advirtió que le habían empleado en calidad de botones. El director le dio órdenes como si fuese una simple prolongación del botones anterior, que partió alegando que quería aprender un oficio. Los empleados le mandaban a buscar periódicos, sellos y bocadillos.

Únicamente el cajero, ya entrado en años, demostró acogerle con franca simpatía. Por lo menos le llamó y de un tirón y sonriendo abrió ante sus ojos la gran caja de caudales. Ante aquellas montañas de billetes en cierto modo muertos, Ignacio experimentó vértigo y oscuras tentaciones cruzaron su mente.

Había un empleado que, por lo altísimo y tartamudo, sugería la idea de la Torre de Babel. Había otro tan bajito que nunca se sabía si estaba sentado o de pie. La mayoría llevaban gafas, tenían la tez amarillenta y sumaban a velocidades increíbles. Continuamente se metían *clips* en la boca. Cambiaban muy a menudo de plumilla y también muy a menudo se levantaban para estirarse o ir al lavabo. Cuando el director se encerraba en su despacho, inmediatamente iniciaban una gran conversación en voz alta. Los temas preferidos parecían ser las nuevas bases de trabajo que estaba redactando el Sindicato —U.G.T.— y el gol que Alcántara metió en Burdeos.

El encargado de los cupones parecía el más rico de la comunidad. Parecía incluso más rico que el cajero. Con sus tijeras en la mano hacía pequeños montoncitos de cupones trimestrales, que luego ataba con una gomila y que contemplaba con una seguridad de rentista que anonadaba. Parecía decir: «Éstos son mis poderes».

El encargado de la correspondencia trabajaba aparte, en un cuarto-miniatura. Eran él, su lámpara y su máquina de escribir. A Ignacio le mandaron allá a pegar sellos y sobres, siguiendo un sistema en cadena muy ingenioso.

Todos estos empleados sentían por el director una viva repugnancia. No sólo porque representaba al Amo, sino porque, al parecer, adulaba a los clientes, mientras que con los inferiores era un déspota. El encargado de los cupones había advertido que la pipa que le pendía siempre de los labios humeaba en presencia de los empleados en tanto que se le apagaba automáticamente en cuanto se enfrentaba con un cuentacorrentista.

El subdirector era muy católico, muy sensato y muy calvo.

Ignacio hizo cuanto pudo para ganarse las simpatías de aquella sociedad, pero fue inútil. Se le imputaba un grave cargo: tener aire de señorito de Madrid. «¿Cómo cambiar mi aire? —pensaba Ignacio—. Imposible: el aire es uno mismo.»

Por añadidura, salía del Seminario. Era una rata de sacristía, un beato. Un día le preguntaron si era virgen: él contestó que sí. Su virginidad corrió de escritorio en escritorio. Todos los sillones crujieron, excepto el del subdirector. El encargado de la correspondencia, muerto de risa, pulsó sin darse cuenta el botón de las mayúsculas.

Él se indignó, y sin pensarlo mucho lanzó un discurso que le salió magistral, diciéndoles que era la primera vez que veía a unos seres humanos reírse de un hombre que lucha y vence. El argumento rebotó en la risa de los empleados; sin embargo, el de los cupones confesó que la postura de Ignacio tenía cierta dignidad.

Ignacio se dio cuenta en seguida de que era muy inexperto. Aquella gente proyectaba sobre muchas cosas un foco de luz muy violenta, que sacaba a flote su ángulo ridículo. En sus diálogos usaban mucho la frase: «¿Os acordáis de...?» Evidentemente, eran personas mayores que él, que tenían un pasado.

Los más parecían ateos. Hablaban de Dios con ironía de caracol resentido. Empleaban los más extraños argumentos: «¡Que venga y compruebe estas sumas con los ojos vendados!», decía uno cuando las cuentas no le salían. «¡Que convierta este tintero en un jamón!», provocaba el empleado bajito, que siempre tenía hambre.

El más consciente de los ateos tal vez fuera el de la correspondencia. Se llamaba Vila, aunque todo el mundo le llamaba por su nombre y apellido, Cosme Vila, no se sabía por qué. Era un hombre de unos treinta y cinco años, cuya cabeza, a la luz de la lámpara de mesa, cobraba un volumen extraordinario. Siempre miraba las paredes del Banco como si todo aquello fuera provisional para él. Cada frase suya tenía tres o cuatro sentidos. Con frecuencia se inhibía por completo de las preocupaciones de los demás y se ponía a leer folletos, que escondía bajo la máquina de escribir.

Hablando de religión, era de una dureza inconcebible, que a Ignacio le sentó mal desde el primer momento.

—A ver, a ver, cuéntame cosas del Seminario. ¿Qué os decían, por ejemplo, de la Virgen? Ya os dirían que tuvo varios hijos, ¿no?

Ignacio en varias ocasiones, le suplicó que le dejara tranquilo. Por último, al ver que el empleado insistía metiéndose incluso en detalles íntimos de su conciencia, le dijo:

—¿Verdad que yo no te pregunto si crees en el diablo o no? Como vuelvas a molestarme en mis cosas te partiré la máquina de escribir en la cabeza.

Éste era el doble juego del muchacho. Su brusca entrada en el mundo de los seres libres le había producido tal conmoción, que se abrían brechas a su felicidad. La sensibilidad le jugaba malas pasadas. De ahí que mientras en el Banco se dedicaba a defender con valentía y aun fanatismo sus convicciones, precisamente a causa de la hostilidad que encontraba, en su casa procedía a la inversa, sin darse a sí mismo explicación aceptable. En su casa no quería confesar que su contacto con aquella gente constituía de momento una especie de fracaso. Por el contrario quería dar a entender que estaba aprendiendo muchas cosas. Y cuando su madre le advertía que a todo cuanto oyera opusiera su fe, él contestaba que sí, que desde luego, pero que ahora veía claro que muchas cosas en el Seminario se las habían explicado de una manera somera, elemental.

Carmen Elgazu empezó a sospechar que los empleados del Banco Arús se echaban como cuervos sobre su hijo.

—A ver. ¿Quiénes son los que se entenderían conmigo de todos tus compañeros de trabajo?

Ignacio reflexionó un momento.

—¿Contigo...? Me parece que hay uno solo: el subdirector.

Matías les daba poca importancia a las opiniones religiosas flotantes en el Banco. Su teoría era muy simple: «Mucho chillar, pero acabarán como yo mismo: comulgando por Pascua Florida». Se interesaba preferentemente por la filiación política de los empleados. E Ignacio le informó de que todos, excepto el subdirector, pertenecían a partidos izquierdistas.

Matías lo estimó muy lógico, vistos los sueldos miserables que percibían y las condiciones en que trabajaban. No obstante, Ignacio señaló que lo que no comprendía era la gran diversidad de sus tendencias y además que todos criticaran tan ferozmente a los jefes de su Sindicato, jefes que ellos mismos habían elegido. Como fuere, él era también víctima de aquel atraso social: el primer año cobraría sesenta pesetas mensuales.

Los empleados le gastaban bromas respecto a las ideas políticas que debía de profesar la familia Alvear. A veces simulaban hablar entre sí, concluyendo que, habida cuenta de la inclinación sacerdotal de los hijos, la ficha de los padres era fácil de establecer: el padre, monárquico recalcitrante; la madre, presidenta del Ropero Parroquial y probablemente admiradora de Mussolini. Un día, Ignacio les contestó:

—¡Bah! Son mejores republicanos que vosotros. —Y el cajero, rodeado de pedestales de duros sevillanos, le hizo signo de asentimiento.

Al cajero le complacía que Ignacio demostrara carácter. Sin embargo, era difícil luchar contra quince. Julio García le dijo: «Sólo los vencerás actuando. No tengas prisa. Tendrás ocasión de demostrarles quién eres».

Pero al muchacho le roía un gran malestar. Esperaba la ocasión con delirio. No se atrevía a soltar ningún ex abrupto por miedo a perder el empleo; al fin y al cabo, era el último de la fila y no le quedaba más remedio que aguantar, no tratándose de asuntos del trabajo.

Una cosa le consolaba: siendo mucho más joven que todos ellos, había estudiado mucho más, excepción hecha, tal vez, de la Torre de Babel y de Cosme Vila. Tenían experiencia, eso era todo, y eran muy directos y muy mordaces, dominando bien el léxico agresivo de la región; pero su horizonte mental era tan limitado como su porvenir.

Así que su mejor sistema de venganza era el estudio. Ninguno de ellos era bachiller; él, en cambio, preparaba sus cursos con voluntad indomable. Después de mucho deliberar, Matías había decidido que a la salida del Banco Arús fuera a una academia nocturna. Se eligió la Academia Cervantes, uno de cuyos profesores era amigo de don Agustín Santillana. Ignacio se inscribió, y allí se debatía con las matemáticas, la física y la química, rodeado de alumnos que sólo hablaban de bujías de radio y de que acababan de recibir los últimos números de las mejores revistas técnicas americanas.

Un pequeño éxito lo obtuvo con motivo del problema de las horas extraordinarias. En los últimos cuatro o cinco días de cada mes, se les obligaba a trabajar hasta las nueve de la noche so pretexto de balances y otras amenidades. Todo el mundo protestaba... en voz baja. A Ignacio le perjudicaba aquello, pues no podía ir a la academia. En consecuencia, de resultas de un diálogo con el cajero, se sentó a la máquina y redactó una demanda en regla, modelo en su clase y, sobre todo, muy valiente. Y entonces resultó que, excepto Cosme Vila, nadie se atrevió a firmar.

Fue un descubrimiento clave para Ignacio. Se quedó con la protesta temblándole entre los dedos, y luego dedicó a la oficina en pleno una mirada mitad de asombro, mitad de reto. Cosme Vila le dijo: «Pues ¿qué te creías? Son una pandilla de cobardes». De regreso a su casa pensó que el de la correspondencia tenía razón.

Su padre le aconsejó que tuviera más calma, advirtiéndole que es muy difícil no ser cobarde cuando uno se encuentra sin protección.

«¿Y el Sindicato? —objetó Ignacio—. ¿Y la República?» Matías le dijo que de momento los Sindicatos, sobre todo en provincias, tenían muy poca fuerza. Los dirigentes eran unos cuantos hombres de buena fe, pero sin preparación política, y demasiado pobres para que no les temblara la voz. Los empresarios eran mucho más poderosos y la República no había tenido tiempo material de equilibrar la situación.

Ignacio no lo veía claro. Le parecía que era un simple problema de decisión. No le cabía en la cabeza que el director, con su pipa, pudiera vencer a quince hombres de cuerpo entero que se presentaran en su despacho. De nada le servía a Matías explicarle que el director tampoco era nada, que era un simple director de Sucursal y que aquellos asuntos —y ésta era la gran trampa— se ventilaban en los grandes centros económicos. «¡Pues ir allá!», exclamaba Ignacio. Carmen Elgazu le contemplaba entre orgullosa y asustada.

Discusión aparte, su acto de redactar la protesta le ganó entre los empleados una buena dosis de consideración, que ninguno de ellos acertaba a disimular. Sin embargo, ocurrió lo que nunca hubiera podido prever: a las veinticuatro horas el director le llamó y le dijo que era muy jovencito para dedicarse a organizar motines y que a la próxima se encontraría de patitas en la calle, aunque fuera un día de tempestad.

Ignacio comprendió dos cosas: primera, que en el Banco había un soplón; segunda, que era lógico que el que tuviera hijos reflexionara antes de firmar.

A la salida le contó todo a la Torre de Babel, muchacho que vivía en las afueras y con el que iba haciendo buenas migas. La Torre de Babel llamó a los demás y todos parecieron indignados. El grupo no se disolvió y llegaron hasta la Rambla, donde la conversación fue subiendo de tono hasta alcanzar una violencia inusitada, después de haber acordado que el soplón no podía ser otro que el subdirector. El problema ya no era el de la protesta, sino que se generalizó hacia la situación de toda España.

—¡Aquí lo que convendría sería un poco de trilita!

—¡Tonterías! Cortando cabezas no se va a ninguna parte.

—¿Ah, no...? ¿Y la Revolución francesa?

—¡Toma! ¿Es que vas a comparar?

—¿Por qué no?

Otra voz cortaba:

—Hay otra solución.

—¿Cuál?

—¡Entregar el país a Norteamérica! ¡En diez años transformaban a España!

53

—¿Transformar...? ¿En qué?

—Trenes, carreteras...

—¡Sí! Pero a pico y pala tú, y yo, y tu padre...

—Eso ya lo veríamos.

—Ya lo hemos visto con los ingleses, en Riotinto.

—Pues ¿qué creías? Aquí el que no corre, vuela.

—Nada, nada. Lo que dije. Trilita. Y al que se muera que le parta un rayo.

Ignacio quedó perplejo. Otra vez la ira de los corazones. Pero aquí entre gente de clase media, que se veía obligada a llevar corbata. Cosme Vila, al comienzo de la conversación, había asentido con la cabeza. Y no hizo otra cosa hasta el final. Llevaba un libro bajo el brazo e Ignacio se esforzó en leer el título, pero no lo consiguió. Cuando el grupo se dispersó, Cosme Vila, como si la familia no le esperara para comer, se sentó en uno de los bancos de la Rambla y se puso a leer.

Ignacio subió a su casa. Le contó a su padre lo ocurrido. Matías comentó:

—A mí me revienta esa gente que habla de trilita. Estoy viendo que esos empleados son una pandilla de cretinos.

Ignacio no contestó, pero se dijo que todo aquello no era tan sencillo. En los primeros días tal vez hubiera dado la razón a su padre, sin más. Ahora no podía, a pesar de aquella conversación.

A Ignacio le parecía que acaso él mismo se hubiera precipitado considerando mediocres a sus compañeros de trabajo. Iba pensando que tal vez lo fueran en colectividad, en el Banco, embrutecidos por la rutina; pero vistos a solas, en su vida personal e intransferible, cada uno debía de tener su carácter y probablemente alguna gran ilusión. Por ejemplo, entre los solteros, casi todos tenían novia. Y con sólo verlos al lado de la novia uno quedaba desconcertado. Parecían otros seres. Educados, con una dignidad formal y a la vez alegre; excepto uno de la sección de Impagados, que llevaba trece años, arrastrando monótonamente a la misma mujer sin decidirse a llevarla al altar. Y muchos tenían conocimientos extraprofesionales, como tocar el violín, o jugar muy bien a las cartas, o cultivar tabaco. Un hecho le había llamado grandemente la atención: por Navidad, y algún que otro domingo corriente, Ignacio sorprendió a varios de ellos en misa, muy compuestos. Él los miró sonriendo; entonces ellos le pusieron la novia por delante, como demostrando que no se trataba de claudicación, sino de mera cortesía.

Esta necesidad que a veces sentían de justificarse ante él indicaba otra cosa: que no tomaban al muchacho del todo en broma. Algunos de los empleados no admitían esta situación y, con más amor propio que expresa voluntad de escándalo, parecían decididos a humillarle y, sobre todo, a resquebrajar las defensas de su espíritu. La experiencia les aconsejó atacar por un flanco inesperado: el chiste subido. Iniciaron conversaciones escalofriantes sobre mujeres, en tono francamente escandaloso. El oído de Ignacio, al principio, las rechazó; pero, sin darse cuenta, el tono le fue penetrando, hasta el punto que muchas imágenes que a su entrada en el Banco hubiera repelido de su mente con decisión, pronto las admitió como si fueran habituales, sin contar con los detalles de tipo técnico que brincaban alegremente por los escritorios. Esto constituía un evidente peligro, del que su madre se dio cuenta en seguida, pues algunos de aquellos chistes de repente brotaron en la mesa del comedor, ante la sonrisa de Matías Alvear, quien pensó para sus adentros: «Tienen hule esas historietas. En Telégrafos caerán bien».

Mosén Alberto estaba alarmado con Ignacio. Esperaba que el día menos pensado se levantaría de la mesa, tenedor en alto, afirmando que Dios no existe. Por otra parte, el sacerdote conocía al personal del Banco, pues en tiempos tuvo en él una pequeña cuenta corriente, y los consideraba nefastos, especialmente al Director.

A veces Ignacio se cansaba de aquellos escarceos psicológicos, en el centro de los cuales el recuerdo de César actuaba siempre de censor. Y entonces le entraba de nuevo aquella especie de alegría luminosa que se contagiaba. En el Banco había conseguido arrancar grandes carcajadas, carcajadas nuevas de aquella comunidad, contándoles anécdotas del Seminario, de la academia nocturna y detalles soberbios de la juventud de su padre. Estas estaciones de alegría y su intensidad de vida y trabajo le impulsaron a buscarse también un saber extra, que resultó ser el billar. De pronto se aficionó al billar de una manera loca. Comía de prisa para poder estar en el café Cataluña, donde había dos tapetes viejos, antes de que otros le tomaran la delantera, y los domingos por la mañana los pasaba prácticamente con un taco en la mano. Encontró un compañero ideal para el juego, un muchacho de su edad, que no podía ni estudiar ni trabajar porque estaba enfermo, Oriol de apellido.

Por otra parte, el juego era muy adecuado para aquellos meses de invierno, que invitaban a permanecer en locales cerrados. Era un invierno crudo, sobre todo enero y febrero. Un invierno que tenía dos maneras precisas de manifestarse: la lluvia, monótona, que transformaba a Gerona en pantano de humedad, con los muros y la bóveda de todas las arcadas chorreando y el río color rojizo a causa de la arena que arrastraba, y luego de repente la tramontana, viento glacial que, viniendo de Francia, cruzaba los Pirineos y la llanura del Ampurdán como un caballo desbocado, inclinando pajares, postes y árboles, y entraba en Gerona levantando en vilo la ciudad. Cuando la tramontana llegaba, ocurrían extraños sucesos: la gente se disponía a doblar una esquina y no podía, o se encontraba con que una persiana le caía en la cabeza. Las barracas en el mercado se desplazaban solas con sorprendente facilidad. Flamantes sombreros, rozando las barandillas de los puentes, se caían al río, y a veces eran pescados entre gran jolgorio por algún atento Matías Alvear; pero, sobre todo, el cielo alcanzaba su apoteosis de azul. La tramontana era un viento seco, limpio, que se llevaba las nubes por el horizonte. El cielo aparecía claro, sereno, lejanísimo y contra él se recortaban las murallas de la ciudad, las Pedreras y Montjuich y, más cerca, los altos campanarios de la Catedral y San Félix. Todo ello desembocaba en una nitidez nocturna difícil de imaginar. En las noches de tramontana aparecían millones de estrellas rodeando una luna grande, tan hermosa que asustaba. Estrellas como los reflejos que surgían de los tejados. Gerona se convertía en una ciudad sonámbula, comprendiéndose que los antepasados eligieran la piedra sólida. Eran noches frías en que Pilar se ocultaba bajo las mantas, porque le parecía que de un momento a otro se iba a encontrar en medio del río.

CAPÍTULO IV

Entretanto, Pilar iba creciendo. Trece años. Todavía llevaba trenzas, que encuadraban con mucha gracia sus pómulos alegres y sonrosados. De la familia era la que mejor hablaba catalán. Matías, a quien en Telégrafos habían obligado a estudiar la gramática de aquel idioma nuevo para él, decía siempre: «La pequeña es la que me toma la lección. Y más de una vez me saca de apuros».

Pilar contaba de las monjas del Corazón de María cosas que a Cosme Vila le hubieran puesto la carne de gallina. A las alumnas internas les prohibían totalmente pintarse los labios y depilarse las cejas. «Hay que respetar lo que Dios ha hecho.» Les censuraban la correspondencia y si una de ellas pasaba ocho días seguidos sin comulgar, la Superiora la llamaba y con discreción le preguntaba «si había incurrido en falta grave».

Sin embargo, el clima era más que alegre, pues algunas de las monjas eran, de corazón, unas chiquillas. Pilar quería especialmente, entre las amigas, a Nuri, María y Asunción, que vivían también en la Rambla y que la llamaban todos los días a la misma hora pegando un aldabonazo escalofriante en la puerta de abajo; entre las monjas prefería a la Madre Caridad. Esta monja era sorda y se paseaba por el convento con una trompetilla en la oreja. Por la trompetilla y porque tocaba el armonio, una de las internas empezó a llamarla Sor Beethoven. Este apodo tuvo poco éxito entre las pequeñas. Pero, a medida que crecían comprendían el significado y entonces la llamaban también Sor Beethoven. Dejar de llamarle Madre Caridad a la monja sorda era un poco el diploma de mayoría de edad.

En cuanto Matías Alvear se enteró de que su hija había conseguido este diploma, advirtió a Carmen Elgazu: «Prepara a la chica, que de un momento a otro va a ser mujer y no quiero que se lleve un susto». Carmen Elgazu le contestó: «Tú no te metas en cosas de mujeres. Tiene mejor vista que tú».

* * *

Matías era un hombre liberal, equilibrado, que huía de los fanáticos en la medida de lo posible. Por ello, antes de elegir el café al que iría todos los días, tarde y noche, y la barbería en la que haría tertulia tres veces a la semana, lo pensó mucho. No era cosa de pasarse media vida rodeado de cerebros unilaterales, cuya fuerza motriz fuera el odio al adversario.

Por eso, en cuanto al café, eligió, después de múltiples tanteos, el Neutral. Porque, salvo excepciones, los habituales del establecimiento hacían honor a su nombre. Pesaban el pro y el contra, y cuando alguien se encabritaba le rociaban con humor de buena ley. Los grandes espejos del Neutral multiplicaban a diario corros sonrientes, puros enormes y palmadas en la espalda. La atmósfera era de benignidad y al poner a secar el alma del prójimo contaba lo humano de las gentes, no su filiación.

Por idénticas razones eligió Matías la barbería «Raimundo», porque Raimundo el barbero sentenciaba siempre: «Aquí lo mismo afeitamos a Alfonso XIII que a Largo Caballero». Era una barbería en que sólo era mal visto quien hablara en contra de los toros. Las paredes estaban empapeladas con carteles de toros, cuyos cuernos apuntaban al techo o a los ojos de los clientes. Raimundo, el patrono, dirigía, navaja en ristre, las conversaciones. Su bigote se le sostenía increíblemente horizontal, y aquella línea era el símbolo del sosiego que reinaba en el establecimiento.

Matías se sentía bien allí, hojeando revistas y escuchando, o metiendo baza si se terciaba, si se le pedían, por ejemplo, datos de Madrid. Raimundo no dejaba nunca de advertirle si veía pasar por la calle a Pilar, cuando salía de las monjas, o a Ignacio. El barbero captaba sin olvido todo el rumor del barrio. Los clientes tenían la seguridad de que serían avisados si algo ocurría que les afectara de algún modo.

El Neutral, la barbería de Raimundo y, por supuesto, Telégrafos eran los tres observatorios ideales para vivir al día, las tres mejores antenas de Matías. Una hora en el café, otra en la barbería y luego el trabajo bastaban para tomarle el pulso a la ciudad y al mundo.

Gracias a tales observaciones, Matías creía entender que en la ciudad se operaban grandes cambios, que penetraban en ella elementos nuevos, de momento en estado embrionario, pero que acaso un día sentaran plaza. Siempre hablaba de ello con Julio y con don Agustín de Santillana. Minúsculos detalles que demostraban que unas cosas iban muriendo y que, por el contrario, otras nacían a la vida con fuerza biológica.

Según Julio —¡Raimundo estaba inconsolable!—, moría la afición a los toros. Tal vez fuera cierto. Por de pronto se decía que los ingleses consideraban el espectáculo cruel e inhumano. Por su parte, don Agustín Santillana asistía estupefacto a la irrupción del *jazz*. El *jazz* surgía en todas partes, llevándose por delante las polcas y similares, y amenazando incluso al vals. Matías no se imaginaba a sí mismo siguiendo aquellos nuevos ritmos con Carmen Elgazu pegada a su cintura. Moría —en ello todos estaban de acuerdo— el silencio en las orillas del Ter, que todas las tardes quedaban abarrotadas de atletas. El deporte, sobre todo el boxeo, el atletismo y la natación, tomando como base la gimnasia. Se decía que dos antiguos almacenes habían sido habilitados para gimnasios obreros y en los escaparates de las librerías había profusión de manuales de cultura física, todos de autores extranjeros. Todo ello era notorio y cada cual lo interpretaba a su manera. Se había fundado un orfeón —moría el canto individual— y un enjambre de bicicletas había penetrado en la ciudad. Orfeón y Peña Ciclista, dos flamantes instituciones, cuyos reglamentos Julio había visto aprobar en Comisaría. Ya el paseo dominguero por la Dehesa, con la esposa del brazo, iba haciéndosele difícil a Matías y a muchos matrimonios como el que éste y Carmen Elgazu formaban. Difícil sentarse en un banco, mirando las ramas de los árboles, o a los jugadores de bochas, que delimitaban el campo con un cordel, no sin que por detrás se les acercaran hombres con visera y les gritaran: «¡Eh, eh, cuidado, apártense! ¡Que llegan los corredores!»

Ignacio, muy ocupado con el trabajo y los estudios, apenas advertía estos cambios, y al oír hablar de ellos les concedía poca importancia. Julio, que consideraba superficial la actitud del muchacho, procuraba abrirle los ojos. Las visitas de Ignacio al piso del policía eran periódicas, y Julio las aprovechaba para iniciarle en lo que él llamaba la sociología.

—Cometerías un grave error suponiendo que se fundan orfeones porque sí, como podrían fundarse clubs de coleccionistas de cosas raras. Son movimientos que tienen su ley.

Julio entendía que aquellos desplazamientos obedecían a una rebelión instintiva de la masa, rebelión que el nuevo clima político facilitaba. Según él, el deporte era una declaración de voluntad de poder que lanzaba la gente modesta —«fíjate en que la mayor parte de los que van al Ter son trabajadores»—; el *jazz* era el punto de evasión, los cuerpos buscando posturas menos rígidas que las adoptadas en las ceremonias religiosas; la bicicleta era la primera negativa rotunda que daba el pueblo a continuar marchando a pie. Y todo llegaba a través del cine y del prestigio de Norteamérica.

Ignacio acabó por pensar que el policía tenía razón. En el Banco, la Torre de Babel se especializaba en triple salto para impresionar al director, y en vísperas de competición le pedía permiso para salir más temprano. El empleado bajito, Padrosa de apellido, estudiaba el trombón porque decía que el clavicémbalo había pasado de moda. El de Cupones alardeaba de que con su bicicleta siempre dejaba atrás a los coches en el casco urbano.

Todo ello se lo contaba a Julio y éste lo gozaba. Gozaba sintiéndose comprendido por Ignacio. Julio había pedido permiso a Matías para retener a Ignacio incluso dos noches a la semana, y Matías había accedido a ello. El resultado de este contacto era visible: a Ignacio le ocurría lo que a la ciudad: unas cosas morían en él, otras germinaban en su pecho.

Moría definitivamente la posibilidad de juzgar de prisa y a rajatabla. Nunca tuvo esa tendencia, pues presentía que el corazón y las circunstancias son complejos: ahora el sentido crítico del policía le llevaba a pesar y medir, lo cual, dada su edad, no le resultaba cómodo ni añadiría a su cuerpo un gramo de grasa. Ignacio cruzaba las calles, miraba las banderas y leía los anuncios de los periódicos con la convicción de que unas y otros escondían mundos. Porque Julio le decía que todo es síntoma, que nada existe pequeño ni gratuito. ¡Los anuncios de los periódicos! Especialmente los económicos constituían, según el policía —compraventa, peticiones de empleo— una excelente piedra de toque para comprender la sociedad en que se vivía. «Observa que muchas chicas de pueblo se ofrecen para servir en Gerona. Es la desbandada, el triunfo de la curiosidad.» «Observa que los libreros de lance quieren comprar, comprar. Especulan sobre la evolución del pensamiento. Saben que materias ahora corrientes serán muy pronto joyas arqueológicas.»

Nacían en Ignacio dudas y sentimientos, y su piel se llenaba de granos. Julio, de pronto, daba un bajón y le hablaba de cualquier cosa, creando un clima de sencillez y naturalidad. Con frecuencia, para conseguir esto, utilizaba los discos. Una sesión de discos.

—¿Qué quieres oír? —le preguntaba, acercándose al mueble del rincón.

Ignacio parpadeaba como despertando de un sueño y contestaba:
—Lo de siempre.

Y lo de siempre no era precisamente *jazz*. Ignacio prefería malagueñas, seguidillas, coplas, saetas. Guitarra, mucha guitarra y *cante jondo*. Aquella música le llegaba al alma; por otra parte Julio era un erudito en la materia y tocaba incluso las castañuelas.

A estas reuniones en casa del policía asistía un tercer personaje: la mujer de Julio. Y su presencia era lo único que molestaba a Ignacio. Porque éste la aborrecía. Nunca llegaría a explicarse cómo un hombre como Julio había elegido por compañera aquel ser fatuo —doña Amparo Campo— que se paseaba en bata roja por el piso. Regordeta, le parecía tener derecho, porque su marido era policía, a colgarse media docena de brazaletes y a embadurnarse la cara con harinas de primera calidad.

En cambio, doña Amparo Campo le tenía a él mucha simpatía. Le alababa el pelo negro y encrespado, el bigote que apuntaba, la voz varonil que se le iba definiendo. «Hay que ver lo bien que te sienta el traje azul marino ese que tienes.» Y siempre le advertía a Julio: «¿Ves? Deberías llevar brillantes los zapatos como Ignacio».

Ignacio no le hacía el menor caso. Cortaba sus peroratas y, volviéndose hacia Julio, le interrogaba de nuevo sobre algo que le interesase.

Las sesiones no se prolongaban nunca hasta más allá de medianoche. A las doce, Julio despedía al muchacho, el cual invariablemente se lanzaba escaleras abajo con la sensación de haber aprendido algo.

Muchas veces su excitación era tal que al llegar a su casa le resultaba imposible estudiar. Sentado en la cama, el libro de texto se le caía de las manos y se quedaba pensando en la teoría de la evasión o en la influencia de Norteamérica.

Por suerte, su padre estaba allí. Ignacio quería a su padre cada día más y se sentía incapaz de defraudarle. Además, sabía que en cualquier momento Matías llamaría a su puerta, entreabriéndola, y asomando en pijama y zapatillas, le diría: «Recuerdos a Newton». O: «Los ángulos de un triángulo...» ¿Cómo no tener la luz encendida hasta una hora avanzada de la noche?

Sí, muchas cosas nacían y morían en Ignacio. A veces el muchacho barría de su mente a Julio y el resto, y se dedicaba a pensar en la ciudad en que le tocaba vivir. Pensaba que Gerona le gustaba. No concebía la vida en un pueblo más pequeño; pero tampoco en una gran ciudad. Era muy hermoso seguir la evolución de los seres. Uno tenía la sensación de tocar la vida con la mano. Algunas de las parejas que había visto desde el balcón cuando lo del Seminario..., ya tenían hijos. No conocía al hombre ni a la mujer, pero había asistido al proceso de su expansión. Los había visto cuando no eran nada, cuando eran simples dedos entrelazados a mediodía, bajo el sol; y ahora habían creado un nuevo ser. Los veía llevándolo en brazos o paseándole por las aceras en un cochecito. En una gran ciudad todo aquello no se vivía, los seres venían al mundo sin que se supiera de dónde ni de quién. La población aumentaba, aumentaba como si en ello intervinieran las máquinas; los pueblos pequeños ofrecían otras dificultades, Gerona se le antojaba la medida exacta. En un pueblo, los animales domésticos cobraban demasiada importancia y ello a Ignacio le causaba también verdadero espanto.

Estas cosas las echaba de menos en los libros de texto, especialmente en los de Ciencias. Mucho Newton y demasiados ángulos y triángulos.

Aquello le llevaba a pensar que nunca sería ingeniero ni químico. Tal vez abogado. La idea de defender a alguien le atraía poderosamente. Por desgracia, don Agustín Santillana le dijo un día que en todos los pleitos defender a una de las partes implica atacar a la otra. Y aquello le había desconcertado.

CAPÍTULO V

Mosén Alberto había nacido en un pueblo de la provincia, Torroella de Montgrí, de matrimonio modesto y sólido, pequeños propietarios. Era la gloria de la familia. Más bien alto, siempre impecable, su tonsura eclipsaba las demás de la localidad.

Y, no obstante, todo el mundo al evocar su imagen le veía con sombrero de pelo liso, cuello almidonado, manteo cayéndole con autoridad, zapatos de horma chata.

Lo más claro que había en él era la sonrisa. Cuando sonreía, inspiraba súbita confianza, y más de una persona que le tenía prevención, al verle sonreír pensó que a lo mejor era más sencillo de lo que la gente andaba diciendo.

Fue vicario de Figueras, pero pronto obtuvo del Palacio Episcopal el nombramiento de conservador del Museo Diocesano. Vivía en el mismo Museo, en unas habitaciones inmensas, servido por dos hermanas que parecían gemelas, mujeres silenciosas, solícitas hasta lo inverosímil, que le trataban como si ya fuera canónigo. Él las deslumbraba con sus libracos.

Era muy intolerante. Siempre hablaba «de los enemigos de la Iglesia». Distribuía el tiempo entre la misa, el Museo, la redacción de catecismos y las visitas a diversas familias gerundenses. La única familia no rentista y no catalana con la que hacía buenas migas era la familia Alvear.

Debía de tener mucha personalidad, pues, a pesar de contar con muchos adversarios dentro del mismo clero, siempre se salía con la suya. Con frecuencia, en el momento de la verdad, los adversarios se abstenían de perjudicarle y aun se ponían de su parte.

El Museo Diocesano era una institución en la localidad. Su mayor riqueza consistía en unos retablos catalanes primitivos, varias casullas venerables, varios cálices, las maderas de una gran colección de grabados al boj y una cama en la que había dormido el beato Padre Claret. Estaba instalado en la Plaza Municipal, en un caserón histórico que había pertenecido a una familia de abolengo. Mosén Alberto daba la impresión de sentirse más próximo a esta familia que a la suya propia, que continuaba viviendo en el pueblo.

Siempre tenía varios seminaristas a su servicio, cuyo estímulo alimentaba mostrándoles de vez en cuando algún secreto del Museo. Era un hombre convencido de que Gerona era una fuente de Historia y que bastaría un poco de sentido común en las excavaciones para poner al descubierto muros sensacionales.

El obispo tenía en él mucha confianza y más de una vez le había ofrecido una de las tres parroquias de la localidad: Mercadal, San Félix o Catedral. Pero a última hora se decidía que continuara en el Museo y ocupándose en modernizar el sistema catequista de la Diócesis.

Estaba al corriente de toda la vida religiosa de la población. Todos los conventos de monjas le consultaban sus dificultades, antes de atreverse a subir a Palacio. Para celebrar misa no tenía iglesia fija. A veces se iba a los Hermanos de la Doctrina Cristiana, donde César, que fue el primero de la familia que entró en contacto con él, le reconoció.

Las monjas sentían adoración por mosén Alberto. Porque siempre les explicaba algo nuevo sobre la Pasión, sobre la vida de los apóstoles y sobre las misiones. Era él quien organizaba las grandes colectas de sellos para mandarlos a los negritos. Matías Alvear le decía: «Vea, mosén. A mí, lo de las misiones me inspira un gran respeto; pero lo de los sellos...» En cambio Carmen Elgazu estimulaba a sus ocho hermanos a que le escribieran para poder dar sellos a mosén Alberto.

Entre las familias que más frecuentaba se contaba la del notario Noguer, persona muy solvente, la de don Santiago Estrada, propietario, y varias que guardaban pergaminos y papeles relacionados con la historia de la ciudad. Su sensibilidad era muy aguda y a la tercera visita notaba que la mitad de los miembros de la casa le eran simpáticos y la otra mitad lo contrario. Ello le ocurría con las monjas, con todo el mundo.

Habitar los grandes salones del Museo le había incitado a adoptar varias costumbres patriarcales. Las visitas que no eran de puro trámite tenían la seguridad de que por una de las puertas disimuladas aparecerían las dos sirvientas llevando una bandeja con chocolate y otra con picatostes. Asimismo la altura de los techos le habían familiarizado con los grandes espacios. Era el sacerdote que con más naturalidad y prestancia bajaba las escalinatas de la Catedral.

La familia Alvear no escapó a la ley de la clasificación, como no había escapado a la del chocolate. Mosén Alberto, después de la tercera entrevista, se dio cuenta de que había situado a la derecha a Carmen Elgazu y a César; a la izquierda a Matías e Ignacio... A Matías le decía, sonriendo: «A usted, Matías, siempre le quedarán resabios». Con Ignacio la cosa era más fuerte que él. Tal vez una suerte de repugnancia física. Pilar pasaba inadvertida para él a pesar de que la niña, al verle, acudía a besarle la mano, iniciando una genuflexión.

Carmen Elgazu fue quien operó el milagro de que el sacerdote se interesara realmente por ellos. Mosén Alberto tuvo la impresión de que era una mujer de muchos arrestos y muy buena, hasta el punto que tardó poco en presentarla como modelo a las familias que visitaba. «Sí, sí —decía—. Está visto que los vascos pueden enseñarnos muchas cosas.»

La consideraba una auténtica madre cristiana. Explicaba que toda su solidez giraba en torno de la religión, desde su manera de hacer las camas —con respeto porque el crucifijo estaba presente— hasta cocinar.

—Figúrese usted —le decía al notario Noguer—, que en la única medida de tiempo en que cree para hacer un huevo pasado por agua, es en el rezo del Credo.

—¡Eso también lo hago yo! —le interrumpió un día la esposa del notario.

Mosén Alberto no se arredró.

—¿Y para el café? —le preguntó—. ¿Qué hace usted, antes de servirlo a la mesa?

La esposa del notario se mordió los labios.

—Nada. Nada. Creo que lo huelo —añadió por último.

Mosén Alberto trasladó su manteo al brazo izquierdo.

—Carmen Elgazu dice: «Esperen un momento, que se está "serenando". Y el serenarse dura exactamente lo que tres padrenuestros y una salve».

A Ignacio le recriminaba mosén Alberto muchas cosas. No le gustaba la barbería que había escogido, no le gustaba que fuera al café Cataluña a jugar al billar, no le gustaban sus incursiones en la biblioteca municipal, y menos aún sus buenas migas con Julio García. Mosén Alberto consideraba a Julio una de las más funestas importaciones de la ciudad, y en Palacio se había hablado de ello con frecuencia. «Es un hombre que ahora está quieto. Pero el día que empiece...» En cambio, consideraba excelente persona a don Emilio Santos, director de la Tabacalera. «No hay más que fijarse en él. Tiene una cabeza venerable.»

Ignacio pagaba a mosén Alberto en la misma moneda. Le bastaba saber que algo le molestaba para ponerlo sobre el tapete. Estaba seguro de que en sus últimos años de seminarista tenía que haber sido «ayo», un ayo de voz más lúgubre que ninguno. Y no le gustaba su manera de proceder. Prefería a otros sacerdotes más humildes que había en Gerona, los cuales ejercían su ministerio calladamente. Siempre citaba como ejemplo a uno muy joven, de la parroquia de San Félix, bajito y con el sombrero calado hasta las cejas, pero que no daba un paso que no fuera para prestar algún servicio. No negaba que mosén Alberto fuera inteligente, y probablemente muy entendido en lo suyo, pero le parecía que todo aquello hubiera podido llevarlo a cabo sin ser sacerdote. «Mosén Alberto tenía que haber seguido la carrera diplomática», decía.

Incluso su manera de celebrar misa le parecía afectada. Separaba los dedos de la mano, sobre todo los meñiques, en forma espectacular. Probablemente era cierto que desde el punto de vista litúrgico cada genuflexión suya era una obra maestra; pero Ignacio decía que lo que necesitaban los fieles eran obras santas. «Las obras maestras, que las guarde en el Museo.»

En el Banco criticaban mucho al sacerdote y aseguraban que tenía mucho dinero. A Ignacio le constaba que esto no era cierto. Si ganaba algo con los catecismos lo empleaba inmediatamente en editar otras cosas, en adquirir algún aparato de proyección para los colegios o en reparar algo del Museo. No era culpa suya si tenía facha de rico, si accionaba el manteo con aire palaciego. Y referente a su pulcritud, él aseguraba que antes no era así, que se acostumbró mal a causa de las dos sirvientas, las cuales, de verle salir con arrugas en la sotana, habrían sufrido un ataque.

En todo caso, en el Banco Arús su ficha no figuraba desde hacía tiempo. En cambio había dos sacerdotes que guardaban a su nombre un pliego considerable de láminas. Ignacio, cada vez que veía sus apellidos en algún papel del Banco, se ponía nervioso.

Lo que más lamentaba mosén Alberto era que hubieran sido prohibidas las procesiones, especialmente la de Semana Santa y la de Corpus. Cuando el 14 de abril, primer aniversario de la República, presenció la manifestación de júbilo popular —con representantes de Barcelona— añoró con toda su alma la procesión que por aquellos días salía en otros tiempos, como remate de la Cuaresma. Ahora en vez de las campanas doblando a muerto o del silencio patético del Jueves y Viernes Santo, se oían himnos, sardanas y tremolaban muchas banderas. Para el día del Corpus, triunfo de Cristo Rey, en los cristales se había anunciado con mucha anticipación: «Excursión a Perpiñán, salida en autobús, precios moderados».

Mosén Alberto sufría por aquella relegación absoluta de las funciones religiosas al interior de los templos, a un plano semiclandestino. El invierno era tan crudo en Gerona, que al llegar marzo, abril y mayo era maravilloso salir con palio, antorchas y cruces y proclamar la vitalidad de la Iglesia en la rítmica sucesión de las estaciones. En aquel año, el trimestre mágico fue triste para mosén Alberto. A don Santiago Estrada le decía: «Menos mal que tengo placas de todo esto, y que vamos proyectándolas por la Diócesis. De otro modo, los chicos acabarían no sabiendo lo que es una procesión».

Mosén Alberto estaba convencido de que Ignacio había perdido bastante tiempo desde que entró en el Banco, que no había estudiado lo debido. Y puesto que él había sido quien garantizó al muchacho cerca del director del Instituto para que, éste accediera a examinarle de tres cursos a la vez, ahora temía que Ignacio, al llegar mayo, quedara mal en los exámenes. De modo que le decía a Carmen Elgazu: «No sé, no sé. Me parece que se lo toma un poco a la ligera». Carmen Elgazu le contaba lo de la luz en la habitación a horas avanzadas; el sacerdote comentaba: «Bien, bien, que Dios la oiga».

Cuando Ignacio se enteró de los comentarios del sacerdote redobló sus esfuerzos. «Le colgaré los sobresalientes en las narices.» No faltó ni un día más a la Academia, a pesar de que el ambiente de ésta le aburría. Le favoreció el brusco cese del frío. Porque en la Academia ocurría lo mismo que en el Seminario: no había estufas. Inconcebible, pero era así. Las ideas de estudio y frío habían llegado a confundirse en la mente de Ignacio. Mosén Alberto no veía aquello claro, pues decía que los muros donde estaba instalada la Academia eran de idéntico espesor que los del Museo y que conservaban todo el año una temperatura razonable, alrededor de los diecisiete grados. Ignacio no se tomaba la molestia de contestar.

El día en que se instaló el primer puesto de helados en la Rambla, precisamente bajo el balcón de su casa, comprendió que la cosa iba de verdad, que los exámenes estaban próximos. Entonces su madre le dijo: «Mira, en Bilbao todas tus tías hacen una novena a la Virgen de Begoña para que apruebes». ¡Santo Dios, aquello era una gran responsabilidad! Matías le tranquilizó: «No lo creas. Si apruebas, será la Virgen de Begoña. Si te suspenden, será porque no habrás estudiado». Carmen Elgazu replicó: «Valdría más que te callaras, hombre de poca fe».

En el Banco había cierta expectación para ver si Ignacio aprobaba. Cosme Vila esperaba el resultado con tanta impaciencia como mosén Alberto. Porque estaba convencido de que en el Seminario no le habían enseñado nada práctico y que, por lo tanto, tres cursos a la vez eran muchos. El subdirector le animaba: «¡Ale, ale, déjalos! Tú a lo tuyo y no te pongas nervioso». El subdirector sentía que las circunstancias políticas no fueran otras para haberle buscado una recomendación.

La Virgen de Begoña debía de tener mucha influencia, pues Ignacio lo aprobó todo en un abrir y cerrar de ojos. Notable; ¡en latín sobresaliente! Mosén Alberto arrugó el entrecejo.

Mucha alegría en la familia, bizcocho vasco con tres velas encendidas. En el Banco, todo el mundo le felicitó. Él se sintió tan ligero que al entrar en su cuarto dio varios saltos increíbles, uno de los cuales lo aprovechó para depositar los libros encima del armario. ¡Tres cursos de Bachillerato! Y en septiembre se examinaría del cuarto.

Matías Alvear dijo en la tertulia: «Pues sí... Mi chico se come las manzanas de Newton de tres en tres». En la barbería de Raimundo, éste le dio la enhorabuena. «Vaya pase de muleta, ¿eh...?»

Julio se alegró de ello doblemente. Primero por Ignacio y luego porque en un momento dado temió que, siendo éste madrileño, los catedráticos del Instituto le suspendieran.

* * *

Llegó la primavera. A Carmen Elgazu le desaparecieron los sabañones, Pilar cambió el uniforme azul marino de las monjas por unos vestidos floreados que le sentaban muy bien. Todo, en la ciudad y en los corazones, se ponía tan hermoso que la vida parecía deslizarse como los chicos del Instituto por la baranda. Los cafés de la Rambla vertían sus redondas mesas de mármol al exterior, ocupando la mitad de la calzada. En el centro de cada mesa, un solitario sifón. La hilera de sifones constituía una visión inédita para los forasteros. Las luces que caían de las fachadas arrancaban del duro cristal de los sifones reflejos de todos los colores. Pilar decía siempre a sus amiguitas Nuri, María y Asunción: «El sifón tiene sabor de calambre en una pierna».

La primavera significaba muchas cosas para los Alvear. La estufa barrida del comedor, la alegría del mundo, la alegría de la Rambla, más trabajo para Matías en Telégrafos, a causa de la proximidad del verano; y sobre todo, en aquel año, significaba el retorno del ausente entrañable, del otro examinando de la familia, de César.

El acontecimiento ocurrió el 15 de junio. El 15 de junio César montó en un camión en el Collell, en dirección a Gerona, para pasar las vacaciones.

Iba montado en la parte trasera del camión, al aire libre, sobre unas cargas de alfalfa. Con el traqueteo se iba hundiendo en ellas y llegó un momento en que se sintió a sí mismo vegetal, cuerpo de raíces verdes. Hicieron el viaje en un santiamén. Al descender en la Plaza de la Independencia, le salía alfalfa por todos lados. Dejó la maleta en el suelo y se quitó las briznas más aparatosas, pero al echar a andar los picores no le dejaban vivir.

Cuando Pilar oyó el timbre de la puerta, sintió que el corazón le daba un vuelco. «¡Mamá, es César, es César!» Carmen Elgazu, alocada, soltó el molinillo del café y exclamó: «¡Dios mío!» Se arregló el moño rápidamente y se precipitó al comedor en el momento en que César entraba en él y se echaba en sus brazos.

Carmen Elgazu recibió una impresión profunda. Su hijo había crecido increíblemente. «¡Hijo mío!» Aire feliz, expresión de inocencia, una manera muy personal de estrechar entre los brazos, como en pequeñas sacudidas. ¿Qué importaban las rodilleras en el pantalón? Se plancharían. ¡César estaba allí! En cuanto Carmen Elgazu pudo verle detenidamente el rostro, observó que sus ojeras eran muy pronunciadas. Tal vez por culpa del viaje. ¡Primer curso, primer curso!

Pilar contemplaba a su hermano pensando: «Pues claro que le quiero como a Ignacio. ¿Quién dice que no?»

Ignacio, al regresar del Banco, se encontró colgado del cuello de César sin darse cuenta. «Bien venido, hermano. Ya tenía ganas de verte.»

Matías fue quien afectó más naturalidad. Llegó de Telégrafos convencido de que en casa encontraría a César; así fue. Matías Alvear podía alcanzar tal grado de emoción que el corazón casi se le paralizaba. Nadie más que él sabía lo que sufría en estos casos; los demás no leían en su semblante más que una ternura un poco irónica.

Fueron días inolvidables. «¿Qué tal la pista de tenis? ¿Qué tal el director? ¿No pasabas mucho frío? ¿Te gustaba leer en el comedor? ¿No te cortaste nunca los dedos con el cuchillo del pan? ¿No te ha invitado ninguno de los internos a ir a Barcelona?»

Le obligaron a sentarse en el comedor, presidiendo la reunión en torno a la mesa. El muchacho contestaba a todas las preguntas como si cada una fuese la primera. Cada vez inclinaba todo el cuerpo hacia el interlocutor de turno. En realidad, estaba un poco aturdido y aun asombrado de que se interesaran por los detalles más prolijos de su estancia en el Collell. «¿No te han salido manchas de humedad en el techo de la celda? ¿A qué horas dices que os levantabais los domingos?»

César, que tenía una obsesión: «He subido el primer peldaño de la escalera», se dio cuenta entonces de que era terriblemente distraído. Muchas de las cosas que le preguntaban no podía contestarlas. No se acordaba, no se había fijado. «¿Habían salido o no habían salido manchas de humedad en su celda?»

En cambio, cuando una cosa le era conocida, contestaba con rara precisión y con el menor número posible de palabras. Ignacio pensó: «El latín se le nota». Matías más bien lo atribuía a herencia de estilo telegráfico.

La alfalfa continuaba cosquilleándole, y Carmen Elgazu dijo:

—¿Sabes qué? Ignacio te acompañará a tomar un baño.

César no vio ninguna razón para negarse. Aquel brusco cambio de ambiente le tenía algo desorientado. Por la mañana había ayudado aún la misa del padre Director, como todos los días. Y al barrer la inmensa terraza había visto aún aquellos árboles, robustos, aquella tierra amarillenta, los barrancos; ahora se encontraba en un pequeño comedor, rodeado de los suyos. Y dentro de poco se encontraría dentro de una bañera.

Ignacio le acompañó, resolviendo los detalles administrativos con el encargado del establecimiento. Le abrió incluso la puerta del cuarto de baño. Luego permaneció fuera y por los ruidos fue siguiendo mentalmente las operaciones de César. Sonrió porque, a juzgar por la catarata de agua que se oía, debía de estar luchando a brazo partido con la ducha. No se atrevió a llamar porque le supuso desnudo y que aquello le azoraría más aún. Finalmente, la tromba de agua se calmó y César salió colorado y sonriente.

—Limpio de cuerpo —dijo.

Al regresar a casa y encontrar todo su equipaje cuidadosamente clasificado en el armario, se sintió repentinamente más adaptado.

Un hecho quedó patente a la hora de cenar: la presencia de César elevaba el tono de todos y cada uno. Pilar adoptó posturas más correctas ante el plato y se dio cuenta de lo difícil que era sorber la sopa sin hacer ruido. Matías Alvear dudó mucho rato entre sentarse a la mesa en mangas de camisa, como siempre, o no. Finalmente no lo hizo: «Por un día tengamos paciencia». Carmen Elgazu se bajó las mangas hasta que éstas alcanzaron decentemente las muñecas.

Y en cuanto a Ignacio, fue, tal vez, quien más se afectó. No sólo aquel día, sino en los siguientes. Sin querer se encontró observando a César en forma casi enfermiza. No se le escapaba detalle de él. ¡Su hermano constituía un mundo tan distinto al del Banco! Se halló como planchado entre los dos. La cortesía de César le evidenciaba que él había adquirido varios gestos vulgares. La voz de César le pareció una invitación a moderar el tono de la suya, que a veces le salía disparada con violencia. La concisión del lenguaje de César, además de recordarle el latín, le descubrió que él intercalaba vocablos e interjecciones innecesarias. En resumen, se encontró ante una especie de juez, cuya originalidad consistía en que lo era sin saberlo. Que con frecuencia le miraba y le sonreía: «¿Y pues, Ignacio...? ¿Estás bien en el Banco? ¿Estás bien...?»

A Ignacio le ocurría una cosa extraña: a los pocos días advirtió que el resquemor hacia su hermano no había muerto. Le fatigaba el examen de conciencia a que la presencia de César le sometía. ¿Cómo adoptar, en la cama, la postura que le fuera más cómoda, con César tendido en la cama contigua, impecablemente, sin respirar apenas...? Y más con el bochorno de aquellas noches. Por suerte, el seminarista tenía detalles entrañables, que le llegaban al corazón. Por ejemplo, aparecer en el Banco inesperadamente, a media mañana, con pan y una tortilla, si Ignacio había olvidado tomarla en casa. La manera de pasar el brazo por la ventanilla para que Ignacio pudiera alcanzar el paquete sin necesidad de levantarse del sillón, era un prodigio de buenos deseos... y de equilibrio. La Torre de Babel se preguntaba si César no era en potencia un campeón de alguna especialidad atlética que exigiera más destreza que fuerza.

En el fondo, los empleados del Banco tomaban al seminarista en broma, por sus orejas, por su cabeza al rape, por los pantalones, entre los que a veces se le enredaban los pies. «Tu hermano es un tipo muy pintoresco —le decían a Ignacio—. Será de esos curas que no llegan nunca a canónigos. Que el obispo manda a un pueblo y ale, hasta que se pudran.»

Fuera de estos empleados, la persona que menos se dio por enterada del ascetismo de César fue mosén Alberto. Mosén Alberto estaba muy familiarizado con el ansia de perfección de los seminaristas en los primeros cursos de la carrera. «A partir del tercer año —decía—, ya es otro cantar.»

Mosén Alberto le dijo: «Bien. Vamos a ver si ponemos un poco de orden en tus vacaciones. Mira, vamos a hacer una cosa, si te parece. De momento, todas las tardes te vienes aquí y me ayudas en el Museo. Luego veremos por las mañanas qué se puede hacer».

¡Válgame Dios! ¿Qué otra cosa deseaba César? En el Museo había tallas de la Virgen, un cuadro que representaba el martirio de San Esteban...

Fue al Museo. Por un momento había imaginado que haría cosas importantes. ¡Cuánto podía dar de sí el estudio de un retablo! Pero la realidad se impuso pronto. Todo aquello no era para su edad. ¿Qué sabía el chaval de la transición del gótico o de la influencia bizantina en tal o cual cruz de cobre hallada en una ermita de la Diócesis? Lo que hizo fue, más o menos, barrer, quitar polvo, soplando también de vez en cuando; montar guardia por si llegaban visitantes, frotar metales y llevar muchos, muchos recados al Palacio Episcopal.

La única diferencia con el Collell estribaba... en el chocolate. Cuando menos lo esperaba, estando sentado entre una gigantesca armadura y la cama del beato Claret, aparecían ante él las dos sirvientas, que le trataban con una deferencia que le abrumaba, y le ponían en las manos una taza de chocolate y picatostes. César, al principio, se opuso. ¡No, no, no faltaba más! Pero en seguida leyó en los ojos de las sirvientas una tal pena que con ademán de autómata tomó la taza. «¿Es que no le gusta? ¿Quiere que le preparemos otra cosa?» César movió la cabeza. Se dio cuenta de que las dos sirvientas de mosén Alberto eran las únicas personas en el mundo que le trataban de usted. «Sí, sí me gusta. Claro, claro. Muchas gracias.»

Algunas tardes, las sirvientas eran las únicas visitantes del Museo porque de la ciudad no iba casi nunca nadie, excepción hecha de algunos arquitectos —un tal Massana, un tal Ribas—. El resto eran, en todo caso, turistas extranjeros, gente extraña. César tenía orden de echar escaleras abajo al primero que se presentara con calzón corto. «¡Dios mío —rezaba, al oír que llamaban a la puerta—, que no sea un inglés o un francés con calzón corto!»

A veces le entraba miedo al sentirse guardián de aquellos tesoros. «¿Qué haría, pobre de mí, si ocurriera algo?» Había tardes en que se

70

entretenía leyendo crónicas antiguas sobre la ciudad, enterándose de mil detalles que le apasionaban y que fortalecían el gran respeto que había sentido siempre por la parte antigua, por las piedras y los monumentos religiosos.

Puesto que las mañanas, de momento, se las dejaba libres, se dedicó a sus correrías de siempre. Volvió al cementerio. Y su reencuentro con los hombres retratados con el uniforme de la guerra de África y el niño del rincón sosteniendo un pato de celuloide, el hallarlos a todos en el mismo sitio y en idéntica posición, le recordó la cosa definitiva que había en la muerte, a pesar de los bailoteos del esqueleto de la clase de Historia Natural.

De regreso a la ciudad, sudaba. Sentía un poco de vértigo, solo en la carretera bajo el sol que caía. Pensaba en lo que le había dicho su profesor de latín, que la religión era la única potencia que había creado edificios vencedores del clima: las iglesias. Entonces se decía: «Es cierto. En el Museo no hace calor». También pensaba en los claustros de la Catedral, con el surtidor murmurando.

La Catedral: subía a ella con frecuencia. ¿Cómo era posible que brazos humanos hubieran erigido aquel monumento? Aquellos bloques inmensos unos sobre otros. Los de la base eran comprensibles... Pero, por ejemplo, ¿aquél ya cerca del campanario...? En el Collell, un interno le había dicho: «Pues no era difícil, ¿sabes? A base de esclavos». César no lo creería jamás. Tal vez hubiera intervención de manos humanas. Seguro, claro está, que hubo mano de obra. Pero el arranque de aquel monumento, el grito espiritual que él simbolizaba, obedecía a algo maravilloso. «Y si no, a ver..., ¿por qué no se construían ya catedrales?»

Volvió al camino del Calvario, a las catorce capillas que jalonaban la colina. Siempre había una mujer arrodillada ante la última estación...

Un día, remontando el río Galligans hacia el valle de San Daniel, hizo un descubrimiento: el convento de clausura. ¡Santo Dios! Aquello le atrajo de una manera especial, pues le habían dicho que albergaba dos monjas que llevaban más de cincuenta años sin salir de él. Ello significaba que si les pusieran los auriculares de la galena en las orejas, se llevarían un susto... Se detuvo ante la tapia y acercándose a la yedra, respiró hondo, respiró olor de santidad.

* * *

Ignacio no perdía detalle de las correrías de su hermano. Sabía que éste, estimulado por las crónicas antiguas que leía en el Museo, y por mosén Alberto, se dedicaba a estudiar el barrio antiguo de Gerona, convencido más que nunca de que ocultaba tesoros de todas clases. Trozos de muralla, extrañas rejas, losas que retumbaban... todo excitaba su imaginación. Con frecuencia, a la hora de comer, el seminarista llegaba sudoroso y contaba que con la ayuda de unos compañeros estaba sobre la pista de tal o cual capilla, o de las catacumbas... ¡Las catacumbas! Esta palabra obsesionaba a César, pues se decía que San Narciso, patrón de la ciudad, había sido martirizado en ellas.

Ignacio era su aguafiestas.

—Es perder el tiempo —le decía—. No hallaréis nada. Se ha edificado encima, ¿comprendes? La Catedral está encima de la antigua basílica; con San Félix ocurre algo parecido. ¡Las catacumbas eran una pieza de seis metros de largo, no más!

Un día, Carmen Elgazu, mientras arrancaba la hoja del calendario para leer la historieta del dorso, comentó:

—Bueno, ¿y qué? Déjale. ¿En qué mejor emplear las vacaciones?

E Ignacio contestó, inesperadamente:

—En pensar en los pobres.

¡Santo Dios! Toda la familia le miró. La respuesta le salió en tono desorbitado. En realidad, el ataque tenía mucha amplitud en la mente del muchacho. Y el origen era antiguo: se remontaba a los tiempos en que Ignacio hacía aquellas visitas a la calle de la Barca; ahora su gran curiosidad por la miseria se había despertado en él de nuevo, con brío insospechado. Las causas eran muchas, algunas sutiles, otras vulgares; las más recientes, el comportamiento estúpido de un cliente del Banco y unas novelas de Baroja que le prestó Julio.

Cierto, en el Banco se hablaba mucho de la injusticia del mundo, pues las cifras que arrojaban los libros de contabilidad daban que pensar al menos impresionable. Había familias que guardaban en él sumas enormes, dinero sobrante que permanecía allá años enteros sin convertirse en pan para nadie; y el jefe de una de estas familias era don Jorge de Batlle, rentista del que se contaba que poseía ochenta masías en la provincia y que cuando las visitaba les decía a los colonos: «Si no me robáis, tenéis casa hasta la muerte». ¡Hasta la muerte!

Ignacio acababa de conocer a don Jorge... y de ahí el ex abrupto del muchacho en el santo almuerzo familiar. Don Jorge: mediana estatura, sombrero hongo, guantes, su hijo menor al lado, en protección simbólica. El encuentro entre el propietario e Ignacio no pudo ser más desafortunado. Ocurrió en el Banco. Había caído un chaparrón enorme, veraniego, e Ignacio, que continuaba siendo el último del escalafón, había olvidado sembrar serrín en la entrada. Don Jorge abrió la puerta del Banco y al sortear los charcos que habían formado los paraguas al escurrir, enrojeció, llamó al director, y con el índice iracundo le fue señalando el curso del agua y las salpicaduras en sus botines.

El director, con la pipa apagada, llamó a Ignacio y le reprendió con hipócrita severidad. Ignacio enrojeció como la grana y la sonrisa de Cosme Vila le sulfuró más aún. Miró a don Jorge. Dio media vuelta. Fue en busca del serrín y llenó un cubo, sintiendo que no fuera materia más resistente para hundir en ella las manos, arañándola. Regresó vaciando su contenido, luego fue por otro cubo y luego por otro, con la evidente intención de levantar un parapeto de serrín. El director le dijo:

—Cuando hayas terminado, entra en mi despacho.

El segundo toque de alarma fue Baroja. Los personajes de Baroja le parecieron víctimas de don Jorge, o almas que se rebelaban contra él y sus semejantes. Golfos, mujeres malolientes, aventureros, anarquistas, con un punto de crueldad, trágicos, fugaces, sin Dios, cerebros sin esperanza. Ignacio había leído tres libros consecutivos de Baroja, *La Busca, Mala hierba, Aurora Roja*, y sin saber por qué se había sentido proyectado violentamente contra una serie de cosas en que creía. Todas las bromas anticlericales de los empleados del Banco le parecieron menos gratuitas, como si Baroja les hubiera proporcionado justificación psicológica. Vagas intuiciones de que la vida era un desorden afloraban a su piel, y de que en realidad el mundo estaba lleno de peces grandes que se comían a los chicos, de índices que señalaban los charcos de agua.

Todo ello le llevó a pensar, cuando veía a mosén Alberto en su casa oliendo el café que le había preparado Carmen Elgazu, que el sacerdote haría mucho mejor, en vez de pasarse la tarde allí, invitando a hombres pobres a merendar en el Museo; y en cuanto a César... menos civilizaciones subterráneas y más acción, más obras de misericordia.

Carmen Elgazu le salió al paso diciendo que censurar a César en el aspecto que fuere, era un acto rastrero, indigno de él. Y el propio Matías recordó a Ignacio que su hermano estaba en el Collell haciendo trabajos bastante más duros y miserables que los que a él pudieran ordenarle en el Banco.

Ignacio no insistió. Se encogió de hombros y se encerró en su cuarto.

Nadie se atrevió a mirar al seminarista, que permanecía inmóvil, como si le hubieran asestado un golpe. Todos creyeron que estaba afectado por lo intempestivo de la acusación de Ignacio; la realidad era muy otra. Lo estaba porque desde el primer momento pensó que la acusación era justificada.

Al oír la palabra «pobre», César se había dado cuenta de que todo aquello era cierto, de que su ansia de perfección hasta entonces carecía de valor, pues no se inspiraba en la caridad. En sus sacrificios no buscaba otra cosa que la paz del alma, y en ello pensaba y no en el prójimo cuando daba el mejor pan al interno que le tratara peor. Intercambiaba buenas acciones por alegría, eso era todo. ¿Por qué olía la yedra de los conventos de clausura, sino para su satisfacción interior?

Consideróse a sí mismo dominado por un egoísmo feroz. Recordó escenas de miserias entrevistas en su infancia, y más recientemente en el barrio de Pedret, al llegar del Collell en el camión de alfalfa. No comprendía cómo podía buscar las catacumbas y aceptar chocolate y picatostes sentado al fresco en el Museo, mientras Gerona hervía, muchas familias comían arenques, cargadas de chiquillos que en vez de bañarse, como él, en un establecimiento de azulejos blancos, se remojaban en las pequeñas playas pantanosas del Oñar.

Le pareció estar en pecado. Su madre quería tocarle y él, sin darse cuenta, la rechazaba. Tenía húmedos sus grandes ojos, abrumados de culpabilidad. Se levantó, miró un momento a todos y luego, cruzando el pasillo, salió.

Nadie sabía qué hacer, y todos pensaban que sufría por Ignacio, y la indignación contra éste aumentó. Entretanto, César se arrodillaba ante mosén Alberto, en el despacho donde el sacerdote redactaba sus catecismos.

Mosén Alberto le ordenó que se levantara:

—¡Te prohíbo que tengas esos escrúpulos! ¡Te prohíbo que te tortures de esa forma, y a partir de ahora daré orden de que te sirvan más chocolate! Te prohíbo incluso que vuelvas al cementerio.

Fueron días terribles para César. Por obediencia llegó a casa sonriendo. Y con su presencia tranquilizó a la familia. Pero las sirvientas de mosén Alberto cumplieron —¡hasta qué punto!— el mandato, y cada vez él hubiera querido esconderse en el interior de la gigantesca armadura, ya que no bajo las sábanas del beato Padre Claret. Y el no poder ir al cementerio le angustiaba como quien ha de faltar a una cita, que en este caso era con personas conocidas, pues se sabía de memoria las fechas de nacimiento y muerte de muchos antepasados gerundenses, y había conseguido lo que nadie antes que él: hablar diez minutos con el sepulturero, el cual le dijo que no era cierto que el espectáculo de la muerte no le afectara.

Fueron días de prueba para el seminarista, que se hallaba en la rara situación del hombre que peca con sólo proponerse hacer el bien.

Lo que más sentía era no poder demostrar a Ignacio que le agradecía el aviso. Decirle: «¿Ves...? Ahora me acuerdo de los pobres. He hecho esto y aquello. Todo gracias a ti». Mosén Alberto se lo había prohibido. «Te prohíbo que halagues ni una pulgada la vanidad de ese necio que es tu hermano.»

Ignacio leyó en el semblante de César todo cuanto ocurría. A veces tenía ganas de decirle: «Bueno, mira. No iba por ti, ¿sabes?» Pero no lo hacía.

La sutileza de la situación escapaba a Matías Alvear; en cambio, Carmen Elgazu vio la cosa clara. En primer lugar, tenía que dar una lección a Ignacio; en segundo lugar, tenía que tranquilizar a César.

Ambas cosas eran difíciles y urgentes. ¿Qué hacer? ¿Cómo dar con las palabras justas?

Comprendió que lo más urgente era tranquilizar a César, pues éste sufría demasiado. Decirle que obedeciera a mosén Alberto, que obedeciendo cumplía «como si visitara a diario a los muertos y como si acariciara las pústulas de los pobres de la ciudad».

Muchas veces estuvo a punto de parar a su hijo y hablarle, pero siempre le estorbaba alguien: Ignacio, Matías o Pilar, la cual continuaba deslizándose por los pasillos. Y además, aquello no era una solución. Nadie le quitaría de la cabeza al seminarista que su obligación era darse entero a los necesitados. ¡Y mosén Alberto no pensaba levantarle la condena hasta el verano próximo!

Carmen Elgazu vio ante sí y ante César todo el invierno. Todo un invierno con su hijo en el Collell, roído aquél por los escrúpulos. Era preciso inyectarle una esperanza, dar con algo que llenara su mente y saciara su hambre de misericordia.

¡Qué fácil le resultó, a la postre, dar con la solución! ¡Y cómo se arquearon de alegría sus cejas al ver que César, vencida la primera perplejidad, le tiraba del delantal y le decía: «¡De acuerdo, de acuerdo! ¡Eso haré!»

Carmen Elgazu dio con algo inesperado y sencillo: le sugirió a César que durante el invierno, en el Collell, aprendiera el oficio de barbero.

—Mosén Alberto me ha prometido que si para mayo llegas aquí sabiendo afeitar y cortar el pelo, te comprará un estuche con todo lo necesario y podrás hacer uso de él cuanto quieras en la calle de la Barca.

¡Viejos, enfermos; tomar entre las manos la cara y el cráneo de viejos y enfermos y afeitarlos, cortarles el pelo, lavarles luego la cabeza... y besársela! «¡De acuerdo, de acuerdo, eso haré!»

¡Cuánta alegría aleteó en la casa! Y, sin embargo, Carmen Elgazu no cantaba victoria aún. Siempre tuvo confianza en que lo de César se arreglaría. A ella los ángeles no le daban miedo; en cambio, los diablos...

¿Cómo darle a Ignacio su merecido sin herirle, pues bien claro se veía que se estaba arrepintiendo? ¿Y dejar sentada su autoridad?

De momento había pasado dos días mirándole con extraña dureza. Varias veces estuvo a punto de pegarle un bofetón tremendo, pero siempre se contuvo, y se alegraba de ello... ¿Qué hacer? Tal vez lo más sutil fuera darle una lección de serenidad...

Ésta fue la decisión que tomó. El instinto le decía que adivinaba, que sería lo eficaz. La misma noche en que convenció a César para que se hiciese barbero llevó a Ignacio, a la cama, un tazón de leche humeante y le dijo:

—Ignacio, sabes mejor que yo lo que te mereces, ¿verdad?

Al ver que el chico tomaba la taza sin decir palabra, añadió:

—Bueno, sólo quería hacerte una advertencia. En esta casa sólo hay una persona que pueda hablar de los pobres: tu padre, pues él sí ha pasado hambre, lo mismo que sus hermanos. Pero tú has tenido siempre un tazón de leche, lo mismo que yo. Así que hablar de ese asunto es tontería. En todo caso, lo único que cabe es salir a la puerta y darlo todo

CAPÍTULO VI

Las palabras de Carmen Elgazu fueron certeras. «Lo único que cabe es salir afuera y darlo todo.» Cuando, a la mañana siguiente, Ignacio despertó, sintió que algo le quemaba en el pecho. Se desayunó sin decir nada y bajó las escaleras en dirección al Banco. Al llegar a la esquina de la Plaza Municipal, miró el monedero. Llevaba seis pesetas; se las dio íntegras a la vieja que formaba parte de aquellos muros.

Suponía que su rasgo era ingenuo, que acaso no tuviera valor, que su madre debía de haberse referido a una acción periódica; pero hecho estaba. Y en todo caso, las seis pesetas tendrían valor para la vieja.

Y para él. Porque, en el fondo, fue la base de su reconciliación. De su reconciliación con César, con sus padres, con todo el mundo. Incluso con el director del Banco. El director del Banco, a raíz del incidente con don Jorge, le dijo que era la segunda vez que le avisaba. «A la tercera, te quedarás en la calle.» Pero luego el hombre se rió. Quería mucho a Ignacio, no podía disimularlo. «El cliente siempre tiene razón, ¿comprendes?», terminó diciendo.

Carmen Elgazu se sintió satisfecha de su intervención. Cuando ocurrían aquellas cosas se asustaba mucho. Nada podría contra los cambios que se operaban en la ciudad; pero, por lo menos, que la familia se sostuviera intacta.

Carmen Elgazu se asustaba porque sabía que la edad de Ignacio era crucial y porque entendía que sus ex abruptos eran fruto de los malos ejemplos. A la corta o a la larga, ella se enteraba de todo e iba pensando: «Mal asunto para Ignacio». De la quema de iglesias y conventos en Madrid acabó enterándose primero por los periódicos de Bilbao, que Matías no consiguió ocultar, y luego porque mosén Alberto se lo contó. Y se afectó extraordinariamente, tanto como César. Desde entonces la República le daba un miedo inexplicable, que el tiempo no consiguió mitigar. Cuando leía que en Andalucía había estallado un movimiento comunista libertario decía: «No me extraña, no me extraña». Cuando veía los modelos de traje de baño que se exhibían en los escaparates se horrorizaba. «No me extraña, no me extraña.» Y siempre pensaba que aquello podía abrir brecha en Ignacio. «Ver quemar una iglesia es comprobar que una iglesia puede ser quemada», filosofó a su manera, hablando con mosén Alberto. «Claro, claro —contestó el sacerdote—. Por ahí se empieza.»

En cuanto a Ignacio, salió de aquel incidente como César del baño después del viaje: limpio, con sólo el vago recuerdo del escozor de la alfalfa. Y se dijo que, en realidad, lo que más le impresionó de la advertencia materna fue lo primero: «En esta casa sólo hay una persona que puede hablar de los pobres: tu padre». El origen humilde de su padre le causaba siempre gran respeto. Cualquier gesto de su padre, cualquier acto y el desarrollo de sus costumbres tenían para él un significado especial cuando pensaba en su origen humilde. A no ser por el recuerdo del «ta, ta, ta; ta, ta, ta» del aparato telegráfico, los puros que encendía Matías Alvear le hubieran sabido amargos. Ignacio se dijo: «Lo que tengo que hacer es llevar una vida normal y no complicar la de los míos». Por un momento casi deseó ser rico: hubiera querido hacerle un regalo a su madre, otro a César, otro a Pilar. En esta disposición de ánimo entró en agosto, viendo que las vacaciones de César pasaban de prisa, de prisa...

Carmen Elgazu hubiera querido hacer una cura radical. Que aquello no fuera un baño, sino una purga. Y, al efecto, le había dicho: «Puesto que no puedes impedir los movimientos comunistas libertarios de Andalucía, ni que los empleados del Banco sean como son, ni que sea como es Julio García, por lo menos hazme un favor: obedece por una vez a mosén Alberto y no vayas ni a esa barbería ni al café Cataluña».

¡Ah! Por ahí no había nada que hacer... A Ignacio le ocurría como a Matías Alvear: tenía sus costumbres. Siempre decía que los chicos que cambian de barbería es que no tienen estabilidad; y en cuanto al café Cataluña...

A Carmen Elgazu no le gustaba la barbería de Ignacio —tampoco le gustaba mucho la de Raimundo, pero ¡qué hacer!— porque sabía que el patrón y los dependientes eran muy extremistas y estaban abonados a todas las revistas pornográficas. «Dios sabe lo que oirás mientras te cortan el pelo, hijo mío.» Ignacio no tenía ninguna intención de cambiar. No encontraba nada especial en el establecimiento, pero ya le conocían; y, además, uno de los dependientes tenía un hermano casado con una malagueña. Aquel detalle le fue simpático. Poder entrar en la barbería y preguntar: «¿Qué, qué tal su cuñada?, ¿qué cuenta de Málaga?», le traía a la memoria mil recuerdos de infancia.

Y en cuanto al café Cataluña, la cosa era más seria. Poco a poco el ambiente había ido penetrando en él. Carmen Elgazu detestaba aquel café porque le parecía ordinario: futbolistas, limpiabotas, tratantes de ganado que jugaban al julepe y por la noche al bacará...; pero Ignacio tenía sus razones.

La primera era el billar. Continuaba jugando al billar, especialmente los domingos, sacando la lengua y levantando la pierna derecha cuando la bola pasaba rozando, lo cual le ocurría con machacona frecuencia. Su padre siempre le decía: «En el billar, mientras no se domina el "retroceso" no hay nada que hacer». E Ignacio no acertaba con él. En cambio, su compañero de juego, Oriol, poseía taco propio, el cual le permitía hacer retroceder su bola cuanto le daba la gana.

Y luego le gustaba, porque entendía que aquel café era un gran campo de experiencia. Ignacio creía que había hecho en él dos descubrimientos claves: el de que los limpiabotas eran, entre el pueblo, una institución tan importante como el clero entre la clase media y alta, y el de que los obreros en paro eran seres muy desgraciados y fácilmente influibles.

Los limpiabotas eran prácticamente el centro en torno al cual giraba la vida del bar Cataluña. Todos los de la ciudad se reunían en él, por turno, y entre todos lo sabían todo e informaban de todo a todo el mundo.

Había algo en su cara —o tal vez en su faja y en sus pantalones de pana— que les confería autoridad. Muchos clientes del café los escuchaban como a un oráculo, y los rodeaban como los muchachos jóvenes rodeaban a los ases del fútbol. Entonces, sin gesticular, ellos hablaban lentamente, y poco a poco iban vertiendo opiniones de una violencia inaudita, eficaces porque por su forma de expresión no parecían exageradas, sino al contrario. Hasta el punto que, excepción hecha de un tal Blasco, anarquista militante que alardeaba de serlo, Ignacio no conocía la filiación exacta de ninguno de ellos. Aunque era evidente que eran mucho más extremistas que Raimundo y el barbero de Ignacio juntos. Ignacio, a veces, había pensado que en el oficio de aquellos hombres, en tener que arrodillarse ante el cliente, estaba el origen de su resentimiento.

En todo caso, exaltaban sistemáticamente a todo el mundo, incitando a uno y otro a esto o aquello y tratando de vender piedras de mechero y postales pornográficas. En opinión del compañero de billar de Ignacio, algunos futbolistas se habían convertido en desechos de hombre —bebiendo y jugando— a causa de los limpiabotas. Éstos siempre decían: «Hay que ayudar a la República a hacer la revolución. Encuentra muchos enemigos». El 10 de agosto, cuando Sanjurjo se sublevó en Sevilla, los limpiabotas fueron los que pidieron en el Cataluña, con más sangre fría, la cabeza del general y de los demás militares comprometidos.

Ignacio había notado que sus víctimas más fáciles eran los segundos seres motivo de su observación: los obreros en paro. Obreros silenciosos muchos de ellos, que se sentaban en la acera fumando o dejándose caer la gorra sobre los ojos, para protegerse del sol. Los limpiabotas les daban tabaco y aun les pagaban alguna copa de anís, a cambio de que les oyeran lentas y complicadas segregaciones oratorias. «Dile a tu mujer que vaya a ver al obispo para que te dé trabajo. Por lo menos, podrá sentarse en un buen sillón mientras espera.» Ignacio viendo aquellos obreros sentía por ellos una gran pena. Deseaba que las cosas se arreglaran para sus familias, que la República llevara a cabo, en efecto, la revolución. Los futbolistas se lamentaban: «Los ricos no vienen ni siquiera al fútbol. Si nosotros cobramos alguna prima, es gracias a la clase media y a los obreros».

En cuanto al juego, fue otro descubrimiento del muchacho. En seguida comprendió que, de tener dinero, se aficionaría a él como algunas personas que estaban allí día y noche, con la baraja en las manos. A veces, encontrándose en el salón del billar, se le acercaba un limpiabotas y le decía: «Mira en aquella mesa. A duro y a poner todos». A Ignacio aquello le atraía cuando la apuesta era importante. Sufría tanto como los propios jugadores.

Su padre le había advertido muchas veces: «Lo que quieras, pero las cartas no». Por eso le ocurrió lo que le ocurrió. El día en que el director del Banco le comunicó que iba a proponer a la Central, a Barcelona, que le admitieran como meritorio, con aumento de sueldo, no sólo pensó que las seis pesetas que dio a la vieja le eran devueltas con creces, sino que no pudo resistir la tentación de decirle al limpiabotas: «Ahí van tres pesetas. Juega por mí». Le pareció que, no teniendo él las cartas, no desobedecía tan gravemente a su padre.

Y no obstante, el dinero ganado —once pesetas en menos de diez minutos— le produjo tal emoción, tal desconcierto, que comprendió que aquello no era bueno. Los dos duros y la peseta le tintineaban en el bolsillo como si fuesen campanillas. Llegó un momento en que le pareció que todo el mundo las oía, especialmente los obreros parados. Entonces salió del café incrustándose las monedas en el fondo de la mano cerrada.

* * *

Carmen Elgazu, que no cesaba de observar a César, veía que el seminarista estaba contento. Contento primero por el cambio que estaba dando Ignacio; y luego porque había tenido una idea que expuesta a la familia —fue excluido Matías Alvear— mereció la aprobación más entusiasta, especialmente por parte de Pilar.

Fue un pequeño complot, que Ignacio dirigió con arte consumado. Ocurrió un domingo por la mañana, el último domingo de agosto, próximas a su fin las vacaciones.

A las diez, Matías, en pijama y silbando, según su costumbre, salió de su cuarto y colgó el espejo en la ventana que daba al río, dispuesto a afeitarse. Su rostro expresaba la mayor felicidad.

Apenas dio media vuelta en dirección a la cocina para recoger sus enseres, cuando César salió de ella triunfalmente blandiendo una navaja, jabón y brocha, en tanto que Ignacio retiraba el espejo y la propia Carmen Elgazu preparaba una silla de cara a la luz, y con ademán cortés invitaba a Matías a sentarse en ella. Detrás de César, por encima de su hombro, sonreían Pilar..., Nuri, María y Asunción.

—Pero... ¿qué pasa? —barbotó Matías horrorizado al ver la navaja en manos de su hijo—. ¿Qué complot es éste?

—¡Nada, nada! ¡Que César va a afeitarte! —explicó Pilar.

—¿A mí...?

—¡A ti, sí! —rubricó César—. ¡Tengo que aprender!

Tal jolgorio se armó que Matías, aun sin comprender los verdaderos motivos, entendió que no podía defraudar a aquel pequeño mundo y, levantando los hombros, exclamó:

—¡Un momento! Me dejaré afeitar con una condición.

—¿Cuál?

—Que por la tarde salgamos todos juntos a dar un paseo por la Dehesa.

—¡Hurra...!

Se sentó. César le llenó de jabón la boca, las orejas, los ojos. De vez en cuando Matías estallaba en una carcajada y entonces salpicaba a todo el mundo. Sin embargo, la navaja empezó a deslizarse por la mejilla derecha con sorprendente facilidad. Luego la izquierda, luego el cuello. Nadie osaba respirar.

—¿Te hago daño?

—¡Adelante!

—¡Espera! ¡Ponle un poco de jabón ahí!

¡Una maravilla! Sólo hacia al final, entre el labio inferior y el mentón, el barbero pareció tropezar, a juzgar por las muecas que hizo, con un pequeño bache que se las traía.

—¡Servidor!

—¡Hurra!

César ni siquiera se dio cuenta de que todos le felicitaban, de que todo el mundo se reía y de que Carmen Elgazu exclamaba: «¡Y pensar que él siempre se corta un par de veces!» El seminarista no cesaba de contemplar la navaja y luego su mano.

—¿Qué te ocurre?

Le ocurría algo extraño, que no se atrevió a contar. En el momento de empezar, le había parecido que alguien, invisible, que estaba a su lado, le guiaba la mano.

CAPÍTULO VII

Todos se dieron cuenta de que, prácticamente, César había dejado de pertenecerles. Apenas llevaba dos meses en su compañía y ya el autobús destartalado volvía a esperarle para conducirle al Collell. Apenas la maleta había sido colocada encima del armario, tenían que bajarla de nuevo. Otra vez los calcetines, las camisas, la pasta dentífrica, el Misal Romano entre dos pijamas, misal que Ignacio le había comprado con aquellas once pesetas.

Carmen Elgazu hubiera preferido no leer las historietas del calendario con tal que los días se hubieran detenido. César se llevaba consigo el afecto de todos, una docena de pañuelos con iniciales bordadas por Pilar, la advertencia del médico: «En cuanto notes cansancio, te sientas», y la orden de mosén Alberto: «Si el director del Collell me dice que has terminado con tus escrúpulos, el verano próximo te daremos menos chocolate».

Matías le había acompañado al doctor, un amigo del director de la Tabacalera, para que diagnosticara sobre las orejas del chico. «No sé, no sé, no le noto nada. Es su complexión. Que coma mucho.» Carmen Elgazu le recomendó: «Ya lo oyes. Diles a las monjas que te den ración doble». Era deseo de Matías que antes de marcharse fuera a despedirse de Julio García y doña Amparo Campo. César le dio satisfacción. Julio, al verle, le puso la mano en la rapada cabeza y le preguntó: «¿Qué, te ha dado buena propina mosén Alberto por tanto recado?» Doña Amparo Campo le contemplaba como si fuera un bicho raro.

Cuando el seminarista subió al autobús y éste arrancó, dirigió una última mirada a los suyos y luego a los dos campanarios de San Félix y la Catedral. Y fue pensando que en el Collell no encontraría otros padres de su sangre, como Matías Alvear y Carmen Elgazu, otros hermanos de su sangre, como Ignacio y Pilar; en cambio, encontraría una capilla hermana de aquella que se cobijaba debajo de los campanarios. Y el mismo Dios.

* * *

Partió el 10 de septiembre. El 15, Ignacio se examinó del cuarto curso de Bachillerato. En los últimos días había hecho un notable esfuerzo, y aprobó. Matías le regaló una corbata, Carmen Elgazu puso en la mesa cuatro velas... El 20 se recibió la noticia de que la Central del Banco Arús había aprobado la propuesta del director, en virtud de la cual Ignacio pasaba a meritorio, con un sueldo de cien pesetas mensuales. El día 1 de octubre otro botones le sustituía, y él quedaba adscrito a la sección de Impagados, frente por frente del empleado que no se decidía a llevar su novia al altar.

Luego, el otoño llegó a la ciudad, montado en la tramontana. Y con él la lluvia. Desde el Banco se oía llover fuera, monótonamente. Las murallas, la ermita del Calvario, sin el sol... y sin César, debían de estar desiertas.

El otoño pareció reagrupar las fuerzas que con el verano se habían dispersado en playas y montañas. Los obreros en paro del bar Cataluña buscaron en el interior un sitio donde molestaran lo menos posible. En la barbería de Raimundo el agua era puesta a calentar antes de remojar con ella a los clientes.

Entonces los partidos políticos se alinearon. Izquierda Republicana, el mejor local de la ciudad, preparó su colosal estufa y celebró Asamblea General: presidentes, los hermanos Costa, industriales importantes, gemelos e inseparables. La Liga Catalana adquirió unos cuantos volúmenes para la biblioteca y renovó la Junta: presidente honorario, don Jorge de Batlle; vicepresidente, el notario Noguer. En el salón del fondo, la juventud del Partido fue autorizada para organizar bailes los domingos y fiestas de guardar. La CEDA adquirió dos *pings-pongs*, y don Santiago Estrada, reelegido, propuso que las señoras tuvieran voz y voto en las decisiones internas. El partido socialista quedó prácticamente unificado con la UGT; en el Banco Arús se dijo: «Eso está bien, pero harían falta dirigentes jóvenes. En Barcelona, el Sindicato pita mucho, pero aquí somos unos borregos». La CNT cobraba auge, y los limpiabotas se habían afiliado a ella en bloque. Se reunían en el mayor de los tres gimnasios de la localidad. La FAI estaba compuesta de menores de edad, que no sabían si eran de la FAI o de las Juventudes Libertarias, pero que obedecían ciegamente al jefe de la CNT. El partido comunista era embrionario como agrupación. Un tal Víctor, encuadernador en los talleres del Hospicio, hombre ya mayor, canoso y aficionado a la fotografía, era el jefe, y había conseguido reunir en una barbería unos cuantos admiradores de Rusia. Víctor tenía una cabeza venerable y era muy respetado. Se le escuchaba con fervor. Siempre decía: «Es lástima que seamos tan individualistas. Si todos los comunistas de corazón y de instinto vinieran... La labor en este invierno tiene que consistir en eso: en agruparnos y encontrar un local». Los monárquicos se reunían en la redacción de *El Tradicionalista*, donde los partidarios de Alfonso XIII hacían buenas migas con los que todavía guardaban la boina roja... Estat Català abrió un local coquetón con chimenea de ladrillos rojos y arcos decorativos. El arquitecto Ribas era el jefe. Los militares se reunían en un café de la Rambla, muy cerca del Neutral, y quien llevaba la batuta era el comandante Martínez de Soria.

Los partidos políticos se alinearon porque se esperaban acontecimientos. Y, en efecto, llegaron: en Madrid se promulgaron simultáneamente el Estatuto Catalán y la Ley de Reforma Agraria.

La Ley Agraria fue muy bien recibida. Todo el mundo estaba de acuerdo: el problema del campo en España era pavoroso. La Torre de Babel decía: «Todavía se trabaja como en tiempo de los romanos».

Don Agustín Santillana, descendiente de grandes propietarios, discutió acaloradamente los términos de la ley. «Expropiar es muy bonito, repartir la tierra, etcétera... Pero luego hay que conceder créditos, conseguir maquinaria, abonos. Será un fracaso espantoso. ¡Con las pocas ganas que hay de trabajar...!» Matías Alvear casi se indignó. «Es el primer esfuerzo serio que se hace desde muchos años. Usted, como empleado de Hacienda, tendría que saberlo. No me va usted a decir que sea justo que Romanones posea casi toda la provincia de Guadalajara.»

—Yo no digo eso, Matías. Pero lo que pueda hacer este Gobierno... ¿No se da cuenta de que se dedican a la demagogia? Prometer, prometer... A mí me gusta estar en la mesa con mi mujer, ¿comprende? A la sirvienta, pagarla bien y hasta buscarle un novio soldado, con bigote; pero en la cocina, ¿comprende?

Matías Alvear se encogió de hombros. «¡Tres doble! ¡Paso!» Se encogió de hombros porque sabía que nunca convencería a don Agustín.

Tocante al Estatuto Catalán... la cosa le pareció menos clara. La explosión de entusiasmo fue tal en la región, que Matías le dijo a don Emilio Santos: «¿Qué cree usted que va a pasar?» En Gerona se hubiera dicho que lo que estaba pasando era un huracán. Banderas por todas partes, sardanas lanzando al viento las notas de sus tenoras. Estat Català emitiendo por la radio local parabienes a Barcelona, Lérida y Tarragona; insignias en las solapas, ¡cinturones y calcetines con las cuatro barras de sangre! El notario Noguer hizo un discurso desde el balcón de la Liga Catalana, el propio mosén Alberto dio orden a la imprenta de catecismo de que retiraran los textos castellanos y esperaran el envío inmediato de un Catecismo en catalán. «Hay que rezar en el idioma materno», sentenció. Pilar, al enterarse, repuso: «¡Estaría bueno! Yo tendría que rezar en vascuence». Julio García se dirigió hacia el único establecimiento de música de la localidad, situado en la calle Platería, y compró seis discos de canciones catalanas de Navidad.

Matías Alvear no veía claro... Le daba miedo presentarse en Telégrafos. «¿Qué va a pasar?»

—No te echarán del Cuerpo —le dijeron, apenas entró—. Pero te trasladarán, desde luego. A Madrid, o tal vez a Soria.

Matías perdió la respiración. No es que Soria le asustase, y mucho menos Madrid. Pero estaba ya harto de traslados, además de que en Gerona tenía un buen piso y había encauzado como Dios manda los estudios y la educación de sus hijos.

—¿No os parece grotesco llevar las cosas a ese extremo? ¿No somos de la misma raza?

Sus compañeros de trabajo se encogieron de hombros... Matías no podía con aquello. A gusto hubiera salido a la escalinata de Correos y gritado a Cataluña entera: «¡No tantos humos!» Pero al pensar en la boina vasca de su mujer se diluyeron los suyos.

Julio García le dio esperanzas. «No tengas miedo. Te quedarás.»

Y así fue. De diversas oficinas partieron hacia otras regiones muchos funcionarios, con sus familias. Extraño éxodo en el interior de una misma nación. ¡El filósofo don Agustín Santillana fue uno de ellos!; pero Matías pudo quedarse, no sin antes haber demostrado que conocía al dedillo la gramática catalana. Julio le dijo: «Agradécelo a los seis discos de canciones navideñas».

Matías continuaba haciendo turno de noche. Su compañero habitual era un hombre pacífico, más joven que él, Jaime, a quien el Estatuto pareció transformar en un ser agresivo. Quería a Matías, pero estaba exaltado. No hacía más que hablarle en tono irónico de lo atrasadas que eran las gentes de Segovia, Badajoz o Cuenca.

—¿Usted ha viajado por allí? —le preguntó Matías.

—No, jamás.

—Entonces ¿se lo han dicho?

—Quizá.

—Ya... De todos modos, le aconsejo que si un día tiene ocasión, vaya por esos sitios. Tendrá una sorpresa.

—No creo.

—¡Ya verá! Y en cuanto a atrasados... yo estuve unos días en Canet de Mar, y luego también en la provincia de Lérida... ¡En fin, para qué hablar!

—¿Es que pretende comparar Cataluña al resto?

—¿Comparar en qué?

—En nivel social, en producción, en... manera de vivir. En todo.

—En nivel social... no. En cuanto a manera de vivir... ustedes se parecen mucho a Francia, claro.

—A mucha honra.

—Pues un castellano no se lo envidiaría, Jaime, se lo aseguro.

—¡Claro! Allí, diciendo todo eso del Cid están más que satisfechos.

—Usted lo cree. Lo que pasa es que no admiten que tener unas cuantas fábricas de tejidos signifique ser más hombre.

—¡Vamos!

—¡Natural! ¿A qué tanto Cuenca y Badajoz porque allí hay menos cuartos de baño que en Barcelona? ¿Es que creen ustedes que son más felices?

—Ni más felices ni menos felices. Simplemente, somos distintos. Por eso queremos separarnos.

—¿Y si los de Segovia y el resto les declaran el boicot y no les compran nada?

—¿Con qué se vestirán?

—Si tan salvajes son... ¡andarán desnudos!

—Bueno, el mercado extranjero es algo, creo yo. ¡Imagínese que toda España fuera como Cataluña! Tendríamos una potencia mundial.

—¿Económicamente?

—Y culturalmente.

—Si tanto le interesa la cultura, ¿por qué se hizo telegrafista?

—Lo mismo digo.

—Yo no he pretendido nunca que mi tierra fuera Grecia. Lo que me interesa es no deber nada a nadie, ni en este mundo ni en el otro.

—¿Frase de los muchachos...?

Llegados aquí, Jaime se dio cuenta de que Matías, personalmente, no se merecía aquello. Se rió y le ofreció un cigarrillo.

Pero Matías quedó preocupado. Nunca le gustó hacer turno de noche; pero ahora mucho menos. Jaime volvería a las andadas. ¡Se había puesto a escribir versos en catalán! Tenía un diccionario al lado. Buscaba palabras nuevas. Cuando el aparato telegráfico se ponía de súbito en marcha, su inspiración quedaba cortada. «¡Perro oficio! —se lamentaba—. Si Maragall hubiese sido telegrafista, no hubiera escrito el Cántico Espiritual. ¿Quiere usted que le recite el Cántico Espiritual, Matías?»

A veces irrumpía en aquella tertulia de a dos el propio Julio García. El policía era trasnochador de suyo y con frecuencia se acercaba a Correos y Telégrafos, y por la puerta que ponía «Prohibido entrar», entraba.

En este caso la discusión tomaba mayores vuelos, pues el hombre en cuanto había tomado parte en un par de rondas de manzanilla era capaz de recitar no sólo a Maragall, sino a Goethe en alemán. Aunque prefería reclinarse en la ventana que daba a la plaza, ladearse el sombrero y canturrear flamenco o algún chotis. Matías gozaba de lo lindo oyéndole y diciéndole a Jaime:

—Compare, compare el texto de este chotis con ese soneto pirenaico que está usted pergeñando.

Luego, Julio tomaba asiento y se ponía a hablar del problema social. Ahí el propio Jaime se convertía en su oyente. La manzanilla ponía al alcance de Julio todo el léxico de que disponía. Matías le escuchaba doliéndose de que don Agustín Santillana se hubiera marchado, porque sus discusiones con Julio eran célebres en el Neutral.

Julio, comentando la promulgación de la Ley de Reforma Agraria, imponía el tema del terrateniente español, al que juzgaba odioso:

—Ignacio sabe algo de esos personajes —decía—, pues todas las semanas desfilan por el Banco un par de docenas a cortar el cupón. Es gente fanfarrona... y desde luego déspota. En su piso o en su casa de campo leeréis siempre, a la entrada: «Ave María Purísima»; en el vestíbulo, veréis el árbol genealógico de la familia. Todo allí recuerda a todo el mundo, especialmente a la propia mujer y a los hijos, que en aquella casa hay que permanecer serios, guardar la compostura siempre... Entretanto, a lo largo de la tapia de la finca... terribles trozos de vidrio, capaces de descarnar a un crío. Y muchos de ellos —el

86

notario Noguer, para citar un ejemplo— tienen dada orden a su guarda de disparar contra el primer intruso.

Matías admitía todo eso como cierto. Todo eso y mucho más. Consideraba al terrateniente español más responsable que los de naciones menos pobres y que no se considerasen católicas; pero invitaba a Julio y a Jaime a admitir que muchos de ellos, personalmente, eran unos aristócratas...

¡Cómo no! Julio lo admitía, admitía que la aristocracia era un hecho natural, que a uno podía no gustarle, pero que era un hecho y que por ello despreciaba más aún a los industriales nuevos ricos, tan despóticos como los primeros y por añadidura chabacanos.

A veces, estas sesiones terminaban en partida de dominó, juego en que los tres eran maestros.

Matías, al día siguiente, repetía en la mesa su conversación con Julio, después de caricaturizar la labor poética de Jaime. Carmen Elgazu, como siempre que se hablaba del policía, ponía mala cara. Más aún, en los últimos tiempos daba a entender que sabía mucho referente al amigo de la infancia de Matías Alvear.

—Creéis que es simple policía, ¿eh...? ¿Dónde habéis visto que un policía sepa tantas cosas, sea tan sabio?

Ignacio replicaba:

—Los policías no leen nada y él sí. Eso es todo.

—¡Ya, ya! —insistía Carmen Elgazu—. ¿Todos los policías reciben tanta correspondencia como él recibe, inclusive del extranjero...?

Matías se reía.

—Y eso ¿qué tiene que ver?

A Carmen Elgazu le parecía que tenía mucho que ver.

—Y además... me obligaréis a desembuchar del todo. En Madrid no mandan a las provincias fronterizas como ésta a un cualquiera... ¡No, no, si no he terminado! ¿Queréis saber una cosa...? —Un día miró a todos en señal de reto y soltó—: Julio es especialista en suicidios.

—¿Especialista en...? —Varias voces repitieron la palabra.

—¡Sí, sí! Y también por eso se encuentra aquí. Porque en esta provincia hay muchos suicidios, aunque no lo parezca.

Nadie comprendió. Ignacio se encogió de hombros, aun cuando le costaba suponer que su madre erraba. Sabía que su madre no hablaba nunca porque sí, que sus palabras arrancaban siempre de instintos muy profundos.

Matías acabó diciendo que, de continuar de aquella manera, se abstendría de contar en la mesa sus tertulias nocturnas en Telégrafos. Pilar protestó al igual que los demás, pues si bien la chica no entendía nada de política, nunca faltaba entre dos réplicas alguna agudeza, que luego le valía un éxito entre las amigas.

Carmen Elgazu no dio su brazo a torcer e intensificó su labor informativa. Un día en que Matías llegó celebrando los dichos de Julio más que de ordinario, puso cara de circunstancias, se arregló el moño y soltó la gorda. Dijo que Julio era, ni más ni menos, el capitoste de los comunistas de la provincia.

Todo el mundo se quedó estupefacto. Matías la miró y, cambiando de expresión, repuso:

—¡No tantos vuelos, mujer, no tantos vuelos...! Anda, basta ya. —Luego añadió—: Julio... es un pobre hombre, como yo...

Y aquella frase desarmó a Carmen Elgazu.

* * *

Se acercaba Navidad y el cumpleaños de Ignacio. Con ello los turrones, los belenes y la lotería.

Pilar fue la encargada del belén. Se eligió su habitación porque era la que ofrecía más espacio libre y donde sus amigas Nuri, María y Asunción podrían trabajar sin estorbar. Pilar comenzó el montaje utilizando una mesa espaciosa, plegable, que guardaba en el cuarto de trastos de la azotea. Pintaron un fondo de montañas y cielo azul. Para el portal, se guiaron por un plano que la había hecho César, ex profeso, fiel a la Biblia. Pilar hubiera querido algo magnífico, regio, con figuras de tamaño natural: Ignacio les decía: «No seáis tontas. Los belenes tienen que ser sencillos. Así, con un río de papel de plata».

De los turrones se encargó Carmen Elgazu, y fue mandado un paquete de dos kilos al Collell; de la lotería se cuidó Matías.

Matías Alvear convencía todos los años a la tertulia del Neutral para comprar, entre todos, un billete. Aquel año faltaba don Agustín Santillana, pero le sustituyo el subdirector del Banco de Ignacio.

El director de la Tabacalera, que si tenía un pasar era gracias a la lotería, le preguntó a Matías:

—Así, pues, ¿qué haría usted, Matías, si le tocara el gordo? Además de mandar a freír espárragos a los de Telégrafos, se entiende.

Matías colgó el sombrero en el perchero del café y dijo, sentándose y pasándose las manos por los muslos:

—Pues..., la verdad, lo primero cumplir una promesa que le tengo hecha a mi mujer: llevarla a Mallorca.

—¡Vaya! Segunda luna de miel.

—Eso. Luego... —continuó, arrellanándose en el sillón, y llamando al camarero— creo que iría a la barbería de Raimundo y me daría el gustazo de decirle: «Anda, haz lo que te dé la gana». Me gustaría comprobar cuánto subiría la cuenta.

El camarero del Neutral se detuvo a escucharle, sonriendo, lo mismo que Julio.

—¿Y qué más, y qué más?

—Pues... no sé. ¡Podría uno hacer tantas cosas! Quedarse aquí, o estar pescando en el Ter o en el balcón durante años...

El director de la Tabacalera le miró sorprendido.

—¿Continuaría usted pescando en el balcón?

Matías disolvió con parsimonia el azúcar en el café.

—¿Por qué no? ¿Qué querría? ¿Que me fuera a pescar ballenas?

Matías aseguraba que a él el dinero no le haría perder la cabeza jamás.

El camarero quedó un poco decepcionado. Era un chico exaltado, Ramón de nombre, que siempre soñaba con aventuras inverosímiles.

—¿Y usted, Julio...? —preguntó Ramón al policía al ver que se había hecho el silencio.

Julio se pasó también las manos por los muslos.

—Yo..., lo primero que haría es ocultarle a mi mujer que me había tocado un céntimo.

El camarero torció la boca y se alejó. A todos les dio pena y, llamándole, le regalaron una participación de cinco pesetas. Pero... de nada sirvió. Rodó la Fortuna y a la tertulia del Neutral no le tocó nada, ni pedrea.

Sin embargo, Navidad llegaba para todos. En el piso de la Rambla estaban el belén, los turrones, una carta de César dirigida especialmente a Pilar, a quien felicitaba por haber estrenado unas medias y a quien censuraba su proyecto de cortarse las trenzas. Carmen Elgazu hizo canelones. Luego hubo pollo y champaña. Matías dijo: «Si queréis, puedo recitaros un soneto de Jaime. *Sota el cel blau...*»

Todos protestaron enérgicamente.

El 31 de diciembre, cumpleaños de Ignacio —diecisiete años—, se invitó a todas las amistades a tomar café. Pilar estaba muy contenta viendo a tantos hombres en casa. El único que le daba miedo era mosén Alberto. Cuando éste llegó, la chica salió al balcón del río, le hizo una seña a Nuri, que permanecía a la escucha tres balcones más arriba, y a la media hora ésta, María y Asunción, se hallaban reunidas en el cuarto de Pilar, parloteando, cambiando de sitio las ovejas del belén y mirando de vez en cuando al comedor por el ojo de la cerradura.

Pilar les leyó la carta de César. Estaba muy orgullosa con ella.

Nuri le dijo: «Yo quiero que tu hermano me case». Asunción, que cada vez que se acercaba a la cerradura deseaba que el ángulo visual comprendiera a Ignacio, dijo sonriendo: «Yo quiero casarme con tu hermano».

Pilar ocultaba a sus amigas que Ignacio no le hacía caso. En realidad, ella continuaba prefiriéndole. Si Ignacio hubiese querido, la chica le hubiera seguido a todas partes. Aquel día les decía a todas: «Diecisiete años, y ya cobra cien pesetas».

Ignacio sostenía raramente una conversación larga con su hermana. Excepto si le interesaba algo preciso, preguntarle detalles de las monjas o de sus amigas. Se interesaba especialmente por María y Asunción, porque éstas eran hijas de militar. «¿Qué cuentan de sus padres?» Le interesaban porque en el Banco se decía que los militares eran los verdaderos enemigos del progreso y de la República. Se hablaba con particular agresividad del comandante Martínez de Soria, monárquico recalcitrante. Pilar se encogía de hombros, ignoraba todo aquello. Se limitaba a decirle que a María y a Asunción, lo mismo que a otras chicas que conocía, les gustaba mucho ser hijas de militar.

En el comedor se hablaba de lo importante que era aquella fecha, el último día del año. De que la vida pasaba de prisa. ¡Julio recordaba a Matías de pantalón corto —sin medias— correteando por Madrid!, mosén Alberto sus años de Seminario, «cuando lo que ahora era patio en la Sagrada Familia era entonces huerta con coles y nabos y una acequia de agua clara», don Emilio Santos dijo: «Pues hoy hace quince años que murió mi mujer». Todo el mundo guardó silencio un instante. Luego Carmen Elgazu explicó que ella y Matías se conocían desde hacía veinticinco años. «Nos conocimos en Bilbao. En un viaje que él hizo allí, nunca he sabido por qué...»

—¿Por qué fui a Bilbao...? —Matías soltó una carcajada—. Pues ha quedado claro, me parece...

—¡Nada, nada! Ni siquiera sabías que yo existiera.

Éste era el gran misterio, según mosén Alberto. Que las personas se cruzaran a mitad de camino...

Luego se habló de lo que cada uno haría aquella noche. Julio y doña Amparo Campo se irían al baile de Izquierda Republicana y se tomarían las doce uvas. Don Emilio Santos a dormir, lo mismo que Matías. Mosén Alberto tenía que terminar la Memoria anual de actividades del Museo. A Carmen Elgazu la horrorizó que alguien, en el momento de empezar el nuevo año, se atreviera a estar en un baile y comer uvas. «Son costumbres de quién sabe dónde», dijo.

—¿Usted qué hará, pues? —le preguntó el policía.

—¿Yo...? Pues como todos los años. Me llevaré a Ignacio y Pilar a la Catedral, y empezaremos el año oyendo misa.

Matías intervino:

—Anda, mujer, cuéntalo todo. Haréis algo más, supongo.

—¿Qué quieres decir?

—No sé. —Matías sonrió—. ¿No haces nada al oír las doce campanadas?

Carmen Elgazu se arregló el moño que se le estaba cayendo.

—¡Ah, sí, claro! Besaremos el suelo doce veces.

Julio empequeñeció los ojos. Don Emilio Santos miró a la mujer de Matías con admiración.

—¿Besar el suelo...?

—Claro. En señal de humildad.

Ignacio corrigió:

—No es exactamente eso. Es recordar que el tiempo pasa y que volveremos a ser polvo.

A Ignacio le gustaba demostrar a Julio que él continuaba estando al otro lado.

—¿Tú también lo harás?... —le preguntó el policía.

—Naturalmente —dijo Ignacio.

Carmen Elgazu rubricó:

—En mi casa, en Bilbao, la familia lleva más de trescientos años besando el suelo a fin de año, cuando dan las campanadas.

Así se hizo. Julio comió las uvas en Izquierda Republicana —su mujer hubiera preferido otro lugar de más postín—; mosén Alberto se paseó solo por las inmensas salas del Museo catalogando objetos y mirando de vez en cuando las estrellas; Carmen Elgazu e Ignacio se fueron a la Catedral.

Ceremonia de fin de año. ¡Ignacio cumplía los diecisiete! Madre e hijo arrodillados; sonó el reloj; ¡ambos se doblaron y pegaron su frente y sus labios a las losas del templo! La sangre le subió a Ignacio a la cabeza. De reojo miraba a su madre y pensaba: «Hace diecisiete años, esta mujer en vez de estar boca abajo, como en este instante, estaba tendida panza arriba, las manos en los barrotes de la cama, abierto el vientre para darme la vida». Cuando las doce campanadas se extinguieron, Ignacio asió del brazo a su madre, ayudándola a reincorporarse. Sintió el tibio contacto de su antebrazo. El perfil de Carmen Elgazu era duro y noble, destacaba sobre los sillares de la Catedral, era un perfil que debía de tener también trescientos años... «¿Yo perfecta...? —protestaba a veces Carmen Elgazu—. Sí, sí. También siento mis antipatías, también. Y mis celos y mi amor propio. Es imposible que una mujer casada sea perfecta.»

Año Nuevo. Ignacio oyó resonar con magnificencia el órgano del templo. Un coro cantaba, que parecía de ángeles. «¿Por qué al señor obispo le rodeaban con tantos almohadones?»

—Señor... que en este año de 1933 apruebe el quinto de Bachillerato, que en casa tengamos salud y continuemos todos tan unidos como ahora. Que Pilar, dentro de un año, pueda construir de nuevo el belén, con un río de papel de plata.

* * *

El día 2 de enero, en el Banco, quiso enterarse de lo que habían hecho los empleados en la noche de San Silvestre. Resultó que varios de ellos también habían besado el suelo: el de Impagados y Padrosa. Se emborracharon de tal forma en el Cataluña, que al salir se cayeron a la acera. «Porque Blasco nos empujó», se disculparon. El subdirector fue al cine con su mujer; la Torre de Babel, a ver un *vaudeville* que daban en el Teatro Municipal. «Me dolía el estómago de tanto reírme.»

En realidad, a Ignacio le interesaba la actuación de uno de los empleados, de Cosme Vila. Cosme Vila, con su cabeza mogólica y la nuez del cuello inmóvil, escondió algo bajo la máquina de escribir.

—Yo hice como todos los días: me quedé en casa a leer.

Ignacio le preguntó:

—¿Se puede saber qué es lo que lees? ¿O si es que estudias algo?

Cosme Vila contestó:

—Leo... libros sociales. Me interesa lo social.

Ignacio preguntó:

—¿Zola, Tolstoi...?

Cosme Vila se pasó la mano por su prematura calvicie.

—No, no. Prefiero textos precisos.

—¿Sorel...?

—Sí. ¿Por qué no? Y Marx.

Ignacio se mordió los labios.

—¿Tú... tienes familia? —le preguntó.

—No. Ahora vivo solo. Pero la tendré. —Luego añadió—: Quiero tener un hijo.

Cosme Vila trataba a Ignacio como a los demás. Siempre guardaba cierta distancia. Ignacio había pensado a veces que estudiar quinto curso y haber redactado aquella protesta contra las horas extraordinarias le granjearían la consideración de Cosme Vila. Pero no era así. El empleado de Correspondencia los miraba a todos un poco como casos perdidos, como si se movieran en una órbita o en un mundo destinado a perecer.

Aquel día le dijo:

—¿Y tú qué hiciste en la noche de San Silvestre?

Ignacio se rascó con rapidez el negro y encrespado pelo.

—¡Bah! —sonrió—. Lo mío no te interesa.

* * *

Luego, el nuevo año empezó bajo el signo de los mítines. Todos los Partidos organizaron mítines. Preparación de la campaña electoral.

A Matías le gustaban mucho los mítines. Todos, del color que fueran. No se perdía uno. Ignacio, en esta ocasión había de acompañarle, aun a riesgo de faltar a la Academia nocturna, y el espectáculo iba a ser para él un gran descubrimiento.

En los mítines le pareció que empezaba a conocer lo que cada Partido pretendía y en ellos oyó hablar y conoció a los diputados, que tantas veces citaban, para bien o para mal, *El Tradicionalista*, órgano de las derechas, y *El Demócrata*, órgano de las izquierdas.

Ignacio se dio cuenta de que era muy sensible a aquel sistema de propaganda. La idea de unas personas elegidas por voto popular, recorriendo los escenarios de la capital y los pueblos, agradeciendo a los ciudadanos la confianza que habían depositado en ellas, rogándoles que expusieran sus necesidades, para tratar de ellas en el seno del Gobierno, le pareció un sistema perfecto de enlace, algo así como una gran conquista de la organización humana. Recordaba lo que a veces había oído sobre la Dictadura; que un hombre solo decidía a rajatabla, sin contacto directo con la gente, con zonas de la nación por las que ni siquiera había pasado nunca, y le parecía algo muy inferior.

Por su parte, salía de los mítines convencido. De tener voto, casi siempre hubiera votado por los últimos que acababa de oír.

Le gustaban las banderas cruzándose con hermandad, las ovaciones. Y sobre todo, la gravedad de los diputados, el calor y la sinceridad con que hablaban.

Y, sin embargo, no todo el mundo estaba de acuerdo con él. El subdirector del Banco, pulsó un poco de rapé como era su costumbre y le dijo:

—¡Uf, chico! Yo soy de la CEDA, ya lo sabes. Pues mira. En todo eso hay mucho teatro, la verdad. ¡Qué quieres!

Ignacio supuso que el subdirector hablaba en tal forma porque su partido era de derechas.

Pero recogió otra opinión. La del cajero, hombre ya maduro, cuñado del diputado don Joaquín Santaló, de Izquierda Republicana.

Al oír la pregunta de Ignacio, se rascó la cabeza.

—Pues sí... hay mucho camelo... Claro que hay algún diputado que habla de buena fe, pero la mayoría... —Atrajo a Ignacio hacia sí, cerca de la caja de caudales—. Te puedo dar un detalle. En casa hay la gran juerga cuando llega mi cuñado. Mi mujer, que no tiene pelos en la lengua, le pregunta: «Esta vez, ¿qué prometiste?» Mi cuñado le contesta: «Ale, no seas idiota». Pero cuando quedamos solos me dice: «No sé. Depende de lo que prometan los demás. Quizá los muros de contención del Ter, contra las inundaciones».

Ignacio se indignó. «¿Cómo podían ser unos farsantes si exponían el pellejo por su idea? Porque él había presenciado muchos incidentes: interrupciones, insultos, piedras a la salida.»

—Ya, ya —admitió el cajero—. Eso es verdad. Pero forma parte del caldo.

A Ignacio le preocupaba precisamente lo contrario: creer que todos tenían razón. Porque apenas si veía diferencia entre un programa y otro, excepción hecha del aspecto religioso. Todos demostraban preocuparse del bienestar de la gente. Los Costa, los industriales jefes de Izquierda Republicana, daban el ejemplo tratando a sus obreros con verdadera esplendidez. La UGT si no hacía más, era porque no podía. Y las derechas lo mismo, a pesar de lo que le confesó el subdirector.

El cajero le dijo:

—Bien, ¿y no te amosca un poco que, siendo adversarios, todos empleen el mismo lenguaje?

Un hecho inquietaba a Ignacio, le sumía en la mayor confusión: que toda la gente que le rodeaba, perteneciendo a una misma clase social y teniendo, por lo tanto, idénticas o muy parecidas necesidades, militara con tanto fanatismo en partidos distintos, que se hacían la guerra entre sí. Padrosa y la Torre de Babel eran socialistas. Para ellos la UGT acabaría arreglándolo todo. «El día en que cuente con dirigentes jóvenes y preparados.» El de Cupones y el de Impagados, cuando veían entrar en el Banco a los Costa, si no gritaban «¡Viva Izquierda Republicana!» era porque estaban en casa ajena. Adoraban a los dos industriales, muy campechanos desde luego y muy sencillos. El director hablaba siempre de los radicales, el subdirector, de la CEDA. En pro de don Santiago Estrada, y no digamos por Gil Robles, se habría dejado matar. Cosme Vila... no decía nada, pero el nombre de Marx era harto elocuente. Su propio padre, Matías Alvear, creía en Izquierda Republicana, pero no en la de los Costa. «La Izquierda de aquí —decía— sólo piensa en Cataluña.» Don Emilio Santos era más bien monárquico. Julio, no se sabía.

Ignacio estaba sumido en la mayor confusión.

El cajero le dijo que no debía darle demasiada importancia a aquel aspecto de la cuestión, como tampoco a la de los mítines. Que todos los sistemas políticos tenían sus puntos débiles. El democrático fallaba por ahí: no toda la gente era lo bastante responsable para votar, y los diputados, hombres como los demás, a veces prometían muros de contención de un río, sin tener la menor intención de transportar una piedra para ello. Ahora bien, el sistema tenía muchas ventajas. La posibilidad de derribar del poder a los vividores —en cambio a un dictador o a un rey había que aguantarle—, la prensa, la libertad...

—La libertad... recuerda esta palabra —concluyó—. En fin, ya te irás convenciendo. El sistema democrático es el único en que una persona puede considerarse verdaderamente una persona.

CAPÍTULO VIII

Hubo noticias frescas de ambas familias (Alvear-Elgazu), empezando por los hermanos de Matías. El de Burgos, que tenía una hija de la edad de Ignacio y un hijo algo más joven que Pilar, fue nombrado jefe de la UGT. El hombre no hubiera querido aceptar, pero por fin se sacrificó porque entendió que sería útil. Santiago, el de Madrid, hacía vida marital con una joven, mecanógrafa del Parlamento. Matías se rió mucho con aquella noticia y a partir de aquel día las discusiones de los diputados tuvieron doble significado para él. En la carta en que Santiago les anunciaba su nuevo «enlace» había una posdata que ponía: «Mi hijo José, dentro de unas semanas, hará un viaje a Barcelona por motivos políticos. Supongo que no os importará que vaya a Gerona a veros».

Aquello fue un toque de clarín. A Carmen Elgazu la anunciada visita no le hacía ninguna gracia; pero sabía que para Matías su familia era cosa sagrada y no se atrevió a rechistar. ¡Ignacio más que intrigado!; para él su primo era un ser fabuloso, que en Madrid se jugaba la vida cinco veces al día. Además, estaba cansado de no tener un amigo de su edad.

De Vasconia las noticias eran varias. La vida separaba a la madre y los ocho hermanos de Carmen Elgazu. El mayor se iba a Asturias, de encargado en una de las fábricas de armas de Trubia. Luego venían dos hermanas, casadas más bien que mal, en Santander y Éibar. Luego el que fue *croupier* en San Sebastián. ¡Eligió mejor número de lotería que la tertulia del Neutral! Le habían caído veinte mil duros. El siguiente vivía en América desde hacía tiempo y no escribía. Las tres peque as eran solteras y las únicas que permanecían en Bilbao, cuidando de la madre; aunque la última, Teresa, que había sido siempre la preferida de Carmen Elgazu, en mayo entraría de novicia en el convento de las Salesas, de Pamplona.

Aquel despliegue de personajes por caminos tan diversos era muy impresionante y a Ignacio, en un momento en que se quedó solo en la Dehesa, contemplando el Ter, que bajaba crecido, le pareció que tenía mucho paralelismo con el de la Naturaleza. El *croupier* avanzaba como el Ter ahora, turbulento; las hermanas casadas eran valles tranquilos. Y si la madre, con sus ochenta y siete años representaba el tronco inmóvil, el hermano de América sugería esa nube que de pronto se despega, sola.

Las cartas de la madre decían: «Teresa rezará por tus hijos, empezando por Ignacio, que al parecer te inspira temores. No tengas miedo. He estado leyendo y releyendo su felicitación de Navidad y revela un corazón bueno. Hijo tuyo y de Matías, no podía ser de otra manera».

En cambio, Ignacio creía que todo el mundo —excepción hecha, al parecer, de la abuela de Bilbao— podía ser de otra manera. Mil sentimientos le embargaban a diario. Febrero y marzo fueron meses extraños en los que ni siquiera las luces eran precisas. Ignacio se daba cuenta de una cosa: le faltaba un amigo de su edad. Los del Banco eran mayores que él, y moralmente estaban muy distanciados; los de la Academia, demasiado estudiosos. Si se les hacía una broma parecían medir su área o la posibilidad de adaptarle corriente alterna. Y, peor aún... le faltaba también una chica en quien soñar. Julio se lo había advertido varias veces, con razón. También había conocido varias muchachas en la propia Academia y otras en la Rambla, por azar. Y le gustaban mucho, enormemente. La verdad es que se las comía con los ojos, hasta asustarlas; sin embargo, parecía que le gustaban en bloque, porque eran muchachas y él estaba en la edad; pero sin hallar ninguna especial cuya imagen ocultara a todas las demás.

A veces recibía un impacto, inesperadamente, que le hurgaba por dentro durante unos días; pero nunca prosperaba. Tal vez el más durable fuera la imagen de una chica de unos quince años, a la que un día, en que ayudó misa en la parroquia, sirvió la Comunión. Era una chica de cabellos larguísimos y cuello de cisne. Al administrarle el sacerdote la Sagrada Forma cerró los párpados con tan maravillosa dulzura, que Ignacio quedó sin respiración. Desde entonces, cada vez que la veía sentía un extraño cosquilleo. Tenía ganas de decirle: «A ver, cierra los párpados». Preguntó por ella en la Academia. Le dijeron que era hija de un abogado, que pertenecía a una gran familia. Ignacio pensó, en voz alta: «¿Por qué sólo tendrán cuello de cisne las hijas de buena familia?»

En otro aspecto había una gitana que le sorbía el seso. Era de las tribus establecidas en las orillas del Ter, que formaban parte de la ciudad como el verde de la primavera. Debía de tener unos catorce años, pero ya era una mujer. Mujer joven, que danzaba al andar, cuyos pies eran como sandalias. Ignacio aseguraba que nunca había visto una joven tan hermosa, de ojos tan misteriosos; de un color de piel tan aristocrático. Iba con un gitano mucho mayor que ella, que no se sabía si era su hombre o no. El director del Banco, que los conocía, dijo que dicho tipo era a la vez su hombre y su padre. Ignacio se impresionó mucho al saberlo. «No hay nada que hacer, no hay nada que hacer —comentó la Torre de Babel—. Las gitanas no van nunca con un blanco. Su raza se lo prohíbe.»

La Torre de Babel le decía siempre que un gran medio para alternar eran los bailes. «Si quieres echarte una novia, vete a los bailes.» Pero en Gerona había pocos, como no fuera en fiestas excepcionales. O mejor dicho, ninguno a su medida. Había uno cerca de la Dehesa, llamado El Globo, que se llenaba de jóvenes mujeres de la vida. Otro cerca del Teatro Municipal, que se componía de muchachas de la fábrica y modistillas. En cuanto al Casino...

Ignacio había ido, por curiosidad, un par de veces al de las modistillas. Pero se aburrió. En primer lugar no se podía dar un paso. Aquello no era bailar. Y luego, las chicas no ofrecían ningún interés. Despeinadas, con una excitación especial y extraordinariamente distraídas. Se veía que bailaban con éste, que querían hacerle caso, pero que al mismo tiempo pensaban en aquél. Continuamente consultaban el carnet. «El próximo es con Ramón.» Veían pasar a alguien. «¡Perdona un momento!», decían. E iban a murmurarle algo al oído. Vivían una serie ininterrumpida de momentos provisionales.

Por lo demás, tuvo muy poco éxito. Le miraban de arriba abajo y se excusaban: «Lo siento, no sé bailar», o «Estoy cansada». Una criada dijo, mirando a sus amigas: «¡Jolín, bastantes señoritos tengo en casa!»

* * *

El 15 de abril, Matías registró con su aparato un telegrama que le iba dirigido: «Llego mañana tren tarde, José».

Toda la casa se alteró. Carmen Elgazu, cuando tenía que recibir a alguien, aunque le tuviera en el concepto en que tenía a su sobrino, no vivía hasta que no quedaba una mota de polvo en el piso. «¡Pilar, los cristales de tu cuarto, que están hechos una porquería!»

La entrada de José en Gerona fue triunfal. Acudieron a la estación Matías e Ignacio; y éste, con sólo verle saltar del coche al andén, le admiró. Le admiró por una especie de espontaneidad que se desprendió de su salto, y luego porque le estrechó la mano con camaradería, sin besarle en la mejilla; y porque de ningún modo permitió que ni él ni Matías le llevaran la maleta, maleta extraña, de madera, atada por el centro con un cinturón.

Carmen Elgazu, al ver aquella maleta, pensó: «¡Dios mío, tiene pinta de esconder un par de bombas!»; y no era verdad. A menos que se consideraran bombas unas hojas de propaganda de la FAI y una cajita de preservativos.

José era más alto que Ignacio, y tenía dos años más que él, o sea diecinueve. Corpulento, pletórico de sangre joven, pelo negro y alborotado como el de la familia Pilón. Voz bien timbrada, gestos poco refinados pero de impresionante eficacia expresiva. Acostumbrado a hablar de mujeres, siempre silueteaba curvas en el aire.

—¿Qué tal, tía Carmen? —le dijo a Carmen Elgazu, abrazándola con familiaridad—. ¡Está usted más guapa que en las fotos! —La mujer sonrió lo mejor que pudo.

Matías se rió de buena gana. Aquello era un huracán. Al entrar en el comedor y ver la imagen del Sagrado Corazón presidiendo, pareció hallar precisamente lo que buscaba.

—¡Ya está armada! —exclamó, frotándose las manos—. ¡Aquí va a haber más lío que en Waterloo!

Ignacio intervino:

—Si quieres lavarte, ahí tienes.

—No, no. No vale la pena.

El problema del alojamiento fue resuelto. Dormiría en la cama de César, en la habitación de Ignacio. Carmen Elgazu había dicho: «O si prefiere estar solo, le daremos la habitación de Pilar y que la niña duerma en el comedor». Pero José se negó rotundamente a aquella combinación. «¿Por qué? Nada, nada. Encantado de compartir el cuarto con Ignacio. Así podremos charlar.»

Le abrieron la puerta para que lo viera. José echó una ojeada rápida y dejó la maleta sobre la cama.

Luego Matías le enseñó el piso, empezando por la ventana que daba al río.

—¡Caray, cualquiera se suicida ahí! A lo mejor tocas fondo y te matas.

Al cruzar el pasillo y ver que Carmen Elgazu se disponía a abrir una puerta pequeña, cortó:

—Sí, ya sé. Lo de siempre.

Vio la alcoba, con una alfombra coquetona y una mesilla de noche a ambos lados de la cama. Y luego salieron al balcón que daba a la Rambla.

¡Eso! Eso fue lo que más le gustó. El forastero encontró aquello muy alegre, un palco ideal.

—Aquí viene todo el mundo a presumir, ¿no es eso?

—Exacto.

José respiró hondo y miró a uno y otro lado de la Rambla. De repente, al ver que Carmen Elgazu y Pilar se habían rezagado y que sólo quedaban hombres en el balcón, preguntó, en tono malicioso:

—¿Hay buen ganado en este pueblo?

Ignacio quedó perplejo.

—¿Ganado...?

—Sí. —José le miró, sacando su pitillera—. ¿No sabes lo que es el ganado?

Ignacio enrojeció.

—No sé. Las chicas, ¿quizá...?

—¡Pues claro!

Ignacio se rió.

—No creo que estemos del todo mal, la verdad —informó. Se volvió y señaló la Rambla, que empezaba a llenarse.

Matías intervino, con sorna:

—Por regla general, la gente que llega a Gerona pregunta por los monumentos.

—Lo mismo da —objetó José—. También se las puede llamar monumentos.

La franqueza de su primo continuaba gustando a Ignacio.

—Si quieres —propuso éste—, creo que podemos dar una vuelta antes de cenar.

José le miró.

—Chico, por mí encantado.

Matías consultó su reloj.

—Es verdad. Tenéis un par de horas.

—Pues andando —dijo Ignacio—. Vamos a estirar las piernas.

A Carmen Elgazu le pareció de muy mala educación que se marcharan en seguida. Apenas hacía media hora que habían llegado de la estación.

José levantó el brazo como dispuesto a darle unos golpes de desagravio en la espalda, pero no se atrevió.

—¡Ya charlaremos, tía, ya charlaremos!

Se peinaron en el cuarto de Ignacio. José usaba brillantina. Matías los iba siguiendo, reclinándose en las paredes. Cada ademán de José le recordaba a su hermano Santiago y su propia juventud.

—¡Hasta luego!

—¡Hasta luego!

Apenas abierta la puerta, Ignacio se sintió contagiado de la vitalidad de José. Fue el primero en bajar los peldaños de cuatro en cuatro, e irrumpir en la Rambla, al aire libre, como una ráfaga de optimismo.

La Rambla estaba ya abarrotada. Y apenas hubieron dado cincuenta pasos, siguiendo la corriente de los grupos y las parejas, José se sintió a sus anchas. Empezó a hacer gala de sus procedimientos habituales, exagerando por hallarse en terreno forastero.

Cuando pasaba «algo bueno» se quedaba plantado e iba virando en redondo, y luego silbaba o decía: «¡Niña...! ¡Que estoy cansado de pagar recargo de soltería!» A una le susurró, inclinándose hacia su oído:

—¿Te vienes conmigo, chachi?

Ignacio le advirtió:

—¡Vete con cuidado, que esto no es Madrid!

—¡Bah! Todas las mujeres son lo mismo, aquí y en Pekín.

Ignacio observó muy pronto que los gustos de su primo diferían mucho de los suyos. José elegía más bien mujeres rellenitas, de alto peinado, gruesos pendientes y risita de conejo.

—Ya veo el género que te gusta —le dijo, intentando adaptarse a su léxico—. Será mejor que vayamos por otro barrio. Sígueme.

Tomaron la dirección de la calle de la Barca. Al final de la Rambla pasó una mujer rubia, esquelética.

—¿Cómo estamos de calderilla? —preguntó José, de sopetón.

Ignacio volvió a quedar sin respiración. En realidad desconocía la metáfora, pero supuso a lo que se refería. Y recordando que la Torre de Babel decía siempre que «no había por dónde agarrarse», comentó, con naturalidad:

—Mal; no hay donde agarrarse.

José se detuvo un momento y se rascó la nariz.

Continuaron andando, cruzándose con mucha gente que salía de las fábricas. Pero no hubo suerte. En el barrio de la Barca no había más que chiquillos canturreando y viejas que regresaban a sus casas llevando una col en la mano.

—Habría que revolucionar esto —dijo José, que se estaba impacientando—. ¡Este pueblo huele!

Ignació contestó:

—Pues a mí me gusta.

—¿De veras? ¿Por qué?

—No sé. Porque sí.

—Hablas como un carcunda.

—No sé por qué lo dices.

—¡Nada! ¡Te invito a una copa!

Entraron en el Bar Cocodrilo, que por sus dibujos en los cristales siempre llamaba la atención. Era el clásico ambiente: soldados con un codo en el mostrador, un par de gitanos sentados uno frente a otro en un rincón, un anuncio del Anís del Mono y debajo de él un tipo algo torero, con bufanda de seda. De la lámpara pendía un papel matamoscas. José pidió coñac, Ignacio anís.

Los soldados hablaban de un sargento chusquero, que al parecer tenía más humos que un general. Cuando la Dictadura pegaba tortazos a granel; ahora, con la República, andaba con más cuidado, pero nunca conseguía llegar a las diez de la noche sin haber merecido que le fusilasen.

—A mí me arrestó porque me faltaba un botón de la guerrera.

—¿Cuánto te echó?

—Un mes.

—¡A mí me salieron ocho días porque, estando en filas, me metí un dedo en las narices!

José soltó una carcajada. Se le veía con ganas de meter baza en la conversación.

—¿Eres de Madrid? —le preguntó a uno de los soldados.

—Sí.

—Yo también. ¿De dónde?

—Carabanchel Bajo.

—Yo de Argüelles.

Fraternizaron. Se bebió otra ronda.

—Éste es un primo mío —dijo José, presentando a Ignacio—. Pero todavía no ha hecho la «mili».

—Comprendido —cortó el de los dedos en la nariz.

Ignacio no supo lo que querían decir.

—¿No estáis hartos de llevar el caqui? —prosiguió José.

—Tú dirás...

—La Patria... —añadió el de Madrid, echándose con indolencia el gorro para atrás.

Se oyó una risotada. Era el patrón.

—¿Qué te pasa, compadre?

—¡La Patria! ¡Mirad! —rió el hombre, tocándose el vientre.

—¿No te da vergüenza? —interpeló José, zampándose otro coñac—. ¡Materialista!

—¿Y tú qué eres? —le preguntó el del botón—. ¿El Papa?

—¿Yo...? Yo soy la Pasionaria.

Todos estallaron en una carcajada, incluso Ignacio.

—Conque ¿Moscú...? —añadió, interesado, el de los dedos en la nariz.

—No. Fue un camelo —explicó José—. Yo soy anarquista.

—¡Anarquista!

—Sí. ¿Qué pasa? ¿Te da miedo?

—¿Miedo? A mí no me da miedo ni la Siberia.

Los dos gitanos miraron a José.

—¿A que no sabéis lo que es el anarquismo? —les preguntó el primo de Ignacio, dirigiéndose a ellos.

Los dos gitanos levantaron los hombros, haciéndose el tonto.

—Yo lo sé —intervino uno de los soldados.

—¿Ah, sí...? ¿Qué es?

—¡La abolición de la moneda!

—¿Tú crees...?

—Y del Estado.

—¿Y qué más?

—¡Y de todos los mangantes! —rubricó, soltando una carcajada.

—¡Chócala! —exclamó José con entusiasmo.

—Ahora falta saber quiénes son los mangantes —intervino el patrón, encendiendo su caliqueño.

—¿Eh...? —desafió José, avanzando los labios—. ¡Pues desde Azaña hasta el alcalde de este pueblo!

—¡Bravo!

—¡Y todos los curas! ¡Y todos los que tienen coche! ¡Y todos los que han puesto eso de las fronteras!

—¡Abajo las fronteras! —gritó alguien.

—¡Abajo los cuarteles!

—¡Abajo el Estado!

Salieron de allí. Las luces empezaban a encenderse.

—Toda España es así —le dijo José—. Se habla de la revolución como si fuera una corrida de toros. ¡Abajo los mangantes!: esto es todo lo que se sabe del anarquismo. Hablando de Rusia se dice: ¡Entrega de los hijos al Estado! Y se acabó.

Ignacio le miró con curiosidad. Él había creído que hablaba en serio.

—Entonces... ¿tú seguías la broma?

—¡Pues qué creías! Me gusta comprobar que esto es igual que Madrid.

Ignacio estaba pensativo.

—Así, pues..., ¿tú eres anarquista de verdad?

—Desde que me parieron.

—Me vas a tomar por imbécil, pero... ¿cuál es tu base?

—¿Base? ¡Hombre! ¿Te parece poca base la libertad?

—Te diré... La libertad...

—¡Sí, se ha hablado mucho, ya sé! Tendrías que oír en Madrid. ¡Hasta los socialistas hablan de libertad! Y luego expropian las tierras y para repartirlas te hacen firmar mil papeles. Y luego no te las dan. —Marcó una pausa—. Libertad quiere decir libertad: eso es todo. No estar ahí pendiente de las porras todo el día y con un Código más largo que la Castellana. —Marcó otra pausa—. Discutir de hombre a hombre, sin tanta estadística.

No pudieron continuar la conversación. Habían subido por San Félix y de pronto desembocado en la Plaza de la Catedral, que se erguía ciclópea sobre las grandes escalinatas.

José se detuvo. Levantó la vista. Era evidente que aquella súbita aparición le había impresionado. A la derecha se erguía el convento de las Escolapias, a la izquierda el del Corazón de María, donde iba Pilar.

José entornaba los ojos para contemplar la fachada de la Catedral. De pronto ladeó la cabeza.

—¿Más allá qué hay? —preguntó.

Ignacio repuso:

—Empiezan las murallas.

José torció la boca como si masticara algo.

—Ahí está —dijo—. Como en Ávila, como en Segovia, como en Santiago. Catedrales, murallas. —Marcó una pausa—. ¿Sabes lo que dice mi padre...? Las murallas no impiden entrar, sino salir. ¿Me comprendes?

Ignacio movió las cejas.

—Es un juego de palabras muy bonito. Y muy madrileño.

José le miró con cierto respeto, lo cual no pasó inadvertido al hijo de los Alvear.

Subieron por las escalinatas. La fachada ocultaba el cielo y precipitaba la llegada de la noche.

Ignacio se había animado. Quería mostrarse a la altura de su primo.

—¿Cómo compaginarás —le preguntó, incisivo— la libertad de opinión con la quema de las iglesias?

José sonrió.

—Ya esperaba eso —dijo—. Éstos —y señaló la Catedral— explotan el miedo, ¿comprendes? Dicen: ¡Obedeced; de lo contrario, no tendremos más remedio que echaros al infierno!

—Y mientras tanto pasan la bandeja, ¿no es eso...?

—Eso es —aceptó José.

—¡Pero llevan dos mil años pasando la bandeja!...

José puso cara de anarco-sindicalista.

—Yo no creo en estas cosas, ¿me entiendes? El hombre ha de ser libre. ¡Satanás, uh, uh...! ¿Quiénes son para dictar leyes? Le hacen a uno morder el suelo y con los cirios le van haciendo cosquillas en los pies.

Ignacio se sintió algo decepcionado. Morder el suelo... No era cierto. Él conocía eso...; y en cuanto a la esclavitud... César era tan libre que cuando obedecía pesaba menos. Le vinieron a la mente frases de púlpito: «Ser esclavo es precisamente ceder a las pasiones». Ahí estaba su primo. Llegaba a Gerona hablando de libertad y en vez de tener el espíritu libre para contemplar la ciudad, se interesaba por «el ganado». Esclavo. Por otra parte, ¿quién no lo era? El patrón del Cocodrilo, esclavo de su vientre. El sargento chusquero, esclavo de su vanidad. Aquellos soldados, esclavos de la vida de Carabanchel Bajo. Los gitanos, esclavos de los caminos. Las viejas que habían hallado por la Barca, esclavas de su columna vertebral. ¡Y su padre, Matías Alvear, esclavo de Telégrafos, confiando en la lotería para poder ir a Mallorca!

Regresaron a casa. Fue una cena animada. Matías Alvear no podía ocultar que sentía por José el afecto que da la misma sangre. El primo de Ignacio contó anécdotas muy graciosas de su viaje de Madrid a Barcelona. Al parecer, a un artillero le cayó encima un paquete de harina que le blanqueó el uniforme, y entonces un marino se levantó muy serio y cuadrándose le dijo: «¡A sus órdenes, mi capitán!» Ignacio temía que en cualquier momento José olvidaría que Pilar estaba delante y soltaría alguna inconveniencia; pero no fue así. Se contuvo y a su manera se comportó con corrección. A Pilar, José le pareció también un hombre guapo y desde el balcón le había gritado a Nuri:

—¡Nuriiii...! ¡Tengo algo que decirteeee...!

A las diez y media, Carmen Elgazu dijo:

—José, espero que no te importará que sigamos nuestra costumbre de rezar el rosario.

—¡Cómo! —cortó Matías—. No hay ninguna necesidad. Cada uno puede rezarlo luego en la cama.

—¡Por favor! —intervino José—. No hay por qué alterar la costumbre. Yo me iré a acostar.

—¿No te importa?

—¿Por qué? Hasta mañana a todos.

—¡Hasta mañana!

Se despidió. A Pilar le dio un tirón en la mejilla. Y en cuanto hubo traspuesto el umbral de la habitación, quedaron en el comedor, solos, los Alvear. Cerraron el balcón y Carmen Elgazu inició el Rosario.

El forastero, desde la cama, oyó las voces monótonas atravesar la puerta e incrustarse en su cerebro. ¡Cuántos años hacía que no oía rezar! La voz de Carmen Elgazu se le hacía antipática, le parecía demasiado rotunda; pero cuando los restantes de la familia contestaban a coro, José sentía que se le colaba por entre las sábanas como un levísimo escalofrío, algo apenas perceptible, pero que sin duda existía, aunque fuera por sugestión. Procuraba superar cada una de las voces, distinguirlas, y al final lo consiguió. Su tío Matías era el que rezaba con más lentitud. Con una voz grave, algo cansada. Se parecía mucho a la voz de Santiago, su padre. ¡Qué curioso! José oyó algo sobre *Salve Regina* y sin saber por qué recordó su entrada violentísima en la Iglesia de la Flor, poco después de instaurada la República. Llevaba una pistola y disparó contra un santo, no sabía cuál, apuntándole al corazón. Acaso disparase contra la «Salve Regina». Su padre rociaba los altares, y un compañero suyo, Martínez Guerra, iba echando por todos lados pedazos de algodón encendido. Y de pronto los altares empezaron a ser pasto de las llamas. Aquello olía a azufre, a humo, a sacristía y a caciquismo. ¿No decían que el fuego era purificación?

Fue durmiéndose arrullado por los *Ora pro nobis* de su familia.

CAPÍTULO IX

Al día siguiente José dijo que podría quedarse ocho días, si no les importaba. Estaba encantado con toda la familia y además tenía algo que hacer.

Por su parte, Ignacio, después de consultar con sus padres, se fue al Banco con la idea de pedir al director que aquellos ocho días se los diera de vacaciones, a deducir de los quince anuales que le correspondían. De este modo podría acompañar a José.

El director no tuvo inconveniente. Siempre se mostraba amable con él.

105

—En realidad —dijo—, menos competencia para los turnos de verano. ¡Anda! Divertíos mucho.

—¿Quién es ese primo tuyo? —le preguntaron los empleados—. ¿También seminarista?

—No por cierto —contestó Ignacio.

Matías, en Telégrafos, comentó: «Tengo uno de mis sobrinos aquí. Un chico estupendo».

De regreso a casa, Ignacio iba pensando en el programa que podía ofrecer a su primo. Desde luego, una cosa se imponía: presentarle a Julio García. ¡Canela fina una discusión entre ambos! Luego al campo de fútbol, la piscina que se había empezado a construir al norte de la Dehesa, la plaza de toros. Tal vez quisiera bañarse en el Ter, aunque el agua estaría aún muy fría. Los tres cines, el teatro. ¡El baile de las modistillas! José se haría el amo. Ni chóferes ni panaderos ni nadie. Tal vez jugara bien al billar.

Tocante a las instituciones de postín —Casino, etc...— era de suponer que no le interesarían. Y las bibliotecas tampoco. Y en cuanto al Museo Dicesano... José fue escuchándole mientras se desayunaba:

—¡No te preocupes! Habrá tiempo para todo. Sí, sí, desde luego al policía ese me lo traes. O vamos allá, lo mismo da. ¿Casino...? ¡Ni hablar! ¿Ves? Eso de los Museos me gusta, aunque no te lo parezca. ¿Mosén qué...? ¿Roberto, Alberto...? ¿Es catalanista? ¡Vaya, no faltaba más! ¿Y dos para cuidarle? ¡Ejem, ejem! ¿Piscina?... ¡Si hay sirenas, cuenta conmigo! ¡Plaza de toros! ¿Qué...? ¡Bien, bien, lo que tú digas, lo que tú digas!

—De todos modos —añadió, en cuanto se hubo tomado el café, levantándose—, esta mañana, nada. Esta mañana he de entrevistarme con unos camaradas.

Ignacio se quedó perplejo.

—¿Cómo?

—Nada. Es un encargo del Partido. «Ya que vas para allá, pues aprovecha.»

—Pero... ¿qué camaradas? ¿Conoces gente de la FAI aquí?

—Nadie. Pero los conoceré. Traigo una dirección. —Sacó un papel.

—A ver.

—Rutlla, ochenta. ¿Qué es eso? ¿El local?

—¿Local...? ¿Rutlla? No creo. Eso está pasados los cuarteles de Artillería, un barrio extremo.

—Me extraña. Porque aquí lo primero que se hace es esto, tener un local.

—Pues no. De todos modos —añadió Ignacio—, ¿irás ahora?

—¡Toma! Primero el deber. Hecho, hecho está.

—Bien, bien.

—Tú esperas aquí. Y ahora me indicas esa calle.

—Desde luego. Ven. Desde el río la verás.

De buena gana, Ignacio le hubiera acompañado. «¡Ya que vas para allá, pues aprovecha!» ¿Qué diablos se le habría perdido a su primito en Gerona?

En cuanto José hubo salido, Carmen Elgazu apareció en el marco de la puerta de la cocina.

—Esto no me gusta.

—¡Bah! ¿Por qué? Cada uno tiene sus ideas.

—Sí, ya. Tú no los conoces. ¡Si conocieras a tu tío! Simpático, no se puede negar. Como José. Pero por la política pierde la cabeza. Son capaces de cualquier cosa. Celebra que César no esté aquí; ya ves lo que te digo.

Ignacio se puso repentinamente serio, pues recordó que su madre le había hablado precisamente del hambre que habían pasado los Alvear. Pero no dijo nada.

Carmen Elgazu se quedó pensativa. ¡Le temía a la posible influencia de José sobre Ignacio! Había llegado en un mal momento. Además, le faltaban dos meses para los exámenes y lo que Ignacio tenía que hacer era estudiar.

Éste se cansó de estar en su cuarto y salió al balcón. Lucía un sol espléndido. La Rambla estaba desierta a media mañana. Los limpias se paseaban aburridos. Algún viajante, con los brazos tocando el suelo bajo el peso de los muestrarios. En el club de los oficiales se veía a un capitán joven coqueteando con una caña de bambú.

Ignacio pensó:

«Si pasara el cuello de cisne...» Pero no. Mujeres que regresaban de la compra. ¡Doña Amparo Campo, su sirvienta cargada como los viajantes! Le tintineaban los brazaletes. Doña Amparo Campo saludó a Ignacio con una ancha sonrisa. Vista así, a distancia, parecía menos vulgar. Tenía algo, desde luego. Pero ¡qué fardo de vanidad! Debía de ser terrible andar con tanta vanidad a cuestas, día y noche.

José regresó a mediodía en punto. Ignacio iba a preguntarle: «¿Qué tal la entrevista?», pero no hubo necesidad. El muchacho regresaba hecho un basilisco.

—¿Qué ha pasado?

José había hablado con el jefe de la CNT en Gerona, que al parecer lo era a la vez de la FAI. Le llamaban El Responsable. ¿Responsable de qué...? «Nada. Una especie de burgués.» De anarquismo sabía menos que el soldado del Cocodrilo.

—Cree que basta con echar pestes contra los santos. «¿Nos traes armas?», me ha preguntado en seguida. Y no creo que haya manejado una en su vida.

Ignacio se interesó mucho.

—Ven a mi cuarto —le dijo— y hablaremos. Siéntate. —Se sentaron cada uno en una cama—. Así que... ¿mala impresión?

—¡No tienen la menor técnica! Nada. Unos fanfarrones, nada más.

—Pero... a ti también te gustan las armas...

—¡Toma! ¿Crees que en Madrid dan caramelos?

—Claro... —Ignacio prosiguió—: Aquí, desde luego no sé si tendrán técnica, pero sé que el número de afiliados es bastante crecido. Se reúnen en un gimnasio. Me refiero a la CNT. ¿Quién es ese Responsable?

—No sé. Se llama Agustín. Trabaja en una fábrica de alpargatas.

—¿Agustín...? ¿Alpargatas...? —Reflexionó un momento—. ¡Espera! ¿Es un hombre que tiene dos hijas... muy deportistas, rubias?

—Pues... no sé. ¡Sí, eso creo! He visto a dos rubias por allí.

—¡Claro, ya sé quién es! Sí, vive en la Rutlla. Pero no sabía que fuera... Uno del Banco le conoce mucho.

—¿Y qué dice?

—¡Nada! Una de las dos chicas le gusta, pero hay un sargento que llegó antes que él.

—¿Sargento...? ¡Exacto, lo de siempre! Supresión de las fuerzas armadas, y su hija dándole el pico a un sargento.

—¿Sabes lo que diría Julio García?

—¿El policía ese sabio?

—Sí. Diría que es el temperamento.

—¿Qué temperamento?

—El nuestro. El español.

—¡Al cuerno, pues, con el temperamento español!

—¿Ves? Tú haces lo mismo.

—Bueno, vas a ver la que se arma. Ahora hablemos de otra cosa —prosiguió, molesto por todo aquello—. ¿Tú tienes novia?

Ignacio se había puesto de buen humor.

—Yo no. ¿Y tú?

José se levantó.

—¿Yo...? Imposible. Me gustan todas. —Se hubiera dicho que había olvidado por completo al Responsable—. Figúrate —añadió— que me gusta hasta la mecanógrafa que vive con mi padre.

José era el primer chico experimentado en la materia con que Ignacio se encontraba, y con el que podría desahogarse sin vergüenza. Tenía el proyecto de preguntarle muchas cosas... Por de pronto, le explicó que a él también le gustaban todas, pero que echaba de menos una novia.

Le habló de las chicas de la Academia. «Son más feas que yo», dijo. Habló de otras que conocía, pero que no tenían nada en la cabeza. «Es igual, es igual —le interrumpía José—. En la cabeza es igual.» Ignacio se reía y le habló de la gitana, que vendía cortes de traje tarados y que posaba para los pintores de la ciudad. Una belleza.

—¿Es verdad que con las gitanas no hay nada que hacer? —le preguntó Ignacio.

—Chico, las de aquí no sé... Pero en Madrid, si abres la cartera...

Luego Ignacio se decidió a hablarle de lo que le había ocurrido con la chica de cabellos larguísimos, «hija de gran familia».

—Es una tontería; porque yo soy como tú, un don nadie, desde el punto de vista postín. Pero ¡qué quieres! Ahora mismo, en el balcón, mientras te estaba esperando pensaba: «Me gustaría verla pasar». ¿Tú qué opinas?

Entonces José le demostró que entendía algo de la vida. Pareció que volvía a pensar en el Responsable o, por lo menos, puso la misma cara. Ignacio había temido que le llamara *snob*, y, por el contrario, a José le pareció todo aquello muy normal.

—A todos nos ocurre —dijo—. No hay ninguno de nosotros, ningún pobre, que en un momento dado no sueñe con la hija de un abogado o en una princesa. Si yo te contara... Y es que —añadió— todavía no las conocemos lo bastante. Si las conociéramos, ya no nos tomaríamos esa molestia. —Pareció que el tema le iba gustando—. Son víboras, que andan por el mundo restregando su vanidad por las narices de los pobres. En España las hay de dos clases: las que declaran francamente que lo son, descendientes de Isabel la Católica, que pasan delante de uno como si uno fuese una mosca, y las que lo disimulan bajo la capa de las Conferencias de San Vicente, o de los hospitales, o de la Cruz Roja. Éstas son las más peligrosas y las hay en todas partes: Barcelona, Madrid, Gerona, Andalucía. Sonríen con tanta naturalidad, que el proletario cree que son seres humanos; pero debajo del hábito llevan un látigo por si se les acerca demasiado.

—¡Contra esto luchamos!, ¿comprendes? —añadió José, exaltándose inesperadamente—. ¡Ni socialistas, ni radicales, ni jurados mixtos ni los cuernos de Lenin! ¡Arrasar esas víboras como pulgas! ¿Crees que con gente como tu padre esto se iba a terminar? ¿Y con gente como tu hermano? ¿Qué hará tu padre toda la vida? Cursar telegramas que digan: «Princesa del Campo de Velasco de la madre que la parió: el partido de golf será el sábado a las tres». ¿Qué hará tu hermano? Confesarlas. Seis *ora pro nobis* y se acabó. Al cielo. Y los proletarios, ¿qué?

Tocándonos lo que tú sabes. Más de doscientos años llevamos así. Y tú trabajando en un Banco por veinte duros al mes.

Ignacio estaba impresionado, a pesar de que José por un lado se quejaba de que el Responsable le pidiese armas y por otro decía que había que arrasarlo todo.

Quiso cambiar de conversación. Verdaderamente, José era un exaltado, era de una espontaneidad escalofriante. A veces los del Banco hablaban en forma parecida, quizá no tan rotundamente. La corbata ponía sordina a muchas cosas. Y por lo demás, había una diferencia: si ellos hubieran podido casarse con una princesa sin temor a hacer el ridículo, se habrían casado. En cambio José... ¿José no...? No, desde luego. Ignacio pensaba que allí estaba la diferencia. Los del Banco hablaban por hablar, se veía que nunca la acción seguiría a la palabra, que nunca arrasarían a nadie si ello implicaba jugarse el pellejo; en cambio, José se lo jugaría a cara o cruz. Ahora parecía un tigre enjaulado, con sus negros ojos relucientes y el espejo del armario repitiendo hasta el infinito sus gestos. Iba en mangas de camisa. Los tirantes le subían o bajaban según hablase de Isabel la Católica o de los jurados mixtos.

Ignacio le preguntó:

—Dime una cosa. Nunca te has preguntado... ¿por qué eres así?

José le miró, tosiendo con impaciencia.

—¿Qué quieres decir?

—Quiero decir... cuándo empezaste a tener esa manera de ver las cosas.

—Ya te dije que desde que me parieron.

—Bueno, bueno. Eso es una frase. —Marcó una pausa—. Te lo preguntaré de otra forma. ¿Es que de pequeño viste algo que te quedó grabado?

José se tumbó en la cama y se puso a fumar en esta posición.

—Sí, ya sé por donde vas. Si hubiera nacido en Palacio, sería rey.

Ignacio asintió con la cabeza, aunque su primo no lo viese.

—Exacto.

José guardó silencio un momento.

—Pues verás... Eso del Palacio es verdad a medias, a mi modo de ver. A mí siempre me ha parecido que yo lo llevaba en la sangre.

—Pero si fueras rey...

—¡Entiéndeme! Desde luego no sería de la FAI. Pero sería revolucionario de otra manera... ¡Qué sé yo! A lo mejor me cargaría a los ministros uno tras otro.

Ignacio se rió. Pero luego se quedó pensativo de nuevo.

—Así... que tú crees que las ideas políticas se llevan en la sangre...

—Todo se lleva en la sangre.

Ignacio dijo:

—En ese caso... ¿qué responsabilidad hay? —Marcó una pausa—. ¿Qué culpa tienen las señoras de las Conferencias de San Vicente de Paúl?

José encogió las piernas y las cruzó una sobre otra, balanceando el zapato.

—¡Caray, primito, no tienes un pelo de tonto! Pero... —de repente se incorporó y se sentó frente por frente de Ignacio, con los pies plantados en el suelo—. Eso no es una razón, ¿comprendes? Hay que arrasar lo que sea, para el bien de la humanidad. Para que mañana la sangre sea otra. No vamos a andar con microscopios para ver si los glóbulos tal y si los glóbulos cual. El que la hace la paga, y se acabó. Si tiene la culpa él, ahí lo tiene; y si la tenía su padre, lo lamento.

Ignacio meditaba. Se le antojaba que su primo era un exaltado... en la forma, pero que en lo más hondo de lo que decía latía un punto luminoso de verdad. Un ansia de justicia que...

Ignacio oyó que la puerta del piso se abría y reconoció el ruido característico que hacía su padre con las llaves. ¿Cómo era posible que su padre fuera tan distinto de José? Pensó en doña Amparo Campo. ¿Por qué extraños caminos —de sangre, tal vez— había llegado a querer ser una señora, a querer figurar y humillar a su criada? Había nacido en un pueblo de Ciudad Real, en una especie de pesebre... sin aliento de asno y buey. Pensó en el Responsable. Ya lo creo que sabía quien era. Lo mismo que José... pero con más años a la espalda. Consideraba burgueses incluso a los obreros en paro del bar Cataluña. Varios muchachos jóvenes le escoltaban siempre, pegados a sus pantalones. Claro, claro, eran los de la FAI. ¡Así que el Responsable era a un mismo tiempo jefe de la CNT y de la FAI... y pedía armas! ¡Bah...! Y sus hijas, las dos rubias del Responsable... eran muy populares y llamativas. La del sargento era conocida por toda la ciudad. Las llamaban «las vegetarianas» y siempre andaban por el Ter.

Ignacio vio la huella que José había dejado en la cama. Era más profunda que la que acostumbraba a dejar César. ¿Por qué el recuerdo de César le asaltaba cada dos por tres? Claro, todo estaba lleno de él, especialmente aquella habitación.

José preguntó:

—¿Me da tiempo de escribir una carta antes de comer?

Una carta... Ignacio pensó en la última que se había recibido del Collell. César escribía que todos los jueves por la tarde era el encargado de recoger las pelotas en las pistas de tenis. Los internos jugaban y él recogía las pelotas. Decía que no conseguía entender una palabra

111

de lo que hablaban; mejor dicho que no entendía su manera de contar por *sets*. Treinta iguales, treinta cuarenta. «¿Qué diablos querían decir?»

De todos modos, estaba contento. Hacía ejercicio al aire libre. ¡Vaya por Dios! Ignacio vio que José se agachaba para recoger un papel. Entonces recordó muchas otras cosas de César. Por ejemplo, que llevaba cilicio. Sus padres lo ignoraban, pero era así. Un día Ignacio le vio en la cama: llevaba cilicio. ¡Horrorizaba pensar que a lo mejor lo llevaba al agacharse, cuando recogía las pelotas de tenis! Todo aquello era un modo de expresión muy distinto del de José, y tal vez en el fondo uno y otro persiguieran lo mismo.

Matías llamó a la puerta de la habitación.

—¿Qué hacéis, tunantes? ¿Es que no oléis el arroz?

Ignacio y José se levantaron y abrieron la puerta. Matías estaba allí, con los auriculares de la galena. Les había puesto un cordón larguísimo para poder pasearse por todo el piso.

*   *   *

Después de comer, Nuri, María y Asunción, en vez de llamar a la puerta de abajo, llamaron a la del piso. Entraron en el comedor remoloneando, conducidas por Pilar y como dirigiéndose al cuarto de ésta. Matías comprendió y dijo:

—Mira, José. Estas amigas de Pilar quieren conocerte.

José miró a las tres chiquillas sonriendo.

—Son muy guapas —dijo—, aunque no tanto como Pilar —añadió.

—¡Oh, oh...! —Y todas entraron precipitadamente en la habitación.

Pilar se había pasado todo el almuerzo contemplando a su primo, un poco molesta porque él prefirió hablar de Inglaterra —de la miseria de algunos barrios de Londres— y de Norteamérica —los linchamientos de negros— a interesarse por ella, por lo que hacía en las monjas y por si la había imaginado tal como era o un poco más baja.

De tal modo, que a los postres la chica quiso dejar sentado que también entendía algo de aquellas discusiones.

—José... —dijo—, ¿en Madrid también persiguen a las monjas como aquí?

—¿A las monjas?

—Sí.

—¿Quién persigue a las monjas?

—El Gobierno.

—¿El Gobierno?

Pilar se ruborizó.

—Sí. La Madre nos ha dicho que ha salido una ley.

Matías intervino.

—Claro, claro —explicó, mirando a José—. Pilar se refiere a la Ley sobre las Congregaciones. —Movió la cabeza—. Un poco dura, en efecto.

—¿Esas cosas os cuenta la Madre?

Pilar prosiguió, evidentemente dispuesta a continuar ocupando el primer plano.

—También nos ha dicho que hoy hay un mitin para protestar contra eso.

—¿Un mitin?...

Esta vez fue Ignacio quien intervino.

—Hoy hay un mitin, desde luego. De la CEDA. Y hablarán de esa Ley. Pero —añadió— no creo que sea el tema principal.

José le preguntó:

—¿Ah, no...? ¿Hay otros... más importantes aún?

Ignacio alzó los hombros.

—Todo en conjunto. Quieren protestar... contra la Enseñanza laica, el Estatuto Catalán. Y las concesiones a Vascongadas —miró a su madre e inclinó la cabeza— y a Navarra. Contra... ¡Ah! Lo principal, es pedir la amnistía para los militares que se sublevaron en agosto.

Matías preguntó:

—¿Dónde dan eso?

Ignacio dijo:

—En el Teatro Albéniz. Los demás locales son pequeños.

José se olvidó de Pilar y de que el fin de aquel mitin era tranquilizar a las monjas. Se interesó por la CEDA.

—¿Qué tal marchan aquí? —preguntó—. En Madrid se gastan millones para propaganda.

Matías dijo:

—Aquí..., para ellos es un hueso, por el asunto separatismo, ¿comprendes? Pero en fin, hay gente que los sigue, ¡qué duda cabe! Gil Robles tiene prestigio.

José meditó un momento.

—Ya sabréis que el Partido lo fundaron los jesuitas, supongo...

Carmen Elgazu abrió los ojos, pero ante su asombro Matías asintió con la mayor naturalidad.

—Sí, sí, ya lo sabemos.

—¿Por qué dices eso, Matías? —intervino la mujer.

Matías se volvió hacia Carmen Elgazu.

—Porque es lo cierto, mujer. Los jesuitas son los que aconsejan a Gil Robles.

Pilar intervino, inesperadamente.

—De eso, la Madre no ha dicho nada... —Todos se volvieron al oír su voz y ella sonrió con coquetería.

Poco después entraron Nuri, María y Asunción, y José se disponía a darles detalles sobre la familia de Burgos. Pero entonces el timbre de la puerta volvió a sonar. Ignacio fue a abrir. ¿Quién era? Matías y Carmen Elgazu reconocieron en seguida la voz de mosén Alberto.

—Es mosén Alberto... —informó Matías a su sobrino. Supuso que a José le divertiría tener un sacerdote tan cerca.

Pero no fue así. José, al oír la palabra mosén, arrugó el entrecejo.

—¿Va a entrar aquí? —preguntó.

—Claro.

Se le veía dudar.

—Bueno... —dijo, con brusquedad—. Si me permitís me iré a mi habitación a escribir unas cartas.

Y levantándose se dirigió al cuarto de Ignacio. En aquel momento mosén Alberto, que se había quitado el manteo y el sombrero en el vestíbulo, irrumpía en el pasillo, seguido de Ignacio, y se cruzó con José. Éste le miró e hizo una casi imperceptible inclinación de cabeza. Ignacio se disponía a presentarlos, pero en el acto comprendió que lo que buscaba José era evitarlo, pues ya abría la puerta del cuarto y se metía en él.

Todo el mundo presenció la escena. Carmen Elgazu no sabía qué hacer ni qué decir. Era la primera vez que en aquella casa se desairaba a un sacerdote.

Mosén Alberto quiso disimular. Entró en el comedor sonriendo. Matías dijo:

—Es... mi sobrino —Hizo un gesto de impotencia—. Tiene su manera de pensar.

Mosén Alberto se miró la sotana.

—Ya lo veo. Parece que le damos miedo.

Carmen Elgazu intervino.

—¿Miedo él...? —Iba a añadir algo, pero Matías le hizo un signo invitándola a tranquilizarse.

—Por lo demás —dijo—, es... un chico alegre. ¡Vamos! Quiero decir amable y tal.

—No lo dudo, no lo dudo —asintió mosén Alberto en gesto que daba por zanjado el asunto—. Exactamente, ¿qué ideas tiene? —preguntó, en tono de simple curiosidad.

—Pues... ya se lo puede figurar —contestó Matías.

Ignacio precisó:

—Es anarquista.

—Ya...

114

Después de un silencio, mosén Alberto preguntó, dirigiéndose a Carmen Elgazu:

—¿Es el que intervino en Madrid en la quema de las iglesias?

Carmen Elgazu asintió con la cabeza.

—Así es. —Y de repente añadió, como dispuesta a desahogarse—. ¡Por desgracia! ¡Me gustaría que le hablara usted delante de Ignacio! —prosiguió, decidida—. ¡Me asusta pensar que van a salir ocho días juntos!

—¡Ni una palabra! —exigió Matías repentinamente serio.

—¿Por qué se ha encerrado en su cuarto de esa manera? —insistió Carmen.

—Eso... mosén ya conoce su oficio...

—Cierto —admitió el sacerdote.

Ignacio añadió, por su parte:

—Y hablarle delante de mí, ¿por qué?

Mosén Alberto le miró.

—Tú... ya eres mayorcito, ¿no es eso?

—No tanto, pero en fin.

Nada podía mosén Alberto contra aquel sentimiento: Ignacio le sacaba de quicio. Nada del muchacho le caía en gracia. Sentía por él repugnancia física.

En realidad, éste era su gran drama: con aterradora frecuencia sentía repugnancia física por las personas. Era algo extraño que le recorría la piel. A veces lo notaba cuando le besaban la mano, otras cuando en el confesonario el penitente se le acercaba demasiado. Otras al dar la Comunión.

—Es algo físico, es algo físico —se repetía a sí mismo. Un médico lo atribuyó a disturbios gástricos. Otro le enseñó un libro en el que se decía que el ejercicio prolongado de la castidad puede en ciertos casos producir estas reacciones.

Carmen Elgazu creía que era Ignacio quien le pinchaba. Por ello aquel día sufrió horrores ante la actitud de Matías, quien le prohibía con la mirada empeorar las cosas.

Por suerte Nuri, María, Asunción y Pilar entraron en tromba y despejaron la atmósfera. Mosén Alberto se tomó la taza de café «sereno» y dijo: «Bueno, ahora ya los he visto a ustedes»; y discretamente se retiró.

CAPÍTULO X

El subdirector del Banco de Ignacio estaba convencido de que la CEDA obtendría mayoría absoluta en las próximas elecciones. De modo que todo cuanto hacía por el Partido lo hacía con unción religiosa. Era un hombre tranquilo, de ojos bonachones, que, al igual que el cajero, no había conseguido tener hijos. Ahora miraba a Gil Robles como a hijo suyo. Un hijo que le hubiera salido precoz, brillante. Los empleados se mofaban de él, aunque en el fondo le querían porque en el trabajo les daba facilidades.

* * *

A las seis y media Ignacio subió al piso en busca de José. Carmen Elgazu zurcía calcetines junto al balcón. Cuando estaba nerviosa, Ignacio se lo notaba en algo indefinible al clavar la aguja. Ignacio llamó a la habitación de su primo y entró. Encontró a José medio desnudo, en *slip*, haciendo gimnasia ante el espejo.

—Anda, que es tarde. Tenemos que ir al mitin.

—Voy en seguida. Uno, dos, uno, dos.

—Estará lleno, ¿comprendes?

—¿De veras? Uno, dos. Claro. Arriba, abajo, arriba, abajo.

—Sea lo que sea, hay que ir.

—Voy volando. ¿No tenéis ducha?

—Lo siento.

En diez minutos José estuvo preparado. Su traje azul marino, de anchos hombros; el pelo brillante, gran nudo de corbata.

Cuando salieron del cuarto fue en busca de Carmen Elgazu.

—¡Hasta luego, tía!

Carmen Elgazu levantó la cabeza.

—Id con Dios.

Cuando salieron a la calle se cruzaron con Pilar, que regresaba del colegio.

—¿Me compráis un helado?

—¡Hombre! —José echó mano a la cartera. Se acercaron al carro con tres capuchas que se había instalado frente al Neutral.

—¡Un cucurucho para la señorita!

—¿Vainilla o chocolate?

—Mitad y mitad.

En el camino, José dijo a su primo:

—¿Sabes que Pilar empieza a ser de buen ver?

Ignacio asintió.

—¡Sí, es cierto! Me he dado cuenta ahora, viéndola a lo lejos. Es curioso —añadió— lo que cambian las personas vistas de lejos.

El Teatro Albéniz estaba, efectivamente, lleno a rebosar, y todavía la Plaza de la Independencia era un hormiguero de gente. Grandes carteles, sensación de juventud.

—¡Caray con los jesuitas! —comentó José.

Entraron dando codazos, como todo el mundo. Tuvieron que instalarse en el pasillo central, de pie, presionados por la masa.

El aspecto del escenario era impresionante. Brillaban las banderas, la sonrisa optimista del jefe, don Santiago Estrada, las joyas de varias señoras de la presidencia y la calva del subdirector. Entre el público se veía muy poca gente de la clase trabajadora. Burguesía y muchos jóvenes del Partido, con brazaletes verdes en la manga.

Los preparativos era lo que más gustaba a Ignacio. El silencio sepulcral que se hacía cuando el primer orador terminaba de sacar sus cuartillas y se disponía a hablar.

¡El primer orador! Dijo que el programa social del Partido se inspiraba en las encíclicas papales y que su fuerza residía en la moralidad de los dirigentes.

—Por eso estáis aquí en tan gran número. Porque sabéis que los dirigentes de la CEDA son personas honradas.

Luego describió la incalificable demagogia de los gobernantes de la República. El fracaso de la Reforma Agraria. «Han dejado a los colonos sin créditos, sin elementos, sin nada. Muchos de ellos piden a sus antiguos propietarios volver a las condiciones de antes.» Describió la terrible campaña antirreligiosa en todos los sectores de la sociedad. «Estamos gobernados por gentes que creen más en París y Londres que en España, que van contra lo tradicional en la Patria. Se queman iglesias, se persigue a las Congregaciones, se prohíbe la enseñanza religiosa, se implanta el divorcio. ¡Todo eso es progreso! Y los quioscos y las barberías... y hasta los salones de espera de ciertos abogados populares, están llenos de revistas pornográficas.»

Luego habló de los obreros. De la influencia del oficio sobre la mentalidad. «Un hombre sin oficio es un desgraciado —dijo—. Hay que dar un oficio a cada hombre y hacer que lo ame. Aumentar los salarios, sin conseguir que los obreros amen su oficio, es no hacer nada.»

Todo bien, todo perfecto. Las ovaciones se sucedían. Ignacio recorría con la mirada toda la platea y los palcos en busca de gente conocida. Debía de haber muchos curiosos como ellos, pues vio a la Torre de Babel, surgiendo un palmo más que los demás, y a Julio García. Hasta el tercer orador no consiguió localizar a su padre, de pie en el pasillo lateral derecho, con el mismo aire satisfecho de quien asiste a una revista con combinaciones de luces.

—¡Señoras y señores! —empezó de pronto el cuarto orador, con voz dispuesta a levantar a las masas—. ¡Es para mí un honor...!

El orador era un hombre experimentado, que comunicaba, por algo indefinible en el optimismo de su rostro, simpatía a la multitud. No decía nada, pero surtía efecto.

—¿Queréis prestaros al juego de las fuerzas marxistas y extranjerizantes que invaden nuestro suelo...?

—¡Nooooo...!

Luego preguntó, esta vez agitando las manos:

—¿Queréis una Patria próspera, justa y cristiana, donde...?

—¡Síííí...!

La atmósfera se había caldeado.

—¡Nosotros daremos a los ciudadanos...!

—¿Qué les daréis? —gritó, de pronto, una voz rotunda, que se impuso en la sala—. ¿Un bombón?

Era la voz de José Alvear.

—¿O un pico y una pala?

El escándalo fue fenomenal. Silbidos, murmullos, todo el mundo se puso en pie. Matías Alvear miraba por todos lados, como si hubiera reconocido la voz. La Torre de Babel, erguido en primera fila, intentaba ver a través de sus gafas ahumadas.

José sintió que una mano poderosa se posaba en su hombro izquierdo. Habituado a aquellos lances, con la barbilla dio un golpe rápido y seco a los dedos y luego dijo, con el rostro ladeado:

—Cuidado, nene... que esto quema...

El orador no se había dado por vencido y agitaba sus brazos intentando reconquistar la atención.

—¡No! —gritaba—. ¡Nosotros no prometemos bombones! ¡Es Largo Caballero quien los ha prometido, y no los ha dado! ¡Es Azaña quien los ha prometido! ¡Para bombones, los de Casas Viejas...!

—¡Bravo...!

Un silbido escalofriante cruzó la sala. «¡Fuera, fuera! ¿Y Sanjurjo, qué?»

Esta vez José no tenía nada que ver. Sin embargo, fue él quien recibió un puñetazo en la cabeza. No fue gran cosa, pero lo suficiente para que el agresor recibiera una respuesta que justificaba el «uno, dos, arriba, abajo» de aquella tarde. Ignacio vio al agresor caerse desplomado: Hubo un gran barullo. Mueras, vivas, nuevos gritos de ¡fuera, fuera! De repente Ignacio distinguió a Julio, abriéndose paso hacia ellos, acompañado de dos agentes. José, dócilmente, se dejó expulsar del local. Ignacio le siguió a distancia.

Al llegar afuera, Julio dijo, dirigiéndose a Ignacio:

—¿Es tu primo?

—Sí.

—Mañana le traes a tomar café. Ahora, andando. —Y dio media vuelta con los agentes.

—¡Qué borregos! —comentó José, componiéndose el nudo de la corbata—. ¡En Madrid hubieran salido cincuenta en mi ayuda!

—Aquí nadie te conoce...

—¡Qué tiene que ver! —La cosa estaba clara. Armar camorra...

Disimulando, salió de un café un hombre bajito, sin afeitar, con las manos en los bolsillos, y fue acelerando el paso hasta alcanzarlos y ponerse a su lado.

—¡Mira! —exclamó José—. ¡Ahora aparece el Responsable!

—Buen trabajo, camaradas —dijo éste, guiñando un ojo a José y a Ignacio.

—¿Sí? ¿Te ha gustado?

—Ese bombón lo llevarán en la tripa.

José se paró, y se quedó mirándole, moviendo la cabeza.

—Conque... ¿en la tripa, eh? ¿Y vosotros qué? ¿Tocando el violón?

—Un par de esas píldoras y van que chutan.

—¿Tú crees? —Y de repente le agarró por la solapa—. Y vosotros ¡qué! ¡Mutis como ratas! Si me cortan el pescuezo, ¿qué pasa? Mala suerte, ¿no es eso? ¡Si estuviéramos en Madrid hablaríamos con calma! —Y le soltó.

El hombre bajito se irguió sobre sus pies. Sus ojos habían ido cobrando el color del acero, y los labios, apretados, le infundían una extraña expresión de energía. Por fin susurró, arrastrando con lentitud las sílabas:

—Nada de ratas, ¿me oyes...? ¡Nada de ratas! Cuando tú mamabas, yo ya me había jugado esto —y se pegó a sí mismo, seco, en la mejilla—. ¡Aquí sabías muy bien que nadie te cortaría el pescuezo! Conque ¡menos chillar!

—Pero el mitin continúa.

—¿Y qué? La CEDA no es peligro aquí. No voy a meterme entre rejas para darte gusto.

—Bonita excusa.

—Esta mañana ya te calé. Un quinto. Cuatro gritos, y en Madrid ya os mandan de inspección. Aquí os querría yo ver... —comentó, volviendo a arrastrar las sílabas— con tanto obispo y tanto obrero lamiendo al patrón.

—Yo querría verte a ti en Madrid —contestó José—. Abres la boca y te encuentras con un chupinazo dentro. ¡Aquí hay mucha confitería, y por las noches todos jugáis juntos al dominó!

—Dominó, ¿eh? ¡Toma! —y escupió en el suelo—. M... para ti y para ése. —Y se fue.

José continuaba arreglándose el nudo de la corbata. Ignacio estaba sobre ascuas. Era la primera vez que le dedicaban «aquello». Estaba furioso porque no se había ofendido. Sin embargo, se sentía arrastrado por una carrera apasionante. Aunque, en realidad, ¿qué pasaba? La postura de José no había quedado muy holgada. Claro que, tal vez fuera él quien tuviese razón. Si bien el otro parecía tener más experiencia. En fin, aquello era vivir.

* * *

La gente estaba acostumbrada a interrupciones de aquel tipo en los mítines. Sin embargo, lo de José tuvo, al parecer, una gracia especial, pues al día siguiente mucha gente hablaba de ello. *El Demócrata* hizo varios comentarios jocosos, ridiculizando al orador. *El Tradicionalista* juzgó un éxito que el único obstructor hubiera resultado «un forastero menor de edad». José exclamó: «¡Aquí envejecería yo en menos de un mes!»

Matías Alvear e Ignacio tenían idéntico temor: que Carmen Elgazu se enterara de lo ocurrido. Era preciso no aludir para nada a ello. Durante la cena hablaron de la familia de Burgos, de la de Bilbao, y luego se repitió la escena del rosario, aunque esta vez José se quedó dormido como un tronco nada más meterse en cama.

Pero a la mañana siguiente Carmen Elgazu lo supo todo de pe a pa. Antes de las diez. Fue en la pescadería donde la informaron.

—¿Merluza, doña Carmen?

La mujer notó algo raro en varias de las vendedoras.

—Pero ¿qué pasa?, ¿por qué me miran así? —Finalmente, una de ellas, que le tenía gran simpatía, se lo contó.

—¡Virgen Santísima! ¡Deme, deme la merluza!

—Hace usted muy buena compra, doña Carmen. Es del Cantábrico.

Carmen Elgazu regresó a casa desorientada. «¡No puede ser! ¡No puede ser! ¡Y no me dijeron nada! ¡Y esto tiene que durar una semana!» Estaba decidida a provocar un escándalo.

Por desgracia, en el piso ya no había nadie. José se había levantado en plena forma, sin acordarse en absoluto de lo ocurrido, y le había propuesto a Ignacio ir a ver la parte moderna de Gerona.

Ignacio le había seguido, comprendiendo que hay personas cuyos actos impiden pensar. José era una de ellas. A su lado era imposible ordenar las ideas, pues tomaba las decisiones más bruscas e inesperadas.

Carmen Elgazu pensó incluso en ir a Telégrafos y comunicar a Matías lo que había decidido. Pero le pareció demasiado espectacular. Por lo demás Matías se pondría furioso. ¡Durante la cena se estuvo comiendo con los ojos a su sobrino! Cuán cierto era lo de los «resabios» de que hablaba mosén Alberto.

«Señor, Señor —pensaba Carmen Elgazu—. Dios me perdone, pero ojalá le hubiera venido un calambre al tomar el billete en la estación. ¡Si es que tomó el billete!», exclamó para sí.

Carmen Elgazu tampoco lo podía remediar: sentía repugnancia por varias personas. Toda la familia de su marido... Cuando los tenía cerca, no era la misma. A esto se refería cuando le decía a Ignacio: «¿Yo perfecta? También tengo mis celos y mis cosas, hijo». Ella había dudado menos que mosén Alberto y se lo había dicho al confesor habitual, un viejo canónigo de una paciencia infinita; y el canónigo le aconsejó: «No se torture, hija mía. Procure tener caridad. Contra esto... no podemos nada».

Ahora hubiera podido aprovecharse de esta última frase, que en cierto modo le daba carta blanca; pero no debía disgustar a Matías. Recordó que éste, en Bilbao, tuvo mucha paciencia con sus hermanas, algunas de las cuales le ponían nervioso. Mientras hacía la cama de José, iba pensando: «Caridad». Pero consideraba que para Ignacio todo aquello no era bueno. Al hacer la cama de éste, contempló un momento su pijama. «¡Ignacio!» Lo dobló con cuidado, con mucho cuidado, sintiendo que del de José se había desprendido lo antes posible. «Contra esto no podemos nada. ¡Qué le voy a hacer!»

La maleta de José estaba allí. Sentía deseos de abrirla. Pero no lo hizo. Al regresar al comedor vio que el Sagrado Corazón, sentado en su trono, sostenía en la palma de la mano el globo que representaba el mundo. Había una gran quietud matinal en toda la casa. Todo aquello la tranquilizó. «¡Si Vos protegéis a mi hijo, Señor, me río yo de la CEDA y de los mítines!» Luego pensó que, en el fondo, cinco días que faltaban no eran mucho.

Las andanzas de Ignacio y José eran diversas. Primero habían ido a la barbería. A la de Ignacio, situada en la arteria comercial de la ciudad, calle del Progreso. Los Costa, los jefes de Izquierda Catalana, la habían hecho prosperar. Arrastraron a mucha gente y además impusieron la moda de las lociones y de las propinas crecidas.

Allí tuvieron la gran sorpresa. El patrón, al verlos entrar, lo reconoció en seguida: «Amigo, le reconozco a usted del mitin. Pida usted el masaje que quiera». José quedó estupefacto. «¡Sí, sí, usted!» Ignacio soltó una carcajada, divertido. «Curioso —pensó— que un grito anticedista pueda valer un masaje.»

Aquello puso definitivamente de buen humor a José. Recorrieron la Gerona moderna, que a José le pareció espantosa. A las doce dijo, de repente: «Ahora me doy cuenta de que desde que salí de casa no les he mandado ni una postal».

—Mándales un telegrama —propuso Ignacio.

—¡Hombre! —exclamó José—. Es una idea. —Y alegres, pensando en Matías, echaron a andar hacia Telégrafos.

Matías no pudo atenderlos como hubiera deseado. Tenía mucho trabajo.

—Habrá huelga —les dijo— y todo el mundo manda telegramas.

—¿Cómo huelga?

—Sí. No se sabe si huelga general, o sólo de la CNT.

CNT... José volvió a pensar en el Responsable. Lo mismo que Ignacio. A éste le había parecido que el gesto del jefe anarquista de pegarse, seco, en la mejilla, tuvo una gran dignidad. Todavía no había digerido su encuentro rapidísimo con aquel personaje. Los ojos de acero del Responsable los tenía clavados en la memoria. Y su gorra calada hasta las cejas. Bajito, sin afeitar...

A José le hubiera gustado olfatear por Telégrafos y, sobre todo, por la Sección de Correos. Le gustaba ver montones de cartas. Nunca había comprendido por qué la gente se escribía tanto. «Ya ves, yo todavía ni una postal.» Aquel pensamiento le envaneció tanto que decidió no mandar el telegrama. «¡Nada! Cuando llegue, ya me verán.»

Matías se despidió de ellos.

Luego fueron a la Rambla comentando lo de la huelga. Ignacio ya había oído hablar de ello. Los ferroviarios cobraban un salario ínfimo, y además había habido varios despidos, al parecer injustificados. Lo mismo entre los camareros. Pero los camareros eran menos decididos y por otra parte pertenecían a la Unión General de Trabajadores.

José le preguntó:

—¿Así... que la CNT pita, a pesar de todo?

Ignacio no estaba muy bien informado, porque en el Banco le habían afiliado a la UGT. Pero desde luego el Responsable abría brecha. Tenía poca ayuda, al parecer, pero era de una tenacidad implacable. «Ya lo viste.»

José le preguntó:

—¿Y me dijiste que se reúnen en un gimnasio?

—Sí. Eso cuentan.

Ignacio le explicó entonces que el cajero del Banco Arús vivía enfrente y siempre les contaba el pintoresco efecto que hacía ver a unos hombres muy serios, discutiendo de salarios y demás, rodeados de poleas, paralelas, cuerdas con anillos, etc.

—Si la sesión se prolonga —añadió— sin darse cuenta empiezan a utilizar los objetos. —Ignacio se animó hablando de ello—. Al parecer a veces terminan como si todos fueran atletas. El Responsable sentado en el potro y éste haciéndole dar tumbos, y sus hijas rubias haciendo bíceps con dos bolas de hierro.

José también se divertía.

—¿Sus hijas también asisten a las reuniones?

—¡Cómo! No abandonan nunca a su padre.

—¡Caray! Como si dijéramos, una familia modelo...

—Es así.

A José le entraron unas ganas inmensas de conocer todos los locales políticos de la ciudad.

—¿Y la CEDA?

—¡Uf! Es una especie de Balneario.

—¿Y Liga Catalana?

—¿Liga Catalana...? Un despacho de notario... ¡Bueno, no! También saben divertirse, cuando quieren.

—¿Y los comunistas?

—¡Oh! Ésos... peor que la CNT. Se reúnen en una barbería.

—¡Vaya! Con el retrato de Stalin y demás.

—No sé. No lo he visto nunca.

—Pero... ¿y qué sabe el barbero de comunismo?

—No sé. Ya te digo. —Ignacio se echó a reír—. Ahora recuerdo que la Torre de Babel un día fue allá y se encontró en pleno jaleo. Miraban una revista antigua en que se veían unos oficiales rusos y el barbero decía: «¡Eso es pelo bien cortado y no lo que hacemos aquí!» Y todos los clientes asentían con la cabeza.

José no reaccionó como Ignacio había supuesto. Se detuvo un momento en el centro de la Rambla, precisamente frente al café de los militares, y le dijo:

—Aquí tomáis a los comunistas un poco a broma, ¿no?

Ignacio se detuvo a su vez.

—¿A broma? Chico, no sé. A mí me parece que si peco por algo es por tomarlo todo demasiado en serio.

José continuó mirándole e insistió:

123

—¿Tú conoces algún comunista?

—Pues... no. Creo que no. Conozco uno... que desde luego siempre lee a Marx y cosas por el estilo. Pero no sé si está afiliado o no.

—¿Y qué tal?

—Es un compañero de trabajo. Del Banco.

—¡Vamos!

Ignacio añadió:

—Desde luego, allí es el que tiene más personalidad.

José sonrió:

—¿Más que el subdirector...?

Ignacio reflexionó.

—Entiéndeme... Según lo que entiendas por personalidad.

La Rambla estaba abarrotada de estudiantes. El sol caía vertical.

Ignacio dijo:

—¡Toma! Eso significa que es la hora de comer.

José se volvió de repente, se acercó a una muchacha que pasaba sola.

—¿Te vienes conmigo, chachi?

* * *

Había algo que Julio García no podía soportar: la fanfarronería. Dividía los actos en útiles e inútiles. La fanfarronería la consideraba siempre inútil. Sentarse en el coche del tren y desplegar el periódico como si uno estuviera solo, lo consideraba un acto inútil. Ello era tanto más sorprendente cuanto que Matías, que tenía fama de certero, hablando del policía decía siempre: «Sólo tiene un defecto: que es un fanfarrón».

Julio García, durante su infancia en Madrid, no tuvo hermanos, como Matías, que le acompañaran en sus andanzas. Tuvo que arreglárselas solo. Estuvo mucho tiempo pensando, cada vez que recibía un par de bofetadas injustas: «Ese hombre acaba de ejecutar un acto inútil». Pero un día se dio cuenta de que a fuerza de actos inútiles el prójimo acabaría por aplastarle la nariz. Y entonces decidió pegar el primero.

Sin que ello le reconciliara con la fanfarronería. De ahí que cuando, en el mitin de la CEDA, vio a José con su aire de perdonavidas y supo que no sólo él había sido el primero en armar escándalo sino que había tumbado de un puñetazo a un pobre panadero que había perdido la calma, se dijo: «A ese mocito le doy yo una lección». Y por eso le invitó a tomar café, junto con Ignacio.

Por el físico de José y sus métodos directos dedujo que se trataba de un ser primitivo, del clásico mozalbete de la FAI dispuesto a tirar un petardo en un desfile o a pegar una paliza al primero que defendiera la conveniencia de las Aduanas. Pero Matías, en el Neutral, había dicho: «Te equivocas. José, a su manera, está muy documentado. Se ha leído más de un libro. Me parece que es muy capaz de sostener una controversia».

Julio había exclamado:

—¿De veras...? Tanto mejor. Lo que yo daría para que fuera un auténtico teórico del anarquismo.

Matías le preguntó:

—¡Bah! ¿Por qué te interesa tanto este asunto?

—¿Por qué? Pues porque sí. Porque estamos en el país del anarquismo.

—¿No crees que hay anarquistas en todas partes?

Julio hizo un gesto de desolación.

—Matías... siento decírtelo, pero anarquistas ya sólo quedan en España, y en algunos países de la América del Sur.

Por su parte Ignacio había advertido a José de que Julio era un hombre bastante complicado, del que nunca se sabía si decía todo lo que pensaba o sólo la mitad.

—Especialmente en cuestiones políticas, siempre habla en términos vagos. Está muy enterado, ¿sabes? Quiero decir que los hechos, los conoce al dedillo. Cuando las cosas se ponen oscuras es cuando él tiene que dar su opinión. «Claro, claro, quién sabe...» «Sí, la República es siempre algo.» ¿Te das cuenta?

José se había quedado inmóvil, mirando a Ignacio.

—¿Qué periódicos lee?

—Chico, yo creo que los lee todos.

José dijo, bruscamente:

—¡Vamos, vamos a conocer a esa fiera! —Y al saber que le daría un excelente coñac, en el camino entró en un estanco y se compró un cigarro habano.

A Carmen Elgazu aquella visita no le había hecho ninguna gracia. «Ignacio entre dos fuegos», pensó. Una vez más le había advertido que a todas las teorías que oyera les hiciera poco caso. «Ya sabes que sólo hay una verdad, hijo: ser bueno. Y tú lo eres.»

Les abrió la criada y los hizo pasar a la sala de estar, en la que Julio se hallaba esperando. Al verlos, se levantó en seguida y por su actitud creó un clima de confianza.

—¡Caramba! A eso se le llama puntualidad.

Estrechó la mano de José y al mismo tiempo el antebrazo de Ignacio.

—¡Sentaos, sentaos! Encantado de teneros aquí. En seguida viene mi mujer y tomaremos una copa. ¿Usted qué prefiere, José? —Viendo que José se mordía los labios para reflexionar, Julio apretó un botón de un mueble que tenía al lado y en el acto apareció, rutilante, toda una licorería.

Aquel mueble-bar encantó a José. Por su colorido y exuberancia. Y en cuanto entró doña Amparo Campo, con bata verde y encarnada, pensó que se parecía mucho al mueble-bar.

—Señora... —José parecía enteramente un caballero. El cigarro habano le daba un aspecto sorprendentemente burgués.

Las frases de trámite duraron poco. En cuanto todo el mundo estuvo servido, Julio dijo:

—José, no crea que esté usted aquí por lo del mitin... Les dije que vinieran para charlar un rato, simplemente.

—¡Ya, ya! Ya lo supongo.

Julio se tomó el café de un sorbo. Luego, reincorporándose, prosiguió:

—De todos modos, me va a permitir una pregunta. Por lo que vi —esbozó una sonrisa— los de la CEDA no son santos de su devoción, ¿verdad?

—¿De mi devoción? —A José la presencia del coñac le había producido un efecto saludable. Había enrojecido un poco, y se veía que se hallaba a sus anchas—. ¿Qué le parece, *madame?* —añadió, dirigiéndose a doña Amparo Campo—. ¿Tengo yo cara de ser devoto de la CEDA?

Doña Amparo Campo contestó:

—No sé, no sé. ¿Por qué no?

—¡Vaya!

Julio continuó:

—No. Desde luego, no tiene usted cara de la CEDA. —Luego añadió—: ¿Socialista...? —Al ver que José miraba con fijeza, cortando el cono truncado de la ceniza en el cenicero añadió—: Desde luego, si le molesta hablar de eso, no he dicho nada.

El primo de Ignacio levantó los hombros.

—¿Por qué? Por mí, encantado. —Marcó una pausa—. Yo soy de la FAI.

Julio enarcó las cejas en expresión de sorpresa.

—¡Hombre, estupendo!

—¿Por qué estupendo? —preguntó José.

—¡Qué sé yo! Siempre me han gustado los anarquistas.

—¡Ah, sí...! ¿Por qué?

—Pues... ¡Cómo se lo explicaré! Ya lo sabe mi mujer. A mí... todo lo romántico me gusta.

—¡Vaya! —José se envolvió en humo—. Conque ¿le parecemos unos románticos?

—¿Y a usted no?

Julio se echó para atrás en el sillón y dijo, como si la polémica hubiera llegado ya a un punto de madurez lógica:

—¡Parten ustedes de un principio magistral: que el individuo es perfecto, y que por lo tanto puede dársele libertad absoluta!

—Exacto.

—Luego viene el individuo, que no es perfecto, y mata a su madre.

—¿Y qué pasa con ello? —preguntó José.

—¿Qué pasa...? Pues... ¡nada! Que si el padre vive... ¡pues se queda viudo!

José añadió que no había que reparar en medios para conseguir la libertad. Destruir todo lo que la sociedad ha creado de ficción y coacción.

Julio, al oír esto, recobró los ánimos.

—Claro, claro —dijo, intentando elevar el tono del adversario—. Ustedes han leído en algún sitio: «¡Hay que tener una mística!» Y la han comprado en la primera esquina.

—Nada se consigue sin fanatismo.

—Sí, es cierto. Pero... a condición de contar con unos dirigentes... que sean fríos.

José afirmó que ellos ya conocían esta regla desde niños. Y citó como ejemplo lo que ocurría en su familia.

—Mi padre —dijo— es un fanático del anarquismo. Todo Madrid le conoce; pues bien, nunca ha tenido cargo en la Federación. En cambio yo, que aunque usted no lo crea, soy hombre frío, soy jefe de grupo en mi barrio.

Julio preguntó, sin inmutarse:

—¿Cree usted que un hombre frío declara que es jefe de grupo a un policía que acaba de conocer, y de provincia fronteriza por más señas?

—¡Bah! ¿En qué puede perjudicarme?

—Por ejemplo, podría arrestarle por tenencia ilícita de pistola.

—¿Cómo sabe usted que llevo pistola? —preguntó José, con calma.

—Porque usted me lo ha dicho.

José se mordió los labios.

—¡Mira que tal! Le advierto que por mi barrio ya nadie cree en Sherlock Holmes.

—Hacen ustedes muy bien. Yo tampocc

Ignacio iba poniéndose nervioso. Todo aquello era interesante, pero él hubiera preferido ceñir el tema. Le hubiera gustado oír a Julio exponer sus propias ideas.

—Espero que no van a discutir sobre eso —dijo—. Aquí lo interesante sería confrontar opiniones.

Julio hizo un gesto de asombro.

—¿Y qué otra cosa estamos haciendo?

Ignacio ladeó la cabeza.

—Perdone... —dijo—, pero hasta aquí sólo hay uno que ha expuesto las suyas: mi primo.

Doña Amparo Campo intervino.

—¡Uy, hijo! Yo llevo doce años con él y todavía no sé lo que piensa.

José aplastó de nuevo la ceniza en el cenicero.

—Pues yo creo que no tardaría tanto en saberlo —dijo, en tono que no disimulaba el resentimiento.

Julio le miró.

—¿De veras?

—Sí. —José se dirigió a doña Amparo—. ¿Me permite... que hable con franqueza?

Doña Amparo Campo se sintió halagada.

—¡Claro, claro que sí!

José añadió, en tono que le salió inesperadamente duro:

—Usted es el clásico tipo que echa al ruedo a los demás y luego se come la liebre, ¿no es eso?

Julio movió la cabeza.

—No creo que sea eso, la verdad...

—Sí —prosiguió José—. Por ejemplo —reflexionó un momento—, creo que uno de estos días va a haber huelga. Usted no dirá nunca: «¡Tienen razón; lo que cobran los ferroviarios es una vergüenza!» Usted... criticará la manera de hacer la huelga, el día que se ha elegido, y si tiene que tomar el tren y resulta que el tren no funciona, armará la de Dios es Cristo. Ahora bien... se aprovechará del caos... para pedir aumento de sueldo.

Doña Amparo Campo no pudo reprimir una carcajada, lo mismo que Ignacio, porque José, al término de la frase, había parodiado con extrema gracia un pase de muleta. Julio, en cambio, sacó otra botella del mueble-bar y se sirvió.

—En fin, si usted cree que soy así, debe de ser cierto... —Marcó una pausa—. Por nada del mundo me atrevería yo a dudar de la inteligencia de un anarquista.

A Ignacio le pareció que en el fondo Julio perdía terreno. José se había echado para atrás y paladeaba de nuevo su coñac.

—De todos modos... —añadió Julio—. ¿Me permite usted que le dé un dato?

José no contestó, pero él añadió:

—Da la casualidad de que esta huelga —que será exactamente el viernes—, la he aconsejado yo.

Ignacio semicerró los ojos.

—Sí —continuó—. Conocen ustedes al Responsable, ¿no es eso? Es muy amigo mío. Le dije: «Hazlo, es el momento. Los ferroviarios lo merecen». A mí siempre me ha parecido que el oficio de ferroviario es muy duro. Aunque tal vez el que ejerza José todavía lo sea más...

Se calló. Sus palabras habían surtido efecto, sobre todo en Ignacio. Ignacio pensaba: «¿Es cierto todo eso? Y si lo es... ¿por qué diablos se mete en esas cosas?»

Julio añadió, no queriendo dejar ningún cabo suelto:

—Y en cuanto a obtener aumento de sueldo, yo tengo mi criterio: ganarse por méritos un ascenso.

Doña Amparo Campo empezaba a sospechar que tendría que admirar a su marido. Pero José no se había dejado amedrentar.

—Me sorprende que le interesen a usted los ferroviarios —dijo—. ¿Por qué será? ¿Le traen contrabando de Francia?

Julio se indignó. La salida era inesperada.

—Ni por casualidad uno de ustedes razona una vez con lógica —respondió, conteniéndose—. Si yo utilizase a los ferroviarios como contrabandistas, tendría interés en que ganaran poco sueldo, ¿no le parece? ¿Se da cuenta de lo equivocado que está en todo?

José replicó:

—Eso de equivocarse no se ve hasta el final. Es muy bonito contemplar a los demás como si fueran peces en un acuario. Pero no olvide una cosa: somos muchos miles, muchos miles. Con lógica o sin ella, pero muchos miles. En Barcelona, en Madrid, en Andalucía...

Julio le interrumpió:

—En cambio, ¿ve usted...? En Francia prácticamente no hay anarquistas. Ayer se lo contaba al padre de Ignacio, hablando de un viaje que pienso hacer a París. ¿Por qué no son anarquistas los franceses? Porque son gente de método.

—¡Ah, ya...! Claro... Los franceses son gente de método porque tienen un suelo que da muchas coles. Aquí, para regar los terrenos, tenemos que hacer pipí.

—Lo que interesaría, pues, sería traer agua y no dedicarse al «terrorismo sistemático» como ordena el reglamento de la FAI.

129

—Con barrenos a lo mejor aparece un poco. Y lo que queremos ante todo es lo dicho, la emancipación del individuo.

Ignacio miró a su primo.

—¿Otra vez en las nubes? —prosiguió Julio—. ¿Qué es el individuo, y qué significa la palabra emancipación?

José estaba furioso.

—Individuo es el hombre que si no quiere votar, no vota; es el ferroviario que si no quiere trabajar, ahí se las den todas. Emancipación...

Julio se quitó la pipa.

—¡Ya salió! Lo que el Responsable me dijo hace poco: «En las próximas elecciones CNT-FAI nos abstendremos de votar». ¡Muy bien, hombre, pero que muy bien! Ochocientos mil votos que la República perderá... Esto en el momento en que la CEDA avanza que da gusto verla y en que por vez primera vota la mujer. En un país en que no hay ninguna mujer (ni siquiera la mía...) que no lleve al cuello cuatro o cinco medallas. Total, que si el individuo se emancipa, en estas elecciones ganarán las derechas.

José soltó una carcajada.

—¡Qué nos importa a nosotros que la República pierda esto o lo otro, que ganen las derechas o las izquierdas! Para nosotros la República ya lo ha perdido todo. Lo perdió en el momento en que continuó haciendo pagar cédula a los ciudadanos, sosteniendo cuarteles... y tantos policías como en tiempos de la Dictadura.

Julio dijo:

—Ustedes son unos insensatos, ahí está, y unos irresponsables. La masa tiene un instinto revolucionario certero, pero ustedes lo desvían de una manera grotesca. Son ustedes niños de teta.

José se sulfuró. Cambió de expresión.

—¿De veras...? ¿Y usted qué es? —De pronto soltó—: ¿Un pillo redomado?

—Váyase con cuidado, amigo...

—¿Un Dick Turpín con bigote...?

Doña Amparo Campo palideció, pero en todo aquello había algo que le gustaba.

José se había levantado y, doblándose sobre la mesa en dirección a Julio, con la uña del pulgar golpeaba uno de sus dientes.

—Pero a mí ni pum, ¿comprende? ¡Ni pum! ¡Ni así!

Ignacio se había levantado a su vez. Julio permanecía impasible, como si nada ocurriera.

De pronto el policía dijo, dirigiéndose a Ignacio:

—Acompaña a tu primito a la puerta, anda. Devuélvelo a tu padre. Que hay señoras...

Doña Amparo se emocionó. José resoplaba y miraba la botella de coñac, dispuesto a derribarla de un puñetazo.

Pero se contuvo. Viendo la estúpida sonrisa de doña Amparo, barbotó:

—¡Me asfixio! —Y dio media vuelta en dirección a la puerta. Y sin esperar a Ignacio, desapareció.

* * *

Ignacio le alcanzó ya a mitad de la calle.

—José, chico... Francamente...

—¡Calla, hombre, calla! ¿No te has dado cuenta?

—¿De qué?

—Ese marica es un comunista de marca mayor.

—¿Comunista...?

Ignacio se quedó parado en seco, y todo el discurso que había preparado se le borró de la memoria.

—¡Si los conoceré yo! —añadió José, sin dejar de andar.

Ignacio le alcanzó de nuevo. Aquello era inesperado.

—Pero... ¿por qué crees que lo es?

—No seas imbécil. Ha empleado todos sus argumentos. Enemigo de CNT-FAI, ¿comprendes? El viaje a París... Miedo a que fracase esta República, que les sirve de trampolín. Estadísticas.. Ellos a la reserva... Y los brazaletes de su mujer... Es el retrato completo.

Ignacio no podía hablar. Mil pensamientos le asaltaban.

—¡Es curioso! —dijo por fin, olvidando el resto—. Mi madre cree lo mismo.

—¿Tu madre?

—Sí.

José preguntó:

—¿Desde cuándo está ahí el tipo?

—Hace cuatro o cinco años.

—Es un tío listo.

—¡Ya lo creo! —Ignacio añadió—: Y, desde luego, sea como sea..., a nosotros nos ha hecho muchos favores.

—Pues id con cuidado. Esos no quieren a nadie.

Ignacio le preguntó, al cabo de un momento:

—¿Y vosotros sí...?

—¿Nosotros...? Más de lo que te figuras. Lo único cierto que ha dicho ese hombre es que somos unos románticos.

* * *

—¿Es verdad, papá, que los rusos desnudan a las monjas y las tocan? —preguntó Pilar inesperadamente a la hora de cenar.

—¡Pilar! —amonestó Carmen Elgazu—. ¡Qué barbaridad es ésa!

José estalló en una risa convulsiva lo mismo que Ignacio. De nada servía que Carmen Elgazu pusiera cara cada vez más seria. La cosa valía la pena.

—¿Quién te lo ha dicho? ¿Otro sermón de la Madre?

Matías quiso salvar la situación, aun cuando por dentro se reía como el que más, y preguntó:

—Bueno, ya está bien, ya está bien. ¿Qué tal la entrevista con Julio? Todavía no nos habéis explicado nada.

José exclamó:

—¡Ay! Hacía años que no me reía tanto. —Una vez calmado, pudo contestar—: ¿Julio...? ¡Pues muy bien! —Luego añadió—: Tienen ustedes ahí un comunista de los de postín.

A Carmen Elgazu se le pasó el mal humor. Echó a su marido una mirada que valía un Perú.

—¡No digas tonterías! —cortó Matías—. Eres más niño aún que Pilar. ¿Qué quieres que busquen en España los comunistas? ¡Caray! ¡Buen país para la disciplina!

—¿En España? Pues muy sencillo —dijo José—. Lo que buscan en todas partes; entrar en la casa de al lado y llevarse la radio.

—¿O sea que lo que busca Julio es llevarse mi aparato de galena?

—¡No te hagas el tonto! —intervino Carmen Elgazu—. ¡Se entiende muy bien lo que José quiere decir! Y creo que tiene razón.

* * *

La víspera de la huelga, Ignacio y José, después de cenar, salieron al balcón con una silla cada uno y tomaron asiento. Las luces de la Rambla estaban semiapagadas. En las mesas del paseo, gente sentada con indolencia; debajo de un farol dos conocidos de Ignacio jugando, absortos, al ajedrez.

Pilar también salió un momento, pero luego su madre la mandó a la cama. Entonces los dos muchachos quedaron solos. Era una noche clara y dulce, una de las noches dormidas de Gerona.

Hablaron con lentitud, como si cada uno midiera las palabras. Ignacio preguntó, después de un silencio, con la cara vuelta hacia el firmamento:

—¿Te impresiona a ti la noche...?

—¿La noche...? Según.

—¿Cómo te explicas que haya estrellas?

132

—Pues... allá están.

—Ya, ya, pero... ¿cómo han ido ahí?

—Eso mismo digo yo: ¿cómo?

Al cabo de un rato, José preguntó:

—¿Así que... cuánto te falta?

—¿Para qué?

—Para terminar el Bachi.

—Pues, si en mayo apruebo, ma faltará un año.

—Y luego, ¿qué harás?

—Abogado.

—¡Abogado! ¿Pleitos de ricos?

—¿Por qué?

—¡Qué sé yo...! Los pobres...

—Lo que crea justo.

—Habrá que mantener cierta posición social...

—¡Yo no pretendo eso!

—Ya me lo dirás por teléfono...

Más tarde Ignacio dijo:

—¿Te pregunto una cosa?

—Anda.

—¿Has matado a alguien?

—¡Tú, a jugar limpio...!

—Es una pregunta.

—¿Por qué te interesa?

—Pues... no lo sé.

Luego José comentó:

—Hablando de otra cosa... ya has visto a la mujer de tu amigo, ¿no?

—¿Qué quieres decir?

—Se te come con los ojos.

—¿A mí...?

—¿Pues a quién, a Romanones?

Por último añadió:

—¿Por qué no me hablas de César?

—¡Bah! No entenderías nada.

—Hoy sí, mira. Hoy estoy de buenas.

—Pues... por el Collell anda, afeitando a los criados

—¿Cómo...?

—Ya te dije que no entenderías.

—¿Todavía se echa sal en el agua?

—Todavía.

—Los hay de remate.

—Si le miraras de frente, verías que no.

* * *

A Ignacio le gustaba el cariz que tomaba Gerona en un día de huelga. Las tiendas cerradas tenían un encanto especial, como si los comerciantes hubieran dicho: «¡Al diablo el trabajo! Nos vamos al campo y allí viviremos felices». Los trenes, parados; la maquinaria de las fábricas, muda.

El jueves se confirmó la noticia dada por Julio: la huelga empezaría al día siguiente, viernes. Lo anunció la radio y también *El Demócrata*. *El Demócrata* informó que la UGT se había desinteresado de la cuestión, así como Izquierda Republicana y demás partidos, a causa de la intransigencia de los dirigentes de la CNT.

Ello significaba que las Empresas más afectadas serían: la fábrica Soler, la más importante de la ciudad —botones, cintas, artículos de mercería—, la fábrica de Industrias Químicas, situada en los arrabales, y la fundición de los hermanos Costa, diputados. En estas tres empresas el porcentaje de anarquistas era muy crecido, suficiente para paralizar el trabajo. El resto de huelguistas quedaba repartido entre talleres más pequeños, especialmente del ramo de metalurgia, y luego, en bloque, los ferroviarios. Los conductores, revisores y personal administrativo de los ferrocarriles pertenecían a la UGT, de modo que el servicio de trenes quedaba asegurado.

Ignacio no comprendía que los socialistas no se adhirieran a la huelga. No comprendía que, si verdaderamente los ferroviarios y los obreros de las tres grandes fábricas cobraban jornales insuficientes, no se solidarizaran con su causa todos los demás, que prevalecieran rencillas de Partido o Sindicato.

Los más entusiastas eran los limpiabotas del bar Cataluña. El jueves por la noche le dijeron al patrón del bar: «Guárdanos ese betún, que mañana no trabajamos ni por ésas». Y le entregaron las cajas, los cepillos.

A Ignacio, el sistema de declararse en huelga le parecía un hallazgo comparable al de la elección provincial de diputados, entre otras razones porque la paralización de la industria que ello traía consigo, demostraba irrefutablemente que quienes llevaban el peso de la producción eran los obreros. ¡Si en el Banco el día en que el botones estaba enfermo todo el mundo andaba de coronilla!

Matías Alvear, aunque en Telégrafos no hubieran hecho huelga jamás («nosotros somos como los seminaristas —decía—, tenemos mucha paciencia»), era partidario del derecho de huelga. «Es una de las bases de la democracia.» Carmen Elgazu cada vez que se cerraban las puertas de las fábricas, decía que aquello perjudicaba a las gentes como ellos, a la pacífica clase media.

En la mañana del viernes, Ignacio se levantó más temprano que José. Ardía en deseos de ver el aspecto de las calles. Salió y, como siempre, entró un momento en el Banco y allí la Torre de Babel le dijo, simplemente:

—Hoy habrá tortas.

—¿Por qué?

—La Liga Catalana ha organizado sardanas en la Rambla, a las doce.

—¡No es posible!

—Ya lo verás.

Don Jorge, presidente honorífico; el notario Noguer, vicepresidente... Ignacio consideró aquello de mal gusto. ¡Santo Dios! Pensó en el Responsable y en su séquito. ¿Qué pasaría? En los «limpias» había adivinado que aquello no iba a ser como en otras ocasiones. Había un punto de violencia en el ambiente; bien claro lo demostraba el aire de los limpiabotas. El subdirector dijo: «No creo que la Liga Catalana se atreva a hacer eso».

En cambio, Ignacio supuso en seguida que se atreverían. La gente de la Liga Catalana le parecía impermeable a todo lo que fuera popular. Eran abogados, agentes de Bolsa, accionistas de Sociedades Anónimas, catedráticos a la antigua, la *élite*, en fin, económica e intelectual de la ciudad. El padre de la muchacha de cuello de cisne era de la Liga Catalana... Julio había dicho un día: «Se niegan a admitir que el rumor de las masas sea profundo».

Ignacio salió del Banco y regresó a la Rambla. Los huelguistas habían empezado a hacer acto de presencia. Se veían muchos en el Puente de Piedra, tomando el sol. Sentados en las barandillas, esperaban la llegada de la prensa de Barcelona. Charlaban animadamente; algunos grupos se movían con agitación. Los más vestían su habitual indumentaria de trabajo; pero varios se habían endomingado absurdamente, se habían puesto zapatos relucientes, o una gorra nueva.

Las mujeres pasaban algo asustadas con sus cestos de compras, un poco más de prisa que de ordinario. Los transportistas hacían sonar en mitad del puente la bocina como diciendo: «¡Paso libre, allá vosotros; nosotros lo que queremos es trabajar!» Los pequeños comerciantes sudaban la gota gorda, pues en la huelga anterior hubo considerable rotura de cristales. Pasaban las monjas veladoras, que se retiraban. Dos gitanas merodeaban por entre los grupos, ofreciéndose para leer la buenaventura.

A las diez y media en punto, el mercado de legumbres y carne empezó a despejarse. Acudieron los barrenderos. Llegaron los periódicos. Algunos ponían: «¡El proletariado gerundense en huelga!» Aquello enardeció los ánimos. El personal de las tres grandes empresas se había concentrado allí, así como todos los empleados menores del tren.

Ignacio se había detenido en la acera del bar Cataluña, junto con unos futbolistas. Y de repente, vieron asomar un entierro por la plaza del Ayuntamiento, viniendo de la iglesia del Carmen. El monaguillo en vanguardia, con la cruz en alto. Detrás del monaguillo seis sacerdotes cantando, perfectamente alineados. Luego los caballos engalanados, dos cocheros con sombrero de copa; y detrás del féretro, solo, el hijo del muerto, al que seguía una larga comitiva, comitiva algo desordenada hacia el final.

Por el número de sacerdotes y coronas y por la calidad de la madera del ataúd, resultaba evidente que se trataba del entierro de alguien de categoría; sin embargo, los huelguistas abrieron sus líneas y todos se quitaron la gorra o la boina. Varios, al pasar el féretro, levantaron el puño.

Pero al hijo del muerto, muchacho de la edad de Ignacio, le acribillaron a miradas amarillas; aunque por fortuna él no lo advirtió.

—Hasta entre «fiambres» hay clases —barbotó alguien—. Si pagas, más curas y más cocheros.

—Pero una vez en el hoyo, se acabó —contestó otro—. Cuando llueve, llueve.

—A mí que no me vengan con coronas.

—Yo sí, yo querré una del Sindicato.

Pasado el entierro apareció, acercándose por la orilla del río, el Responsable. Le escoltaban sus dos hijas y un sobrino suyo, cojo, muy joven, que siempre llevaba un pañuelo rojo en el cuello. Eran las once de la mañana.

Ignacio le vio andar con su paso menudo, decidido, la misma gorra del día del mitin, los mismos ojos de acero. Tenía algo de pequeño general vestido de paisano y recordó que se decía de él que había aprendido a hipnotizar.

Ignacio no pudo resistir la tentación de acercarse al grupo que se formó en torno de aquél. El contacto directo entre el jefe y los suyos le pareció un detalle honrado. Ignacio odiaba con toda su alma «los organizadores de revoluciones desde un despacho».

Tan ensimismado estaba, que no se dio cuenta de que una de las dos hijas del Responsable le había clavado una banderita en la solapa, hasta que la chica hizo tintinear por tercera vez ante él una bolsa llena de calderilla.

—¡Ah, perdón! —se registró los bolsillos hasta dar con unas monedas.

El Responsable decía: «Tenemos que esperar». Y su sobrino, el cojo, muy joven, pero mucho más alto que él, con eternas costras en los labios, se reía frotándose las nalgas con las manos.

Momentos después Ignacio sintió que le tocaban en el hombro: era José, que llegaba con cara de sueño. José, después de cenar, había salido solo, sin dar explicaciones, y regresado muy tarde.

—¿Qué pasa?, ¿cómo está eso? —preguntó.

Ignacio le dijo:

—No sé. El Responsable acaba de llegar.

José echó una mirada de conjunto, con aire experimentado. Movió de arriba abajo la cabeza. Se le veía con ganas de actuar. Ignacio pensó en la absoluta inutilidad de aquella discusión con Julio. Nadie convencería a José. En cuanto veía costras en los labios de alguien, también empezaba a frotarse las nalgas.

Quedó perplejo al ver que, sin preámbulos, José se abría paso entre los grupos.

—¡José...!

José no le oyó. En pocos segundos se plantó audazmente frente al Responsable.

—¡Salud, camaradas! —dijo. Ignacio le había seguido y pronto estuvo a su lado.

El Responsable, al ver a José, permaneció inmóvil. El primo de Ignacio le sostuvo la mirada y le ofreció la mano.

El Responsable dudaba. Miró a su gente, como consultándola. Pero muy pocos conocían a José, aunque todos estaban pendientes de la escena y algunos murmuraban su nombre.

Por fin el Responsable tomó una decisión.

—Salud —dijo, y estrechó la mano a José, dando con aquel ademán por liquidado el asunto del mitin. Y acto seguido se la estrechó a Ignacio.

José no perdió tiempo en explicaciones.

—Parece que esto marcha —dijo.

—Sí. La gente ha respondido.

—Salarios de paria, ¿no es eso?

El Responsable tomó un pitillo que llevaba entre la gorra y la oreja. El Cojo se lo encendió.

—Hay ferroviarios padres de familia que cobran jornales de seis pesetas.

—¿Y las mujeres?

El Responsable lanzó por la nariz dos larguísimas columnas de humo, que bifurcaron hacia sus pies, clavados en el suelo.

—¿Mujeres...? En la fábrica Soler, en la sección de embalaje, las

137

hay que cobran dos cincuenta y tres pesetas. Trabajando de pie las ocho horas; incluso estando embarazadas.

—¿Y cómo es posible que la UGT no haya colaborado?

El Responsable dijo:

—A ésos un día habrá que arreglarles las cuentas.

—¡Dos cincuenta! —A Ignacio aquel dato le había dejado sin respiración.

—¿Hay una Comisión nombrada?

—No. ¿Para qué? Hemos presentado nuestra propuesta.

—¿A la Inspección de Trabajo?

—Claro. Esperamos que nos llamen.

José dijo:

—¿Y si no aceptan...?

—Entonces —contestó el Responsable, enarcando las cejas—, veremos.

José miró a lo largo del puente. ¿Qué podría hacerse sin el apoyo de los demás sindicatos? Trescientos, cuatrocientos camaradas...

Mucha gente salía a los balcones y entraba de nuevo. Hacia las doce, empezaron a salir del Gobierno Civil patrullas de guardias de Asalto. A la vista de los uniformes, los huelguistas se miraron sin decir nada. Caía un sol aplastante, que daba vértigo.

Pasaron unos chavales repartiendo prospectos: «¡Gran audición de sardanas, a las doce!»

Oyóse un rugido.

—¡Quietos! —ordenó el Responsable.

Exactamente frente al Club de los militares, unos empleados del municipio empezaron a instalar el tablado de los músicos.

Las sirenas de las fábricas que trabajaban dieron la hora, despidiendo a la gente. ¡Todo el mundo a la Rambla!

La curiosidad los movía. Pasaban cerca de los huelguistas como diciéndoles: «A ver, a ver si nos dais un espectáculo que valga la pena».

El Responsable se negaba a dar crédito al anuncio de las sardanas. Ni siquiera en aquellos momentos, a pesar de ver que los músicos iban llegando, que se dirigían hacia el tablado llevando sus instrumentos.

—Dejadlos, dejadlos, no se atreverán —decía.

José no comprendía al Responsable.

—¿Cómo que no se atreverán? Soplarán como demonios.

Los curiosos iban dividiéndose en dos mitades. Los que permanecían cerca de los huelguistas, mordiéndose las uñas, y los que se desentendían de ellos y se acercaban a los músicos dispuestos a bailar al primer soplo de la tenora. El café Neutral había instalado en un santiamén dos docenas de mesas que fueron materialmente asaltadas.

El Responsable empezó a comprender que aquello iba en serio. Y a los cinco minutos se convenció de ello. La tenora tronaba en el espacio con alegría y fuerza desbordantes.

No hubo necesidad siquiera de dar la señal. Los huelguistas echaron a correr hacia el tablado capitaneados por José y el Responsable.

La mancha oscura de los monos azules era tan intensa que la gente les abrió paso. Llegados allí, el Responsable ordenó a los músicos, sin preámbulo:

—¡Fuera! ¡Abajo!

Uno de ellos, el del trombón, se levantó.

—Aquí de la CNT sólo hay ése —y señaló a uno de los triples—. Si quiere hacer huelga, que la haga. Los demás tocaremos.

—Veintidós obreros de metalurgia despedidos.

—Comprendido. Pero si nosotros no soplamos, no comemos. No vamos a perder un jornal porque vosotros estéis de mal humor.

—Tampoco comen los camaradas ferroviarios que cobran seis pesetas.

—Nosotros no somos ferroviarios. Somos músicos.

José no se podía contener.

—¿Hay compañerismo, o no lo hay?

El Responsable parecía dispuesto a agotar los argumentos.

—Esperad la respuesta de la Inspección de Trabajo —dijo—. Si es favorable, podréis tocar.

El del trombón se impacientó.

—A nosotros lo que nos estáis tocando es otra cosa.

El de la tenora no pudo aguantarse. Había permanecido sentado. Era un hombre de ojos beatíficos que cuando hacía un solo alcanzaban su plenitud. Se puso a tocar, evidentemente dispuesto a cortar el diálogo.

Algunos sardanistas empezaban a protestar, pataleando. Los acontecimientos se precipitaron. El Responsable miró al Cojo en forma al parecer convenida.

José estimó que había comprendido la señal.

—¡Camaradas! —gritó, irguiéndose sobre sus pies—. Última tentativa. ¿Hay compañerismo o no lo hay?

Por toda respuesta el del fiscorno hizo: bub, bub.

—¡Camaradas! —gritó de nuevo José—. ¡Como si estuviéramos en Madrid!

Y de un salto subió al tablado, derribó al músico más próximo y empezó a lanzar sillas a cinco metros de distancia.

Otros huelguistas le imitaron. Los músicos se defendieron, pero fueron derribados. Hubo desbandada general. Al otro lado de la Rambla aparecieron los de asalto blandiendo sus porras.

—¡Ignacio, Ignacio! —gritaba Carmen Elgazu desde el balcón—. ¡Sube, sube!

De repente, el viejo del trombón mostró a la multitud el instrumento magullado y hecho trizas.

—¡Fuera, fuera! —gritó un grupo de jóvenes, con franca hostilidad hacia los anarquistas. Eran estudiantes, que lo que querían era bailar.

Otro gritó:

—¡Fuera esos de Murcia! ¡Boicotean las sardanas!

Los de asalto acababan de llegar. José recibió un porrazo en la cabeza. Saltó del tablado al suelo y se parapetó tras un árbol.

Las hijas del Responsable vociferaban:

—¡Viva la CNT!

—¡Fue...ra! ¡Fuera...!

El camarero del café Neutral se subió a una mesa.

—¡Viva Cataluña...! ¡Boicotean las sardanas! ¡Viva Cataluña!

Un hondo rumor se extendió por la Rambla.

—¡Viva España! —contestó alguien. Era un teniente, apoyado en un farol.

Varios se dirigieron a él.

Ignacio comprendió que la cosa tomaba derroteros imprevistos. El camarero había sido un imbécil gritando aquello.

Los que se dirigían hacia el teniente eran personas que hasta entonces habían quedado al margen. Se habían levantado de las mesas.

—¡Cuidado, que lleva armas! —gritó alguien.

El teniente sonrió y, abriendo las dos manos, las levantó a la altura de los hombros.

Pero se había formado otro altercado a pocos metros y la gente retrocedía en desorden. La multitud cayó sobre el teniente, derribándole.

Entonces se oyó un grito y, de pronto, un disparo. O por lo menos lo pareció. En todo caso fue una detonación seca.

Cundió el pánico. Todo el mundo se refugió bajo los arcos, y los más próximos a las casas se introdujeron en ellas. Entonces los de asalto, en magnífico estilo, formaron un cordón impecable.

—¡Atrás! ¡Atrás! ¡Dispersarse!

A José le dolía horriblemente la cabeza. Continuaba tras el árbol. Un guardia se dirigía hacia él, por lo que optó por dar media vuelta y meterse en la casa. Una vez allá subió al piso.

Ignacio había coincidido con el cajero del Banco bajo los arcos y no parecía estar nada asustado. El cajero le dijo:

—Vete a tu casa. No hagas tonterías.

—¿Por qué? Ya está terminado.

—Te digo que te vayas.

El muchacho obedeció. Cruzó a grandes zancadas la desierta Rambla y se refugió también en su casa.

Otros, en cambio, resistían. El Cojo salió vendado de una farmacia. Al Inspector del Trabajo le había pillado aquello camino de la Comisaría y tuvo que refugiarse también en un portal.

* * *

Al llegar arriba, Ignacio vio en el comedor a José, tendido sobre dos sillas, y a un desconocido con una enorme herida en el mentón. Supuso que se trataba de uno de los huelguistas, que habría seguido a José.

Carmen Elgazu, con expresión elocuente, iba y venía con paños y agua caliente, y Pilar sostenía un espejo entre las manos.

Matías Alvear había encontrado todo aquello lamentable. De pie en la puerta del pasillo, murmuraba: «Anarquistas, músicos, Liga Catalana... ¡Todo menos republicanos!»

José rabiaba de dolor y el desconocido se miraba en el espejo que le presentaba Pilar.

—Gracias, pequeña. Bueno, bueno. —Se tocaba el tafetán que Carmen Elgazu le había pegado en la herida—. Creo que ya estoy bien.

Ignacio era menos optimista, pues el herido tenía la mejilla hinchada y muy amoratada.

—Descanse usted un rato y luego le acompañaremos —ofreció.

—¡No, no, muchas gracias! No vale la pena. —Pero se veía que le costaba esfuerzo mantenerse en pie.

Entonces sonó de nuevo el timbre de la puerta. Pilar fue a abrir. Era Julio García.

José, al reconocer su voz, se incorporó. No quiso que el policía le viera tendido sobre las sillas.

Ignacio juzgó aquella visita intempestiva; por el contrario, Matías estimó que era de agradecer. Julio, después de cualquier suceso anormal en la ciudad, subía a verlos, para cerciorarse de que no les había ocurrido nada malo.

—¿Todo tranquilo...? —le preguntó a Pilar al entrar.

—Excepto José.

—¿De veras...? ¿Qué le ha pasado?

—Ha recibido un golpe.

Julio entró en el comedor y, antes de que pudiera preguntar nada, Matías salió a su encuentro.

—¿Qué se dice en la Policía?

Julio se encogió de hombros.

—¡Bah! Todo eso es corriente.

—¿Hay detenidos?

—No. —El policía se volvió hacia José—. El trombón ha presentado una denuncia.

—Por mí —hizo José— como si la presenta el Papa.

Julio se dirigió de nuevo a Matías e hizo un ademán de impotencia. Luego añadió, señalando con la cabeza en dirección a la Rambla:

—Bueno... ¿Tú habías visto en tu vida algo tan insensato?

—¿A qué te refieres...?

—Atacar una cobla de sardanas... ¡en Cataluña!

—¡Ah, claro! —admitió Matías—. ¿Quieres decir que se habrán ganado antipatías?

—¡Cómo antipatías...! Los sardanistas les jurarán odio eterno.

José se puso en pie —llevaba una toalla en la frente— y dijo que ellos no estaban dispuestos a pedir adeptos como quien pide limosna, y que siempre que se tratase de una huelga justa se llevarían por delante cuantas coblas de sardanas se opusieran.

—Queremos que se nos escuche, eso es todo.

Matías no pudo reprimir una respuesta dura.

—¡Si por lo menos supierais lo que queréis! —dijo. Era la primera vez que el hombre censuraba la conducta de su sobrino.

La sorpresa de éste fue total. Se puso muy nervioso buscando un cigarrillo.

Julio, entonces, tomó asiento. Se dirigió a José, a pesar de todo.

—Ya sabe usted que soy el primero en admitir que la huelga era justa. Pero lo que digo... es que la habéis llevado con los pies.

—¿Ah, sí...?

—Naturalmente. —Luego añadió—: Lo que teníais que haber hecho era mandar subir al tablado de los músicos, de una manera pacífica, a los veinte obreros despedidos. Gorra en mano, a saludar a la multitud. —Ante el asombro de todos explicó—: A la gente lo que la emociona es conocer directamente a las víctimas, verlas de carne y hueso.

José se mordió los labios. La toalla empapada en agua fría le bailoteaba en la cabeza. Se disponía a barbotar algo, pero el desconocido de la herida en el mentón intervino inesperadamente:

—Eso hubiera sido humillante.

El policía hizo otro gesto de impotencia.

—Pero eficaz.

José pegó un puñetazo en la mesa. Entonces sintió sobre sí la mirada de Carmen Elgazu. Con un esfuerzo sobrehumano consiguió dominarse y, cruzando el comedor en dos zancadas, se retiró a su cuarto.

CAPÍTULO XI

Carmen Elgazu estaba indignada. El espectáculo que en la Rambla había dado José la había trastornado. No podía salir sin que le dijeran: «Caramba, doña Carmen, se ve que su familia tiene el genio vivo». Se estaba preguntando si podría resistir por más tiempo semejante situación.

Por fortuna, José pareció querer facilitar las cosas. A la hora de cenar no dijo nada, a la mañana siguiente tampoco. Pero en cuanto vio que el chichón de la cabeza no era nada importante, decidió marcharse. Había comprendido que la cosa se ponía mal. La visible hostilidad de Carmen Elgazu no le importaba; pero que su propio tío le dijera: «Si por lo menos supierais lo que queréis...»

Una cosa sentía: separarse de Ignacio. Le había tomado afecto. Creía que había en él madera de anarquista. Con muchos resabios que pulir, naturalmente, y una extraña soberbia personal. Sería necesario darle a leer mucho Bakunin y muchos Manuales Bergua. Y menos crucifijo en la cabecera de la cama... Pero, en fin, el chico sentía que el mundo era injusto y esto era un gran paso.

Pero era preciso marcharse. Esto les dijo a todos, a la hora de comer. Matías quedó perplejo. «¿No quedamos que ocho días? Todavía faltan dos...» No fue posible convencerle.

—Sentiría haberte molestado ayer, pero creí que era mi deber.

Ignacio tampoco consiguió nada.

—¡Nada, nada! ¡Ahora vente tú por Madrid!

El tren salía a las cinco y media. Ignacio aprovechó aquellas tres horas para estar con su primo. Hablaron mucho, con gran cordialidad.

—¡Te veo casado con la niña esa del abogado!

—No lo creas.

Ignacio preguntó:

—¿Qué harás ahora en Madrid?

—Como siempre.

—¿Trabajas en algo?

—Lo que cae.

Luego hablaron de la familia de Burgos, e Ignacio se enteró de que su prima, «hija de tío Dionisio», era guapísima y que hacía de secretaria en el despacho de la UGT.

—Todo Burgos se hará socialista —rió José.

—¿Y el chico? —preguntó Ignacio.

—Pues... un poco tonto. Pero ya aprenderá.

Matías le dio varios puros para su hermano Santiago. Carmen Elgazu le preparó una sólida merienda. Pilar salió de las monjas media hora antes para poder darle un beso de despedida. La maleta extraña, de madera —rebajado su contenido— volvió a salir del cuarto y fue llevada a la estación.

Antes que el tren arrancara, Matías dijo, con sorna:

—Recuerdos a mi cuñada, la mecanógrafa.

Al arrancar el tren, Ignacio le gritó:

—¡Escribe! ¡Cuenta cosas de Madrid!

José estaba menos alegre que cuando llegó. Era un sentimental. Le dolía irse. Hubiera vuelto a bajar.

—¡Si no fuera por tantos campanarios!

—¡Déjalos en paz!

Se oyó un silbido.

—¡Recuerdos a César!

—¡De tu parte!

—¡Salud, salud!

—¡Adiós, adiós...! —El tren arrancó y las manos se saludaron hasta perderse de vista.

* * *

Ignacio quedó solo. Apenas entró de nuevo en su casa, en su cuarto, y vio que la maleta de José había desaparecido, así como la botella de brillantina del lavabo y sus enseres de afeitar, se dio exacta cuenta de la realidad. Comprendió que la marcha de José significaba el término de aquellas vacaciones extemporáneas. Se sintió situado de nuevo frente a la realidad de su vida: el Banco y la Academia.

Volvería al Banco, volvería a estudiar. Algo había ocurrido, sin embargo. En la tarde del domingo, su soledad se hizo patente. Su primo le había dejado huella. También a él le habían dado, en cierto modo, un golpe en la cabeza.

Tanta tensión le había fatigado. Comprendió que su soledad era grande cuando después de cenar pasó un rato agradable contemplando un cuaderno de dibujo en colores que guardaba de cuando era chico:

144

el prado verde, los tejados rojos. «¿Por qué diablos pinté yo de amarillo todas las ovejas?», comentó en voz alta. Matías le contestó, con sorna: «La lana es oro, hijo, la lana es oro». Fue una velada lenta y magnífica, con Pilar dormida al lado, los codos sobre la mesa.

Al entrar en el Banco, el lunes, le recibieron con sonrisas alusivas. Y aquello duró varios días. «Caray, uno de estos días te vemos entrando a sangre y fuego en el Palacio Episcopal.» Le identificaban ex profeso con José. El subdirector no quería equívocos. «Nada, nada. Ya sé que era tu primo y que le acompañaste por obligación.» Luego añadía: «¿Y qué...? ¿Te gustó el primer orador?»

Le entró el sarampión del cine. Quería ver películas del Oeste. Se evadía en la grupa de los caballos y deseaba con toda el alma el triunfo del *sheriff*. Cuando más intenso el tiroteo, pensaba en el disparo que se oyó en la Rambla y en que la Torre de Babel aseguraba que la bala le rozó la cabeza.

Entre las personas que le identificaban con José, se contaban evidentemente el Responsable y su séquito. Al encontrarle por la calle, le saludaban como amigo. Con cierto agradecimiento incluso, o por lo menos lo parecía; porque la huelga había sido un fracaso. Los ferroviarios habían vuelto a sus martillos y las tres empresas habían vuelto a abrir sin que el Inspector de Trabajo hubiera accedido a las peticiones del personal. Especialmente Blasco, el «limpia» del bar Cataluña, y el Cojo, que todo el día iba de acá para allá, le trataban como a un amigo. Blasco, ya mayor, siempre con boina y un palillo entre los dientes, le invitó dos o tres veces a fumar, al encontrarle en el salón del billar; aunque Ignacio rechazó. Y en cuanto al Cojo, era obsesionante. Sus costras en los labios, al sonreír, parecían abrirse. Era alto, desgarbado. Tenía un punto de enajenado en la mirada. Un día le dijo a Ignacio: «Nos convendrían unos cuantos como tú, que tuvieran letra».

Carmen Elgazu leía en los pensamientos de su hijo, y en la primera ocasión propicia le echó un sermón. Carmen Elgazu el día de tumulto en la Rambla se había dado cuenta de una cosa: hubo un momento en que Ignacio se hubiera subido a gusto al tablado de los músicos.

—Eso no, ¿comprendes? ¡Eso no! Te dejas llevar por el primer exaltado. ¿Qué quieres, arreglar el mundo? ¿No ves que eres un mocoso? Merecerías un bofetón. Lo que hace falta es gente como don Emilio Santos. Gente limpia y sencilla. Si todo el mundo fuera como él, no habría problema; en cambio, si todo el mundo fuera como José, yo tendría que curar un par de docenas de heridos diarios. Lo siento por tu padre, pero José es un desgraciado, ni más ni menos. Y ahora lo que tienes que hacer es no pensar más en él.

Ignacio admiraba mucho a su madre. A veces le molestaba cierto tono suyo de excesiva seguridad; pero no cabía duda de que era toda una mujer. De todos modos, ¿puede uno borrar de la memoria lo que le place?

Su padre le dijo:

—¿Te das cuenta de que tienes los exámenes encima?

Él contestó:

—No te preocupes. Aprobaré.

Pero se equivocó. Le suspendieron en Filosofía, Ciencias Naturales y Física. Él juró que había hecho un buen examen, que no acertaba a explicarse su fracaso.

Hubo gran revuelo en la familia. Carmen Elgazu lo atribuía simplemente a que había trabajado poco y a que en las últimas semanas pensó en otras cosas. Nuri, María y Asunción apenas osaban subir al piso a ver a Pilar.

Ignacio sabía que no era cierto, que se había preparado a conciencia. Desde mayo, todas las noches se concentró en los libros, sentado en la cama hasta que el sueño le rendía. «¡Os juro que hice un buen examen! ¡Os lo juro!»

Dos días después de recibir las notas, entró en su casa con expresión agitada.

—¿Veis? A todos los de la Academia Cervantes nos han suspendido de lo mismo: de Filosofía, Ciencias Naturales y Física.

Matías le miró.

—¿Y eso qué significa?

—Sencillamente —contestó Ignacio—. Los tres catedráticos son nuevos, nombrados después del Estatuto, y han declarado el boicot a la Academia.

—¿Boicot...? ¿Por qué?

—Porque el Director se niega a quitar el crucifijo de las clases.

Matías comprendió que la explicación era verosímil. Sin embargo, preguntó:

—Y eso... ¿cómo lo sabéis?

—¡Uf! El director ha ido a protestar. En seguida se ha visto qué ideas tenían. En fin, se lo han dicho claramente. Sobre todo, el de Filosofía.

—¿Quién es?

—El catedrático Morales.

Pilar rubricó:

—¿Ése...? Las monjas dicen siempre que pobres de nosotras si hiciéramos el bachillerato.

La noticia reconcilió a Ignacio con la familia. Sin embargo, ello no resolvía nada; un signo más del tiempo en que se vivía.

—Bueno, ¿y qué hacer ahora? —preguntó Matías.

Ignacio había recobrado los ánimos.

—Pues aprobaré en septiembre. Estudiaré como un negro todo el verano, ya lo veréis. No tendrán más remedio que aprobarme.

—Sí, pero...

—Desde luego —añadió— el próximo curso ni hablar de la Academia Cervantes. Lo siento, pero será el último y no puedo exponerme a que me suspendan.

El muchacho dio pruebas de energía. La dificultad le estimuló. «Aprobaré en septiembre.» Le había gustado la espontaneidad con que le salió la frase. De tal modo que quería extender a todos los problemas que le planteara la existencia, la actitud definida que había adoptado ante las papeletas en blanco. No se le escapaba que ahí estaba lo difícil, porque con frecuencia pensaba una cosa y luego hacía otra, desviado por algún suceso imprevisto.

Le parecía que veía con mucha claridad sus defectos: era demasiado impulsivo, como decía su madre; y además se dejaba influir. Según como Julio se tocara el sombrero, le parecía que era el policía quien tenía razón y no su madre.

Según como se tocara el sombrero... Le pareció que descubría un detalle muy importante: que en el fondo lo que a él le impresionaba no eran las ideas, sino las personas. Que seguía a las personas, no lo que decían. La cosa resultaba evidente pensando en José... ¿Cómo era posible que, en efecto, en un momento dado, con sólo verle subir al tablado, hubiera sentido necesidad imperiosa de pegar un salto y participar en la rotura del trombón? ¿Qué tenía él de anarquista para hacer una cosa así...? Reflexionando, veía abundancia de puntos débiles en la estructura mental de su primo. Para hablar sin rodeos, sus teorías no tenían pies ni cabeza; en cambio, la persona le había impresionado, el hálito que emanaba de ella.

Lo mismo que le ocurría con Julio, sucedía con Cosme Vila... Ahí estaba. Él no sabía nada de Marx; por otra parte, Cosme Vila no tenía ningún interés en catequizarle... de palabra. Pero le atraía la persona de Cosme Vila, su poderosa frente, su calvicie prematura, su insobornable aire distante. No distraído, como pretendía Padrosa, sino lo contrario: concentrado. Siempre solo en el diminuto cuarto de la correspondencia, junto a la lámpara y a su máquina de escribir. Había en él algo religioso, que a Ignacio le llamaba la atención mucho más que todas las bravatas y explicaciones de la Torre de Babel.

Otro ejemplo lo tenía en la impresión que le había causado al entrar en el comedor el desconocido de la herida en el mentón. En seguida sintió que no se trataba de un ser vulgar. Descubrió algo en su porte, en sus ojos, inquietos y titilantes. Y he aquí que Julio se lo confirmó luego... Porque resultó que Julio le conocía. El desconocido se llamaba David Pol y era maestro, socialista e hijo de suicida, lo mismo que su mujer. Hombre preocupado, un poco trágico, barojiano, con ideas personales sobre la pedagogía, al parecer.

Se dio cuenta de que se estaba examinando a sí mismo. En el fondo era verdad que el Banco constituía una gran experiencia. Aquellas montañas de plata del cajero... El día en que vio a los obreros concentrados en el Puente de Piedra se dijo: «¿Qué pasaría si volcáramos ahí un par de sacos?» Bajo las gorras nuevas llevaban el signo de la vida dura. ¡Y la crueldad de los empleados! El de Impagados, cuando leía los nombres de los comerciantes que no podían cumplir con sus pagos, decía: «Otro que se cae con todo el equipo». ¿Todo el equipo? En este caso el equipo era la tienda, era la familia. Se iba a caer con toda la familia.

El domingo en que se quedó solo después de la marcha de José, había vuelto a la calle de la Barca. Y allí, gracias al Cojo, que le invitó a una copa, entró en una taberna extraña, próxima al bar Cocodrilo. Por lo visto el patrón conocía al Cojo, porque le dijo: «¡Hola! Sube. Verás a mi mujer, que todavía no se levanta». Ignacio vio la escalera tan oscura y sórdida, con una bombilla, que le recordó las del Seminario y, sin saber por qué, retrocedió y salió fuera. Aquella escalera le penetró mucho más que todos los discursos. Le pareció que sabía perfectamente lo que había arriba. Y, sin embargo, cuando diez minutos después el Cojo le alcanzó y le preguntó: «¿Por qué no subiste?» y él contestó: «¡Bah, ya me figuro lo que hay!» el Cojo le miró con una sonrisa de compasión indefinible.

—Lo que hay allá sólo lo saben ellos —comentó.

A Ignacio le pareció comprender. Le pareció que, en efecto, el Cojo tenía razón. Que al modo como sólo él, Ignacio, podía saber —y no don Jorge ni el Responsable— hasta qué punto es hermoso vivir en una familia como la suya —Alvear-Elgazu— con una madre que se sentía feliz si le salía bien un estofado y un padre que ponía cara de ángel el día que conseguía oír sin interrupción la radio, tampoco nadie podía saber lo que había allá arriba sin vivirlo. Que no bastaba con figurárselo, ni siquiera con verlo. Que lo realmente terrible de aquella escalera debía de ser lo cotidiano: subirla y bajarla cientos de veces, un día comprobar que tal peldaño empieza a crujir, a ceder, otro que la mano se queda pegada con asco a la barandilla. Vivirla: ésa era la palabra, y respirarla.

Todo convergía hacia el mismo centro: las personas, lo directo, la entraña. Y le gustaba que fuera así. Imposible concebir la existencia de otra manera. El propio Julio se lo advirtió a José, hablando de la huelga y de los metalúrgicos despedidos: «Lo impresionante hubiera sido verlos».

Ignacio se dijo que debía de ser la causa de esto por lo que sus simpatías y antipatías eran tan manifiestas. Le pareció comprender por qué la presencia de mosén Alberto le desasosegaba; porque debía de haber un desequilibrio entre las pláticas dominicales del sacerdote y sus actos, su vivir cotidiano. En cambio, su afecto por el subdirector del Banco, aun tratándose de un hombre modesto y de ojos beatíficos, se debía seguramente a lo contrario: a que éste vivía sus ideas, a que por la CEDA aceptaba de buen grado crearse enemistades, arrostraba las bromas de los empleados y ahorraba durante cinco meses para poder regalar un ventilador al Partido.

Ello tal vez le indujera a no poder penetrar el sentido de ninguna doctrina sin verla encarnada por alguien. De ahí, probablemente, que se le escapara el fondo de muchas palabras que brincaban sin cesar a su alrededor y que iban tomando cuerpo: por ejemplo, la palabra comunismo.

No, el hálito de la persona de Cosme Vila no le bastaba. Le sería necesario verle actuar...

Tampoco le bastaban las suposiciones de su madre y de José respecto de Julio: también sería necesario verle actuar.

Aunque, respecto de Julio, le ocurría algo singular. Iba creyendo que, en efecto, el policía era comunista. Algo instintivo le impelía a creerlo, y a afirmarlo... No el examen de la dialéctica del policía —método empleado por José—, ni los viajes de Julio a París ni los brazaletes de doña Amparo Campo. El mecanismo deductivo de Ignacio operaba siempre en terrenos más poéticos. Cierto, el primer día en que Ignacio tuvo la íntima certeza de que Julio era comunista, ello se debió a algo sencillo, absurdo y probablemente grotesco: al hecho de que Julio tuviera en el piso una tortuga.

Ignacio estaba solo, Julio hablando por teléfono. Permaneció un cuarto de hora contemplando el animal, le vio avanzar implacablemente, con desesperante tenacidad, por entre las patas de la silla, bordeando la alfombra, siempre en el mismo sitio y a la vez un poco más allá, con su universo a cuestas... y pensó que Julio era comunista. Y desde entonces muchas veces pensó en ello. Cuando el animal permanecía horas y horas quieto, el muchacho pensaba: «Está preparando un gran salto». Y cuando su amo le acariciaba o le contemplaba sonriendo, el bicho cobraba vida de símbolo, a pesar de que doña Amparo sentía por él verdadero horror.

El compañero de billar de Ignacio, Oriol, chico tuberculoso, al escuchar este relato le dijo: «Me gusta que tengas ese tipo de sensibilidad. A mí también me ocurren esas cosas».

Cada vez que Ignacio tenía un choque —una discusión en el Banco, el fracaso de un proyecto— se refugiaba en el billar. Con motivo de no aprobar, volvió a él. Y en esta ocasión descubrió en su compañero de juego un ser nuevo. Es decir, acaso fuera el mismo de siempre, pero antes no se había fijado mucho en él: su compañero de billar era un muchacho sutil, muy inteligente y de una gran distinción. Le costó mucho darse cuenta de ello porque el chico era callado hasta lo inverosímil. Sólo de vez en cuando decía, sonriendo: «En el fondo el billar es perder el tiempo». Y entonces Ignacio comprendía que el chico jugaba porque su enfermedad le impedía hacer otra cosa más importante.

Muchas veces había pensado que las torturas a que el billar obliga debían de perjudicar a su amigo. Y, en efecto, de repente éste quedaba tendido sobre el tapete verde, con el taco inmóvil, y se ponía a toser, en cuyo momento la bola roja parecía de sangre; pero nunca se había atrevido a advertirle. En todo caso, viéndole ahora pensó: «No cabe duda de que la aristocracia es un hecho». Y entonces volvió a sentir un inexplicable rencor.

Pero lo venció. La primavera era tan hermosa en la ciudad que el simple hecho de mirar era un gozo. Desde los vestidos de las chicas hasta el matiz de los verdes de la Dehesa todo invitaba a la alegría, a crecer, a pujar. Ignacio a veces, después de cenar, antes de meterse en cama con los libros de texto, llamaba a Pilar y entre los dos, con los codos sobre la mesa, iban rellenando en colores las páginas de sus cuadernos de niño que habían quedado sin pintar.

E Ignacio, que consideraba metal más puro la alegría que el oro, ahora pintaba las ovejas de color azul.

✳ ✳ ✳

En este estado de ánimo le halló César. ¡Santo Dios! El muchacho se trajo del Collell un soplo de aire bienhechor. Operó, como siempre, un súbito cambio de decoración. Pareció como si al entrar borrara del umbral de la puerta la imagen de José y devolviera a la familia su verdadera razón de ser, regular y humilde.

Carmen Elgazu tuvo una alegría infinita al verle. ¡Alto, definitivamente alto! Con cara malucha, desde luego. «Pero vas a ver cómo te trata tu madre. ¡Pobre, pobre! En un mes vas a engordar seis kilos.»

César había traído una carta del Director, dirigida a Matías Alvear. Éste la abrió muy intrigado, pues era la primera vez que tal cosa ocurría: «Cuiden a su hijo. Se desmaya con frecuencia».

Matías no se atrevió a hablar de ello con su mujer. En cambio, se lo dijo a Ignacio y éste repuso, repentinamente indignado: «¡Natural! ¡Hace tonterías!»

—¿Qué tonterías?

Ignacio le contó lo del cilicio. Matías se enfureció hasta un punto indescriptible. Llamó al muchacho, le tocó la cintura y le leyó en su rostro una expresión de dolor. Entonces le pegó una bofetada.

—¡Pero!...

—¡Quítate eso en seguida! —César, mudo y como alelado, fue a su cuarto y empezó a desnudarse.

—¡A ver, dame eso!

Matías tomó el hierro en sus manos. Con la yema de los dedos fue tocando las pequeñas púas. No acertaba a comprender: «¡Este verano harás lo que yo te diga! Menos mosén Alberto y más...»

—Pero, papá... Mosén Alberto no sabía nada de esto.

Apenas si Matías le oyó. Había salido del cuarto, cruzando el comedor y echando al río el hierro de su hijo.

César permaneció inmóvil, con los ojos húmedos. Ignacio entró a peinarse y salió, sin decirle una palabra. El seminarista no sabía qué hacer, todo aquello era durísimo e inesperado. ¡De ningún modo quería contrariar a los suyos!

Matías habló con su mujer, teniendo buen cuidado de ocultarle el incidente del cilicio. Llevaron el chico al médico. Nada alarmante: «Llévenle al óptico».

Así se hizo y César apareció a las pocas horas llevando lentes con montura de plata. ¡Qué suspiro dio el muchacho al saber que todo su vértigo y su inestabilidad provenían de la vista!

Mosén Alberto se puso en contra de César. Le dio órdenes severísimas de no tomar ninguna decisión de tipo corporal sin consultárselo antes.

César dijo:

—Muy bien, padre; pero... es que yo quiero perfeccionarme.

—¡Pues por eso! Obediencia. ¿Qué sabes tú lo que te conviene? Hay quien lleva cilicio porque así se siente a cubierto, o porque le cuesta menos obedecer.

César quedó desconcertado, pero asintió con la cabeza.

Sólo una larga serie de comuniones fervorosas consiguieron devolverle la tranquilidad. De pronto, el bofetón le dolía como si los dedos hubieran sido también de hierro. ¡Había debido de darle un gran disgusto a su padre para que se decidiera a pegarle! ¿Cómo era posible que un acto bueno, o por lo menos bienintencionado, pudiera traer consecuencias tan graves?

Matías no pudo soportar ver sufrir a César. Seguía sin comprender, pero entró en su cuarto y le tiró de una oreja.

—Ya sabes lo que te dije. Este verano, descansar. Lo máximo que te permitiré será que vuelvas a afeitarme.

Fue un rayo de luz para César. Era evidente que su padre no quería cortarle todas las alas. Faltaba convencer a mosén Alberto, que el verano anterior ya le había dicho: «¡Te prohíbo que tengas escrúpulos!», y le había inundado de tazas de chocolate.

El chico sacó fuerzas de flaqueza para hablar con el sacerdote.

—Padre —le dijo—. Ya no llevo nada, ¿ve? —Y se tocó la cintura—. Le prometo también que no iré al cementerio ni me pondré sal en el agua. Le prometo también que obedeceré a todos mis superiores. Pero... quería pedirle una cosa: que me permitiera afeitar...

¡Afeitar...! Mosén Alberto estaba al corriente. Sabía que durante el invierno, en el Collell, el muchacho le había dado a la navaja... ¿Cómo negarle este permiso...?

—¡Pues anda y afeita a quien quieras...! —Y el sacerdote miró cómo el seminarista se lanzaba escalera abajo y desaparecía.

En el fondo, mosén Alberto tenía también este censor: César. En sus épocas de sequedad espiritual, cuando en los momentos más importantes de la misa se notaba a sí mismo distraído y hueco, murmurando sin emoción santas palabras ante el cáliz, sin que tal rutina impidiera que el milagro del Verbo hecho sangre se realizara, mosén Alberto pensaba de repente: «Si al pobre César le fuera dado celebrar...» Había llegado a la conclusión de que el ansia de César de perfeccionarse no era igual que la de los demás seminaristas en los primeros cursos de la carrera. Y aquello le llevaba a besar el altar con vivos deseos de contrición y devoción.

Mosén Alberto se daba cuenta de que, poniéndose la sotana, no se había desprendido de todo apego humano. Sus mismas aficiones artísticas tenían un punto de frivolidad. Y le gustaba que le halagaran y ahora mismo se sentía feliz porque acaso le nombraran maestro de Ceremonias de la Catedral. Su desgracia tal vez hubiera sido ésta: ser el primero en clase durante los catorce años de la carrera. Y ver que todo el mundo le consultaba cosas: las monjas, las señoras, los vicarios jóvenes. ¡Y su madre! Su madre le trataba con un respeto infinito, como si en vez de su hijo fuera auténticamente su rey. Su madre, baja y raquítica, con un inmenso pañuelo negro sobre los hombros, hacía algún viaje desde el pueblo a Gerona, casi siempre aprovechando la tartana de algún campesino que bajara al mercado. Y al llegar al Museo y ser recibida por su hijo, levantaba la cabeza para mirarle y asirle las manos, que le besaba. Y luego miraba el Museo con ojos de admiración. Tenía unos ojos pequeñísimos, que siempre parecían reír aun cuando llorasen. Y luego se confesaba en él... *Ego te absolvo in nómine Patris.* ¿Cómo era posible que pudiera perdonar los pecados de su propia madre?

Una cosa le consolaba: tal vez Carmen Elgazu experimentara frente a César impresiones similares... Sin embargo, la diferencia estaba en que él no había pedido nunca a nadie permiso para afeitar.

Éste fue el gran triunfo de César. Recibir a media mañana un flamante estuche que contenía todo lo necesario para el oficio: brocha, jabón, navaja, ¡y maquinilla para cortar el pelo! Con una tarjeta de mosén Alberto.

Carmen Elgazu se emocionó lo indecible, Matías Alvear dijo, examinando la afiladísima hoja cerca de la ventana: «Más de una vez me afeitaré yo con ese cacharro». Pilar se adueñó de la maquinilla de cortar el pelo y se divirtió media hora persiguiendo a todos por el piso: «Cre, cre-cre-cre-crec..., cre-cre-cre-cre-cre-crec...»

Y luego, todo fue sencillo. A las tres de la tarde, César, a grandes zancadas, ligeramente encorvado y bamboleando la cabeza, se dirigió a la calle de la Barca. Cierto, Raimundo, con su bigote horizontal, tenía más aspecto de barbero que él con sus lentes de montura de plata. Así lo dijo Matías, por lo menos. Sin embargo, César, para vencer a la competencia tendría a su favor varios factores: el esmero en el trabajo, el trabajo a domicilio y el precio. No pediría sino que la barba les creciera pronto, para poder afeitarlos de nuevo.

No conocía a nadie en la Barca, ni el barrio. Pero Ignacio le había dicho: «Habla con el patrón del Cocodrilo».

Y fue un acierto. El patrón, con su minúscula gorra, su caliqueño y su gran barriga, soltó una carcajada al verle.

—¿Afeitar...? ¿Viejos...? ¿Enfermos...? Pero... oye, ¿tú estás loco o qué?

César le miró sin pestañear y luego, colocando el estuche sobre el mostrador, lo descubrió ante él, reluciente.

El patrón cambió de parecer súbitamente.

—¡Eh, eh, Manolo!... ¡Mira, aquí hay un barbero espontáneo!

Apareció un gitanillo joven, con bufanda de seda.

—¡Déjate, déjate!

César comprendió que allí se jugaba su destino.

—Deje, por favor. No le haré daño, ya verá.

El gitanillo se pasaba la mano por la mejilla. Pero ya el patrón del Cocodrilo había dado la vuelta al mostrador y, riéndose, le había clavado en una silla.

César pidió luz al Señor, fuerza a su muñeca, que a veces se le cansaba, y empezó su tarea. Tan bien le remojó, tan fácilmente se llevó los escasos y arbitrarios pelos del gitano, tan lisas y llanas quedaron las mejillas de éste, que todo el bar Cocodrilo pareció llenarse de espejos de establecimiento de lujo.

El patrón se entusiasmó.

—¡Lista de viejos, apunta! Ahí al lado, tercer piso. Entra, de frente hasta una cueva negra que verás al fondo. Grita: ¡Fermín! Fermín contestará y le afeitas. Ahí enfrente vive otro, pero si sabe que eres cura te echará a patadas.

Todo fue empezar. La hija de Fermín fue la primera en propagar la nueva. A la salida de la fábrica, encontró a su padre sentado en la cama, guapo, sonriendo, más guapo y más joven que nunca.

—Pero... ¿qué ha pasado?

—Un chico que ha venido. Orejas grandes.

Orejas grandes, orejas grandes... Manolo el gitano también mostraba su rasurado rostro a los vecinos...

El patrón del Cocodrilo colgó un cartel a la entrada: «Barbero a domicilio, gratis. Para viejos y enfermos».

Otras hijas de otros Fermines reclamaron sus servicios.

—¿Y cortar el pelo? ¿También corta el pelo?

¡Eso no sabía, pero estaba aprendiendo!

El propio patrón ofreció su cogote como conejillo de Indias. Se sentó y depositó su cabeza sobre su barriga. ¡Ay, ay! No importaba. Los pelos le entraron por la camisa y le escocieron durante una semana. Pero no importaba.

En algunas casas le recibieron con hostilidad.

—¿Crees que aquí nos vendemos por un brochazo? ¡Anda a afeitar al obispo!

—Aquí, menos chulería. ¡Largo de ahí!

Pero los peores eran los que no le hablaban... como Blasco. Los que le clavaban sus ojos de odio y, sin moverse, le obligaban a retroceder, a retroceder hasta encontrarse bajando los peldaños de cuatro en cuatro.

Pero todo iba a pedir de boca. Consuelos no le faltaban ni miradas de simpatía y aun de agradecimiento. «¡Adiós, adiós...!»

De pronto, el panorama cobró dimensión. Dos o tres niños sintieron celos. «A ellos los afeita y por nosotros no hace nada. ¿Por qué no hace algo por nosotros?»

¡Dios mío, los niños! «Dejad que los niños se acerquen a mí.» En el barrio había millares de niños que aleteaban bajo los balcones como moscas o como ángeles.

La hija de Fermín, que trabajaba en la fábrica de los Costa, le dijo: «¿Por qué no enseña a leer a estos críos?»

¡Mosén Alberto también accedió! Y aquello fue coser y cantar. Cerca del puente del ferrocarril existía un zaguán de grandes dimensiones, con las paredes ennegrecidas, que servirían de cartelera y pizarra. En él se improvisó la escuela, la clase. César, pálido, sentado en el primer peldaño, los chiquillos sentados en el suelo, con las piernas cruzadas.

«B, a, ba, B, e, be.» Días después se oyó 4 × 4, 16, y se habían unido al coro varios alumnos de más de veinte años.

Más allá de la Barca, nadie sabía nada. Más acá, tampoco. Hubiérase dicho que no ocurría nada. El suelo del zaguán era de ladrillos rojos, se estaba fresco. Las vecinas se turnaban para limpiarlo. Era una comunión simple y natural. Los transeúntes le tomaban por un maestro de verdad, que aprovechaba las vacaciones para ganarse unas pesetillas. Muchas familias no sabían en absoluto de qué casa era y la mayoría de los alumnos ignoraban su nombre. «Tú, tú... —le decían—. ¡Dame un caramelo!»

Más tarde la cosa se complicó. El sol caía a plomo sobre la ciudad, y los balcones de la calle de la Barca despedían vaharadas de fuego. Los chiquillos iban sucios, zarrapastrosos, y César los llevó a la orilla del río para que se lavasen. Si alguno se resistía, le lavaba él mismo, frotando duro en las rodillas y las piernas. Un día se hizo con champú y los llevó a una fuente más limpia. Y fue allí donde una mujer, al reconocer a su hijo, que se había sumado a la comitiva, se puso a chillar:

—¡Eh, tú...! ¿Crees que su madre es una puerca? ¡Deja en paz a mi hijo!

Otro día, cuando los alumnos se despidieron, una mujer joven cubrió la puerta, desnudos los brazos... El seminarista se abrió paso y salió con inesperada calma. Entonces ella barbotó: «¡Vete ya, 4 × 4!»

Detrás del Cocodrilo empezaban las casas de mala nota. El calor echaba a la calle a todo el mundo, la tomaron con él, bromeando y distrayendo a los chiquillos. César supuso que debía de haber alguna impureza en su acto, acaso vanidad, y redobló sus esfuerzos para recrear el clima original.

Intentó enseñar catecismo. Al principio fue un éxito. Varios de los pequeños le eran muy fieles, y a veces le acompañaban hasta el extremo de la calle. Fue allí donde una tarde les dijo:

—¡Vamos a ver! Sentaos aquí.

Los críos siempre jugaban por las escaleras de las iglesias sin cuidado ninguno, tirando piedras a los ventanales u orinándose en los muros. Cuando César les explicó que aquéllos eran lugares santos, presididos por un Ser bueno y omnipotente, que era el que había creado aquel cielo, el Oñar y todo, primero le miraron con escepticismo, pero de pronto uno de ellos, que adoraba a César, se levantó y echó a correr.

—¡Eh, Pedrito!... ¿Dónde vas? —le preguntó César.

El chico no contestó. Pero fue a la fachada de San Félix y borró como pudo, frotando con su camisa, una luna sonriente que el día anterior había dibujado con la tiza de la escuela.

Sin embargo, al día siguiente el seminarista recibió la visita de un peón ferroviario y dos o tres desconocidos, que le amenazaron con tirarle al río si tocaba aquel asunto.

—¡Aquí, letra y números! Lo demás, mutis.

* * *

El buen tiempo había traído consigo el florecimiento de las manifestaciones artísticas regionales. Matías decía, al regresar de Telégrafos: «No se puede negar que esto es un pueblo de artistas».

Con ello no se refería solamente a los sonetos de Jaime, quien continuaba buscando palabras nuevas durante la noche; se refería a los conciertos al aire libre que daba el orfeón, a la multitud de ejercicios de piano que se oían gracias a los balcones abiertos, y, sobre todo, a la invasión de pintores aficionados.

El arquitecto Ribas, Jefe de Estat Català, y su íntimo colaborador el arquitecto Massana llevaban meses organizando en el salón anexo a la Biblioteca exposiciones de pintura regional. Desde retablos antiguos, traídos de Barcelona unos, prestados por mosén Alberto otros, hasta las escuelas modernas, todo había desfilado por la ciudad.

En *El Demócrata* intentaban, por medio de la crítica, orientar a la opinión, sin conseguirlo. Porque por un lado loaban todo cuanto fuera vanguardista —y ahí estaban en la Gerona moderna los edificios que daban testimonio de ello— y por otro se extasiaban ante la pintura costumbrista y hogareña —la vieja hilando, el payés bebiendo en porrón y el paisaje relamido.

La opinión acabó tomando partido de acuerdo con su gusto personal; y lo tomó por la pintura costumbrista y el paisaje relamido. En las exposiciones se oían frases que ponían los pelos de punta a Julio García, que tenía la casa llena de reproducciones impresionistas. «¡Mira, mira ese vaso! ¡Se puede coger con la mano! ¡Mira esa vaca, qué bien está!» Las esposas de los arquitectos Ribas y Massana suponían que era imposible pintar mejor.

El buen tiempo desencadenó un alud de imitadores. Estat Català en pleno, con sus jefes al frente, se lanzó a la Dehesa y al valle de San Daniel todas las tardes después del trabajo y todos los domingos por la mañana, dispuestos a captar la naturaleza con el máximo verismo posible. El paisaje era realmente hermoso. Árboles altos, prados frondosos, cielo de luz pura y diáfana, suficientemente matizada para no matar el color. El arquitecto Ribas, con una visera y un taburete portátil que se impusieron como prendas oficiales, decía, mientras mojaba su pincel: «Acabaremos creando una Escuela Gerundense». Julio García, que se paseaba mirando de caballete en caballete, comentaba: «Yo creo que verdaderamente ya la tienen ustedes creada».

Los más audaces pintaban figuras y escenas locales: el mercado, una audición de sardanas, gitanos alrededor de un carro. ¡Y la Catedral! La Catedral y San Félix reflejándose en el río, con los balcones y las ventanucas colgando. Era el tema inevitable. No había cuadro en que no apareciera el balcón desde el que Matías Alvear pescaba, y más de una vez, en las exposiciones, Pilar había dicho a Nuri, María y Asunción: «¡Mira, mira, esa ropa tendida es la nuestra; la combinación de mamá, la camisa de Ignacio!»

El orfeón... tenía gran éxito. Se llamaba «Gerunda» en honor de los que estudiaban latín. El director era un hombre salido del Hospicio, cuadrado y de gran melena, cuyo retrato deseaban hacer todos los pintores. La masa coral se componía de sesenta y ocho voces, mixtas, obreros en su mayor parte; excepto el tenor, cartero socialista al que Matías siempre tomaba el pelo, y varias voces de bajo, entre las que se contaban personas como Raimundo el barbero.

La afición de aquellas sesenta y ocho voces y de su director —compositor al mismo tiempo— era ejemplar. Vivían para el orfeón. Muchos obreros se pasaban la jornada de trabajo canturreando el repertorio, para tenerlo a punto en el ensayo. El cartero utilizaba su poderosa voz para advertir a las vecinas que tenían carta. El dependiente de Raimundo les decía a los clientes: «¿Ven...? Eso de cantar, el patrón lo hace sintiéndolo. No es un embuste como su afición a los toros». La base de la masa coral era el folklore, con incursiones en motetes religiosos, que los anticlericales del «Gerunda» cantaban con sorprendente seriedad.

La peña del Neutral no se perdía concierto del orfeón. Don Emilio

Santos, a quien el canto enternecía, al terminar se acercaba siempre al tablado y ofrecía al director el mejor puro de la Tabacalera. Julio García aplaudía frenéticamente. Matías escuchaba, bien mirando al cielo o al techo, o con los ojos fijos en la abierta boca de su amigo Raimundo, cuyos bigotes molestaban a los vecinos. «Me dan ganas de hacerle cosquillas en la laringe», decía a veces.

El silencio del auditorio era también entrañable. *El Demócrata* escribía: «Un pueblo que canta, no puede morir. Un pueblo que canta es un pueblo pacífico». Mediado el concierto, las chicas del orfeón clavaban banderitas catalanas en la solapa.

A medida que el buen tiempo desembocaba en el implacable sol del verano, la faz de la ciudad cambió. Empezó el éxodo en masa. ¡Las vacaciones! Todo el mundo dejó el pincel, guardó las partituras. Los Sindicatos habían conseguido que todas las Empresas, sin excepción, concedieran vacaciones retribuidas a sus obreros. Gracias a ello, al llegar agosto la ciudad quedó desierta; por el contrario la costa, la Costa Brava, muchas de cuyas playas desde la creación del mundo eran privilegio de sus habitantes y de algún hacendado, recibieron las primeras oleadas de turismo popular.

Los pudientes de la localidad preferían la montaña. Don Jorge se fue con su familia a una de sus propiedades de Arbucias, don Santiago Estrada se despidió del subdirector. «Dejo la CEDA en sus manos. Nos vamos a Puigcerdá.» Los trenes hacia el mar, abarrotados ¡y las caravanas de la Peña Ciclista! ofrecían poco atractivo para ellos. Además de que consideraban que la montaña era mucho más sana. Don Jorge siempre decía que los médicos que habían puesto de moda los baños de sol o eran unos ignorantes o era gente de mala fe.

Otras personas aprovecharon para hacer viajes que tenían pendientes. ¡Julio tomó billete para París! Ignacio se dio cuenta una vez más de que el policía realizaba siempre cuanto prometía.

—¿Y para qué va usted a París, si se puede saber?

—A ver las francesitas, chico, a ver las francesitas.

Mosén Alberto tuvo una idea más espectacular aún: el jubileo de Roma. Era año jubilar en Roma. Convenció al notario Noguer y a su esposa para hacer el viaje conjuntamente, partiendo hasta Génova en barco. Ninguno de ellos había estado nunca en Roma.

Cuando César, con los ojos húmedos, le despidió en la estación, mosén Alberto le dijo:

—A ver al Santo Padre, chico, a ver al Santo Padre.

—¡No lo olvide! —le pidió César—. Una bendición para mí.

A Ignacio le hubiera gustado cualquiera de los itinerarios: Roma, París, la montaña y el mar. Pero los ocho días de vacaciones a que todavía tenía derecho no podría disfrutarlos hasta octubre, los demás empleados tenían prioridad en la elección de turno.

En cambio, Matías Alvear tuvo, de un tirón, los quince reglamentarios. Y ahí llegó lo inesperado en la familia. Coincidiendo con una advertencia del médico con relación a Pilar, que andaba llena de granos y molestias, Matías decidió alquilar una casucha, por dos semanas, en San Feliu de Guíxols.

Ignacio no acertaba a comprender.

—¿Pero... y el dinero?

Carmen Elgazu tuvo entonces una sonrisa maliciosa:

—Tu tío de San Sebastián —explicó.

—¿Cómo...?

—Cuando le tocó la lotería, nos mandó un pequeño regalo...

—¡Vamos! ¡La primera noticia!

Matías añadió:

—¿De dónde crees que han salido tus matrículas? ¿Y la montura de plata de César? ¿De las cuarenta pesetas que te han aumentado?

—No, no. Muy bien, muy bien. Tanto mejor.

Fue un acontecimiento. Pilar saltaba de gozo. ¡El mar, los veraneantes! Se decía que éstos organizaban carreras de balandros... ¡Nuri, María y Asunción ya se habían marchado y ella temía ser la única que no pudiera hacerlo!

Ignacio y César fueron a despedirlos a la estación. Matías, en la ventanilla del tren, tenía gesto de hombre responsable de un batallón. Carmen Elgazu se había negado rotundamente a ponerse un pañuelo en la cabeza atado a la barbilla. «Cuidaos, hijos, cuidaos. A mí no me gusta marcharme sin vosotros.» Pilar no se retiró al interior del coche hasta mitad del trayecto.

Ignacio y César quedaron solos. Ignacio trabajaba en el Banco sólo de ocho a dos, de manera que las tardes las tenía libres. Jornada intensiva, éxito exclusivo de la UGT. A César, mosén Alberto le había encargado de la vigilancia del Museo y allá se iría, esperando turistas, hasta las cinco de la tarde, en que las dos sirvientas le presentarían ¡imposible rehusar! el chocolate y los picatostes, y luego podría ir a la calle de la Barca a afeitar y dar clase.

Carmen Elgazu había llegado a un acuerdo con una vecina para que en su ausencia cuidara de los dos chicos, especialmente comida y lavado de ropa. «Las camas se las harán ellos mismos. Y que barran también el piso, ¡qué caramba! En todo caso, el sábado da usted un repaso a los metales y al suelo.»

—¿Y los cristales, doña Carmen?

—¿Los cristales...? ¡Que los limpie Ignacio!

A los dos hermanos se les hizo muy cuesta arriba comer y cenar solos, frente a frente en la mesa. Ignacio se ponía a leer el periódico o *Crimen y Castigo*, cuyo primer tomo había empezado. César hubiera querido aprovechar aquella circunstancia para comulgar en ideas con su hermano, para hablar mucho y hacer incluso alguna excursión como antaño, a las murallas o a Montjuich; pero casi nunca conseguía ser escuchado, como no fuera en el balcón, después de cenar. A esa hora, sí. Salían los dos, sacando una silla cada uno, como cuando estaba José, y ante las semiapagadas luces de la Rambla, bajo el firmamento cálido de agosto, hablaban de todo lo divino y humano.

Ignacio, aun cuando el periódico y *Crimen y Castigo* le absorbieran, no dejaba por ello de inspeccionar a su hermano. Y tal vez para inspeccionarle mejor guardara silencio durante el día. Le gustaba ver la unción con que César ejecutaba el más insignificante de sus actos: el de tomar el pan, el de llevarse la cuchara a los labios, el de plegar la servilleta. No hacía ruido. No hacía el menor ruido..., excepto cuando estornudaba.

Aquélla era una jocosa y muy frecuente escena. César, de repente, se ponía a estornudar. Y soltaba cuatro, cinco, seis y hasta ocho estornudos seguidos. Pero unos estornudos breves, raquíticos, fracasados. «¡Jesús, Jesús, Jesús...!» Al terminar, alzaba la vista y los ojos le lloraban. Se los secaba con el pañuelo, se sonaba. «¡Caramba con mi nariz!», decía. Y movía la cabeza, entre tímido y extrañado.

Ignacio tuvo que ponerse muy serio para que su hermano le permitiera limpiar los cristales. «Deja, deja, ya lo haré yo.» Ignacio se negó rotundamente. «Tú, a barrer, que lo haces muy bien.» Y era cierto. A Ignacio le encantaba ver cómo barría César. La práctica adquirida en el Collell, con las cuarenta celdas diarias, no había sido baldía. Asía la escoba por la parte más elevada del mango y apenas la levantaba del suelo. Avanzaba con rapidez increíble, en pequeñas y rítmicas sacudidas. La vecina quedaba maravillada. «Si lo hace mejor que yo...» César explicaba que, acostumbrado a barrer la terraza del Collell, de ladrillos rojos, barrer aquella solería era lo más fácil del mundo.

Un día decidieron hacerse la comida. César peló las patatas, Ignacio las freiría. Uno y otro querían freír los huevos. «¡Lo haremos a cara o cruz! No, no, mejor que cada cual se fría el suyo.»

El de Ignacio quedó precioso. Una aureola blanca, orlada de oro, y la yema amarilla, impecable, en el centro. A César no se le reventó el suyo, pero habiendo utilizado el mismo aceite que Ignacio, se le ensució; se le ennegrecieron el huevo y el plato.

Pero lo comieron muy a gusto, frente por frente, riéndose como benditos al mojar en él el pan.

El piso era ancho, enorme para los dos. Les parecía que habían zonas inexploradas. Un día Ignacio propuso: «¿Por qué no vamos durmiendo en camas distintas? Hoy duermes tú en la mía y yo duermo en la de Pilar. Mañana yo en la de Pilar y tú duermes en la...» No, les fue imposible. Uno y otro pudieron dormir en la de Pilar, aun cuando a César le dio gran angustia, como si fuera sacrilegio, un pecado. Lo hizo para que Ignacio no le tildara de timorato o para que no le dijera como otras veces que los escrúpulos le volverían loco; pero en la de sus padres... imposible. Sólo al decirlo sintieron como un nudo en la garganta. Y luego, al entrar Ignacio en la alcoba y encontrarse ante el robusto y tibio lecho matrimonial, se sintió poseído de tal respeto, que tuvo que retroceder.

En cambio, una tarde en que se quedó solo pasó revista al armario de luna de la alcoba de sus padres. Vio viejos sombreros de Matías Alvear, todos con la forma de su cabeza, con algo irónico que había impreso en ellos la presión de sus dedos. ¡Luego descubrió, en un tubo de cartón, el diploma de la Primera Comunión de Carmen Elgazu! Firmado en Bilbao, en 1903... El nombre, en letra redondilla, todo con una pátina de comienzos de siglo que recordaba el estilo pictórico de la flamante Escuela Gerundense.

Ignacio supuso que César experimentaría una emoción fortísima al ver aquel diploma, con su ilustración, que representaba una niña vestida de blanco —Carmen Elgazu arrodillada en el altar, con Jesús en persona dándole la comunión y dos ángeles sosteniendo uno la palmatoria, el otro la patena—. Y sin embargo... metió otra vez el diploma en el tubo de cartón y lo dejó en su sitio. No sabía por qué, pero algo indefinible le impelía a privar a su hermano de aquel gusto. Al cerrar el armario se vio en el espejo llevando aún uno de los sombreros de su padre. Entonces se atusó el naciente bigote. Le pareció que acababa de cometer una villanía. «Se lo enseñaré —se dijo—, se lo enseñaré. ¿Por qué diablos seré tan complicado?»

Luego descubrió postales que Matías Alvear escribía a Carmen Elgazu cuando eran novios. Fechadas en Madrid, 1913, 1914... «Claro, claro, todavía yo no había nacido...» Ignacio recordó que cuando niño este pensamiento le había preocupado con frecuencia: que sus padres no los hubieran conocido ni a él, ni a César ni a Pilar... desde siempre. ¿Cómo pudieron vivir? Aquel día se dijo que él también tendría probablemente hijos un día y que tampoco los conocía. Y pensó en Cosme Vila: «Yo quiero tener un hijo».

El hijo de Cosme Vila... ¿tendría alguna vez diploma de Primera Comunión?

Fueron jornadas de rara intensidad. La soledad parecía conducir

161

los pensamientos hacia algo hondo y secreto, no perceptible en medio de la agitación cotidiana. Alguna vez, en el Seminario, Ignacio había experimentado aquella sensación.

Cuando el día moría, tras las montañas de Rocacorba, en una apoteosis de rosa y rojo y nubes áureas, Ignacio se subía a la azotea para verlo. Y con frecuencia, al acercarse a la barandilla que daba a la Rambla, veía llegar, diminuto, andando con los pies separados, a César, con el estuche de afeitar bajo el brazo. Nunca más le diría que debía pensar en los pobres... Luego César le contaba. Sobre todo de los chicos. Pero también le hablaba de una mujer. La hija de Fermín le pidió que cortara el pelo al rape a una mujer joven que tenía el tifus. César recibió una impresión profunda al descubrir su nuca, sus sienes, el realismo indescriptible de su cráneo. Era una mujer bonita, que luego, al mirarse en el espejo, se puso a llorar. César barrió los cabellos con mucho cuidado...

Y después de cenar salían al balcón. Era la hora preferida por uno y otro. Había noches en que el cielo se extendía tan rutilante y espléndido sobre los tejados, que los dos muchachos permanecían callados porque las palabras hubieran roto el encanto. Noches en que entre estrella y estrella se presentía la oscuridad insondable, el ignoto abismo planetario. De la Rambla ascendían mil olores, los faroles estaban soñolientos. El bastón del vigilante tenía una sonoridad concreta, de emperador de la noche. Pasaba gente extraña, amigos y desconocidos. El cajero del Banco, del brazo de su gruesa mujer, un panadero en camiseta, la hija del Responsable con su sargento, besuqueándose ¡Y los del ajedrez, inconmovibles! Y César despidiéndose de pronto para irse a la cama, para cumplir la orden paterna de dormir diez horas diarias.

* * *

¡Válgame Dios! Los últimos días de agosto señalaron el retorno de los desertores. De los peregrinos del jubileo, de Julio García, ¡de Matías Alvear, Carmen Elgazu y Pilar!

Hubo abrazos a granel, exclamaciones, apertura de maletas.

—¡Contad, contad! ¡Mamá, cuéntanos!

Matías dijo:

—¡No esperéis que abra la boca! Pasó demasiado miedo.

—¿Miedo yo?

—¿Ah, no...? Escuchad bien. Metía un pie, luego otro... y luego retrocedía con los dos.

La mujer exclamó:

—¡Ay, hijos! ¿Creéis que estoy para esos trotes?

A Ignacio le entusiasmó la situación.

—Pero.. ¿qué traje de baño llevabas, mamá?

—Negro y muy decente —contestó ella, simulando naturalidad—. Uno muy bonito, ¿verdad, Pilar?

—¡Precioso! Sobre todo, con las dos calabazas en la cintura.

—¡Pilar, ya sabes que no me gustan esas bromas!

—Pilar tiene razón —continuó Matías, dirigiéndose a Ignacio—. Nunca hubiera creído que vuestra madre tuviera tan buen tipo. Llamó mucho la atención.

—¡Matías! ¡Eres un sinvergüenza!

—No me extrañaría que hubiese sido la causa de...

—¡Oh, oh...!

—¡Seguro! —rubricó Pilar, excediéndose—. Sobre todo cuando se puso aquel gorrito amarillo.

—¡No me imagino a mamá con gorrito amarillo! —rió César.

—Pues yo no la puedo imaginar de otra manera —opinó Matías.

Y viendo los aspavientos de Carmen Elgazu, todos se levantaron, la rodearon y abrumaron a caricias, hasta hacerle saltar lágrimas de enfado, de ternura y felicidad.

CAPÍTULO XII

Todo el mundo fue regresando. Las primeras lluvias de septiembre barrieron las playas y montañas. En el bar Cataluña había gran satisfacción, pues se decía que a no tardar se anunciarían elecciones en España. La huelga de la CNT había fracasado en Gerona, pero en otras ciudades se iban encadenando otras huelgas. El otoño se presentaba movido.

Los obreros contaban maravillas de la Costa Brava. Aquello era vivir... Muchos habían instalado tiendas de campaña bajo los pinos y bailado en todos los entoldados de la comarca. En la costa, las Fiestas Mayores se celebraban en verano. Llegaban con el cutis y la espalda tostados, y sin un céntimo en el bolsillo. Al llegar a Gerona se encontraban desplazados, como si no sólo la fábrica, sino las calles y los arcos y los sólidos edificios fueron cárceles.

Julio García llegó también de París. En el Neutral, a lo primero, se limitó a enseñar un mechero muy original, que tenía la forma de un

163

tapón de champaña, y a sentenciar: «París continúa siendo la capital del mundo». Pero todos le acuciaron, empezando por Ignacio, quien al anuncio de su llegada acompañó a su padre al café. Y entonces los deslumbró. «¡Qué impresión más triste da Gerona viniendo de allá!», dijo. Traía también otra boquilla, que parecía de ámbar; y al contrario que los veraneantes, estaba más pálido. Habló del lujo de las tiendas, de la impecable organización del Metro, de las grandes librerías de viejo del Barrio Latino, de la torre Eiffel, de las revistas, de los *cabarets*, del escultor español Mateo Hernández, que se paseaba por Montparnasse llevando en una mano un oso y en la otra una pantera; de las catacumbas...

—Si mi mujer viera aquello, ¡cualquiera la hacía regresar!

Ignacio le oía encandilado. Pero mucho más que él, el camarero. El camarero, Ramón, lo mismo que soñaba en la lotería, escuchaba como hipnotizado los relatos de viajes. Era un chico al que bastaba oír la palabra Estambul o la palabra Vladivostok para poner los ojos en blanco. Su capacidad admirativa divertía mucho a la tertulia. Siempre suponía que los demás vivían aventuras extraordinarias. «¡Vaya cosas que debe usted de pillar en los telegramas!», le decía a Matías. Envidiaba muchos oficios. ¡El de Julio no digamos! «Aquí, si no fuera por ustedes y los viajantes, no me enteraría de nada de lo que hay por el mundo.» Y se ponía la servilleta al brazo en ademán de gran resignación.

Ignacio le preguntó a Julio:

—Y sus asuntos, ¿qué?

Julio le contestó:

—¡Ah, muy bien! ¡Muy bien! Todo ha salido bien. —Y no explicó más.

Mosén Alberto, por su parte, regresó de Roma, con el notario Noguer y su esposa. El matrimonio Noguer contaba y no acababa en la Liga Catalana de todo cuanto vieron y de lo útil que les resultó la compañía del sacerdote. «El Vaticano, el Vaticano. ¡Y esos cretinos querrían destruir la religión!»

El sacerdote llegaba transformado, triunfante. No sólo por el manteo nuevo que el matrimonio Noguer le regaló en Génova y que dejó patidifusa a sus dos sirvientas, sino por el espectáculo que ofreció Roma con motivo del jubileo. Pensando en la magnificencia de las ceremonias pontificias, le parecía que sus intermitentes vanidades en el humilde Museo eran un poco más excusables. En realidad aquello le hizo sentir una imperiosa necesidad de expansionarse, de contar. Por ello fue infinitamente más explícito que Julio. No olvidaba detalle, como no fuera hablando con los demás sacerdotes, ante los cuales s

164

hacía un poco el misterioso. Con lo cual su prestigio aumentó mucho entre el mundillo eclesiástico, especialmente entre las monjas.

Pero donde se expansionó más a sus anchas fue en casa de los Alvear. No sólo por la presencia de César, sino por la de Carmen Elgazu. Cuando le explicó a César que vio al Padre Santo en persona, aunque en audiencia colectiva, el seminarista se sintió transportado. Y cuando le describió a Carmen Elgazu el fervor de millares de peregrinos apiñados en la plaza de San Pedro, con el arco iris encuadrando la Basílica en el momento de aparecer Pío XI en el balcón, la mujer comprendió que no se perdonaría nunca que mientras aquello ocurría, ella estuviera en San Feliu de Guíxols, con un traje de baño negro y dos calabazas en la cintura.

—¡No te preocupes! —le dijo Matías—. Si otro hermano tuyo saca a la lotería, iremos a Roma.

Luego mosén Alberto les dio a cada uno unos rosarios bendecidos por el Papa.

También los del Banco regresaron. La Torre de Babel con la piel de la espalda hecha jirones. Padrosa, con tres kilos menos en el cuerpo a causa de los baños de mar. El de Cupones contaba horrores del derroche de dinero de muchos veraneantes. «Y luego se quejan si un obrero de su fábrica prende fuego a los almacenes.»

Cosme Vila no había ido a la costa. Se fue a Barcelona. «¿Es que tiene familia allá?» «No, pero tengo amigos.» Cosme Vila explicó que había conocido a un ruso, Vasiliev, hombre de una personalidad que ya querría para sí Julio García...

—Cuando le conté lo que ganamos en el Banco me dijo, atusándose la barba: «Exactamente lo que yo ganaba en Odesa en 1916...»

A Ignacio todo aquello le sorprendió mucho. Hubiera dado no sé qué para subir un día al piso en que vivía Cosme Vila. El de Impagados lo conocía, pero un día en que aquél estuvo enfermo había ido a visitarle. Decía que casi no tenía muebles, que no tenía nada, todo desnudo excepto algunos libros y un canario en la cocina. Dormía en un diván medio roto.

Ignacio, al oír lo de Vasiliev, no pudo menos de sonreír, pues Julio García le había contado hacía poco que en Barcelona había conocido a un alemán, doctor Relken, hombre de una personalidad que ya querrían para sí...

¿Qué diablos ocurría en Barcelona, con tanto alemán y tanto ruso? ¿Tenía algo que ver aquello con las huelgas, con los disturbios, como aseguraba don Emilio Santos, o con las elecciones cuya fecha se iba a anunciar?

De todos modos, Ignacio no quería preocuparse demasiado por ello. Los exámenes estaban al caer. Estudió cuanto pudo tal como había prometido. Matías Alvear veía luz en su cuarto a las tantas de la noche y pensaba. «Sí, sí, todo eso está muy bien. Pero ¿por qué los catedráticos van a aprobarle ahora, si le suspendieron en mayo por lo de la Academia?» Sin que el chico lo supiera, pues a Ignacio le daba horror oír hablar de recomendaciones, Matías habló con Julio. Y Julio exclamó: «¡Hombre! El catedrático Morales no me va a negar nada a mí...»

Algo de cierto habría, pues Ignacio aprobó en un santiamén. Quinto curso completo. Ya sólo faltaba uno. Bizcocho vasco con cinco velas encendidas. Pilar les dijo a María, Nuri y Asunción: «Ya veis... Catedráticos en contra, y a pesar de eso, ¡zas. .!»

Tal vez fuera Pilar quien había llegado más transformada de las vacaciones. La niña tenía ya catorce años, iba para quince y, tal como observó José, estaba hecha una mujer. Cuando César e Ignacio la vieron bajar del tren, quedaron estupefactos. El cuerpo desarrollado precozmente, hasta el punto que la familia decidió que tenía que cortarse las trenzas. Matías dijo: «Si en traje de baño parece una mujer... Anda, anda, fuera trenzas».

Fue un momento muy importante para la muchacha. Parecido al de Ignacio cuando en la barbería ordenó: «Sólo patillas y cuello». Se quedó sola en su cuarto, con las dos trenzas en la mano, y se miró al espejo. Pómulos redondos, sonrosados, algo más morenos ahora a causa del sol. Pícara nariz arremangada, barbilla con un hoyuelo en el centro, muy gracioso; su cabeza era ahora más torneada. Dejó las trenzas sobre la cama y se pasó las manos por los cabellos, ciñéndolos. Le dio un escalofrío pensar en la mujer del tifus de que habló César... Sí, sí, ya era una mujer. Y en San Feliu había visto muchas cosas. Cómo vestían las chicas de Barcelona, con qué gusto en todo, desde los bolsos de playa hasta las alpargatas. Se preocupaban mucho de la cintura, al parecer. Ceñida, delgada. Claro, claro, la cintura era muy importante... Al guardar las trenzas en una caja de zapatos que le dio su madre, le pareció que entraba en la vida, que ya nunca más ayudaría a Ignacio a pintar prados verdes y tejados rojos en los cuadernos.

En cuanto a César, todo había transcurrido en un abrir y cerrar de ojos. Hizo lo que pudo, se ganó amigos. Al Museo fue muy poca gente; en cambio, para la calle de la Barca un hombre era poco... Se ganó la amistad del patrón del Cocodrilo, del gitano Manolo, de la hija de Fermín, de muchos chiquillos que continuaban recitando: «B, a: ba; b, e: be; cuatro por cuatro, dieciséis» y gritándole: «¡Eh, tú! ¡Dame un caramelo!» Cuando por la calle corrió la noticia de que César se iba a marchar, hubo un revuelo de pena. Algunas vecinas dijeron:

«¿Qué más da? Para lo que les iba a servir saber de letra...» Otras comprendían que, de todos modos, el frío hubiera terminado por echarlos de la casa muy pronto; pero hubo dos mujeres que no querían que aquello quedara así, y el 13 de septiembre le llevaron a casa, como muestra de afecto, una bufanda amarilla y colorada.

Aquella bufanda a César le dio calorcillo en el corazón. Al montar en el autobús, puesto que se vio obligado a ir arriba, se la puso alrededor del cuello. La última visión de César que tuvieron los suyos fue ésta: sentado entre maletas y soldados en el autobús, con la minúscula cabeza al rape y una bufanda amarilla y colorada.

César llegó al Collell satisfecho, porque además, en el fondo de la maleta, junto al estuche de afeitar, llevaba una Biblia... ¡Pero resultó protestante! El profesor de latín soltó una carcajada que aumentó la indescriptible confusión del seminarista. «No te preocupes, anda, no te preocupes —le explicó, al ver que estaba a punto de llorar—. No es culpa tuya. Los libreros lo hacen ex profeso. Ahora las dan muy baratas, ¿comprendes?»

* * *

Por fin los periódicos anunciaron la fecha exacta: el 19 de noviembre, elecciones en España.

Como una sacudida eléctrica recorrió la ciudad. Todos los partidos se lanzaron al combate. *El Demócrata* publicaba páginas extraordinarias. *El Tradicionalista*, estadísticas de «desaciertos» de la República desde su instauración. Coches de propaganda recorrían la ciudad y los pueblos. Los candidatos y oradores parecían poseer el don de la ubicuidad, pues sus nombres se anunciaban en tres locales a la vez.

La CEDA desplegaba un gran aparato y el jefe, don Santiago Estrada, y sus colaboradores, así como las señoras y jóvenes del Partido no se daban tregua repartiendo folletos y exponiendo por todos los medios su programa. Insistían en lo de siempre: mantenimiento del orden, amnistía para los militares condenados, defensa de la religión, revisión de la Reforma Agraria, que consideraban un monstruoso aborto, etc. El subdirector, apenas daba la hora en el Banco, se cambiaba el chaleco y corría como un gamo al Partido, a ayudar en lo que fuera. Don Jorge se había instalado en la Liga Catalana dando órdenes, y el notario Noguer cuidaba de que fueran puestas en práctica. Los monárquicos rendían culto a sus convicciones, por boca de su jefe, don Pedro Oriol, padre del amigo de Ignacio que jugaba con éste al billar.

Todos estos partidos daban la impresión de estar unidos, de perseguir el mismo fin y se hablaba de una alianza; en cambio, en el campo izquierdista las divergencias eran, al parecer, graves. Matías contó veintiún partidos izquierdistas que presentaban candidatura en España. Cada uno con promesas que ponían la carne de gallina a la gente de espíritu conservador.

En Gerona el partido socialista no dio entrada a dirigentes jóvenes, como hubiesen deseado los empleados del Banco Arús. Un momento se habló de un tipógrafo, Antonio Casal, muchacho de gran carácter, según informes; pero finalmente volvieron a los viejos de siempre. Por boca de éstos hablaba la UGT y su programa se manifestó violentísimo, con alusiones al control obrero en las Empresas.

Los industriales hermanos Costa representaban a Izquierda Republicana. Demócratas por temperamento, mecenas del orden, del fútbol y otros deportes, eran muy populares. Sus figuras eran un símbolo opuesto al que constituía don Jorge. Lo avanzado del programa socialista los obligó a excederse en sus promesas, por lo cual la clase media se asustó y echó un poco marcha atrás. Los Costa se mantenían firmes, deseosos, además, de captarse el gran número de anarquistas que tenían en sus propios talleres, y que se habían adherido a la huelga del Responsable. Y por encima de todo, sus grandes protestas de catalanismo les valían muchas simpatías.

Otra candidatura de extrema izquierda presentaba a los Costa como disfrazados paladines del capitalismo. Los radicales socialistas, que se reunían en un café donde jugaban al chapó, presentaron un candidato. Víctor, el jefe comunista, encuadernador del Hospicio, reunió a los suyos en la barbería de siempre y decidieron no presentarse, de momento; en cambio, en Barcelona el partido comunista entraba en liza con bríos.

Ignacio advirtió en seguida el cambio de tono con relación a los mítines de unos meses atrás. La moderación había desaparecido, dando con ello razón a las teorías del cajero. Sin embargo, los partidos derechistas tenían a su entender un punto antipático: se limitaban a atacar al adversario, a poner de relieve la amenaza extremista que significaba la orientación de los Sindicatos. Y se los veía ajenos por completo a los auténticos problemas de las clases necesitadas. Matías decía: «Si ganan las derechas, son capaces de rebajarnos el sueldo con la excusa de hacer economías».

A Ignacio toda aquella confusión no le asustaba. A gusto hubiera seguido paso a paso el curso de los acontecimientos con el fin de llegar a tener un criterio definido; pero no quería perder de vista sus problemas personales, especialmente el que le planteaban los estudios, obligado a encontrar profesores aptos para el sexto curso de bachillerato.

En el fondo, le hacía gracia la actitud del Responsable. Iba contra unos y contra otros y se desentendía de las elecciones. Como réplica a los mítines políticos, el jefe de la CNT movilizó dos veteranos del anarquismo, que subieron a los escenarios a exponer sus doctrinas higiénicas. Eran dos hombres muy conocidos por su austeridad de vida y por su desprecio absoluto de la civilización occidental. Hablaban con familiaridad de los yogas, de la respiración rítmica. Su aspecto era de cuarenta y cinco años y se calculaba que tenían sesenta. Alguien aseguraba que dormían sentados y que podrían permanecer enterrados días sin daño alguno para su organismo. Sus conferencias y demostraciones llamaron mucho la atención. Ni un atleta de la ciudad dejó de asistir a ellas. La Torre de Babel quedó muy impresionado y fue a consultarles algo con referencia a las posibles mejoras en su especialidad: triple salto. Los dos veteranos le contestaron que no había ninguna necesidad de saltar para ser feliz.

Matías consultó con Julio el problema de Ignacio y el policía, después de reflexionar, le preguntó:

—El programa es muy duro, ¿verdad?

Matías contestó:

—Eso dice el chico.

—Pues... —añadió el policía— a mí me parece que valdría la pena hacer un esfuerzo y que fuera a clase con el maestro que conocisteis, con David.

—Pero ¿David enseña bachillerato?

—¡Toma! ¿Crees que el sueldo de la escuela les basta? Él y su mujer dan clases particulares.

Matías movió la cabeza repetidas veces.

—¿Y por qué dices que valdría la pena hacer un esfuerzo?

—Porque creo que la mensualidad que cobran es bastante crecida.

—Ya. ¿Es... que son muy buenos? —se interesó Matías.

Julio dijo:

—Puedo darte un detalle: todavía no les han suspendido ningún alumno.

Matías alzó los hombros.

—Bueno... Eso... después de la experiencia de la Academia Cervantes...

—No, hombre, no. Son muy buenos. Su mujer es casi mejor que él. Son muy inteligentes. —Y luego añadió—: Pilar sabría algo más de lo que sabe si hubiese ido con ellos.

Ahí estaba el inconveniente, que Matías vio en seguida: las ideas de los maestros. Recordó que Julio le había hablado a Ignacio del socialismo de David, de su sistema pedagógico, de que en la clase mezclaba ex profeso chicos y chicas... A él todo eso le tenía sin cuidado, pues para enseñar Ciencia a Ignacio una hora diaria por la noche no hacía falta hablar de Largo Caballero; pero Carmen Elgazu... Desde luego su mujer no sabía nada de cuanto Julio había contado. Más bien estaba predispuesta en favor del muchacho de la herida en el mentón, pues le dio pena saber que él y su esposa eran hijos de suicidas.

A Ignacio la noticia de que David y su mujer enseñaban bachillerato le pilló de sorpresa. Se informó en el Banco y todos coincidieron en que tenían fama de excelentes maestros. El de Cupones sentenció: «Es muy sencillo. Son los mejores de la ciudad». Estos informes, unidos a la curiosidad que Ignacio sintió por David desde el primer momento, le habrían hecho aceptar en el acto, pero... también le daba miedo su madre. Ella no admitía distingos, ella estaba segura de que nada existía que fuera indiferente, de que la Física y el Cálculo integral tenían mucho que ver con la Religión, según la manera como fueran enseñados.

Matías dijo a Ignacio:

—Mira, lo primero vete a ver. Condiciones y demás. Luego pensaremos si le decimos una pequeña mentira a tu madre.

Dicho y hecho. El muchacho visitó a los maestros sin pérdida de tiempo. David abrió de par en par sus ojos, al reconocerle. Llamó a su mujer: «¡Olga, ven, tendrás una sorpresa!» La entrevista fue cordialísima. ¡Encantados de tenerle por alumno! La clase de sexto curso, diaria, de ocho a nueve de la noche, hora a propósito para los que trabajaban. Los honorarios, veinte pesetas mensuales. Un poco crecidos, ya lo sabían, pero su sueldo era exiguo —si se ganaban las elecciones les iban a aumentar— y entretanto tenían que vivir. Hablaron largo rato y la simpatía fue recíproca. Especialmente Olga pareció sentir un gran interés por Ignacio.

Éste salió de allá alegre como unas pascuas. ¡Al diablo los profesores autómatas de la Cervantes!

La pequeña mentira... Mejor que mentira fue omisión. Matías e Ignacio se confabularon para ocultar a Carmen Elgazu cuanto sabían sobre las ideas de David y Olga. Se limitaron a informarle de las referencias sobre su competencia, a explicarle, libros de texto en mano, lo terriblemente difícil del programa. Sabían que mosén Alberto pondría el grito en el cielo antes de una semana; pero... la cuestión era situarla ante el hecho consumado.

Carmen Elgazu no sospechó ni por un momento. Los inconvenientes que veía eran muy otros.

—¿No es muy raro? ¿Y no tendrás que ir demasiado lejos, hijo? Bien, bien, si a vosotros os parece...

Matías fue al Neutral a tomarse una copa de coñac por lo que acababa de hacer. Y en cuanto a Ignacio, empezó las clases en seguida. David y Olga le presentaron los tres muchachos, hijos de familias humildes del barrio, que serían sus compañeros de curso.

Y pronto se dio cuenta de que, efectivamente, sus nuevos profesores se salían de lo vulgar. Olga llevaba peinado corto y liso, de cabellos muy negros, y tenía unos ojos muy grandes y muy hermosos. Delgada, pero de músculos desarrollados, daba la impresión de tener un cuerpo muy bien equilibrado, como si hubiera asimilado las lecciones de los dos veteranos del anarquismo. David era un poco más alto. Curada su herida de la barba, sus facciones parecían mucho más angulosas aún y desde luego aparentaba más edad de la que tenía.

David le pareció a Ignacio mucho más tímido y serio que cuando le conoció en el piso de la Rambla. Por lo visto, al hallarse entre una familia desconocida que le atendía con tanta amabilidad, se creyó en la obligación de decir cosas como: «¡Quién me manda a mí bailar sardanas!»

Las primeras lecciones transcurrieron con normalidad, sin una alusión a nada que no fueran las materias del curso. Sin embargo, Ignacio se enteró por sus compañeros de curso de que David y Olga no estaban casados por la Iglesia, a pesar de que Julio García lo creía así.

Ignacio no habló a solas con ellos hasta el primer sábado, día en que se quedó para pagarles la semana —preferían cobrar por semanas— y en que Olga le preparó un café. Entonces Ignacio, por un súbito e irresistible impulso y estimulado porque también ellos le habían hecho muchas preguntas, les preguntó sin rodeos si la información que le habían dado sus compañeros era verídica. «Ya sé que es un poco insolente preguntar eso, pero...»

Entonces Olga le contestó, con toda naturalidad, que no había nada de insolente en ello, que cada uno podía pensar y preguntar lo que quisiera. En cuanto a la información, era verídica. No estaban casados por la Iglesia. «En realidad —añadió—, hubieran considerado humillante confiar a un tercero la misión de bendecir un amor que nació libremente, y de establecer entre ambos, en virtud de unas frases en latín, lo que llamaban lazos perdurables.»

—Si estos lazos se rompen aquí, Ignacio —concluyó, señalándose el corazón—, no hay bendiciones que valgan; y si no se rompen, no hay ninguna necesidad de bendiciones.

El muchacho reflexionó mucho sobre ello, y halló reparos a la teoría de Olga. Reconoció que, efectivamente, aquella unión parecía sólida. Sin embargo, no se sabía hasta qué punto resistiría una dura prueba de celos, de ausencia prolongada, de nacimiento de un hijo anormal. En cambio, era evidente que el matrimonio Alvear-Elgazu lo resistiría todo, aunque cayeran sobre él las diez plagas de Egipto.

Aquel día fue el comienzo de periódicas conversaciones. Las cuales estuvieron a punto de quebrarse en seco cuando Carmen Elgazu llegó una noche sofocada exclamando: «Pero... ¡Dios mío! ¿Es que no sabíais quiénes eran esos maestros, o es que os habéis prestado al juego?» Mosén Alberto acababa de decirle textualmente: «Después de Julio García, son las dos personas más nefastas de la ciudad».

Matías e Ignacio fingieron una sorpresa absoluta, aunque por dentro uno y otro sentían cierto remordimiento. Sin embargo, la cosa no era como para dudar.

—Pero, mamá... ¡Yo qué sé qué ideas tienen! Lo que puedo decirte es que con ellos he aprendido más en una semana que en la Cervantes en un mes.

—¡Pero ni siquiera están casados!

Matías intervino:

—Pero, mujer, cálmate. Yo no sé si están casados o no, pero lo que sé es que tú y yo sí lo estamos y que somos nosotros los padres de Ignacio.

Carmen Elgazu no cedía y lloriqueaba. Presentía grandes catástrofes para la mentalidad de Ignacio.

—Le pervertirán, le pervertirán. No faltaba más que eso.

Ignacio acabó por reaccionar en serio.

—Pero ¿es que crees que sigo al primero que llega? Tengo mis ideas y se acabó. Y además, te repito que nunca se habla de eso. Somos cuatro en clase, y bastante trabajo hay.

Carmen Elgazu comprendía que si dejaba avanzar el curso luego ya no habría remedio. De modo que gastó toda su pólvora en aquella ocasión; pero Ignacio y Matías no cedieron. Matías terminó por decirle que su fanatismo se hacía insoportable a veces.

—No sé lo que quieres, francamente. Me parece que querrías que hasta yo me fuera al Seminario. ¡Caray con la caridad! Al que no piensa como vosotros le negaríais hasta el saludo. —Se levantó y añadió—: No se hable más del asunto.

A Ignacio todo aquello le causó pena, sobre todo porque en el fondo tenía la sensación de que estaban jugando un poco sucio. Y por lo demás, era cierto que David y Olga le atraían con fuerza... Sus teorías le atraían menos, o por mejor decirlo, las conocía muy poco. Pero, como siempre, su manera de vivir, la gran seguridad de sus personas le influían poderosamente.

El muchacho no se arredraba hablando con ellos y no negó que creía en todos los Misterios habidos y por haber. Los maestros, oyéndole, reaccionaban en forma distinta a la de Julio. Julio sonreía, y a lo máximo se ponía a acariciar la tortuga; por el contrario, David y Olga parecían tomárselo muy en serio y muchas veces se miraban como indicando: «Ya ves hasta dónde puede conducir la educación que ha recibido...»

Con frecuencia Olga encendía un pitillo, en cuyo momento Ignacio no podía menos de pensar en el padre de la muchacha cuando se voló a sí mismo, con un petardo en los labios, frente al mar. David acababa poniéndole la mano en el hombro y diciéndole: «En el fondo yo creo que estamos bastante próximos. Nos falta ponernos de acuerdo sobre el valor de las palabras».

Por de pronto, la experiencia era importante e Ignacio no perdía detalle de cuanto le rodeaba. Desde el tamaño de los mapas en la clase —el de Cataluña mucho mayor que el de la URSS—, hasta el empaque de varias gallinas que se paseaban como grandes señoras por el jardín anexo a la vivienda de que disponía la escuela.

De los tres compañeros de curso, dos llegaban siempre leyendo *Claridad*. Oyéndolos, hubiera podido creerse que vivían muy exaltados con las elecciones y que acogían con entusiasmo las noticias que llegaban de todas partes referentes al malestar reinante. Sin embargo, en el fondo se quedaban tan frescos cuando David les decía que aquel clima de inseguridad era fatal en época de elecciones, y que con ello no se conseguiría sino unir a los adversarios. Los tres muchachos hablaban de socialismo por rebeldía oscura, a la vez que por escalofriante frivolidad juvenil. A veces empleaban un vocabulario parecido al de José, pero que en sus labios perdía la mitad de la fuerza.

A Ignacio le dieron un poco de pena porque los veía obsesionados por el problema sexual. Y le parecía entender que las raíces de su gozosa adhesión a la revolución proletaria estaban ahí: más conmoción sísmica, más facilidades para la vida desordenada y, sobre todo, más impunidad. Ignacio admiraba el esfuerzo de David y Olga para, entre lección y lección, elevar su entendimiento. En algunas ocasiones lo conseguían, pero al salir a la calle se veía que todo había quedado lo mismo.

Los maestros se movían en su mundo con un aplomo que era muy difícil no admirar. A sus alumnos de enseñanza primaria —veinte niños y quince niñas— los tenían absolutamente embebidos, por lo menos durante las clases. Lo mismo que lo estaba Ignacio, cuando David, sin dejar de hablar, se paseaba de un extremo a otro de la clase con las manos a la espalda o cuando Olga miraba con una sonrisa apretada, alisándose lentamente los cortos cabellos.

Continuamente los comparaba con Julio y le parecían mucho más sinceros, o por lo menos más espontáneos. Al igual que el subdirector, los maestros también encarnaban su doctrina. Ante ellos uno no sólo veía la escalera, sino que la vivía, y la respiraba. Claro que Julio decía siempre: «Los jóvenes cunfundís la ingenuidad con la sinceridad». Pero era innegable que David y Olga adaptaron sus actos a sus convicciones. Siempre iban juntos, todo lo hacían juntos, no se separaban jamás, como ejemplo vivo de la solidaridad humana que preconizaban.

La escuela estaba situada casi en las afueras, siguiendo la calle en que vivía el Responsable y remontando el Oñar. Los muros eran blancos lo mismo los de la escuela que los de la vivienda, y el jardín cuidado con esmero. Era conocida por Escuela Libre. Las chicas del barrio imitaban a Olga y se ponían jersey alto y en verano sandalias. Algún domingo, los maestros entraban a su casa, bailaban un par de piezas, se tomaban una gaseosa y se volvían a estudiar. Los alumnos, al verlos por la calle, acudían a saludarlos.

David y Olga parecían preferir la amistad de la gente humilde a la de personas de importancia con las que sin duda hubieran podido codearse. Sólo de vez en cuando se relacionaban con el catedrático Morales, hombre extraño que vivía solo en un quinto piso; y luego con los arquitectos Massana y Ribas, en Estat Català. David y Olga pertenecían a Estat Català. Y allá iban todos los sábados por la noche, a oír tocar el piano o a hablar de arquitectura o de libros.

«A nosotros nos gusta la gente normal, la gente que tiene defectos», le decía David a Ignacio. Olga añadió un día que las personas capaces de dejarla plantada a mitad de la conversación y empezar a elevarse del suelo con un círculo luminoso alrededor de la cabeza, le inspiraban gran recelo.

A Ignacio no se le escapó la alusión a César y aquel día salió algo molesto. Sus compañeros de curso se rieron de él, porque se tomaba aquello en serio.

—Hay que vivir la vida —decían siempre.

Para Ignacio vivir la vida era precisamente tomarse aquellas cosas en serio; pero ellos opinaban de otra forma. No cesaban de hablar de las postales que vendían los «limpias», aludían constantemente a la virilidad y aseguraban que nada hay tan poético como una buena chavala.

—¡Tráeme una buena chavalina y te regalo la Ilíada!

En la vida que llevaban aquellos chicos había algo que a Ignacio le había picado siempre la curiosidad: una llamada buhardilla a que siempre hacían referencia. Por lo visto era su secreto, su entorchado. Debía de estar instalada muy cerca de la escuela, pues iban y venían con mucha facilidad.

Muchas veces le habían invitado a subir a ella y se había negado siempre, por instintivo temor. Ignacio, a pesar del Banco, de Julio García, de David, de Olga y de todo, continuaba acariciando en su interior varias reliquias: el amor a la familia, la castidad. Eso último era muy importante para él. Sentía que mientras esto se conservara incólume, ninguna pieza maestra de su edificio espiritual se vendría abajo. Tentaciones las tenía por docenas v nunca olvidaría lo que tuvo que luchar aquel verano, precisamente en los días en que quedó solo con César. Las revistas en la barbería, plagadas de escenas de las playas, se le habían ofrecido con fuerza casi irresistible. Pero había vencido con sólo el pensamiento de que luego tendría que enfrentarse con su hermano.

Ahora le ocurría lo mismo pensando en Pilar. Su hermana era tan pura, a pesar de su picardía, de sus regateos con las amigas y de que mirara también por el ojo de la cerradura, que quería poder darle un beso cuando tuviera ganas de hacerlo, sin tener la sensación de que a la chica le quedaba señal.

Y, sin embargo, tampoco podía huir de sus compañeros de curso ni hacerse el salvaje. Además de que les tenía sincero aprecio, dado que intentaban remontar el origen humilde de sus familias estudiando bachillerato. Así que acabó aceptando la invitación de éstos a subir a la buhardilla.

A ciencia cierta, no tenía idea de lo que encontraría allá arriba. Los tres muchachos eran capaces de cualquier cosa, de todo lo bueno y de todo lo malo. También podía ser algo digno de locos, de esa edad en que la clandestinidad dispara la imaginación hacia mundos monstruosos. Podía ser humorístico, podía ser macabro.

La casa se hallaba a doscientos metros escasos de la escuela, y la escalera estaba oscura.

—Es aquí —dijeron. Y penetraron en ella.

—Tú, síguenos... —le ordenaron—. Subiremos, entraremos, y en cuando estemos todos dentro encenderemos la luz. Así te hará mayor efecto.

Ignacio obedeció. Iba el último de los cuatro. La escalera crujía bajo sus pies, pues era de madera. Hacían gran ruido. A tientas dio con la puerta y en el acto tuvo la sensación de que se encontraba en una habitación inmensa. Sin embargo, no veía nada.

De pronto, estalló la luz. Y el muchacho recibió en la retina una impresión imborrable. Cuatro paredes blancas, abarrotadas de láminas sin nombre. Eran fotografías de mujeres desnudas, arrancadas del semanario *Crónica*. En un rincón, un ancho diván. Por todos lados, sillas desvencijadas.

Los tres muchachos soltaron una carcajada, pues ya esperaban el desconcierto de Ignacio.

La primera intención de éste fue huir. Pero le pareció que se reirían de él toda la vida. Afectó naturalidad. Y, sin embargo, el descubrimiento de la mujer desnuda le recorrió la columna vertebral. Eran figuras de cuerpo entero en actitudes de falso pudor. De un tono dorado, litográficamente bastante imperfecto. Por fin, dijo:

—Bueno..., yo no discuto eso, pero valía la pena haberme advertido. Y salió.

Y mientras bajaba la escalera sentía en su espíritu una gran turbación. ¿Por qué todo aquello, ahora que ya el verano había pasado? Al alcanzar el aire libre respiró hondo. Sentía no tener tabaco para poder fumar. El camino era largo, se oía el rumor del río. Pensó en la noche en que en el Seminario cedió, pensó en el padre Anselmo. Y casi lo que más dolorosamente resonaba en sus oídos era la carcajada estúpida, extemporánea, de sus compañeros.

¿Qué ocurría en el cuerpo del hombre, que tan imperiosamente tendía al exceso? ¿Por qué la gente se empeñaba en no dejar su cuerpo tranquilo? La barbería, los del Banco, la Torre de Babel, diciéndole cada dos por tres: «El día que quieras yo te acompañaré...» David y Olga distinguiendo entre vicio y las exigencias de la naturaleza.

Al llegar a su casa, todos habían cenado. Carmen Elgazu le miró inquisitivamente. Pilar, rendida de sueño, se había quedado dormida, esperándole.

* * *

César le había dicho un día que para él el Misterio más grande era el de la Resurrección. Ignacio creía en el Espíritu Santo. Muchas veces había experimentado su intervención directa, precisa, sobre su cabeza. Una lengua de fuego que descendía sobre él salvándole de un peligro. A veces le parecía que podría andar entre abismos y que si pedía ayuda al Espíritu Santo, llegaría al otro lado con las manos en los bolsillos, silbando.

Al día siguiente de la escena en la buhardilla, a media mañana, en el Banco, pensó en ello con más intensidad que nunca. Porque las láminas de las paredes se mezclaban en su mesa —sección de Impagados— entre los nombres de los comerciantes que no podían pagar las mercancías, y al oír la voz de su compañero que iba canturreando:

«Otro que se va a caer con todo el equipo... Y otro..., y otro...», él iba pensando: «¡Quién sabe si esta vez seré yo quien se caiga con todo el equipo!»

Y, no obstante, llegó el aviso. De pronto oyó a su espalda los pasos del subdirector. En el acto tuvo la impresión de que se le dirigía para comunicarle algo importante. El subdirector le quería mucho y siempre le enteraba de lo que suponía interesante para él. Ignacio se preguntó: «¿La CEDA...? ¿Aumento de salario...?»

Pero no fue nada de eso. El subdirector extendió *El Tradicionalista* ante sus ojos e Ignacio vio en primera página una inmensa esquela:

ERNESTO ORIOL,
DE 18 AÑOS,
HA ENTREGADO SU ALMA AL SEÑOR

¡Su compañero de billar! Ignacio se levantó y quedó como yerto. Volvió a leer la esquela, miró al subdirector. Éste le sostuvo la mirada con una expresión comprensiva y dolorosa. ¿Qué había ocurrido? Nada, todo, un hecho corriente y elemental. El muchacho sutil y magnífico que pocos días antes le había dicho: «Me gusta que seas así. A mí también me ocurren esas cosas», había muerto. Allí estaba, en letras negras «entregado su alma al Señor».

Ignacio, sin pedir permiso a nadie, como ebrio, sin acordarse de que era un empleado a sueldo, se abrió paso entre las mesas y salió a la calle, y una vez en ella echó a correr en dirección al domicilio de su amigo dando a aquella muerte un sentido de redención exclusiva para él.

¡La escalera de la casa era distinta de la buhardilla! Arriba no habría carne en las paredes, sino cirios junto a un amigo.

La puerta estaba abierta. Entró. Nunca había estado allí, pero se hubiera dicho que flechas en el aire indicaban la habitación mortuoria. Él nunca había visto un muerto. Llegó junto a la cama de su compañero y la emoción le cortó en seco las lágrimas.

El cadáver le pareció enormemente reducido de tamaño. Recordaba de su amigo la voz, su peculiar manera de coger el taco. Ahora le tenía delante, seco, con la nariz apuntando al infinito. Tan seco le parecía aquel cuerpo, tan muerto y como mineral, que a Ignacio no le bastó pensar que lo que le había ocurrido era simplemente que su corazón había dejado de latir. Algo más hondo le había ocurrido a su amigo; había huido de él. Algo no tocable, no fisiológico, mucho más vital que la sangre, el aire de los pulmones o el cerebro. El alma, claro, bien claro lo decía la esquela: «ha entregado su alma al Señor».

De su cuerpo —no de su alma— había huido —hasta la Resurrección— el Espíritu Santo.

Le invadió una gran tristeza y durante muchos días la voz de su amigo y la imagen del entierro, que el padre de éste presidió dignamente y al que él asistió, se sobrepusieron en su memoria a toda otra imagen o voz. Ignacio llegó hasta el cementerio con los íntimos, sin título aparente para ello, sin que, en caso de ser interrogado hubiera podido contestar otra cosa que: «Jugaba con él al billar».

Debía de ser un aviso. Cultivaría aquella tristeza como otra reliquia de las que no se confían a nadie. A ello le ayudaría un elemento de gran fuerza que acababa de llegar a la ciudad: el otoño, que avanzaba entre mítines y cábalas.

El otoño montado sobre octubre. Un octubre profundo, cruzado de luces, de rara riqueza interior, turbada de vez en cuando por el recuerdo de la buhardilla. Las lluvias habían llegado a Gerona, tiñéndola de un color gris que daba a sus piedras una nobleza dulce. ¿Por qué no llorar? A Ignacio le había conmovido siempre la lluvia. Tanto como a los viejos el calor del fuego. Siempre había oído con encanto los relatos de su madre sobre la lluvia en las montañas vascas, que terminaban por encrespar el Cantábrico. En aquella ocasión el sirimiri estaba de acuerdo con su ánimo, y por ello se mecía en él.

Sobre todo le conmovían las sonoridades insospechadas que en Gerona el agua arrancaba de las cosas. Por ejemplo, del río, en el que las gotas se hundían como dedos o como si fueran de plata. O de las escalinatas de la Catedral. O del alma. La lluvia arrancaba sonoridades del alma e Ignacio percibía este misterio con claridad perfecta.

* * *

Y, no obstante, ningún misterio bastaría para detener el río de su corazón. Era imposible luchar contra su corriente. Su amigo estaba ya enterrado; las horas y la misma lluvia diluían su figura diminuta. En cambio, las láminas de *Crónica* parecían bajar por sí solas la escalera de la buhardilla y acercarse a él desplegadas sobre el fondo blanco de la pared. Su tamaño era enorme y llevaban escolta. A la derecha, las teorías de David y Olga, a la izquierda el «Yo te acompañaré»... de la Torre de Babel.

Con esta carga subió una tarde al piso de Julio. Quería pedirle el segundo tomo de *Crimen y Castigo*. También quería oír cualquier pieza de música, cualquier cosa, con tal que no fuera complicada.

Y entonces sobrevino la revelación. Todo ocurrió con sencillez abrumadora. Julio no estaba en casa, la criada tampoco. Doña Amparo Campo le recibió: «Te encuentro raro..., pero estás muy bien...»

Tuvo que sentarse y pedir coñac. Y al instante recordó la frase de José: «¿No has visto que se te come con los ojos?» Era cierto. Doña Amparo, enfundada en una bata roja, le decía: «¡Estás hecho un hombrecito!» También era cierto. El bigote, negro, ya no era un simple esbozo y su voz había adquirido rotundidad.

—¡Estoy muy contenta de tenerte aquí!

Ignacio estaba muy nervioso. Contemplaba a aquella mujer y nada en ella le molestaba fundamentalmente; e incluso hallaba cierta gracia en aquellos pendientes que se le balanceaban.

—¿Por qué no te sientas aquí, a mi lado? Estarás más cómodo...

Segunda parte

Del 22 de Noviembre de 1933
al 6 de Octubre de 1934

CAPÍTULO XIII

El pronóstico de mosén Alberto era claro: en la provincia de Gerona ganarían las izquierdas; en España, en general, rotundamente las derechas. Se basaba no sólo en la división izquierdista de que había hablado Matías y en la abstención de la CNT, sino en que ante la amenaza extremista la gente de centro —que abarcaba buena parte de la clase media española, los católicos de la clase que fueran y buena parte de la burguesía— habían constituido un frente común y se lanzarían a votar en tromba. Exactamente el peligro que habían presentido David y Olga.

—¡Nadie quedará sin votar! —le decía el sacerdote a Carmen Elgazu—. Figúrese que los jóvenes de la CEDA se han ofrecido para acompañar en taxis incluso a los paralíticos. En cuanto a los conventos, votarán hasta las monjas de clausura de San Daniel... Permiso especial.

El subdirector del Banco Arús ni siquiera hacía números: tan seguro estaba de que ganarían los suyos.

* * *

Y... mosén Alberto acertó con sorprendente precisión: las derechas ganaron en una proporción casi de cuatro a uno. Comunistas, un solo puesto en el Parlamento.

Todo Gerona discutió, examinó los resultados. Las mesas de mármol del Neutral se llenaron de demostraciones a lápiz. Ramón suponía que eran relatos maravillosos; al comprobar de qué se trataba, los borraba con su servilleta.

David y Olga habían votado juntos, uno al lado de otro, y dentro del respeto a la libertad de opinión habían hecho lo posible para conseguir algún adepto en el barrio, entre las familias de sus alumnos; pero fue una gota de agua en el mar.

Al día siguiente les dijeron a los chicos de la clase:

—Ya veréis que dentro de poco, si vuestros padres tienen alguna discusión con el encargado de la fábrica donde trabajan, tendrán que callarse o, si no, serán despedidos.

Los niños y las niñas, naturalmente, lo que querían era que llegara la hora del recreo; sin embargo, uno de ellos, al llegar a casa, repitió:

—Papá, papá, el señor David ha dicho que si discutes con tu encargado te despedirán.

Matías Alvear y Carmen Elgazu votaron también uno al lado del otro. Carmen Elgazu, por las derechas. Y creyó que Matías también; pero éste en la cola trocó con disimulo la papeleta por otra que llevaba escondida en la manga.

Hubo una evidente inversión de valores en la ciudad. Gente que pasó a zona oscura, otra que irguió la cabeza. *El Demócrata,* órgano de los vencidos, amplió la sección de deportes; *El Tradicionalista,* órgano de los vencedores, publicó editoriales pomposos y amplió considerablemente la sección «Notas de Sociedad». A Pilar le gustaban mucho las Notas de Sociedad y exclamó: «Gracias a Dios que los periódicos traen algo interesante».

Entre las personas que irguieron la cabeza se contaban el redactor jefe de *El Tradicionalista,* el odontólogo Carlos Senillosa, comúnmente conocido por su seudónimo periodístico «La Voz de Alerta», y el comandante Martínez de Soria.

El dentista era monárquico, y prácticamente el brazo derecho de don Pedro Oriol, director del periódico. De unos cuarenta y cinco años, resentido e interesado, contaba con pocas simpatías. Vivía solo, con una criada fiel, y se pasaba la vida entre su clínica dental, la redacción del periódico, el café de los militares y el Casino. Se decía que en el Casino llevaba la voz cantante, mientras que en el café de los militares era un adulón.

Exhibía dos grandes sortijas en los dedos y la montura de sus lentes era de oro. Sus editoriales y artículos de fondo tenían fama en la provincia por su agresividad. Todo el mundo se preguntaba: «¿Has leído lo que dice "La Voz de Alerta"?»

Ante el triunfo derechista volvió a pasear por Gerona su sonrisita triunfal. Al comandante Martínez de Soria le dijo: «Mi comandante, a ver si el Ejército vuelve a ser lo que era».

El comandante Martínez de Soria parecía menos mordaz. Tenía poca confianza en la posible labor de los vencedores. En su opinión lo que fallaba era el sistema. «Una República en España es imposible», decía siempre. No obstante, siempre era mejor convivir con las derechas que con los otros. Y por lo demas, en un momento dado las derechas podrían facilitar las cosas.

El comandante era un aristócrata, alto, ligeramente encorvado, con nariz borbónica y cara enrojecida a causa del alcohol, del que abusó cuando la guerra de África. Vivía con su esposa y su hija en un piso espléndido —otros dos hijos estudiaban en Valladolid— sin contacto con nadie que no comulgara con sus ideas. Por ello era amigo del dentista, de «La Voz de Alerta». Su único acto democrático consistía en ir a afeitarse de tarde en tarde en la barbería de Raimundo... a causa de los carteles de toros. El comandante era un apasionado de los toros; a Raimundo, al verle entrar le temblaban los bigotes. No sabía por qué, pero el comandante le daba miedo.

Según frase de «La Voz de Alerta» en el Casino, el comandante «amaba apasionadamente a España». Pero comprendía que con el ambiente de la Peña ciclista y los limpiabotas, lo que tenía que hacer era callarse. Sus aficiones eran montar a caballo, lo cual hacía en la Dehesa; y la esgrima, que ejercitaba en la Sala de Armas. A «La Voz de Alerta» le dijo: «No se haga usted ilusiones, que por ahora el Ejército no volverá a ser lo que era».

Otro que irguió la cabeza fue el subdirector. El subdirector del Banco estaba tan contento que erraba todas las sumas. «Este año me ha tocado la lotería», decía. La CEDA había ocupado el primer plano de la actualidad.

El hecho de que Julio se hubiera abstenido de toda participación en la propaganda electoral, se comentó mucho en el Neutral... Y es que el policía vio claramente que las derechas iban a ganar y quiso salvar la fachada. Ahora decía: «No sé lo que va a pasar».

En Bilbao estaban tristes porque las aspiraciones vascas tropezarían sin duda con serias dificultades, pero Carmen Elgazu se encogía de hombros. «La religión ante todo.»

En cuanto a los Alvear... sólo se recibió una postal de José dirigida a Ignacio, en la que aquél parecía satisfecho del resultado.

Esto era lo evidente en Gerona: el Responsable y los anarquistas en bloque estaban contentos, mientras por el contrario Izquierda Republicana, socialista y demás no podían quitarse de la cabeza que a los dos años de haberse proclamado la República hubieran perdido.

La teoría del Responsable era simple: «Ahora las derechas abusarán. Nosotros seremos los primeros en dar la cara y nos ganaremos a las masas». Los dos anarquistas-yogas volvieron a subir a los escenarios a hablar de la respiración rítmica y de las ventajas de dormir sentados. El responsable dijo: «La CNT, como Sindicato, poco podrá hacer por ahora... Ahora hay que dar impulso a la FAI». Contaba con varios anarquistas veteranos, como Blasco, su boina y sus mondadientes. Con su sobrino el Cojo, costras en los labios. Con sus dos

182

hijas rubias, con el sargento novio de una de ellas, escribiendo en la mismísima comandancia de Estado Mayor... Con un muchacho de cara pecosa al que llamaban el Rubio, con otro al que llamaban el Grandullón. No obstante, al Responsable le hurgaba en la cabeza que necesitaba alguien con cierto prestigio: ¡Si hubiera podido contar con Julio García!

David y Olga reaccionaron en forma irónica ante el resultado. «Bien, bien. No nos tocará más remedio que cantar en el Orfeón, o comprarnos un caballete e irnos a pintar.» En Estat Catalá, el arquitecto Ribas, que no perdía nunca el buen humor, al verlos entrar puso en la gramola una Marcha Fúnebre.

Era evidente que la procesión andaba por dentro. Lo demostró el hecho de las caravanas que se formaron cuando, de pronto, murió en Barcelona el presidente de la Generalidad, Maciá, símbolo de la región por sus años de exilio y por su cabeza venerable. La compañía de autobuses Vila anunció: «Salida de Gerona para el entierro, a las siete y media de la mañana. Regreso a la una de la madrugada, después de los espectáculos». Seis coches llenos, y unas quinientas personas en tren, entre las que se contaron David y Olga... y Julio García.

Todo el mundo regresó emocionado. El entierro constituyó una de las más grandes manifestaciones de duelo conocidas en Barcelona. Los asistentes llevaban en la solapa temblorosas tiras con las cuatro barras de sangre.

En el fondo el golpe había sido muy duro para cuantos habían confiado en que la República elevaría en pocos años la nación al nivel «de los otros países democráticos de Europa». Porque, a su entender la intención de las derechas se vio clara desde el primer día. Alardeaban de republicanismo, pero volvían a todos los atrasos de antes, que llamaban «tradiciones». Y resultaba evidente que el ataque había sido preparado concienzudamente. «Militares, financieros... y altas jerarquías de la Iglesia.»

Por lo pronto, aquellas Navidades no serían tan alegres como las dos anteriores en casa de los que habían empleado con frecuencia la palabra revolución. Por el contrario otras personas volverían a comerse el pollo sin miedo a que les atragantara un hueso. Sólo había que ver por la Rambla a los hijos de las familias pudientes de la localidad internos en algún colegio. Llegaron a Gerona de vacaciones y prácticamente agotaron los vermuts. Los dos hijos de don Santiago Estrada, muchachos algo más jóvenes que Ignacio, refiriéndose a la República, pusieron de moda el estribillo: «Pobrecita. Era bonita y al año y medio se murió».

Los hermanos de la Doctrina Cristiana estaban contentos, las monjas del convento del Pilar estaban contentas. Los ayos del Seminario, al salir de paseo jueves y domingos tenían un aire más despreocupado y los seminaristas se beneficiaban de ello. Ignacio, que nunca podía tropezar con éstos sin emoción, especialmente al ver a los de su curso —de sesenta y dos que habían empezado sólo quedaban dieciocho—, pensaba: «Están contentos, es natural. Y, sin embargo, lo que es ahora lo de la calefacción...»

El partido monárquico organizó aquellas Navidades una tómbola para la reconstrucción de varios edificios de Andalucía destruidos por los extremistas. La CEDA quiso estimular la construcción de belenes y anunció un concurso con premios. Un jurado pasaría por los pisos a puntuar. Los vendedores de turrones se vengaban atando los paquetes con estruendosas cintas republicanas, y lo mismo los vendedores de lotería. Era la rueda del año que seguía su curso, ceñida a las mismas costumbres.

Lo que más le llamó la atención a Pilar fue el concurso de belenes. Quería inscribirse en él. Al contemplar el suyo en su cuarto, con el cielo pintado nuevamente, y una estrella colgando de unas rocas, estaba segura de sacar premio.

Matías la desanimó.

—¿No ves que no ganarías? Lo que más cuenta es el portal y a ti te ha salido peor que el año pasado. —Al ver el disgusto de la chica añadió—: ¡No te lo tomes así, pequeña! ¿No comprendes que se llevará el premio alguien de la CEDA?

* * *

A Ignacio, su caída con la mujer de Julio le había desconcertado mucho más que las elecciones. Al salir le había entrado tal vergüenza que quiso ir a confesar. Pero no lo hizo en seguida. Y luego le entró una extraña pereza y unas ganas de correr un telón sobre el asunto.

Claro está, no podía a causa de la presencia de Julio. El policía continuaba mostrándose amable con él, como siempre; pero Ignacio no podía ya verle sin enrojecer. «¿Qué misterio era aquél que de repente uno perdía el derecho moral de estrecharle la mano a un hombre? Otra cosa resultaba evidente: no era cierto que los policías lo supieran todo...»

Ignacio inició un movimiento de huida. Rehuía la presencia de Julio. En cambio doña Amparo Campo parecía tan campante.

La complicación del muchacho era todavía mayor en su casa. ¿Cómo arreglárselas para que su madre no se diera cuenta de que no iba a comulgar ni en la Misa del Gallo ni el día de su cumpleaños?

184

El día de su cumpleaños —dieciocho— no tuvo otro remedio que acercarse al altar como todo el mundo, simular que se mezclaba entre la gente y regresar al banco con los ojos bajos.

Y por la noche, 31 de diciembre, último día de 1933, con un frío intensísimo, los doce besos a las losas de la Catedral no fueron tan fervorosos como el año anterior. Ni a la salida las estrellas tan hermosas.

También le sorprendió comprobar la facilidad con que aceptaba la muerte de su amigo Oriol. Por lo visto, la ausencia, que era un hueco, disolvía el recuerdo con más rapidez que la tierra el cuerpo.

Y a pesar de todo, continuó creyendo en el Espíritu Santo. Porque no sólo intentó salvarle antes de la caída, sino que luego le incitaba al arrepentimiento. Por un camino extraño: el de situarle ante la alegría, con la sensación de no merecerla. Porque le ocurría algo singular: no podía abrir la boca sin que los demás se echaran a reír. No acertaba a explicárselo, pero era así. Por lo visto, de repente había adquirido gracia por arrobas, tal vez a causa de su aparente seriedad. En el Banco, en todas partes. Pronunciaba frases sencillas y corrientes, y veían que su interlocutor se quedaba mirándole y soltaba una carcajada. «¡Caray, chico —le decía el cajero—, qué bien te han sentado las elecciones!»

Ignacio no comprendía, pero era así. Se constituyó en el contrapeso del pesimismo que sin él hubiera invadido el Banco, por haber visto denegadas sus bases de trabajo... Los hacía reír, porque a la larga acabó contagiándose, algo halagado. Acabó inventando formas extrañas de humor.

—¡A ver! —preguntaba a Padrosa—. ¡Una palabra que fume un puro!

—¿Que fume puro...?

—Sí. ¡Rimbombante! —decía Ignacio.

Todos se reían. La Torre de Babel exclamaba: «¡Rimbombante! Es verdad. —Reflexionaba, representándose gráficamemte la palabra—. Fuma un puro.

Cosme Vila no era insensible al humor de Ignacio. Incluso inventó alguna palabra, que a su entender, llevaba bigote, bigote, como Raimundo: «Tufo».

—Cierto —admitió Ignacio—. Es por la efe.

Ignacio acabó mirándose en el espejo para ver qué diablos tenía en sus facciones que hiciera reír a los demás; y no vio sino unas ojeras algo más pronunciadas que de ordinario.

A los únicos que no conseguía divertir, por lo visto, era a mosén Alberto y a David y Olga... A mosén Alberto porque, ocupado con el

Museo —las nuevas autoridades municipales habían votado una subvención— siempre andaba atareado y con mil cosas en la cabeza; a David y Olga porque, en realidad, se habían impresionado más que los demás con el revés político, hasta el punto que al oír la Marcha Fúnebre le habían dicho al arquitecto Ribas: «¡Hombre, no comprendemos que toméis todo esto tan a la ligera!»

A Ignacio le parecía que los maestros exageraban un poco y que la vida tenía otros recursos. Sospechaba que uno y otro eran más vulnerables de lo que en momentos de euforia daban a entender. Los tres compañeros de curso de Ignacio compartían la opinión de éste. Continuaban diciendo: «Hay que vivir la vida». Pero a éstos Ignacio los escuchaba muy poco, pues la jugada de la buhardilla no se la perdonaría jamás. En realidad, le daban un poco de asco.

David y Olga le decían:

—Pero... ¿no te das cuenta? ¿Gil Robles en el poder?

Ignacio se daba cuenta. E intuía que el nuevo botones del Banco Arús tendría que poner mucho serrín a la entrada y que los viajantes que llegaban a Gerona abrumados bajo su muestrario, conseguirían pocas notas. Se volvería a la rutina de siempre: el dinero estancado. ¡Pobre camarero del Neutral! Adiós viaje a Estambul, a Vladivostok...

A decir verdad, había razones para preocuparse. En el Banco habían hecho un préstamo a un comerciante de la calle de la Barca para que pudiera vender juguetes para Reyes, y vendió un mecano y dos caballos de cartón. Y una nariz con gafas de alambre. Nada más. ¿Qué les trajeron los Reyes a los demás niños? ¿A los que César enseñaba, a los que chapoteaban en el río? ¿Qué les traerían el año próximo? Otro mecano, otros dos caballos de cartón, otra nariz...

Si uno se ponía a pensar en aquello...

David y Olga habían perdido, de momento, las ganas de trabajar. Después de la jornada se sentaban ante la estufa comentando la evolución de los acontecimientos. Censuraban especialmente el tono en que «La Voz de Alerta» escribía en El Tradicionalista. «Se aprovecha, se aprovecha.» Al parecer, había hecho alusión a su escuela, llamándola centro experimental y cosas peores. También decían que el caballo del comandante Martínez de Soria parecía haberse adueñado de la Dehesa. «Vayas a la hora que vayas, oirás el trap-trap, trap-trap.»

Ignacio apenas conocía a los dos personajes. El dentista le era antipático por las sortijas y por algo indefinible que tenía en la sonrisa. Una boca apretada, afilada, sensual. Nunca hubiera prestado un céntimo a un comerciante de la calle de la Barca para que vendiera juguetes. El comandante siempre le había impresionado por su estatura y por su nariz borbónica. Así como por la naturalidad de sus movimientos. Y tanto como él le impresionaban su esposa y su hija, ésta de la edad de Pilar. Las dos mujeres andaban siempre juntas, silenciosas y aristocráticamente vestidas de negro. Miraban escaparates, cruzaban la Rambla, entraban en una iglesia. Parecían tan inseparables como los campanarios de San Félix y la Catedral. O como las palabras de Ignacio y el regocijo de los empleados del Banco.

* * *

Ignacio se iba dando cuenta de que la gente proporcionaba sorpresas. Nunca había dudado de ello porque... ¡se daba tantas a sí mismo! No obstante, en aquel mes de enero tuvo menos motivos de reflexión.

En primer lugar, el vicario de San Félix, aquel cura bajito y con el sombrero hasta las cejas al que tanto había admirado siempre, aun sin hablar nunca con él, desapareció de la ciudad. Mosén Alberto explicó a la familia Alvear:

—Pues sí... Se ha ido a la leprosería de Fontilles.

Carmen Elgazu juntó las manos con admiración, Matías pareció que se tragaba algo, Pilar buscó en vano sus trenzas para tirar de ellas, e Ignacio hizo lo de siempre en estos casos: se pasó la mano por el encrespado cabello.

Era lo de siempre: una palabra que de pronto brincaba en la vida ante él, tomando volumen; un día era la palabra comunismo, otro la palabra mujer o la palabra muerte; ahora la palabra lepra.

Ignacio había oído hablar poco de la lepra. Un día César le contó algo sobre unos misioneros en una isla, en Molokai; pero todo ello le había parecido siempre lejano, o perteneciente a un mundo aparte. Y he aquí que ahora resultaba que a menos de seiscientos kilómetros de Gerona había una leprosería y personas que consagraban a ella sus vidas; que, en vez de expulsar a los leprosos hacia algún bosque, colgándoles una campana en el cuello, se les acercaban y los cuidaban. Y que aquel vicario bajito era una de esas personas.

Mosén Alberto había dicho:

—Llevaba mucho tiempo solicitándolo; por fin lo ha conseguido.

—Y se veía que el sacerdote estaba verdaderamente impresionado, pues había sido más o menos director espiritual del vicario.

Otra de las personas que le dio una gran sorpresa fue la Torre de Babel. Ignacio, de repente, se enteró de que su compañero de trabajo iba con mucha frecuencia al manicomio que había en las afueras de Gerona, en un pueblo llamado Salt, y que había dado cinco veces sangre en el Hospital Provincial, que dirigía el doctor Rosselló.

187

Ignacio se sintió abrumado por aquellas acciones que llevaba a cabo la gente. «¡Caray, caray!», repetía, al apagar la luz e introducirse bajo las sábanas.

La Torre de Babel le dijo:

—Todavía te sorprendería más saber quién está en el manicomio.

—¿Quién?

—La mujer del Responsable.

—¿Cómo...?

—Así es.

El empleado, alto, con gafas ahumadas y tartamudo, le dio detalles. Al hablar de aquellas cosas parecía transformado. Le dijo que el Responsable no dejaba de ir un solo domingo a ver a su mujer, lo mismo que sus hijas.

—Para ellos es tan sagrado como para ti ir a misa.

A Ignacio le mordía la curiosidad. Todo aquello era inesperado.

—Y ella..., ¿los reconoce?

—¡Ni hablar! —La Torre de Babel prosiguió—: Es un caso muy extraño. Dicen que se volvió loca un día en que su marido intentaba hipnotizarla, cuando estudiaba este asunto. Pero los practicantes me contaron que no, que es un caso hereditario.

Viendo el interés de Ignacio, propuso, con naturalidad:

—En fin. Si te interesa visitar aquello, me lo dices y un día vamos juntos.

Ignacio aceptó. Aceptó en el acto. Por lo demás, precisamente la Psicología le tenía obsesionado. Por cierto que David y Olga tenían fe ciega en el porvenir del psicoanálisis. La Torre de Babel parecía dudar del sistema, lo mismo que el comandante Martínez de Soria. El comandante Martínez de Soria para curar complejos proponía la disciplina del cuartel.

La visita al manicomio se realizó. Y constituyó una gran experiencia para Ignacio. Salió de ella muy satisfecho de haber visto todo aquello. Conoció al amigo que la Torre de Babel tenía allí, un enfermero que primero los acompañó por el jardín donde estaban los locos inofensivos: gente que parecía normal, tal vez algo abatida, la mayoría con una punto de raquitiquez; otros, por el contrario, dando una monstruosa impresión de fuerza. Algunos, de repente, se levantaban y empezaban a dar vueltas por el patio; otros permanecían sentados mirándose las manos con fijeza. Una mujer se pasaba las horas palpando los troncos y riendo.

Al entrar en el inmenso edificio del fondo, Ignacio reconoció, en un pasillo, al patrón del Cocodrilo. El hombre tenía una hija allí, que sólo sabía decir: «Bo, bo...» Cuando veía a su padre cada domingo se arreglaba un poco el pelo y le llamaba «Bo, bo...»

El enfermero les permitió ver a través de las mirillas de las puertas casos escalofriantes en celdas individuales. Hombres de cráneo infrahumano, otros que hacían muecas continuamente, sin parar. Lo trágico era la familiaridad con que el practicante hablaba de ellos y los comentarios humorísticos que de paso iba haciendo.

En un rincón, rezando el Rosario, una mujer prematuramente envejecida. Cuando llegaba al final de las cuentas, besaba la cruz y volvía a empezar. El enfermero les aseguró que al llegar tenía una cara horrible y que después le iba ganando una expresión de gran dulzura y beatitud. Pasaba las cuentas incluso mientras dormía. Dijo:

—Todos los domingos vienen su marido y sus dos hijas a verla, pero no los reconoce. Sólo una vez se quedó mirándolos, pero en el acto continuó su rezo.

Ignacio no quería moverse de allí. Recibió una impresión profunda. «¡Qué misterio, Señor!»

Pero el enfermero no les daba tiempo a reflexionar. Nuevos casos, nuevas celdas. Y les explicaba que a veces era preciso pegarles y que tenían un médico joven que era un bárbaro, que no hacía más que experimentar con los enfermos aplicándoles extraños aparatos de su invención.

Ignacio descubrió al oír aquello que el enfermero quería a los reclusos más de lo que sus bromas pudieran dar a entender. Al doblar uno de los pasillos apareció una mujer que se tocaba la barriga. «¿Qué, todavía no...?», gritaba, mirando al techo. Llevaba años preguntando lo mismo y nadie supo nunca a qué se refería.

La Torre de Babel preguntó si tenían estadísticas sobre los pueblos que daban mayor contingente de locos.

—Eso... —contestó el acompañante— en la oficina te lo dirán. Pero, en fin, tengo entendido que la costa y el Ampurdán. En general, pasa una cosa curiosa: el campo y el mar mandan más clientes que la ciudad. Por lo menos, es lo que he oído decir. —De repente añadió—: No puedo atenderos más tiempo. Perdonadme. Volved cuando queráis. —Se dirigió a Ignacio—. En realidad, no has visto casi nada.

Entonces la Torre de Babel, por su cuenta, acompañó al muchacho a las cocinas. E Ignacio vio montones de patatas echadas a perder, y de nabos y de carne maloliente. Al cabo de esto, exquisitos dulces y platos de crema. «Esto es lo que traen las familias», informó la Torre de Babel.

Ignacio le preguntó:

—Pero... ¿esas patatas y esa carne es lo que comen...?

La Torre de Babel le contestó:

—No hay más remedio. No tienen ninguna protección seria, ¿comprendes? La Diputación contribuye con algo, pero el resto son donativos.

Ignacio no comprendía. Miraba a los locos rodar por el patio, sentarse aquí y allá. Una altísima tela metálica, lo suficientemente tupida para que no pudieran agarrarse a ella, separaba los hombres de las mujeres. Sí, sí, la nota dominante era la raquitiquez.

La cocina y, en general, los trabajos subalternos del establecimiento, estaban a cargo de los propios reclusos. Los había muy dichosos de poder ser útiles. Había locos que vivían completamente felices y que al pasar junto a Ignacio, llevando un enorme cubo de agua, le decían: «A ver, a ver, chaval... Que se está haciendo tarde».

—¿Se está haciendo tarde para qué?

—Antes había aquí una fuente —le explicó la Torre de Babel, señalando una estatua—. Pero los había que pasaban el día bebiendo agua o mojándose la cabeza.

Un estanque seco yacía en el lado norte, junto a la gran tapia que circundaba el edificio.

—Aquí también había agua. Pero algunos entraban en ella como si fuera tierra firme.

Ignacio iba pensando en lo inexplicable que resultaba que no tuvieran protección seria.

—Pero...

—Así es, chico.

Luego el muchacho preguntó:

—Y... los que les pegan, ¿quiénes son?

—Los enfermeros. ¿Quiénes van a ser? Ése que nos ha acompañado. —Viendo la expresión de Ignacio, la Torre de Babel añadió—: ¿Qué van a hacer, si no? ¿Sabes tú la fuerza que tienen?

¿Cómo era posible que tuvieran tanta fuerza, alimentándose con aquellos nabos y de aquella carne maloliente?

Finalmente, salieron del edificio. Anduvieron en silencio en dirección al autobús que hacía el servicio Salt-Gerona. La Torre de Babel le propuso, sonriendo:

—¿Quieres que vayamos al Hospital?

—¡Ni hablar! —exclamó Ignacio—. Basta y sobra por hoy.

Durante el trayecto, Ignacio le preguntó:

—Bueno..., y a ti, ¿por qué te interesan estas cosas?

La Torre de Babel se limpió las gafas ahumadas.

—No sé, chico. Me interesan. ¿Qué voy a decirte?

Ignacio se refería más bien a lo del hospital, a los motivos que le habían impulsado a inscribirse como donador de sangre.

—Comprenderás —añadió Ignacio— que todo el mundo hace las cosas por algo. —Marcó una pausa—. Por ejemplo, la primera vez que diste sangre...

La Torre de Babel tocó el botón del autobús pidiendo parada.

—Pues... no sé. Creo que fue porque he tenido a mis dos hermanas siempre enfermas. —Se apearon y, ya en la acera, añadió, echando a andar—: Luego me pareció bien continuar.

Ignacio insistió... al cabo de unos segundos.

—Debe de causar mucha impresión...

—¡Ah, claro! —La Torre de Babel añadió—: Pero no todo el mundo sirve. Antes hacen un análisis, ¿comprendes?

—Natural, natural.

Ignacio le preguntó:

—Bueno... ¿Y el hospital también carece de elementos?

—¿El hospital...? Mucho peor que el manicomio. ¡Hombre! El hospital y el hospicio son lo peor.

—¿También viven a base de donativos...?

—Hay una subvención de la Diputación, es lo normal. Y algún trabajo. Pero no es nada, ya puedes figurarte. Sí, sí, los donativos son los que van manteniendo.

Ignacio preguntó:

—¿Y quiénes son los donantes?

La Torre de Babel se detuvo un momento.

—¡Ah! ¿Ves...? En eso te llevarías sorpresas. Gente que no sospecharías nunca.

—Dame un nombre...

—Pues... ¡qué sé yo! Bueno, los hermanos Costa, por ejemplo.

—¿Los jefes de Izquierda Republicana?

—Sí. —La Torre de Babel prosiguió sonriendo—. Y luego otro que te va a gustar: don Jorge. Sí. Don Jorge... Él solo mantiene una de las salas de tuberculosas del Hospital.

Ignacio se quedó perplejo. Al llegar a la Rambla, la Torre de Babel se despidió.

—Bueno, Ignacio, me voy. Hasta mañana.

—¡Hasta mañana! Y muchas gracias.

—De nada. Otro día iremos al Hospital.

Muchas gracias... Ignacio se dirigió a su casa repitiendo sin darse cuenta. Muchas gracias... Todo aquello eran informes preciosos. ¿De modo que don Jorge...? Claro, claro. Mosén Alberto lo dijo un día, y en esto tuvo razón: «No existen hombres de una sola pieza. Cada uno es bueno y malo a la vez». Y el mal absoluto no existía. Ni siquiera en don Jorge... Ahora recordaba que el subdirector le había contado: «¿Don Jorge...? Pero ¿qué te crees? En su casa lleva una vida más austera que tú. Es duro. Muy duro, pero empieza siéndolo consigo mismo y con los suyos, ¿entiendes? Es una ley de su casta». Casta, casta... Ahí estaba lo difícil de asimilar. ¿Por qué había castas?

En todo caso, los contrastes no eran pocos. Rica ciudad. Era cierto que no faltaba nada en ella. Enfermos, locos, dadores de sangre, vicarios que se marchaban a Fontilles, anarquistas cuyas mujeres rezaban el Rosario todo el día, el espectáculo de dos hermanas enfermas sugiriendo a la Torre de Babel buenas acciones. ¡Otros habrían reaccionado al revés! «Bastantes enfermos tengo en casa», habrían dicho.

Al subir al piso encontró a Julio García. Y otra vez enrojeció. El policía le preguntó:

—¿Y pues, Ignacio...? ¿Llegas del cine?

—No. He dado una vuelta.

En aquel instante Matías salía de su cuarto, con el traje de las grandes fiestas.

—Pues... mira por donde —dijo, dirigiéndose a Ignacio—. Tu madre y yo nos vamos al cine, Albéniz.

—¿Al Albéniz...? —Ignacio parpadeó—. ¿Mamá al cine...?

—Sí, chico, sí —rubricó Matías—. A ver «Rey de Reyes».

Aquello era el remate. ¡Su madre no había visto jamás una película sonora! «Rey de Reyes», «Rey de Reyes»... Claro... La vida de Cristo. Preparación de Cuaresma. Aquello era un brusco cambio de decoración. Ignacio se encontraba aún dando vueltas por el patio del manicomio.

Carmen Elgazu apareció en la puerta del cuarto, con una piel alrededor del cuello, tacones altos y un gran bolso.

—¿Qué me dices? ¿Estoy guapa o no?

Ignacio miró a su madre y la encontró más que guapa. Se había vestido para ir al cine lo mismo que para ir a comulgar en la misa del Gallo. ¡Rey de Reyes! La gran cabellera, ceñida atrás por el moño impecable; las negras cejas; los ojos, vivos y sonrientes.

—A ver a San Pedro, hijo, a ver a San Pedro. —Se acercó y le pellizcó en la mejilla—. Y a Judas.

* * *

En realidad, la agitación continuaba. En seguida se vio que los partidos izquierdistas no admitían de buen grado la derrota. Tanto más cuanto que los periódicos derechistas se aprovechaban y Gil Robles organizaba mítines y desfiles monstruosos en todo el territorio nacional. Cosme Vila decía: «Ese hombre no es tonto. Imita a Mussolini y más de cuatro se contagiarán. La gente tiene instinto de rebaño».

En Gerona, los Costa, más populares que nunca porque el día del entierro de Maciá pusieron tres autobuses a disposición de sus obreros para que asistieran al acto, y les pagaron jornal íntegro, decían en Izquierda Republicana: «Hay que hacer algo. Pecamos de confiados, y si no nos movemos se nos van a merendar».

El Partido Socialista convocaba continuamente a los distintos oficios afiliados en bloque a la UGT —matarifes, camareros, empleados de Banca, etc...—, tratando de coordinar una acción común de protestas, pues el nuevo Inspector de Trabajo se hacía el sordo a toda reivindicación.

—No tendremos más remedio que ir a una huelga general. —Pero tropezarían con las sonrisitas vengativas del Responsable, de los anarquistas veteranos, hombres maduros, que rodeaban a éste; de todos los limpiabotas del Cataluña.

Por de pronto, el rumor no pasaba de ser interno. Manifestaciones externas no las había sino de carácter regionalista. Porque una de las heridas más dolorosas entre las recibidas, era la que afectaba a los sentimientos catalanistas. La propia «Voz de Alerta» escribía irónicamente en su periódico: «Lamentamos que Gil Robles se niegue a bailar tantas sardanas como bailaba Maciá...»

Las frases de aquel tipo provocaban la mayor indignación. Sin que por ello el dentista dejara de tener clientes... Y peor aún: sin posibilidad inmediata de reaccionar en forma violenta. Gerona tenía que limitarse a pintar más que nunca en la Dehesa, a cantar... y a organizar sus magnos Juegos Florales para el 15 de mayo, como saludo a la primavera.

Matías no se explicaba que el anuncio de unos Juegos Florales —unas cuantas poesías recitadas en el Teatro Municipal, y unos cuantos premios— despertaran tal entusiasmo. Jaime, su compañero de trabajo, parecía medio loco. Se pasaba días y semanas retocando y puliendo un poema que presentaría bajo el lema «Amor». «Amor, simplemente Amor», le decía a Matías, en gesto que significaba: Observe la austeridad, la economía de elementos.

Mosén Alberto explicaba a los Alvear:

—Es la tradición, ¿comprende? Los Juegos Florales son... ¡claro! Para ustedes es difícil de comprender.

Mosén Alberto preparaba también una monografía histórica sobre la ermita de los Ángeles.

193

Mosén Alberto no lo podía remediar: era catalanista. En primer lugar, su pueblo natal, Torroella, antiquísimo condado y luego Gerona y el Museo, le habían situado frente a tantas obras de arte indígenas que estaba convencido de que pocos pueblos en la tierra se le podían comparar. «Leyendo nuestra historia se queda uno boquiabierto», decía. Mosén Alberto se sabía de memoria trozos de Ramón Llull, de Ausias March. Y estaba abonado, como el notario Noguer, como don Jorge, como el doctor Rosselló y muchas familias de clase media, a la Fundación Bernat Metge. Se aseguraba que en castellano no existía una traducción tan perfecta de los clásicos griegos y latinos. A Matías aquello le parecía raro, pero no estaba documentado para contestar.

Mosén Alberto presentaba a Gerona como ejemplo vivo de lo que decía.

—En Gerona ya se imprimían incunables —imprentas Oliva, Baró—. En la Edad Media, cada casa era un taller de artesanos de gran calidad: orfebrería, repujado de hierro, etcétera... No hay más que ver la colección de grabados al boj del Museo. Ríase usted, Matías, de los dibujantes que pueda haber en Jaén y Málaga.

Matías no contestaba, pero lo hacía Ignacio.

—Mosén, en Andalucía todo el arte árabe, sabe usted... Y si nos ponemos a hablar de Séneca y de San Isidoro...

En Gerona había una editorial importante pero dedicada exclusivamente a libros de texto. Pero Barcelona inundaba el mercado de literatura catalana. El número de autores crecía a diario. David y Olga aseguraban que el movimiento poético y teatral en toda la región alcanzaba una altura extraordinaria. Matías tampoco conocía de ello más que los sonetos de Jaime, y estrofas sueltas de su poema «Amor». Por lo demás, Matías leía poco. En Madrid se había leído todo Dumas. Ahora, algún libro de Blasco Ibáñez. Los periódicos le absorbían. Y en cuanto a la poesía moderna, opinaba de ella lo mismo que del *jazz*. No llegaba a comprender el entusiasmo de Julio por García Lorca. «Para oír esto —sentenció un día—, prefiero escuchar directamente la guitarra.»

A Pilar, lo de los Juegos Florales le encantó, porque supo que se elegiría Reina de la Fiesta y que ésta presidiría en el escenario rodeada de seis Damas de Honor. Las niñas en el colegio hacían cábalas sobre quién sería la Reina de la Fiesta. Se hablaba de una hermana del arquitecto Ribas, de una sobrina del notario Noguer.

Nuri comentaba: «Sor Beethoven quedaría muy bien de Reina, con un vestido blanco y la trompetilla en la oreja».

A Ignacio los Juegos Florales le divertían. El muchacho continuaba sintiéndose estimulado por las carcajadas que provocaban en los demás... Su alegría llevaba trazas de convertirse en hábito. Todavía no se había ido a confesar. El remordimiento le iba quedando sepultado bajo aquella suerte de traje nuevo que su espíritu había estrenado. Carmen Elgazu estaba encantada con su hijo, que en la mesa y alrededor de la entrañable estufa no hacía más que contar chistes. Casi llegó a pensar que verdaderamente había exagerado al suponer que David y Olga le envenenarían.

A Carmen Elgazu lo que le interesaba eran los preparativos de Semana Santa, de la que «Rey de Reyes», que la hizo llorar, había sido un anticipo. Lerroux había vuelto a permitir las procesiones. Se celebraría la gran Procesión del Viernes Santo por la Gerona antigua. Mosén Alberto sería —¡el nombramiento había llegado por fin, prestigio del viaje a Roma!— maestro de ceremonias, y las dos sirvientas del Museo cosían filigranas en los ornamentos sagrados que el sacerdote debería llevar, y discutían qué par de zapatos le correspondían.

* * *

—Mi tío me ha dado un recado para ti. Que si mañana, a las ocho de la noche, quieres ir a una reunión en su casa.

¡Válgame Dios! Ignacio, al oír la propuesta del Cojo, quedó patidifuso. ¿Qué diablos querría el Responsable? Ignacio sabía que continuaban identificándole con José, que los habían visto siempre juntos, primero en el mitin de la CEDA y luego en la huelga. Y también Blasco le veía siempre en el Cataluña jugando al billar o hablando con los parados; pero de eso a invitarle a una reunión...

El Cojo le dijo:

—¡Yo qué sé! Me parece que querría hacer algo con los estudiantes.

Ignacio estuvo a punto de exclamar:

—Pero... ¿es que suponéis en serio que soy de la FAI? —Pero le venció la curiosidad. Ya que la vida se mostraba generosa con él, ¿a qué despreciarla? Por lo demás, tal vez se sintiera más incómodo alrededor de una mesa con el notario Noguer, don Santiago Estrada y las señoras de la CEDA que con el Cojo y el Rubio y el Responsable. Lo mismo que en José, había en aquéllos algo de sinceridad. Ignacio recordó que la Torre de Babel le había dicho en el manicomio: «Uno de esos platos de crema debe de ser del Responsable. Siempre trae uno para su mujer».

Rutlla, 80... Todavía recordaba la dirección de cuando José sacó el papel y le preguntó por dónde había de ir a Rutlla, 80.

Advirtió a David y Olga que al día siguiente faltaría a clase. Llegada la hora, subió sonriendo la escalera de ladrillo rojo, sorprendentemente limpia. Llamó y le abrió la puerta una de las hijas del Responsable, la menor, que llevaba unos pendientes parecidos a los de doña Amparo Campo.

—Entra. —En el perchero colgaban varias gabardinas y él dejó su abrigo.

Entró en una habitación mal alumbrada, situada a la derecha del pasillo. En un rincón, una radio; en otro, una estufa al rojo vivo. Alrededor de la mesa, el Responsable y seis o siete personas más. Vio las costras del Cojo, la boina de Blasco, las pecas del Rubio. Dos o tres hombres serios, conocidos dirigentes de la CNT.

Sólo un par de ellos le miraron con curiosidad. Los demás parecían acostumbrados a ver gente nueva.

El Responsable le dijo:

—Siéntate. Todavía no sé cómo te llamas.

—Alvear.

Y se sentó.

Uno de los camaradas le preguntó:

—¿En qué trabajas?

—En un Banco.

Se hizo un silencio, durante el cual la hija les sirvió ron y dirigió una larga mirada a Ignacio.

El Responsable parecía dispuesto a no perder tiempo y comenzó a explicarse, demostrando con ello que trataba a Ignacio de igual a igual. Tenía enfrente un ejemplar de *El Tradicionalista*. Lo extendió sobre la mesa y señaló una columna como un general señala un punto en el mapa.

—Supongo que estaréis de acuerdo en que hay que contestar a eso.

Leyó en voz alta. Era un artículo corto. Leía con gran seguridad; siseando en las pausas y marcando con la cabeza un ritmo imaginario.

El artículo empezaba con una sátira desmedida contra los que creían que en un país individualista y violento como España podía tener éxito un régimen parlamentario, que ha de basarse en la comprensión y la tolerancia.

—De acuerdo —comentó un muchacho despeinado, el Grandullón—. El Parlamento es la reoca de los camelos.

A renglón seguido se decía que era indispensable una investigación a fondo para saber de dónde procedía el dinero que derrochaban ciertas personas en la localidad, cuyos ingresos conocidos no sobrepasaban los de la humilde clase media.

—Comunistas —sugirió Blasco, que se había colocado de espaldas para oír.

Luego el cronista añadía que debía procederse sin piedad contra los destructores de trombones, que no podían ser ajenos al corte de la vía férrea descubierto el día anterior entre Gerona y Figueras, que precipitó al abismo tres coches que transportaban vigas de hierro, una de las cuales aplastó el cráneo a un empleado del tren. Daba una lista de nombres sospechosos, escritos con ortografía voluntariamente alterada. En vez de Responsable decía: «Incansable».

—¡Cabrones! —juró el Cojo.

El Responsable tomó aliento y soltó el periódico.

—El Comité, decidido a que esa gente no se crea Dios porque ha ganado las elecciones, quiere contestar a esto. —Luego añadió, echándose para atrás—: Exponed un plan.

Hubo un momento de silencio.

—¿Conoce alguien al que ha escrito eso? —preguntó el Rubio.

El Responsable volvió a desplegar el periódico.

—Firma «La Voz de Alerta».

Todos le conocían y dijeron:

—El dentista tenía que ser.

El Cojo propuso, simplemente:

—Hay que ir por él.

—¿Ir a qué? —inquirió el Responsable.

El Cojo levantó los hombros. Su tío le hipnotizaba.

—No sé —dijo—. A dibujarle otra cara, ¿no?

Blasco negó con la cabeza.

—Aquí el culpable es el director del periódico —afirmó.

El Responsable pidió silencio. Llamó a su hija. Ésta abrió un armario y le entregó una libreta. Aquél la hojeó y fue resiguiendo nombres con el índice. Por último informó:

—El director se llama Pedro Oriol. Es comerciante en maderas, monárquico. Vive en la calle de la Forsa, 180.

Ignacio había palidecido desde que oyó a Blasco afirmar que el culpable era el director. Porque ya sabía que éste era don Pedro Oriol, el padre de su compañero de billar. No dijo nada, no sabía en qué pararía aquello.

El Grandullón intervino:

—Pues vamos por el director.

—Cuenta conmigo —ofreció el Cojo.

—Y conmigo.

—Y conmigo.

Ignacio sintió que le daban un codazo. Era su vecino el Grandullón, quien con las manos, hacía ademán de retorcer el pescuezo a alguien.

Ignacio evocó la imagen de don Pedro Oriol en el entierro de su hijo. Le veía, alto, vestido de negro, mirando al suelo. Pero no se atrevía a intervenir. Y no comprendía que hablaran de todo aquello delante de él.

Y, sin embargo, ahora varios le miraban, como extrañando su mutismo. Especialmente el Responsable.

Al ver que, en efecto, esperaban que dijera algo, intervino:

—Bueno... parece que tengo que decir algo... —Entonces añadió—: Antes que nada, ¿podría saber por qué he sido llamado?

—¡Toma! —exclamó el Responsable—. Para que nos des tu opinión.

Ignacio enarcó las cejas.

—¿Mi opinión sobre lo que estáis hablando?

—Sobre todo lo que se hable.

Ignacio quedó un poco desconcertado.

—Pues bien... —decidió—. Respecto a lo del director de *El Tradicionalista*, a mí me parece que os precipitáis un poco.

—¿Cómo que nos precipitamos?

—Sí. Hay que conocer a las personas, creo.

—¿Conocer?...

—En fin. Quiero decir que don Pedro Oriol... es una persona digna. —Viendo la perplejidad de todos, añadió—: ¡Bueno! Por de pronto, se le ha muerto un hijo.

—¿Y eso qué tiene que ver? —preguntaron tres a la vez.

—¿Es amigo tuyo...? —inquirió Blasco.

—Lo era el chico.

El Responsable le miró.

—¿Sabías que su padre era uno de los jefes monárquicos?

Ignacio levantó los hombros.

—Yo jugaba con él al billar.

El despeinado dijo:

—No sé... Te veo mucha corbata...

—Eso no tiene nada que ver —cortó el Responsable.

—¿Desde cuándo llevar corbata es pecado? —preguntó Ignacio, conteniéndose.

—El muchacho tiene razón —sentenció el Responsable.

—¡Basta ya! —interrumpió el Grandullón—. ¿Se zumba a ese Oriol, o no?

—Por mí, sí —repitió el Cojo.

—Por mí también.

—Por mí también.

Entonces el Responsable movió la cabeza:

—Sois unos borregos.

Todos le miraron.

—¿Qué pasa?

—¡Os he dicho mil veces que hay que hacer funcionar eso! —Y se pegó en la frente.

—Nadie le quitará la gran paliza.

—¿Y qué? El periódico continuará saliendo. Explotarán el asunto y venderán más ejemplares. —Se hizo el silencio. Todos comprendieron que el Responsable llevaba razón. Éste los miraba uno por uno, centelleando—. A veces me revienta que seáis tan ignorantes —les dijo—. Aquí lo que hay que hacer es algo más serio, de más fuste.

—¿Cómo de más fuste?

—Sí. Algo que impida que esto —señaló hacia *El Tradicionalista*— continúe infectando la provincia.

El Cojo le interrumpió. Siempre miraba a su tío tan fijamente que a veces le adivinaba el pensamiento.

—¡Ya está! Destruir le imprenta.

Hubo un instante de perplejidad. Todo el mundo miró al Cojo y luego al Responsable. No se sabía si éste ordenaría tirar a su sobrino por la ventana o si aprobaría su plan. Aquello era inesperado y probablemente una barbaridad. Destruir la imprenta. ¿Cómo, con qué? ¿Y las autoridades? El Cojo debía de estar loco.

Por fin el Responsable dijo, tomando de la oreja un pitillo según costumbre.

—Eso... me parece mejor.

—¡Hurra! —gritó el Cojo.

Los demás se movieron en la silla. Ignacio no cesaba de parpadear. Porque *El Tradicionalista* se tiraba desde antiguo en la imprenta del Hospicio y, junto con su taller de encuadernación, era la principal fuente de ingreso del establecimiento. Así se lo había contado a Ignacio la Torre de Babel.

Ignacio supuso que el Responsable desconocía aquel detalle, porque a la pregunta de Blasco: «¿Y dónde está la imprenta de esos burgueses?» el jefe de la CNT volvió a llamar a su hija para que le trajera del armario otra libreta.

Entonces Ignacio cortó su gesto.

—Yo puedo decíroslo —informó—. *El Tradicionalista* lo tiran en la imprenta del Hospicio.

Supuso que aquella razón bastaría... Y se equivocó.

—¡Magnífico! —exclamó el Grandullón, levantándose y encendiendo su cigarrillo en el hierro, al rojo vivo, de la estufa—. De noche no habrá vigilancia.

Todos asintieron. Era evidente que tenían gran cantidad de energía disponible y que buscaban en qué emplearla. El Rubio, cuyo rostro expresaba generalmente una especial bonachería, añadió:

—Hay otra ventaja. Se puede entrar en la imprenta por una puerta pequeña que hay que da a la calle del Pavo. No hay necesidad de atravesar el edificio.

Ignacio se preguntó si el muchacho habría salido de aquel establecimiento...

Pero no decía nada. Todo aquello era tan grotesco en su opinión que un sentimiento de superioridad le había invadido. Casi había adoptado un aire irónico.

Pareció que el Responsable se daba cuenta de ello porque le sirvió más ron y le preguntó:

—Bueno, la maquinaria se destroza, de acuerdo. Pero... ¿y el papel?, ¿qué se hace con el papel? Porque las balas de papel son así. —Y con la mano indicó una alzada enorme.

El Grandullón, a quien el personal descubrimiento de que por la noche no habría guardia había animado, opinó:

—Una cerilla y ¡ale!, ¡abur, mariposa!

Los dirigentes de la CNT sonrieron, indicando que era un exaltado. El Responsable tiró al aire un cigarrillo que el Grandullón recogió.

—Nada de incendios, idiota. A ver si vas a quemar el edificio.

—Bueno... ¿y qué dice a todo esto el estudiante?

Ignacio alzó los hombros. Reflexionó un momento. Dudaba entre varias preguntas que se le ocurrían. Finalmente, se decidió por dar un viraje.

—Yo querría saber... antes que nada, si la acusación de *El Tradicionalista* es fundada.

—¿Cómo...?

La pregunta cayó como un martillazo.

—Sí. Si fuisteis vosotros quienes saboteasteis la vía del tren. —Ignacio, de repente, había recordado la huelga de los peones ferroviarios.

El Responsable le miró.

—No. No fuimos nosotros. —Luego añadió—. Pero si lo hubiéramos sido, ¿qué?

Ignacio vio todas las miradas fijas en él.

—Pues... la cosa cambia, ¿no es cierto? Porque... destruir una imprenta...

Blasco, que continuaba colocado de espaldas a la reunión, preguntó:

—¿Qué pasa...? ¿También hay algún inconveniente?

Ignacio entendió que debía hablar. Sobre todo porque el Responsable le había llamado por primera vez estudiante.

Con la mayor naturalidad posible explicó su punto de vista. Que la imprenta del Hospicio era la fuente de ingresos del establecimiento. *El Tradicionalista* les pagaba un alquiler crecido y luego hacían otros trabajos.

—Y les hace falta, ¿sabéis? El Hospicio... está peor aún que el Manicomio.

El Responsable no alteró uno solo de sus músculos. Los demás continuaban escuchando sin reaccionar.

—Por lo demás —prosiguió Ignacio, algo nervioso a fuerza de oír su propia voz—, en la imprenta es donde aprenden el oficio muchos de los hospicianos, que tienen también el taller de encuadernación allí. Si se destruye la maquinaria, ellos son los perjudicados. *El Tradicionalista* comprará otras máquinas y probablemente las instalará en otro local independiente. Así que...

El Grandullón fue el primero en cortar.

—Primero, un tío muerto —dijo fumando con la boca torcida y cerrando el ojo izquierdo a causa del humo—. Ahora, unos huérfanos.

Ignacio no se arredró.

—Lo siento —dijo—. Se me ha pedido la opinión, ¿no?

El Responsable parecía dispuesto a concederle beligerancia.

—¿Cuántos chicos aprenden el oficio en la imprenta? —preguntó.

—Diez o doce.

—¿Y cuántos hay en todo el Hospicio?

—No lo sé.

—Aproximadamente.

—Pues... entre niños y niñas, unos trescientos.

El jefe le sirvió más ron.

—¿Te parece que por diez muchachos, que además podrán aprender lo mismo en otra parte, vamos a dejar de contestar a ese individuo —señaló el periódico de nuevo— que pide que nos ahorquen?

Ignacio dijo:

—Yo no sé si hay que contestar o no. En eso no me meto.

El Grandullón tuvo entonces una intervención inesperada.

—Oye una cosa —dijo—. Has dicho que en la imprenta había taller de encuadernación, ¿verdad?

—Sí.

El muchacho miró al Responsable y señaló a Ignacio con el mentón.

—¿No será... de los de Víctor?

Todos comprendieron la alusión. Supusieron que Ignacio era... comunista y que defendía la causa de Víctor, jefe del taller de encuadernación, pues si se destruía el taller el jefe comunista se quedaría en la calle.

Ignacio no pudo menos de sonreír con sarcasmo.

—¿Comunista yo...? Ahora empiezo a divertirme.

No obstante, el Responsable había empequeñecido sus ojos. La idea de perjudicar a Víctor le había penetrado certeramente, borrando todas las demás.

En aquel momento la hija mayor del Responsable entró y entregó a éste un papel en que había algo escrito. El Responsable lo leyó para sí, ante el súbito asombro de todos. Inmediatamente levantó la cabeza y preguntó a Ignacio:

—¿Tu padre es empleado de Telégrafos?

—Sí.

El hombre continuó:

—¿Se llama Matías?

—Sí. ¿Por qué?

—Nada. Mi hija dice que está segura de conocerte y que tú estuviste en un seminario.

—Sí, es cierto. Estuve cinco años.

El Cojo se irguió. Se oyó un rumor general.

—También dice que un hermano tuyo está aún allí.

—Es exacto. Está en el Collell.

El Responsable, que había dicho todo aquello en tono normal, de súbito se levantó y pegó un seco puñetazo sobre *El Tradicionalista.*

—¡He sido un imbécil confiando en tu primo de Madrid!

—¿Qué pasa? —preguntó Ignacio.

—¿Qué pasa...? Nada. Eso me enseñará a quitarme de la cabeza la manía de los sabios.

Blasco también se había levantado y todos parecían querer rodear a Ignacio.

El muchacho había recobrado su sangre fría. Se levantó a su vez. Comprendió que, si no reaccionaba, iba a salir de allí mal parado.

—A mí también esto me va a enseñar algo —dijo, sin saber a ciencia cierta a qué se refería.

—¿Ah, sí...? ¿Qué?

—¡Yo qué sé! —Se sintió molesto e indignado a la vez—. No me terme donde no me llaman.

—Aquí te habíamos llamado.

—Sí, pero suponía que se respetaban ciertas cosas.

—Nosotros no creemos en el respeto, sino en la acción —contestó alguien.

—¡Dejadle! —habló el Responsable—. ¡Que continúe!

Ante la actitud provocadora de todos, Ignacio adoptó un aire que hubiera admirado a doña Amparo Campo.

—No tengo por qué continuar. Ya lo he dicho todo.

—¿Qué querías decir con eso de respetar ciertas cosas?

—Hablaba en general.

—Aquí hablamos siempre en particular.

La hija intervino, inesperadamente:

—Quieres decir que lo que sabes es escuchar y luego contarlo todo al obispo, ¿no es eso?

Ignacio alzó los hombros. Recordó una frase de José y la repitió con automatismo que a él mismo le sorprendió.

—Lo que no sabría es andar con papelitos y luego exhibir por las calles un sargento.

—¡Animal! —gritó el Responsable. Y dominado por un furor súbito se le acercó—. ¡Los niños a beber leche!, ¿me oyes? ¡Leche! —gritó, siguiendo su costumbre de agarrar por las solapas.

Ignacio le dio un empujón involuntario, que le hizo retroceder. Miró a todos como desafiándolos y al mismo tiempo buscando la salida. La hija del Responsable era la persona que más rabia le daba en aquellos instantes.

Pero el Responsable, que casi se había quemado en la estufa, se había incorporado de nuevo.

—¡Somos idiotas! —gritó el Cojo—. ¡Trabaja en un Banco!

Ignacio se volvió hacia él.

—Anda y que te zurzan —dijo.

Entonces sintió un puñetazo en el rostro. Se llevó la mano a la mandíbula. Se abrió paso con fuerza. Avanzó sin darse cuenta. Se encontró frente al perchero. Tomó el abrigo. Intentó abrir una puerta, que no cedió. Finalmente halló la salida y se lanzó escalera abajo.

Al aparecer en la calzada oyó la voz del Grandullón que le decía desde una ventana bruscamente abierta:

—¡Y cuidado con hacer de soplón, mamarracho!

Al cabo de un rato vio un grupo de personas que andaban medio ocultándose. La mandíbula le dolía, pero a pesar de ello vio un sombrero hongo. Luego reconoció al doctor Rosselló. Dos pasos más adelante descubrió a Julio García, del brazo de un coronel esquelético.

Hizo un esfuerzo de memoria. ¿Qué significaba aquel grupo? Al cruzar el puente recordó que mucho tiempo atrás, cuando estaba en el Seminario, alguien le había dicho que, cerca de la calle de la Rutlla, en la del Pavo, los masones tenían la Logia.

* * *

Inventó una historia. Contó que un carro de los que hacían el servicio de la estación a las agencias, al virar bruscamente le había dado con un tablón de madera que salía más de la cuenta. La herida no tenía nada de particular, pero se le hinchaba por momentos y adquiría un tono violáceo parecido al de la bandera de la República.

—No sé, no sé —decía su madre, mientras le aplicaba agua oxigenada—. ¿Dónde dices que te ha ocurrido eso, dónde?

Matías le examinó la mandíbula de cerca y pensó: «Eso es un puñetazo como una catedral».

* * *

Querido José:
Te escribo con la mandíbula hecha un asco gracias a un directo de tu amigo el Responsable. Sois de una especie muy difícil de clasificar y no comprendo que conociendo a aquella pandilla, y conociéndome a mí, les aconsejaras que me invitaran a una reunión. Chico, el anarquismo no sé lo que será, pero los anarquistas... Claro que me lo merezco por meterme donde no me importa. Con lo bien que se está en casa, estudiando. En fin, que sois unos birrias. Recuerdos a tu padre, a pesar de todo. Tu primo IGNACIO.

En cuanto hubo echado la carta al correo le pareció que todo lo veía de otro modo. Recordó que Olga le había contado detalles muy penosos de la infancia de los componentes de la pandilla, especialmente del Grandullón. Por lo visto, el chico quedó solo, sin nadie, y se dedicó a robar gallinas. Ignacio regresó a su casa pensando que evidentemente un hombre que de niño ha robado gallinas y otro cuya madre ha cocinado los huevos rezando el Credo han de juzgar de muy distinta manera las imprentas.

Lo que con más fuerza le había quedado grabado de la reunión era el «No sé, te veo mucha corbata...» Lo asoció al «¡Jolín, bastantes señoritos tengo en casa!», de la criada en el baile. La verdad era que desde el primer momento, con sólo ver el aspecto de la habitación, se había sentido un extraño. En la calle le importaba poco andar con el Cojo, con quien fuera. Pero, por lo visto, alrededor de una mesa la cosa era distinta.

Y luego, todo lo que ocurrió le pareció absurdo. La reacción de aquellos seres por el hecho de que hubiera estado en un Seminario no tenía ni pies ni cabeza. ¡Admitía la infancia del Grandullón! Pero ¿qué culpa tenía él?

La infancia, la infancia... También había tenido una infancia penosa ·su padre, Matías Alvear. Y Julio García. Y. lo terrible era pensar que *El Tradicionalista* tampoco tenía razón.

No obstante, se confesó, a sí mismo, que si en lo de la imprenta hubiera protestado en cualquier caso, en lo de la agresión personal tal vez no hubiera dicho nada si la víctima elegida hubiese sido «La Voz de Alerta». Pero don Pedro Oriol... Don Pedro Oriol le inspiraba un gran respeto. Gran propietario de bosques, de acuerdo. Pero se lo había ganado con su trabajo. Los propios empleados del Banco conocían la historia y le trataban con deferencia. Era un hombre que había vencido a fuerza de tenacidad y altruismo. Siempre decía: «A mí me ha salvado el hacer favores». Su mujer llevaba una vida muy·retraída y era más sencilla que la hija del Responsable. Tenían un coche anticuado, que traqueteaba por la ciudad, pero que, al parecer, subía como un demonio y en˜los bosques se internaba hasta donde trabajaban los carboneros. En fin, que hasta el coche era simpático.

La única objeción era: ¿Por qué eligió a «La Voz de Alerta» como redactor jefe, y por qué permitía aquellos artículos con la «plebe» y demás? Según el subdirector, don Pedro Oriol se encontró con que «La Voz de Alerta» era la única persona en la ciudad que entendía algo de periodismo, y el dentista impuso como condición que en los editoriales tendría pluma libre... una vez por semana. Aquella semana habían elegido al Responsable. Y de resultas de esto él tenía la mandíbula hinchada.

Y además le habían gritado: «¡Cuidado con hacer de soplón!» En compensación... había visto a Julio del brazo de un coronel esquelético, el coronel Muñoz. ¡Julio del brazo de un coronel!

La curiosidad que sentía por el policía se renovó en él. ¿Y por qué no? Doña Amparo Campo era la primera en no dar importancia a lo ocurrido en el diván.

Masones, masones... ¿Qué diablos ocultaba aquella palabra?

Una cosa en contra de Julio. Se había encontrado por la calle con Pilar y en un tono, que al parecer había desconcertado a la chica, le había preguntado: «¿Qué, pequeña...? Te gusta más la primavera que el invierno, ¿verdad?» Y la había mirado descaradamente al pecho.

* * *

Habían entrado en Cuaresma y Carmen Elgazu prohibió muchas cosas, sobre las que ella empezaba dando ejemplo: no tomaría ni postre ni café.

Había prohibido silbar y cantar. En resumen, todo cuanto fuera frívolo o extemporánea manifestación de alegría. Había prohibido ir al cine. Y Pilar volvería directamente de las monjas a casa.

¿Qué hacer los domingos sino ir al cine? Ignacio se fue a ver a Julio. Por lo demás, éste le andaba diciendo: «¿Qué te pasa, muchacho? ¿Te he ofendido en algo?»

El primer domingo, Ignacio encontró a Julio en un estado que Carmen Elgazu hubiera juzgado poco cuaresmal. El mueble bar estaba abierto y todas las botellas en desorden sobre la mesa. Julio daba la impresión de que, de haber eructado, se sentiría más ligero.

No obstante, tenía en los ojos la chispa especial de la cordialidad.

—¡Siéntate! Tomaremos coñac.

Ignacio se sentó, contento de que doña Amparo Campo estuviera ausente. Y Julio no perdió el tiempo. Le felicitó. Le sirvió coñac y le felicitó.

—Te felicito, muchacho. Sé que has estado en el Manicomio... y que te has ofrecido en el Hospital para dar sangre. ¡Chisssst te digo! Anda, bebe. ¿Y qué? —añadió—. ¿Ya sabes lo del análisis?

—No.

—¡Anda, brindemos! Primera calidad. Tienes sangre de primera calidad.

Julio tenía una expresión simpática, parecida a la que le conocía Matías Alvear las noches en que el policía iba a verle a Telégrafos. Y lo bueno de él era eso: siempre informaba de algo importante; por ejemplo, de que uno tenía sangre de primera calidad. Pero estaba completamente borracho.

De pronto señaló la mandíbula de Ignacio y gritó:

—¿Qué es eso? ¿Qué te ha pasado?

Ignacio estaba tan cansado de mentir en casa, primero con lo de las comuniones y ahora con la historia del carro, que allí dijo la verdad. Por otra parte, el principal motivo de su visita, o uno de los principales, era explicarle a Julio el resultado de su experiencia anarquista. Quería saber su opinión.

—Julio se puso más alegre aún.

—Pero, hombre..., ¿por qué no me lo dijiste antes? No hay nada que hacer, ¿comprendes? Nada que hacer.

—¿En qué no hay nada que hacer?

Julio puso unas cuantas botellas en el suelo. Dejó cuatro solamente sobre la mesa, y las colocó una en cada esquina.

—Separación de clases, ¿ves? El anís no será nunca coñac y el coñac no será nunca champaña. ¡Nada, nada! —prosiguió, viendo que

Ignacio quería hablar—. Los de arriba —tocó el cuello de la botella de champaña— no creerán nunca en tu sinceridad, y los de abajo —tocó la base de la botella de anís—, tampoco. Tú, clase media como yo, ¿comprendes?

Ignacio comprendía.

—¿Verdaderamente no hay nada que hacer?

—Brrrr... ¿Qué crees que ocurriría si fueras al notario Noguer y le dijeras: «Señor Notario, hace usted muy bien disparando en su finca contra los intrusos»? Nada. Ni te daría la mano. Ni hablar.

Ignacio reflexionaba. Le parecía que aquélla era una magnífica ocasión para sacar algo en claro de Julio. Le seguía la broma y bebía para acompañarle.

—Julio —le preguntó—, ¿es verdad que usted es comunista?

—¿Yo...? —Julio, que había encendido un pitillo, abriendo los brazos reunió de un golpe las cuatro botellas, haciéndolas tintinear.

Ignacio dijo:

—Me alegro. Porque aquí se rumorea algo...

—Idiotas, idiotas —repitió el policía—. Lo que pasa —se echó para atrás— es que a mí me interesa todo, ¿comprendes?

—¿Todo...?

—Sí. Todo lo que sea... ¿Qué te diré? Una gran transformación.

—¡Hombre! —exclamó Ignacio—. ¿Y cree que el comunismo lo es?

—¡Cómo! —Crujió los dedos—. ¡Caray si lo es! El otro día me contaban...

—¿Qué le contaban?

—Que en España no se atreven a... En fin, que se sirven del socialismo.

—No entiendo.

—Sí, hombre. Aquí no hay disciplina, ¿comprendes? Ya lo ves. Tú, individualista. Y el Komintern lo sabe.

—¿El Komintern sabe que yo soy individualista?

—¡No seas burro! Sabe que lo eres tú —le señaló—, que lo soy yo —se señaló—. Que todos somos individualistas. Por eso ha ordenado lo que te he dicho. —Con la diestra se dio un golpe en la otra muñeca, obligando a la mano izquierda a que se levantara—. El socialismo como trampolín.

A Ignacio le había interesado lo de la transformación.

—¿Así que le gustan las transformaciones?

—Sí. —Julio continuaba alegre—. Por eso me gusta Pilar, ¿sabes? Se está transformando.

Ignacio se puso repentinamente serio.

—Dejemos a Pilar, ¿no le parece?

—¡Bien, dejémosla! ¿Sabes qué...? Vamos a hablar de otro personaje. De Hitler.

—¿Otro transformador?

—Otro. También me interesa. ¿Qué? ¿No te han dicho si yo soy de Hitler?

—La verdad, no.

—Pues..., casi me interesa tanto como lo otro.

A Ignacio le pareció que Julio continuaba bebiendo demasiado y que llegaría un momento en que no sacaría nada en claro de él. Así que quiso precipitar las cosas.

—¿Qué sabe usted de la masonería, Julio?

—¡Uf..! —El policía hizo ademán de ahuyentar una mosca—. Nada. ¿Ves? Ahí, nada. Nunca he sabido absolutamente nada.

—¿Nada, nada...? No lo creo.

—¿Por qué no?

—Usted siempre sabe algo.

Julio pareció sentirse halagado.

—¡Ah, claro! Lo de todo el mundo. Que si el rey de Inglaterra, que si Martínez Barrio... Son masones, ¿verdad? ¡Y me hace gracia —añadió riendo— que siempre se hable del grado treinta y tres!

Ignacio quería estimularle.

—Bien, pero... de los ritos. O de la... organización... Por ejemplo. ¿Hay logias en ciudades pequeñas? ¿En una capital como... Gerona por ejemplo?

—Chico... —Julio ahuyentó otra mosca—. Para eso, ¿sabes? Los que no lo son, no saben nada; y los que lo son, no hablan. Así que... ¿Me entiendes? ¡Ah, a mí me gustaría más hablar de Pilar!

Ignacio vio que no había nada que hacer. Julio se había levantado y se balanceaba sobre sus pies.

—La ciencia... La ciencia... es otra gran...

—Sí, ya sé.

—Eso. —Julio añadió—: Cambiará el mundo. Una inyección a un vicario ¡y ale! —hizo crujir los dedos—, transformado en rector.

Aquella salida extemporánea hizo reír a Ignacio. Pero de pronto le recordó lo del vicario de San Félix, que se había ido a Fontilles. Miró al policía. Tenía la cara roja y los labios algo hinchados.

—Ya conoce usted la novedad, ¿no? —le dijo.

—¿Qué novedad?

—La del vicario de San Félix.

—¿Qué ha hecho...? —Se rió—. ¿Se ha casado?

—No. Se ha ido a curar leprosos,

—¡Ja! —Julio hizo luego una expresión de asco—. La ciencia...
arreglará eso.

—¿Cómo que arreglará eso?

—Una inyección... ¡y zas...! Holgarán los vicarios.

Aquello desagradó a Ignacio. Que no hubiera tenido un gesto de
admiración. Precisamente hallándose en aquel estado tenía que haberle salido espontáneamente.

—Pero... usted admira al vicario, ¿no es eso?

—No.

—¿No? ¿Cómo que no?

—Es un acto... tonto. Inyecciones, ¿comprendes? —repitió, apretando con el pulgar una jeringa imaginaria—. Sabios. ¡Sabios y no vicarios!

Ignacio se ponía nervioso. Julio se daba cuenta de ello y le hacía
ademán de que se calmara.

—Quieto, quieto... No lo olvides: «Sangre de primera calidad».
¿Quieres que te diga —añadió, levantando súbitamente el índice— el
mal de España?

Ignacio no contestó.

—Pues, escucha bien. En los partidos políticos no hay biblioteca.
¡Mentira! —añadió—. La hay, pero... no va nadie. —Se sentó para
sentirse más seguro—. ¡Y miento aún! —añadió—. En muchos pueblos... van las gallinas. ¡Eso es! —Hizo un gesto de asombro—. El
conserje no ve a nadie... y mete las gallinas.

—¿Y qué pasa con eso? Tenemos gallinas sabias, ¿no?

—¿Qué pasa...? Ya lo ves. —Señaló afuera con el índice extendido—.
Otra vez Semana Santa.

Ignacio le miró sin comprender.

—¡La procesión! Oye... —añadió, mirándole con simpatía y gui-
ñándole un ojo—. ¿Te puedo hacer una pregunta?

—Hágala.

—¿En qué mes estamos?

—Pues... marzo.

—¡Exacto! Marzo. Bien... En la procesión... ¿llevarás capucha?

Ignacio hizo un gesto de repentina convicción.

—Desde luego.

Entonces Julio pareció serenarse.

—Bien hecho, bien hecho... —Luego añadió—: Yo también la he llevado... algunas veces.

David y Olga fueron más explícitos. Insistieron sobre la influencia que la niñez y el ambiente tenían sobre las personas. Del Cojo dijeron que las costras eran efecto de desnutrición. Su padre murió en las canteras de Montjuich. Le sepultó un bloque de piedra, con la cual luego le labraron la lápida, en la falda de la misma montaña, en el cementerio. Ahora vivía con su madre, vieja increíblemente alegre, porque estaba convencida de que su hijo era abogado. Al salir todas las mañanas, el Cojo le decía: «Hasta luego, madre, me voy a la Audiencia». Pero en realidad desde los tres años no había comido a su gusto ni siquiera cuando le invitaba su tío el Responsable. El odio que el chico sentía por los Costa, actuales dueños de las canteras de Montjuich, provenía del accidente de trabajo que sufrió su padre.

El Grandullón, ya sabía; y en cuanto al Rubio, era, en efecto, hospiciano. Le recogió una mujer que le vio un día yendo al fútbol en fila con los demás chicos, pero a su lado, exceptuados un par de años de prosperidad, todo le fue malamente. Ahora el Rubio se ganaba la vida llevando maletas en la estación y se contaba que la vieja perdía la vista. Los vecinos la ayudaban porque el Rubio era bastante frívolo.

Todos tenían una historia parecida, desde Blasco hasta los serios dirigentes de la CNT. ¿Cómo quería Ignacio que al oír hablar del Seminario no se pusieran nerviosos? Ninguno de ellos había encontrado ayuda duradera en ninguna institución. ¿Qué decir? El padre de Blasco, según les contaron en Estat Català, era un hombre que todo lo que poseía lo llevaba en el interior de la gorra. Se sacaba la gorra, la depositaba como cuenco entre las rodillas y de ella iba sacando todas sus riquezas lentamente: tabaco, papel de fumar, unas fotografías, una goma, unas monedas, alguna vieja carta y un acta notarial, no se sabía de qué. Todo estaba impregnado del olor, color y grasa de sus cabellos y de su gorra. También era limpiabotas y fue quien enseñó a Blasco a hacer saltar con un estilete los tacones de los clientes.

Y en cuanto al Responsable, éste era caso aparte. Cuando nació, sus padres vivían holgadamente fabricando alpargatas. Pero ya su padre era un gran revolucionario, que introducía en la mercancía folletos de propaganda. Un día alguien le dijo que lo hacía para el negocio, que sabía que cuanto más revoluciones hubiera más de moda se pondrían las alpargatas. Le dolió tanto el falso testimonio y temió hasta tal punto que la gente lo creyera, que cerró el taller. Desde entonces dio tumbos con su mujer y su hijo, el Responsable, vendiendo pomadas en las ferias, y hierbas. De ahí le venía al Responsable su afición a la medicina empírica, el vegetarianismo y a hipnotizar. Su padre acabó encantando serpientes. Y cuando su madre murió, una serpiente que dormía con ella se le enroscó al cuello amorosamente y no podían despegarla. Esta imagen le quedó tan grabada al Responsable que desde entonces, cuando oía que alguien había aplastado la cabeza de una serpiente, se ponía furioso... Ahora trabajaba en el taller Corbera, fabricando alpargatas de nuevo e introduciendo idénticos folletos clandestinos que su padre. Pero de la prosperidad de su nacimiento le había quedado cierta manía admirativa por la gente instruida. Por ello hacía buenas migas con Julio García, y sin duda por ello había intentado ganarse a Ignacio.

Los maestros desconocían la historia del manicomio.

—Pero ya ves, chico —dijeron—, que no es fácil juzgar... ¿Al padre de Blasco qué le hubiera importado imprenta más o menos? Total, tampoco le habría cabido en la gorra.

* * *

Todo aquello constituía una experiencia. Y la Cuaresma avanzaba. Eran tantas las personas como Carmen Elgazu que habían prohibido a sus hijos silbar y cantar, que el ambiente de la ciudad era silencioso. Abstinencia y ayunos abundaban como el bacalao en las tiendas. Las piedras parecían más grises. En torno de la Catedral flotaba una aureola de recogimiento.

Todo aquello había terminado por impresionar a Ignacio, quien se preguntaba si no sería hora de ir a confesar. Porque las personas a las que las manifestaciones cuaresmales molestaban, y que querían contrarrestarlas por medio de altavoces, espectáculos picarescos o carreras ciclistas, conseguían arrastrar a muchos, pero no a Ignacio. A Ignacio le vencía la constancia de Carmen Elgazu y la cara de espanto de Pilar cuando se sorprendía a sí misma tarareando un vals. «¡Dios mío!», exclamaba. Y se llevaba la mano a la boca.

Ignacio quería confesar su caída con doña Amparo Campo. De pronto le producía verdadero horror, pensando que al fin y al cabo Julio era amigo suyo y de la familia. Pero nunca se decidía, dándose pretextos y excusas. «Cuando no tenga que estudiar tanto. Si el vicario de San Félix no se hubiera marchado a Fontilles...»

Pero, por otra parte, le causaba viva inquietud entrar en Semana Santa sin haberse reconciliado con Dios. La Semana Santa había impresionado siempre a Ignacio de una manera especial, incluso en el Seminario. Empezando por el Domingo de Ramos y terminando por la Pascua de Resurrección.

Y Gerona, desde luego, ofrecía un marco único para conmemorar aquellos acontecimientos.

—¿No sabes adónde ir los domingos? —le decía Carmen Elgazu—. ¡Vente conmigo al Vía Crucis del Calvario, ya verás!

El Vía Crucis en las capillas que ascendían Calvario arriba, al otro lado de las murallas. Catorce capillas blancas. Las tres primeras destacaban aún entre torreones y recuerdos bélicos, por un camino empinado y pedregroso parecido al que Carmen Elgazu vio en «Rey de Reyes» y que conducía al Gólgota. Pero las demás se erguían ya entre los prados frondosos que se caían por la izquierda, barranco abajo, hasta el río Galligans y los olivares que trepaban por la derecha. Olivares eternos, de propietario desconocido, puestos allí para esperar a que por Cuaresma se formara la gran comitiva del Vía Crucis hasta la ermita.

Un domingo Ignacio aceptó. Y luego hubo de aceptar muchos otros domingos. Entendió que haría tan feliz a su madre acompañándola, que le dijo: «Vamos al Vía Crucis del Calvario». «¿A qué hora es?» «A las tres, hijo. Saldremos juntos de aquí.»

Así lo hicieron. *El Demócrata* ridiculizaba aquel acto de pública penitencia; pero, por lo visto, había muchas personas que no le hacían el menor caso. Porque en el lugar de concentración, detrás de la Catedral, se congregaba siempre una considerable multitud que se ponía en marcha apenas el sacerdote que había de leer las Estaciones salía del Palacio Episcopal.

Pronto cruzaban la antigua puerta de salida de la ciudad y atacaban en silencio la cuesta pedregosa. Ignacio se sentía en el acto prendido en el ambiente de religiosidad. El lento avance de aquella multitud, el súbito ensanchamiento del horizonte y la visión de la primera capilla le obsesionaban.

La gente arrastraba los pies, con la vista baja, avanzando a veces sobre la hierba que orillaba el camino y de pronto levantando la vista en dirección a la ermita que aparecía allá arriba, escueta y solitaria. El sacerdote que llevaba el Vía Crucis iba en cabeza y al llegar ante cada estación subía al pequeño estrado y, abriendo el librillo, gritaba: «¡Quinta Estación!» Y se persignaba y la multitud le imitaba, haciendo una genuflexión ante la naturaleza y murmurando: «Señor, que con tu sangre redimiste al mundo...» Y el texto describía la primera caída de Cristo, la segunda, la tercera, cuando le dieron a beber hiel y vinagre...

A veces, hacía viento y los olivos se unían al coro: «Señor, que con tu sangre redimiste al mundo...» Las murallas abrían cuanto podían sus grandes boquetes para oír. La Catedral surgía ciclópea, increíblemente lejana, a espaldas de la comitiva.

Los más rezagados apenas si oían al sacerdote. La comitiva era tan larga que cuando éste había llegado a la undécima estación, ellos todavía estaban en la cuarta. Seguían la Pasión con los brazos caídos, el cuello inclinado hacia el pecho. Algunos se cansaban y se sentaban en el camino, con una flor del campo en los labios. A veces surgía un lector espontáneo, y entonces las voces de éste y el sacerdote que iba en cabeza se unían en el aire.

Y luego se cantaba. Ignacio no olvidaría jamás la impresión que le produjo oír cantar a su madre al aire libre, entre unos prados verdes y un olivar, en dirección a una ermita. «Ahora sí puedes cantar, hijo.» «¡Perdonadnos, Señooooor!» La voz de Carmen Elgazu salió frenética, algo chillona, pero con tal sinceridad que la de Raimundo, en el orfeón, era ridículamente frívola a su lado. «Perdonadnos, Señoor.» Al final se prolongaba como si cada ser tuviera escondido un eco en la garganta. ¿De qué debía perdonar el Señor a su madre? A él, sí, que manchaba la amistad, que llegaba un momento en que oía sin pestañear que lo que hacía falta eran inyecciones y no mártires. Pero a su madre, con la mantilla en la cabeza, el rosario colgándole de los dedos, tacones altos a pesar del camino pedregoso...

En la duodécima estación Cristo moría, y se hubiera dicho que la voz del sacerdote abría también en canal el paisaje, despedazaba las rocas. Pocas veces el cielo se cubría de tinieblas amenazando tempestad. Casi siempre era el sol el que presidía la ceremonia, un sol grandioso que se iba cayendo como una Hostia, tras las montañas de Rocacorba.

Todo terminaba de pronto, con sencillez, y entonces las mujeres descansaban en los bancos de piedra delante de la ermita y los más presurosos regresaban a la ciudad, guardando aún el silencio. Otros más valientes continuaban subiendo hasta las dos Oes, dos arcos, restos de muralla, que coronaban toda la comarca.

Ignacio regresaba a su casa del brazo de su madre. Si Pilar los acompañaba, a Carmen Elgazu le invadían grandes escrúpulos. Porque se sentía tan madre, tan orgullosa entre los dos, que casi se olvidaba de que el camino por el que bajaban conducía al Gólgota. Pero se recobraba y decía: «Con qué devoción lee mosén Alberto, ¿verdad? ¿Habéis oído en la duodécima estación?»

A Carmen Elgazu, una de las cosas que más le impresionaban, sin saber por qué, era lo de Simón Cirineo; en cambio, a Pilar le impresionaba lo de la Verónica. En Ignacio imprimía huella especial la palabra de Cristo a San Juan: «Juan, aquí tienes a tu Madre».

Era difícil, desde luego, subir al Calvario y sentir que se acercaba Semana Santa sin ir a confesar. ¿Cuántos de aquellos que cantaban entre los olivos estaban en pecado mortal? Tal vez él fuera el único, como en tiempos le ocurrió en el dormitorio del Seminario.

Y, sin embargo, al llegar a casa y entrar en su cuarto, se distraía. Y se ponía a estudiar. Y a veces a la media hora escasa se sorprendía silbando. Y entonces hacía lo que Pilar: se llevaba, asustado, la mano a la boca.

De este modo llegó el Domingo de Ramos. Sin ir a confesar, a pesar de la palabra de Cristo a San Juan.

Y en ese domingo se excusó aún, porque mejor que de penitencia le pareció un oasis de alegría en medio de las Estaciones. Las palmas de los niños, la evocación de la entrada triunfal en Jerusalén.

Pero luego vino el Lunes Santo, y el Martes y el Miércoles... Y no sólo en las iglesias dieron comienzo los grandes sermones de meditación, sino que de pronto Carmen Elgazu cubrió con un pedazo de tela morada el Sagrado Corazón del comedor. Aquella visión obsesionó a Ignacio, pareciéndole a la vez tenebrosa y dulce. La tela ocultaba la imagen, pero silueteaba su contorno, el de la cabeza e incluso el del globo terráqueo que llevaba en la mano. Todos los años ocurría lo mismo. La pequeña Virgen del Pilar del cuarto de la niña era cubierta también por una especie de capuchón morado, lo mismo que los crucifijos de las cabeceras. Y Matías veía desaparecer su radio galena en el fondo del armario de la alcoba.

¿Qué hacer ante aquel acoso de las fuerzas del alma? Incluso en el Banco, en aquellos días, se notaba como una tensión. El dinero se escurría de las manos como algo pasajero. A Padrosa le resultaba difícil imaginar que al llegar a su casa se pondría a estudiar el trombón, sustituto del órgano de la Catedral y del clavicémbalo. Y la Torre de Babel se iba al Ter, pero su triple salto era menguado. Y el de Cupones pasaba raudo con la bicicleta por las calles, pero tocaba el timbre lo menos posible.

El silencio dominaba la ciudad, convirtiéndola en fantasmal y nocturna. Incluso personas como los arquitectos Ribas y Massana admitían que nunca las piedras milenarias adquirían tan alto sentido como en aquella Semana. Y al llegar Jueves Santo, desde cualquier balcón contemplaban el discurrir de la gente visitando monumentos. Familias enteras entrando en la iglesia, y saliendo a poco, mujeres con peineta y mantilla, vestidas de negro, algunas con claveles rojos en el pecho y en el pelo. Había algo hermoso y oloroso en el ambiente y tenía gracia que los poco habituados hundieran las manos en las pilas de agua bendita sin acordarse de que en aquellos días estaban vacías.

Ignacio se decía: «Todo el mundo está de acuerdo. Y yo sin confesar. Y mañana la Procesión, a las diez de la noche, bajo la luna llena».

¡Ah! La procesión era distinto. La procesión de Viernes Santo tenía muchos, muchísimos detractores. *El Demócrata* entendía que había algo dantesco en el conjunto, inventado para dar miedo a los niños. Cosme Vila sentenciaba: «Es el carnaval de la Iglesia».

* * *

Pero los detractores no pudieron impedir nada. El Viernes Santo llegó, y todo ocurrió en él como desde siglos. Las tres horas de Agonía por la tarde, trágico sermón que hizo estremecer a Carmen Elgazù. Arena sembrada a lo largo de todo el itinerario que seguiría la procesión, para que los que llevaran los Pasos no resbalaran. Unas horas de suspensión total de la vida, porque todo el mundo sabía que Cristo estaba muerto.

Luego, hacia las nueve de la noche, los primeros penitentes subieron hacia la Catedral, lugar de concentración. Y la multitud abrió los balcones y empezó a situarse en ellos silenciosamente. Sería preciso ceñirse mucho: tantos eran los que tenían que caber. Y era necesario calcular que en el momento de pasar el Santo Sepulcro tendrían que arrodillarse.

Los detractores no pudieron impedir nada, la concentración de fieles era ingente, la Procesión se iba a celebrar. No pudieron impedir ni siquiera que de pronto la luna apareciera, en efecto, tras la línea de Montjuich, redonda y gigantesca, derramándose sobre los tejados.

Su aparición fue saludada por miradas de agradecimiento. Todo el mundo sabía que a la luz de la luna los colores serían más hermosos, las llamas de las antorchas temblarían más misteriosamente.

Todo estaba preparado. En la sacristía de la Catedral, un notario —el notario Noguer—, un dentista —«La Voz de Alerta»—, el director de la Tabacalera, don Emilio Santos, y un comerciante en maderas —don Pedro Oriol— sostenían sobre sus hombros el Paso de la Dolorosa, esperando la señal de partida.

Las Cofradías estaban alineadas, cada una con su color. Hábitos blancos —redención—, hábitos negros —luto—, hábitos amarillos, hábitos rojos —sangre derramada—. Y los capirotes, ocultando el rostro. Capirotes blancos, negros, amarillos y rojos se mantenían enhiestos bajo la bóveda de la catedral, esperando la señal de partida.

De cada hábito surgía una mano que sostenía un cirio o una antorcha. Todas estaban apagadas. Pero de pronto una se encendió. Y aquella primera llama fue transmitiendo a las demás el fuego sagrado. Nacían las lenguas de fuego como nacen en la noche en los camposantos.

El subdirector llevaba el pendón de la Adoración Nocturna con orlas y letras doradas. Don Santiago Estrada llevaba otro que ponía: «Instituto de San Isidro».

Un coro de monaguillos esperaba, partituras en la mano, y lo dirigía el director del orfeón, el de la gran cabellera al que todo el mundo quería pintar.

Las autoridades llevaban chaqué y sombrero de copa; afuera esperaban los penitentes. Los que irían descalzos, los que llevarían una cruz a la espalda, o arrastrarían cadenas. Todos habían hecho promesas: «Si se me cura el pecho; si mi hijo vuelve al buen camino». Examinando con atención los pies descalzos, se descubría un crecido porcentaje de mujeres.

Todo el mundo estaba en su lugar. Carmen Elgazu le había dicho a Matías: «¿No te das cuenta? Todos los hombres van a la procesión menos tú, todos hacen algo». Matías había contestado: «No seas así, mujer. Si no hubiera gente en los balcones, perdería su gracia».

Y, además, Matías entendía que con un representante de la familia, Ignacio, había bastante.

Los detractores no pudieron impedir que a las diez en punto mosén Alberto, con una suerte de báculo de plata, pegara tres golpes en las losas de la Catedral, muy cerca del lugar en que Carmen Elgazu las había besado, y que al oír la señal la comitiva se pusiera en marcha, al compás del redoblar de los tambores.

El descenso de las escalinatas de la Catedral, con la doble hilera de cirios y antorchas, parecía el descenso hacia un lugar ignoto, hacia un valle místico y desconocido en el que se iba a celebrar el juicio de la ciudad.

Por lo menos, así se lo parecía a Ignacio. Porque Ignacio era uno entre mil. Ignacio llevaba capuchón y hábito negros. Formaba parte de la Cofradía de la Buena Muerte. Era uno más entre los dolorosos fantasmas.

Bajo el capuchón, en el fondo de los dos agujeros que se abrían en él desorbitadamente, sus ojos titilaban inquietos. El muchacho sabía perfectamente cuál era su aspecto de fantasma, pues al vestirse en su cuarto se miró al espejo del armario. El hábito hasta los pies le impresionó enormemente; las mangas anchas, la faja, la punta del capirote tocando el techo. Pilar se había quedado pasmada y le dijo: «¿Por qué no te pones en el capuchón la estrella blanca del Belén, para que te conozcamos?» Pero Ignacio sabía que lo bueno era que nadie reconociera a nadie, que sólo se vieran capuchas, hábitos de distintos colores, ojos inquietos y manos anónimas que surgieran sosteniendo un cirio o una antorcha, descendiendo las escalinatas.

Ahora sabía la impresión que hacía llevar en la cabeza un gran capuchón erecto, sentirse enfundado como las imágenes de los altares. Daban ganas de rezar y de llorar. ¡Y todo era visible gracias a los dos agujeros a la altura de los ojos! ¡Cuánta importancia la de los ojos! Los ojos bastaban para ver y vivir el mundo.

Ignacio ponía buen cuidado en no quemar con su antorcha al que tenía delante. ¿Quién era? Alto, altísimo. ¿No sería la Torre de Babel? En el centro, detrás, el Cristo enorme, el desgarrado, el que según *El Demócrata* llegaba a los balcones. Hombres forzudos, con fajas transversales, lo llevaban y se relevaban a cada momento. No llevaban capucha. Se les veía la cabeza, se percibía el esfuerzo de sus músculos. Eran un panadero, dos matarifes, dos o tres campesinos. En el Banco se decía que cobraban por aquel trabajo.

Al llegar al pie de la escalera, se unieron a la procesión los caballos que abrirían la marcha. Seis caballos montados por oficiales del Ejército, el comandante Martínez de Soria en cabeza. Y detrás de los animales, uno de los personajes más importantes de la procesión: un vejete, Ernesto, hombre de sesenta y cinco años, con blusa azul, un capazo y una paleta, para ir recogiendo los excrementos.

Mosén Alberto lo dirigía todo y era evidente que servía para ello. Hacía una señal, y los tambores se callaban. Pegaba un golpe en el suelo y los monaguillos se ponían a cantar: «Miserere nobis». Las monjas del convento del Pilar, tras las celosías, contemplaban aquella gran sinfonía de colores negros, amarillos, blancos y rojos y veían cerrando la comitiva un pelotón de soldados custodiando el Santo Sepulcro tras el cual el señor obispo caminaba lentamente, entre pajes que sostenían cojines morados.

La población no participaba aún de la ceremonia. En la Rambla, en la calle de la Platería, en la plaza Municipal, en las aceras y balcones, se decía solamente: «Ya ha salido, ya baja los escalones de la Catedral».

Ignacio no conocía el itinerario. Prefirió no saberlo. Prefirió descubrirlo. Ahora pensaba en el índice de Julio diciéndole: «¿Tú llevarás capucha negra?» «¿Qué rezaría en aquellos momentos la mujer del Responsable?» Probablemente, los misterios dolorosos.

De pronto comprendió Ignacio que, en vez de atacar la bajada de San Fermín, se bifurcaba hacia la Barca: era preciso, por lo tanto, cruzar de parte a parte el barrio de las mujeres de mala nota.

¡Santo Dios! Ésta fue la segunda gran impresión que recibió. Porque en cada ventana había dos de ellas, o tres, con mantilla, cara ingenua, enharinada, la mayoría con rosarios en las manos. Algunas guardaban su abanico cerrado y lo abrirían, emocionadas, al pasar el Santo Sepulcro...

El Santo Sepulcro... Ignacio había visto muchas veces la imagen de aquel Cristo yacente, de color de pergamino. Era el más inmóvil de todos los Cristos que había contemplado.

Pero ahora el Santo Sepulcro quedaba atrás, no le veía. Tampoco veía los Pasos del Nazareno, de la Flagelación, de la Coronación de Espinas, pues iban mucho más adelante; ya debían de estar desembocando en la parte céntrica de la ciudad. Él se hallaba entre el Gran Cristo y el Paso de la Dolorosa, el que llevaban, sudando y respirando con fatiga, el notario Noguer, «La Voz de Alerta», don Emilio Santos y don Pedro Oriol.

Impresionaba, mucho más aún que en el Vía Crucis del Calvario, el ruido de los pies arrastrándose. La arena sembrada crujía, y, además, eran muchos centenares de pies. De pronto se callaba el coro, se callaban los tambores y se hacía el silencio absoluto. Cristo estaba muerto. Entonces volvían a oírse los pasos arrastrándose y las llamas silueteaban en los muros conos fantásticos.

Cruzaron la calle de la Barca. Aquello era ya la ciudad. Ahora ya la multitud participaba de la ceremonia. Todo el mundo apiñado en los balcones y ventanas, en las esquinas. En las esquinas había gitanos, niños, mujeres de las que en verano comían arenques y sandías en las aceras. Un crío muy pequeño, sentado en un alféizar, llevaba una nariz de cartón con gafas de alambre.

Ignacio no reconocía a nadie. Eran muchas caras con los ojos asombrados. ¡En la puerta de su establecimiento, el patrón del Cocodrilo! Se había quitado la minúscula gorra y se le veía la casi afeitada nuca.

Se avanzaba lentamente, había gente incluso en los faroles. Los ojos miraban para arriba, para abajo. Arriba, el gran misterio de la noche, abajo el de la cera de las antorchas derritiéndose. Formaba estalactitas que de repente resbalaban y quedaban petrificadas. A veces la llama chisporroteaba. Se notaba en la mano una humedad caliente. «Cuidado, era preciso no quemar al que iba delante.»

Y de repente, entraron en la Platería. Y la ciudad fue un abanico que se desplegaba. Todas las muchachas hermosas estaban en los balcones, reclinadas en las barandas. Doña Amparo Campo presidía el suyo, con peineta y mantilla. Ya no eran gitanas, mujerucas; las calles ya no eran angostas. Era la ciudad que se abría, los altos edificios, las familias volcadas al exterior sobre las tiendas, tiendas mudas y avergonzadas. Un murmullo de admiración corría a ras de las azoteas; se disponía de espacio para maniobrar; las perspectivas eran majestuosas.

A Ignacio le latía el corazón. Porque ya veía a lo lejos los árboles de la Rambla. Y ello significaba que pronto entrarían en ella y vería a los suyos en el balcón de su casa. Ahora se arrepentía de no haberse colgado la estrella en el capuchón. Menos mal que le había dicho a Pilar: «Tú mira las antorchas. Cuando veas una que se agita tres veces en el aire, soy yo».

¡Válgame Dios, era imposible! Pilar había visto los caballos, a Ernesto con la paleta y el capazo, los Pasos, a mosén Alberto, a todo el mundo. Y veía docenas de antorchas que se agitaban tres veces en el aire, o por lo menos lo parecía. Carmen Elgazu decía: «Pero ¿qué más da? Le reconoceremos en seguida». Matías decía que no, que era imposible pero también lo creía.

Matías quedó estupefacto una vez más al ver los penitentes descalzos. Los pies debían de sangrarles a causa de la arena. Le impresionaban más los que llevaban la cruz a la espalda que los que arrastraban cadenas. Las cadenas quedaban inmóviles un instante en el suelo; cuando el pie avanzaba, ellas avanzaban en pequeñas sacudidas. «Para que mi pecho se cure; para que mi hijo vuelva al buen camino.»

No, no le reconocieron. Ignacio pasó justo bajo el balcón, agitó su antorcha, miró hacia arriba inclinando hacia atrás el capirote, vio a su padre, a su madre, a Pilar y a las dos sirvientas de mosén Alberto con expresión arrobada, mirando para otro lado, señalando a éste, a aquél. Miraban a todos lados excepto adonde él se encontraba. ¿Cómo era posible? Debían de estar desconcertados por la luna, por los tambores. ¿No veían sus ojos titilando como estrellas en el fondo de los agujeros del capuchón?

Ahora ya no cabía hacer nada. Porque todo ello quedaba a su espalda. Habían avanzado mucho, mosén Alberto impedía con soberana maestría que se cortara la procesión. Ahora ya se encontraban frente al bar Cataluña, semicerrado. ¡Los limpiabotas estaban allí! Blasco con la boina en la mano. ¿Escondería también en ella todo cuanto poseía; tabaco, papel de fumar, aquel acta notarial...? También estaba allí la Torre de Babel, protegido tras de gafas ahumadas. Así, pues, la altísima capucha que precedía a Ignacio no era la Torre de Babel. ¿Y si fuera el coronel esquelético que vio por la calle de la Rutlla, del brazo de Julio?

La procesión daba la vuelta hacia la plaza Municipal. Ello significaba el regreso. ¡Qué corto era aquello y qué largo a la vez! Algunos de los pies descalzos sangraban, en efecto. La antorcha de Ignacio se había pegado a su mano. Su vecino le dijo: «Hubieras debido atarte un pañuelo».

Era el regreso. El abanico volvía a cerrarse. Era el regreso por la calle de Ciudadanos. ¡Por delante del Banco Arús! ¡Santo Dios, dentro había luz...! Era la luz del guardián nocturno. Guardaba aquella caja de caudales para que no entraran allí hombres enmascarados y con capucha negra a robarlo todo.

Y luego la calle de la Forsa —el barrio gótico— y luego la Catedral. Y al cruzar bajo la puerta sonó arriba, gravemente, la medianoche.

Ignacio se quitó el capuchón. Y respiró. Las sienes recibieron un soplo de aire fresco. Pensó: «Y todavía estoy en pecado mortal». Echó a andar hacia su casa. Sombras negras aleteaban aún.

—¡Hijo mío! ¿Dónde te has metido?

—¡Yo qué sé! He agitado la antorcha más de veinte veces.

Pilar pataleó.

—¿Pues cómo te íbamos a reconocer? Habíamos quedado en que una, dos y tres...

Ignacio se encontraba deshecho. Se encontraba fatigado, era preciso ir a dormir; al día siguiente hablarían.

Ignacio entró en su cuarto. Y colgó la capucha tras la puerta. Se desnudó, se metió en cama. Y entonces se quedó dormido en el acto, respirando profundamente. Y soñó. Soñó toda la noche, sin parar. Soñó que David y Olga le perseguían con cirios gritando: «¡Eh, hombre patético, que anduviste sembrando terror con los curas para sugestionar a la gente sencilla!» Él quería huir, huir, pero no contaba con otro vehículo que la tortuga de Julio García.

* * *

Gerona entera soñó con cirios, largamente. La procesión de las horas seguía. Ya la madrugada se abría paso, se deslizaba con sabor amargo.

De repente, Carmen Elgazu abrió la ventana del cuarto de su hijo. ¿Qué había ocurrido? Entró el sol a raudales.

—¿Qué pasa? ¿Qué ocurre?

—¡Sábado de Gloria! *Resurréxit!*

Ignacio se incorporó en la cama y escuchó. Su madre había quedado inmóvil. Todas las campanas de la ciudad volteaban a un tiempo. *Resurréxit!* Como si desde años hubieran esperado aquel instante. Y era curioso que, prestando atención, los sonidos pudieran ser distinguidos. Las dos campanas gemelas del Sagrado Corazón repicaban frenéticamente. La del Hospital les contestaba con la pureza del oro. La de San Félix se hundía, gloriosamente, en el agua del río. Las de la Catedral dominaban, despertando ecos de alegría en los patios y plazas de la ciudad. Allá lejos se oía la de las monjas Veladoras, minúsculo *din-din* que parecía de cristal.

Pero, sobre todo, las de la Catedral sobrecogían el espíritu. Se hubiera dicho que eran las piedras las que chocaban entre sí, adquiriendo de pronto calidades de bronce. La gente andaba por las calles indefensas ante el gran júbilo que se había desencadenado en el cielo azul. ¡Cómo hubiera gozado César! Los campaneros eran izados todos, sin excepción, a varios metros de altura.

Ignacio se vistió precipitadamente y salió. Gerona era un mar de alegría y mil olas de color salpicaban las fachadas. Entonces fue cuando empezó a correr el rumor: había estallado un petardo en el Palacio Episcopal.

Lo encendió un hombre solitario, forastero, pobre. No causó ningún daño. Sólo el pánico de aquellos que oyeron la detonación. Le detuvieron y le preguntaron: «¿Por qué lo has hecho?» Él contestó: «Dejadme, dejadme, yo quiero estar solo».

Luego volvieron a salir las muchachas hermosas. Todo el mundo olvidó al hombre pobre. Los cafés se llenaron, la niña del cuello de cisne estrenó un precioso sombrero juvenil...

Era el Sábado de Gloria, la Resurrección. Las mujeres habían ido al Sepulcro y lo habían encontrado vacío. La losa levantada, un ángel sentado a la puerta. Luego Cristo penetró en el Cenáculo y dijo a los apóstoles: «Id y predicad el Evangelio por el mundo».

Aquél fue, pues, el primer Seminario. Ignacio pensó que el Cenáculo fue el primer Seminario, el de la Sagrada Familia de los Apóstoles. La noticia era jubilosa. Por eso tañían las campanas. Por eso, mil novecientos treinta y cuatro años después Carmen Elgazu había abierto la ventana de su cuarto y la niña del cuello de cisne había estrenado un precioso sombrero juvenil.

¿Qué dirían ante todo aquello el Responsable, sus hijas, el Cojo, el Grandullón? Continuarían conspirando, porque aquello no resolvía el hambre de justicia de sus vidas. Ahí estaba como muestra el hombre pobre que quería estar solo. ¿Qué diría Julio? Nunca a base de inyecciones se conseguirían Sábados de Gloria... ni se resucitaría a nadie. ¿Qué dirían David y Olga? David y Olga estarían contentos porque ya se había terminado aquella Semana de sombras negras.

Ignacio recorrió la ciudad, durante la mañana del sábado, como ebrio. Emborrachándose de colores, de muchachas hermosas. ¡Incluso las de la Academia Cervantes, que vio en grupo en la Plaza de la Independencia, tenía algo de belleza resucitada! Y es que además de todo aquello estaban en el corazón de la primavera. Los árboles de la Rambla en la procesión le habían parecido maderos para crucificar. Pero ahora se los veía verdes y ufanos, riéndose con los niños, ¡y con el primer vendedor de mantecados! Iba a costar mucho esfuerzo volver a la realidad. Porque las campanas continuaban tocando. La que con más frenesí tañía, con más júbilo, era la de las monjas Veladoras, la más lejana, la del minúsculo *din-din*. Carmen Elgazu creía que las monjas Veladoras eran las personas que mejor sabían que nunca, jamás nadie podría resucitarse a sí mismo, si no era Dios.

CAPÍTULO XIV

La teoría de David y Olga era que si se hubieran levantado todas las capuchas de la procesión y contado los obreros que había debajo de ellas, la cifra hubiera dado mucho que pensar al señor obispo y a los redactores de *El Tradicionalista*, que consideraban el acto como una demostración inequívoca del fervor religioso de la ciudad. *El Demócrata* insistía en el tono supersticioso de todo aquello. Víctor, siempre medio artista y aficionado a la fotografía, había sacado unos clisés, prodigiosamente detallados a pesar de la nocturnidad. Víctor, en la barbería comunista donde continuaba reuniéndose el Partido, guardaba en una carpeta todos aquellos documentos. En uno de los clisés se veía, encorvado, el viejo Ernesto recogiendo excrementos, y al comandante Martínez de Soria contemplándole desde lo alto de su caballo.

En cuanto a Ignacio, consiguió volver a la realidad, lo cual le fue más fácil de lo que imaginaba; lo consiguió con sólo entrar en el Banco el martes por la mañana y encontrarse con un montón de Impagados. Según los empleados, la multitud acudió a contemplar la procesión por mimetismo, porque un espectáculo es siempre un espectáculo. Pero después todos querían justificarse. La Torre de Babel decía: «Yo salí un momento porque quería ver al director del Orfeón dirigiendo el coro de monaguillos». En cuanto a Padrosa, aseguró que pronto se cansó del desfile y que se fue a su casa a estudiar el trombón.

A Ignacio le ocurría algo singular: también sentía cierto despecho. Se veía obligado a disimular, para no ser piedra de escándalo y porque el subdirector se expansionaba con él como con la única persona capaz de admirar el pendón de la Adoración nocturna que había llevado todo el rato. Pero le penetró cierto despecho. Y cuando Cosme Vila sacó uno de sus bocadillos del escritorio y le preguntó: «¿Qué tal, qué tal la capucha? ¿Ya tienes el cielo asegurado, no?», contestó con violencia porque entendió que era su deber; pero, en el fondo, al evocar su imagen se sentía un poco absurdo.

Por fortuna, a Ignacio le había entrado el sarampión de las experiencias. Todo cuanto le ocurría lo convertía en su interior en una experiencia. Sólo su innato sentido del ridículo le impedía declararse a sí mismo: «¿Qué más da? Lo importante es que estoy viviendo intensamente».

Un hecho quedaba claro: la ciudad se iba dividiendo en dos bandos. *El Tradicionalista*, mosén Alberto, las Cofradías, don Santiago Estrada con su pendón —pendón del Instituto de San Isidro, instituto que defendía los intereses de los propietarios de la provincia—, el propio don Pedro Oriol y, en general, los vencedores en las elecciones habían desencadenado aquella ofensiva de antorchas; *El Demócrata*, David y Olga, Izquierda Republicana, el barbero de Ignacio, la UGT, los del Banco, los anarquistas, Víctor y el viejo Ernesto se decían ahora, cuarenta y ocho horas después del Sábado de Gloria, «que si no reaccionaban se los iban a merendar».

Menos mal que los Juegos Florales estaban cerca —el fallo se iba a hacer público de un momento a otro— y que el buen tiempo iba a permitir bailar sardanas sin respiro. Menos mal que las derechas no podían presentar junto a las procesiones un balance de realizaciones prácticas referentes a los mil problemas sociales planteados. Por el contrario, cuarenta y ocho horas después del repique de campanas, el número de obreros en paro frente al Bar Cataluña señalaba un cincuenta por ciento de aumento con relación a la primavera anterior.

Ignacio vio a estos obreros al salir del Banco, camino de su casa. Ahora le impresionaría mucho el Cataluña. En primer lugar, ya no vería en él, nunca más a su amigo Oriol; en segundo lugar, ahí estaba Blasco todo el día. En cuanto éste le viera entrar le diría: «¡Cuidado con hacer de soplón, mamarracho!» Tal vez le preguntara por la mandíbula.

Por cierto, ¿en qué había parado el proyecto de la imprenta?

Matías era el más ecuánime. «Digan lo que digan, el espectáculo en Gerona es de aúpa.» En el Neutral no escatimó elogios. «De aúpa, ésa es la verdad.» Don Emilio Santos no podía opinar, porque anduvo oculto todo el rato bajo el paso. Julio García comentó: «No se puede negar que la Iglesia Católica sabe organizar estas cosas». Matías prefería la austeridad de aquella procesión a lo que ocurría en la de Sevilla, donde, según él, debido a la excesiva duración y al temperamento la gente tenía que salir de la fila a comer y beber. Y algunos terminaban completamente borrachos.

Y, sin embargo, acaso las dos personas que más habían gozado —más, incluso, que Carmen Elgazu— fueron las dos sirvientas de mosén Alberto. Cuando vieron a éste en medio de la Procesión, con aquella especie de báculo de plata dirigiéndolo todo, dando órdenes aquí y allá, impecable toda su indumentaria, con los zapatos que le relucían a la luz de los cirios, no cupieron en sí de satisfacción. Para ellas, sin darse cuenta, mejor que manifestación de luto, la ceremonia significó el triunfo de mosén Alberto.

Y en cuanto a éste en persona, su presentación como maestro de ceremonias le valió toda suerte de plácemes. Desde sus criadas hasta el señor obispo, todo el mundo le felicitó. En las visitas a sus amistades, visitas que inició el martes: el notario Noguer y esposa, don Santiago Estrada, don Jorge y los Alvear, no recibió sino parabienes. Él iba diciendo: «No crean, no crean. Todavía pudo ir mejor. Se rompió un momento cuando la Cofradía de la Purísima Sangre llegó al Puente de Piedra».

Un detalle le impedía saborear a sus anchas el triunfo: había recibido carta del vicario de San Félix que se había ido a Fontilles... Y aquello le había devuelto a la realidad de sus vanidades humanas. Gracias a la carta confesó que la procesión se había roto un momento al llegar al Puente de Piedra.

Le impresionó tanto, que la fue leyendo a todo el mundo. El notario Noguer le dijo: «Vea usted, a mí no me importa ver lo que sea, y muchas veces he ido al Hospital; pero eso de la lepra...» Don Santiago Estrada, hombre alto, eternamente vestido de gris, dijo: «Sí, creo que Gil Robles ha concedido una subvención importante a esa leprosería». Don Jorge alineó en el comedor a toda su familia, incluida la esposa, y les obligó a escuchar la lectura de la carta del vicario. Sus siete hijos —cuatro varones y tres hembras— y las dos criadas, sentadas en dos taburetes a la puerta de la cocina, no levantaron la vista hasta mucho después que mosén Alberto hubo leído, al final de la hoja que tenía en las manos: «Un abrazo en Cristo de su affmo., reverendo Luis, ex vicario de San Félix».

Pero, en el fondo, en ninguna de aquellas casas ocurrió nada de particular. El notario no tenía hijos, los dos de don Santiago Estrada ya habían regresado al internado —«pobrecita, era bonita y al año y medio se murió»— y a los siete de don Jorge —cuatro varones y tres hembras— les era imposible rechistar, pues el árbol genealógico de la pared habría agitado sus ramas lanzando sus frutos contra sus cabezas; ahora bien, en casa de los Alvear...

En casa de los Alvear todo ocurrió de otro modo porque en ella había un exaltado: Ignacio. Ignacio, quien continuaba mirando a mosén Alberto como si éste llevara eternamente capucha negra.

El sacerdote subió a su casa el miércoles, después de comer. Recibió los plácemes, disolvió el azúcar en el café y luego leyó la carta.

224

—¡Lea, lea! —le había rogado Carmen Elgazu—. Nos gustará mucho. Y, en efecto, les gustó. Porque la carta era ejemplar. En ella el ex vicario describía brevemente la vida de la leprosería de Fontilles. No se detenía en detalles de horario ni arquitectónicos, ni hablaba para nada de las personas que servían a los enfermos; hablaba exclusivamente de éstos, situándolos, como siempre, en primer término.

En resumen decía que en Fontilles ocurría como en todas partes: había enfermos de todas clases. Leprosos que vivían poco resignados, contemplándose sin cesar las manos, el pecho, la cara o donde les mordiera la dolencia. Por más que les prohibieran tener espejos, siempre hallaban donde contemplarse: en un vaso de agua —sosteniéndolo largo rato, increíblemente inmóvil—, en cualquier charco, o en los cristales de la ventana. De repente, muchos de ellos se echaban a llorar. Otros andaban siempre apartados de los demás, como buscando por los rincones su identidad perdida. En otros, la enfermedad avanzaba lentamente y querían marcharse, marcharse al mundo y vivir; no hacían más que mirar afuera y acercarse a las rejas o palpar las puertas. Otros estaban resignados y alegres; éstos eran, según mosén Luis, los elegidos de la gracia. ¡Con qué entusiasmo y fe hablaban de la Resurrección de la Carne!; éste era el misterio que más impresión producía en los leprosos. Había uno de ellos, el más alegre de todos, un vasco, que pintaba. Era viejo y siempre pintaba cuerpos magníficos, en lo alto de una colina, que despedían rayos de oro. Decía: «¡Hermanos, así seremos un día todos nosotros!»

Carmen Elgazu tenía los ojos húmedos. Resistió hasta el momento en que el pintor vasco se había subido a la colina; pero entonces ya no pudo más y se había llevado el pañuelo a la nariz.

A Matías, le había desagradado una cosa: que una carta así hubiera sido leída delante de Pilar. En cuanto a Ignacio, se pasó la mano por el cabello negro y encrespado. Se había impresionado ¡cómo no! Y había pensado sin cesar en las teorías de Julio sobre las inyecciones. Incluso dijo: «Desde luego, vivir allí debe de ser...» y no halló nada suficientemente admirativo con que terminar la frase.

Pero entonces ocurrió lo inesperado. Mosén Alberto explicó, con muy buen sentido, que sin negar que había personas no religiosas que practicaban obras de misericordia, el porcentaje de grandes sacrificados era abrumadoramente mayoritario en el haber de la Iglesia Católica. Dirigiéndose a Matías añadió: «Usted mismo, aunque se ría de lo de los sellos a los negritos, admite que las misiones...»

Todo el mundo lo admitía. ¿A qué insistir? Mosén Alberto insistía porque había algo que al parecer no le cabía en la cabeza: que siendo todo aquello así, no sólo *El Demócrata* hiciera la campaña que estaba

225

haciendo, sino que hubiera exaltado que se atrevieran a tirar un petardo en el Palacio Episcopal.

Eso dijo, en un to: o que le salió inesperadamente duro, como a veces le ocurría sin darse cuenta, y cambiándose el manteo de brazo. Ignacio, entonces, le miró. No supo por qué, pero el malestar que comúnmente sentía en presencia del sacerdote aumentó en su interior en proporciones y rapidez desconcertantes. Le vio tomarse el café de un sorbo, sacarse el pañuelo, secarse con él los labios, los labios que acababan de decir: que se atrevieran a tirar un petardo al Palacio Episcopal. ¿Por qué aquel hombre estaba tan asombrosamente seguro de sí mismo?

Ignacio no supo lo que le ocurrió. Días después lo atribuyó a que no había ido a confesarse. Otras veces pensó que fue simplemente una demostración de la violencia de su carácter, algo comparable a lo que debió de ocurrirle al Responsable cuando de pronto le agarró de la solapa gritando: «Los niños a beber leche, ¿oyes...? ¡Leche!» El caso es que al oír aquellas palabras del sacerdote, todo desapareció de su entendimiento excepto una fulgurante sucesión de imágenes: la del Grandullón robando gallinas cuando era niño; la del Cojo diciéndole a su madre: «Hasta luego, madre, me voy a la Audiencia» y la del Responsable, diminuto, un crío aún, yendo, de la mano de su padre, por ferias y mercados para vender pomadas. La infancia. La infancia de los seres. ¿Qué sabían en Palacio —qué sabía mosén Alberto— de la infancia de aquel hombre pobre que había tirado el petardo en el Palacio Episcopal?

No supo lo que le ocurrió. Empezó hablando de eso, sin dejar de mirar a los labios de mosén Alberto. Y al ver la expresión súbitamente dolorosa y un tanto sarcástica del sacerdote, el muchacho se cegó. Y continuó hablando, nervioso como siempre que oía demasiado su propia voz. Y ante la estupefacción de Carmen Elgazu y el miedo de Pilar, le dijo a mosén Alberto que era preciso distinguir, y que no se podía condenar de aquella manera... Él, Ignacio, rendía homenaje a mosén Luis y le besaba la mano... Entendía que era admirable hacerse misionero y convencer con sellos a los negritos para que se dejaran bautizar. Aceptaba el porcentaje de obras de misericordia en el haber de la Iglesia Católica; pero de eso a lo dicho, a condenar a los descontentos, a los hombres solitarios... Se equivocaba mosén Alberto al extrañarse de que hubiera hombres así. En realidad, había muchos. En realidad, en la procesión sumaron más de la cuenta las «Voces de Alerta». ¿Cuántos obreros hubo bajo las capuchas? Desgraciadamente muy pocos... ¿Y todo por qué? Era lamentable decirlo, pero... por un César o un mosén Luis que hubiera, había muchos sacerdotes asombrosamente seguros de sí mismos, que en la práctica vivían totalmente desconectados de los hombres humildes. ¿No sabía mosén Alberto lo que le había ocurrido a César en la calle de la Barca? En muchas casas le dijeron: «¡Cura! ¿Qué quieres? ¿Comprar nuestros votos?» Claro está, no estaban acostumbrados a que un seminarista o un cura fueran a afeitarlos. Los sacerdotes eran impopulares: ésta era la verdad. En el Seminario lo vio, ¿por qué ocultar aquello? Al fin y al cabo, estaban allí para hablar, para exponer opiniones y decir verdades. El señor obispo no se preocupaba de ninguno de los problemas de aquellos hombres que lanzaban petardos. ¡Doloroso decirlo, pero lo que hacía falta era... quién sabe! Tal vez menos pendones con letras doradas y más mezclarse con los necesitados, convivir con ellos. Precisamente le habían contado que en otros países había sacerdotes que incluso trabajaban en talleres, llevando mono azul... Claro que, lo primero que hacía falta para eso era conocer a los obreros, a esos hombres necesitados. Convivir con ellos. La verdad era que ahora, por el momento, no los conocían. Ni sabían por qué eran así y no de otra manera. Se limitaban a eso, a censurar su conducta y a profetizarles grandes males. En cuanto los oían blasfemar o los veían salir de un local con la cara enrojecida, ¡bueno!, les consideraban pecadores, poco menos que casos perdidos. A veces desde el púlpito... les decían cosas peores. ¿Por qué todo aquello? ¡Era muy fácil no pensar en petardos teniendo cuenta corriente en el Banco Arús! Pero al Cojo y al Grandullón y a los parados del Cataluña, ¿qué se les reservaba? ¿Cómo hablar de procesiones y catecismo a aquellos parados, o a las mujeres que cobraban tres pesetas en la fábrica Soler o en Industrias Químicas, si sus propios hijos los miraban irónicamente? Tal vez la Iglesia debiera dirigirse directamente... al pueblo. Hacer lo que algunos sacerdotes del campo, que prácticamente eran los hermanos de todo el pueblo, los padres. Y nada de soberbia jerárquica, de envanecerse o abusar de la gracia de estado que la ordenación les ha conferido. Amistad: los curas debían ser amigos de la gente e invitarla a fumar y jugar a las cartas con ellos. ¡Y menos hablar del infierno y más de las ventajas de la fidelidad y el amor! ¡Y no emplear sino muy raras veces la palabra resignación, porque entonces los que sufren creen que la religión está de acuerdo con los poderosos para que los obreros continúen dejándose explotar! Un cambio radical, absoluto, se imponía. Los sacerdotes... siervos de la gente. Y no mezclarse en asuntos políticos ni arreglar bodas ni aconsejar financieramente a las viejas... Tabaco, repartir mucho tabaco y constituirse en una fuerza terrible contra los potentados y los orgullosos, contra la ignorancia y determinados artículos de *El Tradicionalista*. Nada de consejos tímidos a los ricos,

227

sino denunciarlos, denunciarlos desde el púlpito con escándalo. Poner en la puerta de la iglesia carteles que dijeran: «¡Prohibida la entrada a los que no consideren hermanos a los demás hombres!» ¡Llegar a ser, si se podía... —iba a decir una barbaridad— consiliarios de la CNT! ¿Qué? Parecía un disparate ¿no es eso? Pues no lo era. Él, Ignacio, vio que era incapaz de hacer esto y colgó los hábitos. Un ¡viva!, un ¡hurra! para muchos curas de pueblo que eran el sostén moral de muchas familias en caso de apuro; pero para otros sacerdotes... nada, absolutamente nada. ¡Qué se le iba a hacer! Ya en el Seminario se había dado cuenta de que se les hablaba de todo menos de que los desahuciados eran los elegidos del Señor. «Id y predicad el Evangelio por el mundo.» No habló para nada de poner cartelitos en latín a los retablos... Tampoco los apóstoles le seguían a Cristo llevando cojines rojos o morados. ¡Era muy bonito predicar! Pero cuando uno trabajaba ocho horas diarias entre quince hombres y empezaba a leer en su interior, se daba cuenta de que muchas palabras pasaban sin rozarlos, que no se les satisfacía su sed. Mosén Alberto debía comprender todo eso antes de sorprenderse y de condenar.

Carmen Elgazu estaba completamente horrorizada. Su estupefacción era absoluta y su dolor tan intenso que no había acertado a levantarse a interrumpir el discurso de su hijo. Había permanecido sentada bajo el calendario de corcho del comedor, mirándole y llorando. Las lágrimas le habían ido cayendo y le parecía imposible que aquel ser de dieciocho años que tenía delante, alto, inteligente y con los ojos fuera de las órbitas, hubiera salido de sus entrañas. Le pareció revivir los dolores del parto y recordaba con ironía las palabras de las vecinas de Málaga, que porque había nacido en treinta y uno de diciembre profetizaron que sería obispo. ¡Que Dios la perdonara, pero ella, que era la madre de aquel ser, hubiera preferido haberle perdido, después de bautizado!

Matías no decía nada. Fumaba. Sentía un respeto inmenso por su hijo. Ignacio veía claro, tenía razón y era un valiente. Su mujer lloraba porque era ignorante. El sacerdocio, entendido como decía Ignacio, sería algo perfecto. ¡Si su hijo fuera diputado votaría por él! Él, Matías, era creyente. Tenía fe. Siempre tendría fe. La religión era indispensable. Y era cierto que existía Dios. Él lo había comprendido gracias a Carmen Elgazu. Antes de casarse había tenido muchos amigos en Madrid, por todas partes, que se lo tomaban a chacota. Él los había imitado. Y se había encontrado en mitad de la vida como un imbécil, sin saber por qué estaba en Madrid y no en otro lugar y por qué las personas se enviaban tantos telegramas unas a otras. Pero después de casarse había comprendido que alguien existía superior a los hombres.

Alguien total y único, que se llamaba Dios. Si no, no se explicaba el mundo, ni que uniéndose él y Carmen hubieran nacido Ignacio, César y Pilar. Ni que Pilar fuera tan hermosa y tuviera aquellas mejillas sonrosadas. Sin religión la gente no sabía qué hacer, sobre todo cuando las cosas marchaban medianamente. Hacían lo que Julio, que de un tiempo a esta parte parecía tener varias caras; y otros acababan como los padres de David y Olga. Pero de eso a defender a mosén Alberto... había una diferencia. ¿A qué iba cada semana a su casa? ¡Su mujer ya estaba convencida, y César también, y él ya tenía tabaco! Mejor lo que decía Ignacio: que fuera por el barrio de la Barca. ¡Consiliario de la CNT! Tenía gracia. Ignacio era un tío. El Director de la Tabacalera se reiría mucho con aquello.

Pilar estaba desconcertada y una vez más buscaba en vano sus trenzas para tirar de ellas. ¡Nuri, María y Asunción no darían crédito a lo que acababa de suceder! En cuanto a mosén Alberto, había enrojecido. Sentía que le tocaba defenderse so pena de hacer un papel lamentable.

—Muy bien, Ignacio, muy bien —le dijo, al cabo de un rato, tabaleando en la mesa—. Has aprovechado muy bien las lecciones de los maestros que te has escogido. Te parece muy fácil, todo muy fácil. ¡Lástima que no seas Papa! ¿Qué quieres que te conteste? Ya de pequeño eras así.

—¡No, no, antes no era así! —interrumpió Carmen Elgazu, sollozando.

—Bueno... quizá fuera mejor no decir nada, pero voy a contestarte. ¡Prohibida la entrada! Ya sabrás que en la Iglesia no puede prohibirse la entrada a nadie, y tú mismo dices que nadie debe condenar... Y por lo demás, estás hecho un mar de contradicciones. Todo tu discurso está lleno de contradicciones. Primero dices que no nos metamos en asuntos de familia y luego pides que seamos como hermanos, como padres. Que fumemos con la gente, que juguemos a las cartas. Si me ves jugando a las cartas, dirás que pierdo el tiempo y que lo que quiero es divertirme, como en el café. Impopulares... ¡Naturalmente que somos impopulares! Predicamos que el hombre debe dominar sus pasiones, sus vicios. Vamos contra sus apetitos. ¿Cómo vamos a ser populares? Si dijéramos: ¡Ale, que cada uno haga lo que quiera, todo es válido: la gula, la avaricia, la lujuria; cuanto más comáis y robéis, más gloria tendréis en el cielo, tendríamos a todo el mundo con nosotros! ¡Ricos y pobres! En cuanto a lo del terror, ¡qué quieres! Si hablamos del infierno es porque el infierno existe y hay que advertir de ello a la gente y no porque nos guste. Pero si alguien va contra los ricos, es decir, contra la riqueza mal adquirida o mal administrada, es precisamente la Iglesia la que les recuerda constantemente lo difícil que será para ellos salvarse. Ahora bien, todos nosotros tenemos que pedir ayuda a la gente que tiene dinero; y si te refieres a las reservas de los obispados ten en cuenta que son para el culto y en previsión de persecuciones, que por desgracia no faltan, como ahora en Alemania. ¡Pero te desafío a que en toda España me cites a cincuenta sacerdotes que no lleven una vida personal de acuerdo con sus votos! Si los semanarios como *La Traca* te han convencido de que comemos pollo todos los días y nos enborrachamos y tenemos secretos en casa, te compadezco de veras, porque no es cierto. Tú mismo en el Seminario te lamentabas de la excesiva austeridad. Si alguno de nosotros heredó algún dinero, lo cual es muy raro, pues actualmente los seminaristas salen casi todos de familias muy pobres —y sobre ello también te invito a reflexionar—, examina su caso y verás que no disfruta de él personalmente, para sus gustos. A veces se encuentra atado por cláusulas de testamento, otras lo va distribuyendo conforme a su manera de pensar y en la mayoría de los casos con acierto. Pero la verdad es que la mayoría no poseemos sino una sotana nueva y otra estropeada. Que somos hombres y tenemos flaquezas... ¡quién lo niega! ¡Cómo vas a exigir que la tonsura nos convierta automáticamente en santos! Pero conseguimos conservar la fe en el alma de muchos españoles. La mayoría de gente se bautiza, se casa como Dios manda y muy pocos son los que mueren sin arrepentirse, confesarse y recibir la bendición. ¡En otras naciones se ha ensayado, es cierto, tu sistema de que los sacerdotes salgan de las iglesias! Mira los resultados. No sólo muchos sacerdotes, trasplantados aquí ante temperamentos como el tuyo, serían piedra de escándalo, sino que allí la degeneración es completa. En los países escandinavos no se da importancia a nada; en Alemania, ya lo sabes; en Francia han entronizado el placer, en Inglaterra lo adoran a la chita callando. En el fondo, tus ideas son protestantes y lo que ha traído el protestantismo es que cada cual campe por su gusto. Si existe una reserva espiritual en el mundo es en Italia, gracias al aroma del Vaticano, y en España, porque la Iglesia vela sin cesar y porque aquí no faltan nunca monaguillos que canten el Miserere. El odio que muchos sienten hacia nosotros no se debe sino al extremismo de los corazones. Y la prueba está en que, en caso de revolución, lo mismo se mata a sacerdotes como el vicario que cuida leprosos, que a sacerdotes como yo, que, según tu opinión no hacemos nada que valga la pena. En cuanto a la soberbia, también hay mucho que hablar. Somos más humildes de lo que crees, lo cual no significa que nos dejemos pisotear sin ton ni son. Podría citar docenas de ejemplos de humildad, y de esfuerzos íntimos para no reaccionar ante gente que nos es antipática como reaccionaríamos si fuésemos seglares. De estos sacrificios nadie se entera, y sólo se comenta si la liturgia nos ordena ponernos un casquete con ribetes dorados. Pero yo estoy dispuesto a demostrarte que también soy capaz de hacerlos. Ya ves. Me has dicho cosas muy desagradables; pues estoy dispuesto a humillarme delante de ti, delante de tus padres y de tu hermana. Estoy dispuesto a pedirte incluso excusas por todo cuanto haya hecho o dicho que haya podido ofenderte.

—¡Por Dios, mosén Alberto! —gritó Carmen Elgazu.

—Y más aún. Puesto que hemos pasado la Cuaresma...

—¿Qué quiere...? —interrumpió Ignacio—. ¿Lavarme los pies, como a los apóstoles...?

Matías, ante el ex abrupto de su hijo, reaccionó de una manera fulminante.

—¡Basta, Ignacio! —ordenó—. Vete a tu habitación. ¡Y tú, Pilar, lo mismo!

Hubo un cambio de decoración. El muchacho se levantó sin prisa. Se encogió de hombros y luego se dirigió al pasillo y abrió la puerta de su cuarto.

Pilar, con timidez, cruzó el comedor y abrió la puerta del suyo.

Al quedar solos Matías, Carmen y el sacerdote, hubo un instante de gran tensión. Finalmente, aquél se levantó de visible mal humor. Dio dos chupadas a su cigarrillo y se dirigió a su vez hacia la puerta.

Su mujer, todavía con el pañuelo entre los dedos, le dijo:

—No te irás a marchar, Matías...

—¿Por qué no? Me voy a jugar al dominó.

CAPÍTULO XV

Carmen Elgazu pedía sacar inmediatamente a Ignacio de las garras de David, y sobre todo de las de Olga, de quien todo el barrio de la Rutlla decía que parecía un hombre y que en verano se la había visto en el jardín llevando pantalones.

Matías Alvear se negó a ello, porque entendía que podía perjudicar sus estudios. Ahora bien, reconocía que el muchacho había estado insolente con lo de lavar los pies y pensaba castigarle.

—Le obligaré a ir a pedir perdón a mosén Alberto.

—¡Santa palabra! Te advierto que yo tampoco se lo dejo pasar.

La cena transcurrió en silencio. Después del rosario, Ignacio se levantó para irse a la cama. Al dar las buenas noches, Carmen Elgazu le llamó:

—Acércate.

Él obedeció, mirándola con fijeza. Entonces su madre le dio un beso y acto seguido, con premeditada violencia, un terrible bofetón.

—Y ahora espérate, que tu padre quiere hablarte.

Ignacio, fuera de sí, barbotó algo ininteligible y desapareció en su cuarto.

—¡Matías! —llamó Carmen. Pero la mujer vio que su marido había desaparecido de nuevo.

* * *

Ignacio pasó toda la velada del jueves en casa de los maestros. No les contó una palabra de la borrasca que azotaba a la familia; de modo que ellos no tuvieron por qué disimular el buen humor de que disfrutaban. Buen humor por dos motivos. Primero, porque el surtidor del jardín, después de dos meses de mudez, se había decidido a funcionar de nuevo; segundo, porque en aquellas fiestas de Semana Santa habían conseguido terminar su Manual de Pedagogía.

—¿Qué le parecía el surtidor? Chorro puro de agua que ascendía como una flecha y que al final se curvaba como el puño de un bastón.

—Bastón en el que no se apoya nadie —rió David.

—¡Qué dices! —protestó Olga—. Sostiene todo el jardín.

En cuanto al Manual de Pedagogía, una copia estaría ya en manos del Ponente de Cultura de la Generalidad. Si había suerte Ignacio vería el librito impreso y adoptado por gran número de maestros catalanes.

Era el fruto de su experiencia y de interminables horas de diálogo. Proponían muchas cosas, todas centradas en la idea de la libertad del hombre.

Nada de imprimir en el cerebro de los niños huellas que luego pudieran perturbar su juicio. Antes de los diez años, ni una palabra sobre religión, sobre la maldad de la gente o los grandes problemas de la conciencia. A los diez, presentarles en un tablero todas las concepciones, con absoluta objetividad, ante un mapamundi y unas estadísticas, y que ellos eligieran poco a poco. Y nada de pizarras negras: los ojos necesitan alegría. Y una vez por semana lavarse la cabeza bajo una fuente. Para juzgar las faltas cometidas en clase, un tribunal formado por los propios alumnos. Y cultivar todos juntos un pequeño campo. Y adoptar en colectividad a una persona pobre. El francés, obligatorio. Cantar. ¡Acabar pronto con el misterio del problema sexual! Insistir continuamente en la idea de solidaridad. Estimular la afición para todo cuanto tendiera de un lado a la conquista del espacio: cometas, globos, planeadores, aviación; del otro, al conocimiento del subsuelo: arqueología, geología, pozos petrolíferos, etc... ¡Y sobre todo acuarios! Un gran acuario en la clase. Es decir, en la clase no porque el movimiento de los peces distrae; pero en un cuarto anexo. El mundo submarino es el botón mágico de la poesía, etc...

Ignacio los oía con sumo interés. Hablaban con gran aplomo, uno tras otro, plenamente identificados. Tenían respuesta para todo. ¿Cómo solucionar lo del problema sexual? «Figuras anatómicas.» ¿De qué color las pizarras? «Según el paisaje.»

Era consolador ver aquella unión, especialmente a la luz del atardecer, con un surtidor murmurando.

Jugaron a Analogías, juego predilecto de Olga.

—Si «La Voz de Alerta» fuera bebida, ¿qué bebida sería?

—¿«La Voz de Alerta»...? Horchata.

—¡Sí, sí!

—¡Agua de Carabaña!

—Eso, eso está mejor.

—Si Julio García fuera animal, ¿qué animal sería?

—¡Araña!

—¡Pulpo!

—¿Estáis seguros de que no es un centauro?

Ignacio regresó a su casa con los nervios bastante templados. Sobre todo porque a última hora, desde el jardín, vieron la puesta del sol. Hubo un momento en que, en opinión de Olga, el astro pareció un ser humano. Los rayos, los brazos en alto; el disco, la cabeza; la montaña, la masa del cuerpo; las piernas, dos lejanísimas chimeneas de fábrica. En otro instante, una nube tenue le puso en la cara un bigote blanco parecido al de Lerroux.

* * *

Pero la cena volvió a ser silenciosa. Carmen Elgazu tenía una manera entera de disgustarse. Cuando se disgustaba sufría todo su cuerpo, enteramente. La frente, sus ojos, la boca, el cuello, su pecho, su cintura e incluso las piernas se le hinchaban un poco. Matías había dicho un día en el Neutral: «En cuestión de saber disgustarse, mi mujer es un hacha».

Ignacio le leía el disgusto en la manera de retirar los platos, en la leve disminución de energía con que abría el grifo de la cocina. En jornadas triunfales, el chorro del grifo salía con fuerza arrolladora, como la ducha el día en que César fue a bañarse; en aquella cena se le oía gotear sobre los platos con un punto de fatiga.

Y, sin embargo, aquello no era todo. Ignacio sabía que la mayor demostración la tendría como siempre al entrar en su cuarto. Era la costumbre de los Alvear. Cualquier acontecimiento bueno o malo en la familia recibía su representación simbólica en algún objeto depositado sobre la cama o dentro de ésta. En el santo de Matías, éste se encontraba al acostarse con una carta de felicitación cosida en el pijama, o al introducirse entre las sábanas sus pies tropezaban con una escalera de puros. A Carmen Elgazu más de una vez le habían cosido los puños de las mangas de su camisón de dormir. Ignacio estaba seguro de que aquella noche tendría una sorpresa.

Y así fue. El crucifijo no estaba en la cabecera; estaba en el centro de la almohada, trágicamente reclinado. Tenía un aspecto obsesionante, como un impacto en la blancura de la ropa. Ignacio supuso en seguida que era obra de Carmen Elgazu; porque la estrella del belén que bailoteaba sonriente entre los barrotes de la cama era evidentemente obra de Pilar...

Ignacio se desnudó desasosegado. ¿Qué hacer? Sentía lo ocurrido. Su madre le quería con toda su alma y él le correspondía. Recordó mil escenas de la niñez, cuando aquélla le subió a la Giralda, cuando estuvo enfermo y ella le cuidó noches enteras sin dormir, hasta que el peligro hubo pasado.

Debía de ser muy importante lo ocurrido, puesto que su propio padre le dio una sorpresa en el cuarto. Se la dio cuando el muchacho estaba a punto de apagar la luz. No fue ningún objeto entre las sábanas; Matías prefirió presentarse allí en persona.

Ignacio, al verle, le miró intentando sonreír con los ojos; pero no le salió porque la expresión de su padre era también de estar muy disgustado.

La escena fue muy breve. Matías se sentó en la cama de César, jugó un momento con la estrella del belén, que Ignacio había arrancado y depositado en la mesilla de noche, y luego le dio la orden —sin excusa ni pretexto— de ir a pedir perdón a mosén Alberto.

—Vas mañana. ¿Me oyes? Le dices: Mosén... estuve un poco grosero. Porque lo estuviste. A pesar de que muchas de las cosas que dijiste me parecen acertadas, te portaste de una manera indigna. Todavía eres jovencito para que un hombre de la edad de mosén Alberto te lave los pies. Y, además —añadió—, era nuestro huésped. —Después de un silencio terminó, levantándose y dirigiéndose a la puerta—. Ni siquiera tu primo de Madrid —que en estas cosas piensa más lejos que tú— se hubiera atrevido a decirle semejantes cosas.

234

Ya en la puerta se volvió.

—Y cuando lo hayas hecho le das un beso a tu madre, que bien sabes que lo merece.

Esto último le rindió. Ignacio no tuvo ánimos para analizar, sopesar, buscar argumentos. Estaba un poco fatigado en seriedad. A veces pensaba que Julio tenía razón cuando le advertía: «Créeme, búscate una novia». De acuerdo. Pediría perdón a mosén Alberto. Claro que él no habló para nada de si los curas comían pollo o se emborrachaban; pero, en fin, el tono que empleó... Le pediría perdón. Iría al Museo y le diría: «Mosén..., estuve algo grosero». En ocasiones parecidas había encontrado un medio fácil para no sentir la punzada de la humillación: ir allí pensando en otra cosa. Hacerlo como un autómata, sonriendo. Como quien dice en la taquilla del cine: «Una entrada. Platea».

Con este propósito se durmió.

Pero al día siguiente, en el Banco, cambió de idea. La figura de mosén Alberto se le apareció con relieve angustioso. Entonces tomó una súbita determinación. Pidió prestada un momento la máquina de escribir a Cosme Vila. Se sentó y escribió:

Distinguido mosén Alberto: Mis padres me han ordenado que le pida perdón por mi grosería. Así lo hago. Ellos creerán que he ido personalmente... Créalo usted también, se lo ruego..., y me hará un favor. Su affmo. servidor. — IGNACIO.

Puso la nota en un sobre y llamó al botones.

—¿Tienes que salir?

—Luego. A buscar los periódicos.

—Pues hazme un favor. Sube al Museo Diocesano —ya sabes, al lado del Ayuntamiento— y entrega esto a la sirvienta que te abra la puerta.

—De acuerdo.

—Muchas gracias, pequeño. ¡Ah, toma! Y cómprate un mantecado.

* * *

Fue, como en otras ocasiones, la reconciliación.

—Mamá, he ido a ver a mosén Alberto. En fin, le he pedido que me perdonara. Ahora yo te perdono a ti el bofetón. —Se le acercó y le dio un beso. Carmen Elgazu se lo devolvió en movimiento reflejo. Todavía no había digerido aquellas palabras.

—¿Qué dices...? ¿Que has ido a ver...?

Matías desde el balcón intervino:

—Sí, mujer, sí. Yo quería decírtelo luego..., pero ya ves, ya está hecho.

La frente de Carmen Elgazu rejuveneció. La mujer se arregló el moño. ¡Bien, no todo estaba perdido! El grifo de la cocina volvería a chorrear con fuerza.

—¡Ah, hijo, hijo! No me des estos disgustos, ¿oyes? No escuches a los demás, créeme. Piensa siempre en lo que te ha enseñado tu madre. Un sacerdote... es el representante de Dios, ¿comprendes? Anda, te daré un plato de crema.

Un plato de crema. Lo mismo que en Málaga, cuando era pequeño. Ignacio respiró hondo. Era difícil vivir cuando la familia sufría por culpa de uno. Le entraron unas ganas incontenibles de ordenar sus pensamientos, de hacer cosas. Llegó a pensar que la teoría de las vitaminas de que hablaba Julio debía de tener sus puntos débiles. ¿Por qué un plato de crema podía comunicar tanta fuerza?

* * *

Por fortuna, no sólo había decidido hacer cosas, sino ordenar sus pensamientos. Porque lo primero sin lo segundo...

Y lo primero que admitió fue que debía hacer el gran esfuerzo de todos los años por aquella época: estudiar, porque los exámenes se acercaban. Esfuerzo mucho más intenso que en los años anteriores, dado que era el último del Bachillerato. Si lo aprobaba, ya era un hombre...

Y luego, tenía que buscarse la novia. En efecto, ya sobraban tanto futbolista y tanta capucha. Una novia, una chica de diecisiete años. No, de dieciséis. No, de diecisiete. Bueno, de dieciséis, pero que aparentara diecisiete.

¡Ahí sería nada llevarla a la Dehesa —ahora que todo estaba verde y oloroso— y enlazar, ¡por fin!, su dedo meñique con su dedo meñique...! Al diablo el de Impagados arrastrando aquella mujer de manos redondas, fofas... Unos dedos alargados, finos, de terciopelo. Unos dedos como los de la chica de cuello de cisne..., pero que no fuera hija de un abogado tan importante. Abogado, abogado... ¿No sería él abogado, cinco años después de haber terminado el Bachillerato? ¿Y no llegaría a serlo también importante?

Pilar siempre le decía: «Asunción me ha dado recuerdos para ti». ¡Qué tontería! Asunción era una niña. No tenía... nada. Todavía no tenía nada. Ignacio necesitaba una forma de mujer. Como la de la gitana que iba con aquel hombre que era a la vez su hombre y su padre.

¡Válgame Dios, vio la que le convenía en la fiesta de los Juegos Florales en el Teatro Municipal! Una de las Damas de Honor. La reina,

236

no. La reina fue la hermana del arquitecto Ribas, gorda y de mirada boba. La corona en la cabeza le sentaba como si se la hubieran puesto al patrón del Cocodrilo. Pero entre las Damas de Honor había una muchacha que era la primavera en persona. No recordaba haberla visto nunca. ¿En qué balcón estaría cuando la procesión? En ninguno. Porque de haber estado en uno, la habría visto.

Fue una fiesta magnífica para él. Contempló a la muchacha durante todo el rato. Cuando ésta sonreía, el escenario quedaba iluminado. ¡Suerte de ella! Porque las poesías premiadas...

Suerte tuvo ella de él. Porque el resto del público, al parecer, estaba absolutamente embebido con las poesías y las banderas catalanas; sin acordarse de su sonrisa. ¡Qué aplausos y qué vivas y qué repeticiones! El poeta laureado recitaba como si de cada sílaba dependiera el porvenir de la raza.

¡Pobre Jaime, pobre Jaime empleado de Telégrafos!... Nada, ni un accésit. Escondido en un palco iba siguiendo con el alma fuera de los ojos la apertura de los sobres por el Secretario del Jurado. Ahora dirán: Amor. Nada. Otros poemas que no eran el suyo. Matías ya se lo había advertido. «¿Pero no comprende usted, Jaime, que si le hubieran premiado se lo habrían notificado ya?» Jaime contestaba: «Que no, que no. No abren el sobre hasta última hora, en el escenario». ¡Tantas noches de búsqueda, sin resultado! «Pecó usted por demasiada austeridad —le decía Matías—. Por demasiada economía de elementos.» Porque en las poesías premiadas las metáforas no faltaban. Las mujeres eran sirenas, aire, humo, luna, frufrú de seda, barcas de vela que se hacían a la mar. Matías decía: «Lo son todo menos mujeres».

Pero no importaba... para los que no eran Jaime. El entusiasmo era extraordinario. En el Teatro Municipal estaba presente Gerona entera. Aquello constituía una implícita protesta contra la política anticatalanista que Lerroux llevaba a cabo desde el Gobierno. Una de las poesías premiadas se titulaba: «El pueblo cautivo».

Y por lo demás, si la sesión de los Juegos Florales pecó tal vez de sentimentaloide, en cambio, el espectáculo de la noche fue de una calidad imponente; cantó en Gerona el Orfeón Catalán.

Fue un éxito que se apuntó el arquitecto Ribas: consiguió que aquella imponente masa de cantantes de Barcelona se trasladara, bajo la dirección del maestro Millet. Y la perfección armónica que aquel coro había alcanzado, la cantidad de dificultades técnicas resueltas con la maestría con que mosén Alberto resolvía las de la procesión, la increíble matización de cada frase, el borrarse cada uno para servir al conjunto, la belleza de las composiciones, transportaron a todo el mundo. Había momentos en que las voces estallaban como un trueno súbito que rebotaba contra el techo y que luego descendía en modulaciones lentas hasta terminar en un austero lamento. Otras veces la masa arrancaba débil de la base e iba ascendiendo en olas sucesivas construyendo la gran pirámide. Y de pronto, al llegar a la cima se desplegaba en una apoteosis de notas que era un mar, un mar interminable, un mar de gargantas humanas en plena creación de arte, fieles a la batuta del maestro Millet. Las voces eran humanas, y en consecuencia, contenían en sí toda la naturaleza. Podían ser caballos al galope, brisa, campanas, júbilo. Composiciones como *La Mort de l'Escolá* redujeron a la nada a los oyentes, aplastaron sus almas contra las sillas. Se decía que apenas si había grandes voces, que una por una las voces eran corrientes; todo se debía a la tenacidad, al alma, a los ensayos, al conjunto, al director.

El pobre director del Orfeón Gerunda, al que habían reservado un palco, al final de cada pieza, en vez de aplaudir, se quedaba mirando al escenario como hipnotizado. Y el barbero Raimundo, al fondo de la platea, tenía la boca más abierta que cuando él mismo cantaba. En el entreacto, todo el mundo tenía la sensación de que aquello constituía un golpe mortal para el Orfeón Gerunda. ¿Quién se atrevería a cantar, después de aquello? En varias revistas extranjeras se citaba al Orfeón Catalán como el mejor del mundo. Era difícil substraerse al contagio y no creer, como *El Demócrata*, que un pueblo que cantaba de aquella manera no podía morir.

Don Emilio Santos, al terminar, le hubiera regalado al maestro Millet no un puro sino toda la Tabacalera. Ignacio se había quedado absolutamente estupefacto, lo mismo que su padre. De pronto Cataluña se le presentaba bajo otro aspecto. Como algo serio, viril, profundo. Con sus defectos como en todas partes, nacidos tal vez del deseo de emulación, excesivo, y de la soberbia que podía dar la superioridad conseguida por propio esfuerzo. Matías salió murmurando: «¡Caray, caray!»

Por desgracia para el arquitecto Ribas y su acompañamiento, todo aquello ocurría en primavera y el concierto no duró más de dos horas. Al día siguiente, era tal el entusiasmo que todo el mundo quería hacer algo, algo grande y digno, a tono con lo que acababan de oír; y entonces los organizadores del acto volvieron a tomar, como todos los años, en aquella estación, la paleta y los pinceles.

El arquitecto dio el ejemplo, con su taburete portátil y su visera. Y puesto que el maestro Millet le había dicho: «Yo me inspiro en la melodía popular y virgen», él eligió, para pintarlo, el valle de San Daniel, cuya naturaleza no había sido sujeta aún a la vigilancia del hombre.

¡El valle de San Daniel! Era el valle que el riachuelo, el Galligans, cruzaba al fondo oeste de la vertiente del Calvario. Por aquel valle no pasaba el tren, como por el de la Crehueta. No había plátanos milenarios, como en la Dehesa. En aquel valle lo milenario era sólo eso, el valle. Había olmos. Olmos graciosos, altísimos, que temblaban por cualquier cosa. Y acacias y, sobre todo, muchos prados verdes y muchos ladridos de perros cerca o lejos. Lo abrupto no empezaba sino siguiendo hacia el norte, montaña arriba otra vez. El valle era como un reposo que se daba la tierra. Si la tierra hubiera tenido una mano, aquel valle de San Martín habría sido su palma abierta. Con la línea de la vida surcándola —el Galligans—, con la línea del corazón —los jugosos y fértiles prados—, con el monte de Venus —una colina propicia al sueño de los enamorados, al amor—. Tenía el valle algo escondido y remoto. Con una fuente en su desembocadura, que contenía hierro milagroso. En la palma de aquella mano los enamorados —y el arquitecto Ribas— soñaban en los viajes que harían, estudiaban sus inclinaciones, hacia el arte o las matemáticas, lanzaban profecías sobre el triunfo —combinación Sol-Júpiter— o la derrota de sus vidas. Enfermedades... la mano señalaba pocas. Tal vez gracias al agua ferruginosa.

En opinión de Matías era una lástima que los pintores que habían inundado aquella maravilla no acertaran con los verdaderos colores de aquel valle. No sólo los verdes sino los azules, los amarillos, los rosas de que se cubrían el cielo y la tierra al atardecer. Por desgracia, a su entender la mayor parte no veían en los troncos de los árboles sino las cuatro barras de sangre. Por lo demás la primitiva orientación de la escuela pictórica había evolucionado. Ya no era el paisaje relamido. Eran las líneas duras, recortadas, sin matices, los colores mezclados en torbellinos. Los cuadros se llamaban *fauve* u otro nombre importante. Era considerada pintura valiente. Ignacio husmeaba entre los caballetes. Matías decía: «Hay que ver, hay que ver... En Málaga no pintaban así...»

CAPÍTULO XVI

El malestar crecía como una oleada. Ya no eran las tímidas protestas de los primeros días, los encogimientos de hombros. Ya no se trataba solamente del problema regional; los vencedores en las elecciones demostraban no tener ninguna prisa. Componendas ministeriales, despliegue de fuerzas, banquetes. Por ahí estaba el paro obrero aumentando, las zonas misérrimas en el campo, los proyectos de reforma de la enseñanza detenidos, los trenes marchando a la pata coja. Entendían que nada de lo proyectado por el Gobierno anterior era aceptable; pero nada surgía, práctico, en substitución.

Un frente común izquierdista se delineaba para hacer frente a aquel período. Había estallado una cadena de huelgas en todo el territorio nacional. Y muchos disturbios. En Barcelona habían soltado, sin frenos, un tranvía que bajó por la calle Muntaner como un fantasma, sembrando el espanto entre los transeúntes, hasta que se precipitó contra un coche en la Gran Vía reduciéndolo a chatarra y envolviéndolo en llamas. En Jaén se había declarado una tremenda huelga de campesinos, y los huelguistas, armados con hondas, lanzaban piedras contra los que se negaban a abandonar su azada. ¡Extraña muerte la de un agricultor encorvado sobre los surcos recibiendo una piedra en plena frente!

En Gerona, los ánimos se exaltaban con todo ello. Y el tono de El Tradicionalista no servía para atenuar las cosas. El Demócrata consideraba a todos los dirigentes derechistas de Gerona —Liga Catalana, CEDA, monárquicos— igualmente ineficaces y responsables.

En todo caso, el mecanismo interno de estos dirigentes difería mucho uno de otro, por lo cual parecía extraño que no se diferenciaran sus actos.

En primer lugar, don Jorge. Don Jorge poseía aproximadamente cuarenta fincas, era verdad. Pero estimaba que el sistema patrimonial que ello implicaba era necesario para la conservación de la tierra. Estaba absolutamente convencido de que la multitud lo echa todo a perder y que los repartos no sirven para nada, pues a los pocos años el que lleva algo en las venas ha vuelto a subir unos peldaños. Era un hombre bajito, de mentón enérgico, que no se creía en la necesidad de mirar enteramente a las personas para reconocerlas. Al andar por la calle, algo instintivo —por el ruido de los pasos, por la manera de entrar en una escalera— le iba diciendo: «Ése es un pequeño comerciante, ésa es una criada». No los despreciaba. Al contrario, siempre decía que todo el mundo tenía derecho a ser respetado; pero opinaba que las personas de distinta clase social no debían mezclarse unas con otras. Creía que, al mezclarse, cada una perdía lo mejor de sí misma sin adquirir nada en cambio. A su heredero, Jorge, le decía siempre: ¿«Qué le vas a enseñar tú a un obrero? Y un obrero, ¿qué va a enseñarte a ti? Respétale, si un día tienes que hablar con él, y procura que tus colonos tengan para vivir; pero cada uno en su mundo». Estaba convencido de que en sus propiedades una huelga como la de los campesinos de Jaén era imposible. «Los propietarios andaluces debían de haber dado a sus colonos demasiada confianza...»

240

El notario Noguer era una persona distinta. Hombre más bien raquítico, con párpados caídos y esquinados que daban a sus ojos un aire cansado, triangular. Al no tener hijos se había ido introvertiendo. Le gustaba todo cuanto era sólido y los muebles de su piso parecían una prolongación de los de Liga Catalana: vetustos, de roble, con libracos. Nunca quiso tener grandes propiedades porque estaba convencido de que los campesinos, lo mismo si se mezclaba con ellos como si no, y fuera cual fuera el tono de *El Tradicionalista*, no le respetarían jamás. Por ello quería vivir independiente y se atrincheraba tras su profesión. Su signo notarial era algo extrañísimo; un palo que descendía y luego una serpiente que se le iba enroscando. El palo debía de ser él y la serpiente los obreros en paro y el malestar reinante. Le molestaba que don Jorge fuera Presidente de Liga Catalana a título prácticamente honorífico, que no actuara. «Ahora la responsabilidad cae enteramente sobre mí.» Pero hacía honor a ella, porque entendía que había llegado la hora de no dormirse. «Si nosotros no aguantáramos —decía...—. Hay que ver cómo se van cayendo las grandes familias...» Su despacho era el gran puesto de observación. Consideraba su propiedad de Arbucias como su isla. No tenía sentido productor del campo, como don Jorge. Le interesaba la tapia amurallada, un ciprés plantado desde muchos años y observar como iba creciendo; tener gruesas llaves cuyo destino sólo conocieran él y su mujer. La gente que le trataba veía en seguida que tras sus párpados caídos se ocultaba una gran energía.

Don Santiago Estrada era un poco el revés de la medalla. Alto y elegante, uno de los personajes decorativos de la ciudad. Todo lo hacía con la sonrisa en los labios. Dirigía la CEDA como jugaba al tenis. Por eso había elegido un partido político joven. Por eso en la procesión se exhibió llevando un pendón alto y dorado, mientras el notario Noguer se escondía bajo un catafalco. Tenía una mujer hermosa, y sus hijos rebosaban ingenio. Su coche no traqueteaba como el de don Pedro Oriol. De un optimismo desconcertante, ni los petardos en el Palacio Episcopal ni los tranvías le imprimían la menor huella. Antes de las elecciones estaba seguro de ganar, y ganó. Ahora estaba seguro de que la CEDA conduciría a España a buen puerto.

Su elegancia era reconocida por todas las mujeres, incluso por las hijas del Responsable. Tenía una dentadura maravillosa, que «La Voz de Alerta», bromeando, le había propuesto comprar para guardarla en una urna como modelo. Pelo brillante, ojos algo aniñados, piel en la que se notaba la diaria fricción de colonia. Consideraba sus propiedades como un regalo que agradecer a su buena estrella y como un medio que le permitía dedicarse a la política y al tenis, que constituían su pasión. Consideraba que don Jorge era demasiado unilateral y que el notario Noguer carecía de sentido del humor. En el fondo se encontraba a gusto entre señoras. El comandante Martínez de Soria le tenía por frívolo; en cambio, el subdirector del Banco Arús le adoraba. Siempre decía de él: «Es un hombre al que todo le sale bien».

El Demócrata, en la sección «Dime con quién vas y te diré quién eres» escribió un día: «A don Jorge el miedo a la palabra revolución le ha impelido a tener siete hijos, al notario Noguer le ha incapacitado para tener ninguno; don Santiago Estrada no cree en ella». Julio García comentó: «Aquí el que demuestra más instinto es don Jorge. Y no sería extraño que un día el notario Noguer y don Santiago Estrada tuvieran que pedir ayuda a los siete hijos de don Jorge para defender sus propiedades».

Estas diferencias, añadidas a las que separaban entre sí a «La Voz de Alerta» y don Pedro Oriol, monárquicos —el dentista se mantenía fiel a Alfonso XIII; el comerciante en maderas era carlista— imposibilitaban que la acusación de *El Demócrata* fuera cierta, que todos los dirigentes derechistas tuvieran idéntica responsabilidad.

En realidad, si en Gerona las reivindicaciones obreras se habían visto paralizadas; si la subvención al Hospital, al Manicomio y al Hospicio no había sido aumentada, a pesar de haber aumentado los gastos de estos establecimientos; si en el campo faltaban abonos y la industria pesquera no recibía el apoyo necesario, en opinión de Matías ello se debía, en parte, a la desunión de la propia gente, a la cobardía de algunos en el momento de plantar cara, a las envidias y, desde luego, a la frivolidad de don Santiago Estrada. Porque la CEDA era el único partido en situación de privilegio para arrancar de Madrid soluciones globales. La responsabilidad de don Jorge, del notario Noguer, del alcalde y demás autoridades, era, a su entender, más limitada.

En cambio los Costa, en Izquierda Republicana, los radicales en el café en que jugaban al «chapó» y los socialistas hacían tabla rasa y repetían sin cesar: «Habrá que ir a una huelga general». Lo único que los contenía era la evidencia de que el Gobierno de la Generalidad había empezado a tomar posiciones y a enfrentarse enérgicamente con el Gobierno de Madrid. «Vamos a ver, vamos a ver. No nos precipitemos.»

Los Costa eran bien vistos a pesar de su posición social, de ser dueños de las canteras, de la fundición más importante de la ciudad y de unos hornos de cal que acababan de adquirir. Hermanos gemelos, eran demócratas por naturaleza. Se hacían perdonar los enormes puros que fumaban porque repartían otros igualmente enormes a todo el mundo. Macizos, siempre perfumados y con la punta del pañuelo saliéndoles del bolsillo, por sus maneras, por preferir temperamentalmente hablar con futbolistas que con personas distinguidas, daban la impresión de que deseaban que los demás vivieran como ellos vivían. En el fondo simbolizaban el triunfo posible. Tenían autoridad moral para decir: «Sí, señor. Seguidnos y un día vosotros también poseeréis canteras, fundiciones y hornos de cal».· Y si había alegría popular —fiestas de barrio, excursiones, Peña Ciclista y fútbol—, era gracias a sus cheques. Los empleados del Banco Arús, especialmente Padrosa y el cajero, les decían a Ignacio y al subdirector: «A ver, a ver cuando don Jorge o don Santiago Estrada pagan una orquesta para que se diviertan los chóferes o las criadas».

Del Banco, sólo Cosme Vila consideraba a los Costa unos burgueses más peligrosos que los demás. Decía que hacían lo mismo que el sacristán del Colegio de los Hermanos de la Doctrina Cristiana, que contentaba a los chicos ingenuos dándoles un poco de regaliz. Pero el barbero de Ignacio, con su cicatriz en el labio, barbotaba: «¡Bah! Eso es buscar tres pies al gato. Si todo el mundo fuera como ellos, mis dependientes tendrían una casa suya y un huerto».

Todo aquello era complejo y la mentalidad general estaba un poco desconcertada. Se salvaban las inteligencias rectilíneas, obsesionadas: por ejemplo, el Responsable, el Cojo, el Grandullón.

Ellos no habían variado un ápice porque los verdes fueran más intensos o porque hubiera cantado el Orfeón Catalán. Para ellos el principal enemigo, el que era preciso aniquilar inmediatamente, continuaba siendo el mismo: *El Tradicionalista.* Por eso una noche más estrellada que las demás decidieron llevar a la práctica su proyecto, y armados de martillos y otros extraños instrumentos de golpear, irrumpieron en la imprenta del Hospicio por la pequeña puerta indicada por el Rubio, la que daba a la calle del Pavo, y destruyeron la linotipia, la gran rotativa, arrasaron los caracteres de letras, los mordieron, los pisotearon, inundaron hasta deshacerlas las balas de papel. Y luego, pensando en Víctor —jefe comunista, enemigo de los anarquistas, más odioso que los accionistas del periódico— destrozaron todos los utensilios del taller de encuadernación, y el material allí preparado.

Fue un acto decisivo, llevado a cabo por pocos hombres, con eficacia absoluta. El taller daba la impresión de que había pasado por él un huracán.

* * *

La conmoción fue considerable en la ciudad. Cuando el botones llevó la noticia al Banco Arús, a media mañana, todos los empleados dejaron la pluma sobre la mesa y se interrogaron entre sí. Aquél era el primer incidente serio en Gerona, la primera protesta activa.

Ignacio se puso en pie. El Director palideció, porque pocos días antes había llevado al taller de encuadernación las Obras Completas de Pérez Galdós, para que Víctor las encuadernara en pasta española.

Ignacio hasta la hora de la salida se mordió las uñas. ¡De modo que el Responsable se había decidido, a pesar de todo! Le pareció grotesco. Aquello no iba a beneficiar a nadie, y en cambio perjudicaría a muchos.

Todos en comitiva se dirigieron hacia el Hospicio en cuanto terminaron el trabajo. Era difícil acercarse a la puerta, pues, a pesar de los guardias de asalto, la aglomeración era enorme. Sin embargo, se veían dentro hilos eléctricos cortados, astillas. La calle estaba llena de letras de plomo de todos los tamaños. Varios pequeñuelos jugaban con ellas a formar su nombre. Uno buscaba la G por entre los zapatos de los curiosos.

Los comentarios eran de todas clases. Ignacio quería entrar. ¿Cómo lograrlo? El Jefe de Policía en persona andaba por allí. De repente, salió del local «La Voz de Alerta». Se le veía furioso, desencajado. Sus finos labios le temblaban y su raya a la derecha prolongaba su cráneo. Llevaba entre las manos algo que brillaba: era la cajita de los panes de oro que se empleaban para el dorado en la encuadernación.

—¡Paso, paso!

En medio de la confusión, Ignacio vio que por la calle del Pavo se acercaba Julio García. Adoptó aire decidido y puesto a su lado, y ante la estupefacción de Padrosa y el resto de los empleados, pudo entrar en el taller con pasmosa inmunidad. El cajero comentó: «Ya lo veis, chicos. Tiene cinco años de bachillerato».

Dentro no se podía dar un paso. Pero Ignacio dejó inmediatamente de ver policías, periodistas, astillas. No tuvo ojos sino para el grupo que formaban diez o doce niños del Hospicio, con blusa uniforme, como de presidiario, pelados al rape como él en el Seminario, en un rincón, junto a las balas de papel inservibles.

En seguida comprendió que eran los aprendices de la imprenta y del taller de encuadernación. Aquellos de los que él había dicho en casa del Responsable: «Por lo menos, que aprendan un oficio». Uno de ellos, alto, espigado, tenía la cara completamente tiznada.

No pudo menos de acercárseles, aunque de momento no se atrevió a decirles nada. Los miró a los rostros. Pensó: desnutrición.

Muy cerca de ellos estaba Julio García. ¡Qué aire de competencia y sentido de la responsabilidad el suyo! Sombrero ladeado, frente combada, escuchaba a unos y otros moviendo la cabeza. En la manera de jugar con la boquilla, Ignacio comprendió que le habían encargado de la investigación.

De pronto el muchacho se decidió a hablar con los aprendices. Se dirigió a todos, en conjunto.

—Es una lástima, ¿verdad? —dijo, señalando el aspecto desolado del taller.

Todos le miraron, sin contestar.

Ante aquel silencio absurdo, Ignacio se dirigió al de la cara tiznada.

—Tú..., ¿eres encuadernador? —le preguntó.

—Sí.

Ignacio añadió:

—Bueno..., ¿y qué haréis ahora?...

Uno de los chicos, bajito, contestó:

—¿Qué haremos?... ¡Fiesta! —Y el tiznado se rió. Los demás permanecían impasibles, mirándole con hueca curiosidad.

El muchacho quedó perplejo. No supo por qué pensó en la vieja mujer del manicomio que preguntaba: «¿Qué, todavía no?» Dio media vuelta. Avanzó hacia el centro del local pisando un clisé de Alfonso XIII. ¿Dónde estaban los veinticuatro tomos de Pérez Galdós propiedad del Director?

No tenía nada que hacer allí. Don Pedro Oriol había llegado y se había reclinado en el armazón de la linotipia, con aspecto apesadumbrado.

—¡Qué le vamos a hacer! —decía—. ¡Qué le vamos a hacer!

Ignacio salió. Sin querer adoptó un aire de enterado ante la gente que esperaba fuera. Los empleados ya no estaban. Alguien le pidió detalles. Él no contestó.

Fue a su casa a comer. Carmen Elgazu estaba desconcertada y Matías dijo: «Mal, esto va mal».

Ignacio permanecía callado en la mesa. Reflexionaba, menos concretamente de lo que hubiera deseado. Le pareció un misterio que las cosas fueran como eran, que cinco o seis hombres pudieran reunirse al lado de una estufa y al cabo de unos días destruir una imprenta. ¿Y si se les ocurría hacer lo propio con algo más importante? Pilar lamentaba: «¡Adiós Notas de Sociedad!» Al parecer, las monjas estaban desoladas pues todos los impresos del Colegio se los servían a precios mínimos en la imprenta del Hospicio.

Ignacio se preguntaba si los demás sabían como él, con seguridad, quiénes habían sido los autores. Claro que sí. La Torre de Babel no había dudado un momento. Dijo en seguida: «El Responsable».

Comió de prisa. Su intención era ir al Cataluña para saber noticias.

Bajó la escalera saltando, como cuando salía a pasear con su primo José.

Cruzó la Rambla. Y nada más entrar en el Cataluña oyó la voz de un limpiabotas que decía:

—Desengañarse. La policía tiene ya sus listas. Lo mismo que en Barcelona. Cuando yo vivía allí, una vez me robaron la cartera. «¿Dónde?», me preguntaron en Comisaría. «En el Metro», contesté. «¿Qué trayecto?» «De Aragón a Urquinaona.» «Entonces ha sido la banda de Fulano de Tal», dijo el policía. ¡Y caray si fue verdad! ¡A las dos horas me devolvieron la pasta!

Era raro que aquel limpiabotas hablara así, pues era tan anarquista como Blasco.

Ignacio se dirigió a uno de los camareros:

—¿Qué ha pasado? ¿Hay alguien detenido?

—Todos. El Responsble. Blasco. Todos.

Era lo normal. Julio García —lo había dicho cien veces, a pesar de simular perfecto afecto por el Responsable— tenía a los anarquistas atragantados. Aquello le daría ocasión de pasarles la factura.

Ignacio miró el reloj. Se había entretenido antes de comer y era tarde. Se dirigió al Banco. La Torre de Babel explicaba que la policía había mandado llamar al más joven de todos, al Rubio, y que empleando algunos de los argumentos persuasivos de que disponían le habían hecho cantar en seguida.

Padrosa opinaba que la pandilla lo iba a pasar mal. *¡El Tradicionalista!* —comentaba con un matiz de fruición en el tono, comiéndose ya el bocadillo destinado a la merienda. En realidad, todos opinaban que el Responsable y sus satélites lo iban a pasar mal.

Todos... excepto el subdirector. El subdirector llevaba mucho rato sin decir nada, pero negando con la cabeza. Por fin levantó la calva y dijo:

—Nada. No les harán nada.

—¿Cómo que no?

Todos se dirigieron a él. Su comentario era absurdo. Le gustaba llevar la contraria, como siempre, o tal vez la indignación por haberse quedado sin periódico le hubiera sacado de sus casillas.

Viendo la mirada de todos, repitió:

—No les harán nada, no temáis. —Pronunció el «temáis» con visible ironía—. Julio los protegerá.

—¿Julio...?

Cada vez comprendían menos. No acertaban ni siquiera a reírse. Ignacio se estaba preguntando si el subdirector se habría vuelto loco.

246

—¿Que Julio los protegerá...? —exclamó, por fin, sentándose en el sillón frente al subdirector.

El subdirector le agradeció que hubiera cambiado de lugar. Ahora podía mirarle mientras exponía su teoría, no se veía obligado a dirigirse en abstracto al grupo que formaban los empleados.

—Sí. ¿Por qué no? —añadió.

Ignacio respetaba al subdirector. Sin embargo, insistió:

—Pero... ¿no sabe usted que Julio no puede ver a los anarquistas ni en pintura?

—Claro que lo sé.

Padrosa intervino, masticando:

—¿Y pues...?

El subdirector ocultaba algo.

—Lo sabemos todos —repetía—. Pero...

—¿Pero qué?

Por fin levantó los hombros.

—Es muy sencillo —dijo—. Julio García es masón, y los masones ahora protegen a los anarquistas.

Todos los empleados, excepto Ignacio, pasado el primer estupor, soltaron una carcajada.

—¡Eh, chicos! ¡Ya tenemos a los masones aquí!

—Sí, sí. ¡Reíos! Es el acuerdo que han tomado. Lo que les interesa es que haya malestar, para desprestigiar al Gobierno.

Todos hacían gran juerga. La Torre de Babel se había colocado un pañuelo en el pecho a modo de mandil. Otros se hacían misteriosos signos:

—¡Rito gerundense! —gritó Cosme Vila. Y ensanchando increíblemente su cara, obtuvo una expresión horrible.

—¡Rito escocés! —rubricó La Torre de Babel. Y encorvándose sobre sus gafas ahumadas recorrió los escritorios haciendo: ¡Uh, uh...!

Cuando el sainete acabó, porque se oyeron los pasos del director, Ignacio, que había permanecido frente al subdirector, simulando que escribía le preguntó:

—Oiga una cosa. No les haga caso a esos palurdos. ¿Usted... cómo sabe que Julio García es masón?

El subdirector le miró con fijeza. Y viendo que la pregunta iba en serio le contestó:

—Si no lo supiera yo, ¿quién lo sabría?

—¿Por qué lo dice?

—¿Por qué? ¡Llevo veinte años estudiando ese asunto de la masonería!

Era cierto. El subdirector era un erudito en la materia y estaba

247

desesperado porque contadas personas le hacían caso, a pesar de que él estaba convencido de que era la masonería la que dirigía completamente la política universal. Opinaba que la propia caída de la Monarquía española se fraguó en las logias de París. En Gerona tenía un competidor: el portero de la Inspección de Trabajo, si bien éste era un simple aficionado, no había leído a Benoit ni a Ragon, ni sabía nada de símbolos, ni de carbonarismo, y se limitaba a culpar también de todo a los masones.

—Pero... ¿exactamente la masonería...?

—¿Qué crees? ¿Que es una institución benéfica?

—En Inglaterra... .

—¡Déjate de pamplinas! Hay algunos afiliados de buena fe, ya lo sé. ¡Por el Norte, no aquí! Pero son los iniciados los que cuentan, y la finalidad de éstos es el exterminio del cristianismo.

Ignacio puso cara de decepcionado.

—Todo esto huele a leyenda, ¿no le parece?

—¡Bueno! Ya hablaremos del asunto, si te interesa.

—¡Claro que me interesa!

A la salida del Banco, los empleados todavía hacían: ¡Uh, uh...!

CAPÍTULO XVII

Siempre que don Pedro Oriol oía hablar de un accidente preguntaba: «¿Ha habido desgracias personales?» Si le decían que no, consideraba que la importancia de lo ocurrido era escasa.

Fue exactamente esta actitud la que adoptó ante la destrucción de la maquinaria de la imprenta. No pensó sino en la manera de adquirir otra nueva, más moderna, y de instalarse en otro local más conveniente.

«La Voz de Alerta» era otro cantar. No pensaba sino en los agresores. Pedía para el Responsable y los demás culpables el máximo rigor de la Ley, sin descuidar por ello el aspecto práctico de la reinstalación. Pero por de prisa que ésta se llevara a cabo siempre se tardaría un mes en volver a imprimir el periódico. Gerona viviría, pues, un mes lo menos sin El Tradicionalista, sin otro medio de información que El Demócrata y la emisora local, en manos izquierdistas.

Y, sin embargo, parecía algo difícil contentar a «La Voz de Alerta» en su petición del «máximo rigor de la Ley». La Ley exigía, antes que

248

nada, pruebas. Y en realidad no las había. Julio no contaba sino con la declaración de un niño del Hospicio, que habiendo salido de madrugada a buscar pan de hostia a las Monjas Adoratrices, se cruzó en la calle con un grupo anarquista, armado éste de martillos; y luego la confesión del Rubio. El Rubio, en efecto, en cuanto entró en el despacho de Julio, dijo, no se sabía si por miedo o chulería: «Sí, fuimos nosotros».

Pero el Responsable y los demás lo negaban rotundamente y aseguraban que el Rubio estaba loco. Sus coartadas tenían visos de verosimilitud, según los vecinos. Y el propio Rubio ahora había adoptado un aire malicioso, de persona que ha mentido.

Sin pruebas no se podría mantener indefinidamente a los detenidos. «La Voz de Alerta» estaba furioso. «¡Pero no me va usted a decir que no hay huellas digitales en el taller!» Julio abría los brazos. «Sea usted inteligente, se lo ruego. En el taller de *El Tradicionalista* hay huellas de todo el mundo, empezando por las de usted.»

«La Voz de Alerta» sugería simplemente una bañera. Una bañera de agua helada e introducir dentro, desnudo, al Responsable. Y atarle con cuerdas a los grifos. Luego sentarse allí y esperar. Él mismo se ofrecía para cumplir esta misión.

El jefe de policía y Julio rechazaron tal procedimiento con una mirada muy expresiva.

El dentista no era el único en estar furioso. También lo estaba Víctor. Lo de la imprenta le tenía sin cuidado; pero el taller de encuadernación... Se pasaba el día en la barbería, manejando aparatos fotográficos y diciendo: «Algún día habrá que arreglarles las cuentas a esos hijos de Bakunin».

En todo caso, el Responsable había conseguido romper el hielo y la indiferencia. Para bien o para mal, era preciso contar con ellos. Y si algunos consideraban su acto tan estúpido como el de interrumpir las sardanas cuando la huelga, muchos se reían viendo los traqueteos de «La Voz de Alerta» y otros iban teniendo la sensación de que en el fondo los anarquistas constituían la única fuerza predispuesta al combate. ¿Cómo se las arreglarán los curas sin *El Tradicionalista*, y las viejas beatas, y los militares? En algunos cafés se hablaba de suscripción para llevar comida a los detenidos. «Vamos a esperar un poco. A ver en qué para eso.» Otros proponían preocuparse de encontrar un abogado para que defendiera al Responsable. Pero la sola idea les parecía grotesca. «¡Bah! Se bastan para defenderse.» Había algo en la imagen de aquellos anarquistas que desbordaba las posibilidades normales de lo jurídico.

El motivo por el que Víctor le tenía la guerra declarada al Responsable era la envidia. Le molestaba que la CNT-FAI diera que hablar, mientras la célula comunista, a pesar de haberse ensanchado considerablemente, fuera aún embrionaria.

Algunos camaradas le decían: «Anda, anda, no te quejes, que estás ganando mucho terreno».

Y era verdad. La barbería donde se reunían iba pareciendo un hormiguero. Hasta tal punto que el patrón, un buen día, había dicho: «Vamos a hacer una cosa. Convirtamos todo el piso en local. Entrad, entrad». Y había abierto la puerta que comunicaba con el pasillo, el comedor, la cocina. «Total, mientras me quede un rincón para dormir...»

Abierta aquella puerta todos se sintieron más importantes. En un santiamén la vivienda quedó convertida en laboratorio ideológico. Retratos de Marx, Lenin y Stalin brotaron en las paredes. En la cocina, diminuta, se instaló un mueble que hizo las veces de biblioteca.

Simultáneamente, una corriente de austeridad se había apoderado de todos. En la barbería se suprimió todo cuanto fue juzgado lujoso o no estrictamente necesario. Nada de masajes ni agua de colonia. Los sillones giratorios fueron vendidos en subasta. Sillas escuetas, y una escupidera en un rincón. Los espejos se conservaban porque los militantes acudían allí con sus mujeres.

Víctor había asistido a todo aquello pasándose lentamente la mano por su cabeza plateada. Muchas veces se sentía orgulloso de lo que estaba creando y se decía: «¡Bah, el Responsable va a quedarse atrás! Si tarda en salir del calabozo, se llevará una sorpresa». Por lo demás, él era un hombre extraño. Sus ideas le habían penetrado a través de la soledad. Vivían en la calle de la Barca, en una habitación que había alquilado —¡veinticinco años hacía ya!— a una vieja gruñona. La tristeza de esta habitación, el eterno mal humor de la vieja, el contacto con los niños del Hospicio en el taller y la mugre del barrio le habían llevado insensiblemente a creer que la sociedad en que vivía estaba en trance de descomposición. Esto y la audiencia que se le concedió el primer día que había entrado en aquella barbería decidieron su destino.

El comunismo le parecía una solución como sociedad nueva, joven. «Nada de viejas gruñonas, nada de mugre. Todo nuevo y joven.» El ejemplo lo tenía en la fotografía. En las revistas soviéticas, así como en el cine, el arte fotográfico ruso le parecía de un realismo impresionante. Con igual técnica que los alemanes, pero con más pasión. «Naturalmente, es gente nueva, joven. Lo mismo que ocurre con la fotografía ocurre allá con todo.»

La destrucción de la imprenta y el taller tuvo en la barbería gran repercusión, porque el contacto más íntimo con Víctor descubrió al barbero y al grupo de fanáticos que en el fondo Víctor era un hombre débil. Y que si alguien había no joven allí, era precisamente el propio Víctor. Y por lo demás, sus manías artísticas empezaban a desconcertarlos. Que retratara a Ernesto recogiendo excrementos en la procesión, de acuerdo. Pero ¿a qué fotografiar el campanario de la Catedral, y decir luego, mostrando una ampliación: «¿Qué os parece? Se ve que la luna resbala por la fachada»? ¿Es que los obreros y campesinos rusos permitirían que la luna le diera masaje a una catedral?

Por lo visto la palabra «joven» era mágica. Porque la teoría de inyectar juventud a las organizaciones sociales —adoptada ya por la CEDA— no era exclusiva, en el campo izquierdista, de los comunistas. Lo mismo ocurría en la UGT, ya desde mucho tiempo antes. Ahora *El Demócrata* acababa de publicar, ¡por fin!, dos artículos firmados por el tipógrafo del propio periódico, Antonio Casal, de quien ya se había hablado cuando las elecciones. David y Olga le conocían y siempre le habían dicho a Ignacio que Casal era un joven de gran calidad.

¡Matías opinaba lo contrario, que lo que faltaba en el mundo era madurez y experiencia! Entendía que el propio Julio García era demasiado joven para ocupar el puesto que ocupaba. Decía de él: «Tiene muchos hilos en la mano y me temo que al final se arme un lío».

Ignacio, desde las manifestaciones del subdirector, pensaba más que nunca que uno de estos hilos era la masonería. Por ello su curiosidad era grande para saber en qué pararía el asunto anarquista y si Julio verdaderamente protegería al Responsable o si el castigo sería duro. La noticia de que faltaban pruebas para condenarlos fue recibida en el Banco con cierta perplejidad. El subdirector dirigió a todos una sonrisa que ahorraba todo comentario.

Y cuando el grupo de asaltantes fue puesto en libertad provisional, aunque sujeto al expediente, las sospechas de Ignacio se pusieron al rojo vivo y su consideración por el subdirector aumentó. La actitud de los liberados empeoraba las cosas, pues Blasco entró en el Cataluña con aires de triunfador. Dijo a los demás limpiabotas: «Pues, ¿qué os creíais? Todos dormíamos. Yo aquel día me levanté a las nueve, y el Responsable a las diez».

David y Olga le decían a Ignacio: «Lo mejor que puedes hacer es olvidar todo eso y prepararte para los exámenes. ¿Te das cuenta de que falta escasamente un mes?»

Ignacio comprendía que los maestros tenían razón. Pero no se le ocultaba que David y Olga habían adoptado una actitud muy definida ante cada uno de aquellos acontecimientos. En primer lugar, eran partidarios de la inyección de juventud. En segundo lugar, se alegraban de la destrucción de *El Tradicionalista*, aunque profetizaban que a primeros de junio el periódico volvería a salir «en mejores condiciones». En tercer lugar, se alegraban de que faltaran pruebas y de que el Responsable estuviera en libertad. Ella suponía que todavía «La Voz de Alerta» no tenía poder para ahorcar a la gente; en cuanto a la masonería, a la logia gerundense y al papel que Julio desempeñara en ella, les parecía asunto cómico. «Si le haces caso al subdirector —le decían a Ignacio—, acabarás creyendo que nosotros también somos masones, que los masones tienen la culpa de que en Gerona no haya ni siquiera mercado cubierto, odiarás a los judíos y a los protestantes, y llegarás a la conclusión de que Felipe II era un gran rey.»

—¡Estudia, y contempla nuestro surtidor! —rubricaba Olga.

Ignacio acabó haciéndoles caso. Al diablo todo aquello. Estudiar, el título de bachiller estaba ahí. Los maestros ejercían influencia sobre él. En realidad, tenían gran sentido práctico. Bien claro lo veía, con sólo comprobar lo que ocurría con su Manual Pedagógico. No, aquel librito no era letra muerta. No se trataba de una lucubración en el aire. Aquellos meses de frecuentar la Escuela le habían demostrado que David y Olga, en sus clases con los pequeños, lo habían puesto en práctica con resultados sorprendentes. Los chicos y las chicas salían de allí con aire más precoz, más emancipado que los alumnos de los Maristas o de la Doctrina Cristiana.

—Por eso creemos en la juventud, ¿comprendes? —le decía David—. Porque los jóvenes serán algún día de otra manera.

Debía de ser cierto. ¿Cómo no renovarse ante aquellos procedimientos? Las pizarras en las paredes de la clase eran verdes, a tono con el campo ubérrimo que se divisaba desde los ventanales, prolongándose hasta la falda de Montilivi y el río. Los jueves y los domingos los alumnos cultivaban una huerta situada a un par de kilómetros, ante el alborozo del propietario. Cada semana, un tribunal de alumnos deliberaba y dictaba sentencia contra los autores de desaguisados cometidos en clase. Media docena de cometas cruzaban el cielo a la hora del recreo, mientras David explicaba a los chicos las teorías de la velocidad del viento y toda suerte de fenómenos meteorológicos. Alguna noche se habían reunido para estudiar el firmamento y conocer los nombres de las estrellas. Planeadores, más de uno había aterrizado en la calva de algún pacífico vecino del barrio. ¡Pozos petrolíferos, ninguno descubierto por el momento, y era una lástima! Iniciación sexual. Se había constituido un fondo económico y todos los sábados llevaban parte de él a una persona necesitada de los contornos. Su popularidad era mucha gracias a ello, y los niños tenían la sensación de ser útiles. Para las vacaciones estaba prevista una estancia colectiva de un mes en algún pueblo de la costa, donde se ejecutarían trabajos manuales que permitirían, para el curso próximo, adquirir un acuario.

* * *

Las noticias que se recibían de las familias Alvear-Elgazu también acusaban malestar. José, en Madrid, decía «que actuaba de lo lindo» sin especificar en qué sentido; y el hermano de Matías, Santiago, junto con su compañera, la mecanógrafa del Parlamento, preveía «acontecimientos para otoño». Desde Burgos se anunciaba que la UGT se abría paso, y que la sobrina de Matías tenía relaciones con un joven valor del Sindicato. Una posdata añadía que en Castilla unos estudiantes metían mucha bulla con un partido «fascista» que habían fundado unos meses antes, a las órdenes de un hijo de Primo de Rivera, y en el que se declaraban partidarios «de la dialéctica de los puños y las pistolas». El partido se llamaba Falange Española. «La mayoría de afiliados eran hijos de papá, pero en los mítines hablaban como Dios, esto había que reconocerlo.»

Los de Bilbao se quejaban de que la primavera era lluviosa. El tío de Ignacio, encargado de una fábrica de armas de Trubia, «trabajaba horas extraordinarias». El ex «croupier», en San Sebastián, iba a casarse. La abuela se mantenía tiesa. Todos los días se hacía acompañar al mar por sus dos hijas solteras. Cuando el aire del Cantábrico se ponía húmedo, regresaba a su casa, con un enorme pañuelo negro sobre los hombros, parecido al que usaba la madre de mosén Alberto. En la última carta ponía: «Si Ignacio aprueba le mandaré como regalo una pluma estilográfica».

Pero se veía que la preferida de la abuela era Pilar. Continuamente pedía retratos de ella pues decía que a la edad de la muchacha todos los días se cambia. Por eso Pilar reclamaba siempre una máquina fotográfica. «Aunque sea de esas de doce pesetas», decía. Pero Matías opinaba que el gasto de la compra era lo de menos, que luego venían los carretes y el revelado y las copias.

Pilar andaba muy misteriosa aquellos días. Siempre tenía que permanecer en las monjas más de la cuenta, para preparar no sé qué de fin de curso y una especie de homenaje a sor Beethoven. Un día Matías le dijo: «Bueno..., ¿y qué pasa? ¿Para ese homenaje tenéis que ir a documentaros al cine?»

Pilar casi se desmayó. ¡Descubierta! Su padre sabía que ella, Nuri, María y Asunción iban al cine dos veces por semana. ¡Con las precauciones que había tomado! La culpa era de que los cines estuvieran instalados en la Plaza de la Independencia, allí mismo, al lado de Telégrafos.

Matías le había dicho aquello en ausencia de Carmen Elgazu. Pero ¿qué iba a pasar?

—Una cosa me preocupa —continuó el padre de Pilar, cogiendo la caña y examinando el anzuelo—. ¿De dónde sacas el dinero?

La muchacha se calló.

—¿Del bolso de tu madre?

La muchacha negó con la cabeza, Matías se hacía el serio.

—¿O de mi monedero...?

La muchacha estaba algo aturdida. Por fin se mordió los labios y, viendo que la tocaba responder, dijo con gravedad:

—Jugamos a la Bolsa.

Matías quedó asombrado y apoyó en la pared la caña de pescar.

—¿A la Bolsa...? —Avanzó en dirección a Pilar—. A ver si me explicas eso...,

Pilar juntó las manos, palmoteando para rubricar su explicación.

—¡Sí, sí! ¡Es Ignacio, en el Banco! ¡Juega a la Bolsa y gana!

Matías enarcó las cejas.

—Bueno... de acuerdo. Pero... ¿qué papel representas tú ahí?

Pilar se había recobrado enteramente. Apretaba los dientes.

—Yo le di tres pesetas hace un mes.

—¡Ah...! ¿Y se han multiplicado...?

—De verdad, papá. Ignacio sabe mucho y gana siempre. Y me da lo que me corresponde...

Matías sonrió y aquello le perdió. Pilar hábilmente, le empujó hacia el sillón, obligándole a sentarse y en el acto cayó sobre sus rodillas.

—Bueno..., ¿y cuánto lleváis de ganancia?...

—Pues... yo unas seis pesetas cada semana.

Matías calculó ayudándose de los dedos.

—Desde luego... las cuentas salen.

—Mis amigas me acompañan. Pero ellas sacan el dinero guardándoselo de la merienda.

—¡Caray, caray...! —Matías le dio un beso.

—Y... ¿qué artista te gusta más?

—No sé... Todos.

—El que más.

Pilar hizo un mohín, tirándose de la nariz para arriba.

—No sé si le conocerás. Clark Gable.

Lo pronunció en inglés, lo cual hizo estallar a Matías en una risotada.

—Bueno..., ¿y por qué te gusta?

—Porque trabaja muy bien.

Por desgracia, se oyó el ruido de la cerradura. Era Carmen Elgazu. Fue una lástima, porque padre e hija eran felices. Pilar se levantó y en voz baja rogó a su padre que desviara la conversación. Pero Matías simuló no haberla oído y cuando su madre entraba en el pasillo preguntó:

—Oye... ¿Y qué película te ha gustado más?

Pilar, al oír aquello, tosió y se acercó a su madre para darle un beso.

—«Rey de Reyes» —gritó, vocalizando—. «Rey de Reyes».

Carmen Elgazu, con los brazos de Pilar colgados a su cuello, dejó el bolso sobre la mesa y dijo:

—¡Ay, sí, chica! Es una preciosidad. El año próximo volveremos a verla.

* * *

Un día en que Ignacio y Matías habían salido de paseo juntos, por el lado de San Gregorio, habían visto en la carretera un poste con un anuncio de neumáticos. La lluvia había borrado la parte superior del texto y sacado a flote una palabra del anuncio que hubo anteriormente: la palabra «Catarros», con interrogante. Así que ahora, leído de prisa, el poste ponía: «¿Catarros...?» y debajo: «Neumáticos Michelin».

Les hizo tanta gracia y se rieron tanto que desde entonces bastaba que uno de ellos, levantando el índice, preguntara: «¿Catarros...?» para que el otro soltara una carcajada y contestase: «Neumáticos Michelin». Carmen Elgazu estaba desesperada porque nunca habían querido explicarle el significado de las misteriosas palabras.

Ésta era la pregunta que Matías hacía ahora a Ignacio, a las tantas de la noche, al entreabrir la puerta del cuarto del muchacho y verle estudiando. A veces ni siquiera decía: «¿Catarros?» con levantar el índice era suficiente.

Y es que faltaban quince días para los exámenes. David y Olga vivían íntegramente dedicados al muchacho y a sus tres compañeros de curso. Clase de ocho a once si era necesario. Repasándolo todo, insistiendo, machacando. Era preciso aprobar. Vivían horas de extrema agitación intelectual.

Ignacio tenía confianza. Se notaba bastante preparado. Si los catedráticos no le jugaban una mala pasada, la cual no era de esperar pues ya no iba a la Academia Cervantes, aprobaría. No era partidario de las pastillas contra el sueño, pero no tuvo más remedio que apelar a ellas.

La víspera de los exámenes le entró un gran desasosiego. Miedo repentino ante la magnitud de la carta que se jugaba. Volvió a pensar en ir a confesar... Pero le pareció indigno el trueque con Dios.

Había tomado una costumbre: estudiaba sentado en la cama y haciendo bailotear en la diestra, o aprisionándola, la bombilla que se llevó como recuerdo del Seminario. La redondez del objeto le resultaba agradable al tacto, y a la medida exacta de la mano cerrada. A veces la levantaba y miraba a contraluz los hilos, todavía perfectamente enlazados. La víspera de los exámenes se quedó dormido apretando la bombilla. Y algo doloroso sería el sueño porque, en una contracción, la bombilla estalló en un ¡plaf! terrible, que le despertó con los cabellos erizados. Al medio minuto la puerta se entreabrió.

—Nada, nada —dijo Ignacio, sonriendo—. «Neumáticos Michelin».

Al día siguiente, Carmen Elgazu y Pilar fueron al Sagrado Corazón a oír misa y comulgar en favor de los propósitos de Ignacio. Entre los rezos, la gestión de Julio García cerca del catedrático Morales y la de mosén Alberto cerca de otros catedráticos, entre ellos el de Química, que le debían múltiples favores, la cosa fue un éxito rotundo.

Un día entero ante los tribunales, sin salir del Instituto. Matías le llevó al mediodía unos bocadillos y unas pastas. Todas las asignaturas de un golpe.

A las seis de la tarde salió del local con las papeletas en la mano, ebrio de emoción. ¡Aprobado! David y Olga le esperaban en la acera de enfrente, mordiéndose las uñas.

Al verle echaron a correr a su encuentro. ¡Aprobado! Los dos maestros le abrazaron. Olga le dio un beso en la mejilla. Los tres compañeros de curso, a pesar de la buhardilla, también aprobaron.

Ignacio temblaba de gozo. Miraba la papeleta y temblaba. No sabía qué hacer.

—¡Anda, vete a tu casa a decirlo, no seas bobo!

Echó a correr aturdido. Y al doblar la primera esquina vio unas sombras que le detenían haciendo: ¡Uh, uh...! Pensó que eran masones, o La Torre de Babel. Eran Pilar, Nuri, María y Asunción, que ya conocían el resultado...

—¡Tontas! Me habéis dado un susto.

Le escoltaron triunfalmente. Eran cuatro mujercitas. Cruzaron el puente de las Pescaderías y entraron en la Rambla. Ignacio reconoció en seguida en el balcón a Matías Alvear, paseándose de arriba abajo y fumando con disimulada impaciencia.

Pilar se adelantó. ¡Papá, papá! ¡Aprobado!, ¡aprobado! El bigote siempre ameno de Matías tembleteó de arriba abajo. Sus plateadas sienes resplandecieron. Se pasó la mano por la cabeza. Salió Carmen

Elgazu al balcón con los ojos fuera de las órbitas, secándose las manos en la punta del delantal. ¡Aprobado, aprobado! De no ser por miedo a los vecinos, el diálogo se hubiera desarrollado desde el balcón a la calle.

Ignacio se tragó la escalera. La puerta del piso ya estaba abierta. Carmen Elgazu abrió sus brazos y obligó a su hijo dar dos o tres vueltas bailando. Matías agitaba en el aire una pluma estilográfica.

Asunción contemplaba a Ignacio pensando: «Me gusta más que Clark Gable».

CAPÍTULO XVIII

En el Neutral y en la barbería de Raimundo reinaba cierto nerviosismo. Había ocurrido algo que había aumentado la tensión de la gente. En Madrid, el Tribunal de Garantías Constitucionales había declarado ilegal la Ley de Contratos de Cultivo redactada por la Generalidad, ley que los campesinos de la región consideraban de absoluta equidad, inteligente y justa. Todo el mundo estaba de acuerdo en que de seguir aquello así, era la propia existencia de Cataluña la que estaba en peligro.

Y luego, *El Demócrata* publicó una noticia inesperada, escalofriante, cuyo único atenuante consistía en que no había de ella confirmación oficial: En Valladolid, unos afiliados a Falange Española, de la que había hablado el hermano de Matías, habían asesinado a un muchacho de las juventudes socialistas, que voceaba *Claridad* en una esquina. Pasaron en coche y le ametrallaron bonitamente.

El comandante Martínez de Soria, cuyos dos hijos varones estudiaban en Valladolid, arrugó el entrecejo y le dijo a «La Voz de Alerta» en el café de los militares: «Eso no puede ser verdad». «La Voz de Alerta», aunque el nombre de Falange Española no le hacía ninguna gracia, contestó: «Pues yo he de enterarme y en cuanto saquemos *El Tradicionalista* pondremos las cosas en claro».

En el Neutral, Ramón el camarero presentía que pronto todos vivirían aventuras sin cuento. Julio era quien alimentaba más sutilmente su imaginación.

—¿No te gustaría —le decía— recibir un aviso que pusiera: «Ramón, váyase usted a Valladolid y encárguese de descubrir los culpables»?

257

Luego Julio le contaba que, a causa de la pasividad del Gobierno, la agitación se extendía a toda España.

—Lo que ocurre en Zaragoza, por ejemplo, es célebre —decía.

—¿En Zaragoza?...

—Sí. En Zaragoza hay huelga. Pero una huelga general, que al prolongarse crea curiosísimos problemas. Por ejemplo el de los niños... Los huelguistas zaragozanos carecen de reservas. Por ello gran número de familias se encuentran en la más absoluta miseria. Las Organizaciones Sindicales acaban de preguntar a los Sindicatos de las cuatro provincias catalanas si están dispuestos a recoger quinientos hijos de huelguistas, y repartirlos entre afiliados mientras dure el conflicto.

El camarero abrió los ojos.

—¿Y qué han respondido los Sindicatos?

—¡Ah! Ahí está la cosa. En Barcelona han salido trescientos voluntarios. Pero otros han alegado que Cataluña está harta de hacer de nodriza, y han recordado que en Aragón se los llama con más que excesiva frecuencia «perros catalanes».

El camarero estaba impaciente.

—Así, pues..., ¿los doscientos niños que faltan...?

—Pues... ya te lo puedes figurar. Habrá que repartirlos entre Lérida, Tarragona y Gerona.

—¿Gerona?... ¿Van a venir aquí niños de Zaragoza?

—Si salen voluntarios. No sé... —De repente le preguntó—: ¿Quieres adoptar un niño?

Ramón se rascó la cabeza.

—¡Apúnteme para uno!

—¿Rubio o moreno?

Matías le reprochaba a Julio que le tomara el pelo a Ramón. Pero el reproche parecía un poco injustificado. Porque, además de que en todo aquello había gran parte de verdad, lo cierto era que el policía quería verdaderamente al camarero y le había prestado infinidad de pequeños servicios. Ramón sabía que podía contar con él.

En la ciudad todo el mundo, al parecer, tenía una persona en la que verter su capacidad de ternura, incluso los secos de corazón como Julio. «La Voz de Alerta» no era excepción. El hombre, de quien mosén Alberto decía que su peor enemigo era él mismo y que sin su manía «antiproletaria» hubiera podido arrancar muchas muelas gratuitamente, también tenía una válvula sentimental de escape: su criada Dolores. La trataba con gran corrección y ayudaba eficazmente a su familia. «Señorito, ha venido mi hermana del pueblo y me ha pedido...» «La Voz de Alerta» cogía el teléfono o echaba mano a la cartera. Toda la familia de la criada le consideraba un santo, y a través de ella todo el pueblo.

Y lo mismo podía decirse de mosén Alberto. A quien sinceramente quería mosén Alberto era a sus dos sirvientas. Lo disimulaba un tanto, para que no se volvieran locas de contento; pero si una de ellas tenía que permanecer en cama por enfermedad, el sacerdote no vivía hasta que todo había pasado.

Otro tanto podía decirse del Responsable. El Responsable tenía también una debilidad: el dueño de la fábrica de alpargatas en que trabajaba, el señor Corbera. Quería a su patrono, no lo podía remediar. A pesar de que pertenecía a Liga Catalana. El señor Corbera era un vejete de mal genio que por menos de un real soltaba los peores insultos. El Responsable los soportaba con un estoicismo que dejaba perplejos a los demás obreros.

El día en que el Responsable salió del calabozo y se presentó al trabajo, el señor Corbera le echó un sermón en que las palabras cretino y salvaje fueron las más suaves. ¡La imprenta del Hospicio! ¡La imprenta del Hospicio! El Responsable aguantó, sonriendo por dentro. Le hacía gracia ver los pelos del señor Corbera saliéndole como lanzas del fondo de las orejas.

Ni siquiera sintió rencor hacia él cuando dijo:

—Bueno, mira. He hablado con el Inspector de Trabajo y me ha dicho que tengo derecho a despedirte. Entre unas cosas y otras, en tres meses has faltado al trabajo cuarenta y dos días. De modo que aquí están las cuentas y a otra cosa. ¡Que te diviertas! —Y le entregó un sobre.

El Responsable lo tomó sin rechistar. ¿Qué importaba? Aquello encajaba con sus planes. Imposible trabajar y cuidar de la revolución. Pensó que también su padre, un buen día, había dejado de hacer alpargatas.

La válvula de escape sentimental de otro personaje, Cosme Vila, era su novia. Por fin había encontrado novia. La hija del guardabarrera en el paso a nivel del tren que iba a Barcelona. Una mujer guapilla, tímida, que era evidente que le contemplaba como a un dios. Los anchos hombros de Cosme Vila la sepultaban cuando éste la tomaba del brazo.

A menudo la llevaba de paseo hacia el paso a nivel, donde trabajaban los padres de la chica. Los cuales, al verlos llegar por la carretera, salían de la garita y agitaban sonriendo la banderita roja.

Desde que tenía novia, Cosme Vila llevaba el pelo mejor cortado. Antes se pasaba semanas enteras sin ir a la barbería: ahora era puntual. Y según La Torre de Babel, había elegido la barbería de Víctor, lo cual era lógico. Y sus comentarios al ver las fotografías de la luna resbalando por la catedral, habían levantado en vilo la célula comunista. Al parecer dijo: «Parecéis monaguillos y no obreros revolucionarios».

En cuanto a David y Olga, tenían varios seres en quienes verter su capacidad de ternura. En primer lugar, se querían mutuamente. Continuaban inseparables, como los campanarios y como la esposa y la hija del comandante Martínez de Soria. Luego, Ignacio... Le querían de veras. Los altibajos del muchacho, su hambre de verdad y su vigor emocional habían ganado por entero el corazón de los dos maestros. Siempre le decían: «Deberías contenerte un poco, de otro modo en pocos años agotarás las posibilidades de rectificación que da la vida». Después de aprobar, le invitaron a una solemne merienda en la que hubo hasta discursos, y en la que se habló principalmente de Carmen Elgazu, del miedo que ésta sentía cuando le aseguraba que en el cielo le bastaría la contemplación de Dios, que no vería ni a Matías Alvear, ni a Ignacio, ni a César ni a Pilar.

El otro ser por el que los maestros sentían afecto era uno de sus alumnos, el mayor y más desgarbado de la clase, al que llamaban Santi. Un muchacho del barrio, desamparado de la familia. De orejas tan grandes como las de César y pies enormes. De temperamento violentísimo, fogoso, siempre dispuesto a cruzar el primero la pasarela del río, a hincar la azada más hondo que nadie. Con escalofriantes detalles de crueldad para con los animales. Pero los maestros procuraban enderezar su carácter.

La pasión de los Costa... eran de otra índole. Eran las ranas. En un merendero situado junto al puente largo del Ter había un vivero de ranas. Los Costa cuidaban de este vivero con mucho mayor cariño aún que de sus obreros. Estaban al corriente, día por día, de su estado y evolución. Y cuando llegaban allí con los dirigentes de la Peña Ciclista, algunos solistas del Orfeón u otros camaradas se dirigían inmediatamente al vivero y señalando una por una las ranas que con más brío se chapuzaban en el agua, decían al patrón: «Esta... Y ésta...» Y minutos después mordían en las ancas y patas de los animalitos, con unos ojos de ternura que emocionaban a los demás comensales.

Era gran fortuna para la ciudad que la gente tuviera tales detalles. Porque el clima de nerviosismo se iba apoderando de todos, y sin la resistencia que oponían las virtudes de cada cual la cosa iría de mal en peor. Suerte también que el sentimiento de familia estaba muy arraigado en muchas casas, y que daba miedo quebrar aquellos lazos que habían costado tantos años y que habían procurado goces tan simples y duraderos.

La inminencia del verano, con lo que suponía de vacaciones y de oxígeno, ponía en los corazones, de un lado una predisposición a conceder una tregua al adversario, de otro una necesidad de apurar los días antes de que esta tregua llegara, de consolidar posiciones. Don Santiago Estrada decía: «Antes de irnos a Mallorca, deberíamos organizar un desfile de nuestras juventudes en la Dehesa». Cosme Vila decía en la barbería: «Antes de salir de vacaciones, deberíamos legalizar la constitución del Partido Comunista local, extender los carnets, fijar una cuota».

También en las conversaciones se notaba cierta prisa para pasar revista a los acontecimientos. Y quedaba claro que lo que más había molestado y dividido a la gente era lo de la Ley de Contratos de Cultivo y la noticia de la acción de Falange Española en Valladolid.

Los campesinos, *rabassaires*, continuaban desesperados por la denegación de esta Ley. Los propios David y Olga, que en cierto modo se consideraban agricultores por el cultivo de la huerta con los alumnos, aseguraban que la propuesta de la Generalidad era un alto ejemplo de sentido progresista. En cambio, los propietarios la consideraban pura demagogia. Habían mandado telegramas de felicitación a Madrid. Acusaban al gobierno de la Generalidad de insensatez, de subordinar la solidez de la economía y la seguridad de la región a las exigencias de los partidos políticos, despechados por haber perdido las elecciones. Don Jorge le decía a su heredero: «Para ganar adeptos, serían capaces de repartir la tierra a los limpiabotas».

Los propietarios del Instituto Agrícola de San Isidro denunciaban otro hecho: lo que ocurría con las licencias de armas a los cazadores. Aseguraban que las Comisarías, incluida la de Gerona, retiraban la licencia a unos cazadores y a otros no. De forma que cazadores de tradición se veían privados de ella, en tanto que gran número de personas que jamás habían pensado en matar un pájaro, de repente se inscribían y se presentaban en la Armería Casabó por una escopeta de dos cañones.

El subdirector tenía listas; era hombre ordenado. Y aseguraba que se había retirado la licencia a personas como don Pedro Oriol, y que se habían concedido a otras como el tipógrafo Antonio Casal, ahora el más destacado redactor de *El Demócrata*.

No obstante, la indignación producida por lo ocurrido en Valladolid sepultaba aquellos balbuceos de protesta derechista. La palabra «fascista» se había incorporado al léxico corriente de las tertulias. Y dado que el muchacho «asesinado» —el comandante Martínez de

Soria continuaba desmintiendo la noticia— era un voceador de *Claridad*, la noticia había afectado particularmente a los tres compañeros de curso de Ignacio, empedernidos lectores de este periódico.

Hasta tal punto, que en una visita que hicieron a David y Olga, y habiéndose puesto este tema sobre el tapete, uno de los muchachos aseguró que los obreros españoles «no permitirían de ningún modo que el fascismo arraigase en España». Y añadió, periódico en mano, «que ya los diputados socialistas habían advertido en el Parlamento que lo vigilarían con atención especial».

David, oyéndole, se puso serio. Ignacio no recordaba haberle visto tan serio jamás. El maestro contestó a su alumno que era una gran estupidez decir que se vigilaría al fascismo. Lo mismo daba decir que se vigilaría la Geometría o la concepción materialista de la Historia. Quisiérase o no, el fascismo era toda una doctrina, no un sombrero que se pudiera tirar. Lo máximo que podía hacerse era vigilar a los militantes de esta doctrina, aunque a su entender la cosa era más seria de lo que a simple vista podía parecer. Por ejemplo, era preciso reconocer que en Italia el Partido hacía progresos y que Mussolini era muy hábil; lo cual, junto con el auge de Hitler en Alemania, constituían dos sutiles amenazas, que atacarían los puntos débiles de cada país.

—Ya es significativo —concluyó— que en España el movimiento haya nacido en Castilla. En Cataluña, desde luego, no tendrán nada que hacer, porque Cataluña vive mucho más abierta a las grandes corrientes democráticas.

Olga añadió que la doctrina era peligrosa porque disimulaba su despotismo bajo un programa social amplio, de grandes realizaciones y fundamentalmente anticapitalista, lo cual podía encandilar a un sector de buena fe. Sin embargo, era lo contrario de los derechos del hombre, e implicaba un retorno a un tipo de esclavitud, que no por ser moderna perdía un ápice de su terrible significado.

Ignacio se quedó muy preocupado después de aquella conversación. Menos mal que al salir de la escuela vio los campos verdes, vio la cumbre de Montilivi, desde la que se divisaba el valle de la Crehueta, tranquilo. Menos mal que al llegar a su casa se encontró con que César había mandado un telegrama diciendo: «Llego mañana».

CAPÍTULO XIX

Ignacio había entrado en el Banco triunfalmente, blandiendo la pluma estilográfica que había mandado la abuela, ocho días antes de los exámenes. Tan segura estaba la madre de Carmen Elgazu de que Ignacio aprobaría.

Ignacio había entrado eufórico en el Banco porque ya era bachiller. Había recibido felicitaciones de todo el mundo, de los vecinos, de las chicas de la Academia Cervantes, de Julio García, de don Emilio Santos y del propio mosén Alberto.

Suponía que en el Banco le recibirían también triunfalmente, pues lo cierto era que la mayoría le querían mucho. Acertó sólo a medias. Le felicitaron sinceramente el subdirector, La Torre de Babel, Cosme Vila, el cajero; en cambio en otros empleados —Padrosa, el de Cupones, el de Impagados— vio un punto de recelo.

Aquello le hizo daño, pero luego pensó que era natural. ¿Qué significaba para él ser bachiller? Que al cabo de cuatro años sería abogado. Padrosa y los demás lo sabían y sabían que ellos, por el contrario, continuarían hundidos en aquellos sillones, masticando gomillas, cobrando cuarenta duros, levantándose de vez en cuando para estirar las piernas. A esto podía oponer un argumento. ¿Por qué no hicieron, o no hacían, como él? Todos habían soñado en hacerlo, probablemente. Pero la vida era así. Se habían dejado vencer por la rutina.

De todos modos, La Torre de Babel elevó el clima gritando: «¡Nada, nada! Dentro de cuatro años, veo una placa en la Rambla: "Ignacio Alvear, abogado; consultas de 3 a 7"».

Ignacio no dijo nada, para no ofender a Padrosa, al de Cupones, al de Impagados. El cajero comentó:

—Te veo defendiendo nuestras bases, que ya ves que no hay manera.

Aquello le emocionó. Una ola de deseo de ser útil le inundó el corazón. Tal vez estuviera llamado a hacer algo importante.

El verano había llegado. Todo ello ocurría cuatro días antes de recibir el telegrama de César. En el Banco funcionaban dos ventiladores que traían a intervalos soplos de aire fresco. Era hermoso ver volar los papeles, verlos dudar y caerse por fin al suelo. ¡Qué destartalado era el Banco! Paredes negruzcas, ventanillas grasientas. Y ¡qué monótono aquel trabajo! Los cobradores salían a primera hora a reclamar dinero a los comerciantes de la ciudad. Regresaban fatigados.

Llevaban una gorra azul con las iniciales del Banco Arús. Millones habían pasado por sus manos. Todos los sábados llenaban unos sacos de monedas de plata y los transportaban a hombros al Banco de España. Luego estas monedas iban regresando lentamente al Arús, a través de mil manos distintas. Las arterias de la vida. Cuando el cajero ya no podía más, y quedaba sepultado bajo las monedas de plata, volvían a llevarlas al Banco de España. Los cobradores se quejaban de que los sacos pesaban demasiado; pero no había presupuesto para alquilar un taxi.

Aquella mañana, las arterias de la vida llegaban a Ignacio coloreadas de júbilo. Se iba repitiendo: «Sí, tal vez llegue a ser útil...»

Y lo fue. Sin esperar a terminar la carrera. Lo fue gracias a su inscripción como donador de sangre en el Hospital Provincial, inscripción que efectuó a raíz de su visita al Manicomio en compañía de La Torre de Babel. Todo ocurrió con sencillez abrumadora, como siempre le ocurrían las grandes cosas. Una llamada telefónica al Director, éste tocó el timbre, el botones avisó a Ignacio, Ignacio se presentó, supuso que el Director le felicitaría por lo del bachillerato, y el Director le dijo:

—Chico, te llaman del Hospital. No sabía que te dedicaras a esas obras.

Apenas si lo sabía él. ¡Dar sangre! ¡Qué curioso! Habían esperado aquel día. Debía de ser alguien que quería sangre de un bachiller... El Director ponía cara de desear que la gente necesitara sangre en horas que no fueran de trabajo, pero le dijo:

—¿Quieres que avise a tu casa?

—¡No, no! No diga nada.

No habló con nadie, sólo con La Torre de Babel mientras se cambiaba el chaleco. La Torre de Babel le animó, diciéndole en voz baja:

—No tengas miedo. Verás que es una sensación... dulce.

En efecto, lo fue. Todo con sencillez. Tendido en una cama, con un hombre cadavérico —un tal Dimas, del vecino pueblo de Salt— en otra cama contigua. Pusieron sus venas en comunicación. Sintió que perdía peso, que su fuerza disminuía. Era el lento fluir de lo que a él le sobraba, de lo heredado de Carmen Elgazu, de su salud de hierro, de Matías Alvear. Iba pensando: «Sangre de primera calidad...» Y rezaba.

No sabía si rezaba por él, o por su vecino, por Dimas. ¿Qué tendría él de común, a partir de aquel momento, con aquel hombre? ¿Quién era?

Los asistía el doctor Rosselló. ¡Válgame Dios! El doctor Rosselló. El subdirector le había dicho: «Sí, es un masón de marca mayor».

¿Por qué, si era masón y la masonería era una institución benéfica, no mejoraban las instalaciones del Hospital?» Su cama crujía. Él no se movía en absoluto y, a pesar de ello, crujía. El subdirector repetía siempre: «Lo que quieren es que todo funcione mal para desprestigiar al Gobierno».

De repente cortaron la comunicación entre su cuerpo y el de Dimas. Volvía a ser él, solo e independiente. Pensó: «Yo, Ignacio Alvear, abogado, consultas de 3 a 7». Se levantó, le ayudaron. Se lavó las manos. Se miró al espejo. Sentía vértigo. Oía murmullos a su lado, como si un enjambre de monjas hablara de él.

Al llegar a su casa, Carmen Elgazu le preguntó:

—¿Qué tienes, hijo mío? ¿Te sientes mal?

—Nada, nada.

Matías dijo:

—Una indigestión de bachiller.

Pilar intervino:

—Mamá, mamá, hazle un plato de crema. —Luego añadió—: Y pon un poco para mí. Yo también he tenido buenas notas.

En el plato de crema se encendieron seis velas, los seis cursos de Bachillerato. Ignacio sentía vértigo. Las miró y le pareció que volvía a hallarse en la procesión. Le pareció que oía campanas y que llevaba capucha. Le pareció que su padre, al servirle, le miraba y levantaba el índice de la mano izquierda. Entonces él contestó, con naturalidad:

—«Neumáticos Michelin.»

* * *

Luego llegó el telegrama de César. Y al día siguiente del telegrama, César en persona.

¡Santo Dios! No parecía el mismo. ¡Cuánto tiempo sin verle! Su presencia espiritual, flotando durante todo el invierno por el piso, era más real que la de ahora, que su presencia física, que a todos les había desconcertado.

¿Era César, el hijo, el hermano? Alto, increíblemente alto, más que Matías, más que Ignacio. Ojos profundos, más alegres que antes, más reposado en sus movimientos. Tenía mejor aspecto, parecía más fuerte. Ya a nadie se le ocurriría llamarle pájaro.

La familia le rodeó, como siempre. ¡Hijo! Tuvo que contar, que contar. También había obtenido buenas notas. La familia se sentía completa con él. Presidió la mesa. Se habló, largo rato, mientras afuera, en el río, el día iba cayendo. Llegó un momento en que casi estaban a oscuras en el comedor y no se habían dado cuenta. La montura de plata de los lentes de César iluminaba la estancia. Y sus ojos. Y los ojos de Carmen Elgazu, y las manos de ésta asiendo de vez en cuando las de César, por encima de la mesa. Y las sienes y el bigote de Matías Alvear.

—¡Ya vuelvo a estar aquí! Gerona... Y ya tengo cuatro cursos... Ahora, todo el verano...

—¿Qué tal el viaje? ¿En un camión de alfalfa?

—No, este año no.

Era eso. Se hablaba por años.

—¿Y qué tal la navaja...?

—¿La navaja...? ¡Uy! Un éxito. La gente que he afeitado...

—No me irás a decir que has afeitado a las monjas —dijo Matías.

—¡Jesús! —exclamó Pilar.

César los miraba a todos. Sí, en ese año estaba más presente. Los reconocía con mayor precisión. A sus padres los encontraba un poco envejecidos. A Ignacio, no. Era el mismo, un poco más pálido. En cambio, Pilar... En cambio Pilar le impresionó mucho. «¡Pero si estás hecha una mujer!»

—Fue en San Feliu, gracias a aquellos baños...

—¡Anda, dejad los baños! —cortó Carmen Elgazu, riendo—. Que volveríais a hablarme de las calabazas.

César recorrió el piso. Miró afuera, al río. Entró en el cuarto de Pilar.

—¿Ahí fue donde pusiste el belén...?

—Sí. Ahí.

—Y esa revista, ¿qué es...?

—Nada. Me la dio Nuri. Es de cine.

—¿De cine...?

—Sí. «Rey de Reyes».

César abrió la puerta de la alcoba de sus padres, sin entrar. Luego entró en su habitación, en la de Ignacio. El armario, con dos anaqueles preparados para su ropa interior. Su silla. Su cama intacta. ¡Con algo reclinado en la almohada! Una pluma estilográfica, idéntica a la de Ignacio.

Pilar le dijo:

—Ya sé dónde te la pondrás cuando lleves sotana. —Y se señaló el centro del pecho, entre botón y botón de vestido—. Como mosén Alberto, sujeta con el clip.

* * *

266

La llegada de César no alteró el ritmo de la ciudad; porque el verano estaba ahí, y con él la tregua. La gente se dispersaba en playas y montañas. Julio, en el Neutral, le decía a Ramón, el camarero:

—¿Y tú dónde te vas? ¿A Estambul, a Vladivostok...?

Pero en cambio alteró el ritmo de la casa. Pilar le decía: «¿Sabes...? Ya me he despedido de las monjas. El mes próximo empiezo el corte». Carmen Elgazu la interrumpía: «Bien, Pilar. Pero no grites tanto, que César no es sordo».

Matías se sentía feliz. Presentía grandes caminatas, junto con César, al río, a pescar como en el verano anterior. Ahora ya le reconocía de nuevo. César ya volvía a formar parte de él. En Telégrafos había dicho: «Tengo al obispo aquí». Matías no decía de alguien o de algo «que lo tenía aquí» hasta que lo sentía moverse en el centro exacto de su pecho.

Quería saber si llevaba cilicio... Varias veces, al pasar le había puesto como por casualidad la mano en la cintura. Pero no lo sabía seguro. César no había expresado dolor ninguno. Sin embargo, era capaz de disimular hasta tal extremo.

Mosén Alberto, que desde la discusión con Ignacio había espaciado las visitas a la familia, volvió. Y le tiró de las orejas a César diciéndole: «Bien, chico. Encontrarás novedades en el Museo».

César le preguntó:

—¿Podré ir al cementerio?

Mosén Alberto le contestó:

—Mientras no exageres, podrás ir a todas partes.

Julio también subió al piso a saludarle.

—¡Caramba, chico! Has crecido, te estás elevando. ¿Qué, qué tal las pelotas de tenis? —Le dijo que había comprado varios discos de música religiosa, que le invitaba a oírlos.

César quedó asombrado. No sabía por qué, pero suponía que sólo era registrada en discos la música profana.

—Un día iremos todos a oír eso —intervino Matías, acudiendo en su ayuda.

Julio, partidario de la Ley de Contratos de Cultivo de la Generalidad, admirador de los artículos de Casal en *El Demócrata*, experto en suicidios y hombre convencido de que el fascismo era uno de los mayores peligros de la era moderna, sentía en presencia de César algo especial. Le consideraba demasiado humilde. Entendía que la Religión creaba este tipo de ser, previamente derrotado. Un día le había dicho a Ignacio, hablando del incremento del atletismo: «Vas a ver dentro de unos años. Un grupo de esos obreros morenos, fuertes, con buenos puños y conociendo la técnica del *jiu-jitsu*. ¿Qué podrán en contra esos pálidos muchachos de la Congregación Mariana o los de Acción Católica?» En presencia de César se reía. Las orejas de éste y sus movimientos de asombro le hacían tanta gracia como al Responsable los pelos como lanzas del señor Corbera. Le daban ganas de sentarse encima de su rapada cabeza y de dar varias vueltas sobre sí mismo. «Dele café a su hijo —le decía a Carmen Elgazu—. Mucho café.»

Ignacio notaba que su hermano había cambiado, que era más hombre.

—¿Es que has estudiado mucho? —le preguntó.

—Sí. Bastante.

Era cierto. Había dado un gran salto. Hasta aquel curso tenía ideas muy vagas sobre las cosas. De repente, se hubiera dicho que el profesor de latín le había iluminado el cerebro.

Empezaba a tener una visión precisa de la configuración del Universo y se había formado un cuadro sinóptico embrionario, pero exacto, de la historia de los cinco continentes, en los planos físico y humano. Respecto al pensamiento, sin haber llegado aún a los cursos de Filosofía, que empezarían con el quinto de la carrera, por reflexión, conversaciones oídas y alguna lectura, parecía estar en condiciones de defenderse discretamente. De Apologética andaba preparado. Probablemente Julio se hubiera llevado una sorpresa si le hubiera hablado del libre albedrío o de la legitimidad de la confesión. Y si Cosme Vila le hubiera preguntado: «Bueno, ¿cómo es posible que los ángeles se rebelaran si eran espíritus puros?», probablemente César habría desplegado ante él, con sorprendente facilidad, una teoría verosímil y ceñidamente ortodoxa.

De todos modos, lo importante en César continuaba siendo no su cerebro, sino su corazón. Más grande si cabe. En el Collell se había convertido en una institución. Los internos de pago habían acabado por rendirse a su sencillez, y excepto el pelirrojo, que continuaba destrozando la almohada cada noche, y algunos cínicos por costumbre, todos le trataban con afecto.

Poco a poco les fue contando su vida en aquel invierno. Resultó que un buen día —en noviembre creía que fue— las Hermanas le reclamaron para que las ayudara en la enfermería. Dos días por semana tuvo que ir. Tuvo que vencer muchas repugnancias: los tumores le daban náuseas, la sangre le mareaba y cuando alguien tosía de cierta manera le parecía que le iba a contagiar todos los microbios. Pero el ejemplo de las monjas lo estimuló. Aquel año hubo muchos enfermos. Aprendió a jugar a las damas para entretenerles, y un poco al ajedrez. Un detalle en contra suya: jamás aprendería a poner inyecciones. Torció no sabía cuántas agujas, arrancó muchos ayes que hubieran podido ser evitados. Varios enfermos habían levantado la cabeza y le habían llamado «monstruo».

El día del cumpleaños de Ignacio lo había celebrado con otro de los criados, jugando una partida de pelota a mano. Perdió —21-18—. Dieciocho, los años de Ignacio...

El cumpleaños de Pilar —quince, ¿no era eso?— lo celebró también, comiéndose un pastel magnífico que le preparó la directora de la enfermería. Por cierto que la monja jugaba a las damas como nadie. Etcétera.

Todo lo que contaba era importante para la familia. Carmen Elgazu le escuchaba viendo en cada una de sus palabras la gracia de Dios, la lengua del Espíritu Santo. Se convencía cada vez más de que, de parecerse todo el mundo a César, no ocurriría todo lo que estaba ocurriendo, no se celebrarían en Barcelona aquellas terribles manifestaciones de protesta, ni empezaría a sonar la palabra «revolución», ni el campo entero andaluz se declararía en huelga, dejando pudrirse los frutos al sol, dejando morir de sed al ganado en las cuadras.

César hablaba lentamente, y de repente se retiraba a su cuarto a rezar. Rezaba y procedía a su cotidiano examen de conciencia. Y se decía que debía establecer su plan de acción para el verano.

¡Válgame Dios! Algunos de los proyectos que tenía eran fáciles de llevar a cabo: volver al cementerio, a la calle de la Barca, agrupar de nuevo a los niños en aquel vestíbulo fresco, de ladrillos rojos —4 × 4, 16—. Fácil todo eso, porque ya rompió el hielo el año anterior. Fácil ir al Museo, a esperar algún turista inglés con pantalón corto. Pero llevar a cabo otro de sus proyectos... Dar con las catacumbas, por ejemplo... Volver a Ignacio al buen camino...

Esto último era lo principal. No bastaba con que Ignacio guardase su compostura y hubiera aprobado el último de Bachillerato. Era preciso sanear su corazón. Su madre le había contado en una carta la tremenda escena que tuvo con mosén Alberto, en la que Ignacio dijo cosas tan graves, y en otra lo nefasta que resultaba para él la influencia de David y Olga, «maestros que en vez de decir Dios decían no sé qué substancia cósmica o fuerza, una substancia que ellos consideraban muy grande, pero que ella, Carmen Elgazu, consideraba muy pequeña».

Pensaba en los consejos de su profesor de latín, siempre gran conocedor de las almas. En primer lugar, rezaría. ¿Cómo no confiar en la plegaria? Era infalible. Luego... daría ejemplo. Los actos. Hablar hablaría poco. Ya casi se arrepentía de haber hablado tanto en el comedor. Además de que con Ignacio llevaría las de perder, pues destruir una teoría es siempre más fácil que construirla. Ahí estaba Julio como ejemplo vivo. Luego... no sabía. Ya vería. Pero era preciso salvar a Ignacio. Y a Pilar. Porque aquella revista de cine...

Había que cuidar de la familia, era lo básico. Y luego... el proyecto íntimo, secreto, sobre el que todavía no se había confiado con nadie: aprender el oficio de imaginero.

¡Exacto! Esto era importante. Entrañable proyecto, que no obedecía a impulso temperamental, pero sí a algo rigurosamente meditado. César se decía: «Aparte de consagrar, ¿qué cosa podía existir más hermosa que crear con las propias manos imágenes religiosas, de santos, de mártires, de la propia Virgen, del mismísimo Cristo en la Cruz?» ¡Cuántas veces había pensado en ello! Sentíase incapaz de crear el original, pero no de trabajar en su ejecución. ¡Y pintar las copias luego, la túnica de tal color, las sandalias de tal otro, mucho cuidado con los ojos, oro en la corona! Tenía ideas muy personales a este respecto. Se había informado. La mayor parte de las imágenes que circulaban por el mercado eran indignas de lo que representaban. En la provincia había grandes fábricas; en Olot, que, al lado de modelos decorosos, lanzaban series sin ningún respeto. Él pensaba entrar en uno de los dos pequeños talleres existentes en Gerona, y proponer una reforma total. ¡Atención a la Hagiografía y a la Liturgia! Se puede interpretar simbólicamente la verdad, sobre todo cuando hay que erigirla en símbolo. ¡Pero, cuidado, cada caso es arte mayor! ¡Cuidado con aquellas imágenes del Niño Jesús tierno, regordete, de ojos azules abiertos de par en par y una piernecita al aire! Mosén Alberto le ayudaría para que le admitieran en un taller de Gerona, durante las vacaciones.

CAPÍTULO XX

Ignacio, liberado de la preocupación del Bachillerato, se sentía libre y fuerte. Su pensamiento volaba... También él acariciaba un proyecto: pasar las vacaciones en el mar, con David y Olga...

Los maestros iban a partir de un momento a otro, con dieciocho alumnos, chicos y chicas, a San Feliu de Guíxols, cuyo Ayuntamiento les había cedido generosamente un edificio situado en un promontorio al oeste de la bahía, junto a la Torre del Salvamento de Náufragos. Una especie de hotel deshabitado, entre pinos.

Le habían propuesto a Ignacio: «¿Por qué no te vienes con nosotros? Si tus vacaciones coincidieran...» Aquello tenía una ventaja: le saldría muy barato, entraría en el presupuesto colectivo. Muy importante teniendo en cuenta que la incorporación de César desequilibraba todos los veranos la economía familiar.

Ignacio habló de su proyecto con César. Porque, de repente, al ver a su hermano tan servicial y atento, le entraba una ráfaga de cariño por él, y entonces le hacía confidencias de todas clases, a veces innecesarias. César, en estos casos, se sentía poseído de una gran responsabilidad y medía mucho sus palabras. En realidad, a él le resultaba más cómodo rezar y dar ejemplo.

El día en que Ignacio le comunicó que buscaba novia, César se aturdió. Sonrió y se tocó las gafas. «En eso, ¿sabes...? Yo...» Ignacio se echó a reír. Le tiró de la oreja. «¡Ah, tunante! ¿Estás seguro de que no has pensado nunca en eso?» Luego se arrepintió de esta insolencia.

Otras veces le hablaba de los acontecimientos políticos y sociales, para ver hasta qué punto llegaba su incapacidad de adaptación en este terreno.

—Ya sabes que hay gran agitación, ¿no?

—Sí, eso decían en el Collell.

—¿Sabes lo de Andalucía, la huelga...?

—Concretamente eso..., no, no sabía.

—Pues... ya llevan varias semanas. Se están pudriendo hasta las azadas. Incluso en las ganaderías de reses bravas se hace huelga.

César parpadeaba.

—Así, pues, si dura mucho no habrá ni siquiera corridas de toros.

—¡No digas eso, que Raimundo el barbero se desmayará!

Luego Ignacio continuaba:

—¿Y lo de Cataluña, te das cuenta de lo que puede significar?

—Pues... algo de la autonomía.

—¡Sí, sí! Quieren la independencia completa antes de fin de año. Verás cuando la gente regrese de las vacaciones.

—¿Y por qué la independencia?

—Mira. Son así. Ahora piden el traspaso de las contribuciones territoriales a la Generalidad y que la policía sea de la Generalidad.

César movía la cabeza. ¿Qué diferencia había en que las contribuciones fueran de un lugar o de otro?

A veces a Ignacio le entraba un sentimiento de superioridad y se complacía anonadándole con datos y asustándole. Le decía que en Asturias y Madrid las organizaciones obreras repartían armas a todos sus afiliados.

—Sí, César. Se habla de revolución...

Entonces César miraba a Ignacio con fijeza, a la estrella del belén que pendía de los barrotes de la cama, y como quien hace un descubrimiento decía:

—Todo esto es lógico, ¿no te parece? Mira, mira aquí. Vas a ver. —Y tomaba la Biblia de la mesilla de noche, hojeándola con familiaridad. Finalmente la abría en las Lamentaciones de Jeremías o en el Apocalipsis de San Juan—. Escucha, fíjate:

> «Yo, Juan, vuestro hermano y compañero en la tribulación, y en el reino de los cielos, y en la tolerancia de Cristo Jesús; estaba en la isla llamada Patmos por causa de la palabra de Dios, y del testimonio que daba de Jesús. Un día de domingo fui arrebatado en espíritu, y oí detrás de mí una gran voz, como de trompeta, que decía: "Lo que ves, escríbelo en un libro, y remítelo a las siete iglesias de Asia... Diles que se verán en gran aflicción si no hicieran penitencia de sus obras". Y a la iglesia de Sardis: "Sé vigilante, porque yo no encuentro tus obras cabales en la presencia de Dios". Vi, pues, cómo salía otro caballo bermejo; y al que lo montaba, se le concedió el poder de desterrar la paz de la tierra y de hacer que los hombres se matasen unos a otros, y así se le dio una grande espada.»

Ignacio se sentía algo molesto. ¿Por qué aquel lenguaje? Caballos bermejos, espadas... César entonces abría en las páginas de los Salmos o en la Carta Católica de Santiago el Menor:

> «Bienaventurado aquel hombre que sufre la tentación, o tribulación, porque después que fuere probado, recibirá la corona de la vida, que Dios ha prometido a los que le aman.»

* * *

David y Olga y sus alumnos se marcharon el 20 de julio. Un mes en la playa, en San Feliu de Guíxols.

El notario Noguer se fue a Camallera, don Santiago Estrada a Mallorca con la familia. «La Voz de Alerta» a Puigcerdá, donde junto con unos amigos quería fundar un club de *golf*. Don Jorge, esposa, hijos y criadas se instalaron en una propiedad a los pies de Nuestra Señora del Mont, desde la que se divisaba la inmensa llanura del Ampurdán, los Pirineos a la izquierda, al fondo el mar. Los Costa cerraron sus establecimientos industriales, pusieron autocares a la disposición de sus obreros y ellos se fueron al Norte, a comprar hierro. Mosén Alberto aceptó la invitación del notario Noguer y esposa y se fue también a Camallera, donde pensaba, junto al ciprés del jardín, escribir un nuevo catecismo, ilustrado, en el que quedara muy claro el ejemplo dado para explicar la Trinidad: «Así como un árbol que tiene tres ramas...»

Ignacio se reuniría con David y Olga en San Feliu de Guíxols, en el edificio entre pinos, el primero de agosto, fecha en que comenzaría las dos semanas de vacaciones que le correspondían.

En Gerona quedaría poca gente: Carmen Elgazu, Matías Alvear, César, Pilar, los locos de Salt, los enfermos del Hospital, los chicos del Hospicio. Y todo el barrio de la Barca en pleno, sin recursos para viajar.

También por este motivo Pilar empleaba la palabra revolución. La muchacha quería armar una revolución en casa, porque Ignacio se iba quince días al mar y ella no; pero Ignacio le paró los pies. «¿De qué te quejas? El año pasado estuviste tú, con el pretexto de los granos y demás.»

Otra de las personas que se quejaban era doña Amparo Campo. Julio tampoco quería llevarla a ningún sitio. Julio le dijo: «No puedo abandonar Jefatura. Destituirán al Comisario de un momento a otro y he de permanecer aquí». Doña Amparo Campo, que en la playa hubiera podido exhibir la redondez de sus brazos, se llevó un berrinche.

—¿Qué haré, pues, todo el verano? ¿Salir con la tortuga?

Encontró a Carmen Elgazu en la pescadería y le dijo:

—¿Qué hace Ignacio...? No le veo casi nunca. Dígale que me aburro. Que venga a verme alguna vez.

Y, sin embargo, doña Amparo Campo y todos los que se quedaran en Gerona y quisieran exhibir sus brazos, podrían hacerlo: el 30 de julio se inauguraría la Piscina Municipal.

Gran acontecimiento. Había gente que consideraba aquello una profanación y la pérdida definitiva del silencio en la Dehesa. Porque la piscina, situada al norte, en el llamado Campo de Marte, además de agua corriente, trampolín y duchas... ¡dispondrían de pista de baile, con altavoz!

El Tradicionalista preveía un alud de escenas indecorosas; por el contrario, los centros deportivos de la localidad lo consideraban un gran adelanto. En el Banco se sabía que los Costa eran accionistas de la Piscina, y que Julio había intervenido de algún modo en su realización. Carmen Elgazu, al saber que el policía se hallaba vinculado a aquel asunto comentó: «Claro, la cuestión es pervertir la ciudad. Si pudiera, pondría piscinas en cada iglesia». Por su parte el subdirector la llamaba la piscina masónica. No sólo porque sus autores eran los arquitectos Ribas y Massana, de quienes aseguraba que formaban parte de la Logia de Gerona, sino porque, a su entender, la propia arquitectura, cubista, lo revelaba, sin dejar lugar a dudas. «Sus líneas recuerdan perfectamente los símbolos geométricos de la masonería.»

Y no obstante, a Ignacio todo esto le tenía sin cuidado. Lo que ocurriera en la Piscina no le interesaba para nada. El uno de agosto tomó el tren pequeño, después de despedirse de todos y de oír mil consejos de Carmen Elgazu. Matías, en la estación, le dio una pequeña suma de dinero diciéndole: «Tú mismo, hijo. Sin hacer el ridículo, devuelve lo que puedas». Ya se encontraba en San Feliu, en el edificio cedido por el Ayuntamiento a David y Olga, junto a la torre del Salvamento de Náufragos.

Los halló a todos muy bien instalados. Los niños en una ala del edificio, las niñas en la otra, los maestros arriba. El hotel era blanco, con una terraza que dominaba la bahía entera, pues por aquel lado el bosque de pinos clareaba.

El orden interno de la Colonia —la colectividad había adoptado este nombre—, era perfecto. Al toque de diana eran levantadas las camas y en su lugar se instalaban las mesas que luego servirían de comedor. Todo por turno riguroso: ayudar a la cocinera, limpieza, bajar al pueblo a comprar. Los propios alumnos cuidaban de todo, excepto de la administración y la cocina. Para servir la mesa, las niñas reclamaron la exclusiva.

Lo primero que hizo Ignacio fue esperar a que llegara la noche para irse solo al rompeolas y contemplar el mar, que apenas había visto desde que se marchó de Málaga, y escucharlo hasta que su corazón se sintiera satisfecho. Así lo hizo. Y apenas llegado a él, reclinado en la barandilla, bajo el faro que giraba silencioso, le pareció tan hermosa el agua que le rodeaba por todas partes, y la quietud, y el cielo que se extendía de punta a punta sobre su cabeza, que tuvo la impresión de que rompía con su pasado, con el Banco, con Gerona, casi casi con su Bachillerato. Se dijo que ya nunca más tendría preocupaciones de sociedad, de dinero, de trabajo, de conciencia. Su vida iba a ser, ya para siempre, aquel rompeolas, aquella quietud, aquel faro que giraba silenciosamente. Con la espuma que le llegaba se mojó la frente y las sienes. Y respiró hondo. Y allá quedó al paso de las horas, isla humana, pensamiento, volviendo de vez en cuando la mirada hacia el pueblo, cuya bahía, a lo lejos, resplandecía de luces porque era la Fiesta Mayor. Una de estas luces titilaba al viento junto a la Torre del Salvamento de Náufragos. Era el faro del edificio en que él viviría aquellas dos semanas, en compañía de los alumnos y sus maestros.

David le había dicho:

—Llévate el *slip*. Un baño a medianoche es incomparable.

Olga había replicado:

—¿Para qué? Mejor aún bañarse desnudo, sobre todo hoy que hay luna.

Siguió este último consejo. A las doce en punto regresó del puerto, descendió a la playa y se echó al agua. La primera sensación al subir a la superficie y hallarse solo fue la de vivir un momento absoluto, de entera plenitud. El agua en la noche le producía un inédito placer en la piel, un ritmo jubiloso en la sangre, una rara claridad intelectual que le capacitaba para recibir cualquier mensaje que viniera del mar. Pero, de repente, advirtió hasta qué punto era total su soledad. Entonces le pareció que la marea subía, que las sombras de las barcas ancladas a su alrededor cobraban vida. Un miedo inexplicable le invadió. Por dignidad dio unas brazadas aún, pero sin dejar de mirar la mancha que el montoncito de su ropa hacía en la arena de la playa. Esta mancha era el único cordón que le enlazaba con el mundo, su única seguridad. A pesar de lo cual oyó, bajo sus pies, extraños chasquidos emergentes de ignotas lenguas submarinas. Y al mismo tiempo un escalofrío en las piernas, como un calambre. Sin dejar de sentirse feliz por todo ello resopló un instante y, deslizándose sin hacer ruido, se dirigió a tierra. Luego marchó con lentitud a la Colonia.

* * *

Al día siguiente entró en tromba en la vida de la Colonia y en la vida de San Feliu. Por la mañana la comitiva, niños y niñas, bajaban a la playa, precedidos en lo alto por constelaciones de cometas. Ejercicios gimnásticos, y luego el baño. Olga llevaba un *maillot* blanco y nadaba a la perfección, escoltada por los mayores de la clase. A veces desaparecía bajo el agua y surgía al cabo de un rato mucho más lejos, no sin que David se hubiera llevado un buen susto. Algunas de las niñas se tendían en la playa y los chicos las iban cubriendo de arena.

Por la tarde, excursión, bordeando la costa, por entre los pinos, salpicándola de comentarios sobre la vida de los veraneantes en sus residencias. Hacia el atardecer, lección de tema vario y luego trabajo manual. Cuadritos tallados en madera y, sobre todo, en corcho, que era lo peculiar del país. Olga enseñaba a las niñas a hacer muñecas. Unas muñecas de trapo muy expresivas, con el esqueleto de alambre. Un amigo de David, compañero de promoción, que ejercía en el pueblo, había ido a visitarlos. Tocaba la guitarra y aportaba un fondo sentimental al corcho y a las muñecas. Cuando el sol se ponía, todo el mundo, sentado, asistía a su muerte con la mirada, sobrecogido el ánimo ante la grandeza de la hora y el tono violento —morado y escarlata— en que se resolvía la inmensidad del cielo. Luego se encendía una hoguera y se cantaba.

Ignacio no perdía detalle de las reacciones de los alumnos. Quería aquilatar de cerca los resultados del Manual. Todavía era temprano para emitir un juicio sobre ellos. Por de pronto, llevaban once días allí, a todos les había tostado el sol. Tal vez sus ademanes y su mirar revelaran cierto sensualismo. «¿Por qué cubrían de arena las piernas y el vientre de las chicas? ¿Por qué empleaban un vocabulario superior al que les correspondía por la edad?» Debía de ser la distensión que creaban las vacaciones. Santi, el chico de los enormes pies, era muy grosero. Era incomprensible que David y Olga le prefirieran. «¿Qué virtudes tendría ocultas? O tal vez le prefirieran por caridad...»

De todos modos, se dijo que no se encontraba allí para escarceos psicológicos. Lo mejor era salir él solo a la buena de Dios, bajar por su cuenta al pueblo de San Feliu, centro veraniego de la región. Ninguna idea preconcebida, ningún plan concreto. Mirar y gozar de la alegría del mar, del cromatismo de la Fiesta Mayor.

¡Válgame Dios, pronto comprendió la expresión de los ojos de los chicos! Toda la playa, y especialmente la zona acotada por una valla —donde iba la gente de pago—, era un milagro de muchachas hermosas. Le habían dicho muchas veces que las mujeres en el mar no hacen ninguna impresión, que la excesiva desnudez atenúa el misterio. Ignacio pensó que en San Feliu no ocurría nada de eso, todo lo contrario. Las chicas tenían, o bien aire de languidez que atraía irresistiblemente, o bien daban una sensación de plenitud, de belleza y fuerza que encandilaba los ojos. Aparte las consabidas deformidades y raquitiqueces, que por lo demás cuidaban muy bien de no exhibirse demasiado, de esconderse entre las barcas.

Pronto comprobó un hecho: el nivel de belleza era muy superior entre la gente que se bañaba en la zona de pago. Sería absurdo negar aquella evidencia. ¡Qué se le iba a hacer! Como reconocía Julio, la elegancia era un hecho humano anterior a las teorías democráticas.

Ignacio se dijo: «He de bañarme en la zona de pago». Pero tenía presente la advertencia de su padre: «Gasta lo menos posible». Así que se decidió a usar de un ardid corriente para cruzar la valla sin pasar por la taquilla: la vía marítima.

Esperó a que se bajaran a la playa los niños de la Colonia, se desnudó, dejó la ropa al cuidado de uno de ellos, se internó en el mar y luego, nadando, cortó en diagonal hacia el terreno acotado. Una vez allí nadie le pidió explicaciones y usó de todos los privilegios como los demás.

A media mañana, de una de las casetas, pintarrajeada de líneas blancas y verdes, salió un hombre con un inmenso balón azul, balón que en seguida revoloteó por entre los bañistas levantando gran algazara. Era un hombre que se movía con sorprendente naturalidad. Cuerpo atlético, aunque ya de hombre maduro. Fumaba en una larga boquilla. Se hizo el amo, sin que nadie se preguntara por qué. Ignacio movió la cabeza varias veces consecutivas, pues reconoció en él al comandante Martínez de Soria.

Minutos después, una muchacha de extraordinarios ojos verdes, con gorro de goma que le minimizaba la cabeza, se dirigió hacia Ignacio con ademanes coquetos y, viéndole algo apartado, le mandó el inmenso balón azul. Ignacio quedó en suspenso. Temió que el balón, resbaladizo, le jugara una mala pasada, lo cual sería grave, pues todo el mundo le estaba contemplando. Concentrando todas sus fuerzas, dio un enorme salto, emergiendo del agua hasta medio cuerpo. Luego pegó un puñetazo. Su proeza debió de ser algo verdaderamente fuera de serie, pues todo el mundo aplaudió; a la muchacha no la veía porque había quedado tras la masa azul del balón.

Pasó todo el resto de la mañana en estado febril, dándose cuenta de que hacía teatro, en honor a aquellos ojos verdes que no se apartaban de su piel. La muchacha era de una belleza que barría todo cuanto había conocido antes. Entonces le asaltó un pensamiento cómico: si se marchaba nadando, ella descubriría que había entrado fraudulentamente en las zonas de la elegancia. Alguna amiga le diría: «¡Ya ves! Debe de ser un pescador».

Tenía plena conciencia de lo mezquino que era aquello. Pero algo superior a él le retenía en la arena. Hasta que, muy tarde, la muchacha entró en una caseta y salió vestida. Al pasar a su lado dijo: «Adiós». Él se levantó y correspondió al saludo. Minutos después volvía a sumergirse en el mar para cruzar la zona acotada.

En realidad no tenía idea del tiempo transcurrido. A medida que se acercaba al lugar iba mirando la playa, casi desierta. ¿Y los alumnos? ¿Y su ropa...? No veía a nadie. Por fin descubrió, sentado en una barca, solo, inmensamente solo y aburrido, al chico al que había confiado sus pantalones, su camisa, sus alpargatas.

Ignacio se sintió avergonzado. Salió del mar empapado de agua y chorreando de vergüenza.

—Pero... ¿qué hora es?

—No sé. Las tres y media, creo.

—¡Oh, pobre chico! Lo siento de veras.

Miró al niño. Tenía expresión inteligente, tal vez un poco de soberbia.

—No habrás comido, claro...

—Empezaba a comerme las alpargatas, pero sabían mal.

* * *

A media tarde los chicos le rodeaban, no querían soltarle. Pero él se moría de ganas de bajar a San Feliu. La cordialidad de los alumnos le halagaba; sin embargo, un impulso más fuerte que él se le hacía irresistible. Se peinó en su cuarto, arriba, se mojó la cara, se secó, salió de la Colonia y, saludando a todos, se lanzó cuesta abajo. Eran las cuatro y media en punto.

Temprano, pero no importaba. Ya se oían las sardanas... En un santiamén se encontró en el llano. El Paseo del Mar estaba abarrotado. Autobuses, entoldado, cafés rebosantes, un Circo. «¡Helao, al rico helao...!» Los veraneantes de plantilla, refugiados en la terraza de su Casino habitual, contemplaban el bullicio con irónico agradecimiento.

En la orilla, una gran multitud. Se acercó: las regatas. Uno, dos, tres, ocho balandros doblaban la curva del rompeolas, tan inclinados que parecía que de un momento a otro se decidirían a tenderse horizontalmente en el agua. Sin embargo, de repente se erguían, avanzaban como flechas en dirección a la meta, situada en zona de pago. Cada balandro llevaba un experto y una venus, ambos destacándose contra los macizos acantilados de Garbí, enormes, a la derecha de la bahía.

Ignacio se dejó ganar por el espectáculo. ¡Hermoso combate! Y los acantilados... Se prolongaban durante kilómetros y kilómetros, hasta Tossa de Mar. Crines rocosas de tono amarillento o rojizo, miles de pinos descendiendo en cabalgata hasta el agua, ante un mar a la vez neto y profundo. ¡Qué grandiosidad!

Reconoció a muchas personas de Gerona, que en el Paseo del Mar adoptaban aires de venir de mucho más lejos. Mujeres de color de rosa que cambiaban tranquilamente su piel. Al muchacho le parecía extraordinario que una cosa tan importante como cambiar la piel ocurriera de tan sencilla manera. Por lo demás, el Paseo de San Feliu tenía aspecto de parque familiar.

Dio media vuelta y pasó frente a los cafés. ¡Al vuelo las campanas! La muchacha de ojos verdes estaba sentada con una amiga en el Casino llamado «de los señores», en uno de los sillones de la calzada. Ignacio, sin reflexionar un segundo, se le acercó. No sabía lo que le diría, pero no importaba. Se detuvo ante ella y renunció a todo preámbulo: puso una mano sobre la mesa y le preguntó si le había hecho daño con el balón azul. Ella le contestó que sí, e inclinándose ligeramente le mostró un exquisito corte que tenía sobre una ceja. Ignacio, entusiasmado, le pidió permiso para quedarse a su lado hasta que la herida hubiera cicatrizado. Ella hizo un mohín inteligente y gracioso, y señaló un sillón a su izquierda. Luego presentó.

—Mi amiga «Loli». Yo me llamo Ana María.

—Yo me llamo Ignacio.

Al tiempo de sentarse, Ignacio leyó mensajes totalmente distintos en los ojos de las dos muchachas. En los de Ana María, algo espontáneo, claro como la vela de un balandro; en los de Loli una terrible sospecha: la sospecha de que él era pescador.

La muchacha le miraba con desconcertante insolencia las alpargatas —de trenzas, no de *crep*—, el pantalón —azul marino, no blanco—, la camisa no de seda, la muñeca sin reloj. Luego el pecho, la frente morena, el pelo negro y rizado. Acodada en el sillón, sin quitarse el meñique de los labios, remató el examen:

—¿Qué estudias?

—Ahora empezaré abogado.

Loli sonrió. Al cabo de poco rato suspiró con absoluto aburrimiento.

—¡Bien, chicos! —dijo, levantándose—. Os dejo. —Se pegó una absurda palmada en la cabeza. Y ya de espaldas levantó la mano y la agitó—: *Au revoir!* —Y se alejó.

Ignacio enarcó las cejas con asombro. Ana María se quitaba algo de la solapa del vestido.

—Me parece que no le he gustado —dijo Ignacio.

—Me parece que no —rubricó ella sonriendo—. Está loca, pero es muy simpática, de veras.

Ignacio se sentía molesto. Quería poner aquello en claro, pero Ana María cortó sus pensamientos.

—Tú no eres catalán, ¿verdad?

Ignacio se volvió. La muchacha tenía una barbilla diminuta, nariz chata, pómulos salientes. Se peinaba con un moño a cada lado. Era un encanto. Llevaba un traje de hilo, muy correcto. Cuando se reía, avanzaba la cabeza en actitud de gran cordialidad.

Ignacio pensaba: todo esto es un milagro. Hablaron de cosas neutras. Dos o tres comentarios de la chica le llamaron la atención. Primero, cuando los altavoces dieron el resultado de las regatas. Ana María le dijo: «¡A ver, perdona un momento! —Y escuchó. Al oír el nombre del ganador exclamó—: ¡Ah, ja! ¡Papá rabiará!» Luego, un momento en que el sol se rodeó de rayos blancos observó: «¿A ti no te parece que el sol es poco humilde?»

Se levantaron. Entraron en el teatro *guignol* —un real cada uno— y se rieron como benditos con el intercambio de garrotazos entre la mujer buena y Lucifer. Luego escucharon un charlatán —Jimeno— que vendía relojes de pulsera por dos duros. «¡El único defecto que tienen —decía— es. que cuando marcan las doce no se sabe si es mediodía o medianoche!»

La tarde se encendía. Era un momento hermosísimo, propicio a la amistad.

Un pensamiento divirtió a Ignacio. ¿Qué demonios hacía allá, al lado de una muchacha cuyos pendientes bastarían para pagar su carrera y aun sobraría para que Carmen Elgazu y Matías Alvear hicieran su tan suspirado viaje a Mallorca? «¡Que los débiles no vayan al mar...!» Ahí andaba él, por el Paseo central, opinando sobre marcas de automóvil, ajeno a los suyos, que eran aquellos magníficos gerundenses que se volvían a la estación con la bolsa de la merienda vacía y la piel de la espalda arrancada a jirones.

Y, no obstante, se sentía satisfecho. Le parecía que todo el mundo le miraba. Ana María debía de llamar la atención, con sus dos moños, uno a cada lado, y las cintas de las alpargatas perfectamente entrecruzadas hasta media pierna. ¡Al diablo los escrúpulos! Tomaron asiento sobre una barca muerta en la arena, riendo sin saber de qué.

¿No quería ambiente nuevo? Ahí lo tenía.

Ana María balanceaba sus piernas. Suspiró y dijo:

—Cuéntame cosas...

Un pescador que pasaba oyó la frase.

—¡Anda, hombre, cuéntaselas!

Y la hora avanzaba. El crepúsculo era grandioso.

—Tienes una voz muy serena. Me gusta oírte.

—¿De qué quieres que te hable?

—De lo que quieras.

Ignacio se irguió y quedó frente a la muchacha. La barca era muy pequeña, él se sintió mucho más alto.

Nunca había hallado un ser tan expectante. Nunca a nadie tan dispuesto a escuchar. ¿Dónde había aprendido que de repente se encuentra uno con una alma gemela, solitaria, para la cual vale la pena volcar todo cuanto se lleva en el pecho?

Se entusiasmó.

—¿Ahora...? ¿Va...?

—Va.

Salió todo. Toda la ciencia acumulada en seis años de Bachillerato, en conversaciones con Julio, con David y Olga, con el subdirector y La Torre de Babel. Toda la experiencia de hombre nacido en Málaga, que ha llevado medias negras. De un tema al otro, sin más ilación que su voz. ¡Al diablo el pescador si es que rondaba por allá y le oía!

Habló de la Masonería. Del sistema planetario y del Apocalipsis de San Juan. De que en el mundo, mientras ella estaba sentada en aquella barca, ocurrían transformaciones: el comunismo, Hitler... En cuanto al fascismo, no se podía vigilar, como no se podría vigilar la Geometría o la concepción materialista de la Historia. Habló de la línea de los balandros, de la calidad de las piedras de Gerona, de César y del mar. ¡El mar! El milagro que más impresión le causaba —aparte el de la autorresurrección— era el de Jesús caminando sobre el agua. ¡Qué maravilla! Ana María debía de imaginar aquello: un hombre con túnica hasta los pies, cabellera venerable, deslizándose desde el rompeolas en dirección adonde ellos estaban... Sí, en el fondo todo era milagroso. Incluso Gerona. ¡Qué bien se sentía en Gerona! ¿Por qué una gran ciudad? En una gran ciudad la población aumentaba sin que se supiera cómo, los seres venían al mundo ignorándose de dónde ni de quién; en Gerona, en cambio, se tocaba la vida con la mano... Él conocía... ¡En fin! «Prefería la intensidad a la dispersión.» ¿Dónde estaba la victoria? No se sabía. En cuanto a él, cuando fuera abogado, no defendería sino pleitos perdidos. ¡De veras! Pero los ganaría. Y luego, a viajar... Le gustaría mucho Italia, luego Grecia, Egipto y, naturalmente, Rusia. ¡Los rusos se parecían tanto a la gente que ha nacido en Málaga y, luego, tomando la vida en serio! ¿No le parecía que la guitarra era más profunda que...? Olvidó decir que le gustaría ir a Palestina, aunque al parecer en el Santo Sepulcro ocurrían escenas deplorables con las parejas. Pero lo que más miedo le daba era la ciencia... La ciencia avanzaba implacable y si no se hacía buen uso de ella... Tenía un amigo que decía que llegaría un momento en que las inyecciones... Pero no. ¿Había oído hablar de Fontilles? ¿Conocía algún donador de sangre en los Hospitales? Y, sin embargo, peor aún que la ciencia era el maquinismo, el trabajo en serie... ¿Cómo amar el trabajo en tales condiciones? Un tornillo, otro, otro, todos iguales... Ningún obrero ejecutaba una obra entera, sino piezas sueltas. Como si las madres parieran a los hijos una un brazo, otra la pierna, otra la cabeza. Aunque luego todas las piezas casaran, ¿qué? Ya no sería el hijo. ¡En fin! Todo aquello no importaba. Lo importante era ser hombre, avanzar. Avanzar era lo que él hacía. Adelante en la carrera. Ahora pasaría quince días soñando... Luego, otra vez la realidad. Y en cuanto al amor... la verdad es que entendía muy poco... Un cuello de cisne, una Dama de Honor... Si bien ahora, de repente, no sabía lo que le había ocurrido. Llegó un balón azul, por vía marítima, y ¡zas!, parecía que le había hinchado el corazón.

Ana María apenas podía respirar. Sus piernas habían quedado inmóviles. Además, acababa de darse cuenta de que la barca se llamaba también Ana María, que Ignacio la había elegido sin que ella se diera cuenta.

—¿Quién eres tú? ¿Quién eres? Nunca nadie me había hablado así.

A Ignacio le parecía que se deslizaba sobre el agua...

—Y, sin embargo...

Oscurecía. A la chica le entró una especie de temor. Abandonó su asiento y rogó:

—Vámonos.

Él la siguió, sin oponer resistencia. Cruzaron el paseo en diagonal sin hablar. De repente, Ana María se detuvo. Le miró con fijeza. Iba a decir algo y no podía. Por fin musitó:

—Tengo que dejarte.

—¿Ya...? ¿Por qué?

—Es tarde. Pero te veré esta noche en el baile, espero...

—¿Baile...?

—Sí. ¿No quieres? Ahí en el Casino...

Ignacio preguntó:

—¿Al aire libre?

—No. ¡Bueno! Creo que habrá estrellas... en el techo.

—¿A qué hora empieza?

—A las once.

—Muy bien. Allá estaré.

Se estrecharon las manos. No podían separarse.

—Estoy muy contenta de haberte conocido.

—Yo más que tú.

La vio alejarse. ¡Era cierto! El corazón pedía paso, tenía ganas de chillar y de dar saltos.

Las barcas de pesca se hacían a la mar. Una tras otra eran botadas espectacularmente. Sus pequeños motores estremecían al agua. El gran ojo del faro se encendió.

* * *

Al llegar a la Escuela, contó todo lo ocurrido. David comentó:

—Todo eso está muy bien, pero... ¿sabes que para entrar en el Casino es obligatorio llevar *smoking*?

CAPÍTULO XXI

Querido hijo: Suponemos que estás bien y que te diviertes mucho. ¡Duro, aprovéchate! ¡Ah, si yo estuviera en tu lugar! Temo que perdáis el tiempo hablando de filosofías.

No te pierdas el Circo. Y párate alguna vez ante los charlatanes, que tienen mucha gracia. Sobre todo si está un tal Jimeno, que supongo que sí. También podrías llegarte hasta Palamós, que dicen que es un paisaje formidable.

Aquí, sin novedad. Tu madre guapa como siempre, aunque añorando las calabazas del año pasado. ¿No has oído a nadie que hablara de su tipo? ¡Ja, si lee esto me mata! Pilar dice que a ver si cuando vuelvas te acuerdas de que ella por tu santo te regaló unos gemelos. César está bien, afeitando y tal.

Bueno, nada más. Lo dicho, dicho. Escribe cada tres o cuatro días. Estoy un poco fastidiado porque se me ha estropeado la galena. Pero en fin. Ale, diviértete mucho. Tu padre,

MATÍAS.

Querido Ignacio: No le hagas caso a tu padre, que es un fanfarrón. No sé por qué me casé con él. Yo quiero recordarte, hijo mío, que entre tantas diversiones no te olvides de Dios, que es lo que tu madre te ha enseñado, y que el domingo por poco que puedas vayas a comulgar. En todo caso, no bebas después de las doce, aunque no estés acostado.

Sobre todo no escuches demasiado a los maestros, que ya sabes el miedo que me dan. Nada más, hijo; la cena me espera. Cuídate mucho, no estés demasiado tiempo en el agua. ¿Necesitas algo? Adiós, Ignacio. No te olvides de rezar todas las noches. Escribe mucho. Tu madre te manda miles de besos.

CARMEN ELGAZU.

Luego firmaba Pilar. César ponía: *Un abrazo de tu hermano en Cristo,* CÉSAR.

Otra posdata de Matías: *Saluda a los maestros. Olga debe de estar hecha una campeona de natación.*

* * *

283

Las niñas le preguntaron: «¿Quién te ha escrito, quién te ha escrito?» La letra de su padre era irónica, de viejo lince. La de Carmen Elgazu, clara, algo temblorosa. ¡Pilar hubiera podido añadir algo! Tan charlatana, y cuando tenía que escribir no se le ocurría nada.

A las seis de la tarde, Olga dio orden de recoger las cometas; acto seguido se llevó a los alumnos más jóvenes a dar un paseo por la costa. Ocho, de entre los mayores, quedaron sentados, alineados bajo unos pinos, y David se acercó a ellos con una brizna en los labios. Todos contaban más de diez años de edad.

Ignacio le preguntó al maestro:

—¿Qué pasa hoy? ¿Hay sesión extraordinaria?

—Sí. Ya conoces la fórmula. A partir de los once o doce años, hay que empezar a hablarles en serio. Hoy —y no te rías— me oirás hacer una gran disquisición sobre materia religiosa.

A Ignacio le divirtió la perspectiva. Luego preguntó:

—Pero... ¿entienden algo de eso?

—¡Cómo! Son muy inteligentes. Es sorprendente, te lo juro. Te lo digo para que no te extrañe el lenguaje directo que uso con ellos. Lo captan perfectamente, te lo puedo asegurar.

Ignacio preguntó:

—¿Crees que puedo quedarme?

—¡Claro! Te conocen igual que a mí. Además, sienten por ti mucha simpatía.

Ignacio se sentó cerca del árbol donde estaban los alumnos, reclinándose en un tronco.

David empezó su discurso de pie, junto a un mapa que se había traído de la clase y que representaba el sistema planetario. Lo había colgado entre dos ramas de pino, sujeto con pinzas de tender la ropa.

—Bien. Ya conocéis el plato de hoy. Vamos a hablar de religión. ¿Os interesa?

—Sí, sí. Mucho.

—Mejor. Sólo os pido una cosa, que me interrumpáis lo menos posible, porque no es nada fácil. ¿Estáis cómodos?

—Sí, sí. Estamos muy bien.

—Pues adelante. —Y como siempre, cruzó las manos a la espalda y se levantó sobre la punta de los pies.

—Mirando al pueblo veis varios campanarios, ¿no es eso? Bien. Ya sabéis lo que significan. En todo el país los hay. Esto significa que en nuestra tierra mucha gente —incluso los padres de algunos de vosotros— son católicos. Por cierto que católico significa universal. En otros lugares, en cambio, domina el protestantismo, en otros la fe mahometana, en Asia encontramos infinidad de religiones, algunas de ellas antiquísimas... y cuyos campanarios no hay que decir son muy distintos también de los de San Feliu.

»Nosotros empezaremos hablando del Catolicismo, porque es la religión tradicional en Cataluña y España. Primero: ¿Cuántos católicos hay? Según las últimas estadísticas, unos trescientos millones. Hay, pues, trescientos millones de personas en el planeta que profesan una serie determinada de creencias. ¿Cuáles son las principales? Vamos a ver.

»Primero, creen que el Universo —y señaló el sistema planetario— fue creado de la nada por un Ser omnipotente al que llaman Dios. Que este Dios creó también al primer hombre, Adán, al que insufló lo que llaman alma, que consideran inmortal. Que el fin de este hombre en la tierra es amar a su Creador y unirse luego a Él, después de la muerte. En consecuencia, pues, para los católicos, esta vida es un simple período de prueba. Quien obre bien y muera en gracia de Dios, salvará su alma y gozará de un cielo eterno; quien peque y muera en pecado, se condenará y sufrirá por toda la eternidad junto al Ángel Malo. Éstas son las creencias principales. Las demás: revelación, Juicio... etcétera... son también importantes, pero las veremos más tarde.

»Para llevar... como si dijéramos la contabilidad de todo esto, los católicos viven organizados en una comunidad llamada Iglesia —volvió a señalar los campanarios del pueblo— con un jefe que es el Papa, en Roma, y representantes en todas partes, que son los obispos, sacerdotes, etcétera... Los católicos afirman que Cristo, fundador de nuestra era, que trajo al mundo una doctrina revolucionaria basada en la caridad, era hijo de Dios y que instituyó primer Papa a uno de sus discípulos, a Pedro, al decirle: «Tú eres Pedro y sobre esta piedra edificaré Mi iglesia». Desde entonces ha habido Papas, con la misión de conservar la unidad de la doctrina.

»Para conseguir esta unidad —y juntó las palmas de sus manos— la Iglesia ha ido decretando los llamados dogmas, como, por ejemplo, el de la infalibilidad del Padre Santo, o el de que los cuerpos resucitarán al toque de unas trompetas. Estos dogmas no pueden ser discutidos. Hay que aceptarlos como profesiones de fe. Esta imposición del misterio a muchos les ha parecido un método demasiado fácil.

»Naturalmente, se presentaba un problema. En la práctica, ¿cómo sabrían los fieles si obraban bien u obraban mal? Entonces se eligió el sistema de los mandamientos. Los creyentes se rigen por los mandamientos de la Ley de Dios, en número de diez, y por los de la Iglesia, en número de cinco. Como libro sagrado, adoptaron la Biblia, si bien su interpretación se reserva exclusivamente a la Iglesia.

»Ahora bien, existiendo el mal existe el pecado —mejor dicho el pecado es el mal— y existiendo el bien existen muchos grados de perfección. ¿Qué hacer? Para borrar el primero han instituido la confesión. Para ascender en la segunda, varios otros sacramentos, especialmente el que llaman la comunión, que consiste en ingerir un pedazo de pan sin levadura en el que afirman que está Cristo en persona.

»El catolicismo, pues, recoge al recién nacido, con el bautismo, le acompaña a lo largo de la vida con los mandamientos y los sacramentos, y le deja en el sepulcro con las ceremonias funerarias. Como veis, la estructura es inteligente, modélica, e infinidad de instituciones paganas se han basado en ella para organizarse.

Después de una pausa añadió:

—Esta religión tuvo un momento de gran auge en el mundo, y parecía que se iba a extender por toda la tierra. Empezó a quebrarse con los llamados cismas. Y actualmente va perdiendo más prestigio aún, pues se acusa a los Papas de haber desvirtuado la simplicidad primitiva del Cristianismo, además de que muchas de las fórmulas simbólicas que utilizaban han sido desplazadas por los avances de la ciencia.

»Otra objeción con la que han tropezado siempre ha sido ésta: si en principio sólo existía Dios, y ahora, como dije, existe el mal, ¿quién, sino Dios, ha creado el mal, o lo ha hecho posible? Y siguiendo el argumento: Si Dios creó al hombre para que se salvara, ¿por qué lo somete a la prueba de la existencia terrenal, poniéndole en peligro de que se condene por toda la eternidad? Los católicos responden a esto diciendo que lo creó libre porque el hombre libre es más perfecto que no forzado a realizar el bien.

El maestro se quitó la brizna de los labios.

—¿Alguien quiere hacer alguna pregunta?

Uno de los alumnos levantó la mano.

—Yo, señor maestro. Quería saber.. si usted considera que, a pesar de todas esas objeciones, hay algo de cierto. No en lo del bien y del mal, sino en lo primero que ha dicho, en lo de las creencias.

David contestó:

—¡Ah! Chicos…, creer o no creer es una cuestión de fe, no una cuestión matemática.

—¿Por qué?

—Pues… porque hasta la fecha nada de lo sobrenatural se ha podido demostrar, y, por lo tanto, nada se sabe con certeza.

Otro alumno insistió:

—¿Qué es lo que no se ha podido demostrar?

David repuso:

—Ni siquiera lo primero: si fue verdaderamente un Ser omnipotente quien creó el universo, o bien si, como pretenden muchos científicos, Dios no existe y es la materia misma la que lleva en sí las leyes de evolución y continuidad.

—Eso es lo más importante, ¿no?

—¿Por qué lo dices?

—Pues, porque si Dios no existe todo se viene abajo.

—Exacto. Ya que en este caso Cristo tampoco era el hijo de Dios, y por lo tanto el primer Papa recibió unos poderes falsos, y todos sus sucesores y todo el culto y todos los templos se convierten en humo, en superstición.

—Entonces ¿si Dios existe todo queda perfectamente claro? —preguntó otro.

—Tampoco. En este caso falta saber si su hijo fue precisamente Cristo. Porque muchos otros apóstoles o profetas han pretendido serlo: Buda, Mahoma, etc. De ahí que cada religión pretende ser la verdadera.

—¿Y si el auténtico hijo de Dios fuera Cristo?

—En este caso —insistió David— todavía faltaría demostrar si cuando dijo: «Tú eres Pedro y sobre esta piedra edificaré Mi iglesia», y luego: «lo que tú atares en la tierra atado quedará en el cielo» dio verdaderamente carta blanca a Pedro para organizar dicha Iglesia como lo hizo. Todo esto ha sido motivo de grandes discusiones, pues ya sabéis que Cristo, lo mismo que todos aquellos que en aquel tiempo hablaban en público, para hacerse entender usaban metáforas y parábolas.

Hubo un momento de silencio. El mayor de los alumnos preguntó:

—¿Y lo del alma...?

David se rascó la cabeza.

—Es otro de los campos de batalla, pues no existen signos visibles de ella. Más bien las teorías modernas afirman que todo se desarrolla en el plano físico, incluso actos como el pensar.

—Entonces, si no hay alma, ¿dónde queda lo del cielo y el infierno?

—¡Ah! Eso entra de lleno en el terreno de lo fabuloso. —Luego añadió, abriendo los brazos—: ¡Lo cual no significa que no sea cierto!

Entonces el maestro se reclinó en el tronco de un árbol.

—Ahora pensaréis: ¿qué necesidad tiene el hombre de montar estos aparatos? ¿Veis...? Este aspecto es más delicado. En primer lugar, dondequiera que se han hallado vestigios de vida humana se han hallado pruebas de que adoraban a Algo. Esto prueba un hecho concreto: que existe en nosotros una tendencia a buscar lo Superior. Claro que el origen de ello puede radicar en el miedo que el hombre siente al enfrentarse con las fuerzas de la naturaleza.

—¿Y lo de la inmortalidad?

—Pues mira. La momificación, los objetos funerarios, las mismas es tatuas, todo demuestra que también deseamos ser inmortales; aunque cabe decir que en realidad ya lo somos, pues al morir nuestra materia se transforma en otra: ceniza, gusanos, viento.

Viendo que nadie preguntaba nada, continuó:

—¿Ventajas que puede proporcionar la religión? Los católicos afirman no sólo que es el único medio eficaz para consolar al hombre, sino el único que existe capaz de frenar sus pasiones y de inspirar leyes que permitan establecer una sociedad justa.

Hubo un murmullo general.

—Naturalmente, las objeciones que se pueden presentar, las habréis adivinado. En primer lugar, es evidente que ha habido y hay personas sin religión que han frenado sus pasiones y han sido justas. Con más mérito por su parte, pues no esperaban premio eterno. Y en cuanto a inspirar leyes de justicia, parece algo exagerado atribuirse la exclusiva. En el fondo, todas las doctrinas tienden a ser justas y universales, empezando por el anarquismo y terminando por la Sociedad de Naciones. En realidad, en este terreno lo único que importa es la posibilidad de llevar la teoría a la práctica.

Uno de los alumnos preguntó:

—¿El Catolicismo ha sido un bien, o ha sido un mal?

David se separó del tronco del árbol. Señalando la tierra en el mapa planetario contestó:

—Históricamente encontramos, desde luego, varias influencias que hablan en su favor. Primero, propagó la doctrina de Cristo, lo cual constituyó un evidente progreso, aboliendo la esclavitud. También originó la creación de muchas órdenes religiosas que se han dedicado a la práctica del bien: como en Gerona las Hermanas de la Caridad, las Adoratrices, los Salesianos, etc. Creó misioneros que han ganado para la civilización muchas zonas distantes y difíciles —señaló Asia, América..— Y durante varios siglos los religiosos fueron los guardadores de casi la totalidad del saber humano, en las Bibliotecas y Universidades...

—Así, pues, ¿la religión no es un atraso? —inquirió Santi, que llevaba la camisa completamente desabrochada.

—Pues... te diré. La católica —ya que de ella hablamos— ha obtenido conquistas indiscutibles. Como inspiradora del arte, por ejemplo, desde pequeña orfebrería hasta inmensas moles de piedra... Ha llegado incluso a convertir en arte montañas enteras, con monasterios o con capillas de Vía Crucis. Sin hablar de la música litúrgica —el gregoriano es muy sutil— de las campanas. Ha propagado incluso magníficos olores —como el del incienso—, aunque también los haya creado detestables, como el de la cera.

288

Los chicos parecían asombrados. Entonces David volvió a reclinarse en el tronco del árbol.

—Claro, aspectos negativos los hay... —prosiguió—. Más que positivos, supongo. El Catolicismo... Es curioso que todo sea tan complicado. Por ejemplo, si hay algo sagrado es la vida humana, ¿no? Pues la Iglesia no ha dudado en atravesar a la gente con espadas si le ha parecido necesario. Ya sabéis... la Inquisición, las Cruzadas. Todo lo cual es sorprendente si se piensa que su doctrina se basa en el amor y el perdón. Luego... hay otra cosa sagrada: cumplir una promesa. Pues bien, los Papas... Recuerdo que me impresionó mucho saber que hubo una época en que en Roma todos ellos tenían mujeres y que además... ¡En fin!, parece que era gente bastante animada.

—¿Es cierto que tuvieron hijos? —preguntó uno de los chicos.

—Es un hecho histórico.

—De todos modos...

—Hay otro aspecto de la cuestión... —cortó David— que a mí me parece más negativo aún: el social. Parece ser que si se vendieran todos los tesoros que hay en el Vaticano, en España podríamos vivir varios años sin trabajar.

Hubo otro murmullo.

—Sin contar con lo de los obispados, claro...

—Pero... la religión exalta la pobreza, ¿no? —interrogó uno.

—¡Ah, desde luego! Ahí está. Por ejemplo: encíclicas y sermones. Todos aconsejando la justicia, la caridad. En cambio, en la práctica no sé lo que les pasa: siempre se han colocado al lado de los... Iba a decir de los ricos; pero no; es más preciso decir de los poderosos.

—¿Por qué cree usted que lo hacen, señor maestro?

—No sé... Porque son los que les pueden sostener, supongo. Aunque a mí me parece que a la larga salen perdiendo.

—¿Por qué?

—Porque, aparte los ricos, todo el mundo se va inhibiendo. Y desde luego cuando hay revolución el pueblo se levanta contra la Iglesia, ya lo veis.

El mayor de los chicos volvió a preguntar:

—¿Cree usted que si ahora hay revolución se quemarán iglesias y se matarán sacerdotes?

David hizo un gesto de ignorancia.

—Eso no lo sé. En todo caso, nosotros continuaremos cultivando nuestra huerta, ¿no os parece?

Todos sonrieron, echándose para atrás.

Santi inquirió:

—Señor maestro. Usted y Olga no creen en nada, ¿verdad?

289

David contestó:

—¡No! Nosotros, no. Nunca. Hay muchas cosas que... ¡en fin!, que no vemos claras.

—¿Lo de los milagros?

—¡Oh! No es precisamente eso. De todos modos, que nosotros no creamos no quiere decir que no estemos equivocados...

Varios se rieron. Uno insinuó:

—¿Y de ser así...?

—¿Qué? —cortó David—. ¿El infierno?

—¡Uuuhhh...! —hizo Santi sorprendentemente animado.

—Basta. Nada de bromas. —David, dirigiéndose al interlocutor, repuso con dignidad—: Si nos hemos equivocado, ¡qué se le va a hacer! Ya somos mayorcitos, ¿no te parece?

Hubo un silencio.

—¿Veis? —añadió—, el método es inteligente: «Si os equivocáis, castigo eterno». No hay mujer que resista a tal argumento.

El de las pecas levantó la mano.

—¡Señor maestro! ¿Me permite una cosa... que no es de la clase?

—A ver.

—¿Es cierto que el hermano de Ignacio es un santo?

La cosa cayó bien. Ignacio le miró con simpatía.

—Eres un imbécil —rió David—. Pero, en fin, estamos en familia.

Ignacio pidió, dirigiéndose al maestro y levantándose:

—¿Puedo yo contestar... aunque no sea de la clase?

—Desde luego.

—Pues creo que sí, Rafael, que mi hermano es un santo.

David inquirió, mirando el reloj:

—¿Tal vez un poco trágico...?

—No creas... —Ignacio añadió, reflexionando—. Depende, claro...

Entonces, por la cuesta, apareció Olga, con los menores. Cantaban algo entre los pinos; las faldas de las chicas revoloteaban.

—Basta por hoy.

—¡Olé, olé!

CAPÍTULO XXII

Mientras en la Colonia de San Feliu Ignacio andaba pensando en cómo se las arreglaría para entrar en el baile del Casino, sin *smoking* —¡allí no había forma de entrar por vía marítima!—, en Gerona se sucedían pequeños acontecimientos.

Por de pronto, los anarquistas se habían apoderado de la Piscina, ante la decepción de Pilar y otras chicas que habían soñado en que se convertiría en un lugar más o menos elegante. Las hijas del Responsable ocupaban prácticamente el trono. Una llevaba un *maillot* azul, la otra amarillo y sus cuerpos eran sorprendentemente esculturales. Una serie de atletas pululaban a su alrededor. Ellas, sin perder la seriedad se pasaban la mitad del día en el agua o saltando desde el trampolín. El Responsable no iba nunca, consideraba que su edad era impropia de aquellas cosas.

Otro acontecimiento se desarrolló en el cerebro de un amigo de Matías Alvear: don Emilio Santos, Director de la Tabacalera. Don Emilio Santos estaba cansado de vivir solo. Así como el comandante Martínez de Soria tenía dos hijos estudiando en Valladolid, él los tenía estudiando en Madrid. El mayor preparaba oposiciones a Hacienda; el menor acababa de obtener el título de bachiller, con mejores notas aún que Ignacio. Era de la edad de éste y se llamaba Mateo. Don Emilio Santos le dijo a Matías: «Pues sí. He decidido traerme a Mateo para acá. También quiere estudiar abogado. Entonces alquilaremos un piso y por fin podré disfrutar también un poco de la vida de familia».

Don Emilio Santos era un hombre más sentimental de lo que su aspecto elegante podía dar a entender. Carmen Elgazu le quería mucho por su corrección. La blancura de sus pañuelos tenía fama. Era un gran aficionado al refranero español, del que decía que contenía en sí todo el sentido común acumulado por los hombres. Ahora vivía en una pensión humilde, en la que nunca tuvieron un huésped de su categoría. Llevaba reloj de bolsillo con cadena de plata. Pero era hombre sencillo. De sonrisa afable y peinado algo romántico. En realidad gozaba dando buenas noticias. Quería mucho a los Alvear y estaba seguro de que su hijo Mateo sería el gran amigo que a Ignacio le faltaba.

Por último, César había empezado a poner en práctica sus proyectos, los fáciles y los difíciles. Unas cosas le salieron a pedir de boca, otras le salieron mal. En el Museo no hubo contratiempo y mientras leía, sentado al fresco cerca de un ventanal, andaba pensando que Ignacio en San Feliu debía de pasar mucho más calor que él.

Más espectacular fue su entrada en la calle de la Barca. El patrón del Cocodrilo le recibió de tal suerte que quería meterle en el cuerpo un cuarto de litro de anís. César le decía: «¡No, no! En todo caso, si se empeña, deme una gaseosa». El patrón insistía en que ningún barbero que se apreciara tomaba gaseosa.

Al subir a casa del viejo Fermín se encontró con que éste había muerto. Su hija le halló un día sentado en la cama y sonriente, pero muerto. Ahora la mujer andaba liada con un limpiabotas, lo cual sumió a César en gran perplejidad.

En otras casas fue bien recibido. Y se veía que el verle tan crecido y tan hombre les inspiraba mayor confianza aún que en el año anterior. De modo que le mandaron sentar y charlaron con él. Y se lamentaban de la miseria y de las dificultades que pasaban. Varias mujeres parecieron olvidar que lo único que podía ofrecerles era una navaja y una maquinilla. Al verle tan fino suponían que tenía influencia. «A ver si consigue un empleo para el chico.» Le enseñaban avisos de multas que les habían impuesto, por no llevar placa en la bicicleta, por haber tirado basura al río. «¿No podría hacernos perdonar eso en el Ayuntamiento?» César se rascaba la cabeza. «Pues no sé, no sé... Hablaré con mi padre...» «¡Dios mío! —pensaba—. Si Julio quisiera, todo esto se lo arreglaba yo a esta gente.»

Sin embargo, en la mayoría de las visitas que hizo sintió que le recibieron con hostilidad. Algo había ocurrido que a la gente afeitarse o no afeitarse le importaba menos que antes. Debía de ser lo que decía Ignacio: el malestar político. Encontraba a los hombres sentados en el balcón en actitudes rumiantes. Algunos parecían exaltarse al ver un forastero en casa.

—Ah... ¿Viene para el viejo...? —le miraban de arriba abajo—. Oye, fíjate cómo estamos. —Le enseñaban la casa desmantelada—. A ver si hablas con tu organización, y nos echan una mano.

César no sabía qué decir, pues su Organización era él solo.

Una de las dos mujeres que le regalaron la bufanda parecía otro ser. Había envejecido increíblemente. En la casa había un hombre que en el año anterior no estaba. Ella le recibió cordialmente, pero él preguntó:

—¿Quién es ese crío?

—Pues... un chico. Un seminarista que da clases en el barrio. —La mujer añadió—: Haz el favor de respetarle.

—¿Seminarista...?

El hombre le miró escrutadoramente.

—Oye una cosa —habló por fin, en tono de quien propone un negocio—. Ésta y yo no estamos casados. —Marcó una pausa—. Pero si el obispo quiere pagarnos un traje a cada uno y el viaje de novios, legalizaremos la situación.

Se veía que hablaba en serio. César parpadeó.

—Pues... no sé —dijo—. Yo con el señor obispo no he hablado nunca.

—¿Cómo que no has hablado nunca con el obispo?

La mujer intervino.

—Anda. Déjale en paz. Ya le hablaré yo luego.

Todo aquello tomaba derroteros inesperados. Porque en algún lugar casi le insultaron. El patrón del Cocodrilo le aconsejó que tuviera paciencia. «Están excitados, ya lo ves. Las cosas andan mal. Se prepara una revolución.»

Revolución... Ya Ignacio se lo había advertido. ¡Ah, el Apocalipsis de San Juan! Todo el mundo hablaba de revolución. Nadie concretaba quiénes la harían ni contra quién, pero todo el mundo empleaba esta palabra, mirando con fijeza el muro de enfrente.

Se refugió en los pequeños, en las clases. Esto fue más fácil. Pronto pudo reunir de nuevo a un grupo de dos docenas, y el zaguán fresco y de ladrillos rojos estaba aún allí. Algunos chicos del año anterior habían desaparecido del barrio. Andaban de aprendices o de Dios sabe qué. Otros le reconocieron en seguida. «¡Tú, tú, dame caramelos!» Uno gritó al verle: «¡Tío César!» El apodo hizo fortuna. Le rodearon, se unieron otros niños que no sabían quién era. «¡Tío César!»

Se reanudaron las clases. ¡Lo habían olvidado todo! Excepto el nieto de Fermín, que dio pruebas de una memoria prodigiosa. Había continuado estudiando todo el invierno. Luego había dos hermanos que el año anterior no daban una y ahora se hubiese dicho que les habían inyectado entendederas. Entre unos y otros, el zaguán volvió a ser una alegre colmena todas las tardes.

Y sin embargo, también en las miradas infantiles se notaba cierto desequilibrio. A César aquellos chicos, ahora que volvía a mirarlos con atención, le daban miedo. Irían creciendo y absorberían todo el veneno que flotaba a ras del barrio. A los dos hermanos, que ahora leían con facilidad, los encontró en una escalera hojeando un folleto que escondieron en la pechera cuando él se les acercó. ¡Y era él quien les había enseñado a leer! Irían creciendo y se pondrían brillantina en el pelo, y aquellas mujeres que rondaban sin pudor por la acera los tentarían. ¿Qué hacer? ¿Cómo ceñir todo el barrio de un golpe, en alguna ilusión que elevara sus vidas, que les diera resignación, que uniera cada persona a su familia, a las paredes de su casa aunque fueran pobres? «A ver si hablas con tu Organización, que nos eche una mano.» ¿Qué hacer?

A veces le daban ganas de abandonar la clase, trepar a un balcón como si fuera un púlpito, reunir abajo a todo el mundo —chicos, enfermos, patronos de bar, ferroviarios, gitanos— y hablarles del Evangelio, de las palabras insertas en él: «Bienaventurados los que...»

Pero no se atrevía. Porque, la vida era allí como un líquido comprimido, que de repente podía estallar. Los pequeños crecían en insolencia, los mayores pedían justicia y trajes nuevos, los viejos se iban marchando para la eternidad, como Fermín, que murió solo mientras su hija trabajaba en una fábrica de lejía, nuevo empleo que el limpiabotas le procuró.

Nadie del barrio había salido de veraneo, como no fuera para la eternidad. Los demás allí estaban, aplastados por el sol, mirando con ironía los pedazos de cielo que se dignaban asomar por entre los tejados.

César hubiera querido hacer algo. ¡Pero era tan poca cosa! ¡Y se sentía tan inhábil! ¡Qué tontería pensar en trepar a un balcón! En cuanto viera los ferroviarios y los gitanos abajo, quedaría sin palabra. Y en el caso de que consiguiera hablar, le tomarían por loco.

Obtuvo, sí, algunos éxitos. Gracias a su padre y a Julio García. Quedaron sin efecto varias multas por tirar basura, en las de las bicicletas no se pudo hacer nada. Consiguió algún traje gracias a su madre, aunque no enteramente nuevo. ¡Consiguió trabajo para tres parados! Fue Julio García quien se encargó de ello. Ellos habían dicho: «De cualquier cosa...» El día en que César los vio medio disfrazados, cada uno metido dentro de un artefacto del que arrancaba un cartel que anunciaba el establecimiento en la ciudad de una nueva tienda de óptica quedó estupefacto. Eran tres carteles iguales y los tres hombres iban en fila, encorvados bajo el peso, con la colilla en los labios. Probablemente no tenían idea de lo que decían los carteles. Les habían dado instrucciones. Pasearse por los sitios céntricos. El sitio más céntrico en aquellas semanas era la calle de la Barca.

A veces, le bastaba descubrir el brillo de la curiosidad en la mirada de un niño para pensar de nuevo: «¿Y si pudiera ilusionar a esa gente en algo que no fuera lo cotidiano..., que los distrajera?» Un día pensó que acaso la palabra catacumbas surtiera efecto... El patrón del Cocodrilo le contestó: «Si les aseguras que hay algún tesoro escondido, no digo que no; pero si sólo les hablas de San Narciso...» César se preguntaba: «¿Sería falta de caridad decirles que hay un tesoro escondido?»

Les regalaba tabaco, mucho tabaco, como si hubiera oído la advertencia de Ignacio a mosén Alberto. Lo sacaba de todas partes, de su padre, de Julio, de los empleados de Telégrafos y, sobre todo, de don Emilio Santos. El día que conseguía arrancar del Director de la Tabacalera un gran cigarro habano, entraba en el barrio como un rey. Su intención era siempre regalarlo al más humilde, al más enfermo. Y así lo hacía. Pero siempre ocurría lo mismo. Al poco rato llegaba el fuerte de la casa, el cabeza de familia, y decía: «¿No comprendes que un puro así a los enfermos los marea?» Y lo sacaba de debajo de la almohada y lo encendía en el acto.

César había observado que un simple puro transformaba a las personas. Un cigarro habano y se sentían optimistas, durante un par de horas dejaban de hablar de revolución. Hacia el final lo masticaban, lo trituraban entre los dientes como comiéndose la ficción que aquello representaba.

La práctica adquirida en la enfermería del Collell en aquel invierno le era útil ahora, para curas de menor importancia. ¡Pero Dios mío, le tomaban por médico! Le consultaban casos dificilísimos; úlceras, paludismo y, sobre todo, *mal de ojo.* Muchos niños tenían tracoma. Con los niños se iba arreglando. Pero cuando de repente una mujer se levantaba la falda sin pudor ninguno y le decía: «Oye, tío César. A ver si me traes algo para esta urticaria...» O, estando en la cama, daba un tirón a la sábana y quedaba al descubierto... ¡De la taberna a la que Ignacio fue con el Cojo le llamaron para ayudar en un parto! César huyó. César huyó por primera vez de la calle de la Barca. Su huida fue muy comentada. Él se sentía desolado. Pero le parecía que un seminarista podía acompañar a las personas en su muerte, no en su nacimiento. ¡Tal vez hubiera cometido una falta! Cuando mosén Alberto regresara de Camallera, se lo consultaría.

A medida que los días pasaban se daba cuenta de una cosa: sus acciones quedaban ahogadas en la inmensa mugre física y espiritual del barrio como gotas en el mar. Todo seguía su curso independientemente de él, y los propios beneficiarios de sus actos los aceptaban sin darles mayor importancia, como si él tuviera obligación precisa y casi administrativa de llevarlos a cabo. Se consolaba pensando: «De todos modos, con una sola alma que se salvara...» Y aunque nada consiguiera, con mitigar algún dolor bastaba...

Imposible, desde luego, soñar en nada colectivo. Por lo demás, la mezcolanza era allí más aparente que real. En realidad, también en la Barca se vivía en compartimientos cerrados: los murcianos tenían una colonia y sus costumbres, los gitanos tenían las suyas, los traperos sólo se interesaban por los demás si éstos tenían algo que vender a precio regalado, los comerciantes se parapetaban tras sus sucios mostradores; y en cuanto a las mujeres de mala nota... eran la pesadilla de César, tal vez su más difícil obstáculo. Excepto la Andaluza, patrona que se las daba de buena crianza, que tenía una hija interna en las monjas y que trataba a César con gran respeto, y dos o tres de sus discípulas, bastante correctas, las demás le tomaban descaradamente el pelo. «¿Eh, tú.. ? ¿Es verdad que no tienes lo que tienen los hombres? Ven un momento, rico, que yo te enseñaré el alfabeto...»

El gran misterio para César era que hubiera seres humanos que hicieran del pecado su profesión. El patrón del Cocodrilo se mostraba duro con ellas. Decía que las conocía demasiado. «Por una que haya digna de lástima, cinco están aquí por su culpa.» César no se avenía a razones. Su corazón lloraba al oírlas, al ver sus ojos, la palidez de sus rostros, ese algo prematuramente marchito en sus mejillas. Casi todas se habían arrancado materialmente las cejas y se pintaban en su lugar una raya arbitraria, negra o marrón. A veces las rayas se prolongaban hacia arriba, con algo de diabólico. A veces se curvaban hacia abajo, con cansancio. De repente había una que acertaba con el arco exacto y cobraba aspecto de mujer hermosa, normal. César pensaba siempre en las cejas poderosas de su madre y su compasión se acentuaba.

Y cuando hacia el atardecer veía llegar los soldados y muchos obreros, que se dirigían automáticamente hacia aquellas casas, brincaba por el barrio rezando jaculatorias. La gente le decía: «¡Caray, si no fuera eso, nos moriríamos de hambre!»

También para él todo aquello era una revolución. Soñaba en terminar la carrera para dedicar íntegramente su vida a aquel barrio... ¡Quién sabe, con la ayuda de Dios!... El patrón del Cocodrilo le desengañaba: «Si no aprovechas ahora, que vistes como yo..., el día que lleves sotana ya no podrás lograrlo».

* * *

No había abandonado por ello su proyecto de dar con las catacumbas. Porque las catacumbas debían de encontrarse forzosamente en aquel barrio. ¿Quién no había visto por allí un pasadizo subterráneo, una puerta nunca abierta, un muro que sonara a hueco...?

Un día, en clase, habló del asunto con los alumnos. ¡Sorprendente! Todos contestaron: «Oye, tío César. Están en casa Pilón...»

¡Santo Dios, la cueva del gran gitano!

—¡Arriba, arriba hay un pozo...!

—¡Muy hondo!

—¡Pilón lo sabe, lo sabe de sobra!

¡Un pozo! ¡Pilón lo sabe!

—Pero... ¡Si eso cae debajo del campanario de San Félix!

Los alumnos se encogieron de hombros.

—Nunca ha bajado nadie al pozo. La Andaluza también lo sabe.

César olvidó por unas horas la necesidad en que se encontraba el barrio de que él trepara a un balcón con la Biblia en la mano. Pero, ¿cómo conseguir que Pilón le abriera la puerta de su casa? Los chicos le dijeron: «El patrón del Cocodrilo. Si él quiere, Pilón te dejará entrar».

Sí, la cosa era auténtica. El patrón se avino a servir de intermediario. Presentía que si se encontraban las catacumbas, su bar cobraría gran importancia. Pondría una flecha en la fachada que dijera: «Catacumbas, a cincuenta metros...»

¡Gran técnico, en efecto, el patrón en el arte de tratar a los gitanos! Tenía un sistema muy simple. Al tiempo de pedirles algo, se sacaba del bolsillo un duro y lo iba mirando y remirando, mientras con la otra mano se echaba la minúscula gorra para atrás.

Así lo hizo en aquella ocasión. El gran gitano de millones de cabellos de azabache le dijo: «Bueno, que venga el crío».

—Vendrá a las seis de la tarde por lo del pozo de arriba, que bien sabes tú que está ahí.

—Que venga. Veremos, veremos...

César dio un salto de alegría. No perdió tiempo. Los chicos le seguían. Le acompañaron a buscar otros dos seminaristas. Necesitaban cuerdas, una lámpara de mano, un martillo. Todo con facilidad. Y se presentaron en la casa.

—Poco ruido —ordenó Pilón.

—Ninguno. No tema.

La gran gitana apareció y preguntó:

—¿Qué es eso?

—Déjate —contestó el gitano. Y se tocó la faja de una manera particular.

Subieron. El pozo estaba allá. Quitaron la madera que lo cubría y ataron a César como para un largo viaje.

Uno de los seminaristas era experto en montañismo y conocía los trucos. Una piedra fue echada al fondo: tardó en retumbar. «¿Estás preparado?» El patrón del Cocodrilo se ofreció para ayudar a sostener la cuerda desde arriba. Y César se introdujo en el negro agujero, con su corazón, su martillo y su linterna, pensando en San Narciso, patrón de la ciudad.

Descendió en tijera, hasta que la luz diurna desapareció. Se halló solo, Dios sabe a qué profundidad. Descendió más aún; el tubo se estrechaba. Y de pronto, resbaló, quedó suspendido. El corazón se le paralizó. Espantosos chillidos y batir de alas resonaron en una especie de gruta sin salida, mientras el haz de luz de su linterna hacía visible un charco de agua del que surgían patas verdosas, tentáculos, ojos fosforescentes, pequeños cuerpos zambulléndose. Un miedo sin palabras le atenazó la garganta. Le pareció hallarse en un lugar sin Dios. Intentó agarrarse a algún sitio y se le cayó el martillo, que sembró el pánico entre los indescriptibles seres de la gruta. Tiró de la cuerda tres veces, con todas sus fuerzas. Y sintió que le izaban con gran fatiga. Pronto se halló en el cono salvador, subiendo, subiendo. El sudor le caía a los abismos. Vio la luz diurna. «¡Eh, eh!», le gritaba arriba el patrón del Cocodrilo, con un dedo ensangrentado.

—¿Y pues...? —Pilón, en un rincón, fumaba.

El muchacho se repuso y contó la aventura.

—Hay que bajar preparado —concluyó—. Es el lugar exacto. Una de las paredes ha de conducir a la nave.

Por desgracia, al día siguiente llegó de Camallera mosén Alberto. Y cuando César le explicó la expedición que estaban preparando, el sacerdote se pasó la mano por la mejilla, y mostró un semblante divertido. César le dijo:

—Lo primero que hay que hacer es acabar con esos animaluchos.

—Desde luego, desde luego —le contestó el sacerdote—. Cuando yo era estudiante también fue lo que nos dio más miedo. ¿No has visto en aquella piedra de la derecha uno enorme, con escamas que parecen de lagarto?

❧ ✳ ✳

Mosén Alberto le cortó las alas en lo de las catacumbas. En sus proyectos de catequización del barrio le ordenó que anduviera con cuidado, que algunos de aquellos hombres en un momento de borrachera podían jugarle una mala pasada. En cambio..., le ayudó sin reservas en su deseo de entrar de aprendiz en un taller de imaginería. Le dijo:

—Eso está bien pensado.

César lo dejó en sus manos. Y mosén Alberto se ocupó en ello seguidamente. Los dos talleres que había en Gerona los conocía, y dijo que eran lo más opuesto que darse pudiera. Uno estaba enclavado muy cerca de las escalinatas de la Catedral, en la calle de la Forsa. Era un taller muy pequeño que ponía: «Casa fundada en 1720». Esto indicaba lo que el taller era por dentro... tradicional y serio. Más de doscientos años haciendo imágenes. Vestigio de aquella época gerundense que mosén Alberto amaba tanto, la época de los artesanos, agrupados alrededor de los conventos, trabajando casi exclusivamente para éstos. La época en recuerdo de la cual le dijo a Matías Alvear que amaba los Juegos Florales.

Pero en aquel taller, y precisamente por su seriedad las gestiones del sacerdote fracasaron. Trabajaban en él el padre y los dos hijos, y hablarles de alguien ajeno a la familia era hablarles en otro idioma. Nunca lo hubieran consentido.

El otro taller era reciente, se había instalado hacía un par de años en la planta baja de un inmueble del Ensanche, en plena ciudad moderna. Allá la tentativa tuvo éxito. El dueño había puesto aquel negocio como pudo poner otro. Por lo tanto, le importaba poco la procedencia de los obreros. Y como César se ofreció para trabajar durante las vacaciones sin cobrar, pues adelante.

Fue emocionante para César conocer de cerca la parte moderna de Gerona. Aquellos edificios enormes, de ventanas todas iguales, de aceras perfectas, le asustaron. Decían de ellos que eran higiénicos, que daban paso a la luz. ¿A qué luz? César pensaba en la que chocaba, transformándose en mil colores, en los rosetones de la Catedral. En la zona moderna todo le parecía oler a clínica, incluso el taller de paredes encaladas.

Junto al taller había inmensos solares sin edificar, que algún día serían Bancos. Se hablaba de un cine, los garajes florecían. Gerona mordía sobre estas bases la llanura por el oeste.

César entró de aprendiz. Y ya el primer día se enteró de algo que le dejó estupefacto, como siempre le ocurría. Por lo visto, el dueño, al que llamaban simplemente Bernat y al que los propios obreros tuteaban, decía siempre que si había escogido aquella época para fabricar santos era precisamente porque era época anticlerical, lo cual hacía suponer que un día u otro las imágenes serían quemadas. «Y como a los seis meses todo el mundo se habrá arrepentido...»

Fue un argumento que al parecer convenció al director del Banco al que fue a pedir crédito; a César, en cambio, le anonadó. «¿Quién era aquel hombre, Bernat?» Su aspecto era campechano. Uno de los mejores jugadores de bochas de la localidad. Hasta el punto que, cuando sus compañeros de juego le visitaban en la imaginería, al ver tantas figuras rotas por el suelo le preguntaban si utilizaba el taller para entrenarse. Él contestaba:

—¡Bah! Palmo más o menos poco importa.

César no hubiera supuesto jamás tal lenguaje hablando de atributos religiosos. La idea que se había hecho era la de que trabajaría en una especie de templo. ¡Válgame Dios! Si Bernat tenía esa mentalidad, los tres operarios y los dos restantes aprendices eran peores aún. Su trato cotidiano con santos y vírgenes, unido al hecho de haber visto lo que las imágenes tienen por dentro de yeso y harpillera, habían matado en ellos no sólo el respeto, sino incluso la corrección. Se gastaban bromas inauditas sobre los modelos que tenían en las manos. Era un espectáculo que ponía la carne de gallina. Cada santo, mártir, obispo o confesor tenía un mote alusivo a alguno de sus símbolos, otras veces a la actitud o el gesto. Aquella escalera de blasfemias, acrecentada a medida que las imágenes aumentaban de tamaño, tenía un remate que a César, al oírlo por primera vez, casi le hizo llorar: a un modelo de

Cristo en la Cruz, que tenía los brazos muy altos y las manos ligeramente adelantadas, le llamaban «el banderillero».

—¡Eh, tú! —le gritaron a César—. ¡Trae aquel banderillero para acá! Hay que pintarle la sangre.

Al seminarista se le heló la suya en las venas. Miró al dueño, y Bernat imprecó:

—¡Anda! ¿No oyes? ¿Eres tonto, o qué?

Enfrente había un garaje, más allá pondrían un cine. César asió la imagen de Cristo. Pesaba horrores, pero consiguió desplazarla. Entonces el operario, Murillo de nombre, que ya le esperaba con un pincel mojado en rojo, se puso a silbar y empezó a rellenar las cinco llagas.

Aquélla había sido la equivocación de César: suponer que entraría y ¡zas!, empezaría a fabricar imágenes, una copia tras otra. En seguida se dio cuenta de que aquello era un verdadero oficio y que se necesitaba mucho tiempo antes de poner las manos en algo de una manera personal. Había escultor, vaciador, decorador, carpintero. Bernat sabía un poco de cada cosa, pero sobre todo llevaba las cuentas, se cuidaba del embalaje, que era esencial en el negocio, de las compras, recibía a los viajantes, a los compradores.

—Así... ¿cuántas Cármenes queréis?

—Media docena de la talla B.

A César le destinaron a los trabajos subalternos: barrer, preparar la cola, la gelatina, arrancarla luego, llevar bloques de un lado para otro, tirar de carretón. Le dijeron que al cabo de unas semanas podría empezar a frotar los moldes con papel de lija. Él hubiera preferido colocarse en el otro taller, en el fundado en 1720. Sobre todo... porque su máxima ilusión hubiera sido regalar a su hermano, por su santo, un San Ignacio de Loyola elaborado por sus propios dedos. Y tal vez allá se lo hubieran permitido, por lo menos intentarlo, dándole los consejos necesarios.

Cuando Carmen Elgazu se enteró de las condiciones en que todo aquello se desarrollaba, quiso hablar inmediatamente con mosén Alberto, para que dieran orden en la diócesis de que nadie comprara imágenes a Bernat. Mosén Alberto le contestó: «Por desgracia, en casi todas partes ocurre lo mismo. Además, ¿qué se le va a hacer? Por eso luego se las bendice».

CAPÍTULO XXIII

Ignacio, por fin, desistió de ir al baile del Casino, aunque se lo había prometido a Ana María. Imposible resolver lo del *smoking*.

Al día siguiente volvió a dejar la ropa al cuidado de un chico, volvió a internarse en el mar y a cortar en diagonal hacia la zona de pago. Se había propuesto inventar en el camino la excusa que había de dar a Ana María por no haber asistido al baile. Pero pronto se dio cuenta de lo difícil que es pensar mientras se nada. El agua parecía que le entraba por una oreja y le salía por la otra —como en las casas de Gerona cuando había inundación— barriendo todo orden posible en el pensamiento.

Al llegar a la playa, Ana María no estaba aún. «Claro, claro —pensó—. El baile habrá terminado a las cuatro de la madrugada...» Se divirtió como pudo. El balón azul del comandante Martínez de Soria flotaba entre las cabezas; pero sin Ana María se le hacía odioso. David y Olga le habían dicho que el comandante daba lecciones de esgrima en el Casino.

Por fin la muchacha llegó, llevando el albornoz enrollado, colgado a la espalda. Ignacio prefirió esperar a que saliera en traje de baño. Él en *slip* y ella vestida, se hubiera sentido inferior.

Se ocultó en el agua y a poco vio a Ana María aparecer en la puerta de su caseta alquilada, con un *maillot* verde, más ceñido aún que el anterior. Se le acercó sin perder tiempo. Pero era tan grande su emoción que el pecho le latía y no sabía qué le iba a decir. En cuanto ella le vio se detuvo, y quedó mirándole con ojos de infinito reproche. Ignacio llegó a su lado. En el fondo, el silencio creado les satisfacía, tenía algo de complicidad.

—Perdona, Ana María...

—No tengo nada que perdonarte. No tenías ninguna obligación.

—La verdad es que... lo que no tenía era *smoking*.

La muchacha empequeñeció sus verdes ojos. Se tocó los moños. Loli estaba allí y soltó una carcajada.

Ignacio se sentía en ridículo, pero Ana María salvó la situación. Con naturalidad le asió de la mano y se lo llevó aparte.

—Deja a ésa, es una tonta.

Y luego explicó que había sido una lástima, pues ella, para bailar con él, se había puesto un vestido largo, de color de cielo mediterráneo... Y una flor en el pelo.

Luego añadió que se había pasado la velada entera mirando a la puerta, como una tonta... Que a medianoche incluso bebió champaña, «para olvidar».

Ignacio sentía tal odio hacia Loli, que ello le impedía saborear la exquisitez de aquellas palabras. En otras circunstancias se hubiera desmayado de felicidad.

—Déjala, déjala. Es una nueva rica.

Ignacio se quedó mirando a la arena.

Ana María dijo de pronto:

—Anda. Vamos a bañarnos. Dejemos eso. —Se levantó, se puso aquel gorro que le minimizaba la cabeza y echando a correr entró en el agua como un delfín.

Ignacio la siguió. Y al encontrarse en el fondo del mar se sintió otro. Al rozar la arena y mirar hacia arriba y ver las piernas de Ana María pataleando como si estuviera en el aire tuvo ganas de asirle un pie, de tirar de él y ahogarse los dos juntos, o darle un beso de agua que no se terminara nunca.

Surgió inesperadamente a la superficie, frente por frente a la muchacha y entonces fue ella la que desapareció. Y así anduvieron jugando, inundándose de espuma, de sol. También los ojos de Ana María tenían color de cielo mediterráneo.

Era la alegría del mar, de verano, de su juventud desbordante. Era el encuentro con el alma gemela que despertaba las posibilidades latentes de la vida.

Las horas pasaban volando y llegó el momento de separarse. Ignacio desapareció hacia la zona de los pobres después de haber quedado con la muchacha en que se encontrarían «en la barca de siempre», hacia el atardecer.

Y así lo hicieron. Aquel día, y el siguiente y todos los atardeceres. Era un momento inolvidable para Ignacio. Se decía a sí mismo que en San Feliu se había concentrado todo lo que el mundo podía dar de sí. Nada hermoso faltaba ni en la bahía ni en su corazón. Con asir el dedo meñique de Ana María le bastaba para ser feliz.

En realidad, se preguntaban pocas cosas uno a otro. Andaban juntos y les bastaba. Se reían por cualquier tontería. Al tropezarse con alguien de Gerona, Ignacio le decía: «Ése es de Gerona». Y si se encontraban un conocido de Ana María decía ésta: «Es un amigo de casa».

Pero con frecuencia buscaban, sin darse cuenta, la soledad. «A mí llévame al aire libre. Y si puede ser, subir a una montaña.»

Era maravillosa la capacidad de Ana María para trepar por las rocas y luego enfrentarse con los grandes espacios sin sentir vértigo.

Podía asomarse a un acantilado y ver la caída vertical de la piedra y la lengua de mar al fondo sin sentir vértigo. Podía subirse a la ermita de Sant Elm, desde la que se divisaba un panorama inmenso de agua, desde Francia hasta la costa barcelonesa, con un horizonte lejanísimo, sin sentir vértigo. Ignacio la admiraba. Era una criatura serena. Dondequiera que se encontrase, ella era el centro de sí misma. Hubiérase dicho que los rodetes, uno a cada lado, le defendían las sienes, se las apretaban impidiendo la dispersión.

Recorrían todos los alrededores del pueblo. Y tan pronto descubrían, en lo hondo, playas pequeñas y escondidas como se encaramaban cada uno a un árbol y desde arriba, ocultándose entre el follaje, se llamaban y se hacían señas. A veces se encontraban por la mañana y asistían a la llegada de las barcas de pesca, con los peces plateados y rojos coleando; otras veces, después de cenar, Ana María se zafaba de sus padres y de su grupo de amigos y se iban al rompeolas, que les gustaba porque les daba un poco de miedo.

Ana María en todos sus actos y movimientos era mujer. Desde el de sentarse en el suelo con la falda temblorosa rodeándole, hasta la serie ininterrumpida de mentiras que estaba contando en casa para que todo aquello le fuera permitido. Y si por un lado le gustaba andar, andar en silencio y reírse y mirar con picardía, como ocultando un secreto, por otro lado se detenía de repente y acercándose a Ignacio le decía: «¡Puedo confesarte una cosa! Me gustas». Y echaba a correr. Un día añadió: «Sobre todo tu voz. Tienes una voz —te lo digo en serio— que me vuelve algo loca».

Si el viento los azotaba, hablaban de cosas grandes: cuando hallaban un abrigo, en un recodo o tras unas rocas, hablaban de trivialidades, y con frecuencia de recuerdos infantiles. Lo más lejano que Ana María recordaba era un pulpo. Un pulpo, que siendo ella muy niña vio, en la playa, a punto de salir del agua. Se asustó y huyó en busca de su niñera. Ignacio lo más lejano que recordaba era cuando su madre, Carmen Elgazu, los sábados, en Málaga, le sentaba dentro de una palangana, desnudo, con las piernas fuera, y con una esponja le frotaba todo el cuerpo. Ana María gozaba lo suyo imaginando las gotas resbalando por la diminuta columna vertebral de Ignacio.

—¿Te gustaba, sí...?

—Sí, sí. Me gustaba.

Un día Ignacio le preparó una sorpresa. Avisó a las alumnas de la Colonia y le dijo a Ana María: «Hoy vamos a ir por el lado de S'Agaró, bajaremos bordeando el Salvamento de Náufragos». Así lo hicieron y en cuanto las niñas, que estaban a la escucha, los vieron aparecer, se levantaron como un enjambre de pájaros y salieron a su encuentro gritando y saltando. Les rodearon como si fueran dos novios, y una de las alumnas, la mayor, le ofreció a Ana María una muñeca de trapo con dos moños uno a cada lado... Ana María se emocionó y dijo que la guardaría en su corazón. En el momento de despedirse, oyeron que de un matorral brotaban unos rasgueos de guitarra. Era el maestro local, amigo de David y Olga, que se había escondido allí. Luego el sol les dedicó una de las más hermosas agonías del año.

A veces se cruzaban con el grupo de veraneantes pertenecientes a la pandilla de la chica. Eran muchachos vanidosos, que llevaban el jersey anudado al cuello a modo de bufanda, con estudiado desgarbo. Hijos de fabricantes. Miraban a Ignacio con cierta insolente curiosidad, pues les había secuestrado a Ana María. Al chico le ponía nervioso verlos. Ana María le decía: «Déjales. ¿No ves que se aburren?»

Una de las cosas que les gustaba era asistir a las reuniones de los esperantistas, en la plaza de la iglesia... ¡Porque en el pueblo había muchos esperantistas! Era un pueblo de escondidas y escalofriantes imaginaciones, lo cual Julio ya había advertido. Gente que soñaba en sociedades universales. Anarquistas sin saberlo, demasiado sentimentales para ofrecer sus servicios al Responsable.

Ignacio descubrió otra sociedad: «Los amigos de la Atlántida». Un grupo de taponeros que creía en la existencia de la Atlántida, y que consideraba prueba irrefutable de ello el hecho de que todos los años emigraban de las costas de África occidental unas bandadas de pájaros y que al llegar a un punto determinado del océano empezaban a buscar y a dar vueltas sobre sí mismos y chillar con desesperación. Uno de los taponeros le dijo un día a Ana María: «Y si no... ¿cómo Colón habría encontrado habitantes en América?» El hombre escribía un poema inmenso titulado «La Atlántida», y les recitó gratis unas estrofas, que se parecían a las que Jaime recitaba en Telégrafos a Matías Alvear, pero con mucha más sinceridad.

La hora de las confidencias era siempre la misma: el atardecer. Y el lugar siempre el mismo: la barca a la que fueron el primer día. Allí Ana María le rogaba que le contara cosas de su familia.

—Pero cosas ciertas —pedía—. No me inventes nada. A mí siempre me parece más interesante la verdad.

¿Qué tenía aquella mujer que hablaba de esta manera?

Ignacio le decía que tenía un padre de cabellos ya canosos, un as en el dominó, que ahora estaba disgustado porque se le había roto la radio y que probablemente en aquellos momentos se encontraba sentado en un café llamado el Neutral, o en una barbería de un tal Raimundo pensando en cualquiera de sus tres hijos.

La madre... era otro cantar... Un poco trágica. ¡Si los viera andar solos por aquellos acantilados! Si viera a Ana María con aquel *maillot* verde... Pero era una mujer magnífica. Se encontraría en el fondo del mar rodeada de peces agresivos y pensaría: «¡Dios mío, que la camisa de Ignacio está sin planchar!»

César... era un santo. Precisamente se lo había dicho a los maestros: era un santo. Afeitaba y tal. ¡Tenía unas orejas...! Trabajaba en un taller de imágenes. Había sobornado a uno de los operarios para que le fabricara una imagen de San Ignacio de Loyola. «Él cree que no lo sé; pero mi padre me lo ha escrito.»

En fin, sería cura y casaría a la gente...

—¿De veras...?

—Desde luego. Y supongo que a mí me hará un precio especial. O mejor, me dará una bendición especial.

—¿Y Pilar...?

—¡Ah...! Mi hermana... Me gustaría que conociera a una chica como tú. Es un poco... Pero tiene mucha gracia, desde luego. Ha empezado corte. Y se gana para sus gastos jugando a la Bolsa.

—¿A la Bolsa?...

—¡Sí, sí! Ya te he dicho que tiene mucha gracia.

Ana María se sentaba, con las manos en sus piernas entrelazadas por las tirillas de la alpargata.

—¿Y tú, Ignacio?... ¿Cómo eres en realidad?

Ignacio no lo sabía. Eran tan maravillosos aquellos días —y pasaban tan de prisa— que había perdido la conciencia de sí mismo. De noche, en la Colonia, dormía como un bendito, y se despertaba soñando que también buscaba algo, como los pájaros de la Atlántida. Debía de ser un sentimental. Eso es, un sentimental... Pero ¿cómo sabe uno cómo es cuando es feliz? ¡Por Dios, que no le preguntara detalles! Por desgracia la realidad volvería pronto. De momento allí estaba la barca, la bahía, el agua y el faro. Y Ana María, sentada en la arena con la falda desplegada, temblorosa a su alrededor. «Lo único que puedo decirte es que quiero ser un hombre.»

—¿Y tus padres?... ¿Por qué no me hablas de los tuyos?

Los padres de Ana María... eran un poco absurdos. «Ya ves lo que son las cosas. Mi padre... tiene tres *smokings*, pero todavía no ha conseguido llevar uno con naturalidad.» Su madre, por lo que contó de ella, era exactamente lo que sería doña Amparo Campo de haberse realizado sus ambiciones.

—A mí me gustaría, de verdad, tener un padre que pudiera disgustarse porque se le ha roto la radio de galena.

Era una alegría ascendente, que debía una gran parte de su intensidad a la naturaleza que los circundaba. El pensar que aquellas rocas rojizas llevaban siglos allí, contemplando el mismo mar, bajo el mismo cielo azul, los emborrachaba. Pisoteaban fuerte la tierra y se reían de la impotencia de sus pies. ¡Qué duro aquello, qué granítico y eterno! ¡Qué débiles parecían las piernecillas humanas!

—¿Y el alma?... Tú crees en la existencia del alma, ¿verdad, Ana María?

—¡Cómo! ¿Cómo no creer en ella? ¿Qué sería de los pobres cuerpos sin el alma? Pobres ojos, pobres ojos... Pobres labios, ahora rojos y llenos de vida. Pobre frente, ahora noble... Todo se secaría. Todo se iría secando como el pequeño riachuelo que había delante de la iglesia. Sin el alma Ignacio no tendría la voz que tenía, ni ella al abrir por las noches la ventana del cuarto sentiría aquellas oleadas de ternura invadirle el pecho. Suponiendo que sin el alma se pudiera vivir, los cuerpos andarían por el mundo encorvados, decrépitos y horribles. Tal vez se arrastrarían por el suelo, y los hombres y las mujeres se vieran obligados a hablar y comer y trabajar en esta postura. Sin el alma nadie hubiera concebido jamás le vela de un balandro.

—¿Y la inmortalidad...? —¿Creía Ana María en la inmortalidad?

¡Cómo no creer en ella! ¿Cómo no creer que había cosas que durarían siempre, que no podían desaparecer? Ella no había dudado jamás de que llevaba en sí misma algo que sería inmortal. Ya antes de tener uso de razón —cuando de pequeña vio aquel pulpo en la playa— había sentido que la existencia del cielo era una verdad. Por eso quería tener hijos, porque un ser humano era lo único que uno podía crear con la seguridad de que viviría siempre, de que su muerte sería aparente y transitoria. Lo demás... ya era distinto. Por ejemplo, aquella muñeca, aquella malagueña de un moño a cada lado, moriría un día... Aunque, ¡quién sabe! Pero lo que ella quería era casarse un día y tener hijos.

Ignacio no la besó. No la besó nunca. Había cometido una torpeza: el segundo día, en la barca, le hizo un sermón de diecisiete minutos sobre la castidad... Le dijo que cuando un hombre respetaba verdaderamente a una mujer, no la besaba nunca antes de casarse: por lo menos en los labios. Y por eso, a pesar de tener los labios de Ana María muy próximos a los suyos, hablando de hijos y de inmortalidad, tenía que hacer honor a su sermón y aguantarse.

¡Válgame Dios, todo aquello era hermoso! E incluso existían fotógrafos ambulantes dispuestos a inmortalizar la excelente pareja que ellos hacían.

David y Olga le decían que se llevaría un disgusto, que Ana María no era para él. «Es una mujer rica, no es para ti. Va contigo de buena fe, pero es que a veces gusta cambiar de ambiente. Es una aventurera, ¿comprendes? También sus amigos del jersey en el cuello a modo de bufanda van a veces a beberse un vaso de vino en una taberna.»

Ignacio no contestaba. Ignacio tenía una ventaja: todo aquello ya lo sabía. Pero sabía que lo que le ocurría era humano. El propio José, su primo de Madrid, se lo había dicho: «A todos nos ocurre, soñamos con una princesa». Claro que él ya había soñado con tres... Ana María era la tercera.

Pero su divorcio con la realidad no era total, por desgracia. Cualquier detalle le recordaba, en el momento más impensado, que los días pasaban de prisa y que pronto tendría que regresar a Gerona..., una carta de sus padres, un limpiabotas conocido —Blasco, u otro— paseándose por San Feliu dispuesto a limpiar el blanco del calzado que la gente usaba en verano.

Había algo inoportuno en su felicidad: David y Olga no podían compartirla. San Feliu, pueblo de la costa, de imaginaciones esperantistas, había mandado a los maestros una ráfaga de recuerdos violentos y tristes: se había suicidado un artesano del corcho que ellos conocían. Un hombre extraño, que había construido en corcho una prodigiosa miniatura del monumento a Colón erigido en Barcelona. Vivía solo, y una noche, en el momento en que entraba en el puerto un barco japonés, fue al faro y se ahorcó. Al día siguiente le encontraron con los pies balanceándose y una nota en el bolsillo que ponía: «Me voy porque me da la real gana».

Aquel suicidio había impresionado profundamente a los dos maestros, recordándoles que eran hijos de suicida. David pensó en su padre, balazo en la sien; Olga en el suyo, petardo en los labios, encendido a modo de cigarro. Ignacio no podía hablarles de felicidad. Tal vez por eso David y Olga le dijeran: «Te llevarás un disgusto. Esto no es para ti».

¿Era él egoísta hablándoles de Ana María a pesar de todo, o lo eran ellos escuchándole con una sonrisa de amarga indulgencia? ¿Y por qué no cesaban, por quince días aunque fuera, de hablar de fascismo y revolución? Él no tenía la culpa de que «Gil Robles fuera frívolo», de que ellos creyeran que el socialismo conseguiría incluso pesca más abundante en el mar, ni de que el artesano del corcho se hubiera colgado de un faro. Por otra parte, Ana María hablando de la «revolución» le había dicho que sí, que ella presentía muchas injusticias en el mundo y que muchas veces se había preguntado si su padre en la fábrica no robaba el dinero de los que trabajaban para él. Pero..., añadió que el terreno era peligroso... En Barcelona había conocido un chico socialista que la apabulló a discursos. Luego resultó que era un simple resentido. «¿Por qué mucha gente no hace como tú? —concluyó—. Trabajar y estudiar. Y llegar a ser abogado...»

Debía de ser una visión simplista del problema. Pero ¡lo decía con una seguridad!

Las alumnas, en cambio, le estimulaban a que fuera con Ana María. La chica les pareció a todas preciosa y muy simpática. Y a veces, en la playa, hacían una gran correría por el paseo para verlos a los dos, para verlos nadar en la zona de pago, o pasarse uno al otro el balón azul del comandante Martínez de Soria.

El comandante Martínez de Soria... Era cierto que daba clases de esgrima en el Casino. Era otro de los detalles que devolvían a Ignacio a la realidad. Porque la esposa y la hija del comandante estaban también allí, en San Feliu, aunque vestidas de negro. Siempre se sentaban en uno de los bancos del Paseo a leer de cara al mar. Ana María sentía una gran curiosidad por aquellas dos mujeres, de las que decía que tenían una gran personalidad. La madre era alta, y de un perfil sereno y grave; la hija, que se llamaba Marta, llevaba un flequillo hasta las cejas y los cabellos caídos a ambos lados de la cara. Era muy original. Algo menor que Ana María, debía de tener la edad de Pilar.

Un día, Ana María quiso acercárseles disimuladamente para ver lo que leían. Y se enteraron de que la madre leía «El Escándalo», de Alarcón y de que Marta leía el periódico de Falange Española, «Arriba», que salía en Madrid, y en cuya portada se veía el retrato de José Antonio Primo de Rivera.

A Ana María pareció impresionarla mucho el detalle; Ignacio se mordió los labios y no supo qué comentario hacer.

Otra de las personas que se paseaban por San Feliu era Julio... Julio había acudido en el acto al saberse lo del suicidio. Con su sombrero, su boquilla, su carpeta. ¿Sería verdad que era especialista...? Carmen Elgazu aseguraba que tenía un fichero particular de suicidas. Ignacio se preguntaba por qué su madre terminaba siempre por tener razón.

Julio se había encontrado a Ignacio en el Paseo y le había saludado con su cordialidad de siempre. «¡Hombre! Tu padre me dijo ayer que te diera recuerdos. Hubiera subido a la Colonia a verte, pero así me ahorro la caminata.»

Había señalado al barco japonés, embarrancado, y había dicho: «Se está bien aquí... Ya lo ves, ni siquiera los japoneses se quieren marchar...» La hélice del barco decapitaba a los peces, que llegaban a la playa muertos.

Ana María había comentado.

—Es inteligente ese hombre. ¿A qué ha venido aquí?

—No sé. Es experto en suicidios.

Al despedirse, Julio le había dicho a Ignacio:

—Los del Banco te esperan. Les han denegado la paga extraordinaria que habían pedido.

Todo aquello le devolvía un poco a la realidad. Y contar las horas que faltaban para regresar a Gerona le desazonaba. Ahora al llegar la noche se reía de la gente que decía: «Me voy al mar a descansar». Lo cierto era que el mar era agotador, enervaba. Las imágenes que imprimía en la retina, el sol, el aire salitre y el yodo que hacía temblar las ventanas de la nariz.

Ello resultaba evidente no sólo viendo a los maestros, nerviosos, desplegando todos los días *El Demócrata* con una especial inquietud, sino observando a los alumnos. Los chicos habían avanzado enormemente en insolencia durante aquellos días. Se llamaban unos a otros con frases alusivas, gesticulaban groseramente, sobre todo Santi, y varias veces, después de cenar, Ignacio había sorprendido a algunos de ellos sentados en la misma cama, fumando y escondiendo revistas bajo la almohada al menor ruido. En cuanto a las chicas, Olga tenía que reprenderlas porque no se peinaban. Les gustaba llevar el pelo mojado, pegado al cráneo, y provocar. A veces salían todos con los labios horriblemente pintados o con una raya negra que les prolongaba los ojos. Todo aquello daba un poco de miedo. El escote de Olga, y su cuerpo en la playa era el punto de mira de los muchachos; las chicas miraban a Ignacio con descaro y en la cama éste se encontró varias cartas firmadas colectivamente por medio de garabatos, algunos de ellos parecidos al palo de la firma del notario Noguer.

Por otra parte, David y Olga habían tenido una peregrina idea: llevarlos a todos, en comunidad, al cementerio, a visitar la fosa del suicida. Una suerte de acto de desagravio porque el párroco del pueblo se había negado a darle sepultura cristiana. Compusieron un ramo de flores silvestres y lo depositaron sobre el montón de tierra, en un rectángulo adyacente al cementerio común, abandonado y triste, reservado a los no bautizados y a los suicidas. David les hizo allí un pequeño discurso, y una hermana del suicida, que había acudido a rezar un Padrenuestro, se echó a llorar, tan grande fue su agradecimiento.

Los niños recorrieron luego el cementerio y terminaron por reírse ante las caprichosas inscripciones. «¿Dónde está la sala de autopsias? —preguntaban—. A Santi le hubiera gustado presenciar una autopsia.»

Ignacio comprendía que el nerviosismo de los niños tenía un origen idéntico al suyo: el yodo del mar, el sol y la proximidad del regreso a Gerona. Querían exprimir cada instante que pasaba. Les horrorizaba la perspectiva de la Escuela, del nuevo curso, aunque pudieran comprar un acuario.

Ana María le decía que verdaderamente era muy triste tener que separarse. «¿Qué haremos, Ignacio, separados uno del otro? ¿Qué haré yo aquí, con Loli, con esos chicos vanidosos? Cada banco del Paseo me recordará tu persona. Y aunque me maten no miraré esas barcas de la playa. —Luego añadía—: Tendremos que escribirnos, tendremos que escribirnos todos los días.»

Un día Ignacio no pudo más y la besó. La besó con una fuerza inaudita. Ella quedó totalmente desconcertada y apenas si pudo recordar los diecisiete minutos de sermón sobre la castidad.

—Pero...

Miraba a Ignacio y le veía unos ojos un poco encendidos, unos ojos que no eran los suyos habituales. ¿Cómo podía un rostro cambiar de expresión de tal suerte, tan bruscamente?

Ana María se levantó y echó a andar... No, aquello no estaba bien, no era bueno. Ignacio hubiera debido de contenerse. Se había roto algo... Tal vez ella fuera exagerada y aquello resultara lo normal. De acuerdo, de acuerdo..., pero que no mirara de aquella manera.

Ignacio comprendió que a Ana María no le daban vértigo los acantilados, pero sí el encuentro con la pasión. ¡Pero es que él era un hombre! También el escote de Olga le ponía nervioso. ¡Cuántas veces se había echado al agua para serenarse!

Al llegar a la Colonia encontró a David dando a los alumnos su segundo curso sobre el islamismo. «El islamismo es mucho más intolerante que el cristianismo en lo que se refiere a la idea de un Dios único. De ahí que dos de los misterios católicos horroricen a los mahometanos: el de la Trinidad y el de la Encarnación.»

Ignacio apenas le oyó. Y al día siguiente, al encontrarse con Ana María, le pidió perdón. Ella estaba seria. Él le dijo: «No seas rencorosa, anda». «No, no lo era. Pero, hablando sinceramente, se había asustado.» «¡Bah! También él era, había sido, siempre sincero.» Sincero cuando le había dicho que nunca había encontrado una mujer como ella; y que también a la barca de su pecho le pondría el nombre que era su refugio: Ana María.

De todos modos, ¿por qué ella se había puesto aquel mediodía unos pendientes que brillaban como estrellas? No, no tenían que enfadarse. Todo aquello les ocurría porque estaban nerviosos, porque a las seis de la tarde tenía que marcharse.

Ana María acabó por reírse, con sus verdes ojos. Comprendía a Ignacio. Camisa desabrochada... era natural. Con algo de duro animal humano... era lógico.

Ana María se le acercó y le asió las dos manos y se las estrechó. Él notaba una gran sequedad, una rabia insospechada por el hecho de tener que marcharse. No, no quería que ella fuera a la estación... Odiaba las despedidas. Se escribirían, sí. Él le escribiría en tinta verde, como verdes eran sus ojos. Pero ella tenía que prometerle que seguiría una y mil veces los itinerarios que ellos habían seguido. En todas las rocas encontraría sus nombres, el corazón dibujado y una flecha atravesándolo.

Ignacio la besó en la frente y dio media vuelta. Y se alejó. Ésta fue la despedida. Ana María quedóse sentada en la barca con los ojos húmedos. Pasó el pescador. «¿Qué, ya te lo ha contado todo?»

Ignacio subió a la Colonia. Comió, se despidió de todo el mundo y bajó a la playa con la maleta. Y se desnudó, para tomar el último baño. Se emborrachó de mar. Toda la tarde la pasó en el agua. Estaba moreno, casi negro. Su madre se asustaría al verle. Y César aún más, tan pálido él, tras las gafas de montura de plata.

El barco japonés había conseguido salir del puerto. Ningún vestigio en el agua. El agua del mar hacía tabla rasa siempre. Visitó por última vez, sumergiéndose, el vivero de moluscos, con millones de incrustaciones en las cuerdas, en todas partes. El fondo del mar era fino, de arena fina. Cogió un puñado y lo asomó a la superficie. Se lo llevaría y lo dejaría secar. Difícil que alcanzara el grado de sequedad de su espíritu. Olga le había dicho: «¡Cómo has cambiado en quince días! Estás hecho un tigre. A ver, estréchame la mano... ¡Uy, uy, déjame...!»

En el momento de vestirse vio llegar, sudoroso, a David.

—¿Sabes que eres un tunante? Nunca nos habías dicho que diste sangre en el Hospital. Ha venido un hombre diciendo que era un hermano de un tal Dimas... Ha traído esto para ti.

CAPÍTULO XXIV

Cuando Carmen Elgazu vio la lata de anchoas que le llevaba Ignacio, lanzó gritos de admiración. «¡Vaya regalo, chico! —La sopesó—. ¡Más de un kilo! ¡Y con lo que conocen el oficio en San Feliu...!»

—Tenemos para todo el invierno.

—¿Qué, la abrimos?

Matías echó una bocanada de humo.

—Voto a favor.

—Yo también.

—Yo también.

—Pues manos a la obra.

Ignacio replicó:

—¡Esperad! Hay otras cosas.

Abrió la maleta. ¡Anzuelos de todos tamaños y formas, un rollito de hilo de pesca, especial, recomendado por el patrón de la barca «Ana María»!

Matías entornó los ojos, que era la manera que tenía de hacerles sonreír, y se acercó a la maleta.

—¿A ver, a ver...? ¡Caray, chico, ésas son palabras mayores!

Pilar permanecía a la expectativa. Camisas, jabón, pañuelos, más anzuelos...

—¿Y lo mío...?

Ignacio se mordió los labios. La miró con picardía, para disimular, como dando a entender que habría sorpresa. Por último dijo:

—Pues mira... No creas que me he olvidado. —Cerró la maleta—. Pero pensé: ¡Mejor que me diga ella misma lo que quiere!

La chica tuvo una gran decepción. Encogió los hombros en forma enternecedora.

—Nada, nada, no te preocupes.

Carmen Elgazu intervino:

—Le hubiera hecho ilusión algo de San Feliu, ¿comprendes?

Matías contemporizó, sin dejar de analizar el hilo.

—¡Ale, nada de lamentos! Que Pilar diga lo que quiera e Ignacio sale ahora mismo a comprarlo.

—Nada, lo mismo da.

—¡No seas terca!

Entonces la chica pareció dejarse vencer. Se mordió el índice.

—¿De veras me lo compras?

—¡Claro que sí, mujer!

—Pues mira. —Reflexionó un momento—. ¿Cuánto quieres gastar...?

—¡Ah! Eso... —Ignacio sonrió y sacó el monedero, mostrando su delgadez.

—Entonces... unas sandalias verdes. ¿Llegas...?

—¿Cuánto valen?

—Unas que me gustan, doce cincuenta.

—De acuerdo.

César intervino, mirando a Ignacio:

—Antes de salir, entra en la habitación.

Ignacio le miró, con curiosidad.

—Lo que hay encima de la cama es de toda la familia. Lo de la mesilla de noche, de Pilar y mío.

Ignacio se rascó la nariz. No sabía si iba en serio. Carmen Elgazu le guiñó el ojo y entonces, dando súbitamente media vuelta, en dos zancadas alcanzó la habitación, seguido de todos. Sobre la cama, todos los libros de texto de primer curso de abogado. Nuevos, flamantes, con las tapas sólidas.

El muchacho se quedó mirándolos, sin saber qué decir. Luego se acercó a la mesilla de noche: una imagen pequeña, de unos veinte centímetros de alto, representaba a San Ignacio de Loyola.

Se pasó la mano por la cabeza. Se volvió hacia su familia.

—Estudiar y rezar..., ¿no es eso? —Hubo un silencio—. Anda, Pilar —añadió—. Vamos por las sandalias.

* * *

Además de la familia, otras varias personas habían esperado con impaciencia el regreso de Ignacio.

En primer lugar don Emilio Santos, para decirle que era un hecho que su hijo, Mateo, llegaría a Gerona en octubre, para ayudarle en la Tabacalera y estudiar Derecho.

En segundo lugar, el cajero del Banco Arús. La noticia de los hijos de los huelguistas de Zaragoza repartidos entre familias barcelonesas les había sugerido algo a él y a su mujer, que vivían solos: adoptar un chico del Hospicio. Lo habían consultado con su cuñado el diputado de Izquierda Republicana Joaquín Santaló, y éste aprobó la idea y facilitó todos los trámites. Fueron al Hospicio y eligieron un muchacho de once años al que llamaban Paco, que les había gustado porque todo el mundo aseguraba de él que sería un gran dibujante. Ahora iría a Bellas Artes. Ignacio le conocería. Era conmovedor ver cómo se esforzaba, sin conseguirlo aún, en integrarse en su nuevo hogar. Cuando lo lograra sería completamente feliz, lo mismo que lo eran ya el cajero y su mujer.

Luego... le esperaba doña Amparo Campo. Se había pasado todo el verano prácticamente sola, con Julio andando de acá para allá con carpetas bajo el brazo. Por fin no habían destituido al Comisario, de modo que la excusa que le dio Julio para no salir de veraneo debió de ser inventada. «Ésta, Ignacio, no se la perdono. Menos mal que tengo amigos como tú, que venís a verme de vez en cuando.»

—¿Amigos...?

—Sí. Ahora vienen con frecuencia el doctor Rosselló, el del Hospital. Y el arquitecto Ribas. Personas muy educadas.

Además de aquellas personas... esperaba a Ignacio el Banco. Llegó de San Feliu el domingo por la noche, el lunes tuvo que reintegrarse al Banco. ¡Santo Dios! ¡Qué cambio de decoración! ¡Qué extraño resultaba todo aquello: las caras, la cara del subdirector, la de La Torre de Babel, el de Impagados, Cosme Vila! Los ventiladores, los cobradores preparando sus hombros para llevar sacos de plata.

Apenas si reconoció su sillón crujiente, su mesa de trabajo, llena de papeles. ¡Cuántas manchas de tinta en su mesa! Nunca se había dado cuenta.

De pronto creía hallarse aún en el mar, y movía los brazos sobre el inmenso escritorio. El de Impagados se reía. «Sí, chico. Lo bueno pasa pronto.»

Ignacio echaba tanto de menos el bañarse, que decidió irse a la piscina por las tardes, aprovechando que haría jornada intensiva hasta el 15 de septiembre, gracias a la UGT. Y allí se encontró con las hijas del Responsable, que le miraron irónicamente. Con el Cojo, con el Grandullón. Blasco estaba en San Feliu, seguía todas las fiestas Mayores. El Rubio, al que llamaban «chivato», ahora no iba con ellos. El Responsable no se bañaba nunca. Ignacio hizo caso omiso de aquellas miradas. Y puesto que su madre le tenía prohibido que fuera a la piscina, él dijo en su casa que se bañaba en el Ter.

¡Con qué facilidad mentía entonces Ignacio! Había regresado de San Feliu completamente desorientado. Las horas iban sepultando en su memoria todos los buenos ejemplos que hubiera podido recibir; no recordaba sino imágenes que más bien turbaban su espíritu: el escote de Olga, los alumnos de la Colonia fumando en la cama, los veraneantes abriéndose paso entre los esperantistas.

No sabía por qué, pero el rencor por haber tenido que irse de San Feliu cuando tantos señoritos permanecían allí hasta quién sabe cuándo, le quemaba cada vez más. Ni siquiera había dado un vistazo amistoso a los campanarios de San Félix y la Catedral. En la mesa se mostraba irritable. Sin saber por qué, había elegido una víctima: Pilar. La hacía rabiar. Pero la chica no se quedaba atrás. Se vengaba pellizcándole y diciéndole que los moños, uno a cada lado, eran un peinado completamente ridículo y pasado de moda.

Ignacio sólo dominaba sus nervios en los momentos en que conseguía pensar muy intensamente en su familia: en su padre, Matías, yendo a pescar en el Ter con el nuevo material que él le había regalado; en Carmen Elgazu, hecha unas pascuas con la lata de anchoas; en Pilar con las sandalias verdes, y en César, todo el santo día fuera de casa; pero el Banco y su rutina le sulfuraban. Por eso en la piscina se encontraba a sus anchas, porque también allí podía echarse al agua y ver escotes estimulantes. A veces pensaba que tenía que evitar a toda costa volver a encontrarse a solas con doña Amparo Campo.

Notaba un relajamiento de toda su persona. En la cama se tendía cuan largo era, con las piernas separadas, alegando que por las noches había bochorno. Su risa era intermitente, sus gestos excesivos. Los libros de texto los había amontonado en un rincón. Iba al bar Cataluña y nada de lo que decían los futbolistas o los taxistas —nueva colectividad que había invadido el café— le lastimaba los oídos.

En la barbería, al entrar, el dependiente malagueño se le acercó y le dio una palmada en la espalda. Le extrañó aquella familiaridad. Pensó: «¡Qué poco respeto inspiro!»

Tan pronto intentaba borrar totalmente de su memoria el recuerdo de Ana María como se detenía en un banco de la Dehesa y evocaba su imagen, y los días pasados juntos en todos sus pormenores. No le había escrito. Todavía no le había escrito. Había algo que le gustaba en la situación que su silencio crearía.

El calor tenía a la gente pegada al suelo, con el cerebro embotado. Todo el mundo caminaba con lentitud. La ciudad estaba prácticamente indefensa. El Oñar olía mal. Las cloacas eran su principal alimento.

Poco a poco, varias siluetas se adueñaban de sus pensamientos: las de los coches de los veraneantes en San Feliu. Los veía rodando majestuosamente descapotados, llevando en su interior hombres vestidos de blanco, con extrañas viseras, y bellezas morenas, con gafas de sol. Eran ricos, eran los ricos que gastaban en un día, en el Casino, lo que costaban todos sus libros. Entraban en las tiendas riéndose, ridiculizando un poco al dueño o a la dependencia, pagaban y salían mirando irónicamente la mercancía, como dando a entender que la habían comprado porque sí y que por menos de nada la romperían allí mismo. A veces, para improvisar, regateaban. Regateaban un céntimo y aseguraban que en la esquina se encontraba más barato. Los dignos esfuerzos de la dependencia para convencerlos de que estaban equivocados, los envanecían. Finalmente, las mujeres les tocaban el brazo con muestras de cansancio. «Anda, no seáis tontos. No vale la pena.»

Vivían completamente separados de la gente del pueblo. Había familias que llevaban años veraneando en San Feliu y no conocían a nadie del pueblo. Ignacio se preguntaba si era por eso por lo que había esperantistas, y si aquel taponero se habría suicidado de haber encontrado comprensión y calor humano en un par de fabricantes.

David y Olga, que ya habían regresado, le aseguraban que las lamentaciones no servían para nada, y que sólo el socialismo era capaz de arreglar aquel estado de cosas, pues suministraría a los humildes medios de defensa. Sin embargo..., ¿qué significaba la palabra socialismo? ¡Había socialismo de tantas clases...! ¿Significaba derribar la valla de la zona de pago? Entonces Ana María no se bañaría allí... y tampoco el comandante Martínez de Soria. Buscarían una de aquellas playas diminutas y escondidas que veían desde la ermita de Sant Elm. También los echarían de allí..., de acuerdo. Entonces se construirían una piscina particular; y si un día el agua corriente empezara a verter obreros a la piscina se encerrarían en la cocina y se bañarían en una palangana, como él hacía cuando tenía tres años. En ningún caso se conseguiría la fusión. Nadie se mezclaría, ante el contento de don Jorge y sus teorías.

¿Por qué pensaba estas cosas, si Ana María había consentido sin esfuerzo en mezclarse con él, empleado de Banca...? Sí, pero ello no cambió las cosas. Ello no impidió que Ana María quedara correctamente, fuera cual fuera su gesto o actitud, sentada con las piernas al aire, corriendo, entrando o saliendo del agua; en tanto que él tenía que medir sin cesar sus movimientos para no ser grosero.

Los ricos, los ricos... Ésta era ahora su obsesión. En el Banco se complacía en pedir a los de Contabilidad las cifras que tenían amontonadas en aquellas Cajas las familias pudientes. Cosme Vila lo sabía. Lo llevaba todo anotado en un carnet. Los de Contabilidad le informaban, a pesar de tenerlo prohibido. Cosme Vila pretendía saber incluso el valor de las joyas que las familias guardaban en las Cajas del Banco. Ello debía de ser imposible. ¿Cómo consiguió abrirlas?

De repente, Ignacio se sintió trabajando, en compañía de personas de su misma clase social. Le gustaba pensar que todos aquellos seres y sus parientes tenían las mismas preocupaciones, y que las exclamaciones por una lata de anchoas habrían sido las mismas en cada uno de aquellos hogares. Un sentimiento de solidaridad se despertaba en él. Entre personas de la misma clase las palabras tenían el mismo significado. Unos y otros estaban seguros de comprender lo que se estaba hablando. En cambio, en San Feliú..., cuando uno de aquellos señoritos comentaba: «Esto es la monda...», ¿qué quería decir?

Cada uno de los empleados tenía su historia veraniega que contar. Varios, como La Torre de Babel, habían cambiado la piel... La piel que trabajaba en el Banco era otra. Pero el ser era el mismo. De modo que la piel no era lo esencial.

Pero la gran historia era la de Cosme Vila: Cosme Vila había hecho el viaje de bodas con la hija de los guardabarreras. La llamaba su compañera. Sus palabras recordaban las de David y Olga, pero con más despotismo. David y Olga habían registrado en el Juzgado su unión; Cosme Vila ni eso siquiera. Los suegros consintieron, él y su compañera tomaron el tren y se fueron a Barcelona. Allí, según Cosme Vila, vieron varios espectáculos en el Paralelo, bebieron mucha horchata, que a su compañera la volvía loca, ella durmió mucho, él habló mucho con el camarada Vasiliev, siempre inteligente —en el Partido Comunista— y habían regresado. Ahora vivían los dos juntos y tendrían un hijo. Nada de regalos ni de comprar un comedor y un dormitorio y lámparas. Ningún detalle burgués en todo el piso. Austeridad. Su compañera tenía prohibido pintarse; en cambio, para peinarse podría ir, si quería, a la barbería a que él iba, la de Marx, Lenin y Stalin en las paredes, en la que habían suprimido totalmente la separación de sexos.

—Vente un día por allí y verás —le decía Cosme Vila a Ignacio—. Pero no —añadía—. Tú, aunque te esfuerces, eres un burgués. Tú no comprendes que todo esto terminará un día u otro. A ti si te dicen que en China hay trescientos millones de hambrientos te quedas tan fresco, o en la India, o en África, o en América del Sur. Te parece que confesándote de vez en cuando esto se va a arreglar.

La órbita que describía el pensamiento de Ignacio durante la jornada, sometido a pruebas de aquel tipo, y a su estado de ánimo, era obsesionante. El resultado iba siendo que no escribía a San Feliú, que continuaba sin escribir. Y que César le mirara un poco asustado.

El único contrapeso de Ignacio, que ejercía cierta influencia sobre él, era la imagen de San Ignacio de Loyola que le había regalado su hermano, y que desde la mesilla de noche presidía ahora su cuarto.

Imposible entrar en el cuarto sin tropezar inmediatamente con los ojos del santo.

La imagen, maravillosa de expresión, cuyo modelo César consiguió gracias a un viajante de una fábrica de Olot que pasó por el taller Bernat, llegó a constituir para Ignacio una auténtica pesadilla. Porque los ojos no se limitaban a mirarle cuando entraba en la habitación, sino que luego le seguían implacablemente dondequiera que se hallara de ella; le miraban incluso en la oscuridad... Era aquél un fenómeno óptico conocido, ¡pero hubiera podido producirse en otros lugares! Resultaba algo incómodo pensar en los *maillots* azul y amarillo de las hijas del Responsable, teniendo los ojos de San Ignacio fijos en los propios ojos.

A gusto Ignacio hubiera colocado la imagen cara a la pared. Porque, además, le ocurría una cosa absurda: la historia del santo, que César le había relatado con entusiasmo le puso más nervioso aún: «noble, militar, fundador de los jesuitas». *Compañía* de Jesús, el *General* de la Orden: en todas partes dejó huella militar. Salvando las distancias, aquello recordaba las clases de esgrima del comandante Martínez de Soria... Sin olvidar que, según opinión unánime, eran los jesuitas los que llevaban actualmente la política en España y a causa de ello se hablaba de revolución.

Pero..., imposible tocar la imagen. Porque César la adoraba y estaba enamorado del Santo.

—Fíjate, Ignacio —le decía—. Fue él quien escribió los *Ejercicios Espirituales*. Y, además, basó toda su labor en dos virtudes: obediencia y acción. ¡Y por si esto fuera poco, era de la provincia de Guipúzcoa!

Este último argumento impresionaba a Ignacio. Porque sabía que Carmen Elgazu le dio a él su nombre en cumplimiento de una promesa: «Si el primer hijo era varón, se llamaría Ignacio en honor del santo de Loyola», del santo vasco por excelencia.

* * *

Matías Alvear había pasado sus vacaciones en Gerona, pescando en el Ter. Habían coincidido con las de Ignacio. Por dos veces se había llevado a su mujer, a César y Pilar y habían cenado todos juntos en la orilla del río, sentados en el suelo. Carmen Elgazu había lanzado mil exclamaciones admirativas ante el paisaje: los verdes de los árboles y de la hierba, el agua que bajaba tumultuosa, los indescriptibles colores del cielo por el lado de Rocacorba y alrededor de la Catedral. Sólo le habían molestado un poco los mosquitos, la ausencia de Ignacio y la proximidad de los atletas, que deambulaban por allí prácticamente desnudos y con pañuelos de cuatro nudos en la cabeza. A Carmen Elgazu le horrorizaba que Pilar viera todo aquello, además de que no podía soportar los pañuelos de cuatro nudos en la cabeza. Decía que daban aspecto de diablo o de esos malvados que corrían por los bosques.

—¡Los sátiros! —precisó Matías, sonriendo.

—Eso. Eso debe de ser.

A Pilar los pañuelos le importaban muy poco. Gozaba lo suyo en aquellas salidas campestres. Aunque hubiera querido llevar con ella un par de sus nuevas amigas del corte... Porque, ya tenía nuevas amigas, mayores que Nuri, María y Asunción. A Nuri, María y Asunción no las había visto desde fin de curso, pues éstas también se habían despedido de las monjas y además habían salido de veraneo en seguida; pero lo cierto era que apenas si las echaba de menos. Casi se sorprendía de lo poco que las echaba de menos. Al encontrar en el taller chicas mayores que ella había descubierto mundos nuevos. En el fondo le interesaban más las cosas que ahora oía... No, no, su madre a veces se equivocaba. A varias de las chicas del taller les gustaban los hombres con pañuelos de cuatro nudos en la cabeza.

Pilar había sido bien acogida en el taller de costura, que dirigían dos solteronas beatas —las Campistol—, que siempre decían que no se habían casado porque los hombres les daban miedo. El taller estaba situado encima de un herbolario, próximo a la subida de San Félix. Por eso las chicas empleaban con frecuencia un léxico medicinal. «Anda, chica, que te den un poco de tila.» A Pilar, de cuya educación monjil a veces se reían, le habían asignado tazas de tila media docena de veces lo menos.

Pero fue bien acogida, «porque era mona». La encontraban muy mona y muy simpática. Ella se esforzaba en hacerse agradable. Además, Ignacio. El segundo día llevó unas fotografías de Ignacio y aquello alborotó el taller, ante el escándalo de las pudorosas hermanas Campistol. Dos o tres de las chicas conocían a Ignacio de vista, las otras no. «Bueno, Pilar. A ver si me arreglas con tu hermano, ¿eh?» «Chicas, no sé. Porque como estudia Derecho...»

Las conversaciones del taller influyeron sobre Pilar como las conversaciones del Banco habían operado sobre Ignacio. ¡Cuántas cosas aprendió...! Cuando las dos solteronas, las jefas, estaban presentes, todas cosían muy comedidas, y a la caída de la tarde era costumbre rezar el rosario; pero en cuanto las dos daban media vuelta... Se hablaba del cine y de baile. ¡Suerte tuvo Pilar de haber hecho aquellas escapadas, gracias a la Bolsa! Porque si no, no conocería ninguna película y habría hecho el ridículo... A las que tenían novio las interrogaba con un realismo impresionante sobre sus actividades... A Pilar le decían: «Bueno, y vosotras en las monjas, ¿qué? ¡No vas a decir que no ibais a las murallas con los chicos del Instituto!»

El clima, el calor sofocante, los olores de la tienda de hierbas medicinales y la quietud del taller a media tarde sumían a todas en un estado de lasitud especial, campo abonado para pensar en aquellas cosas. A Pilar le llamaban particularmente la atención dos hermanas, morenas y con grandes pendientes, que siempre llevaban la merienda envuelta en *El Demócrata*, y que hablaban de las clientes del taller como Cosme Vila de los clientes del Banco, y anunciaban que pronto habría «revolución». Al parecer, su hermano y su padre eran «revolucionarios». Pilar no sabía en qué partido militaban pero, como si les viera: mono azul, manos ennegrecidas, gorra o boina calada hasta las cejas... También criticaban con frecuencia a los militares llamándoles chulos, especialmente a un tal teniente Martín. Otras chicas decían: «Pues mira lo que te digo. A mí un teniente no tendría que decírmelo dos veces». Pilar, mientras rompía el hilo entre los dientes, pensaba por su cuenta que a ella los hombres con uniforme le gustaban mucho.

Dos de las muchachas cantaban en el Orfeón. Las otras formaban parte del grupo sardanístico «La Tramontana», ganador en el último concurso. Pilar tenía mucho cuidado de no herirles la sensibilidad en este aspecto. Su padre el primer día la había advertido severamente: «Nada de discusiones, ¿eh? ¿Cataluña es lo mejor...? Pues es lo mejor».

* * *

En cuanto a César, muy fuerte a la sazón gracias a los cuidados de Carmen Elgazu, continuaba yendo a la Barca, al Museo y al taller Bernat.

En el Museo tenía mucho trabajo, pues mosén Alberto estaba enfermo. Al sacerdote le dolía el estómago a menudo; en aquel mes de agosto se sintió mal y tuvo que guardar cama. Y era estando enfermo cuando el hombre demostraba lo que valía: en la cama no cesaba de trabajar. Escribía todo el santo día. Catecismos, artículos; estudiaba pergaminos. Y procuraba no molestar. A las sirvientas les había dado orden de no estar pendientes de él continuamente. Se ocupaba en preparar unas ilustraciones, para enseñar la Historia Sagrada por medio de proyecciones. Con una máquina, que compraría por suscripción, pasaría semanalmente por todos los Colegios y catequesis de la ciudad. «Es preciso modernizar los métodos», decía.

A César le causó gran impresión ver a mosén Alberto en la cama, enfundado en un camisón blanco que le abombaba el pecho. Sacerdote y sotana eran dos ideas inseparables en la mente del seminarista. El aspecto de mosén Alberto en camisón tenía algo femenino, en la redondez de los hombros y en la línea del cuello. Las azules venas del cuello se le marcaban. Por fortuna le salían masas de vello por el escote.

Mosén Alberto le decía a César que era preciso estar alerta, que se acercaban grandes acontecimientos. «En cuanto todo el mundo haya regresado de veraneo...» Lo que más le dolía era no poder celebrar misa. «No sabes lo que significa para un sacerdote no poder celebrar misa.» Podía afeitarse, pero no podía celebrar misa. Estaba en la cama. Iban a verle el notario Noguer, que ya había regresado, otros sacerdotes y gente de su pueblo, de Torroellas. Los sábados siempre iban a verle algunos «payeses» llevándole recados de su madre. César conoció allí un vicario joven, mosén Francisco, el sustituto en la parroquia de San Félix del que se fue a Fontilles a cuidar leprosos. Mosén Francisco se parecía a su antecesor. Enorme y ancho sombrero, que parecía sostenérsele sobre las aletas de las orejas, bajo y cuadrado, grandes zancadas, de una gran vitalidad. Era un apasionado. Ponía el alma en cada palabra. A César le conocía de haberle visto por la calle de la Barca. «Magnífico —le dijo—. Ya sé que haces muy buena labor.» Cuando salía del cuarto, su sotana parecía ondear: tanto deseaba estar en varios sitios a la vez.

A César quien le preocupaba era Ignacio. En cuanto éste regresó de San Feliu, le notó cuál era su estado de ánimo. «¿Dios mío, y los rezos, y los ejemplos, y el ángel blanco esperando sobre el tejado del Collell?»

César le veía estirado en la cama con los pies separados, y luego tomarse de un sorbo la leche; más tarde ejecutar en forma distraída y por rutina esas mil acciones diarias dentro del hogar, que él juzgaba entrañables: acercar la silla a la mesa, pasar al lado de la madre, abrir la ventana, arrancar la hoja del calendario. «¿En qué pensaba Ignacio, qué cosa había más importante que lo inmediato, que el contacto con las personas con que uno convive, con los objetos?»

César era discreto, procuraba pasar inadvertido. No hablarle ni de la Carta Católica de Santiago el Menor ni siquiera de lo que andaba leyendo: páginas escogidas de Santa Teresa de Ávila, de San Juan de la Cruz, de Fray Luis de Granada. Ignacio le había cortado el paso el primer día. Le dijo que hacía falta un estado de ánimo muy particular para leer los místicos españoles. «Vete quince días a San Feliu o una tarde a la Piscina, comprenderás lo que quiero decir.»

César había hablado de Ignacio con mosén Francisco, el nuevo vicario de San Félix; porque con mosén Alberto no podía contar... Y mosén Francisco le había dicho: «Chico, los veranos son terribles. En el verano yo no sé cómo contener las imaginaciones. Cuando tengas un confesonario a tu cargo, te darás cuenta». «¡Dios mío! —pensaba César—, ¿por qué no nevará, por qué no llegará una ola de frío de los Pirineos o de los Alpes?»

El seminarista comulgaba todos los días en favor de su hermano. «Señor, borrad del pensamiento de Ignacio todo lo que no os sea agradable, devolvedle aquella alegría de Navidad, de fin de Año... Pensad que ya es bachiller, que tendrá una gran responsabilidad...»

Mosén Francisco le dijo un día: «A mí me parece, César, que eres demasiado serio. Que te falta alegría para que tu apostolado sea eficaz...»

¡Válgame Dios, alegría...! Era cierto... El método le dio resultado en todas partes, incluso en el taller Bernat, excepto por lo que se refería al decorador Murillo. Era un muchacho serio, el bigote de foca, que siempre despedía hiel. Se veía que odiaba su oficio, que despreciaba las imágenes que pintaba. Fue quien le gritó un día a César: «¡A ver, tráeme esa Putísima!» Aunque Bernat dijo luego que aquel juego de letras no era de Murillo, sino de Casal, el tipógrafo de *El Demócrata,* que un día lo había impreso en las Hojas Dominicales de la parroquia.

Ocurría eso, que había gente que oponía resistencia. Murillo, los peones ferroviarios, Ignacio.

—Anda, no seas tonto. No soy tan malo como te figuras —le decía a veces Ignacio. Pero en otras ocasiones no conseguía dominarse y soltaba un ex abrupto.

Un día, uno de esos ex abruptos fue de tal magnitud que provocó en César el mayor llanto de su vida. Ignacio se hallaba tendido en la cama leyendo y fumando. De repente pegó un brinco. «¡Fíjate, fíjate, César, lo que pone aquí...!» —Se acercó al seminarista y le dio a leer un comentario sobre las relaciones que sostuvieron San Francisco de Asís y Santa Clara... Era una acusación monstruosa, una sátira que a César le detuvo la sangre en las venas.

El seminarista miró a Ignacio.

—¿Pero tú...?

Ignacio volvió a tenderse en la cama.

—¡Yo qué sé, chico! Los santos eran hombres, ¿no?

César quedó estupefacto. Le entró una rabia desconocida. ¡San Francisco de Asís! Sin darse cuenta de lo que hacía se acercó a la cama de Ignacio, le arrebató la revista, la despedazó y luego le dio una patada al borde del colchón sobre el que yacía su hermano.

Ignacio se levantó de un salto e hizo ademán de agarrar a César de la solapa del pijama. El seminarista parecía llorar. Entonces Ignacio se vio de soslayo en el espejo del armario y al instante su estado de ánimo cambió. Soltó a César. Se encogió de hombros. Se pasó la mano por la cabeza. Se vistió rápidamente —la noche era calurosa— y salió dando un portazo.

Si la Rambla fuera el mar... Si hubiese podido tomarse un baño de medianoche...

CAPÍTULO XXV

Ignacio:

Te escribo desde la playa, desde la barca que tú conoces, a última hora de la tarde. No quería escribirte, no te lo mereces, pero lo hago para que veas que las chicas con brillantes en las orejas a veces no somos tan malas ni rencorosas como supones. ¿Por qué no me has escrito? ¿He de pensar que no me escribirás? ¿Dónde está todo lo que dijiste? Yo he cumplido, Ignacio. He reseguido todos nuestros itinerarios. Nuestras iniciales en las rocas... no estaban: pero ahora sí están, con el corazón atravesado.

Escríbeme, por favor. No me tengas con esa zozobra. ¿Es que estás enfermo? ¿Te ocurrió algo después de despedirnos? Me pregunto si te bañarías después de comer, y si te haría daño...

San Feliu... ha cambiado mucho en pocos días. Mucha gente se va marchando. Nosotros también nos marcharemos pronto —Muntaner, 180, Barcelona—, pues papá dice que la situación política no le gusta.

Loli me da recuerdos para ti y me dice que a ver si aprendes a estrechar la mano con corrección, que lo haces como si fueras un boxeador. Un saludo de «tu novia de vacaciones».

ANA MARÍA.

A veces voy a leer donde tú y yo nos sentábamos, en la punta de Garbí. Vale.

* * *

Luego se habló de las primeras lluvias por el lado de Cadaqués... Y aquello barrió, como siempre, la gente de playas y montañas y la devolvió a Gerona. La ciudad parecía un rompecabezas, al que cada tren, coche o bicicleta llevaba una nueva pieza hasta que quedase completa. Visto desde lo alto habría sido un espectáculo maravilloso comprobar la precisión con que cada persona iba a ocupar su puesto.

Su puesto, primero en el piso que le correspondía, luego en el corazón de las familias que le recobraban; luego en el despacho, en la fábrica, en los partidos políticos...

Los partidos políticos... Apenas los calendarios anunciaron septiembre, se sintió una sacudida eléctrica. ¡La tregua había terminado! *El Demócrata* estaba ahí, *El Tradicionalista* estaba ahí. El verano no había hecho más que calentar las cabezas, acusar las diferencias. Todo el mundo había tenido tiempo de rumiar su represalia.

Los obreros de los Costa habían regresado en sus autobuses. Y se habían reincorporado a la fundición —gafas de motorista y pistola en las manos que despedían chorros de fuego—, o a las canteras de Montjuich, donde los martillos repiquetearon de nuevo. Los Costa regresaron del Norte, de comprar hierro y de bañarse en San Sebastián, y entraron en Izquierda Republicana, con sus trajes grises y la punta del pañuelo saliéndoles del bolsillo del pecho y diciendo: «Amigos, los vascos nos dan ejemplo. Elecciones municipales por su cuenta y riesgo. Hay que acabar con el Gobierno de Madrid. Vamos a celebrar Asamblea General».

Los Costa tenían una hermana soltera, Laura, quien se asustó al verlos llegar tan excitados.

Al Partido Socialista, se había presentado, ¡por fin!, Antonio Casal, y mirando el retrato de Largo Caballero que presidía el salón y señalando la puerta a la izquierda que ponía «Comité Directivo de la UGT» dijo: «Camaradas, los socialistas en Madrid y Asturias continúan repartiendo armas. Aquí parece que nos dejaremos pillar en traje de baño».

El Responsable —su expediente por lo de la imprenta estaba en un punto muerto: faltaban pruebas— convocó reunión general en el Gimnasio, CNT-FAI. Y unos sentados en los potros de madera, otros colgados de las anillas oyeron que el Jefe les decía: «Cuidado, que nosotros fuimos los primeros en zumbar, y ahora los socialistas y demás ralea pretenderán que los verdaderos proletarios son ellos».

En Estat Català, el arquitecto Ribas, el arquitecto Massana, David y Olga iban a alcanzar la máxima violencia. Valencia iba a ser declarada puerto franco, para escamotearles el tráfico a los de Barcelona y Tarragona... Querían levantar fábricas textiles en la provincia de León y en Andalucía para competir con Sabadell y Tarrasa... Y, sobre todo, el problema del campo, como si quisieran convertir el jardín que era Cataluña en un erial como Aragón, donde unos cuantos don Jorge pudieran ir de caza.

En la barbería comunista, la estrella de Víctor declinaba. La presencia de Cosme Vila le había asestado el golpe de gracia. Todo el mundo intuyó la diferencia que había entre un jefe que lo era por azar y otro que lo era por temperamento, y porque llevaba mucho tiempo preparándose para ello. Había un carretero, un gigante, Teo, que le dijo al empleado de Banca: «Se avecinan acontecimientos. A mí y a unos cuantos camaradas nos gustaría que el jefe fueras tú». Cosme Vila se hacía el remolón. Decía que trabajar ocho horas y además ocuparse en serio del Partido, que ya había quedado constituido, era imposible. «Cuando todos los demás —describió un ademán que englobó a todos los partidos izquierdistas— se hayan estrellado entonces hablaremos...» Mucha gente se iba acercando a la barbería. Un tal Gorki, perfumista; Murillo, el decorador del taller Bernat. Sus bigotes de foca entusiasmaban al barbero. «Un pequeño trabajo, camarada, y te parecerás a Stalin», le ofrecía, tijereteando. Cosme Vila les decía a todos que lo mismo daba que el puerto franco en el Mediterráneo fuera Valencia, Barcelona o Tarragona. «Para nosotros —explicaba—, el puerto de Odesa. Por cierto, Víctor —añadía, deferente con el Jefe—, que Vasiliev me dio esas fotografías de Odesa... Aunque allí, ya lo ves, por donde la luna resbala es por las fábricas y por los aeródromos...»

En el otro lado, todo el mundo se alineaba para resistir la embestida. «La Voz de Alerta», al regresar de Puigcerdá, pasó por el pueblo de su criada, Dolores, para recogerla y llevarla en coche a Gerona. Cuando el automóvil del dentista se detuvo ante la puerta, toda la familia salió, y a poco todo el pueblo. Dolores quería que el señorito se quedara a comer con ellos. El sitio que hubiera ocupado en la mesa, habría sido respetado para siempre; pero «La Voz de Alerta» no quiso molestar.

Y, además, tenía prisa. En Gerona le esperaba *El Tradicionalista*, le esperaban sus amigos en el casino, sus jefes, en el café de los militares. Había pasado unas vacaciones magníficas. Muchos monárquicos y mucho *golf*. En Puigcerdá alguien había querido casarle; él sonrió. Realizó misteriosas visitas a varios propietarios de la comarca. En cambio se negó rotundamente a poner un pie en Francia. Cuando la pelota de *golf* cruzaba la línea fronteriza, algún chaval se cuidaba de recogerla. Él no cruzaría la línea jamás. «La Voz de Alerta» atribuía a Francia el origen de todos los males, de la corrupción de costumbres y del ateísmo. Aseguraba que los dirigentes republicanos españoles obedecían las órdenes de los prohombres franceses, especialmente de Léon Blum.

Mientras el coche iba dejando a su espalda los Pirineos, le dijo a la criada:

—Bien, Dolores... Puedo asegurarle que la concentración será un éxito sin precedentes.

—¿Qué concentración?

—Todos los propietarios del Instituto de San Isidro se concentrarán en Madrid, para protestar contra la imbécil política agraria que sigue la Generalidad.

La criada parpadeó.

—Pero... ¿los propietarios de Puigcerdá...?

—¡De toda Cataluña!

Dolores ya estaba acostumbrada a recibir confidencias de este tipo. Contestó: «Mientras no ocurra nada malo...»

¡Qué iba a ocurrir nada malo! Los de Estat Català creían que ellos dormían, que se dejaban asustar por sus bravatas...

Don Pedro Oriol se alegró del regreso de «La Voz de Alerta». *El Tradicionalista* sin él era papel muerto. Don Pedro Oriol no se había movido de Gerona, salvo algún viaje que hizo con su carromato por necesidades de su negocio de bosques y madera. Su veraneo consistió en ir a diario, del brazo de su esposa, a la Dehesa, al atardecer. La Dehesa le gustaba enormemente y no era cierto, como aseguraba *El Demócrata,* que cuando miraba sus plátanos milenarios calculara lo que podría sacar de ellos, una vez talados, si el Municipio se los vendiera. Iba a la Dehesa porque, desde la muerte de su hijo le gustaban la tranquilidad, el fresco y la sombra de los árboles.

A su paso mucha gente humilde saludaba a su esposa, señora de expresión triste, pero dulce, ahora eternamente de luto. La muerte del hijo había unido al matrimonio aún más. Por su parte, don Pedro Oriol asistía al vertiginoso encanecimiento de su pelo. Una especie de milagro posaba de un golpe luz de plata en su cabellera.

Don Santiago Estrada... regresó de Mallorca. Sus dos hijos se fueron al Internado. Él entró en la CEDA y saludó al subdirector del Banco Arús, que copiaba no sé qué fichas sobre masonería. Le dijo:

—¡Hombre, aquí tenemos al hombre fiel! A Mallorca tendría usted que ir. Hay mucho masón, mucho masón y mucho judío...

El subdirector, después de saludarle, extendió ante sus ojos el último número de *El Demócrata,* cuyo titular ponía: «Nuevo atentado de Gil Robles contra Cataluña». Don Santiago Estrada comentó: «Nuestra respuesta es ésa... concentración del Instituto de San Isidro en Madrid».

Don Jorge regresó con su esposa, sus siete hijos y las dos criadas. Estaba algo inquieto por su heredero, Jorge. Éste, a pesar de las advertencias de su padre, se pasó el verano cuchicheando con los colonos. «Señorito, si usted supiera...», le decían éstos. Le enseñaban los vidrios de las tapias, las rotas alpargatas de los chiquillos. A Jorge todo aquello le impresionaba. Su padre acabó prohibiéndole que saliera solo por los campos. «¿Qué pasa? ¿Vamos a tener un demagogo en la familia?»

Don Jorge le echó un sermón que hizo reflexionar al chico. Le dijo que los colonos estaban equivocados, que era mucho más fácil ser buen colono que buen propietario. «Ya ves la vida que nosotros llevamos, porque tenemos una responsabilidad y hay que dar ejemplo. ¿Crees que no me gustaría poder ir por ahí, por los mercados, y entrar en el café que me apeteciera, y divertirme un poco y recorrer las Fiestas Mayores de los pueblos vecinos, como ellos hacen? Figúrate que ignoro lo que son estas alegrías. Tener un patrimonio que defender es muy duro, muy duro. Ya te irás dando cuenta. Ninguno de esos hombres con quienes has hablado resistiría un mes. Se lo vendería todo y se iría a la ciudad. O pondría colonos y lo haría mucho peor que yo lo hago.»

Don Jorge al entrar en la Liga Catalana se encontró con el notario Noguer. El notario Noguer, más encorvado que nunca, con sus párpados caídos dando a sus ojos una forma triangular, estaba sentado en el sillón presidencial, ocupando de él una parte mínima. Era raquítico, y, sin embargo, tenía autoridad. Se la conferían su calvicie, su cráneo noble y lo impecable de su cuello blanco.

El notario Noguer le dijo a don Jorge que se encontraban entre dos fuegos. De una parte, la vergonzosa ofensiva contra Cataluña era un hecho; de otra los Sindicatos entregaban armas a los obreros no sólo en Madrid, sino en Barcelona, Tarragona, Lérida y Gerona... «Ahora ya no se trata de licencia de armas. Lo hacen a la descarada, Alianza Obrera, las Casas del Pueblo.»

Don Jorge le dijo: «Yo me encuentro muy fatigado. Lo dejo en sus manos. Pero, desde luego, nosotros nos adherimos al Instituto de San Isidro. Yo, personalmente, quiero ir a Madrid y desfilar como el primero, junto a don Santiago Estrada».

Era inaudito que don Jorge quisiera emprender aquel largo viaje. Lo que pedían los campesinos y la Generalidad debían de afectar a algo vital, al centro de lo que don Jorge creía que convenía a la tierra.

En el centro de unos y otros se encontraba situado Julio García. Era cierto que se había pasado el verano yendo de acá para allá. Muchos viajes a Barcelona, de donde siempre regresaba hablando de aquel doctor Relken de gran personalidad, que ahora se encontraba allí... También era cierto que cultivaba un fichero particular de suicidas. Ciento sesenta y ocho fichas; con el taponero de San Feliu ciento sesenta y nueve...

Ahora Julio tenía uno por uno todos los hilos del rompecabezas de la ciudad en la mano. Disfrutó mucho viendo que a Comisaría volvía a llegar el personal, que todos los agentes y guardias se incorporaban a sus puestos, que la tertulia del Neutral volvía a completarse, que en la barbería de Raimundo volvía a hablarse de corridas de toros, que el Orfeón volvía a cantar.

Raimundo había visto dos, corridas de toros en el verano, en Barcelona, y dijo: «Hay que ver. Hay que ver un cuerno de cerca para saber lo que es. A los extranjeros que critican las corridas querría yo verles allí».

Julio tenía los hilos de Gerona en la mano. Era quien mejor sabía lo que iba a pasar. Concedía suma importancia a la Asamblea de propietarios en Madrid y decía, que había que tomar represalias contra todos los que asistieran a ella. «Caiga quien caiga, ésa es mi opinión.» Los arquitectos Ribas y Massana asentían, pero les parecía todo aquello de mucha trascendencia.

Julio les dijo; a ellos, al doctor Rosselló y a los Costa, con quienes celebró una reunión:

—No vamos a dejar que el Responsable nos dé lecciones, ¿verdad?
—¿Por qué lo dice?
—Pues... porque él y su sobrino, el Cojo, se van a Madrid, dispuestos a armar bulla en la manifestación.

Era cierto. En el bar Cataluña se lo habían dicho a Ignacio. Tío y sobrino ya tenían los billetes. Habían dicho: «Vamos a ver si hacemos tragar un puro a alguno de esos propietarios». Por lo demás, el aspecto catalanista de la revolución de que se hablaba les interesaba poco. Ellos eran de la CNT-FAI. Querían hablar con los anarquistas de Barcelona, desde luego, pero también con los de Madrid. El Responsable no había olvidado a José, el primo de Ignacio. Cuanto más tiempo pasaba, más le parecía que era un elemento de gran valor, que en Madrid debía de actuar con gran eficacia.

Julio hablaba con unos y otros, con una elasticidad que asombraba a Matías Alvear. Tan pronto estaba en la redacción de *El Demócrata* como David y Olga le encontraban en el jardín de la Escuela contemplando el surtidor. Se iba a Telégrafos a ver a Matías y a Jaime, se pasaba una hora en el balcón de su casa, fumando, con el sombrero ladeado y acariciando la tortuga. A veces entraba en la barbería comunista a afeitarse. Le gustaba porque siempre había mujeres. En la Rambla no faltaba nunca si se tocaban sardanas. En su casa oía música y cante flamenco y hasta canciones de Navidad. A Ramón el camarero le hablaba de Nietzsche, de Voltaire, de Kant... Con frecuencia se iba al cuartel de Infantería a jugar una partida a las damas con el coronel esquelético, el coronel Muñoz... Iba a todas partes, se cuidaba de todo el mundo... excepto de su esposa, doña Amparo Campo. Hasta el punto de que ésta le había dicho: «Si no fuera una mujer decente, te aseguro que me iría con otro hombre».

Julio conocía la psicología de la ciudad. Y sabía que una noticia dada en el Neutral pasaba inmediatamente a oficinas, talleres, fábricas. En aquel comienzo de septiembre todo tomaba grandes proporciones. El recuerdo del verano, la posibilidad entrevista por los obreros de mejorar su suerte y de vivir una vida libre les hacía más insoportables las naves de las fábricas. En la fábrica Soler, inmensa, los capataces de cada sección sentían rebotar en sus rostros las miradas agresivas, especialmente de las mujeres. En las oficinas los codos se pegaban a las mesas con mala voluntad. ¡Cataluña, Cataluña! Cataluña rigiéndose por sí sola cambiaría aquel estado de cosas.

Era un septiembre prematuramente frío. Cada persona ocupaba su lugar. Los afiladores reaparecieron por las calles: «¡Cuchillos, tijeraaaas...!» A uno de ellos, amigo del patrón del Cocodrilo, que tenía fama de haber recorrido media Europa, éste le preguntó: «¿Cómo te las arreglaste para llegar hasta Rusia?», y él contestó: «Siguiendo la rueda...» Los remendones de paraguas, gitanos en su mayor parte, subían por los pisos pregonando: «Arreglo paraguas, arreglo». Y la gente, sin exceptuar Carmen Elgazu, les daba trabajo, pues corría la voz que aquel invierno sería particularmente lluvioso. En el cementerio, las flores de los muertos con uniforme de la guerra de África se marchitaron con el viento, como era su deber. Mosén Alberto pudo liberarse de la cama y subió a leerles otra extraordinaria carta del vicario de Fontilles. El hijo adoptivo del cajero, Paco, entró por primera vez, carpeta bajo el brazo, en la escuela de Bellas Artes, con un traje azul marino que dejó boquiabiertos a los niños del Hospicio, sus antiguos compañeros. Ernesto, el vejete que recogía excrementos en las procesiones, fue hallado inerte en plena calle, y fue llevado primero al Hospital y más tarde al Manicomio, pues al recobrar el conocimiento se puso a cantar interminables motetes de Viernes Santo, sin que nadie pudiera contenerle. Los limpiabotas invadieron de nuevo el Cataluña y los cafés.

Las piedras del barrio antiguo permanecían inmóviles. La Catedral, las capillas del Calvario, los olivares de propietario desconocido. A mediodía se oían las campanas, al anochecer los cerrojos de las iglesias. En la Dehesa apuntaba el amarillo en las hojas, el Oñar recibía rejuvenecidos caudales que animaban la ciudad. De vez en cuando, la tramontana. De vez en cuando, el sol. Los viejos salían a tomarlo en los lugares de siempre: en la Gran Vía, en el Puente de Piedra, en la vía del tren. El número de bicicletas había aumentado, los guardias urbanos sudaban la gota gorda. Los escaparates se iluminaban. Pasaban, uno tras otro, los tres hombres-anuncio que César, con la ayuda de Julio, consiguió colocar... Los soldados se iban a ver a la Andaluza; la esposa y la hija del comandante Martínez de Soria habían asombrado a todas las mujeres de la ciudad, especialmente a las del taller de costura de Pilar, al ponerse un elegantísimo sombrero para ir a misa.

CAPÍTULO XXVI

Los periódicos catalanes se lanzaron a la ofensiva. La Generalidad, en términos solemnes, se dirigió al Gobierno de Madrid exigiendo el reconocimiento inmediato de una serie de privilegios sociales, de orden público, administrativos, que se había abrogado. Y por supuesto, la aceptación de la Ley de Contratos de Cultivo.

La respuesta fue negativa. Y por su parte el Gobierno denunció, por medio de *El Debate*, que unos misteriosos portugueses habían llegado a Madrid y vendido un arsenal de armas a los socialistas. Armas de procedencia danesa, que en un principio iban destinadas a dar un golpe de Estado en Portugal, golpe que había sido planeado con pleno conocimiento de Azaña, pero que había fracasado antes de empezar. Ahora las armas iban aumentando los depósitos de las Casas del Pueblo y muchas partían vía Asturias.

Ignacio se enteraba de todo aquello en el Banco y por los periódicos, como todo el mundo, pero especialmente por una nueva amistad que había contraído: una muchacha de dieciocho años, a la que llamaban Canela, la discípula predilecta de la Andaluza, la gran adquisición de la patrona cara al invierno...

La muchacha, que recibía en su habitación a gente de todos los estamentos sociales de la ciudad, estaba al corriente de todo; pero le decía a Ignacio: «A nosotros, ¡plin! ¿No te parece? Tanto valen los unos como los otros». Y siguiendo su tradicional costumbre, le hacía cosquillas en los costados. Ignacio entonces pegaba un brinco «¡Canela, no seas loca!» Pero Canela, muerta de risa, continuaba persiguiéndole, desnuda, por la habitación.

Un día, al salir de casa de la Andaluza, Ignacio se encontró con César a boca de jarro, al doblar la esquina de la Barca. El seminarista disimuló. Le dijo:

—¡Hola! ¡Qué casualidad! ¿Vas hacia casa?

Ignacio, molesto por el encuentro, contestó que sí. Y emprendieron el regreso juntos, sin hablarse. Llegaban del mismo barrio; y, sin embargo...

—Ha refrescado.

—Sí.

En el trayecto vieron gran cantidad de forasteros, hombres de edad, bien vestidos, que descendían de unos autobuses y se dirigían a la estación. Eran propietarios, los afiliados al Instituto de San Isidro, que se concentraban para asistir a la Asamblea de Madrid. Don Jorge y don Santiago Estrada presidían la comitiva. El Responsable y el Cojo habían salido un par de días antes...

Más allá, en la Rambla, que estaba abarrotada, se tocaba la Santa Espina. Banderas con las cuatro barras de sangre. Los militares tomaban vermut, «La Voz de Alerta» estaba con ellos, limpiándose los lentes de oro.

Los dos muchachos subieron a casa y Matías Alvear les comunicó, en tono molesto: «En Telégrafos ya vuelven a las andadas. Un mequetrefe que ingresó el mes pasado me ha dicho sin rodeos que le gustaría que me trasladaran por ahí, a Cuenca o Cáceres». Carmen Elgazu abrió El Diario Vasco que Matías acababa de traerle de Correos. Y mientras leía lo que ocurría en el Norte dijo: «Si el traslado ha de llegar, pide Bilbao».

Los periódicos hablaban sin cesar del fascismo, «de los crímenes que cometían los "fascistas" a las órdenes de José Antonio Primo de Rivera, hijo del Dictador». Se decía que en el mismo Barcelona funcionaban unas escuadras de Falange, «que llevaba camisa azul y unas flechas bordadas en el pecho».

La agitación aumentaba y, entretanto, en el Banco Arús, el subdirector se frotaba las manos. Cuando más hicieran, mayor sería el triunfo de la CEDA. ¿Quién organizaba la ofensiva? Los masones. Ignacio le decía: «A mí me parece que todo eso es popular, es espontáneo». El subdirector, sin mirarle, movía repetidas veces la cabeza.

Ignacio había terminado por tomar en serio al subdirector. Era un monomaníaco de la masonería, pero tal vez ser monomaníaco fuera el único sistema de enterarse en serio de algo. A Ignacio le parecía que espigar aquí y allá, como se hacía en el Bachillerato, no conducía a nada.

La teoría de que la campaña, por múltiple que pareciera tenía una cabeza directora, acaso no fuera del todo inverosímil, reflexionándolo bien. En realidad, repasando la prensa y oyendo las radios se llegaba a la conclusión de que los puntos básicos del malestar eran los mismos en todos los sectores de la opinión, y que muy bien podían haber sido redactados en un despacho, por una sola mano. ¡Era tan fácil conseguir adeptos! Con decirle al de Impagados: «Los propietarios van a Madrid para impedir que en el Banco te aumenten el sueldo», tenía uno la seguridad de contar con una voz más en el coro.

La insistencia del subdirector en que esa sola mano eran los masones, había conseguido preocupar a Ignacio. Éste no olvidaba que por fin fue el subdirector quien tuvo razón al afirmar que Julio protegería al Responsable. ¿No era inaudito que la destrucción de un periódico, en un país de prensa libre, no trajera consecuencias? ¿No era cierto que la elasticidad de Julio desbordaba los moldes de cualquier Partido, que sus fines parecían más ambiciosos que los de Estat Català o Izquierda Republicana?

Pero Ignacio no conseguía ordenar sus ideas. «¿Qué buscarían, en definitiva, los masones? ¿Por qué tendrían representantes en todas partes, en la Rambla en las audiciones de sardanas; en el consejo de Redacción de *El Pueblo Vasco*, que leía Carmen Elgazu, entre los que en Madrid esperaban a don Jorge y a don Santiago Estrada para saldar cuentas?»

Un día le dijo al subdirector:

—Me gustaría que me explicara en serio lo que significa la Masonería. Si usted quiere, un día de éstos, cuando los demás se marchen, nos quedamos aquí, pretextando cualquier trabajo, y hablamos.

El subdirector le miró. Y observando que la petición era sincera, contestó: «De acuerdo. No perdamos tiempo. Hoy nos quedamos».

Fue un gran acontecimiento para Ignacio. Cuando todos los empleados se hubieron marchado, y sólo se oyó la intermitente tosecilla del director en su despacho, el subdirector, sentado en la mesa frente a Ignacio, con la luz de la lámpara iluminando su calvicie y su cajita de rapé, se explicó. Le dijo que «lo mejor era que le hiciera las preguntas que quisiera y él le iría contestando. ¿Quería saberlo todo? ¿Desde lo pequeño a lo grande? Mejor. ¿Desde lo que significaba la Logia de Gerona, la de la calle del Pavo, hasta esas palabras tan sonoras como Gran Oriente...? De acuerdo. Quedaría satisfecho».

«Pues sí..., en Gerona los masones, tal como ya sabía, tenían la Logia en la calle del Pavo. El mayor iniciado era aquel coronel esquelético que había visto, que tenía el grado de maestro, el coronel Muñoz. Julio García tenía el grado de compañero, pero ascendería a maestro pronto, de ello no cabía dudar... Su objetivo local era detener el auge de los partidos derechistas, unir en un solo bloque todas las fuerzas izquierdistas, para extirpar de Gerona su sentido religioso y tradicional, y disminuir el poder del Ejército. Ya conocía a Julio...

Creían en el progreso, en la ciencia, en lo funcional... Por eso se captaron a los arquitectos Ribas y Massana, que ahora soñaban en construir un rascacielos en el centro de la ciudad, que eclipsara la sombra maléfica de la Catedral. Por eso formaba parte de la Logia el doctor Rosselló, porque quería revolucionar el sentido paternal de la medicina que siempre hubo en el país, sustituyéndolo por las frías vitaminas y los fríos instrumentos de cirugía. El doctor Rosselló era partidario del aborto, de la eutanasia, y no le gustaba que las enfermeras del Hospital fueran monjas... Pero tenía un hijo que había descubierto sus andanzas y le trataba continuamente de inmoral, lo cual impedía al doctor Rosselló ser feliz. ¿Más datos...? Antonio Casal, tipógrafo de *El Demócrata*, era personaje clave y acababa de ingresar en la Logia. Pronto le señalarían su puesto... Los Costa, en cambio, que eran muy sinceros y muy buenas personas, no habían querido nunca nada con la Logia, a pesar de los esfuerzos de Julio. El coronel Muñoz, que tenía dinero, era en realidad el empresario de todos los cines de la ciudad, aunque no había conseguido serlo del Teatro Municipal. Los espectáculos eran también muy importantes y con sólo prestar atención a los títulos de las películas y revistas presentadas en la última temporada la trayectoria quedaba clara...»

«¿Que cuántos grados había en la Masonería? Actualmente, en la mayoría de Grandes Logias, tres: Aprendiz —lo eran Casal y el doctor Rosselló—, Compañero —lo eran Julio y los arquitectos— y Maestro —lo era el coronel Muñoz—. Todos a las órdenes de un Gran Maestro, de un Caballero de Malta, de un Caballero Rosa-Cruz..., etc... Según los ritos. El Gran Maestro de los masones de Gerona era Pérez Farrás, de Barcelona. En cuanto a los ritos, los principales eran, ahora, seis: el inglés, el escocés, el... ¡Bien, fuera listas, si no le gustaban!»

«¿Origen de la Masonería? Los masones no se andaban con chiquitas. Lo remontaban a la construcción del Templo de Salomón y algunos retrocedían más aún, hasta el levantamiento de la Torre de Babel... ¡Tenía gracia el nombre, pensando en su compañero de oficina! En fin, en cualquier caso, se trataba de la construcción de un Templo. De ahí que el dios masónico se llamara Gran Arquitecto del Universo —lo cual encantaba a Ribas y Massana—, que sus sesiones se llamaran Trabajos y los símbolos de sus rituales lo fueran de material de construcción o de albañilería: la escuadra, la paleta, el martillo, el compás, la plomada... Y que Hiram, su mito principal, fuera un obrero fundidor del Templo de Salomón, citado en la Biblia. Si un día iba al Hospital, vería que en todos los instrumentos del doctor Rosselló figuraba un pequeño triángulo... Aquello no era muy ortodoxo, pero así lo había hecho.»

«¿Si la antigüedad que se atribuían era verídica...? En absoluto. Se la atribuían, ésa era la palabra, para no flotar sobre la nada. El propio Julio se lo confesó al coronel Muñoz... En realidad, los llamados masones antiguamente eran simplemente teósofos, alquimistas, iluminados, etc. —el padre del Responsable hubiera sido uno de ellos—, que trabajaban cada uno por su lado o en grupos dispersos. Más tarde fueron Corporaciones sueltas, nacidas para protestar contra la disciplina social que imponía la Iglesia. Pero en realidad no hubo Logias disciplinadas, obedeciendo a Constituciones, hasta... 1717 exactamente. La cosa empezó en Inglaterra. Desde entonces se constituyeron en otra Iglesia, con jerarquía, liturgia, dogmas e incluso premios y castigos.»

«¿Que dónde había mayor número de masones; si en Inglaterra o en... Gerona? ¡Bueno, si bromeaba, le iba a dejar plantado! El número de masones en el mundo se calculaba en tres millones y medio, de los cuales tres millones se reclutaban en las Islas Británicas y en América del Norte. En Gerona no eran más que once... Un equipo de fútbol.»

«Ah, ya le demostraría que no era un fanático, que sabía distinguir y no veía lobos de mar en la montaña. Respecto de la religión, el comportamiento de los masones variaba. Los masones anglosajones habían conservado siempre cierto tono espiritual, con sus obras filantrópicas, la práctica de la asistencia mutua, su culto a la prudencia. Claro que acaso fueran los peores, pues siempre actuaron sin escrúpulos y apoyándose en el Imperio habían pretendido ser los amos de la tierra. Pero, en fin, aun cuando sus ataques contra la Iglesia Romana hubieran sido feroces, por lo menos no excluían la idea de Dios, aunque fuera un dios a su manera, un dios inglés, albañil o jugador de cricket. En cambio, los franceses... Julio sabía algo de ello... El Gran Oriente de Francia se había declarado oficialmente ateo, Contra-Iglesia seglar, en su Constitución. Había jurado el exterminio del cielo, declarado la guerra a toda idea mística o simplemente espiritual. El obrero fundidor, Hiram, en su ritual representaba el buen Republicano asesinado por la Reacción. El Hombre era libre, con mayúscula, el Absoluto no existía porque contradecía las ventajas de la evolución. ¿No le sonaba este tipo de literatura? *El Demócrata* andaba lleno de ella. ¡En Gerona todo el mundo quería ser libre, con mayúscula! Y la moral natural bastaba: David y Olga, Cosme Vila llamando a la esposa compañera. ¡Todos los acontecimientos de España tenían su origen en aquel vocabulario! Los gobernantes españoles se habían aliado a la Masonería francesa. Prieto, Martínez Barrios y demás formaban parte del Gran Oriente, con el grado 33...»

«¿Qué significaba este grado? La explicación era poética, iba a ver.

¡Incomprensible la pobreza de imaginación de la Masonería francesa! La misión de los grados 33 —Martínez Barrios, Prieto— era, sobre todo, social y política. En Inglaterra durante mucho tiempo, buscaron el apoyo de la nobleza. En Francia, fieles a la divisa *Igualdad por abajo* y queriendo emanciparse de la Gran Logia inglesa, persiguieron la destrucción del Papa y del Rey. ¿Que cómo lo sabía...? ¡Bah, no había más que estudiar su ritual! En las reuniones daban tres golpes, luego uno, luego dos: 3-1-2, en alusión a la fecha 1312 después de Jesucristo, año en que el Papa y el Rey destruyeron la Orden de los Templarios. Podría dar mil detalles demostrando que ésta era la finalidad de la Logia Francesa. Los Grandes Maestros prepararon la Revolución francesa. La divisa *Libertad, Igualdad, Fraternidad* era la de su ceremonial. ¡La redacción de los Derechos del Hombre! ¡La edición de la Enciclopedia! Todos los amigos de Diderot eran masones.»

«Por lo demás, ya la Revolución americana había sido obra masónica. Washington y Franklin fueron también Grandes Maestros. Y la inglesa... Todas las revoluciones las preparaban ellos, para imponer su concepción del mundo basada en la Inteligencia sobre la Moral, en la Ciencia y en la Felicidad gracias al Progreso. Donde estallara una revolución, grande o pequeña, allí estaban los masones. ¡La hoja de la guillotina tenía forma de triángulo! Ellos prepararon la caída del Imperio ruso; el culto a Caín había sido muy popular en las Logias. España era para ellos una espina clavada, por la expulsión de los judíos, por la creencia en la Virginidad de María, ¡por tantas cosas! Sobre todo por haber rechazado la Reforma. Ahora veían la ocasión, pues la República obedecía sus órdenes. Y preparaban el levantamiento en Cataluña y la revolución en el resto del país.»

«De acuerdo, de acuerdo, debía de haber masones idealistas, de buena fe. Pero la mayor parte operaban por ansia de poder temporal, por resentimiento contra el Dios Todopoderoso, por odio contra el triunfo de la Iglesia. No podían soportar aquello de *Tú eres Pedro y sobre esta piedra edificaré*, etc... De ahí que su obra llevara una especie de estigma diabólico. Cada paso que daban era una desgracia para la humanidad, a veces sin que ellos lo advirtieran.»

«Por ejemplo, no hacían más que allanar el terreno al comunismo. En fin, conducirían el mundo al desastre, utilizando desde el cine y la prensa, hasta la asfixia de pequeños Bancos como el Arús. El elemento judío influía en ello, pues no perseguía sino el provecho económico, a costa de lo que fuera. No, nada de teorías. Sentencias contra Reyes habían sido decretadas en las Logias, como la de Luis XVI. Caídas de regímenes se habían decretado en las Logias, como la de la Monarquía española. ¿Quería más datos? En la Logia de Gerona se había decretado la destitución del alcalde y en el Hotel Oriente de Barcelona la implantación del separatismo en Cataluña. Y para demostrar que no tenían prisa, en Gerona habían elegido como mascota la tortuga... Julio era el personaje clave. Ese doctor Relken del que siempre hablaba era un agitador profesional, con lentes de sabio. Le conoció en París, ya estaba en Barcelona, algún día se lo traería a Gerona. Mimaría mucho a Casal y no cejaría hasta que éste se hiciera cargo del partido socialista y de la UGT... ¿Quién si no Julio había mandado a Madrid al Responsable y al Cojo? Podía cobrarse el haber enterrado su expediente por lo de la imprenta, ¿no era eso? Y el día que se diera cuenta de quién era Cosme Vila... le invitaría a su casa a oír unos discos. Pero con Cosme Vila perdería el tiempo. Los comunistas estaban por encima de los masones, los utilizaban como monigotes. En fin, pedía perdón por tanto detalle erudito, pero... valía la pena. Si algún día quería hacer abortar a una chica, ya sabía: el doctor Rosselló. Si quería construir un rascacielos en Gerona, donde diez mil conciudadanos vivieran como hormigas, ya sabía: los arquitectos Ribas y Massana. Si escribía un sainete pornográfico, ahí estaba el coronel Muñoz: lo representaría en el Albéniz. ¿Quería un nuevo dato...? —El subdirector bajó la voz—. El director, su director, el director del Banco Arús, que estaba en el despacho de al lado..., era masón. ¡Faltaba un experto en materia financiera, ¿no era cierto? ¡Y un tesorero...!»

* * *

Ignacio se quedó preocupado. Todo aquello tenía visos de realidad. La voz del subdirector, sus ojos de buena persona, no mentían. ¡Veinte años de especialización! Hay que ver las cosas que aquel hombre calvo sabía sobre Masonería. Lo que debía de saber aún. El subdirector acababa de obtener un gran triunfo sobre Ignacio.

Mientras tanto, afuera, en el ambiente ciudadano, el triunfo correspondía, de momento, al Responsable y el Cojo. La Asamblea de propietarios en la capital de España se había celebrado. La CNT de Madrid se había lanzado a la calle en señal de protesta. Hubo muertos, heridos; nadie conocido. Pero el Responsable y el Cojo regresaron triunfalmente contando que un tipo gordo, de Lérida, que en plena Puerta del Sol había encendido un puro con un billete de veinticinco pesetas... ya no encendería ninguno más. ¡Hurra! Blasco, el Grandullón, los dos yogas les dieron la mano. Y todos juntos fueron a la Piscina, donde ya no había nadie, de la que el mal tiempo había barrido los cuerpos desnudos. ¡Gran triunfo! Ellos eran vegetarianos, fuertes, soportaban el frío.

Don Jorge y don Santiago Estrada habían regresado. «Han matado a un propietario de Lérida, un gran conocedor de la Agricultura. Y otros... Esto es una calamidad. Madrid está en manos del populacho. Largo Caballero sigue las órdenes del Komintern. Verdaderamente, se puede esperar cualquier cosa.» Mientras tanto David y Olga habían abierto, en el salón anexo a la Biblioteca Municipal, la exposición de trabajos manuales que los alumnos habían ejecutado en San Feliu. Las muñecas y los paisajes de corcho eran una nota de paz en el ambiente.

La violencia con que don Jorge, don Santiago Estrada y los demás propietarios fueron recibidos, sobrepasaba todos los cálculos. El «caiga quien caiga» de Julio se estaba convirtiendo en realidad. Se celebró una reunión de todos los dirigentes izquierdistas y se mandó un mensaje a la Generalidad, pidiendo permiso para destituir a los asistentes a la Asamblea de Madrid, de todos los cargos públicos que ocuparan en la provincia. El diputado de Izquierda Republicana, Joaquín Santaló, cuñado del cajero, recorrió los pueblos para demostrar a los campesinos que no estaban solos, y exhortándoles a organizar en Gerona, sin pérdida de tiempo, una concentración que fuera la contrarréplica a la de Madrid. «Todos vosotros, campesinos de Gerona, tenéis que acudir a la ciudad, con vuestras manos callosas y vuestras alpargatas, a demostrar vuestra voluntad de defenderos y de defender vuestras familias.»

La agitación entre los campesinos y la actividad que éstos demostraban tuvieron una repercusión inmediata sobre la atmósfera reinante en las fábricas. En la fábrica Soler, en la de Industrias Químicas, en la fundición de los Costa, en los talleres los obreros decían: «Los campesinos nos dan el ejemplo. Tenemos que hacer algo. Huelga, lo que sea». Y pedían que *El Demócrata* publicara la lista de los industriales que pagaban salarios de miseria.

Hacia el atardecer, la Rambla era un hormiguero. Ya no eran las pacíficas parejas que Ignacio viera al salir del Seminario. Todo el mundo se concentraba allí, comentando los acontecimientos. La Torre de Babel destacaba siempre un palmo más que los demás. En el bar Cataluña los limpiabotas ponían en marcha la radio y el dueño había instalado un altavoz. Desde la Generalidad se enumeraban los atentados contra Cataluña. Y cuando el clima subía como una ola, y se veía al Cojo pasar corriendo, o a los arquitectos Ribas y Massana entrar y asomarse al balcón de Estat Català, entonces, de repente, el cielo se cubría de octavillas. Los tejados y las azoteas lanzaban centenares de octavillas que iban cayendo lentamente. Anónimas, sin firma, en colores rojo y amarillo, las cuatro barras de sangre. Algunas de estas octavillas se posaban en el balcón de los Alvear y Matías las leía. Reconocía en el estilo la mano de Julio. Ignacio negaba, decía que no. Canela le había asegurado a Ignacio que Julio siempre nadaba y guardaba la ropa, que actuaría sin dejar pruebas de ello.

Los atletas en el Ter hinchaban los pulmones, los timbres de las bicicletas sonaban, César recibió una nota del Collell, de su profesor de latín, anunciándole que no se moviera de Gerona hasta nuevo aviso, doña Amparo Campo estaba indignada porque, con todo aquello «La Voz de Alerta» tenía coche y Julio no.

* * *

—No te asustes, seré muy breve. Sólo desearía que no me interrumpieras. Hablaremos como siempre hemos hablado tú y yo, y como yo entiendo las cosas. Todas las excusas que puedas darme las conozco: que vas allá para conocer el ambiente, para tener experiencia y demás. ¡Bah!, a tu edad se va «para hacer el hombre». Me he informado sobre esa mujer. Sí, comprendo que no es lo corriente. Pero yo quiero advertirte que las de su edad son las más peligrosas... ¿Me comprendes? Pero hay algo más. Tú estás convencido de que no va contigo por dinero, que te quiere. De acuerdo. Pero vas a ver cómo te llevas la gran sorpresa. Cualquier día te enterarás de que le está diciendo lo mismo a cualquier chulo imbécil. Hijo mío..., me darás una gran alegría si no vuelves por allí. Eres el mayor y tienes una gran responsabilidad. Además... te esperan cosas más importantes. Yo tengo una gran confianza en ti. Una confianza ciega y eres mi gran orgullo de pobre hombre. A veces, en Telégrafos, pienso que pierdo el tiempo, pero cuando me acuerdo de ti hasta el papel de los telegramas me parece de color de rosa. Y tu madre lo mismo. Si a veces te parece que prefiere a César, te equivocas. Lo que pasa es que, ya sabes... Para ella un hijo cura es lo máximo. Pero te quiere tanto como yo, que ya es decir...

»Por último..., créeme, por ahí no aprenderás nada. Al principio parece una gran experiencia y que esas mujeres saben la verdad de todo, pero no lo creas. Cuando los hombres van allí muestran lo peor y de esto ellas no pueden darse cuenta. Y luego..., luego verías que siempre es lo mismo.

Antes de levantarse añadió:

—Si no me haces caso, tendré que tomar otra determinación.

Ignacio se afectó. Su padre había hablado con gran dignidad. Se sintió al descubierto, se halló desnudo. Hombre de experiencia su padre. Gran persona, mucho mejor que él.

¿Quién le habría dado la pista? Su madre llevaba varios días mirándole a los ojos... ¡Tomar otra determinación! ¿Por qué aquella amenaza? ¿Y qué sabía su padre de Canela?

«Cualquier día te enterarás de que le está diciendo lo mismo a cualquier chulo imbécil.» Un gran desasosiego le invadió. Comprendió que era grave vivir tranquilamente varias vidas a un tiempo. Sin embargo, Canela no era como las demás. Tenía un gran sentido común. No era cierto que a su lado no se aprendiera nada.

Claro que tal vez todo aquello le distrajera de los libros. Éstos estaban sin abrir. Pero... ¡ocurrían tantas cosas! ¿Qué hacer?

«Eres mi gran orgullo de pobre hombre... Cuando me acuerdo de ti, hasta el papel de los telegramas...»

Los ojos de San Ignacio continuaban fijos en él.

Tercera parte

Del 6 de Octubre de 1934
al 16 de Febrero de 1936

CAPÍTULO XXVII

El día 29 de septiembre se verificó la concentración de campesinos. Seis mil hombres, capitaneados por el diputado Joaquín Santaló, los Costa y los directores de Estat Català y la UGT, invadieron las calles de la ciudad gritando: «¡Viva Cataluña Libre!» Llovió mucho, la tierra se convirtió en barro, los manifestantes se hundieron en ella afirmando su voluntad de que las raíces de la revolución fueran profundas. «La Voz de Alerta» reseñó el acto titulando la primera página de *El Tradicionalista*: «Campesinos convertidos en lobos de mar. Concentración agraria pasada por aguas». El Comisario arengó a los campesinos: «Regresad a vuestros hogares. Espero que, llegado el momento, cada uno sabrá cumplir con su deber».

El día 3 de octubre, una Comisión formada por representantes de todos los izquierdistas decretó la huelga general. Gerona entera quedó paralizada. El día 5 fue asaltado el centro de la CEDA y una hoguera redujo a cenizas sus muebles, los retratos de la Presidencia, la jovialidad de don Santiago Estrada y algunas carpetas del subdirector.

En las primeras horas de la mañana del día 6 llegó la esperada consigna de Barcelona. El golpe contra el Gobierno de Madrid era inminente. Los gerundenses sabían lo que tenían que hacer. Cada uno en su puesto.

Matías fue quien recibió el despacho para el Comisario que confirmaba el aviso telefónico; y lo cursó, consciente de lo que aquello significaba.

El Comisario de la Generalidad, al recibirlo, extendió en el acto la orden de destitución del Ayuntamiento y de ocupación del edificio. Y simultáneamente la emisora anunció a los ciudadanos que el momento había llegado, y que debían abandonar sus casas y concentrarse todos en la Plaza Municipal y calles adyacentes.

Familias cogidas de la mano se dirigieron hacia el lugar señalado, y en el camino iban enlazando unas con otras formando la gran cadena.

El momento era histórico. Solemnes coches iban y venían con misterio, ocultando tras los visillos las cabezas rectoras del movimiento.

La masa movilizada era impresionante. Distaba mucho de ser la ciudad entera, pero era suficiente para imponer la opinión y para enardecer a los tímidos. Las filas se iban apretando y todo el mundo, formado ante el edificio del Ayuntamiento, esperaba las órdenes definitivas. Por fin una gigantesca bandera catalana apareció en el balcón. Sus vivos colores flamearon ocupando la fachada. Y un hombre vestido de negro, el nuevo alcalde —el Jefe de Estat Català, arquitecto Ribas—, con voz emocionada y rotunda, levantando los brazos, proclamó en Gerona el Estado Catalán dentro de la República Federal Española.

¡Cataluña independiente! El grito recorrió la plaza y las calles abarrotadas. Los altavoces proclamaban la noticia de que Cataluña entera había respondido al llamamiento. ¡Cataluña independiente! Un pueblo alcanzaba su meta; las gargantas no podían expresar lo que las almas sentían.

Banderas con las cuatro barras de sangre florecían en las manos, en las ventanas. Y el himno antiguo y venerado tronaba por doquier, una y otra vez.

¿Dónde estaban los representantes del Gobierno de Madrid? Se decía que el alcalde había huido, que el comandante Martínez de Soria había desaparecido del Cuartel. «La Voz de Alerta» se encontraba en el pueblo de su criada Dolores. Estado Catalán dentro de la República Federal Española.

Ignacio, desde el balcón, asistía al ir y venir de la multitud, asombrado de que todo ocurriera de tan sencilla manera... Por dos veces vio pasar a David y Olga, descompuestos de emoción, llevando cada uno una bandera. Le habían hecho un gesto como diciendo: «Ya lo ves...» Y habían doblado la bocacalle que conducía a Comisaría, donde se decía que estaban reunidas las nuevas autoridades.

Las radios continuaban informando. En la provincia de Barcelona centenares de *rabassaires* se dirigían a la capital por carretera y caminos para ayudar a las fuerzas de la Generalidad. Al parecer, el Gobierno de Madrid no sabía qué hacer. ¡Por lo visto no habían creído que la cosa fuera tan seria! En Asturias los mineros, perfectamente equipados, habían formado un verdadero ejército, que en aquellos momentos se dirigía también hacia Oviedo.

Matías, en Telégrafos, no cesaba de pasarse el lápiz de una a otra oreja y de comunicar con su hermano de Burgos. El patrón del Cocodrilo mandó un recado a César: «Si pasa algo, ven aquí...» El seminarista se colgó los auriculares de la galena. En cuanto a Ignacio, el espectáculo de Gerona, sin una sola voz que gritara «¡Españoles!», le sacaba de quicio. ¿Dónde estaba don Santiago Estrada, su optimismo y el desfile de sus juventudes? Las rejas del café de los militares parecían haberse encogido.

Las horas transcurrían vertiginosamente. Pasaban camiones y de los pueblos llegaban mensajeros que transmitían de un lado para otro la buena nueva. Camallera, nuestro; San Feliu, nuestro; Figueras, nuestro; Puigcerdá, nuestro... Los hermanos Costa, escoltados por sus canteros, recorrían la ciudad. En cambio, el Responsable y sus monaguillos no se veían por ninguna parte. En el Hospicio, un hombre vendado apareció en el tejado y, acercándose al campanario, clavó en él una bandera. En el Manicomio, los locos se paseaban, agitados sin saber por qué. El camarero Ramón, en el Neutral, se estrechaba sin cesar el lazo del cuello, consciente del momento que vivía.

A última hora de la tarde, cuando ya las sombras descendían sobre la ciudad, Matías llegó de Telégrafos y prohibió a Ignacio, César y Pilar que salieran de casa. Se decía que iban a cortar la corriente eléctrica y aquello resultaría peligroso. Carmen Elgazu propuso cerrar todas las ventanas y rezar las tres partes del Rosario.

Matías acertó. A las siete y media de la tarde en punto, y en el momento en que un camión en el que habían instalado un altavoz y una ametralladora cruzaba el Puente de Piedra conminando a la gente a que se concentrara ante Comisaría, la ciudad quedó a oscuras. Los faroles de la Rambla se apagaron. A lo largo del río, todas las luces se hundieron en la nada. La gran iluminación del Ayuntamiento se eclipsó. Fue algo insólito y espectacular. Los manifestantes tropezaban unos con otros, contra las sillas de los bares; sus movimientos eran torpes. Hasta mucho después los ojos no empezaron a acostumbrarse a aquella oscuridad. Entonces la gente pareció recobrarse. Se decía que aquello era un sabotaje y era preciso no dejarse amedrentar.

Pero en aquel momento, por el lado de los cuarteles de Infantería, situados detrás del Seminario, se oyó un redoble de tambores. Era un redoble rítmico que se iba acercando, que descendía hacia la parte baja de la ciudad. Gerona entera calló para oírlo.

Alguien corrió Rambla abajo, abriéndose paso, como llevando un mensaje.

¿Qué pasaba? También de los cuarteles de Artillería iban saliendo soldados, en perfecta formación. Los oficiales en cabeza, marcialmente, a lo largo del río, hacia la Plaza Municipal. Al frente de todos, montado sobre un caballo blanco, el Comandante Jefe de Estado Mayor. Detrás, el comandante Martínez de Soria. Eran dos columnas que iban a confluir en el Puente de Piedra.

Nadie sabía si aquellos piquetes de tropa eran amigos o enemigos. A ambos lados del Jefe de Estado Mayor, soldados con antorchas.

De súbito se oyó un toque de corneta. ¡Estado de guerra! Sin bajar de su caballo, mientras oficiales y números presentaban armas, el comandante leyó el Bando declarando el estado de guerra en la ciudad.

¡Enemigos! El ejército se había declarado enemigo. Como un río se proclamó el rumor. La multitud se dispersó con inaudita rapidez, entre las sombras. El ejército tenía orden de disparar al menor conato de resistencia.

Matías ordenó a Ignacio: «¡Entra y cierra el balcón!» Pero el muchacho se resistía. Porque el redoble de los tambores se oía cada vez más claramente. Bajaba por la Rambla. Cuando los tambores callaban, se oían perfectamente los cascos del caballo blanco del comandante.

Los alrededores de Comisaría quedaron también desiertos. Al oír el toque de corneta, los dirigentes del movimiento se habían hecho cargo de la situación y unos doscientos hombres —entre ellos Julio García, los hermanos Costa y David y Olga— se habían encerrado en el edificio gubernativo.

Los piquetes de tropa se dirigieron allá y el comandante, deteniéndose ante la puerta, leyó el Bando conminatorio. En el acto un disparo salió del interior y el Jefe cayó de su caballo con el corazón atravesado.

Los oficiales lanzaron un alarido de indignación. El caballo relinchó y huyó, solo, desbocado, calle abajo. Inmediatamente fue cercado el edificio. Las tropas ocuparon los sitios dominantes. Llegaron refuerzos. Del interior de Comisaría apenas si salía de vez en cuando algún tiro.

Toda la noche fue transcurriendo de esta forma, con lentitud. Nadie pegó ojo. Ignacio, de vez en cuando, salía al balcón, pero volvía a entrar al oír una patrulla de soldados.

A las cinco y media de la madrugada la corriente eléctrica volvió. Todas las radios que no habían sido desconectadas lanzaron intempestivamente sus potentes voces. Las familias se congregaron alrededor, ávidas de noticias. No se oían más que bailables que crispaban los nervios. Por fin, a las seis y cinco minutos en punto, los micrófonos de Barcelona daban cuenta de que la Generalidad se rendía a las tropas del general Batet, encargado de sofocar el movimiento en la capital.

Aquello significaba la derrota, que llegaba precisamente con la luz del alba. Pocos minutos después, en el edificio de la Comisaría de Gerona apareció la bandera blanca. Al saber lo de Barcelona, consideraron inútil toda resistencia. Las tropas entraron en tromba. Un oficial quiso vengar al comandante muerto y disparó contra el primer amotinado que apareció en la escalera, y que resultó ser uno de los taxistas del bar Cataluña.

El Comisario se rindió al frente de sus doscientos hombres. La única mujer era Olga. Todos quedaron detenidos.

* * *

¡Extraña revolución —opinó Matías—, sórdida revolución, tanto más cuanto que hasta el momento en que se oyeron los tambores se hubiera dicho que a las autoridades se las había tragado la tierra! ¿Por qué nadie impidió el asalto al Ayuntamiento, la ocupación de la ciudad por la multitud? Todo el mundo daba la batalla por ganada. Sólo Cosme Vila le decía a su compañera: «Algo preparan los militares... Sobre todo en Barcelona. La apuesta es demasiado fuerte para que no intenten resistir...»

Horas más tarde todo el mundo le dio la razón. El comandante Jefe de Estado Mayor, ahora muerto, sabía que, en efecto, todo dependía del desarrollo de los acontecimientos en Barcelona. De modo que pasó toda la jornada esperando órdenes, jugando al ajedrez con el comandante Martínez de Soria. La tropa estaba acuartelada...

Por último, cuando la ciudad quedó a oscuras, alguien llegó a los Cuarteles. Y al instante la partida de ajedrez entre los dos jefes se interrumpió y comenzó el redoble de tambores. «¡A las armas!» «La Voz de Alerta» sonrió por fin; don Pedro Oriol deseó que todo se desarrollara pacíficamente; las dos sirvientas de mosén Alberto se arrodillaron ante la cama del Beato Padre Claret, con los brazos en cruz.

El resultado, ahí estaba: Doscientos detenidos, desencajados, oliendo a cuerpo humano. Abarrotaban las celdas de la cárcel, húmeda y oscura, detrás del Seminario. Tenían hambre y reclamaban tabaco. Era domingo, y el sol y el otoño doraban los muros de la cárcel y de toda la ciudad. Bayonetas caladas escoltaban la Catedral, ocupaban las calles céntricas y los edificios públicos, empezando por Telégrafos. Los cafés recibieron orden de abrir sus puertas, pero permanecieron vacíos. Las gentes entraban en las iglesias y salían de ellas silenciosamente.

Varios altavoces cumplían su misión. Cada noticia tenía color de sangre. En Barcelona, la batalla entre el Ejército y las fuerzas populares adictas a la Generalidad había sido encarnizada y las calles estaban sembradas de cadáveres. Los soldados se habían visto obligados a disparar contra sus hermanos civiles. En Gerona había un silencio como si la batalla se hubiera dado allí, bajo los arcos.

Entre las familias de los detenidos la situación era de terror. Los militares, dueños de la situación: todo el mundo sabía lo que aquello significaba... Corrían rumores de que el Gobierno de Madrid les dejaría las manos libres, de que serían implacables, especialmente en un lugar como Gerona, donde se había matado un jefe a sangre fría. Se hablaba de penas de muerte en masa. Sin posibilidad de escape o defensa, pues todos cuantos se habían encerrado en el edificio de Comisaría lo hicieron por propia voluntad.

Carmen Elgazu tenía una obsesión: saber lo ocurrido en Bilbao. Matías intentó informarse desde Telégrafos, pero sin resultado. Con el resto de España era imposible comunicar. Sólo de Burgos contestaron: «Alvear no está de servicio». Y aquello inquietó a Matías.

Ignacio se alegraba del fracaso separatista. La visión de la multitud, de David y de Olga, de todos gritando «¡Viva Cataluña libre!» desorbitados los ojos, le revolvía el estómago. Sin embargo, se hallaba sumido en una gran perplejidad. Algo había en la vida delgado como un hilo. ¡La cárcel, los militares, condenas a muerte! David y Olga se le aparecían como sus amigos más íntimos. ¡David, anguloso, enseñando a sus alumnos, cara al mar! Olga esperándole afuera —jersey de cuello alto— cuando terminó el Bachillerato, besándole en la mejilla. Y Julio García... Mentira que supiera nadar y guardar la ropa. Permaneció en Comisaría, dando la cara. Ahora estaba detenido como los demás, peor que los demás.

César sentía una pena profunda. Condenas a muerte... Entre los detenidos se hallaban Murillo, del taller Bernat, varios cabezas de familia de la calle de la Barca...

El muchacho había asistido al oleaje de la multitud con una especie de estupor. Aquel contagio popular le dio pena porque entendió que era sincero. Aquellas gentes amaban a Cataluña y querían organizar a su modo su destino; ello les llevaba a odiar, sin darse cuenta, a España. ¿Cómo condenar un odio que el amor inspira? Claro, España habría recibido la herida. En realidad, lo delgado como un hilo era simplemente el corazón humano, cuando se lanzaba a la calle sin un fin sobrenatural. ¿Quién ganaría el pan, ahora, para aquellas familias de la calle de la Barca? ¿Quién pintaría las llagas de Cristo en el taller Bernat? A grandes zancadas se dirigió a la Catedral y entró en ella entre bayonetas.

Pilar también había sido testigo de los acontecimientos, con estupor. Aquello no le gustaba. ¿Por qué la gente siempre quería más, más...? Fue a misa del brazo de su madre, pero nada tenía color de domingo en la ciudad. Y sin embargo, a la salida, bajo el sol, recordó los tambores, las antorchas y se dijo que en el fondo los oficiales que ocupaban las calles eran unos valientes... Allí estaban impecables, serenos, afeitados... «¡Derecha, mar!» Con una estrella, o dos, o tres.

Fue una mañana violenta, la tarde se extendió interminable. «Tenemos hambre, queremos tabaco.» A última hora apareció una edición especial de *El Tradicionalista*. La mordacidad de «La Voz de Alerta» chorreaba en cada línea, contenida aquí y allá por don Pedro Oriol. Varios ejemplares fueron llevados a la cárcel.

El periódico traía algunos detalles. La Generalidad se había rendido oficialmente a las seis y cinco minutos de la mañana. En toda Cataluña la cosa no había durado ni siquiera veinticuatro horas. En opinión de Matías, que no se apartaba de la radio galena, el infantilismo de los amotinados había sido, en Barcelona, algo indescriptible. Todo fue llevado con los pies y destinado al fracaso antes de empezar. Ocupación de edificios sin asegurarse la adhesión de las piezas maestras del orden público. Pero, sobre todo, sin ponerse previamente de acuerdo ni siquiera sobre los móviles de la Revolución. Porque, la independencia de Cataluña fue el móvil de la Generalidad, en tanto que las organizaciones obreras, realmente perseguían algo más: la revolución proletaria y social. Las discrepancias entorpecieron los movimientos desde el primer instante. Y la CNT, como siempre, a última hora viró en redondo —en Gerona el Responsable había desaparecido— y se había opuesto a la huelga general. Y la actuación del mismísimo Comisario de Defensa de Barcelona había sido confusa, como si estuviera de acuerdo con el propio general Batet. ¿Qué diablos ocurría con los demócratas que no se ponían de acuerdo ni siquiera cuando se jugaban la cara?

En cambio, en Asturias la cosa revestía otros caracteres, cuya gravedad no se podía negar. Veinte mil mineros se habían adueñado de la región, conducidos más inteligentemente, al parecer, que los separatistas catalanes. Si bien su suerte estaba echada: el Gobierno había mandado varias columnas desde Madrid, suficientemente equipadas para «acabar con ellos» pronto. El resto de España tranquilo, excepto leves incidentes en Madrid.

«¡Veinte mil hombres y acabar con ellos!» César no pudo dormir pensando en lo que aquello significaba.

Extraño atardecer de domingo de otoño, con una fantástica puesta de sol presidida por los Pirineos. En los cuarteles, la capilla ardiente ante el cadáver del Comandante de Estado Mayor.

«¡Que nadie salga de casa!» Matías sentía una tristeza tan grande como la que sentía César. Y temía por sus hermanos de Burgos y Madrid. Su empleo quedaba asegurado, pero ¡a qué precio! El director de la Tabacalera pasó la velada con ellos. Primero lamentó lo de Cataluña porque entendía que el pueblo catalán tenía grandes virtudes. «Lástima que no se sientan nuestros hermanos.» Luego, algo oiría por la radio galena, pues la soltó y, cosa inesperada en él, lanzó una terrible diatriba contra las Casas del Pueblo y, sobre todo, contra los sistemas revolucionarios que empleaban los mineros de Asturias. «Son auténticos salvajes», sentenció. Ignacio intervino con decisión: «¡Qué fácil es condenar! Cuando un minero sale del fondo de la tierra gritando, es que tiene razón; la tierra no engaña».

Carmen Elgazu miró a su hijo con la intensidad que le era característica cuando alguien de los suyos desenfocaba alguna verdad que ella juzgaba fundamental.

—No seas descarado, hijo. Don Emilio tiene mucha razón hablando de los mineros como habla. En Bilbao los llaman «dinamiteros», por algo será. ¿Qué sabes lo que han hecho? Yo lo que puedo decirte es que los sé capaces de todo. ¡Sobre todo de matar curas! Esto que no falte. ¡Que te crees tú que la tierra no engaña! La tierra engaña muchas veces, lo que no engaña es la Ley de Dios. Escucha la radio. ¡Cuántas desgracias! A las madres ya nadie les devuelve los hijos. Lo que les haría falta a los mineros sería que mucha gente rezara por ellos y no esos gobiernos que les prometen lo que no les pueden dar. ¡No es fácil condenar, ya lo sabemos! Pero si todo el mundo escuchara a la Iglesia, no habría revoluciones. Ahora, ya lo ves. Las cárceles llenas, muchas lágrimas, terreno abonado para el pecado. A veces me da miedo oírte, Ignacio. Algo hay en tu voz que no marcha como es debido.

* * *

Las órdenes que habían para la jornada del lunes eran tajantes: todo el mundo al trabajo, comercios abiertos, todo normal. Ignacio salió de su casa y se dirigió al Banco algo inquieto, pensando en el estado de ánimo en que hallaría a los empleados. Desde que llegó de vacaciones no habían hecho más que hablar de que pronto todo cambiaría, de que por fin los catalanes serían catalanes, de que tirarían el lastre al Oñar, etc... En lo sucesivo, él, por culpa de su acento madrileño y porque de sobra conocían sus ideas, sería el blanco del odio y del resentimiento. Ignoraba si alguno de ellos se encontraba en la cárcel. Tal vez Cosme Vila... También pensó: «¡Menuda papeleta se le presenta al subdirector!»

Las calles estaban silenciosas. Todo el mundo esperaba noticias del resto de España. Nada más empujar la puerta del Banco comprendió que su suposición era fundada. El silencio era impresionante. Se oía el rasgueo de las plumillas, la escoba del botones barriendo, el choque de los duros que el pagador iba amontonando, colilla en los labios.

Ignacio tomó asiento sin decir nada, y echó una ojeada. Allá estaban todos. No faltaba uno solo, ni siquiera Cosme Vila... Ninguno de ellos se había jugado el pellejo. Todos formaban parte de esa masa

347

amorfa que sólo es capaz de matar a los muertos. Todos se habrían encerrado en su casa cuando la ciudad quedó a oscuras y se oyeron los tambores.

El subdirector estaba serio; disimulaba su satisfacción. En el fondo, debía de considerar que había sido demasiado fácil. Sin embargo, el local de la CEDA estaba destruido, sus carpetas fueron a parar al río. Pero tiempo habría de recuperarlo todo: en los partidos catalanistas no faltaban muebles.

Sin hablarse, todo el mundo estaba pendiente de una cosa: de la llegada del periódico de Barcelona. El botones salió con el encargo de comprar una *Hoja del Lunes* para cada uno; pero a los diez minutos regresó con un solo ejemplar. Al parecer, en la Rambla la llegada del periódico había originado un verdadero motín. Cientos de manos lo reclamaron. Los vendedores sólo satisfacían a aquellos que no regateaban el precio: el botones dio el dinero de todos para obtener un ejemplar.

Veinte cabezas rodearon el periódico. Las noticias eran precisas: las cárceles de Cataluña llenas, docenas de muertos. Los mineros de Asturias continuaban dueños de la región, unos héroes... Si en las demás regiones les hubieran secundado, en aquellos momentos el socialismo estaría implantado en toda España.

El subdirector llamó a Ignacio. Se había pasado la noche oyendo emisoras de onda corta. Le dijo que no se hiciera demasiadas ilusiones sobre el heroísmo de los mineros, que lo que hacían era cometer atrocidades sin cuento. Habían asaltado la fábrica de armas de Trubia y con el material requisado en ella arrasaban cuanto hallaban a su paso. En Oviedo, el edificio de la Universidad ardía por los cuatro costados, con su biblioteca de 300.000 volúmenes, y sacerdotes y monárquicos y mujeres aparecían por las cunetas con los miembros destrozados.

Ignacio se resistía a creer. ¿Quién podía saber lo que ocurría en Asturias? Las radios dirían lo que les viniera en gana. Los mineros eran gente que había oído la voz de la tierra. Naturalmente, defenderían su bandera contra todo aquel que se opusiera a su avance. Pero... en el fondo esto era la ley, y también en Barcelona los militares habían disparado sin piedad.

—Si crees que esto es la ley, entonces no hay más que hablar, chico.

La Torre de Babel iba diciendo:

—Otra vez los militares...

¡Asaltada la fábrica de armas de Trubia! Ignacio pensó en su tío, encargado en ella desde principios de año.

¡Extraña actitud la del director! No mostraba ninguna curiosidad. Continuaba papeleando como si tal cosa. Nadie sabía lo que pensaba.

El cajero temía que a su hijo adoptivo le quitaran la beca de Bellas Artes, pues su cuñado Joaquín Santaló estaba detenido.

Ignacio se equivocó en lo del odio. Nadie le miró de forma especial. La nota dominante era el descorazonamiento. La derrota los había abrumado a todos; hubiérase dicho que un auténtico cataclismo había destruido la vida de los quince empleados.

A la una en punto salieron; todo el mundo se dispersó. El anterior Ayuntamiento había sido repuesto con todos los honores. Soldados en cada esquina. Pilar podía continuar admirando apuestos oficiales.

César había ido al Museo; ninguna visita. Las sirvientas de mosén Alberto le habían preguntado: «¿Cree usted, César, que los fusilarán?» Carmen Elgazu contó que en la pescadería no pudo comprar nada; nadie había salido al mar.

Matías había trabajado infatigablemente en Telégrafos. Familias que se interesaban por el mutuo paradero, telegramas de pésame, órdenes recibidas de Madrid a Capitanía General de la Región. ¡Por fin había podido comunicar con Bilbao! En Bilbao todos bien: la abuela escribiría una larga carta; en San Sebastián, sin novedad. Sólo faltaban noticias de Trubia.

—¿Y de Burgos? —preguntó Ignacio.

Matías bajó la cabeza.

—Tu tío está en la cárcel.

Ignacio, por primera vez, pensó en serio en la posibilidad de perder para siempre a David y Olga. Quedó con la cuchara en alto, sin poder comer. Se dijo que, si los condenaban a muerte, de seguro harían lo que sus padres: se suicidarían antes que se ejecutara la sentencia. La idea de los maestros desangrándose, abrazados, en una celda húmeda y oscura tras el Seminario, consiguió quebrar la suerte de frialdad con que asistía a todo aquello.

Inesperadamente llamó a la puerta, sofocadísima, doña Amparo Campo. Los brazaletes le tintineaban en forma alocada. Se había presentado en el Gobierno Militar a protestar contra la detención de Julio y un alférez chulo la había echado escalera abajo. «¿Qué ha hecho Julio? Comisaría era su sitio. ¡Que prueben a tocarle un pelo y va a salirles caro!»

CAPÍTULO XXVIII

En el interior de la cárcel el espectáculo era deprimente. La capacidad del edificio era de sesenta reclusos. Los doscientos hombres habían invadido celdas y pasillos, mezclándose con los delincuentes comunes, que los recibieron con vivas muestras de satisfacción. No había camastros para todos; la mayoría se hallaban tendidos por el suelo. Hasta el momento todos estaban incomunicados con el exterior; prohibido recibir una sola línea o paquete. En el patio, en tres enormes cacerolas hervía un líquido negro dos veces al día.

Los hermanos Costa eran los amos de la situación. Conservaban su buen humor, e intentaban elevar la moral de unos y otros. A ratos lo conseguían. «¡Pobres hornos de cal, pobres canteras!» Ambos, vestidos de azul marino, esperaban con ansia el momento de poder afeitarse. En seguida habían organizado una lista de los más necesitados, de los que no podrían esperar ninguna ayuda ni comida de fuera y les dijeron: «No os preocupéis, corre de nuestra cuenta». Comentando la situación decían: «¡Qué le vamos a hacer, en Barcelona falló! Otra vez será». Confiaba en que su hermana, Laura, «por ser tan religiosa, podría salvar algo del naufragio».

Había detenidos de todas clases, de todos los oficios. Gente desconocida: el repartidor del café Debray, el herrero de un pueblo vecino... Varios tenores del orfeón local, un empleado de la Cruz Roja. Ningún anarquista. Comunista, sólo Murillo, con sus bigotes de foca y una gabardina sucia. De la calle de la Barca había cinco hombres, ninguno de los cuales era catalán. Cuando los hermanos Costa los interrogaron respondieron: «Cataluña nos dio pan, pues aquí estamos».

Sin saber por qué, con frecuencia todas las miradas se dirigían a Julio García. Todos parecían esperar que Julio sabría algo más que ellos, algo sobre la suerte que les esperaba. Julio conservaba una calma admirable, dando lentas vueltas por el patio. Hablaba poco, a veces se le hubiera tomado por mudo. Pasaba el tiempo mirándose el reloj, masticando su boquilla. Cuando alguien se dirigía a él, levantaba los hombros. «Ellos son los amos.»

Olga había sido destinada al otro lado del edificio, con otras mujeres recluidas por delitos comunes: tres gitanas y una prostituta que gritaba: «¡Quiero vino, quiero vino!», y que se tocaba el vientre como aquella loca del Manicomio. De modo que David había quedado como cercenado por la mitad. Y se había convertido en el único confidente de Julio. En cambio, los hermanos Costa le parecían algo fanfarrones.

David no podía mirar su reloj, porque se lo había prestado a Olga. No fumaba, en los muros no veía nada interesante. Su única distracción era tocarse los dientes. Los dientes y mirarse las venas de las muñecas. Las contemplaba sin cesar, abultadas, dando de pronto fantásticas sacudidas. Era el camino azul de la sangre; ¡qué misterio! Sangre también partida por la mitad, puesto que no sabía nada de Olga. Cada vez que una vena le saltaba, David temía que le hubiera ocurrido algo a su mujer.

Todo el mundo disimulaba por los pasillos, por los rincones. En dos días, las barbas habían crecido increíblemente. Los cuatro ejemplares de *La Hoja del Lunes* fueron devorados. ¡Los mineros estaban tan lejos! Traidor el Comisario de Defensa de la Generalidad... Honor a los muertos de Barcelona. ¡El caballo blanco! Aquélla era la obsesión. El caballo blanco del comandante les daba miedo. La muerte de un jefe bien valdría doscientas miserables vidas separatistas.

El diputado Joaquín Santaló, cuñado del cajero del Banco Arús, se llevaba las manos al cuello... porque quien había disparado había sido él. Por el ojo de la cerradura fue el visor. Comprendió que la línea era recta, recta al corazón del Comandante. Sustituyó el ojo por el cañón de la pistola. Julio le dijo: «¿Qué haces?» Él ya había apretado el gatillo. Inmediatamente oyeron los aullidos de los oficiales, los cascos del caballo blanco. Entre ciento noventa y nueve, ¿no habría uno solo que llevara en el pecho la palabra DELATOR? No sabía por qué, pero David le daba miedo...

Julio le dijo al maestro:

—Me pregunto qué estara haciendo mi mujer...

David contestó:

—Y yo me pregunto qué estará haciendo la mía...

La mayor parte de los detenidos no se quitaban un nombre de la cabeza: «La Voz de Alerta». ¡Qué escalofrío pensar en él!... El empleado de la Cruz Roja dijo: «Si alguno se salva, será por don Pedro Oriol». Los reos comunes —ladrones de gallinas, de bicicletas—, comentaban entre sí: «¡Siempre los hay peores!» Y jugaban a las cartas. Uno de ellos era gitano y se ofrecía para decir la buenaventura. Eran los únicos que conocían la casa, cómo hacer funcionar el retrete, dónde se hallaba un poco de agua, cuando oscurecía completamente. Uno de los guardias preguntó: «¿Quién sabe tocar silencio y diana?» Nadie. Silencio. Cada uno pensaba: «Mi pecho será diana dentro de poco».

El guardia no hizo caso. Guardia Civil con tricornio flamante. El gitano se ofreció para tocar diana. Uno de los reos comunes trajo la última noticia: «¡Je, han nombrado un cura para confesaros, el tío ése de los Museos de no sé qué!» Y del brazo de otro ladrón de gallinas recorrió los pasillos gritando: «¿Quién quiere confesarse, quién quiere confesarse? A perra gorda el amén, a perra gorda el amén».

* * *

El Tradicionalista dio la noticia. A las 12 y a las 6, en la puerta de la cárcel, tres guardianes irían recogiendo los cestos que las familias depositaran. Se admitiría comida, sin restricción, y tabaco. Nada de libros ni periódicos.

El anuncio produjo gran conmoción. Las familias, repentinamente ganadas de esperanza, prepararon los cestos, escribieron en una etiqueta el nombre del ausente.

¿Qué hacer con los desahuciados?

Quedaban varios reclusos sin protección, que no se habían inscrito en la lista, abierta por los hermanos Costa, por razones personales o por susceptibilidad. Entre ellos Murillo, David y Olga, dos de los cinco hombres de la calle de la Barca. Estos dos últimos no pertenecían a Izquierda Republicana y no aceptaron nada de los Costa. En vano se les dijo que la cárcel iguala a todo el mundo; ellos opinaban que no.

César, que quería hacer algo útil —había asistido al entierro del taxista—, entró en tromba en el taller Bernat y propuso a sus compañeros de trabajo ocuparse entre todos del decorador. «Estoy seguro de que aceptará que los del taller le ayudemos.»

Quedó perplejo viendo la indiferencia con que su propuesta era acogida. «Yo no me meto en líos», dijo uno. «Yo ya le advertí que hacía una tontería.» Todos parecieron impenetrables moldes de yeso. El único que reaccionó fue el propio Bernat, el dueño, quien bajo su cachaza estaba resultando ser un hombre sensible.

César le dijo:

—Pediré a mi madre que haga la comida, usted paga la mitad, en mi casa la otra mitad. Yo me encargo de subirle el cesto.

Bernat se rascó la cabeza.

—¿Crees que en tu casa aceptarán?

—¿Por qué no?

En la calle de la Barca le ocurrió algo parecido. Dos detenidos del barrio habían rehusado la ayuda de los Costa... ¿Qué hacer? Era preciso buscar un arreglo entre los propios vecinos. ¡Válgame Dios! La misma historia. Los vecinos le dijeron: «A lo mejor hacen listas de los que lleven los cestos... ¿Por qué se metieron en el bollo, no siendo catalanes?...»

César pedía a unos y otros. Por fin encontró un colaborador eficaz e inesperado: la patrona, la Andaluza. «Ven acá, chaval. ¿Qué dicen esos gilipollas? Tienen miedo, ¿no es eso? Y luego se llaman gente honrada. Mira, yo me encargo de uno y el patrón del Cocodrilo aceptará el otro. De los cestos te encargas tú... ¿Ah, ya llevas uno...? Pues habrá que espabilarse... ¡Canela...! No, ésa no, ésa está hecha una señorita. ¡Maruja, ven acá! Bueno, mira, tío César, no te quiero sofocar. Maruja se metería contigo. Vete y habla con el patrón del Coco...»

César convenció sin mayores dificultades a Matías Alvear. «Murillo no tiene a nadie, y la cárcel es dura. Un poco exaltado, pero nadie le ha enseñado nunca otra cosa.»

—Pero es que es mucho gasto, ¿comprendes?

—Lo ahorramos de algún lado.

Matías se rascó la nariz.

—Habla con tu madre, ale.

—¡Gracias, padre!

Algo más tarde, llegó Ignacio. El muchacho parecía pensativo, algo le bailaba en la cabeza. Después de muchas dudas llamó a su padre a su cuarto y le dijo, en tono solemne:

—Quería hablarte de una cosa... Ya sabes que en la cárcel... David y Olga no tienen a nadie. Lo de los Costa no cuenta para ellos. Y... ¡en fin, son mis amigos... Deberíamos tomarlos a nuestro cargo!

—Pero... ¿por quién me habéis tomado? Soy un funcionario de trescientas pesetas. ¡Primero el decorador, ahora los maestros...!

Ignacio se mordió los labios. ¡César siempre metiendo la pata... antes que él!

—¡De Burgos me piden ayuda, de Madrid! Y yo aquí solo, con una bata y un lápiz. ¡Caray, estamos exagerando! —Se sentó en la cama—. Todas vuestras amistades están en la cárcel. ¡Podríais elegir un poco mejor!

Ignacio no decía nada.

—Cuesta mucho llegar a finales de mes, ¿comprendes?

—Ahora tienes el empleo asegurado.

—¡Sí, claro! Trescientas pesetas.

—No puedo decirles que paguen.

—¡Yo tampoco puedo hacer milagros!

Carmen Elgazu entró, secándose las manos en una toalla. Los brazos bien torneados. Miró alternativamente a los dos hombres. Su seriedad le hizo gracia.

—¿Qué pasa?

—Ignacio me pide también para los maestros.

353

Carmen Elgazu se arregló el moño... San Ignacio, desde la mesilla de noche, le miró.

—Ale, no hablemos más... ¡Qué le vamos a hacer! Por mí... Tendréis que apretaros un poco el cinturón.

Matías se levantó. Las escenas de este tipo le cansaban. Ignacio se le acercó y Matías le detuvo.

—No has pensado en una cosa.

—¿En qué?

—Me obligas a desear que los juzguen pronto...

Todos se rieron.

Carmen Elgazu intervino:

—¡Pero le dices a la maestra que no espere requisitos!

¡Qué gran mentira acababa de decir Carmen Elgazu! Sobre todo, lo destinado a Olga no estaría nunca en su punto. «No quiero que luego diga que si patatín y que si patatán...»

* * *

Dos veces al día se formaba la caravana. Las calles que desembocaban en la cárcel eran una hilera de personas con un gran cesto, o dos, de cuyas asas pendía una etiqueta. Cinco canteros en fila india, mujeres, niñas que apenas podían soportar la carga, algún viejo, Maruja. Y el último, sofocado, llegando del Museo o del taller, César.

El rasgo de la Andaluza emocionó a los dos detenidos de la calle de la Barca. Uno de ellos dijo: «Claro que cobrado se lo tiene...» El rasgo de los Alvear emocionó aún mucho más a otros seres: a David y Olga. Los dos cestos diarios les llegaron al alma, al alma por separado, lo cual era una lástima. El maestro vio en todo ello la mano de Ignacio, y así se lo comunicó a Julio, a quien doña Amparo Campo mandaba pollo a grandes dosis, «para que todo el mundo viera quiénes eran los García». El policía contestó a David: «Claro, Ignacio lo habrá propuesto; pero de habérsele olvidado, lo habría propuesto el propio Matías».

César estaba sobre ascuas. ¡Si pudiera entrar en la cárcel, hablar con Murillo, con los de la Barca, con todos! ¡Corrían tantos rumores! Todo el mundo esperaba lo peor; en *El Tradicionalista* había aparecido un editorial que decía: «Es mejor dar un escarmiento que dejar crecer la bola de nieve», ello comentando varias fotografías del entierro del Comandante Jefe de Estado Mayor.

Sólo una persona opinaba que no llegaría la sangre al río: el subdirector. Su teoría era precisa: «Había muchos masones detenidos; pronto su influencia se dejaría sentir... En Gerona empezaba a hablarse de que Julio, al fin y al cabo, era un simple funcionario de Comisaría...»

Otra persona que tenía un punto de vista análogo era Canela. Canela le dijo a Ignacio: «¿Fusilar a Julio...? ¡Ni hablar! No le admires tanto porque se dejó detener. Lo ha hecho calculadamente, él sabrá por qué... Bien claro estaba que no podrían nada contra el Ejército».

—¿Por qué lo dices?

La muchacha sonrió.

—A mí me lo cuenta todo.

Ignacio hizo un gesto de desagrado. Y, sin embargo, el subdirector opinaba lo mismo que Canela. De ningún modo admitir que Julio había caído en la trampa con la buena fe de los Costa, de los maestros, de los tenores del orfeón local. ¡Cómo pensar que Julio ignoraba que, dadas las circunstancias, la partida estaba perdida antes de empezar! El pueblo contaba con armas. ¿Y qué? El ministro de la Guerra imposible que se dejara sorprender. Con los muchos Martínez de Soria enseñando esgrima por los Casinos. En Barcelona el mismo Companys hizo la revolución llevado por las circunstancias y por la presión de unos y otros, pero sin ninguna confianza. Ahora ya era del dominio público que al entrar en el Salón de San Jorge después de proclamar la República Catalana desde el balcón, él y los demás tenían cara de asistir a su propio entierro. Luego, al capitular, intentó dar nobleza a todo aquello y pidió para sí toda la responsabilidad. Pero, en fin, aquello eran palabras. El subdirector añadió: «En realidad, los dirigentes de la revolución no han hecho más que un ensayo general, y se reservan el as de triunfo para más tarde».

En la cárcel, la noticia de que mosén Alberto visitaría a los detenidos causó gran revuelo. El obispo le había elegido porque le creía hábil y porque tenía fama de catalanista. Y sobre todo, por necesidad. El cura adscrito oficialmente a la cárcel era un pobre hombre, ya anciano, que se fatigaba con sólo subir la cuesta que conducía al edificio. Ahora la incorporación de doscientos reclusos y los que continuamente iban llegando de los pueblos exigía una persona con recursos: esta persona era mosén Alberto.

Cuando el hombre se enteró del nombramiento, quería ir a Palacio. ¡Aquello no le gustaba nada! Más tranquilas las inscripciones latinas, en el Museo... La palabra obediencia le detuvo en el umbral; pero comprendió en el acto que la papeleta sería dura. Cuando el Tribunal empezara a actuar... Si las sentencias fueran a muerte...

Muchos de los reclusos le conocían. Le consideraban un vanidoso. Y sobre todo, patético. «Que nos deje en paz.» Para sotanas estaban. A perra gorda, y los reos comunes no consiguieron vender un solo amén.

Sin embargo, tenía tanta influencia... De seguro sería el portavoz en el Tribunal. Mosén Alberto entró en la cárcel con la mejor de las voluntades, intentó sonreír para ganar confianza. Y, sin embargo, todas las venas de las muñecas dieron una sacudida. Mosén Alberto inundó las celdas de tabaco y dijo: «No forzaré a nadie. Cualquier cosa, ya sabéis».

El sacerdote sentía que su vida interior se había modificado. Asistía a una gran prueba personal. Aquello era mucho más directo y complejo que ordenar ilustraciones para enseñar Historia Sagrada. Aquélla era Historia humana, y de su tacto quizá dependieran muchas almas y algunas vidas... Ahora, al levantarse y mientras se afeitaba, tenía presentes los rostros de los detenidos. Muchos de éstos no querían afeitarse hasta que salieran...Ello y el rencor o la ironía con que intentaban superar la situación, les daba un aspecto desagradable. Los había que silbaban todo el día, estaban de buen humor. La aventura les había despertado aptitudes latentes, y además renunciaban a declararse vencidos. Mosén Alberto admiraba esta disposición de ánimo. Sin embargo, de repente los ganaba el abatimiento. El sacerdote tenía la impresión de que los conocía uno por uno, de que para él no constituían una masa anónima. David, Murillo, el arquitecto Ribas, Joaquín Santaló, el arquitecto Massana... Había conseguido que les permitieran escribir cartas y recibirlas, previa censura. Y pensaba conseguir otras cosas aún.

Al notario Noguer le decía: «Algunos dan verdadero miedo». Don Jorge se interesaba por la suerte de tres colonos suyos, «que habían caído en la redada». «Don Jorge, siento decírselo, pero sus tres pupilos son de lo más reacio que hay.» El hijo del terrateniente adoptaba una actitud inquietante, disculpando a los colonos. Varias veces, a escondidas de su padre, le dio a mosén Alberto tabaco para ellos. Pero el sacerdote no quiso aceptarlo sin el consentimiento de don Jorge.

Cuando subía a casa de los Alvear, mosén Alberto se desahogaba un poco. «Dura papeleta, a fe... ¡Doña Carmen, tendría usted que ver aquello!...»

Don Emilio Santos, director de la Tabacalera, decía: «Se lo merecen. Es gente que hunde a España».

Ramón, el camarero del Neutral, sin Julio y sin dos o tres de los más asiduos clientes, se sentía desamparado. «La cárcel»..., murmuraba, mirando afuera, a la Rambla.

CAPITULO XXIX

Ignacio:

Sólo unas líneas para saber si no te ha ocurrido nada, pues aquí dicen que en Gerona las cárceles están llenas. No debería escribirte pues no te dignaste contestar a mi carta de San Feliu; pero ha podido más el buen concepto en que te tengo.

¿Qué tal tu familia? ¿Tienes novia...? ¿Defiendes ya pleitos perdidos? ¿Eres feliz?

Yo, sin novedad (si es que te interesa saberlo). Me he cambiado el peinado, he empezado el quinto curso de piano... ¿Qué quieres que haga una chica como yo, en medio de estas revoluciones? Creo que cumplo con mi deber siguiendo mi vida... Además, la verdad es que casi no salgo, y que prefiero San Feliu a Barcelona.

Loli me da recuerdos, es mi única amiga. Vive en Muntaner, 182; yo en el 180.

Nada más. Adiós, Ignacio. Tu novia de vacaciones.

ANA MARÍA.

Posdata: Anda, escribe, hombre, que yo no soy separatista.

* * *

César se marchó al Collell. Llegó una postal urgente diciendo que, vuelta la normalidad, las clases se reanudaban. ¿Quién llevaría el cesto al decorador? ¿Quién velaría para que la Andaluza y el patrón del Cocodrilo fueran constantes? ¿Quién diría a Canela: «Deja en paz a mi hermano...»?

Las separadas y rojas orejas de César se fueron al Collell, auscultando el arroyo que había invadido la provincia. Rumores de hojas caídas, de arroyos que crecían. El lago de Bañolas en paz, sin revoluciones.

César tuvo el tiempo justo para ser presentado al hijo del Director de la Tabacalera, Mateo, que acababa de llegar de Madrid.

Le pareció un muchacho extrañamente seguro de sí mismo, que hablaba poco y con aplomo, como si nada pudiera sorprenderle. Algo mayor que Ignacio, de la misma estatura. Explicó muchas cosas sobre la revolución en la capital de España, en el Sur, y en todas partes. Tenía el arte de elegir lo preciso para dar una visión de conjunto. La verdad es que Pilar se llenó de admiración oyéndole. El Director de la

Tabacalera le miraba con orgullo de padre, que conmovía. César observó que llevaba camisa azul, y oyó muy bien cuando preguntaba a Ignacio: «¿De verdad crees en el Socialismo?» Ignacio le había contestado: «Aún no se ha hecho la prueba».

En realidad, al decir eso Ignacio pensaba en lo que ocurría en Asturias. ¡Qué extraordinaria batalla, qué curioso que las mujeres se entretuvieran cambiando de peinado..., mientras los mineros hacían frente a un Ejército cien veces más fuerte! Las primeras columnas de que había hablado El Tradicionalista, organizadas por el Gobierno de Madrid, fueron diezmadas por los mineros, que combatían con verdadero fanatismo. Sin embargo, ¿qué hacer? El Gobierno había llamado a las fuerzas de Marruecos... Y éstas habían dado la vuelta a la situación en un santiamén.

Mateo traía noticias frescas sobre el particular. Según él, la operación militar fue planeada con extraordinaria pericia y las fuerzas marroquíes —de Regulares y la Legión al mando del teniente coronel Yagüe— habían hecho gala de una preparación de primera línea. Los mineros habían sido ya cercados en Oviedo, la capital.

Ignacio seguía atento a cuanto ocurría. Ya no podía acusársele de espectador. Se diría que las interminables horas que Carmen Elgazu pasaba en la cocina cuidando de la familia y de los detenidos, el amor y entereza de ánimo con que cumplía esta misión, le habían reconciliado con ciertos valores.

Una cosa se resistía a creer: lo relativo al salvajismo de los mineros, ya anunciado por el subdirector. Mateo insistía en que había llegado a extremos inconcebibles, pero Ignacio continuaba atribuyéndolo a propaganda.

Y sin embargo ¿hasta cuándo persistiría en su actitud? El Debate daba toda clase de detalles. Contaba horrendos asesinatos de mujeres, de frailes, de sacerdotes, citando nombres, circunstancias, hora y lugar. Con las consabidas fotografías... Una sobre todo, en primera página —El Tradicionalista la reprodujo, ¡cómo se les iba a olvidar!— era algo pavoroso y conmovió a España entera, sin exceptuar a Ignacio: en ella se veía a un cura abierto en canal y colgando en una carnicería de Oviedo, con un letrero que ponía: «Se vende carne de cerdo».

Ignacio se quedó aterrado. Y su desconcierto aumentó más aún cuando por fin se recibió la carta de Bilbao. ¡Válgame Dios! Al parecer cuanto informaba El Debate era la pura realidad. A la carta de la abuela seguía una posdata del tío de Trubia, quien por fin había podido refugiarse en Bilbao. El hermano de Carmen Elgazu explicaba que los mineros, al asaltar la fábrica, quisieron disparar contra él, simplemente porque era capataz, lo cual no llevaron a cabo gracias a que dos obreros que le estaban agradecidos tomaron su defensa. Sin embargo, estos obreros no pudieron impedir que, de pronto, un tipo extranjero, yugoslavo o algo así, que parecía tener mando, se adelantara hacia él y con un hacha le cortara cuatro dedos de la mano izquierda.

Carmen Elgazu se había llevado las manos a la cabeza horrorizada, y lo mismo Pilar. Ignacio quedó mudo. «¿Qué diablos hacía aquel yugoslavo entre mineros de Asturias? Y el fuego destrozando la Biblioteca de 300.000 volúmenes y hundiendo la nave de la Catedral. ¡Y el cementerio destruido!»

Su combate fue de pronto más terrible aún porque los acontecimientos se sucedían vertiginosamente, con aportaciones que volvían a inclinar la balanza sentimental. Estos acontecimientos eran precisos: los mineros acababan de capitular, diezmados por los moros y legionarios al mando del general López Ochoa. Y entonces comenzó a conocerse el reverso de la medalla.

Este reverso de la medalla llegó a oídos de Ignacio gracias a Matías, su padre, siempre ecuánime e intentando ver las cosas con equilibrio y perspectiva. También en el Banco se supieron detalles, por una carta que el Director recibió de un apoderado de un Banco de Gijón. Al parecer, la arenga hecha a las fuerzas marroquíes antes del asalto consistió en contarles la ferocidad de los defensores de Oviedo, y en darles libertad de acción y de botín...

¡Qué más podían desear! Entraron a sangre y fuego. Los legionarios fueron controlados en parte por la oficialidad; pero los *regulares*...

Sólo Franco, con su prestigio, impidió que la acción de estas tropas igualara en ferocidad la de los mineros; pero fue lo suficiente para que Matías le dijera a Ignacio: «Hijo mío, ya ves qué extraño es todo esto, qué doloroso. De qué cosas es capaz el hombre».

¿Y el socialismo, doctrina de David y Olga, motivo de la capciosa pregunta de Mateo, doctrina motriz de la revolución...?

El Director de la Tabacalera, que desde la llegada de su hijo se había vuelto sorprendentemente locuaz y teorizante, creía saber que en Asturias los socialistas habían sido absorbidos inmediatamente por cabecillas anarquistas y comunistas, lo cual estimaba lógico, pues opinaba que en un país extremista como España el socialismo, en el mejor de los casos, no podía servir sino de trampolín.

Mosén Alberto rubricó la declaración del Director de la Tabacalera.

—¡Qué se va a hacer! —dijo—. Los españoles somos así, unos místicos. En caso de enfermedad, preferimos un rato de conversación amistosa a un invento mecánico que levante por sí la cabecera del lecho.

Aquélla pareció ser, también, la teoría de Mateo, quien tuvo una intervención que a Matías le pareció original. Dijo que, precisamente por las razones que exponía mosén Alberto, era un error creer que los mineros se habían levantado en armas para pedir dos pesetas más de jornal. Las causas eran más profundas; eran espirituales, aun cuando los propios mineros no se dieran cuenta. Por ello el Gobierno no había conseguido nada definitivo mandando los moros a Oviedo, y los que cantaban victoria, como *El Debate*, eran unos ingenuos. Era preciso estudiar los motivos humanos del descontento de los mineros y de España entera. Y remediar las causas originales si no se quería volver a empezar unos meses o unos años más tarde.

Ignacio le dijo a mosén Alberto:

—No comprendo cómo usted, con las teorías que tiene, deseaba que en Cataluña tuviera éxito la revolución. También aquí el catalanismo hubiera servido de trampolín.

El sacerdote negó con la cabeza.

—Cataluña es distinta —le contestó—. Aquí la gente es menos extremista, porque es más culta y tiene un nivel de vida más elevado.

—Sí, sí. Hábleme de la cultura de los *rabassaires* y de la de las mujeres con que mi madre se encuentra en la pescadería.

—No son tan brutos como crees. Es cuestión de lenguaje. Desgraciadamente, aquí se blasfema mucho. Pero lo que importa es la minoría. Aquí hay una considerable minoría, aunque no lo quieras admitir. En Cataluña hay gran cantidad de personas con sentido común y muchas familias sólidas. En Barcelona y en todas partes hay gentes aptas para gobernar y sostener las riendas.

—Pues no lo han demostrado. El Gobierno de la Generalidad fue el primero en excitar los ánimos, y en el momento de la verdad se dejó absorber con la misma facilidad que los socialistas en Asturias. Además, me parece que aquí los revolucionarios han sido unos cobardes.

CAPÍTULO XXX

Más de veinte alumnos, de los treinta y cinco de la Escuela Laica, se habían ofrecido para llevar el cesto a David y Olga. Organizaron turnos, de modo que Carmen Elgazu entregaba cada día la comida a un chaval distinto, lo cual le permitió examinarlos uno por uno y sacar sus personales conclusiones, que resultaron netamente desfavorables para los métodos pedagógicos de los maestros. Especialmente le desagradó Santi, de quien sospechó que, camino de la cárcel, aligeraba el peso del cesto.

* * *

El día 15 de octubre hubo acontecimientos importantes. Por un lado se anunció que las Ferias y Fiestas se celebrarían como siempre el 29 del mes, festividad de San Narciso, y que durarían una semana; por otra parte se constituyó oficialmente el Tribunal Militar de Represión, el cual empezaría a actuar inmediatamente.

¡Ferias y fiestas! La vida no se detenía. Ni siquiera las familias de los presos podrían pasarse las noches llorando. Era necesario trabajar, vivir.

Aquellas familias formaban una especie de cadena en contacto continuo. La esposa del arquitecto Ribas se pasaba el día visitando a la esposa del arquitecto Massana; doña Amparo Campo hacía mil gestiones a la vez, la esposa del cajero se preocupaba de su hermano, Joaquín Santaló. Eran las mujeres las que llevaban el peso de la ausencia. Las que carecían de reservas económicas tenían que espabilarse, lavando ropa, aceptando cualquier labor.

La hermana de los Costa, beata llena de escrúpulos, demostró una energía inesperada defendiendo los negocios de sus hermanos. Visitó a los directores de Banco, a los que presentó documentos que la acreditaban como poseedora de un tercio de las acciones. ¡Visitó incluso a «La Voz de Alerta», advirtiéndole que si El Tradicionalista continuaba desorbitando las cosas y atacando el honor de sus hermanos, sabría defenderse!

Pilar volvió al taller de costura. Las jefazas —hermanas Campistol— al término del Rosario añadían ahora un padrenuestro «para que la paz se restableciera en España». Las componentes del grupo sardanístico «La Tramontana» no sabían cuándo podrían actuar de nuevo.

En el Banco, Ignacio se dio cuenta una vez más de que los empleados, por lo menos durante las horas de trabajo, eran crueles. Se habían cansado de compadecer y lamentarse. Habían reanudado sus conversaciones habituales; sus pequeñas preocupaciones volvieron a absorberlos. El de Impagados refiriéndose a los comerciantes detenidos decía: «Esta vez sí que se han caído».

En el Cataluña sucedía lo propio. La pasión del juego había sepultado el resto. El julepe dominaba en las mesas. Ningún futbolista entre los presos; todo marchaba viento en popa... Los limpiabotas, anarquistas, no habían tomado parte en la revolución, y ahora adoptaban aire de ladinos y sagaces. Los taxistas habían olvidado por completo a

361

su compañero muerto y el taxi de éste tuvo en seguida comprador.

Blasco era el único que parecía consciente. Se había trasladado al café de los militares, renqueando un poco, pues a veces tenía reuma. Su intención era enterarse de lo que pudiera mientras sacaba brillo a las polainas... Coincidiendo con los informes de las modistillas en el taller de Pilar, el oficial que consideraban «enemigo número uno» era un tal teniente Martín.

El frío había llegado, y tal vez fuera eso lo que diera a la ciudad un aspecto de tristeza. Las estufas atraían a la gente hacia los interiores. Las tertulias se prolongaban en los cafés, en las barberías. El barbero de Ignacio había perdido la mitad de la clientela. Raimundo estaba furioso porque, descartados los Costa, nadie se atrevía a correr los riesgos de una novillada por la Feria.

Ignacio comprendió, viendo la marcha de la ciudad, que tampoco él personalmente podía detenerse... Y entendió que lo más práctico era empezar a estudiar inmediatamente Derecho romano y Derecho Natural, primer curso de abogado.

¿Con qué profesor?

La elección debía ser tomada entre todos, entre su padre y el director de la Tabacalera, pues se había decidido que el hijo de éste, Mateo, que también había terminado el Bachillerato y tenía el título en el bolsillo, estudiara con él...

Después de mucho dialogar fue elegido el profesor don José Civil. Un hombre ya de edad, que vivía en la Plaza Municipal. En tiempos había ejercido de abogado. Cobraba honorarios crecidos, pues prefería tener pocos alumnos. Tenía fama de algo excéntrico, pero de muy competente. Al parecer llevaba en casa gafas con un solo cristal... Y era preciso impedir que se pusiera a teorizar. Porque entonces olvidaba por completo lo que interesaba a sus alumnos. Otra excentricidad: no aceptaba alumnos tontos. Los examinaba previamente. Si veía que su cerebro funcionaba con cierta lentitud, les decía: «Tengo los horarios completos».

El director de la Tabacalera y Matías estaban muy tranquilos a este respecto. Estaban seguros de que los cerebros de Ignacio y Mateo funcionaban a gran velocidad.

* * *

El balance en toda España era desolador. El número de personas detenidas era muy elevado. En Madrid, Santiago y José se habían salvado gracias a que la CNT dio orden de que en su barrio se abstuvieran de intervenir. Y personalmente, ellos, aquel día, tuvieron pereza.

Formados en todas partes los Tribunales Militares, en opinión de

Matías el abismo entre vencedores y vencidos era diez veces más profundo que al comenzar la revolución. Los vencidos se retiraron a sus islas espirituales, y la derrota los unió en un sentimiento común; los vencedores abombaron el pecho y la victoria los dividió. Los dividió en dos grupos, perfectamente reconocibles: los que, en consonancia con el editorial de *El Tradicionalista*, pedían un escarmiento ejemplar, «cortar por lo sano», y en cuyos campeones eran en Gerona «La Voz de Alerta» y el teniente Martín, y los que se inclinaban por la benevolencia y el perdón, a la cabeza de los cuales, en la ciudad, figuraban el señor Obispo, el notario Noguer, don Jorge en representación de Liga Catalana, y don Pedro Oriol.

Los primeros alegaban que si se pronunciaban unas docenas de sentencias de muerte en las personas de los cabecillas —en el fondo siempre eran los mismos—, se imposibilitaría la gestación de una guerra civil; los segundos argumentaban que con la violencia no se conseguiría nada, sólo aumentar los odios, y hacer inevitable la guerra un día u otro.

Por lo que se refiere a la situación política, un hecho parecía evidente a personas como el director de la Tabacalera: escarmentada la gente de orden, decepcionados muchos socialistas de buena fe, agotados los comerciantes e industriales de tanta inseguridad y malestar, el Gobierno tenía gran cantidad de triunfos en la mano, y lo mismo podía optar por aprovechar estos resortes y encaminar el país hacia una era de trabajo y solidez que por continuar con su clásica política de zancadilla, al margen de los problemas vitales de la nación.

Matías no tenía la menor confianza en el Gobierno. Tenía su opinión sobre Lerroux y estimaba conocer las consignas que Gil Robles daría a los ministros de su partido. No harían nada. Todo continuaría lo mismo. Los mismos trenes para ir de Málaga a Gerona, los mismos aparatos telegráficos, las mismas carreteras infernales. Y entierros de primera, segunda y tercera clase. Otros opinaban que Gil Robles haría algo, a condición de que no se dejara absorber por los militares...

Algunos decían viendo llegar las atracciones de la Feria: «¡No ha pasado nada! ¡Todo está lo mismo!» No era cierto. En una ciudad como Gerona se veía claramente: había pasado que los dos pilares de siempre, el Ejército y la Iglesia, habían saltado de nuevo al primer plano de la actualidad.

La Iglesia, en la persona del director del Museo Diocesano, mosén Alberto, responsable de trescientas personas en la cárcel; el Ejército, en la persona del comandante Martínez de Soria, nombrado presidente del Tribunal Militar de Represión.

¡Santo Dios! La mujer del comandante leyendo *El Escándalo*, su hija Marta —flequillo hasta las cejas, cabellos cayéndole a ambos lados de la cara— leyendo *Arriba* con la fotografía de José Antonio Primo de Rivera... Las dos mujeres continuaban paseándose por Gerona vestidas de negro, con porte estatuario y magnífico, había que reconocerlo. Marta..., célebre porque montaba una graciosa jaca, tras el caballo de su padre, en el circuito de la Dehesa, donde los cascos sonaban opacos sobre los millares de hojas muertas.

De pronto, se supo que el Tribunal había empezado sus deliberaciones. Y al instante, la revolución volvió a ocupar el primer plano. Y todas las miradas y todas las súplicas de la ciudad convergieron en mosén Alberto y en el comandante Martínez de Soria.

En opinión de todo el mundo el comandante, superior en facultad jurídica y en personalidad a los demás miembros del Tribunal, podía imponer su criterio y en consecuencia absolver o condenar; mosén Alberto, en contacto continuo con él, podía servir de apaciguador.

Por ello, cualquier gesto de uno u otro, expresión o palabra, cobraba entre las familias y amigos de los detenidos un significado singular y suspendía los ánimos. Bastaba que por la mañana el comandante entrara en la barbería con cara seria para que por la tarde se dijera en el Cataluña:

—La cosa no marcha; esos tíos van a cargarse a la mitad.

Pronto la opinión tomó partido, y ninguno de los dos personajes cobró fama de bienhechor. Un detalle bastó para clasificar al comandante: como asesor civil, para que se escribiera en la carpeta de cada expediente «persona honrada» o «indeseable», nombró a «La Voz de Alerta».

El notario Noguer y don Jorge, representando a la Liga Catalana, ponían toda su influencia al servicio de los detenidos. Que éstos lo fueran por amor a Cataluña —desorbitado o no, no era cosa de discutirlo—, los obligaba moralmente. Y además el espectáculo de la esposa del arquitecto Ribas, eternamente llorando, y el de varias mujeres de clase mediana lavando ropa en el río, los había conmovido. Por lo demás, les temían a los militares. Lo mismo el notario Noguer que don Jorge eran antimilitaristas y opinaban que nadie que no fuera catalán podía juzgar con conocimiento de causa a los catalanes. Don Jorge, sombrero hongo, mentón enérgico y bastón negro con puño de plata, recorría ahora las calles con intenciones altruistas. Ojos que antes le consideraban despótico ahora le miraban suplicantes y esperanzados. Su heredero, Jorge, no lo veía claro, pero él no daba explicaciones.

En cuanto a don Pedro Oriol, hacía lo que estaba en su mano. Su esposa le recordaba continuamente: «Vete a dar una vuelta por el Tribunal». Don Pedro seguía este consejo, y lo cierto era que el comandante Martínez de Soria prestaba mucha atención a sus palabras.

Tocante a mosén Alberto... la incomprensión que reinaba entre él y los detenidos era penosa. De nada le valían las sonrisas; tal vez el manteo que el notario Noguer le regaló en Génova tuviera la culpa de ello.

Las familias de los presos le temían. En vano Carmen Elgazu, en la pescadería, defendía al sacerdote, diciendo que «por él no iba a quedar». En vano las dos sirvientas aseguraban por doquier que mosén Alberto había abandonado virtualmente el Museo, que sólo pensaba en los detenidos. La esposa del arquitecto Ribas y la hermana de éste, que fue reina en los Juegos Florales, le suponían enemigo.

Al parecer, el sacerdote no daba con el tono y el gesto exactos al ofrecer el paquete de cigarrillos, al preguntar a un recluso si necesitaba algo del exterior, si quería algún recado para la familia...

En opinión de mosén Francisco, lo que más perjudicaba a mosén Alberto era haber empleado la palabra «resignación» y frases como «los que sufren son los elegidos» o «el hombre puede sacar gran provecho espiritual de los contratiempos».

La reacción de todos los reclusos había sido instantánea. «¡Elegidos, y sin poder ver a nuestras mujeres! ¡Pues ahora que nos fusilen, así podremos sacar más provecho todavía!» Todo aquello era una lástima, pues la cárcel hubiera necesitado ciertamente un viento benéfico llegado del exterior.

Las escenas penosas menudearon. Y su culminación llegó el domingo en que mosén Alberto juzgó oportuno celebrar la misa en el patio. Los detenidos fueron llevados al patio a media mañana. Eran unos trescientos, pues se habían incorporado los de los pueblos. Todos se alinearon, las mujeres a la derecha. Se improvisó un altar, dos guardias civiles hicieron de acólitos.

Después del Evangelio, mosén Alberto se quitó la casulla, y se volvió hacia los asistentes para hacerles una plática. Se había pasado la velada del sábado preparándola. Quería ser breve y conciso. Y empezó diciendo: «Cuando en el Huerto de los Olivos se acercaron a detener a Cristo...»

Se oyó un murmullo. Trescientos detenidos miraron a mosén Alberto. Éste continuó, sin darse cuenta de lo que ocurría. Los hermanos Costa apoyaron todo el peso de sus cuerpos sobre un solo pie. En el fondo del patio, en la última fila, Julio García se tocó un diente y sintió que también las venas de sus muñecas podían alterar su curso normal.

Mosén Alberto habló de los sufrimientos de Cristo para redimir a la humanidad pecadora. Describió los interrogatorios a que fue sometido, su condena a muerte, su sed en la Cruz, su soledad. Dijo que aquel día, en el Calvario, empezó una nueva era, era que para los hombres tenía que ser jubilosa.

La atmósfera estaba muy cargada. Y se cargó más aún cuando, terminada la plática y reanudada la misa, los detenidos vieron que cinco de sus compañeros —los cinco del Orfeón Local— salían de la fila, se acercaban al altar y empezaban a cantar motetes religiosos. Mosén Alberto se lo había pedido, la afición pudo en ellos más que otras razones.

No existía consuelo para aquellos reclusos; excepto, tal vez, para David. David era, desde luego, un privilegiado: podía ver a Olga.

A Olga, de pie a la derecha del altar, inmóvil entre las otras cinco mujeres detenidas, mirando al maestro con amor infinito. Llevaba su jersey alto de siempre, pero se desprendía una gran tristeza de su pecho y de sus manos caídas.

¡Un pensamiento había aterrorizado al maestro!: el de que hubieran podido cortar al rape el pelo de su mujer. No había sido así. Allá estaba su cabellera, lisa, pegada a su cráneo tan amado.

El guardia civil acólito tocó el Sanctus; luego el corneta —el gitano de las gallinas— indicó a los asistentes que había llegado el momento de la Consagración.

Todos los reclusos hincaron la rodilla derecha, excepto los dos maestros y un tercero, Dimas, de Salt, para quien Ignacio había dado sangre. Los demás, al suelo, incluyendo a Julio. Julio con una piedrecita trazó triángulos en la arena. Joaquín Santaló pensó en el cañón aplicado al ojo de la cerradura.

Después de la misa, el corneta —el gitano— preguntó a mosén Alberto si al otro domingo podría pasar la bandeja.

CAPÍTULO XXXI

A pesar de la grave advertencia de Matías, Ignacio no había renunciado a ver a Canela. Eligió la hipocresía como norma de conducta, organizó su entrevista en un lugar menos vigilado que en casa de la Andaluza —la buhardilla de sus ex compañeros de bachillerato reunía todas las condiciones— y en su hogar procuraba que su mirada fuera clara y sobre todo no exteriorizaba su fatiga. Para ganarse a Carmen Elgazu, en la mesa se mostraba alegre. Pero Matías no dejaba de observarle, y no las tenía todas consigo.

Canela obsesionaba a Ignacio. La muchacha tenía algo inocente en el fondo de los ojos. No blasfemaba como muchas otras y bebía muy poco. Llevaba seis o siete medallas, cuando oía un vals mandaba callar a todo el mundo; y, sobre todo, su amor era alegre. Los calificativos que en la intimidad le daba a Ignacio ruborizaban al muchacho. La Torre de Babel le decía: «Esa chica es una alhaja. Es el tipo de mujer que, casada, vale más que las demás». Ignacio estaba desesperado porque no sabía cómo compaginar el horario. ¿Canela o el profesor de Derecho? Imposible faltar a clase. Sólo podría verla jueves y domingos, antes de cenar.

Una de las muchachas que trabajaban con Pilar en el taller de costura había descubierto casualmente el ir y venir de la buhardilla y había dicho a la chica: «¡Caramba, Pilar, tu hermanito no pierde el tiempo...!» Todas se rieron. Pilar quedó muy intrigada. Todo cuanto se refiriera a Ignacio le interesaba mucho más que lo que se refiriera a César. Estaba muy orgullosa de su hermano, y le gustaba que se hablara de él en el taller. Por ello siempre tenía a sus compañeras al corriente de las novedades.

—Ahora ha empezado abogado, con un amigo nuestro que se llama Mateo, que acaba de llegar de Madrid.

—¡Claro, claro! Si ya te dijo ésa que no pierde el tiempo...

—Si vierais, su cuarto está lleno de asignaturas.

—¿Y a qué horas estudia?

—De noche.

—¿En la cama...?

—Sí. Y vaya preguntita...

Una de las muchachas inquirió, enhebrando la aguja:

—¿Quién es ese Mateo?

Entonces fue Pilar la que jugó a intrigar a sus compañeras. Adoptó un aire de misterio y enarcó las cejas. Sus sonrosadas mejillas se colorearon más aún, y con sus húmedos labios mojaba la punta del hilo.

—Si os lo dijera, sabríais tanto como yo.

—¿De Madrid? ¡Uf, no nos interesa!

—Bueno, ya me interesa a mí.

—Anda, dinos quién es.

—Decidme lo que pasa en esa buhardilla.

—¡Bah, igua! lo sabremos!

—Pero no este año...

—Será el otro.

—¡Ja, ja!

En el taller se hablaba poco de la cárcel. Interesaban más la Feria, las sardanas, que pronto volverían a estar permitidas.

También se hablaba de las mujeres de los detenidos, y de otras que habían pasado al primer plano de la actualidad: por ejemplo, la esposa y la hija del comandante Martínez de Soria.

A la hija del comandante, Marta, le eran seguidos todos los pasos, porque ella y Pilar eran las dos muchachas no gerundenses, forasteras, que más competencia hacían a las bellezas de la ciudad.

Marta gustaba mucho a todas, aunque a veces la criticaban, «porque se las daba de original con su flequillo». Ahora se habían enterado de que en el baile que se celebraría en el Casino por las Ferias sería presentada en sociedad, con un modelo de traje de noche que ellas tenían en un figurín parisiense en el taller. Se lo estaban cortando otras modistas, las más acreditadas de Gerona.

—Claro, ¿cómo no? La política rinde mucho...

—Hay que aprovechar y casarla.

Pilar salió en su defensa.

—Hablad lo que queráis, pero se nota de dónde es.

—¿Algo especial?

—De Valladolid.

—¿Y qué pasa allí?

—Mirad la muestra.

—Mucho presumir...,

—¿Presumir...? La que monte a caballo como ella que levante un dedo.

—Levántalo tú.

—Yo no la critico.

* * *

Mateo tenía un año más que Ignacio. Idéntica estatura. De su persona destacaban la frente y la cabellera. Tenía una cabellera abundante, oscura, que le aureolaba la cabeza. Era la cabellera que hubiera deseado el subdirector. La frente despedía un halo de energía. Cuando se daba una seca palmada en ella, uno estaba seguro de que acudiría a su piel el pensamiento exacto. Era la frente que hubiera deseado Ignacio. Mateo tenía unos ojos lentos; mentón algo agresivo, parecido al de don Jorge. Vestía con cierta indolencia, pero limpio. Zapato negro, nunca brillante. Invariablemente usaba pañuelo azul. Aquel detalle chocaba. Cuando se pasaba por la frente el pañuelo azul, su cabellera se oscurecía. También usaba mechero de pedernal. El color amarillo de la mecha era la única nota clara de su figura. Gesticulaba con una precisión que a su padre, don Emilio Santos, le recordaba la de su difunta esposa.

Mateo había llegado a Gerona desorientado. No conocía nada de la ciudad. Se preguntaba por qué su padre había sido destinado allí. «Hay que ver las bromas que gasta la Tabacalera.» Su hermano había sacado plaza en las oposiciones de Hacienda y fue destinado a Cartagena. Tampoco se les había perdido nada en Cartagena. «Hay que ver las bromas que gasta Hacienda.»

Le consolaba reunirse con su padre, saber la alegría que le daría a éste. Pero en Madrid había dejado todos sus amigos, que no eran pocos.

Don Emilio Santos, al recibir a su hijo en la estación, se sintió otro hombre. Le pareció que revivía. Quiso llevarle la maleta. Le avergonzó que Mateo viera la fonda en que él vivía; pero ocho días después, ya tenían piso alquilado, en la plaza de la estación, y una muchacha, Orencia, recomendada por Carmen Elgazu, que los cuidaría.

Don Emilio Santos le habló en seguida de los Alvear. «Son mis amigos y el hijo mayor, Ignacio, estoy seguro de que te va a gustar.» Mateo se encogió de hombros.

—¿Son catalanes?

—No, no. El padre es de Madrid; su esposa es vasca.

Pero Mateo se mostró escéptico. Sin embargo, la ciudad le impresionó. No la imaginaba tal cual era. Desde Madrid, mirando el mapa, Gerona aparecía en el confín nordeste de la Península, perdida como en un destierro. Cuando vio el río, los puentes, las casas colgando a uno y otro lado, cuando vio los campanarios y subió hacia la Catedral... sintió que algo le daba en el pecho. «¡Qué maravillosa es España! —exclamó—. En todas partes hay bellezas así.» Su padre le describió minuciosamente la provincia, «tan variada como la de Guipúzcoa». «Es un jardín —dijo—. Pero no como los de Aranjuez. Aquí hay montañas, ¿comprendes? Y un gran equilibrio. En fin, hay de todo.»

Mateo se organizó en el piso su despacho, pues se había traído muchos libros. Era muy serio. Ahora por las mañanas ayudaba a su padre en la Tabacalera, por las tardes estudiaba y de noche iba a clase en compañía de Ignacio, con el profesor don José Civil.

Cuando conoció a los Alvear, le gustaron. César le llamó mucho la atención. Dijo de él: «Ese muchacho es auténtico». Ignacio le pareció un poco desorientado. Pilar, físicamente, le gustó desde el primer momento. «Lo único que no me habías dicho era que Pilar fuese de rechupete», le dijo a su padre, bromeando.

Matías le pareció un tipo muy corriente en las tertulias madrileñas. Y Carmen Elgazu, una mujer que sabía preparar perfectamente el café.

Conocía la afición de su padre por los refranes y le trajo uno de Madrid, seguro de que le iba a gustar. «Guerra en Mieres o Almadén, banquero inglés toma barco o tren.»

En la Tabacalera quedó patidifuso al ver las montañas de tabaco que se fumaba la provincia de Gerona. «O es un pueblo de nerviosos, o de filósofos», sentenció. Don Emilio Santos le dijo: «Un poco las dos cosas».

Eligió la barbería de Raimundo, por lo de los toros. Pero su intención era recorrer todas las de la ciudad, sin exceptuar la de los comunistas. Lo mismo que todos los cafés, sin exceptuar el Cataluña y el de los radicales.

* * *

La primera clase con el profesor Civil fue importante. Al cortar la primera hoja de los libros de Derecho, a Mateo y a Ignacio les pareció que «rasgaban ante sus ojos el velo de la sabiduría».

—De la sabiduría, no —rectificó el profesor Civil—. Pero sí del sentido común. Esta carrera os ordenará el pensamiento.

La prueba de inteligencia a que el profesor Civil los sometió antes de aceptarlos quedó virtualmente terminada en cuanto vio el aspecto de uno y otro, sus despejadas frentes y sus ojos. Por lo demás, si de Mateo no sabía nada en absoluto, en cambio de Ignacio ya tenía referencias, excelentes de todo punto. Y sabía que su padre, Matías Alvear, era un hombre honrado, de tendencia republicana.

Cuando vio el pañuelo azul de Mateo se tocó las gafas de un solo cristal con ademán clásico de hombre que anda un poco encorvado. Cuando vio el mechero de pedernal dijo: «Caramba, son objetos más bien de montaña, ¿no?»

Mateo comentó:

—No comprendo que un chisme tan práctico llame tanto la atención.

El profesor Civil vivía solo con su esposa. Tenía dos hijos casados, uno arquitecto y el otro delineante. Le había costado mucho levantar los dos edificios. Ahora gozaba de la recompensa. Con cuatro lecciones podían vivir, pues sus hijos les ayudaban en lo que les hacía falta. Y tenían nietos rubios, que todos los días llamaban a la puerta... Por desgracia, a veces llamaban a la puerta a mitad de la lección.

El profesor Civil ofrecía ventajas como profesor: era minucioso, ordenado y no se echaba para atrás en el sillón, acariciándose la barbilla. Era un hombre complicado de pensamiento, pero de vida modesta. Bajito y feo, andaba algo encorvado no por el peso de las culpas sino por el del Derecho Romano, que se conocía al dedillo. Tenía un solo vicio: levantar con frecuencia la tapa del piano y pulsar una tecla, que acostumbraba a ser el sol. Intelectualmente tenía varias obsesiones: los judíos, creer que la técnica haría infeliz al hombre. Se había negado rotundamente a tener teléfono y radio; y no consintió en que su mujer comprara una plancha eléctrica hasta que se convenció de que el artefacto no hacía el menor ruido. También opinaba que si la ciencia continuaba avanzando sin que paralelamente avanzara en humildad el espíritu del hombre, sería la destrucción.

Una hora de charla le bastó para formarse una idea de Ignacio y Mateo. Charlaron de temas muy diversos. Al día siguiente, empezarían las clases.

Les habló de la revolución. Les formuló muchas preguntas en torno a los conceptos de justicia y caridad. A Ignacio aquello pareció fatigarle; en cambio, Mateo dio la impresión de encontrarse a sus anchas. El profesor Civil estaba de acuerdo con Mateo en que las raíces de aquel movimiento eran profundas.

—Es lógico —intervino Mateo—. Todo lo que ocurre en España es profundo.

El profesor Civil hizo un mohín que denotaba escepticismo.

—Éste es nuestro defecto —cortó—; el énfasis. En realidad, España es un pueblo cansado, ni mejor ni peor que los demás.

Mateo se estrechó el nudo de la corbata y dijo que ningún pueblo en el mundo contaba con las reservas de energía con que contaba el pueblo español.

—En realidad, quedamos agotados después de nuestro esfuerzo en América, pero eso pasó. Ahora ha sonado de nuevo nuestra hora y sólo nos falta recobrar nuestra conciencia de Imperio.

El profesor Civil repuso:

—En Gerona hay un abogado que pierde todos los pleitos de poca monta —desahucios, multas, etc.—, no por falta de competencia, sino porque siempre dice que sólo le interesan los pleitos importantes. Excuso decirle la miseria que pasan en su casa.

Mateo replicó:

—Por fortuna, España no es un bufete de abogado. Profesor —añadió riéndose—, me parece que usted y yo vamos a discutir bastante.

El profesor Civil no insistió. Tiempo habría de cotejar los conceptos de cada uno. Se estaba formando una idea de sus alumnos; aunque estaba seguro de que Ignacio era más charlatán de lo que había demostrado.

Les preguntó si tenían novia. Mateo contestó que no. Ignacio contestó: a medias. Los dos moños de Ana María habían acudido a su mente.

Se levantaron. En el pasillo había un gigantesco grabado que representaba el Mediterráneo, desde España hasta Turquía, con los nombres en latín. El profesor les dijo que algo le hacía lamentar doblemente la decadencia de España: el hecho de que España fuera nación latina.

—Porque el pensamiento latino es, en efecto, el único que puede conducir espiritualmente el mundo. Pero ya lo ven ustedes, estamos en la cola...

Luego, señalando Palestina en el mapa, añadió:

—Aunque los grandes responsables del desconcierto son los judíos. Son la manzana de la discordia.

La esposa del profesor salió de la cocina para saludarlos, acompañándolos a la puerta. Debía de estar enferma, pues se movía con dificultad, pero su rostro era noble y dulce.

—Bien, hasta mañana. Primera lección. Confío en ustedes.

CAPÍTULO XXXII

Pilar, en efecto, estaba hecha una mujer, y una mujer espléndida. La sana nutrición y su naturaleza habían hecho de ella una muchacha precoz, exuberante. Casi tan alta como Ignacio, se parecía cada vez más a Carmen Elgazu. En verano se había cortado el pelo; ahora, para Ferias, había compuesto su cabellera a base de ondas o colinas —los ricitos le sentaban muy mal—. También estrenaría un abrigo de entretiempo hecho en el taller, y unos pendientes. Estos pendientes se los había comprado Matías Alvear a un árabe que pasó por Telégrafos cargado de tapices, alfombras y quincalla.

Ignacio continuaba acusándola de no interesarse por nada serio; ella contestaba que elegir un peinado o un abrigo no era ninguna tontería. Cierto que de su casa no le interesaban ni el calendario de corcho ni la ventana que daba al río, y a duras penas la imagen de San Ignacio; pero, en cambio, le interesaban su ropero, el balcón que daba a la Rambla... y un diario íntimo que había empezado:

Día 30 de octubre, ocho de la noche. Él ha venido, pero se ha encerrado en el cuarto de Ignacio, a estudiar. Si pudiera hacer un agujero en el tabique...

De la revolución, no le había impresionado sino el triunfo de los militares y el relato de la huida del caballo blanco; respecto a su significado, nada. Y referente a lo de Asturias, Ignacio había observado que aparte el ¡qué horror! con motivo de la carta del tío de Trubia, se limitó a preguntar naderías, como por ejemplo, si era cierto que los moros podían tener tantas mujeres como quisieran.

Últimamente, parecía preocuparse algo más. En el taller de costura una de las chicas «se había puesto» con un alférez ayudante en la oficina del Tribunal Militar de Represión. Aquello había cambiado el rumbo de las conversaciones en el taller. Cada tarde la chica llevaba a sus compañeras las últimas novedades, pues el alférez era el encargado de preparar los expedientes de los detenidos comprendidos entre las letras A y G, expedientes que luego eran revisados por el comandante Martínez de Soria. Parecía imposible que el joven oficial no fuera más discreto. Contó incluso que «gente muy importante» se había interesado por Julio García. Cuando Ignacio le rogó a Pilar: «A ver, pregunta a esa chica por los maestros», Pilar contestó: «¿Los maestros...? ¡Uy!, no sabría nada. No estando comprendidos entre las letras A y G, no sabría nada».

Matías opinaba que la noticia sobre Julio, aparte de otros detalles que se iban conociendo, bastaba para descartar definitivamente la idea de que las sentencias serían de muerte. Ya nadie dudaba de este hecho. «Cuando un Tribunal amontona papeles... Lo terrible es un fulminante Consejo sumarísimo.»

La opinión pública era que en Madrid se habían movilizado grandes influencias en favor de los detenidos, lo cual se atribuía a que entre éstos se contaban hombres de verdadera importancia, como, por ejemplo, el mismísimo Azaña, de quien se decía había sido encontrado en Barcelona escondido en una alcantarilla, y al cual se acusaba formalmente de haber acudido a Cataluña para preparar el levantamiento.

Otro síntoma que confirmaba la postura de clemencia adoptada por el Gobierno, se desprendía del trato que se daba a los reclusos. La severidad menguada. En Barcelona, los presos habían sido trasladados a un barco, el *Uruguay*, y al parecer gozaban de bastantes comodidades. Tal vez en lugares como Gerona la cosa continuara siendo dura, sobre todo por la absoluta prohibición de recibir visitas.

En el plano de la ciudad, las medidas adoptadas habían sido draconianas. Cierre total de los partidos izquierdistas, desde Izquierda Republicana hasta Estat Català, e incautación de su mobiliario. Sólo funcionaban los sindicatos. El subdirector, en la CEDA, rehacía ahora su fichero masónico gracias a una «Underwood» propiedad del Partido Socialista. Prohibidos los estacionamientos, los grupos, declaración de tenencia de armas, etc... Al llegar las fiestas, los propietarios de las barracas decían: «Si se prohíben los grupos, ¿qué vamos a hacer?» Algunas atracciones, como las Grutas del Miedo, fueron permitidas; en cambio, se negó el permiso a las barracas de tiro. A una mujer que domaba serpientes y que daba gritos para llamar la atención del público, la gente empezó a llamarla «La Voz de Alerta», y aquello constituyó su fortuna.

Doña Amparo Campo había recibido una misteriosa nota que decía: «Esté tranquila». Entonces la mujer, en vez de callar, alardeó en todas partes. Ignacio dijo de ella que, en lugar de imitar la prudencia de la tortuga, imitaba el mal flamenco de algunos de los discos de la colección de Julio.

Las fiestas fueron pobrísimas en el aspecto popular. El cuerpo incorrupto de San Narciso, patrón de la ciudad, fue escasamente visitado. La provincia carecía de ánimos para acudir a Gerona, pues cada pueblo tenía por lo menos un detenido. Los coches eléctricos dispusieron de espacio para maniobrar. Sólo la mujer de las Grutas del Miedo hizo su agosto. Ni siquiera la orquesta del Ateneo Popular consiguió atraer la masa, a pesar de que los músicos se habían puesto un gorro de papel en la cabeza. La misma Andaluza dijo al patrón del Cocodrilo: «O no hay humor, o no hay hombres».

En las clases elevadas, la sopa era distinta. El baile del Casino, organizado por los militares, fue apoteósico. Desde los mejores tiempos de la Monarquía no se recordaba cosa igual. Las autoridades lo presidieron. Los farolillos venecianos representaban lunas sonrientes. El propio don Pedro Oriol asistió, muy digno en su vestido de *smoking*. «La Voz de Alerta» descorchaba champaña a troche y moche. ¡El director del Banco Arús apareció ocupando una mesa con su familia y bailando con las mujeres de los amigos de Liga Catalana! Dos hombres, sin embargo, destacaban por encima del resto: el comandante Martínez de Soria y su teniente ayudante, Martín.

El comandante se había puesto un clavel en la solapa, el teniente era un apuesto galán, atlético y engomado; entre las muchachas, Marta hizo, en efecto, su entrada en sociedad. Su vestido se parecía al que Ana María estrenó en San Feliu, en el Casino de los Señores...

Al día siguiente hubo un brusco cambio de decoración. El Tribunal Militar anunció que iban a empezar los interrogatorios. ¡Válgame Dios! Toda la ciudad se dispuso a vivir al minuto los acontecimientos.

Matías dijo en seguida: «Son unos arbitrarios». Más que por lo de Gerona, cuyos resultados definitivos tardarían en conocerse, lo decía por lo que se iba sabiendo de otros Tribunales de España. La tónica era evidente: quien tenía padrinos se salvaba; quien no los tenía, lo pasaba mal. En Barcelona anunciaron la conmutación de la pena de muerte de los cabecillas directores del movimiento como Pérez Farrás, en tanto que en Asturias simples mineros, anónimos y desconocidos, aparecían en las listas de ejecutados.

En Gerona, el comandante Martínez de Soria dio una gran sorpresa a sus detractores. En seguida dejó entrever que era contrario a extremar el rigor. En el café de los militares dijo: «Es curioso lo que cuesta enfrentarse con un acusado». A la hora de la verdad influían más en él las palabras de don Pedro Oriol que las sugestiones de «La Voz de Alerta».

Sin embargo, tenía a la gente en un puño. Era quisquilloso, no acababa nunca. Los interrogatorios eran larguísimos y casi siempre humillaba a los del banquillo. Ordenó que los juicios se celebraran a puerta cerrada, lo cual produjo entre la masa una gran decepción. A Olga la mantuvo cuatro horas de pie, preguntándole, preguntándole... A David le dijo: «¿Está usted seguro de que hará de sus treinta alumnos ciudadanos de provecho?» Aquel tipo de pregunta era inadmisible. Los acusados, al llegar a la cárcel, se deshacían en comentarios: «Que deje en paz nuestra vida privada».

Mosén Alberto hacía cuanto podía para apaciguar. Informaba favorablemente. Ello se supo en la cárcel, y a algunos el tabaco que les repartía les pareció menos amargo. Por ejemplo, uno del orfeón, que sabía sacar humo formando anillos, un día le dijo en tono afectuoso: «¡Mosén, mosén! ¡Este anillo se lo dedico al señor obispo!» Pero la mayoría continuaban no comprendiendo las sonrisas del sacerdote, sus sermones, y se negaban a admitir que interviniera en su favor. «¡Propaganda!», decían. Y cada domingo, en el patio, clavaban en sus ojos los ojos del rencor.

El Tribunal se había instalado en la Caja de Reclutas, caserón húmedo de la calle de la Forsa. Pero luego pareció demasiado espectacular que los detenidos tuvieran que hacer el trayecto desde la cárcel y se decidió interrogarlos en el primer piso del edificio, en las oficinas. De este modo todo quedaría en casa.

La cantidad de expedientes —trescientos aproximadamente— había asustado al comandante Martínez de Soria, quien solicitó dividir el Tribunal en dos sesiones. La suya interrogaría a los detenidos de más responsabilidad; la otra, de la que formaba parte el teniente Martín, interrogaría, en la sala contigua, a los simples comparsas del movimiento.

De todos modos, el comandante no quería alterar sus inveteradas costumbres; la práctica de la esgrima y la equitación. Por lo que establecía unos horarios propios de hombre que no tiene prisa. A su esposa le pareció que exageraba. «Piensa que esa gente está inquieta», le dijo. Pero el comandante no dio su sable a torcer. En lo único en que consintió fue en no ir al café de los militares, para ahorrarse explicaciones enojosas.

El desfile de acusados comenzó. Los guardianes de la cárcel recorrían los pasillos con una lista. ¡Fernando Gavaldá! Y el recluso en cuestión se levantaba, los demás miraban y esperaban con impaciencia su regreso.

En seguida se supo que había gran diferencia entre el trato que se recibía en la sección del teniente Martín y en la del comandante Martínez de Soria. El teniente Martín era un incorrecto y apenas si permitía meter baza a los restantes del tribunal. La mayor parte de los acusados que le tocaron en suerte eran campesinos, muchos de los cuales apenas si comprendían el castellano. Esto puso furioso al teniente. Llegado de Galicia, cultivaba un odio especial contra los catalanes. Con su uniforme se sentía fuerte y poderoso ante los raquíticos acusados en el banquillo. Una monumental fotografía del Comandante Jefe de Estado Mayor, montado en su caballo blanco, presidía obsesionantemente las paredes. Los campesinos se desmoralizaban y optaban por callarse.

En cambio, el comandante Martínez de Soria se mostraba, en la forma, correcto. El Tribunal pronto advirtió que los reclusos obedecían a una consigna común: decir a todo trance que se encontraban en Comisaría por azar, que entraron allí porque al oír los tambores y al ver que la ciudad quedaba a oscuras, no supieron adónde dirigirse. En cuanto a participación directa en el movimiento subversivo, nadie la confesaba, excepción hecha de los componentes de aquel Ayuntamiento que había durado veinticuatro horas escasas.

Y, sin embargo, las diferencias humanas quedaban marcadas. Había detenidos que hacían gala de una gran dignidad y de un perfecto dominio. Demostraban que estarían dispuestos a repetir su gesto cuantas veces fuera necesario o se presentara la ocasión. Otros se mostraban cobardes, con el miedo retratado en el semblante. Murillo desagradó a todo el mundo porque, con sus bigotes cayéndole lacios y su gabardina sucia, hizo de sí mismo una defensa intempestiva.

Lo más duro del interrogatorio sobrevenía siempre al final, cuando de pronto el comandante Martínez de Soria tomaba en su mano derecha una fotografía del comandante Jefe del Estado Mayor muerto, y, mostrándola con calma al acusado, preguntaba: «¿Conoce usted a este hombre?» La respuesta era invariablemente: «No, señor». A la décima negativa que el comandante oyó, se puso nervioso. Pegó un puñetazo en la mesa. «¡Retírese!», gritó. Y aquel «retírese», pronunciado en tono de amenaza, con la cara del jefe enrojecida, fue repetido luego en los pasillos, y dio origen a muchos comentarios.

El Comisario no fue de los más dignos. Al ser preguntado por qué pretendía separar Cataluña del resto de España, contestó que no sabía nada, que no sabía nada. Le habían dicho que todo el mundo estaba de acuerdo. Precisamente a él Madrid y Sevilla y Valencia le gustaban mucho. En cambio, en cuanto se halló frente a la fotografía del comandante Jefe de Estado Mayor contestó: «Sí, le reconozco. Y lamento lo ocurrido».

—¡Retírese. —Los guardias civiles casi le dieron un empujón.

Los Costa dijeron: «Estamos dispuestos a pagar una multa». El comandante perdió la serenidad. Les hizo un discurso. Les dijo que eran jefes de un Partido cuya acción antiespañola era constante. Sus canteras, sus hornos de cal, su fundición estaban al servicio de la propaganda antiespañola. Que favorecieran el fútbol, la piscina y las colonias veraniegas, al Ejército y a la Patria les importaba muy poco. Pero, cuando dos hombres eran populares y ricos, sus actos ejercían una gran influencia en una capital de provincia... En Gerona hubieran podido beneficiar a todo el mundo; no hacían sino halagar instintos populacheros. ¿Es que el Gobierno de Madrid no había llegado al poder por vía legal, gracias a las elecciones? Todo aquello era sabotear los mismísimos principios de la República. ¿Por qué querían separar Cataluña del resto de España...?

Ante la fotografía del comandante de Estado Mayor contestaron:

—Sí, sabemos quién es, y sentimos lo ocurrido.

—¿Quién disparó por el ojo de la cerradura?

—Eso... No lo sabríamos decir.

Los acusados se contaban unos a otros el interrogatorio. Y, sin embargo, todos esperaban el colofón, la declaración de Julio García. ¡Julio García había tejido los hilos de todo aquello! Si cargaba sobre sí con la responsabilidad, él y el arquitecto Ribas, todos los demás estaban salvados; si no, la condena sería colectiva probablemente.

Cuando el guardián apareció en el pasillo y llamó: ¡Julio García!, el policía se levantó, tomó el sombrero, que tenía sobre el colchón, y echó a andar. En la puerta le esperaban los dos guardias civiles de turno.

Al cruzar el umbral de las oficinas y encontrarse ante el Tribunal solemnemente formado tras la gran mesa de escritorio, con un crucifijo presidiendo en la pared, oyó la voz del comandante Martínez de Soria que le ordenaba:

—Haga usted el favor de quitarse de los labios la boquilla.

El acusado obedeció.

Un capitán del Cuerpo Jurídico, situado a la derecha, actuaba de fiscal y dio lectura a la acusación. Julio le escuchó con sumo interés. En cuanto el fiscal hubo terminado, el comandante Martínez de Soria tomó la palabra y repitió las acusaciones en términos menos jurídicos.

¿Por qué no siendo catalán había tomado las riendas de aquel asunto? ¿A santo de qué las expropiaciones de la provincia le interesaban tanto? ¿A qué fue a París tiempo hacía, quién era un tal doctor Relken, por qué una carta de Praga, que iba dirigida a él, y otra de Madrid empezaban diciendo: Distinguido hermano Julio García? ¿Qué había sido del expediente instruido contra los anarquistas con motivo de la destrucción de la imprenta del Hospicio? ¿Por qué presentó al Comisario, el 15 de mayo una lista de las personas derechistas a las que era oportuno retirar la licencia de armas? ¿Por qué diablos subía con frecuencia a echar un vistazo al Polvorín de las Pedreras? ¿Reconocía su letra en aquel documento, y en aquel otro, y en aquel otro? ¿Comprendía o no comprendía que muchos oficiales y soldados habían muerto en aquella revolución totalmente ilegal? ¿Reconocía que él había redactado los folletos lanzados desde las azoteas, invitando a la ciudad a la rebelión?

De pronto, el fiscal interrumpió al comandante. Se levantó y dijo:

—Deseo recordar al Tribunal, que se supone al acusado autor del disparo que mató al comandante Jefe del Estado Mayor.

El comandante Martínez de Soria invitó a Julio a contestar a todas aquellas preguntas. Julio, que había solicitado defenderse por su cuenta, sin abogado, no se inmutó. Había dejado el sombrero en la silla y permanecía en pie. Empezó hablando en tono normal, con negativas idénticas a las de los demás acusados. «Se encontraba en Comisaría como tal funcionario, no sabía nada de la organización de aquello, los tambores le sorprendieron hablando por teléfono con...»

Luego, a medida que iba recordando la lista presentada por el comandante, su tono se iba tornando irónico.

¿Es que estaba prohibido ir a París, o recibir cartas de Praga, o de Madrid...? ¿No podía uno ser llamado hermano, por un amigo? La amistad... No era hora de hablar de ella, pero...

En cuanto al expediente de los anarquistas... se había extraviado. ¡Cuántas veces les había advertido a los agentes de su despacho que prestaran atención! Eran unos distraídos. La mesa llena de papeles, y todo se extraviaba. Ellos lo atribuían al poco salario que percibían.

En cuanto a su interés por las expropiaciones... era otro asunto. En realidad todo cuanto se relacionase con el campo le interesaba. ¿Qué tenía aquello de particular? Tal vez el señor fiscal hubiera leído la *Ilíada*. Hacia el final del Canto VII, se decía: «y el pastor siente el gozo en su corazón...» A él le hubiera gustado que los campesinos de la provincia sintieran el gozo en su corazón. Pero no por ello se insurreccionó. Ni fue a Madrid a protestar, ni a la vuelta de los propietarios había esperado con una escopeta a don Jorge y a don Santiago Estrada...

Respecto al doctor Relken, era un arqueólogo alemán, que se interesaba mucho por la provincia de Gerona, pues aseguraba que, en efecto, en Rosas debía de encontrarse la antigua colonia griega de Rodas, aunque no en el lugar en que la situaban los eruditos locales.

La lista de las personas derechistas dada al Comisario el 15 de mayo..., no tenía nada que ver con la recogida de las licencias de armas, sus visitas a Montjuich no tenían nada que ver con el Polvorín, los folletos no podían ser suyos, puesto que no escribía en absoluto el catalán...

Y en cuanto a la muerte del comandante Jefe de Estado Mayor..., imposible suponer que el señor fiscal hablara en serio al acusarle. Porque..., ¿cómo saber quién disparó? Doscientos hombres encerrados, dos manos cada hombre. ¿Qué mano sostenía el revólver? Imposible saberlo. Y más difícil aún saber qué dedo apretó el gatillo... Ésta era la gran desventaja de los movimientos democráticos: la mezcla de la gente, la acumulación de elementos. Claro que era a la vez su gran ventaja: el anónimo.

El comandante Martínez de Soria había oído toda la perorata echado para atrás en el sillón. Las intermitentes manchas rojas de su rostro intensificaron su color. Sin embargo, siempre guardaba la compostura. Lo mismo cuando en el Casino se ponía un clavel en la solapa que cuando reflexionaba qué extraña tortura, desconocida aún en Occidente, merecía un hombre como el que tenía delante. El fiscal no cesaba de sonarse estruendosamente. Los demás miembros del Tribunal apenas podían contenerse.

—¿Eso es todo?

—Eso es todo.

El comandante Martínez de Soria guardó un momento de silencio. Luego dijo:

—Como Presidente del Tribunal advierto al acusado que todos los cargos que se le imputaban quedan en pie. O sea, se le considera responsable moral de la revolución, y se le supone autor del disparo que mató al comandante Jefe de Estado Mayor. Si el examen de los expedientes y algunos nuevos interrogatorios no demuestran que estos cargos son infundados, se aceptará la propuesta del fiscal y la sentencia de muerte será cumplida a las cuarenta y ocho horas. Sólo en el caso de que el acusado consiga probar que fue otra persona la que disparó, se beneficiará de una conmutación. Ahora, retírese.

Julio García inclinó un momento la cabeza. Al levantarla, tenía la boquilla entre los labios. Los dos guardias le escoltaron, uno a cada lado. Salió del despacho bajo la mirada de todos.

Cuando David salió a su encuentro en el pasillo, sonrió y comentó:

—Gran tipo ese comandante.

CAPÍTULO XXXIII

El piso amueblado que Mateo y el director de la Tabacalera habían alquilado —en la misma plaza de la Estación— era pequeño, pero confortable. Silencioso en su parte trasera, el muchacho instaló en ella su despacho. Los armarios, llenos de libros, llegaban al techo. En un rincón, sobre un pedestal, un pájaro disecado.

Tenía el inconveniente de estar un poco lejos del Neutral, pero el director de la Tabacalera se sentía largamente compensado teniendo al lado a su hijo, y viviendo en un hogar suyo y no en una fonda. Tal vez en el piso la falta de la esposa se le hiciera más patente; pero tenía otras muchas ventajas. Tocante a Mateo, hizo de su despacho el eje de su vida, y prohibió a la sirvienta que entrara en él. Y como llevó allí cinco o seis sillas, además de un sillón, su padre le preguntó:

—¿Por qué tantos asientos? ¿Preparas ya tu bufete de abogado?

Mateo le contestó:

—Con tu permiso, padre, preparo las reuniones de Falange Española de Gerona.

Don Emilio Santos quedó inmóvil en una de las cinco sillas. Sus ojos, siempre un tanto húmedos, su sonrisa afable y su bigote blanquecino se inmovilizaron con él. El hombre tenía una idea muy vaga de lo que Falange Española pudiera ser. Amaba entrañablemente a España, sabía que en Madrid bastantes estudiantes se habían afiliado a Falange; que su cuna era Castilla; que los dos hijos que el comandante Martínez de Soria tenía en Valladolid eran falangistas; que su jefe, José Antonio Primo de Rivera, intervenía con frecuencia en el Parlamento, usando un lenguaje tajante, algo raro, y que se decía de todos ellos que copiaban de Mussolini y de Hitler, y, sobre todo, que asesinaban a los obreros por las esquinas. Pero ni un solo momento había pensado que Mateo pudiera militar en este Partido. La declaración de su hijo le dejó turulato; tenía tanta confianza en él que en el acto pensó: «Entonces resulta que Falange debe de ser otra cosa de lo que yo pienso».

Movió la cabeza. Luego preguntó:

—¿Y tu hermano...?

—También lo es. —Mateo añadió—: La diferencia estriba en que en Cartagena la cosa ya está en marcha desde hace tiempo.

El director de la Tabacalera sintió que todos sus proyectos de tranquilidad se venían abajo. Sin volver en sí asistió a diversas maniobras de Mateo: a la de escribir la palabra «CIRCULARES» en la cubierta de una carpeta, y, sobre todo, a la de colgar en la pared, en la presidencia del despacho, una fotografía de José Antonio Primo de Rivera. Al pie de la fotografía la dedicatoria era clara: «Al camarada Mateo Santos, con el ¡Arriba España! de los primeros días. En el Escorial, enero de 1933. JOSÉ ANTONIO».

Mateo no quiso verle sufrir. Se acercó a su padre y le puso la mano en el hombro.

—No te inquietes, padre. La Falange... es un movimiento sano, noble. No te arrepentirás de que tus hijos formen parte de él. Concédenos un margen de confianza. España lo necesita y es inevitable que algunos nos alineemos en vanguardia. Pronto todo el mundo sabrá de qué se trata. Empezamos siendo unos pocos, casi todos estudiantes; ahora ya somos muchos, estudiantes y obreros. En todo este pedazo de tierra española se ignora por completo lo que es. Ha sido providencial que me llamaras. Provincia fronteriza, cara al mar. Me va a ser difícil, no sé a quién acudir, todo el mundo divaga, sobre todo los derechistas. Pero habrá que descubrir la gente donde se encuentre. Con seis o siete camaradas me basta. A lo mejor serán peones ferroviarios, o mecánicos, o qué sé yo. No importa. A lo mejor algunos que ahora son comunistas. En muchos puntos estamos más cerca de éstos que de «La Voz de Alerta», te lo juro. Si todo esto trae algún contratiempo... espero que te harás cargo. —Y sonrió.

Don Emilio Santos, director de la Tabacalera, no lo veía claro. Le parecía intuir que bajo la mirada de su hijo latía una gran verdad. Sin embargo, la palabra fascismo le venía a la mente. Y la noticia de lo ocurrido en Valladolid. Y tantas otras.

Mateo, al oírle, se puso serio. Y le juró por su honor que todo aquello eran calumnias, que ni un solo tiro había salido de pistolas falangistas que no fuera en legítima defensa, y que, estadística en mano, por cada víctima que ellos habían ocasionado, Falange había tenido diez. Y en cuanto a perseguir a los obreros... ¡Falange era una organización revolucionaria! Mucho más revolucionaria que cualquiera de los Sindicatos, los cuales se limitaban a prometer mejoras económicas. Falange pretendía, primero, convencer a los productores de que no eran proletarios sino de que eran hombres, personas. Segundo, explicarles que lo económico no lo es todo; que, satisfacer las necesidades, hay mil caminos espirituales por los que avanzar. Tercero, hacer que amaran su familia y su trabajo. Cuarto, darles alguna gran ilusión colectiva en la vida. Quinto, hacerles comprender lo que era la Patria, y luego... ¡en fin! Tiempo habría de delimitar todo aquello. Falange no venía a prometer, sino a exigir; no era un programa sino una doctrina y en sus filas no tenían cabida ni los pedantes ni los cobardes. «Individuo, familia, municipio, Patria, Dios.» He aquí los cinco puntos, o, como decía José Antonio, las cinco rosas. O, como figuraba en el emblema que iba a colocar bajo la fotografía del Jefe, las cinco flechas. Falange creía, por encima de todo, en el sacrificio, y era una mística, una concepción total de la vida.

Don Emilio Santos no lo veía claro. Reconocía que aquel lenguaje tenía algo de poético. Sobre todo porque Mateo, al hablar casi se había puesto firme y luego había sacado un pañuelo azul y su chisquero, y se había pasado la mano por la cabellera con la peculiar manera que tenía de hacer aquel ademán en los momentos importantes. Sin embargo, ¡era tan complejo todo aquello! Que unos hombres de veinte a treinta años hubieran elaborado una concepción *total* de la vida, a primera vista parecía imposible, so pena de milagro. Un español de edad —cincuenta y cinco años— ¡había oído tantos discursos! Claro que era la primera vez que oía hablar de rosas y de flechas, sobre todo concretando su número. No obstante, ¿qué diablos significaba no prometer sino exigir? Tampoco veía claro que ofreciendo sacrificios pudieran tener muchos adeptos.

—Hijo mío, no sé qué decirte. Todo esto me parece algo utópico. Tal vez los jóvenes tengáis razón. ¡Qué sé yo! Sin embargo, desearía advertirte una cosa: si un día descubro que todo esto es una chiquillada, cortaré en seco. No hay nada más triste que el heroísmo gratuito. No quiero que a ti y a tu hermano os peguen un balazo por una tontería, ni que os tomen el pelo. España... es un país muy difícil. Quiero decir que no sé si os bastará con cinco flechas... Y en cuanto a Gerona, no sé, no sé. Pronto verás lo que quiero decir.

Entonces Mateo contestó que no quería herirle, pero que también deseaba aclarar, desde el primer momento, que había entregado la vida entera a aquel asunto, que había prestado juramento, que no bastaría con que su padre juzgara aquello una chiquillada para que él compartiera tal opinión; y que si la escisión se producía, lo cual no era de prever, se vería en la necesidad de desobedecerle.

Don Emilio Santos le miró con fijeza un minuto largo y luego, con lentitud, se dirigió a la puerta, sintiendo sobre sí los estúpidos ojos del pájaro disecado que se erguía en el pedestal.

CAPÍTULO XXXIV

Cada vez que Laura, la hermana de los Costa, subía a las canteras a dar un vistazo, los obreros interrumpían un momento su trabajo y echaban un trago. Luego volvían a martillear.

Desde arriba, Laura contemplaba la ciudad a sus pies, con los campanarios presidiendo. El río la partía en dos. A su izquierda, en la falda de la montaña, el cementerio. La piedra de los panteones había salido de las canteras lo mismo que la piedra de los puentes, de los arcos, de las iglesias. Aquello le producía una emoción vivísima, desconocida. Antes que sus hermanos entraran en la cárcel, se limitaba a enterarse por un papel que recibía del Banco, de los beneficios que le correspondían. Ahora se daba cuenta de hasta qué punto el contacto directo humanizaba las relaciones.

Personalmente, había llegado a una conclusión: el trabajo de aquellos hombres era duro. Los barrenos mordían la montaña, a veces mordían la carne. Los inmensos bloques debían de ser transportados y luego los canteros les daban forma. Formas cuadradas, rectangulares, distintos tamaños. El incesante martilleo parecía una canción en la montaña. Era el ritmo del trabajo, del vivir. Pero a Laura acababa penetrándole en la cabeza.

Lo mismo le ocurría en los hornos de cal. Los hombres hundidos en pantanos de materia pegajosa, con inmensas palas en las manos, cargando sacos, respirando Dios sabe qué. Lo mismo ocurría en la fundición. Las gafas negras le daban miedo. Y las chispas. Hierros por todas partes, las calderas, el carbón, la temperatura insoportable. Todos negros de la cabeza a los pies.

En los hornos de cal, la piel blanca, negra en la fundición. Pagando, sus hermanos teñían a los hombres del color que les venía en gana. A los canteros, el polvillo de la montaña los teñía ligeramente de amarillo, que se posaba sobre todo en sus viseras y en sus pestañas, sobre los ojos. Un cantero sentado tenía algo de oriental. Al levantarse, se escupían en las manos, y quitándose la gorra, la sacudían. Los obreros de la cal habían perdido la voz. Los de la fundición, al quitarse las gafas, miraban el mundo como si llegaran de otro, del fondo del mar, o del fondo del fuego.

Ante tal espectáculo, Laura decidió aumentarles a todos el jornal. El notario Noguer le aconsejaba que esperase; la muchacha dijo: «Inmediatamente». Esto ocasionó que algunos de los obreros se felicitaran de que los Costa estuvieran en la cárcel. Otros dijeron: «¡Imaginaos lo que debían de ganar, que a la mujer le ha dado vergüenza!»

La muchacha se entusiasmaba de tal modo oyendo aquellas cosas, que en seguida habló de crear una guardería para los hijos de los obreros y obreras a su cargo... De ello a una clínica de maternidad había un paso...

Laura obraba de tal suerte de acuerdo con un plan perfectamente trazado, y no por ella misma, sino por un superior. Por alguien que estaba cansado de que en la ciudad se hicieran las cosas a medias: un vicario joven, de mandíbulas enérgicas... Sí, mosén Francisco, amigo de César y vicario de San Félix, enamorado de Gerona, hijo de ella, fundador de una escuela de aprendices, conocedor del latín y hombre de tres horas de rezo diarias, tenía ideas nuevas y audaces sobre el apostolado. Al advertir que los derechistas se pavoneaban por su triunfo del 6 de octubre y creyendo que sus hermanos los sacerdotes no hacían nada eficaz, había dicho a Laura: «Demuestre que se puede ser católico y generoso. Más aún: que siempre será más generoso un buen católico que un buen librepensador. Demuestre que puede usted hacer mil veces más que sus hermanos».

El resultado había sido magnífico, pues los obreros saludaban a Laura con devoción. Laura estaba muy contenta. Le parecía que su vida tenía un sentido, que todos los obreros eran hijos suyos. «La Voz de Alerta» decía: «Ahora será esa mujer la que organizará una revolución». Mosén Alberto estaba orgulloso de su obra.

En la cárcel, los Costa se enteraron de lo que ocurría. Sonrieron. Curiosa la reacción de su hermana. Siempre la habían considerado flacucha, sin gran temperamento. Y resultaba que a la primera ocasión daba la gran sorpresa. Los hermanos Costa confesaron que uno no tiene nunca bastante experiencia de la vida. Sin embargo, temían que exagerara. Los Costa eran partidarios de la justicia con los obreros, pero entendían que, según como, sería el cuento de nunca acabar.

¡Sorprendente tipo el vicario! Sus gestiones acostumbraban a verse coronadas por el éxito; tales eran su empuje y su naturalidad. Resuelto el asunto de Laura, del que toda la ciudad hablaba, se sintió con ánimos para hacer otra sugestión más difícil aún. Por desgracia, esta vez su fracaso fue rotundo. No consiguió ningún resultado positivo. Al contrario, un sermón y una llamada al orden. Un rato de angustia y un grave problema de conciencia.

La cosa había ocurrido de una manera lógica. Mosén Francisco recibió la visita de un reo común, profesional de la quincena, que invariablemente, en cuanto salía en libertad, acudía a la sacristía del vicario a pedirle un duro. En aquella ocasión el sacerdote aprovechó para interrogarle sobre lo que ocurría en la cárcel. Invitó al hombre a un trago del vino que tenía para consagrar, se sentó a su lado y le preguntó: «¿Qué tal los presos? ¿Qué tal mosén Alberto?» El reo común contestó: «Mal. Les dice que si saben sufrir sacarán gran provecho». El vicario comprendió. Entonces le dijo a su amigo: «Ahora vete. Tengo algo que hacer». Le despidió, tomó su inmenso sombrero, salió de la parroquia y se lanzó cuesta abajo en dirección al Museo Diocesano. Subió al primer piso del venerable edificio y encontró a mosén Alberto absorto en su despacho.

Apenas si dio tiempo a los saludos de rigor. De pie frente a él, le planteó el problema a boca de jarro. Primero trazó un esquema de la responsabilidad de un sacerdote que tiene a su cuidado trescientos detenidos. Luego habló del estado de ánimo de los mismos, cuando las razones de su encierro son políticas. Inmediatamente, añadió que mosén Alberto, al parecer, hablaba a los detenidos en términos aptos para ser comprendidos por gente de vida espiritual muy intensa, pero de ningún modo por hombres sin afeitar, ateos y que se creían inocentes.

En consecuencia, era preciso revisar de arriba abajo la táctica empleada, y desde luego abandonar la restauración de retablos. A su entender, lo que un sacerdote debía hacer era dejarse ver poco por la cárcel, lo menos posible, y, en cambio, actuar sin descanso en el exterior, para que a las familias de los detenidos no les faltara nada. Visitarlas una a una, de la mañana a la noche, y ofrecerles todo lo que uno poseyera e incluso, si hacía falta, lo que poseyeran los demás. Aquello les llegaría al alma mejor que todos los sermones. Cada mujer escribiría a su hombre detenido: «¿Sabes? No te preocupes por mí ni por tus hijos. Estamos bien gracias al cura, a mosén Alberto».

Por exceso de celo o por lo que fuera, había hablado con extrema agitación, tal vez con falta de respeto. Mosén Alberto se levantó y le dijo:

—La suficiencia es grave pecado, reverendo. Le ruego que dé por terminada esta conversación.

Mosén Francisco quedó inmóvil, porque en el inesperado tratamiento de usted que le dio mosén Alberto, que le conocía desde pequeño, comprendió hasta qué punto le había herido. Sintió una pena honda y se dijo: «Acaso yo esté ofuscado». Tenía ganas de llorar y de arrodillarse a sus pies. Pero fue un momento. En seguida se le pasó.

Mosén Alberto estaba más yerto que la armadura. Recordaba a Ignacio, que también quiso darle lecciones; ahora el joven vicario. Probablemente, ni uno ni otro habrían conseguido fundar, en la cárcel, un orfeón.

Mosén Francisco, andando de espaldas, se dirigió a la puerta. Inclinó la cabeza y salió. Las dos sirvientas le acompañaron. «¿Quiere un poco de chocolate?» Al bajar la escalera, con el inmenso sombrero se ocultó la cabeza entera.

Entró en la primera iglesia que halló a su paso y rezó... Pidió para sí y para el mundo. La Iglesia estaba vacía. Ni un cantero, ni un obrero de un horno de cal, de una fundición... Le cayeron las lágrimas. Un pensamiento le consoló: César estaría de acuerdo con él. Mosén Francisco estaba convencido de que César era un santo.

CAPÍTULO XXXV

Un hecho llamaba la atención de Ignacio y de Mateo: el profesor Civil no tenía radio, su mujer era muy callada, y a pesar de ello estaba al corriente de todos los acontecimientos del mundo y de Gerona... por pequeños que fueran. Por ejemplo, de la labor del Tribunal Militar de Represión no se le escapaba detalle. Sabía incluso que un alférez cuidaba de los expedientes entre las letras A y G, y otro de los comprendidos entre la H y la Z. Sabía también que el comandante Martínez de Soria había dicho a Julio: «A las cuarenta y ocho horas, la ley será cumplida».

Por aquellos días era forzoso comentar la labor de este Tribunal, pues al profesor le interesaba mucho la interpretación jurídica que los jueces darían a los hechos. El profesor Civil opinaba que, por lo común, y salvo excepciones como la de Napoleón, los militares eran pésimos jueces, que confundían al hombre, dual y complejo, con un ser automático.

Con respecto a los responsables de la revolución, el profesor Civil opinaba que, contrariamente a los rumores que circulaban, el castigo que se les impondría sería sin duda severo, por una razón: los revolucionarios se habían levantado contra un Gobierno legítimamente constituido, y ello era grave falta, perfectamente prevista por el Código.

—En este sentido son culpables —sentenció—. Los separatistas y los socialistas debían de haber esperado las próximas elecciones. Esto hubiera sido lo sensato, lo noble y, sobre todo, lo democrático.

Mateo aceptó la versión del profesor, pero con una reserva. Dijo que en política y en el arte de conducir los pueblos, no era el Código el que debía imponer su texto, frío, sino el destino histórico para el que la Patria estuviera llamada.

—En Cataluña, por ejemplo —dijo—, lo delictivo no radicó en que el intento separatista se hubiera producido ilegalmente —responsabilidad jurídica—, sino en que el intento fuera separatista —responsabilidad patriótica—. Lo grave es el contenido de la revolución —concluyó Mateo—, no si se produce dentro o fuera de la ley.

El profesor Civil contestó que éste era un excelente sistema para justificar toda clase de levantamientos.

—Según su teoría, si la doctrina es válida, queda justificado implantarla por la fuerza, ¿no es eso?

—Desde luego. Es ley eterna.

El profesor Civil pareció escandalizarse.

—Pero... ¡Lo que es válido para unos es delictivo para otros!

—¿Y eso qué importa? —contestó Mateo, sacándose el pañuelo azul—. Yo no concedo idéntica capacidad política y de criterio a todo el mundo. Es la farsa de las urnas la que ha establecido esta igualdad. Yo creo que existen minorías u hombres con sentido profético y es a éstos a los que hay que escuchar. Si estos hombres creen que una doctrina es válida, de hecho pasa a serlo.

—Pero... ¿cómo saber, en cada caso, si la minoría o los hombres que se han pronunciado contra la ley son precisamente esos seres superiores a que usted alude?

—Hay signos infalibles que lo demuestran —afirmó Mateo—. Su personalidad, su sinceridad, el alcance entrañable de su doctrina. Cuando usted oiga a Companys diciendo en pleno 6 de octubre: «¡Catalanes, el Gobierno de la Generalidad hace lo que tiene que hacer y hará lo que sea necesario según las circunstancias de cada momento!», puede apostar a que ese hombre carece de autenticidad y del mínimo de seguridad en sí mismo exigible a un Jefe; en cambio, cuando usted oiga a un diputado de treinta años que en el Parlamento se levanta contra unos y otros y grita: «¡Señores, yo creo que el hombre es portador de valores eternos!», en ese momento casi, casi, puede usted pedir una ficha de inscripción.

Ignacio quedó estupefacto. ¡Ficha de inscripción! En aquel instante lo comprendió todo. Comprendió que Mateo aludía a José Antonio Primo de Rivera. La luz se hizo en su cerebro, recordándole que Cosme Vila había dicho que los fascistas en Barcelona llevaban camisa azul. ¡Camisa azul! ¡Pañuelo azul! «Levantarse contra unos y otros, es válido imponer una doctrina por la fuerza.» La cosa estaba clara. Mateo era de Falange.

Ignacio no acertaba a volver en sí. Un extraño sentimiento de recelo le invadió. ¿Quién le había dado aquel sujeto por compañero? «El hombre, portador de valores eternos.» La frase era retórica y no implicaba que quien la hubiera pronunciado tuviera dones proféticos y sirviera para gobernar un pueblo.

Mateo se había dado cuenta de que algo pasaba por la mente de su compañero. No obstante, cuanto antes fijar posiciones, mejor. Preguntó al señor Civil si cuando dijo: «Esto hubiera sido lo democrático», habló en serio, mejor dicho si creía seriamente en la democracia. El profesor cerró el libro que tenía enfrente, con ademán que le era peculiar. Y luego contestó que antes había que proceder a una serie de distinciones. Tal vez la democracia fuera positiva en tal sitio, en tal ocasión, mientras en la misma hora, en otro sitio, resultara inoperante.

—En todo caso no olvide —inquirió Mateo— que el advenimiento de la democracia se debió también a la fuerza. Los demócratas no dudaron en cortar cabezas para imponerse. Desde la Revolución francesa hasta la Revolución rusa, pasando por todas las demás.

El profesor Civil entendió que tal planteamiento retrospectivo llevaría lejos, pues los reyes y los zares, a su vez, se habían impuesto por la fuerza. Tal proceso conduciría hasta el mismísimo fratricidio de Caín.

Mateo exclamó:

—¡Se equivoca usted! ¡Llevaría hasta la rebelión de los Ángeles!

En aquel instante, Ignacio pidió al profesor Civil permiso para fumar: el profesor se lo concedió. Ignacio lió un cigarrillo, con calma, Mateo sacó de su bolsillo el mechero de yesca. Ignacio declinó la oferta diciendo «Muchas gracias». Y sacó su mechero de gasolina. Mateo le dijo: «El inconveniente de tu mechero es que se apaga con el viento». Ignacio repuso: «El inconveniente del tuyo es que para encenderlo hay que soplar».

Ignacio se sentía molesto. Todo aquello le distraía. Él quería estudiar, estudiar y tener un amigo. Al ver a Mateo había pensado: «Ahí está». Le había impresionado su aspecto serio y una rara precisión en el lenguaje. Pero resultaba que era de Falange y que llegaba de Madrid cargado de proyectos...

Ignacio decidió que a partir de aquel día saldría de casa del profesor Civil en cuanto la lección hubiera terminado. Aunque se daba cuenta de que aquellos minutos de conversación al viejo profesor le sabían a gloria. Era de suponer que con su mujer no podía hablar de aquellas cosas.

La habitación en que daban la clase era obsesionante. Abarrotada de libros hasta el techo, mapas mediterráneos, un viejo reloj, la estufa y el piano. No se veía un centímetro de pared. Unas viejas fotografías reclinadas en los libros. El viejo profesor, cuando se levantaba para buscar un volumen, parecía un tigre cansado recorriendo su jaula. Pero si conseguía provocar una discusión, rejuvenecía. ¡En Mateo había encontrado la horma de su zapato! Pero Ignacio se sentía molesto.

Los dos muchachos salieron. La escalera estaba oscura. Al llegar a la Rambla las parejas se paseaban. Automáticamente, dieron unas vueltas.

—¿Qué te propones con todo eso? —preguntó Ignacio, de pronto.

Mateo contestó:

—¡Bah! Ha quedado claro, ¿no? He preferido que lo supieras cuanto antes.

Ignacio guardó silencio.

—¿Hace mucho tiempo que piensas así...?

—Desde siempre. Quiero decir que ya de pequeño deseaba formar parte de un grupo... que quisiera hacer algo extraordinario. Me hubiera embarcado para conquistar América.

Ignacio reflexionó:

—Ya... Crees que esas cosas se llevan en la sangre, ¿no es eso?

—Desde luego.

Ignacio se levantó las solapas del abrigo.

—¿No te parece mejor llevar una vida normal, estudiar, ir al cine, hacerse un hombre...?

Mateo negó con la cabeza.

—Todo eso es un espejismo. En España es imposible inhibirse de ese modo.

—¿Por qué?

—El temperamento. Excesiva capacidad de vida, ¿comprendes? Nosotros lo que queremos es infundir a la gente una ilusión que sea grande, para evitar que cada tres días hagan una revolución por motivos mezquinos.

* * *

El ultimátum que el comandante Martínez de Soria había dado a Julio García llegó pronto a conocimiento de toda la ciudad. «Si no sale el autor del disparo, será usted condenado a muerte.» Incluso en el Casino se produjo cierto silencio. Don Pedro Oriol luchaba a brazo partido con su conciencia, pues él no creía de ningún modo que el policía hubiese disparado.

Doña Amparo Campo empezó a alarmarse. «¿Quién le habría mandado el papelito: Esté usted tranquila?» A lo mejor el propio teniente Martín, quien cada vez que se cruzaba con ella por la calle la miraba de arriba abajo con una insolencia que, en otras circunstancias, no le habría disgustado.

En cualquier caso muchos veían en todo aquello el fracaso definitivo de la teoría según la cual Julio quedaba siempre cubierto Ahí estaba, a un paso de los fusiles apuntando a su cerebro. Matías pasaba momentos angustiosos y la propia Carmen Elgazu se daba cuenta de que sentía por el policía más piedad que otra cosa.

En la cárcel, el rasgo de Julio, aceptando su sacrificio antes que denunciar a Joaquín Santaló, diputado de Izquierda Republicana, era comentado con auténtica veneración. El único que no sabía nada de lo que ocurría era el propio Joaquín Santaló. Nadie osaba comunicárselo, pues entonces el hombre se hubiera visto obligado a denunciarse a sí mismo.

Un hombre se mantenía en sus trece: el subdirector. Cuando Ignacio se acercó a su mesa y le dijo: «Bien, ahora es el momento de que las grandes Logias y los golpes 3-1-2, etcétera, se pongan en movimiento», el subdirector se pasó la mano por la calva reluciente:

—No sé, no sé... Ya veremos. —Sin embargo, se le veía inquieto.

En cambio, el comandante Martínez de Soria acababa de recibir el golpe de gracia. A los incesantes comunicados de Madrid y de Capitanía General aconsejando prudencia, se unía a última hora un oficio inserto en la valija que se cruzaba a diario con el Tribunal de Barcelona. Este oficio decía: «Relativo al asesinato del comandante Jefe de Estado Mayor de esa plaza, se nos asegura que su autor fue el recluso Joaquín Santaló. Interróguele y comuníquenos el resultado».

El comandante reunió el Tribunal sin pérdida de tiempo y fue llamado el recluso Joaquín Santaló. El cuñado del cajero entró en la sala prácticamente vencido. En cuanto oyó su nombre en el pasillo dijo a sus compañeros: «Ya está». Estos compañeros acudieron inmediatamente a dar la noticia a Julio García. ¡Han llamado a Joaquín Santaló! El policía no movió un solo músculo de su rostro. Contestó: «Todo esto es una pena».

El cuñado del cajero confesó sin grandes requisitos, sobre todo al hacérsele saber que iba en ello la cabeza de Julio García. Dijo: «Fui yo». Inmediatamente dos guardias civiles se acercaron a él y le esposaron las muñecas. El Tribunal levantó la sesión. El reo fue conducido a una celda individual, situada en la planta baja de la cárcel. Cuando unos guardianes subieron a buscar su colchón y sus utensilios personales, en toda la cárcel reinó un gran silencio. La silueta del colchón, doblado sobre la espalda de uno de los guardias, tomaba la forma del desaparecido.

David le dijo a Julio:

—Te has salvado.

El policía repitió:

—Todo esto es una pena.

Pronto se supo en la ciudad. Un hombre quedó asombrado, sin palabra: el cajero. El cajero ignoraba en absoluto que su cuñado hubiera sido el autor. Se lo comunicaron en el Banco. Su excelente corazón le dio un inusitado vuelco. Aquello era una catástrofe. ¿Qué hacer? Sus ojos se volvieron hacia Ignacio, como si el muchacho pudiera ayudarle de algún modo. ¿Cómo prevenir a su mujer, a la mujer del condenado? Por las calles voceaban *El Tradicionalista*, con la fotografía de Joaquín Santaló en primera página.

Fue el primer choque del cajero con su hijo adoptivo, Paco. La casa hecha un mar de lágrimas, la esposa del detenido acudió en seguida del pueblo, y Paco permaneció insensible. Se le veía molesto por el ajetreo, no compasivo. No pensaba sino en su carpeta de Bellas Artes. Imaginaba un grupo escultórico sobre la tumba. El condenado en pie, las mujeres arrodilladas como Dolorosas.

Cuando se confirmó la sentencia de muerte, don Pedro Oriol se personó en la Sala del Tribunal. Alegó que la muerte del taxista había vengado la del comandante Jefe de Estado Mayor. No consiguió nada. Mosén Alberto intentó algo por su parte: idéntico resultado. El cajero movilizó cuantas personas pudo. Consiguió hablar con el notario Noguer, con don Jorge. La suerte estaba echada.

Toda la ciudad vivía el drama de la mujer del detenido, la cual corría de un lado para otro barbotando la palabra criminales.

En el café de los militares, «La Voz de Alerta» comentó: «El pueblo es siempre así. El diputado mató al comandante a sangre fría, pero de eso ya nadie se acuerda».

Doña Amparo respiraba tranquila. Las esposas de los demás detenidos veían el indulto de los suyos tras todo aquello. A Mateo la sentencia le parecía justa. El profesor Civil comentó: «Natural, se levantaron contra un Gobierno legítimamente constituido». Los portadores de los cestos rezongaron ante la cárcel, con la esperanza de poder ver al condenado.

En cuanto a éste... estaba en el fondo de una celda pequeña, sin ventilar. Y sólo dos personas le veían: el guardia civil encargado de su custodia y mosén Alberto.

El guardia civil cumplía su misión. Se llamaba Padilla. Era un hombre gordo, cuyos pasos resonaban demasiado en el pasillo. Mosén Alberto... obtuvo un triunfo indiscutible en su carrera. Por tres veces había sido despedido violentamente por el condenado, que se encontraba en un estado de extrema agitación. «¡Ahora sí sacaré gran provecho de todo esto!», exclamaba al ver al sacerdote. Pero mosén Alberto recibió sus insultos con tanto estoicismo, que de repente el diputado de Izquierda Republicana llamó al guardia y le dijo:

—Que venga el cura.

Mosén Alberto le confesó. Apenas si el penitente sabía hacerlo. Mosén Alberto le decía: «No importa, no importa. La voluntad vale». Él insistía, quería decirlo todo, explicarlo todo. ¡Una cosa le resultaba imposible! Arrepentirse de haber disparado. Volvería a hacerlo, lo haría cien veces. Mosén Alberto argumentaba: «No se lo digo porque fuera militar, eso no tiene importancia. Pero no se puede matar a un hombre». «Entonces ¿por qué me matan a mí?» Finalmente lloró, lloró y con la mano mojada de lágrimas mosén Alberto le dio la absolución.

Luego llegó la última noche. En la cárcel nadie dormía. El lugar que el reo había ocupado despedía cierto resplandor. La Andaluza y Canela ofrecieron cirios para que a última hora llegara el indulto. La viuda del comandante Jefe de Estado Mayor rezaba para que todo ocurriera lo más rápidamente posible.

Los cristales de la sala del Tribunal estaban helados. Faltaban quince días para Navidad. La luz del alba se abrió paso en el mundo. Las seis de la madrugada dieron en la Catedral. ¡Sonó un manojo de llaves, pies que se arrastraban, se oyó el ruido de un motor en marcha!

El cementerio fue el lugar elegido. El río, próximo, lamía el jugo de los muertos. Cuando el eco de la descarga se extinguió, después de rebotar contra las tumbas, contra Montjuich, llegando incluso a la ermita de los Ángeles, allá a media cuesta, en los terrenos de los Costa y de Laura, en las canteras que presidían la ciudad, se oyó un ritmo de martillos. Los canteros iniciaron la canción de la montaña.

Paco, el hijo adoptivo del cajero, descendió vertiginosamente de la tapia del cementerio, y echó a correr por la carretera hacia la ciudad, llevando una carpeta debajo del brazo.

CAPÍTULO XXXVI

Don Emilio Santos, director de la Tabacalera, y Matías Alvear acabaron siendo grandes amigos. El director de la Tabacalera imponía por su estatura y por sus canas; en cambio, Matías Alvear tenía los ojos más vivos; todo era más expresivo en él. Cuando los domingos vestían traje de fiesta, era innegable que parecían dos auténticos señores, con mucha vida sobre sus espaldas.

Tal vez el director de la Tabacalera hubiera dejado ya un poco en el camino. Don Emilio Santos le envidiaba a Matías algo muy importante: que su hogar fuera completo. Tener una Carmen Elgazu al lado, tener dos hijos y una hija era verdaderamente un tesoro. Él, a veces, se sentía solo, algo abrumado. Su esposa estaba enterrada. El hijo mayor, en Cartagena, escribía de tarde en tarde; su consuelo era Mateo. Pero el muchacho tenía un temperamento demasiado fuerte.

Matías Alvear quería mucho a don Emilio Santos, porque en el fondo se entendía mejor con él que con Julio García. Era menos complicado, más humano. Don Emilio Santos era un artesano de la vida, Julio un científico. Lo cual no impedía que Matías continuara sintiendo por Julio una atracción especial.

Don Emilio se había empeñado en que Carmen Elgazu y Matías fueran a visitar su piso, cerca de la estación. ¿Cómo no? Aquel género de visitas encantaba a la mujer. Después de recorrer pieza por pieza, Carmen Elgazu se detuvo en la cocina con la sirvienta, de la que se sentía en cierto modo responsable, dándole consejos caseros y, sobre todo, una retahíla de recetas vascas. Entretanto, los dos hombres se quedaron en el despacho de Mateo. Matías, cerca del pájaro disecado.

Don Emilio Santos esperaba el momento para hablar con su amigo de un asunto que le quitaba el sueño. ¿Qué mejor ocasión? «Matías, quería confiarle algo que me preocupa. Mire ese retrato; y, sobre todo, la dedicatoria. Sí, Mateo quiere fundar la Falange en la ciudad.» «Si me pones obstáculos te desobedeceré. Si me ocurre algo... espero que te harás cargo.» «Duro lenguaje, a fe. Nunca Mateo me había hablado así. Amigo mío, nuestra época es extraña. Hay momentos en que uno no sabe si es padre de un héroe o de un monstruo.»

Matías se sorprendió hasta tal extremo que al pronto no acertó a contestar nada. No sabía si don Emilio se había dado cuenta exacta de la importancia de lo dicho. ¡Falange se parecía mucho a la dinamita, sobre todo en manos de muchachos como Mateo! E introducirla en Gerona cuando lo que se necesitaba era apaciguar los ánimos le parecía una idea de loco. Lo que Mateo debía hacer era estudiar Derecho y ayudar a su padre. Lo demás, lamentable error. Matías reaccionó tanto más fuerte cuanto que desde el primer día había sentido gran simpatía por el muchacho, hasta el punto que cuando Carmen Elgazu le trajo una noche, antes de cenar, el diario de Pilar, y le hizo leer, sonriendo: «30 de noviembre. Ayer le vi y me dijo: "¡Hola, Pilar!", y me miró de una manera distinta de otras veces...», el hombre no había podido reprimir una casi imperceptible sacudida de gozo. Habló a su amigo con toda franqueza. Le dijo que debía impedir por todos los medios que Mateo cometiera aquella insensatez. Toda su autoridad de padre debía oponerse a ello. ¡Y si su hijo de Cartagena pensaba lo mismo que Mateo, debía arreglárselas para celebrar un consejo de familia y arrancar la promesa de uno y otro! Además... Gerona era peligroso. Él era antiguo en la ciudad y sabía cómo las gastaban. En cuanto la cosa fuera tomando cuerpo...

Matías concluyó:

—Es curioso que al llegar a los veinte años los hijos nos coloquen ante problemas insolubles.

Don Emilio Santos, que le había escuchado con mucha atención, a pesar de hallarse vivamente afectado, comprendió, por el tono en que Matías pronunció estas últimas palabras, que algo ocurría también en casa de los Alvear. Y no erraba. «Héroe o monstruo.» La frase le había recordado a Matías que él tenía también algo que comunicar a su amigo.

El director de la Tabacalera dijo:

—¿Por qué ha empleado usted el plural ..? ¿Pasa algo con Ignacio?

Matías asintió. Nunca había hablado de ello con nadie, ni siquiera con su mujer; pero entonces era la ocasión. Su hijo era responsable de algo peor que de tener una idea loca, o de andar por las calles con dinamita en las manos. Una mujer de la vida, Canela..., ¡se le llevaba el dinero, la salud, estudiaba poco y mal! Pero lo peor era la hipocresía. Por lo menos, Mateo era noble, daba la cara. Ignacio llegaba a casa, daba las buenas noches, besuqueaba a su madre como si tal cosa. Y hasta rezaba el Rosario. «Le advertí una vez, ahora seré más serio. Sí, queremos demasiado a nuestros hijos. Acabarán tomándonos el pelo, y eso no.»

Don Emilio le miró. Por lo visto, cada uno llevaba su cruz.

En aquel momento apareció Carmen Elgazu en el umbral de la puerta. Los dos hombres, al verla, se levantaron. El director de la Tabacalera admiraba mucho a la esposa de Matías. Ahora su presencia disipó los pensamientos sombríos que le embargaban.

La mujer dijo, sonriendo:

—Bueno, ¿qué te parece que si nos fuéramos, Matías?

—No se vayan, no se vayan aún —rogó don Emilio Santos—. Orencia les preparará algo, una taza de café.

Carmen Elgazu sonrió.

—¡Pues mire por dónde! Orencia y yo ya nos lo hemos tomado en la cocina.

Don Emilio Santos soltó una carcajada y la felicitó por la idea.

De repente, Carmen Elgazu, que rodaba sus ojos por el despacho, vio el retrato de José Antonio Primo de Rivera.

—¿Quién es ese joven? —preguntó.

—Es el jefe de Falange... José Antonio Primo de Rivera.

Carmen Elgazu exclamó: ¡Jesús! Y Orencia, que no se movía del umbral, imprimió a su rostro una extraña expresión de sorpresa y como de persona que ha visto confirmarse algo que suponía.

Don Emilio interrumpió la escena. «Tal vez pudieran organizar un periódico intercambio de visitas. Comer juntos, un día en casa de unos, otro día en casa de otros.»

Ahora, puesto que no querían quedarse por más tiempo, por lo menos que Matías Alvear aceptara un recuerdo de la visita: una caja de habanos.

La despedida fue afectuosa, en el vestíbulo. Carmen Elgazu se envolvió en su piel negra, que le rodeaba el cuello y le caía por la espalda, la piel que vio «Rey de Reyes». Su cabellera y su moño la protegían del frío en la cabeza. Bajaron la escalera despacio. «¡Adiós, retírese, retírese! Y sentimos no haber podido saludar a Mateo...»

CAPÍTULO XXXVII

En el Banco, el fusilamiento del diputado Joaquín Santaló había provocado una gran indignación. La Torre de Babel sentía un especial respeto por el diputado, pues sabía que varias veces había dado sangre en el Hospital. «¿Qué habrán ganado con eso? Crearse más enemigos.» Los argumentos corrientes eran: «No es lo mismo disparar el 6 de octubre, con la revolución en marcha, que firmar una sentencia de muerte en un despacho». Lo curioso era que todo el mundo hablaba de la viuda del diputado, nadie de la viuda del taxista.

El subdirector le decía a Ignacio que el comandante Martínez de

Soria no se había dado cuenta del juego de que había sido objeto. Todas las presiones oficiales que recibió se encaminaron a salvar a Julio García y a los arquitectos Ribas y Massana, así como a evitar que el nombre del coronel Muñoz fuera pronunciado. El momento de locura que tuvo Joaquín Santaló al disparar facilitó las cosas. Pero, pensándolo bien, ¿no eran tanto o más responsables los primeros?

Ignacio no sabía qué pensar. A veces las ideas del subdirector le parecían folletinescas. Y, sin embargo, el hombre daba detalles. En el propio Tribunal, a la izquierda del comandante Martínez de Soria, se había sentado un masón: el comandante Campos.

—¿El comandante Campos...?

—Como lo oyes. Con grado de Maestro.

Ignacio se rascó la cabeza.

—Bueno..., ¿y las presiones oficiales de que habla?

El subdirector tomó un poco de rapé.

—Escucha con atención... En España... hay veintiún generales masones. Te puedo dar los nombres: Cabanellas, Riquelme, Miaja, Gómez Morato, el propio López Ochoa, que dirigió lo de Asturias... ¡Y vas a ver lo que ocurrirá ahora! Esos generales colocarán las piezas en el lugar pertinente.

—No entiendo.

El subdirector se explicó. Estaba convencido de que el 6 de octubre no había sido más que un ensayo general. Estimaba que Oviedo, en el plan de la revolución masónica-socialista española, había ocupado el mismo lugar que en Rusia ocupó Petrogrado, en la sublevación de julio de 1917. El asalto final en todo el país se haría más tarde. De momento se habían conseguido muchas cosas. Los odios eran más profundos, la población civil estaba aterrorizada; habría nombres de leyenda como el de Joaquín Santaló en Gerona; habría «Asesinos» como el comandante Martínez de Soria.

* * *

De repente apareció en Gerona el Responsable. Despedido de la fábrica de alpargatas, su intención era dedicarse de lleno a la acción política. Llevaba gorra nueva. Sus ojos, acerados como siempre. Le escoltaban sus hijas, el Cojo, Blasco, el Grandullón y el sargento novio de su hija mayor, al que el comandante Martínez de Soria había despedido de las oficinas.

Pero, además, se había traído de Barcelona, donde permaneció un mes, un camarada llamado Porvenir, muchacho al parecer de gran temperamento y que quería cambiar los nombres de todos sus compañeros. Aunque sólo consiguió convencer al Grandullón, que en adelante se llamaría Ideal. Porvenir, Ideal... todo aquello gustaba mucho a las hijas del Responsable.

Los dirigentes de la CNT que secundaban al Responsable, pertenecían casi todos al ramo del transporte. Siempre decían que los pobres no recibían nunca nada. Ni vagones, ni cajas, ni siquiera paquetes. En las estaciones y en los camiones, las etiquetas llevaban siempre los mismos nombres.

El Responsable había llegado enarbolando una flamante bandera revolucionaria: Joaquín Santaló. Ahí estaba el mártir. Los canteros de los Costa habían tallado una losa para su tumba, bajándola de la montaña. Aquella rata de sacristía llamada Laura había ordenado vaciar en ella una cruz. Joaquín Santaló, el hombre que había dado su sangre en el Hospital. El Responsable, Porvenir, el Cojo, todos abrieron una suscripción a beneficio de la viuda de Joaquín Santaló. Subían por los pisos. «La Voz de Alerta» denunció la maniobra. «¡La viuda de Joaquín Santaló condenada al hambre!», le contestaron. Los anarquistas recorrían las calles, con pequeñas bolsas, insensibles al frío. Al frío de diciembre, que azotaba a Gerona. Se acercaba Navidad y los anarquistas querían obsequiar con un aguinaldo a la viuda de Joaquín Santaló y a sus hijos, ahora desamparados.

Pero no consiguieron gran cosa. Todo el mundo sabía que precisamente los anarquistas se habían abstenido de apoyar la revolución. Y por lo demás... otro hecho acaparaba entonces la atención: se decía que los detenidos iban a salir en libertad de un momento a otro.

¡Libres! En la cárcel también corría este rumor. Mosén Alberto decía a unos y otros: «Creo que sí, creo que sí». El gitano de las gallinas lloriqueaba en un rincón. Pronto volvería a encontrarse solo en el patio.

Las mujeres desanimaban a Olga. «¡Qué va! No os soltarán hasta después de las fiestas.» Olga había hecho gran amistad con sus compañeras de celda. La querían mucho. A Berta, una prostituta, la enseñaba a leer. ¡Pobre Berta! Cuando Olga saliera, caería de nuevo en la más burda ignorancia.

El frío alcanzó su máximo rigor. Gerona estaba gris. La explanada de la Piscina sugería la idea de estepa. Un vaho espeso salía de las bocas. ¡Imposible, para Matías, abrir la ventana del comedor y pescar en el río! Imposible, para Pilar, escribir su diario en su cuarto. Los trenes empezaron a traer viajeros que llegaban a pasar las Navidades con las respectivas familias. Entre ellos, ¡nadie les reconoció!, llegaron de Valladolid, los dos hijos del comandante Martínez de Soria.

Mosén Alberto y la voz popular acertaron. Excepto el Comisario, los diputados y los que habían constituido el Ayuntamiento revolucionario, los demás, en la noche del 23 de diciembre recibieron la noticia: «A las ocho de la mañana, libres».

¡Válgame Dios! Las venas dieron una fantástica sacudida, jubilosa por una vez. Murillo, el repartidor de los cafés «Debray», el empleado de la Cruz Roja, los hombres de la calle de la Barca. De Auditoría General de Barcelona habían ordenado: «Julio García, también».

Prohibido estacionarse a la salida de la cárcel. La orden iba destinada a las familias, que habrían organizado un espectáculo. Tendrían que apostarse en las calles adyacentes.

¡Qué importaba! Los primeros en salir fueron los del Orfeón. Ahora les remordía haber cantado. Sus propias mujeres se lo echarían en cara. Luego se dio la salida a los de los pueblos. Tres grados bajo cero, llenaron las calles con sus inmensas bufandas, precedidos por el vaho espeso que les salía de la boca. «Para la viuda de Joaquín Santaló, para la viuda de Joaquín Santaló.» Todos guardaban su dinero para poder pagar el billete en la estación.

De repente, la cárcel vertió casi entero su contenido. Todo el mundo fuera. Ciento ochenta reclusos, vecinos de la ciudad. Algunas barbas parecían llegar del Himalaya. Varios, esqueléticos; otros habían engordado. ¡Adiós cestos, adiós gitano! Fue un tropel.

En la acera de la cárcel, se encontraron por fin David y Olga. Primero había salido David. Al ver aparecer a su mujer en el marco de la puerta quedó yerto, la nuez del cuello le subió y dos lágrimas como de escarcha cubrieron sus ojos. Olga dio un salto y se le echó al cuello. Permanecieron largo rato abrazados, no osaban separarse y mirarse a los ojos, porque cada uno tenía la sensación de que éstos expresaban algo superior a lo que el otro podría resistir.

Asidos de la cintura, bajaron las escalinatas de Santo Domingo. Las piernas les flaqueaban. Entre la nada que ocupaba sus cerebros se abrió paso una luz tímida. Idéntica luz en cada uno de los dos, prueba de que continuaban siendo un solo hálito humano: David y Olga pensaron que antes que mirar al cielo libre, que ir a su casa, que cruzar el río tenían que ir a casa de los Alvear. ¡Cuántas horas en la cocina Carmen Elgazu! ¡Cuánto tabaco —para Olga— Matías Alvear! ¡Cuántos cestos habían subido los propios Ignacio y Pilar, desde que los alumnos tuvieron que ir a otras escuelas y Santi había desertado...!

Entraron en la Rambla, al andar saltaban sin darse cuenta. Adelantaban a otros indultados, se cruzaban con seminaristas que se iban de vacaciones. Subieron la escalera y llamaron a la puerta.

Fue Pilar la que les abrió. Matías, al verlos, dejó la servilleta —estaban en la mesa, desayunándose— y se levantó.

David ante Pilar, le apretó la muñeca. Matías avanzaba por el pasillo, David se separó de Pilar y se fue hacia él y le abrazó, sin articular una sílaba. Entretanto Olga había alcanzado a Carmen Elgazu, quien, impresionada ante las ojeras de la maestra, olvidó sus resabios pedagógicos... Y luego le tocó el turno a Ignacio, que odiaba las escenas, que sintió que continuaba queriendo de todo corazón a los maestros.

Fue una escena muy difícil. ¿Qué había pasado en aquellos dos meses y medio? ¿Cómo pensaba cada uno? Si la revolución hubiera triunfado... La expresión de Olga impresionó a Pilar.

David continuaba con los ojos húmedos. Olga devolvía un tenedor, que con la prisa había olvidado meter en el último cesto...

Imposible tomar el desayuno con ellos... Querían irse para casa, para la escuela, ardían en deseos de ver qué había sido de ella. Con Ignacio hablarían más tarde. «¿Tal vez por la noche...?» «¿Ah, tenía clase...?» «¿Quién era el profesor...?» ¿El señor Civil...? Bien, bien..., claro, claro... «De todos modos, imposible pagarles cuanto habían hecho.»

La familia entera los acompañó a la puerta. ¡Enhorabuena! David y Olga bajaron la escalera. Salieron a la calle. Se miraban a los ojos. El miedo había pasado.

Cruzaron el Puente de Piedra. «Para la viuda de Joaquín Santaló.» ¿Qué significaba aquello? Adelante. El río estaba casi helado. El jardín estaría raso como el patio de la cárcel, los pupitres de la clase sepultados bajo el polvo y las telarañas, el lecho frío... Tal vez se hubieran caído los mapas.

Llegaron a la Escuela cogidos del brazo, cruzaron la valla. Como una maldición se había agostado el jardín. ¡Adelante, no detenerse! La puerta crujió. Y al instante, David vio una cucaracha. En el centro del pasillo. Muerta. «¿Qué ocurría?» Avanzaron hacia la cocina. La cocina, caliente por el horno de un panadero vecino que comunicaba con ella, negra, flotante de cucarachas. Negras cucarachas que ante la presencia humana se precipitaron de un lado para otro, danzando como los locos del Manicomio. David, sobrecogido, tomó la escoba, Olga avanzó un pie. Las cucarachas se dirigieron hacia el comedor en guerrillas, tambaleante su caparazón, presintiendo el exterminio de la raza. Buscaban la calle, un refugio, el limbo. ¡Varias alcanzaron la clase! En ésta, sólo un mapa caído: el de Europa. Tres cucarachas negras se dirigieron hacia él en el momento en que David las alcanzó.

Fueron veinte minutos mortíferos. Los maestros se miraban de vez en cuando, con expresión absolutamente desolada. Al terminar, David quiso bromear y dijo: «¡Así entraron los moros en Oviedo!»

A los veinte minutos estaban libres. Los cadáveres, en los rincones. Entonces David y Olga volvieron a abrazarse y se rieron como benditos, solos, inseparables otra vez, como los campanarios de San Félix y la Catedral, como diciembre y el frío, como la revolución y la sangre.

CAPÍTULO XXXVIII

Una alegría humana invadió la ciudad. Ciento ochenta familias comieron turrón y bebieron champaña celebrando el regreso del ausente. El miedo había pasado. Hasta después de Reyes, no pensar en nada. Si los estudiantes hacían vacaciones, lo mismo podían hacerlas los malos recuerdos y el espíritu de venganza. Ahora, Navidad. El asno y el buey, los tres reyes —Melchor, Gaspar y Baltasar— ya estaban en camino, guiados por una estrella. De cada hogar salía humo por algún lado; era el fuego de los corazones. Teatro, cine. El Rubio, el anarquista «chivato», que, boicoteado por la pandilla, se había refugiado en el saxofón, levantaba en el Ateneo su instrumento hasta el techo, en gesto triunfal. Amistades contraídas en las celdas se visitaban mutuamente. Cada uno presentaba su familia. «Mi mujer, mis hijos.» «¡Menudos platos de arroz le mandaba usted a ese tunante! Partíamos la ración, yo le daba una pata de conejo.» La libertad infundía a los hombres una ansia desconocida de vivir. Gerona tenía otro color.

Muy tarde, al regreso de los espectáculos, bajo el cielo nítido y estrellado, los tacones resonaban en las aceras. Rápidos, por el frío insoportable. Cada hombre libre esperaba alcanzar algún milagro por el aire.

En la noche del 28 de diciembre ocurrió algo mágico. Sin que nadie lo advirtiera, la nieve se posó en la ciudad. Por la mañana las gentes se levantaron y todo estaba blanco. Todas las ventanas se abrieron. ¡Ohhh...! Gerona bajo la nieve parecía una inmensa Hostia.

Inaudito espectáculo. En las canteras de Laura —otra vez de los hermanos Costa— cada piedra llevaba capucha. El ángel sin cabeza —un obús francés la arrancó— del campanario de la Catedral, ahora exhibía una cabeza de nieve, fría cabeza redonda que presidía la ciudad. La Rambla quedó convertida en barro; en cambio, la Dehesa permaneció pura. Mucha gente subió a las Pedreras para contemplar los blancos tejados y la llanura circundante. Extrañas indumentarias salieron a la calle; los chicos sacudían los árboles. En el patio de la cárcel se veían, perfectas, las huellas del gitano y de Berta la prostituta. En el Manicomio, la presión de los zapatos se delataba desigual. En el cementerio quedaron uniformadas las tumbas del taxista, del diputado, del comandante. Tácito armisticio. Los presos libres se tiraban bolas de nieve de uno a otro balcón. Los tres reyes avanzaron en su camino. Sólo Porvenir, el Responsable e Ideal, ajenos al lirismo del paisaje, continuaban subiendo a los pisos y pidiendo: «Para la viuda de Joaquín Santaló».

A Julio le ocurrió algo singular. Mientras estuvo en la cárcel pensó mucho en su mujer. Más de lo que nunca se habría figurado. Y en cuanto doña Amparo Campo, muy emperifollada para recibirle, se le echó en los brazos lloriqueando, él, por un momento, se conmovió; pero a los pocos segundos, al ver por encima de los hombros de su esposa la lámpara de hierro forjado, los libros, los discos, la tortuga en un rincón, volvió a sentirse el amo, seguro de sí. La nieve le había alegrado como a un chiquillo, recordándole algunas excursiones a la Sierra, desde Madrid.

Las llaves. Hizo tintinear sus llaves. ¡Todo había pasado! Hubo un momento en que temió. Cuando el rostro del comandante Martínez de Soria intensificó el color de sus manchas rojas. Pero había vuelto a la vida... Solo consigo mismo, con su sombrero ladeado, su boquilla, su mujer, la popularidad, sus conocimientos, la Logia. Julio había adelgazado en la cárcel. Ojos negros, de almendra, tez aceitunada. La silueta de Julio sobre el fondo de nieve hubiera sido africana. Julio siempre decía: «La Cultura musulmana es centrípeta. Incluso sus jardines giran alrededor de un centro». En su caso, el centro era él mismo, el jardín era la Logia, la cultura, el mundo. Le parecía de buen agüero que al ángel de la Catedral le faltara la cabeza. Ahora esperaba la reunión con el comandante Campos, con el director del Banco Arús, con el coronel Muñoz, con los arquitectos Massana y Ribas... Se puso el batín rojo, recorrió el piso canturreando: «...y el pastor siente el gozo en su corazón».

Los hermanos Costa discutieron con Laura. ¡Había exagerado! Era una chiquilla. Aquello era cosa de hombres. En fin, bien está lo que acaba bien. Laura no sabía si alegrarse o no de la liberación de sus hermanos Le dolía en las entrañas abandonar a sus obreros. «¡Pobres, qué iba a ser de ellos!» Sus hermanos se oponían a la guardería infantil. Era evidente que sus hermanos se opondrían a todo aquello en que ella pudiera tomar parte. «¿No te basta con tu tercio? No te faltará.»

Pilar estaba encantada con las fiestas. Mateo y su padre habían comido en su casa, invitados por Matías Alvear y Carmen Elgazu, precisamente el día de la nevada. Ignacio parecía de mal humor; en cambio, Mateo estuvo muy brillante. Contó cosas interesantísimas sobre España, sobre El Escorial, sobre niños de Segovia que se ponían pezuñas de cerdo en la punta de los dedos, sobre cuchillerías de Toledo en que los obreros trabajaban tumbados boca abajo, con un perro en la espalda para calentarse. Dijo que había que arrancar las pezuñas de aquellos niños, hacer que aquellos obreros trabajaran de pie, premiar a tales perros e ir todos juntos, con frecuencia, a afilar los cuchillos en las piedras de El Escorial. Pilar le oyó embobada y le pareció que comprendía muy bien a Castilla y lo que Mateo quería decir. Le pareció que se explicaba mucho mejor que antes el flequillo de Marta Martínez de Soria, su seriedad y sus vestidos negros. Luego fueron a sacar fotografías de la nevada. ¡Subieron al campanario de la Catedral, extraño privilegio! ¡Qué grandiosidad! Gerona entera a sus pies, la inmensa llanura blanca hasta Rocacorba, el Ter hasta muy lejos, serpenteando. «¡Mirad, mirad, allá está nuestra casa!» ¡Cómo cambiaba de sentido el mundo con sólo elevarse cincuenta metros, cien metros! ¡Qué cerca se oían las campanas —qué miedo—, qué distinto el aire que se respiraba, qué lejos quedaban las cloacas! Todos tenían frío. Nadie pudo encender su mechero, excepto Mateo; Ignacio quedó ensimismado. De vez en cuando volvía su mirada hacia la cárcel, luego hacia el ángel decapitado. Mateo comentó riendo: «¡Algún día pondremos ahí la cabeza de un francés!» Carmen Elgazu se horrorizó; luego dijo, suspirando: «¡Qué tristes serían las ciudades sin campanarios!» Matías añadió: «Y sin cúpulas de Correos».

En el Museo mosén Alberto respiraba satisfecho. Por fin iba a poder reintegrarse de lleno a su labor. Año nuevo, vida antigua. Sus dos sirvientas se volvían locas de contento. Ahora le tendrían todo el día en casa otra vez. «¡Que Dios se lo conservara!»

Los Alvear recibieron una inesperada visita: Murillo, al salir, fue a dar las gracias a su patrón, Bernat, por los cestos de comida, y Bernat le dijo: «Chico, a quienes tienes que dar las gracias es a los padres de César y al chico. Escríbele una postal al Collell». Murillo, que había engordado, subió al piso de la Rambla. Matías, Carmen Elgazu e Ignacio le recibieron en el comedor. «Les agradezco mucho lo que han hecho por mí —les dijo el comunista de la gabardina sucia—. Francamente, no sé qué hacer para corresponder.»

De pronto vio el Sagrado Corazón presidiendo el comedor.

—Les moldearé dos imágenes —dijo—. Espero que las aceptarán. César me las había pedido.

—¿César se las había pedido?

—Sí. Un Francisco de Asís y una Clara.

Ignacio, al oír aquellos dos nombres, sintió como si le dieran dos golpes en el pecho.

—¡Se lo agradecemos mucho! —exclamó Carmen Elgazu.

Murillo se fue. ¿Por qué no tendría él una familia como aquélla? ¿Por qué siempre solo? En la barbería comunista los camaradas le habían recibido como a un hermano. Incluso Cosme Vila le había dicho: «Camarada, el Partido Comunista local considera tu reclusión como un acto de servicio que has prestado. Te doy la enhorabuena en nombre de todos. Y en cuanto editemos nuestro periódico publicaremos tu nombre»; pero no era lo mismo. Navidad, y solo. «¿Y por qué aquellos camaradas, teniendo hogar, preferían pasar las Navidades en la barbería? ¿Y qué diablos hacía Cosme Vila allí? Empleado de Banca, pertenecía a otra clase... Bueno, bueno, de momento tenía que modelar y pintar lo mejor posible un Francisco de Asís y una Clara.»

Era Navidad. En casa de don Jorge se siguieron los ritos tradicionales. Hubo candelabros en la mesa, besos en la frente, hubo misa del Gallo. Las sirvientas recibieron un soberbio obsequio. La esposa de don Jorge quería ponerse zapatillas para andar por el piso, pero lo tenía prohibido. Don Jorge jugó con sus hijos con camaradería excepcional. Al ajedrez con el heredero Jorge; a la oca con las tres hijas; construyó una grúa con el mecano del benjamín de la familia. Y, sobre todo, ordenó que se respetara la nieve del balcón. La nieve del inmenso balcón de don Jorge sería la última de la ciudad en derretirse.

El notario Noguer y su esposa sintieron no tener hijos. Sentados junto a la lumbre, repasaron álbumes familiares y hablaron de los años que llevaban juntos, alcanzando la época del noviazgo. Lo mismo le ocurrió a don Pedro Oriol. Don Santiago Estrada permitió que sus hijos le vertieran media botella de champaña en la cabeza. Sus ojos, aniñados, lloraban de felicidad. Corrió a gatas por el piso, levantó los brazos como un orangután y persiguió a su esposa por el pasillo. El día de la nevada tomaron todos juntos el tren y se fueron a La Molina a esquiar.

«La Voz de Alerta» tuvo unas Navidades menos cómodas. Su clínica dental se vio abarrotada. Le bajaban clientes de toda la provincia, con un pañuelo en la cara. Eran los turrones. El turrón despertaba dolor de muelas a los que tenían alguna pieza cariada. Dolores no hacía más que lavar ropa blanca. «La Voz de Alerta» ensuciaba una bata blanca por día y cuando llegaba al Casino, agotado, se tumbaba en el sillón y exclamaba: «¡Ah, en cuanto la gente me ve se queda con la boca abierta!»

«La Voz de Alerta» había llevado a la redacción de *El Tradicionalista*, a su despacho, recuerdos del 6 de octubre. Un pedazo de la bandera separatista que fue izada en el Ayuntamiento, la bala que mató al comandante jefe de Estado Mayor.

Tocante al comandante Martínez de Soria... su hogar rebosaba satisfacción. ¡Por fin había terminado la labor del Tribunal! Había sido una pesadilla. Y además... los hijos habían llegado de Valladolid. La esposa del comandante y Marta no cabían en sí de gozo. El comandante disimulaba su ternura y miraba a los dos muchachos con cierto aire inquisitivo. Sin embargo, de pronto sonreía y les ponía la mano en el hombro, paseándose de este modo, en medio de los dos, a lo largo del piso, mientras ellos, de vez en cuando, se arreglaban el nudo de la corbata sobre la camisa azul.

Fernando, el mayor, estudiaba ingeniero. José Luis, medicina. Algo más altos que Mateo, algo menos que el comandante. Ambos vestidos de azul marino. A la legua se veía que eran hermanos. Extrañamente serios, su madre les dijo: «¡Chicos, se diría que andáis mal de amores...!» A Marta le gustaba verlos así. Se tocaba el flequillo y pensaba: Son dos hombres serios. Al comandante le bailaba por la cabeza que tanta seriedad era un poco artificial. Fernando y José Luis daban la impresión de hallar a los demás muy frívolos y preocupados por cosas que no tenían importancia. A menudo se dirigían uno al otro miradas de inteligencia como diciendo: «¿Ves? Lo que tantas veces hemos hablado». Tenían el cuello delgado y los dedos aristocráticos. En la parte trasera del pantalón cada uno de ellos llevaba un revólver.

Sólo el día de Navidad parecieron estar alegres. Y luego en el día de la nevada. Se llevaron a Marta de paseo a las Pedreras, para contemplar la blancura del paisaje. La gente los miraba, Marta iba muy orgullosa entre los dos. Jugaron con la nieve como chiquillos. Llegados a un paraje solitario, Fernando, de pronto, sacó su revólver y disparó. La bala se incrustó en un árbol. Marta quedó estupefacta. Al regresar hablaron de ello y el comandante les dijo: «¿Estáis seguros de no ser un par de comediantes?»

El comandante estaba alegre. Ningún remordimiento por la condena de Joaquín Santaló. Lo había meditado mucho y creyó que era su deber. Por la calle, a veces, sentía sobre sí miradas de recelo. Sus dos hijos le dijeron: «Hiciste muy bien. Pero debiste condenar también a los cabecillas».

Al comandante le desagradaba el tono de exaltación con que hablaban sus hijos. Falange le parecía un pequeño tigre que se había escapado de la jaula con pretensiones a la vez políticas y militares. Él era monárquico y pronosticaba que todos acabarían en la cárcel. A Fernando y José Luis, la monarquía concebida por su padre les parecía corta de alcances. Durante las comidas, la palabra Imperio brincaba por entre los cubiertos, ante el entusiasmo de Marta. Si el profesor Civil los hubiese oído, hubiera pensado: «Mateo no está solo».

* * *

El día 31 de diciembre, cumpleaños de Ignacio: veinte. David y Olga fueron a visitarle a su casa y se encontraron con mosén Alberto. Pero la entrevista fue cordial. Se habló de la nieve. En cuanto el sacerdote se despidió, entró Mateo y se vio a Pilar meterse azorada en su cuarto y salir al cabo de unos minutos con los labios ligeramente pintados.

Olga se reía mucho con Pilar. La encontraba muy femenina. Hablaron del año que acababa de transcurrir. ¡Cuántas cosas habían ocurrido! ¿Qué les reservaría a todos el próximo 1935?

Los maestros espiaban todos los movimientos de Mateo. Ignacio les había dicho de él: «Tiene un admirable dominio de la voluntad, comparable al de César». David había replicado: «Terrible época, en que las místicas brotan como setas».

Olga, oyendo a Mateo, sacó la conclusión de que el muchacho era un hombre casto. Se lo notó en los ojos y en los labios, que era lo único que a veces le temblaba de su figura. Mateo se despidió muy pronto, pues quería ir al cine con su padre. Al separarse de los maestros, les dio una tarjeta que los dejó estupefactos. «Mateo Santos, víctima del pecado original. Gerona.»

—Yo creía que los falangistas no tenían sentido del humor —comentó Olga.

Carmen Elgazu y Matías salieron a hacer una visita de cortesía, tradicional, al jefe de Telégrafos, quien se mostraba siempre muy amable con ellos. Y al quedar en el comedor, solos, Ignacio, Pilar, David y Olga, el primero se puso repentinamente serio. Volvió a pensar en que había transcurrido otro año y en que Canela le esperaba, a pesar de la festividad. Se sintió desasosegado y le dijo a Pilar: «¿Quieres prepararme otro café?»

De pronto, viendo que los maestros estaban silenciosos, jugando con migas de pan que habían quedado en la mesa, les preguntó:

—Perdonadme una pregunta... aunque sea algo intempestiva. Pero, como en la cárcel habéis tenido tanto tiempo para reflexionar...

Olga levantó la vista. Conocía a Ignacio y esperaba algo fuera de lugar.

—Habla, habla. ¿Qué te pasa...?

—¿Creéis...? —continuó Ignacio—. ¿Creéis... que el hombre es portador de valores eternos?

David le miró con fijeza. Olga se alisó los cabellos, con ademán habitual.

—¿Por qué preguntas eso? —dijo David.

Ignacio se encogió de hombros.

El maestro añadió:

—Me parece que ya en San Feliu se habló del asunto.

—Sí, ya lo sé.

Olga repuso:

—Por desgracia, el hombre... En todo caso es la sociedad la que...

—¿La sociedad?

—Sí. La que va transmitiéndose ciertos valores.

Pilar llegó con el café.

Poco después, los maestros se fueron. Ignacio entró en su cuarto y se peinó.

—¿Vas a dejarme sola? —preguntó Pilar, acercándose a la puerta del cuarto.

—Sola, no —contestó Ignacio—. Te dejo con tu Diario.

Salió y tomó la dirección de la buhardilla. Estaba excitado. ¿Por qué los maestros hablaban siempre de la sociedad así, en abstracto? ¡Con el trabajo que le costaba a uno ser un hombre!

«Canela, Canela... —De repente pensó—: ¿También Canela es portadora de valores eternos?» Mateo había dicho: «Todo el mundo; incluso Julio García».

¡Psé! Ahora le parecía que aquella idea tenía, en efecto, cierta grandiosidad.

Fin de año. ¡Cuánto frío! Ignacio, al respirar, despedía por las narices el consabido vaho, como los demás transeúntes. El vaho que en el establo de Dios, según los villancicos, despedían el asno y el buey.

Los tres Reyes caminaban en dirección a este establo. Él caminaba hacia la buhardilla. Tres Reyes. Los veía deslizarse por la superficie del agua del río. Uno, dos, tres... Una estrella los guiaba, como la del comandante Martínez de Soria, como la que él había dejado prendida en los barrotes de su cama.

CAPÍTULO XXXIX

—La teoría de José Antonio está clara. El 7 de diciembre de 1933 precisó su pensamiento.

»El obstáculo con que tropieza España es su división, que la República acrecienta por todos los medios a su alcance. España se encuentra dividida por: primero, separatismos regionales. Segundo, las pugnas entre los partidos políticos. Tercero, la lucha de clases. Siempre el número tres. El mundo está lleno de trinidades. Trinidades del bien: fe, esperanza, caridad; Gaspar, Melchor, Baltasar... Trinidades del mal: Masonería, Judaísmo, Comunismo...

»Falange, que aspira a la unidad, intenta unir a todas las regiones en un destino común, no en destinos antagónicos, a todos los ciudadanos españoles en un frente común, ni derechas ni izquierdas; a todos los productores españoles, patronos y obreros, en una labor común, no sujetos a intereses opuestos.

»Al servicio de ellos, el Estado. Los intermediarios entre el individuo y el Estado no serán los partidos políticos, creaciones artificiales, puesto que nadie nace miembro de un partido: serán las realidades implícitas en el nacimiento del hombre: la familia, el Municipio, el oficio o profesión.

»Falange considera que el hombre es libre, pero no para lesionar los intereses de sus hermanos. En consecuencia, cree en la autoridad, la jerarquía y el orden, otra Trinidad. Falange cree en la supremacía de lo espiritual, y con ello se eleva por encima del más perfecto de los socialismos. Aspecto preeminente de lo espiritual es lo religioso. Religión que considera verdadera: la Católica. Por su sentido de Catolicidad, de Universalidad, ganó España, al mar y a la barbarie, continentes desconocidos. Ni el Estado asumirá directamente funciones religiosas, ni permitirá intromisiones de la Iglesia con daño posible para la dignidad del Estado.

»Esto es lo que quiere Falange Española. Ser fiel a la tradición de España, unir a todos los españoles y proyectar su luz espiritual al mundo. Todas las demás concepciones de España son chatas, importadas de sociedades secretas enemigas, que han elegido el camino fácil de la promesa. Los anglosajones, primero, descompusieron nuestro imperio geográfico —América, Filipinas, Gibraltar—; ahora pretenden hacer lo propio con nuestra herencia espiritual. En nombre de una civilización mecánica superior a la nuestra, pretenden hacernos olvidar que suministramos al Imperio Romano un tercio de sus valores —Trajano, Adriano, Séneca, Prudencio, Marcial, Lucano, Juvencio, etcétera—; que las huellas que Grecia, Roma, el Islam y el Cristianismo imprimieron en nuestro espíritu nos capacitaron para crear veintidós naciones, legándoles una lengua y una religión, y que nuestra fuerza, nuestra filosofía y nuestra razón de ser radican en la Fe y en la creencia en el hombre. Los soviets son más agudos y han condenado la cíclica teoría mecánica y pretenden imponernos la evolución de la Materia en sentido lineal, de menos a más: átomo, molécula, célula viviente, planta, hombre, sociedad. Pero de una manera ciega y sin finalidad ultraterrena. La Falange rechaza unos y otros y cree en Dios y en el cielo. Para conseguir esta victoria llama a una cruzada a los españoles. Exige de ellos disciplina y peligro, espíritu, no militar como creéis, sino guerrero. Todo ello con alegría. Falange no empleará nunca la violencia como medio de opresión; ahora bien, la considera lícita cuando el ideal lo justifique, aunque ello horrorice al profesor Civil. La justicia, la Patria, la razón de ser de la raza serán defendidas por la violencia cuando por la violencia —o por la insidia— se las ataque.

»Yerras condenándonos por anticipado. Deberías meditar sobre nosotros. En el fondo tu drama consiste en que ningún programa de los que tienes a mano llena tu juventud. ¡Cómo van a llenarte! Cuando Falange dice que no cree en los programas, sino en las doctrinas, quiere decir que nada serio en la tierra ni en el mar se ha hecho con un programa preciso. Si la doctrina es clara, el programa brota luego por sí solo. "Al principio era el Verbo, y el Verbo se hizo carne." La doctrina de Colón era que al otro lado del mar había tierra: el programa... lo estableció al desembarcar. Los amantes no redactan jamás un programa de los abrazos y besos que se darán: el amor es su doctrina. Falange no concreta todavía los puentes que construirá: de momento llama a los españoles a la unión. Pero, por si alguien se opone, hacemos guardia con espadas.»

La nieve había desaparecido. La lluvia la había barrido, decapitando de nuevo el ángel de la Catedral. La lluvia había barrido incluso el frío. Ignacio fumaba. Hubiérase dicho que fumaba con fruición. Los porches de la Rambla estaban solitarios; sólo él y Mateo los medían de una a otra punta, las solapas levantadas, deteniéndose de vez en cuando y haciendo resonar sus zapatos. Pilar los había entrevisto un momento y había pensado, como Marta de sus hermanos: «Son dos hombres serios».

Ignacio sonrió. Dio una gran chupada a su cigarrillo. Una vuelta entera bajo los porches, en silencio. Una gran claridad mental le invadía y al mismo tiempo ganas de hablar.

—Bien, muy bien. Hablas como los ángeles. Ahora empiezo a pensar: tal vez ganes adeptos. ¿Puedo contestar? Imitaré tu estilo, aunque me parece algo pomposo. Pues bien, el socialismo también está claro. También yerras, por tu parte, condenándolo por las buenas. Me refiero al socialismo occidental, para llamarlo de algún modo, pues el socialismo comunista es otro cantar. El socialismo de que hablo, pues, cree que España es una nación muy digna, como cree que lo son Francia, Inglaterra o Suecia; ahora bien, niega que España sea algo excepcional, predestinada a mejores cosas que Francia, Inglaterra o Suecia. Todos los orgullosos le dan miedo, y considera que de la exaltación nacional a la guerra hay un paso. Es un socialismo, ¿cómo lo diría yo?, más humilde que tú y tus amigos, y que por otra parte no cree conseguir jamás que todos los habitantes de un territorio piensen de la misma manera; así que no aspira al tipo de Unidad Nacional que proclamáis; se contenta con aspirar a que a nadie le falte lo necesario, a que todo el mundo reciba una educación, a que todo el mundo encuentre un trabajo adecuado, pueda tener descendencia y la vejez asegurada. Separatismo, yo estoy en contra. Clases, siempre las habrá. Tú y yo seremos abogados, los del Banco y los canteros continuarán con sus plumillas y con sus barrenos. De lo que se trata es de que los abogados no lo tengan todo y los canteros nada. Los partidos políticos ¿cómo eliminarlos? Sólo es posible creando uno solo, más despótico que las luchas entre los demás. No todo el mundo que figure en él será sincero; de modo que, una vez más, la Unidad será ficticia. El socialismo no rechaza la familia; al contrario la protege de una manera especial, protección tanto mayor cuanto mayor sea el número de descendientes. Tampoco rechaza el Municipio; al contrario, pretende un tan perfecto aprovechamiento de sus recursos que no sólo se baste a sí mismo, sino que contribuya a un fondo común de reserva. Y en cuanto a los Sindicatos, me ha parecido comprender que vosotros los concebís independientes. Excelente sistema para que los obreros se encuentren solos frente a sus amos, sin el apoyo de sus compañeros de otros oficios, lo cual constituye su fuerza. Hay algo que falla en todo esto, y me parece que es una de las trinidades que se te olvidó citar: egoísmo, imposición, guerra. Al no poder los humildes elegir, y, sobre todo, destronar a sus representantes, la clase privilegiada queda automáticamente creada, como muy bien demuestra David. Su impunidad los convierte inmediatamente en déspotas, sobre todo en un país de tanta personalidad individual como el nuestro; y en cuanto a la empresa común, ¿qué puede ser sino invadir el país vecino? Porque, para lo interno, no hace falta tanta charanga. A menos que tal empresa sea la creación de ese Estado-Dios de que hablas, superior a la mismísima suma de los intereses de los ciudadanos. ¡Todos sacrificados en nombre de una abstracción! Tampoco veo claro lo de los intermediarios... Los diputados tienen defectos ¡cómo no! A veces incluso disparan desde el ojo de una cerradura. El Parlamento da vueltas sobre sí mismo. ¿Qué propones? ¿Un dictador? Un error de éste es mucho más fatal. ¡Pobre España, cansada de reyes sifilíticos! La idea central es que pretendéis abarcarlo todo, lo económico, lo intelectual, lo religioso, etc. Esto os obliga a inmensas síntesis, que en la práctica se fundirían como las planchas eléctricas del profesor Civil. El socialismo pretende de momento exterminar la miseria, conseguir un nivel medio decoroso: luego se verá. Imposible hablar de Trajano y de Séneca a los estómagos vacíos. El socialismo, en principio, no se opone a la libertad espiritual y religiosa que os dé la gana; si en la práctica surgen complicaciones, es porque abandonáis a su antojo a los extremistas, lo cual equivale a aumentar la carga de pólvora del enemigo. Sobre la tradición hay mucho que hablar. La gente está cansada de que en nombre de la conservación del folklore jerezano, del sepulcro del Cid y demás, se conserven también las posesiones de los potentados andaluces. Y por otra parte encerrarse en la cáscara de un país pobre de recursos como el nuestro, es suicida. Sería grotesco no comprar tractores a Europa y América so pretexto de que Viriato araba con la azada. Y que otras naciones quieran mandar tractores no significa que atenten contra nuestro imperio racial, aparte de que la palabra Imperio me hace mucha gracia cuando el bar Cataluña está lleno de obreros sin trabajo, sin contar con los del café Gran Vía. España recibió muchas influencias, es cierto. A ti te parece que esto nos ha beneficiado; a mí me parece que nos armamos un taco. ¿Qué ocurre si se hereda lo peor? De Grecia, no sé si nos queda algo, aparte las ruinas de Ampurias. De Roma, el acueducto de Segovia y la tendencia de algunos magnates a celebrar varias orgías al año. De los árabes, la sana costumbre de que las mujeres apenas sepan leer. En fin, ¿para qué continuar? Se expulsó a los judíos y aquí estamos, con provincias enteras que no han prosperado desde el año 1492. Se cerró el paso a la Reforma y aquí estamos, con «La Voz de Alerta» diciendo a los militares: «¡Duro con la plebe!» Evolución cíclica o lineal, no entiendo una palabra. Esto forma parte del programa, y según tú no hay que pensar en él... Aunque no comprendo que se pueda hacer una excursión sin explicar de antemano: «Se sale a las ocho de tal sitio y vale tanto». Y desde luego Colón llevaba consigo una brújula. Sí, vuestra cruzada es magnífica; pero no se sabe adónde va ni a quién hay que rescatar... Exigís disciplina, peligro y alegría. En otras palabras, morir cantando. ¿Para qué? Hace muchos años que aquí la gente muere cantando, y sobre todo cantándoles después de muerto. Ahora lo que la mayoría quiere es cantar en vida, como los del Orfeón. No concretáis los puentes que habrá que construir; supongo que lo que pasa es que no sabéis los ríos que bajan, ni el ruido que arman a su paso. Hacer guardia con espadas, me parece muy bien. El comandante Martínez de Soria te dará lecciones, sobre todo ahora que sus hijos están aquí... Usaréis la violencia —sin pensarlo mucho— si se ataca a la Patria. ¡Válgame Dios, todo será la Patria! El Cerebro Único, el Partido, el Gremio, la camisa azul. La menor palabra será atentar contra la Patria. ¡Zas! Porrazo. Esto sí podría llenar mi juventud. Llenarla, desde luego, de cardenales.

Los ojos de Mateo rodaban, lentos, por los porches, por el suelo, por la desierta Rambla. Cada vez que pasaban frente al Neutral las luces del interior los deslumbraban y sentían sobre sí las miradas de Murillo, fumando aburrido, de Antonio Casal, tipógrafo de *El Demócrata;* de Ramón, el camarero, que no cesaba de interrogar a los detenidos sobre sus aventuras en la cárcel. Mateo comprendió que tenía a su lado a un muchacho bien aleccionado, con dialéctica de tipo racionalista, de difícil penetración. ¿Cómo demostrarle que el retórico era él, que en el preciso momento en que consideraba que los obreros debían unirse para luchar, consentía que el abismo de clases se prolongara y fuera cada vez más feroz, en tales condiciones que el triunfo de unos no se produciría sino a costa del aplastamiento de los otros? ¿Cómo convencerle de que la lucha de clases no era inevitable, de que, situando por encima de los intereses particulares el interés común, la Producción Nacional, patronos y obreros se sentirían copartícipes y podrían formar, junto con los técnicos, una fraternal comunión? ¿Y quién le había dicho que la unidad era imposible de alcanzar? Cuando una trompeta anunciaba: «La independencia de la Patria está en peligro...», todo el mundo abandonaba su hogar y tomaba las armas. Se trataba, pues, de dar este toque de trompeta, de convencer a los hombres de las fábricas y de los campos de que si bien no habían entrado por los Pirineos tropas con cañones, habían entrado otras más peligrosas aún. Atentaban contra la independencia de España por medio del ateísmo, del determinismo, de un socialismo económico que serviría de trampolín. ¿Y quién le había dicho que de la herencia griega no quedaban sino ruinas y de Roma sólo un acueducto, del Islam unas cuantas mujeres analfabetas y del Cristianismo poca cosa? Pilar tenía un cuerpo completamente romano; César, a lo que contaban de él, un espíritu digno de los mártires de Diocleciano, como San Vicente o San Severo, o los santos Justo y Pastor, o el propio San Félix de Gerona. Matías Alvear demostraba con frecuencia una serenidad perfectamente helénica; Carmen Elgazu era un compendio de todas estas virtudes; los árabes habían legado a España un sentido del ritmo y de la austeridad, palabras tan hermosas como alféizar e instituciones tan originales y humanas como el vigilante nocturno, el sereno. Su parrafada socialista era atrayente... Era muy fácil decir que el patriotismo conducía a la guerra. Inglaterra exportaba esta teoría a las demás naciones; y mientras tanto ella se apoderaba de Gibraltar. Era iluso transformarse en cordero por consejo del lobo. Por lo demás... en la práctica la teoría de no desear más que una Clínica de Maternidad, una escuela limpia y trabajo asegurado y vejez tranquila tenía sus espeluznantes quiebras. Porque... los minutos eran lentos en el corazón del hombre. Había que vivirlos uno tras otro, sin remedio. Ya se lo dijo una vez. Al hombre esto no le bastaba y si no se le ofrecía un ideal patriótico o religioso, se buscaba otros, porque el espíritu era exigente, tendía a lo grande. Y entonces o se hacía comunista, como Cosme Vila, o se embrutecía como los que jugaban al julepe en el Cataluña. Lo terrible del socialismo era eso; que, enarbolando unos billetes a la semana y unas clínicas, convencía al mundo de que las ideas de Dios y Patria eran supersticiosas, y que sin ellas se podía vivir perfectamente. Pero luego llegaba el corazón del hombre, creado para amar, y demostraba lo contrario. ¿No veía lo que le ocurría a Julio? Buscaba saciar su sed en otras fuentes. Lo mismo que el Responsable, que el doctor Rosselló. Y entonces ocurría que gentes que hubieran rehusado alistarse en la Legión para reconquistar Jerusalén, tomaban las armas para declarar independiente a Cataluña. El socialismo sacaba a flote a los mediócres. Era indispensable esa *élite* dirigente, que tanto le asustaba, para canalizar las energías disponibles de la masa hacia algo que valiera la pena. En fin, era mejor no continuar aquella conversación. Podría contestarle a los demás puntos; pero tiempo habría. Había empezado el nuevo año. Uno de enero. 1935 sería, tal vez, decisivo para España. Lo importante era que aquellas diferencias no enturbiaran la amistad. Eran dos muchachos de la misma edad, sus padres fumaban el mismo tabaco, ellos estudiaban los mismos libros y deseaban el bien. Los platos que Orencia cocinaba en su casa habían surgido de recetas dadas por Carmen Elgazu. Si uno tenía el retrato de José Antonio en el despacho, y el otro el de... ¿de quién? ¿De Besteiro, de Largo Caballero...? —no quería volver a las andadas, pero que comparara los rostros...— pues, eso no tenía nada que ver... de momento. Algún día se alinearían juntos. En el fondo, la lucha era la de los mecheros. Mechero de gasolina —progreso socialista—; mechero de pedernal —ya usado por Viriato—. Cuanto más se elevaba el hombre —campanario de la Catedral— cuanto más en contacto con los elementos —viento—, mejor quedaba demostrado que el mechero de yesca era el más eficaz. Ahora, de momento, lo que tenían que hacer era encender un pitillo... cada uno con su mechero.

Ignacio parecía de mal humor. Volvió a levantarse las solapas del abrigo, que con la discusión se le habían doblado, y súbitamente dominado por una extraña fatiga, se despidió. Cruzó la Rambla y entró en su casa.

CAPÍTULO XL

Barcelona, 27 de diciembre de 1934.
Querido Ignacio:
Que cumplas veinte años y muchos más, que seas muy feliz. Supongo que ya estás hecho un abogado. Siempre leo las noticias de Gerona para ver si me entero de algo, si te nombran alcalde o algo así.

Yo he vuelto a ponerme moños, para ver si me contestas. Y continúo viviendo en Muntaner, 180. Felices Pascuas. ANA MARÍA.

Seminario de Nuestra Señora del Collell, 26 de diciembre, día de San Esteban.
Queridos padres y hermanos:
Son fiestas muy grandes para que deje de escribirles. Aquí la nieve ha cubierto el Seminario, la tierra y los bosques. Desde la celda veo los árboles inmóviles. Se diría que se han recogido para cantar al Señor.

Sobre todo a Ignacio, en su cumpleaños, le abrazo con todo mi corazón. Deseo para él toda suerte de bendiciones. Que el cielo le proteja, que le dé eficacia, que sea feliz.

¡Cómo los quiero a todos! Pilar, supongo que por encima del abrigo de entretiempo llevarás otro más sólido... ¡Padre, gracias por los turrones! A mi madre, no sé qué decirle. La quiero tanto, que no sé qué decirle. Sólo que Dios la bendiga, una y mil veces.

Escribo a Bilbao, a San Sebastián, a Burgos, a Madrid. No dejen de rezar por mí. Suyo en Cristo, CÉSAR.

Madrid, 24 de diciembre de 1934.
Querido primazo:
Veinte años y vas que chutas. Un abrazo. Supongo que estás hecho un cura, con tanta Navidad y tanto Tribunal y tanto periódico de la CEDA. ¿Cuándo te casas? ¿Todavía aquella flor de mayo, la del abo-

413

gado? A lo mejor voy por ahí a haceros una visita. En Madrid todos bien; mi padre también te abraza. Ya ves qué triste papel hicieron los comunistas en octubre. ¿Y tu amigazo, el de la tortuga? ¿Escurriendo el bulto? Supongo que todavía eres virgen... A menos que la de los brazaletes te haya espabilado. Por aquí los fascistas se meten en nuestras tertulias. Se va a armar la gorda. ¡A ver si escribes! Saludos a todos. No le cuentes a tu madre que los frailes madrileños dan bombones envenenados a los alumnos... No se lo creería. Supongo que Pilar estará... como para comérsela. Bueno, que te vaya bien. Un abrazo a Matías. Estamos más secos que un poste, pero vamos tirando. Tu primo, JOSÉ.

Ignacio se acostó después de leer y releer las tres cartas. Le dolía la cabeza; la discusión con Mateo le había agotado.

Durmió con pesadez, tapada la cabeza, hasta las seis.

A las seis despertó bruscamente. Sacó la cabeza de entre las sábanas. Le había parecido sentir una punzada en el bajo vientre. Permaneció inmóvil un instante, auscultándose. La habitación estaba a oscuras. Otra punzada. Se hubiera dicho que una vida secreta había penetrado durante el sueño debajo de las mantas y que atacaba su centro.

De pronto le asaltó un temor. De un brinco se sentó en la cama y encendió la luz. Conteniendo la respiración dio un tirón a las sábanas: en el centro de ellas se extendía una mancha de pus.

CAPÍTULO XLI

También Julio visitó a los Alvear. Y a la salida se había dirigido a la calle del Pavo, a la Logia. La primera reunión desde que había sido puesto en libertad. Cada miembro tenía su llave, de modo que abrió por su cuenta la puerta de la escalera. Subió al primer piso y entró. Todos los Hermanos le esperaban en el Atrio, donde se hallaba una mesa con el Libro Registro.

El coronel Muñoz, alto y esquelético, al verle, sin perder un instante, firmó en el libro, se puso los guantes blancos y se dirigió a la pieza contigua, al Taller. Todos le imitaron. Julio con guantes blancos parecía un gran señor, algo irónico, de sutiles intenciones. Cada uno se colgó del cuello su mandil, símbolo del Trabajo —Mandil de babero levantado en los grados de Aprendiz y Compañero, liso en el grado de Maestro—. Los Maestros eran el coronel Muñoz, el comandante Campos y un desconocido, que exhibía cordones azules.

El coronel Muñoz se dirigió al fondo semicircular de la pieza —Oriente—; subió los tres peldaños y se instaló en el sillón presidencial —Venerable— ante una mesa en la que se veían un candelabro de tres brazos, el martillo de ritual, una escuadra, las Constituciones Masónicas y un pequeño puñal reluciente. Julio recordó muy bien cuando, en el ceremonial de recepción, la acerada punta de este puñal tocó su piel, exactamente en el lugar del corazón, y una voz solemne le conminó a guardar los secretos de la Logia, so pena de «ver su cuello cortado, su lengua arrancada del paladar, el corazón echado a las arenas del mar en un sitio que el mar cubriera y descubriera dos veces al día, y su cuerpo reducido a cenizas y las cenizas dispersas en la superficie del suelo». A la derecha del coronel Muñoz tomó asiento el comandante Campos, siempre de mal humor, y a su izquierda el desconocido de los cordones azules. Frente a ellos, en un paralelogramo trazado con yeso en el suelo, se instalaron, en simples sillas, a la izquierda, los Aprendices: director del Banco Arús, doctor Rosselló, Antonio Casal; a la derecha, los Compañeros: Julio García, arquitecto Ribas, arquitecto Massana, y otros hermanos hasta el número de trece.

El templo, de forma rectangular, era modesto; sin embargo, los arquitectos decoradores Massana y Ribas lo habían dotado de cuanto prescribía la Ley. Dos columnas a la entrada, simbolizando las dos que sostenían el Templo de Salomón. La de la izquierda, columna JAKIN, «fuerza activa», principio masculino, fecundante; la de la derecha, columna BOAZ «en la fuerza», principio femenino, fecundado. Las paredes pintadas de azul, el techo representando la bóveda celeste y estrellada, con el Sol naciente y la Luna menguante. Un cordón a modo de friso daba la vuelta al Templo, simbolizando la unión entre todos los Hermanos masónicos del mundo. Tres ventanas —Oriente, Mediodía y Occidente—, pues si los Aprendices vivían aún en la oscuridad, la presencia de Compañeros y Maestros justificaba la entrada de luz exterior.

En la pared presidencial, sobre la cabeza del coronel Muñoz, los arquitectos Massana y Ribas habían trazado un triángulo. Un ojo en el centro de este triángulo simbolizaba la Conciencia que dirige, la Prudencia que observa y prevé, el Bien que fija el Mal para vencerle. En el suelo, en la parte izquierda del paralelogramo, ocupada por los Aprendices, habían sido dibujados un martillo —principio activo—, un pedazo de piedra bruta —principio pasivo— y un cincel. En la parte ocupada por los Compañeros, sólo un martillo y un cincel: la piedra bruta ya no era necesaria. En el centro, un compás, una regla y multitud de lágrimas rojas rodeando el ataúd de Hiram, mártir en la construcción del Templo de Salomón.

El martillo del coronel Muñoz declaró abierta la reunión, que no era solemne ni mucho menos. No se iniciaba a ningún miembro, nadie recibía un grado superior. Simplemente se celebraba la liberación de los H... Julio García, Massana y Ribas —Compañeros— y a su vez éstos deseaban mostrar su agradecimiento por la solidaridad de que la Logia les había dado pruebas. Otro importante motivo de la reunión era la presentación a la Logia, del H... Maestro don Julián Cervera, nuevo Comisario en la provincia de Gerona.

Julio García, al oír estas palabras, quedó estupefacto. Que el Comisario nombrado a raíz de los hechos de octubre fuera masón, con grado de Maestro, le pareció algo magnífico, de buen agüero, lo mismo en el terreno individual que en el de la ciudad, e indiscutiblemente un gran triunfo de la Hermandad.

Miró al desconocido, quien se levantó cruzando su mano sobre el pecho. Era un hombre de unos cincuenta años, de rostro grave, cejas muy negras, cabellera poderosa, sin una cana. Traía el saludo de los H... de Madrid, Logia «Ayerbe», y esperaba colaborar con sus H... de Gerona, Logia «Ovidio», para el establecimiento de los ideales de igualdad, progreso y cultura en toda la Humanidad. El nombre «Ovidio» de la Logia de Gerona le había conmovido, pues precisamente era uno de los convencidos de que la creación de la masonería especulativa se remontaba a una edad mucho más remota que el mito de Hiram y la construcción del Templo de Salomón, a su entender su origen alcanzaba los primitivos mitos solares y desde luego la virgiliana *Eneida* y *La Metamorfosis* de Ovidio. Procuraría hacerse digno de la estimación de todos y cada uno, y orientar la noble Gerona y su provincia de acuerdo con los postulados que se le dictasen. Se congratulaba infinitamente de contar con el apoyo del H... coronel Muñoz, antiguo amigo, y los invitaba a todos al banquete de ritual, que había de celebrarse en el Atrio y que podía fijarse para el día de Reyes.

Uno a uno, los H... fueron levantándose y dándole la bienvenida. El último fue el coronel Muñoz, quien tuvo a su cargo el elogio del H... recibido. El coronel Muñoz sabía que en las grandes Logias se consideraba al H... Julián Cervera sumamente experto en cuestiones de ritual, escrupuloso hasta el máximo. Así que él temblaba ante la idea de que el H... recién llegado prestara demasiada atención al Taller de la Logia de Gerona. Probablemente hallaría alguna inconveniencia, algún detalle heterodoxo. Por su parte, estaba dispuesto a aceptar todas las sugestiones. ¿Compás abierto o cerrado; orientado hacia Oriente o hacia Occidente? El Templo era simple, ya lo veía. Candelabro de tres brazos, tres ventanas, paralelogramo trazado con yeso en el suelo, a falta de alfombra, demasiado costosa...

El H... Julián Cervera sonrió y dijo «que no tratándose de ceremo-
ial de recepción de candidato, ni fúnebre, ni de reconocimiento conyu-
al, ni de inauguración de un Templo, todo estaba bien, muy bien.
Únicamente, tal vez faltase, al oeste del ataúd de Hiram, la calavera y
lgo más a la izquierda dos tibias en cruz; y desde luego echaba de
nenos, esto sí, sobre la mesa, junto a las Constituciones, la Biblia,
bierta por el Evangelio de San Juan. Cierto que él se inclinaba más
acia el ritual inglés, actitud perfectamente discutible».

Al parecer el H... Julián Cervera tenía creencias religiosas. Sin em-
argo, su tono causó buena impresión y el coronel Muñoz prometió es-
udiar todo aquello en la reunión primera del próximo mes, que sería
la vez la primera de 1935.

La conversación se generalizó, en tono amistoso. Cada H..., al tomar
a palabra, se levantaba. Uno de ellos estaba furioso por dentro ante la
erspectiva de la Biblia y el Evangelio de San Juan: Antonio Casal,
pógrafo de *El Demócrata*. Era un chico joven, casado y con tres hi-
os, fanático de la lectura, que se había tragado bibliotecas enteras. Era
n gran teórico, era el Orador de la Logia. No creía ni en la Leyenda
e Adán ni en la existencia de los profetas ni en la de Cristo; mucho
nenos, pues, en la de San Juan. Difícil no creer en la Biblia y entrar,
ntre Jakin y Boaz, en el templo de Salomón. Pero es que tampoco
eía en Salomón. Era muy exaltado. Tenía una cabeza alborotada y
s manos nerviosas. Se parecía un poco a David. Era el H... de condi-
ón más humilde entre los presentes. Por ello era el único al que los
uantes blancos le sentaban mal, muy mal. Hubiérase dicho que aca-
aba de hacer la Primera Comunión. El día de la recepción, tanto
retó con su pecho desnudo contra la afilada hoja del puñal, que le
lió sangre. Julio García insistía en que una de las lágrimas de sangre
e rodeaban en el suelo el ataúd de Hiram había brotado del pecho
l tipógrafo.

Se habló de los problemas creados en Gerona por los recientes acon-
cimientos. A todos les pareció un gran triunfo la muerte del coman-
nte Jefe de Estado Mayor, hombre reaccionario hasta el máximo.
dos se alegraron de la posibilidad de que pronto fuera destinado a
rona, en calidad de Jefe Militar de la Plaza, el general Fernández
npón, H... destacado de la Logia «Ferrer y Guardia» de Madrid. En
plano de las actividades, lo más urgente era la reapertura de los
cales izquierdistas, ahora bajo la consigna de Unidad, de Bloque Co-
ín. El Responsable continuaba siendo persona grata, si bien el mito
Joaquín Santaló debía ser arrancado de manos de los anar-
istas. También era persona grata Cosme Vila. *El Demócrata* debía
ar ocho páginas y no seis. El H... Venerable —coronel Muñoz—, em-

presario de cines, debía intensificar la proyección de documentales cien
tíficos. El H... Rosselló, director del Hospital, debía oponerse a que
fuera mejorada la subvención oficial mientras las derechas estu
vieran en el poder; y por último, era preciso que el H... Julio García
volviera a tomar posesión de su cargo, en Comisaría, para ayudar e
su labor al H... Julián Cervera. Se cursarían las peticiones a Madri
en este sentido, aunque tal vez fuera preciso esperar unos meses hast
conseguirlo.

El clima era de optimismo. El tipógrafo habló contra el notari) N
guer, de quien se rumoreaba que iba a ser nombrado alcalde, contr
«La Voz de Alerta», contra el comandante Martínez de Soria. Denunci
la presencia en Gerona de Mateo Santos, hijo del director de la Taba
calera, llegado para fundar la Falange en la ciudad; el H... corone
Muñoz sonreía. Personalmente, no temía nada. Creía que se había dad
un gran paso. Poco a poco se irían tomando posiciones, alcanzando l
Unidad requerida. La Falange, no haría más que provocar una san
reacción. Por lo demás, ¿qué podían hacer? Ni siquiera sabían apr
vechar las circunstancias favorables creadas por el fracaso moment
neo de la revolución.

Todos se rieron por el tono amistoso que empleó el coronel Muño
Todos amaban aquellas paredes azules, aquella bóveda estrellada;
cada uno intentaba reconocerse en uno de los nudos del cordón negr
que daba la vuelta a modo de friso. Al director del Banco Arús
hipnotizaba el triángulo suspendido sobre la cabeza del coronel M
ñoz; a Julio García, el ojo del centro. El policía hubiera llevado a
Logia, muy a gusto, la tortuga, para que recorriera el paralelogram
durmiéndose de vez en cuando en el ataúd de Hiram.

Los arquitectos decoradores Massana y Ribas gozaban de lo lind
La evocación de aquellos muros tenía gran influencia sobre el esti
arquitectónico que intentaban imponer en la ciudad. Llegaría un m
mento en que en toda Cataluña, en el mundo entero, imperarían l
rectángulos, las líneas sobrias. Llegaría un momento en que, a la ciud
horizontal, deshabitada —dispersión—, se impondría la ciudad ver
cal: unión. Para vivir se mordería el espacio, dejando la tierra pa
ser labrada y para arrancarle sus tesoros ocultos. De momento, des
que habían salido de la cárcel, en la Gerona moderna debían levant
dos enormes edificios; y acaso los hermanos Costa se decidieran p
un tercero, si uno de ellos se casaba, como daba a entender.

Otro de los amantes del Templo era el doctor Rosselló. Cuando
colgaba el mandil y se calzaba los guantes blancos, le parecía que ést
eran de goma y que se disponía a operar sobre el cuerpo social.

Todos amaban el Atrio, el Templo, la calle del Pavo. Las tres ve tanas no daban a ninguna parte. La escuadra y la regla simbolizaban el derecho, el compás y la medida. El «francmasón debe entregar su vida entera al trabajo». Todos trabajaban, cada uno en su puesto. Gerona era el taller, el cuerpo. Podía delatarse a «La Voz de Alerta», al comandante Martínez de Soria, a mosén Alberto, al notario Noguer, a Mateo Santos. Incluso a don Pedro Oriol. Incluso a Bernat, fabricante de imágenes y jugador de bochas; nadie delataría al Hermano. Podía delatarse a Joaquín Santaló; nadie al Hermano. So pena de «ver su cuello cortado, la lengua arrancada del paladar, el corazón echado a las arenas del mar en un sitio que el mar cubriera y descubriera dos veces en un día, y su cuerpo reducido a cenizas y las cenizas dispersas por la superficie del suelo».

CAPÍTULO XLII

Mateo había elegido el camino más recto para entrar en contacto con los hijos del comandante Martínez de Soria. Se había presentado en casa de éste, fue recibido por los dos muchachos y les dijo: «¡Arriba España! Mateo Santos, de la Falange de Madrid». El carnet dio fe de sus palabras.

Un detalle llenó de gozo a los tres: jamás se habían visto, y a los cinco minutos parecían hermanos. Idénticos puntos de vista, idéntica concepción del mundo. Charlaron durante mucho rato, le presentaron a Marta, luego salieron a visitar la ciudad.

Mateo los puso al corriente de su situación personal. Hijo del director de la Tabacalera, no hablando catalán, su labor sería penosa, sobre todo en una provincia separatista que había metido en la cárcel trescientas personas y sacrificado a un diputado. De momento, no veía a nadie a quien acudir. Únicamente su hermano, desde Cartagena, acababa de mandarle un nombre: Octavio Sánchez, empleado de Hacienda. Al parecer era un chico andaluz, simpatizante, que llevaba tres o cuatro meses en Gerona. Mateo opinaba que Cataluña era un hueso.

Fernando Martínez de Soria, que disponía de un vozarrón desproporcionado a la delgadez de su cuello, dijo que, a pesar de eso, Falange en Barcelona respondía bien. Eran pocos, pero muy inteligentes y eficaces. Y además, muy valientes. «En ciertos aspectos, nos dan lecciones a los castellanos.» Los falangistas de Barcelona habían sido los primeros en apoyar la idea de fusionar Falange con las JONS, lo cual constituyó un gran acierto. Ahora, con la incorporación de estos obreros, que por cierto demostraban un entusiasmo sin límites, los cuadros quedaban mucho mejor definidos. «Con eso ya, si quieren continuar aplicando a Falange el mote de *señoritos* no les queda otro remedio que decir que pagamos una mensualidad a estos camaradas.»

Mateo estaba al corriente de aquello, y pensaba desde luego ponerse en contacto con las Escuadras de Barcelona. Tenía las señas del Jefe J. Campistol; se las habían mandado de Madrid. Pero le preocupaba Gerona. «¡Era una ciudad tan complicada!» De un lado españolísima arquetipo casi, con su obispo siempre alerta, capacidad emotiva, conventos, chicas guapas, gran riqueza mental, cuarteles insalubres, amor propio; en otros aspectos inabordable. Ya se lo dijo: catalanista, empezando por los curas. Insensible a las grandezas de España: sin darse cuenta, preferían influencias que ellos llamaban europeas y que Dios sabe de dónde habían salido. Comerciantes por naturaleza, no avaros pero dándoselas de saber administrar. Al oír las palabras peligro, sacrificio, dar la vida, etc..., reaccionaban violentamente: «Aquí quijotes no». Y luego a lo mejor lo eran más que nadie. Imperio, mar azul, flechas y Falange, etc..., todo ello era un lenguaje que les sonaba distante tal vez a consecuencia de la vecindad con Francia, de su idioma menos épico que el castellano, de un sentimiento poco heroico de su tierra. Los obreros decían: «Señoritos de Madrid», aunque se hubieran fusionado con las JONS y fueran de Zamora o de Burgos. Los abogados, propietarios, grandes industriales, etc... sabían vivir. Gran solidez familiar. Difícil que emprendieran una aventura si no la encabezaba señores con barba. La juventud les aterrorizaba, y Falange era juventud. En fin, esto ocurría en todas partes. Su propio padre, con ser de Madrid, le había dicho que tuviese cuidado; y el propio comandante Martínez de Soria, al parecer los tomaba por escapados de una jaula.

Los Martínez de Soria se rieron. ¡Qué se les iba a hacer! Nunca creyó que la labor fuera fácil. Sin embargo, arriba siempre. De momento ¿qué más quería? Él tenía una formación. Y tal vez, en Hacienda, aquel Octavio Sánchez resultara un gran camarada. El menor de los hermanos añadió:

—Tú verás lo que te conviene. A mí me parece que deberías rodearte de gente de aquí. Y desde luego, pocos militares. Ya sabes: barberías, cafés. Lástima que estés en la Tabacalera. Mejor te valdría trabajar en una fábrica.

Fernando vio una posibilidad entre los decepcionados de la revolución de octubre.

—Tienes el ejemplo en Oviedo. Más de cien mineros se han incorporado a Falange Asturiana.

—Lástima que nos marchemos el día cinco. Te ayudaríamos muy a gusto.

Llegaron a la plaza de la Catedral. Gerona había conmovido mucho a los Martínez de Soria. San Pedro de Galligáns, los Baños Árabes. Iban recorriendo la ciudad de punta a punta. Palpaban los muros, se indignaban ante muestras de abandono. Especialmente les gustó la calle que unía la de la Barca con la Rambla, la de las Ballesterías. Estrecha calle, a los pies de la cuesta de la iglesia de San Félix, taller de artesanos en cada entrada. Pequeños símbolos surgían de las fachadas: un paraguas en miniatura, un cuchillo, una bota. Al anochecer se encendían los farolillos y con el viento éstos y los símbolos se bamboleaban. Pero no importaba; al fondo del taller, la figura del artesano aparecía inconmovible, seguro, sentado ante sus instrumentos, frente a la bombilla. Especialmente les llamaron la atención los herbolarios. Encima de uno de aquellos establecimientos trabajaba Pilar. «Casa fundada en 1769.» «Casa fundada en 1800.»

Mateo se sentía a gusto entre sus dos camaradas. Le había ocurrido como a un misionero que de repente oye por radio la voz de la Patria.

Marta los acompañaba. También la muchacha estaba enamorada de la parte antigua de la ciudad. Pero, sobre todo, le gustaba la Dehesa, que conocía palmo a palmo, gracias a su jaca, cuyo *trap-trap* resonaba por sobre los millones de hojas muertas.

La muchacha le había dicho: «¿Mateo Santos...? Me acordaré muy bien. Estoy muy contenta de que en Gerona haya alguien de Falange. Me sentiré más acompañada».

Fernando y José Luis dijeron a Mateo: «Marta es una criatura extraña». Mateo no lo creía así. Mateo observaba que aquellos de sus amigos que tenían hermanas les hacían poco caso. ¡Qué barbaridad! ¿Cómo podía ser extraña una mujer que mira a los ojos abiertamente, que sonríe a tiempo, cuyo rostro se ilumina cuando una palabra grande se introduce en la conversación? Delgada, gran cabellera partida en dos. Cuando se sentaba, unía los brazos a partir del codo. Sabía escuchar. Vestida de negro, uno la imaginaba levantándose, echando a caminar sosteniendo un libro, siempre adelante, hasta llegar a una cima donde se celebraba en la noche la Gran Fiesta de la Discreción. Mateo había estrechado con fuerza la mano de Marta y le había dicho: «Yo también me sentiré más acompañado».

A última hora, cuando oscureció, el falangista invitó a sus camaradas a su casa. Quería que vieran su despacho. «Cuando se conoce la habitación de un amigo, se es más amigo de él.» También quería enseñarles el revólver.

Don Emilio Santos, ante Fernando y José Luis, arrugó el entrecejo.

«Dime con quién vas y te diré quién eres.» El pájaro disecado brincó de gozo en su rincón.

Los Martínez de Soria se sentaron en las sillas preparadas para las reuniones, inaugurándolas simbólicamente. Luego, el menor de los dos, señalando el escritorio, dijo:

—Nosotros, ahí donde el tintero, tenemos una calavera.

Fernando miró el retrato de José Antonio y explicó:

—El día quince estuvo en Valladolid.

CAPÍTULO XLIII

El terror de Ignacio al descubrir la mancha de pus en la sábana fue tal que creyó que estaba perdido. ¡Enfermedad venérea! La imagen de Canela se le clavó en la mente como un impacto.

Fue tanta su vergüenza que, alelado, apagó la luz; pero entonces sintió aún más claramente el roer del mal.

Retardó el instante de volver a iluminar la habitación. «Señor, si todo esto fuera una pesadilla...» Prometió mil cosas a la vez, subir a pie en penitencia, a la cercana ermita de los Ángeles...

Dio la luz de nuevo y con cuidado sacó las piernas de la cama y se puso de pie sobre la alfombra. Sintió una fuerte punzada. Intentó andar. Lo conseguía con dificultad. Y era evidente que a cada minuto iría empeorando.

Entonces, yerto en el centro de la habitación, levantó la vista. El espejo le devolvió su imagen, despeinada, en pijama, y al fondo los ojos de San Ignacio fijos en él.

Repentinamente decidido, se examinó el mal. Recordó ilustraciones entrevistas en folletos higiénicos. Luego examinó la sábana. ¿Cómo borrar aquello, para que su madre y Pilar no se enteraran? Su madre y Pilar, lo primero que hacían cada mañana, era entrar en su cuarto y hacer la cama.

Volvió a acostarse, volvió a pensar en Canela, y recordó la advertencia de su padre. Sollozó, agarrado a la almohada.

De pronto llamaron a la puerta. ¡Santo Dios! Daban las ocho, tenía que levantarse. La puerta se entreabrió y entró Carmen Elgazu.

—Mamá... —balbuceó.

Carmen Elgazu se acercó a la cama.

—¿Qué tienes, hijo?

Ignacio la miró con desacostumbrada intensidad. Carmen Elgazu, con temor, extendió su brazo y le tocó la frente.

—¡Tienes fiebre!

—Creo que sí.

—Pero ¿qué te duele? ¿Cuándo empezaste a sentirte mal?

—Esta noche.

El termómetro fue elocuente. Matías Alvear acudió. Y Pilar. El desfile comenzaba. Todos rodearon su cama, sin saber lo que las mantas ocultaban. Todos le querían. «No te preocupes, iremos al Banco a avisar.» «¡Vamos a traerte otra manta!» «Un poco de gripe.»

La nueva manta cubrió definitivamente su secreto. Los postigos fueron entornados y quedó solo con su oscuridad. Oía los pasos cuidadosos de los suyos, en el pasillo. Reconocía los ruidos familiares en el comedor. Un absoluto abatimiento le invadió.

* * *

Al despertar sintió en el acto que el mal avanzaba implacable. Era preciso tomar una determinación. Algo que evitar a toda costa: la visita del médico. Por desgracia él era sumamente inexperto: necesitaba actuar con rapidez, que alguien le aconsejara.

Ignacio pensó: «Lo mejor será que le confiese la verdad a mi padre». Pero no se sentía capaz. ¡Qué humillación, y qué disgusto tan grande le iba a dar! Pasó revista a cuantas personas podían ayudarle: Julio, David, La Torre de Babel... Cualquiera de los del Banco debía de conocer la manera de... ¡Ah, si su primo José, de Madrid, estuviera allí! Recordó que José le había dicho: «A mí *me han pillado* tres o cuatro veces. Pero ahora eso se cura en un santiamén».

Es... Pero ¿y si tenía algo grave?

Luego pensó en Mateo. Sí, el chico era apropiado. Serio, y guardaría el secreto. Pero... ¿y si era tan inexperto como él? Mateo siempre le había dicho: «Yo procuro contenerme. La castidad es muy importante».

El reloj del Ayuntamiento iba dando las horas. Su madre entró a verle. «¿Cómo te sientes? ¿Te falta algo?» El termómetro subió aún más. Carmen Elgazu se sentó un momento al lado de la cama. Ignacio vio su silueta recortarse contra el postigo semiabierto. «No será nada. Un poco de gripe.»

Hacia el mediodía tomó una determinación. Se lo diría a su padre. La mancha de la sábana era imborrable y acabaría por saberse. Su padre tal vez encontrara el medio de ocultarlo al resto de la familia.

Escuchando con atención, descubrió que su madre se había sentado en el comedor y que separaba en la mesa las buenas alubias de las malas. Las buenas resonaban al caer dentro del plato. Era un ruido familiar, inimitable.

Matías Alvear llegó de Telégrafos más temprano que de ordinario. Estaba impaciente por Ignacio. Colgó el sombrero en el perchero, se quitó el abrigo, le dijo a su mujer que hacía un frío insoportable. Luego entró en el cuarto de Ignacio.

—¿Qué hay? ¿Cómo estás, hijo?

—Lo mismo.

Matías se le acercó y le puso la mano en la frente. Ignacio pensó: «Ahora». Pero un miedo irreprimible le atenazaba la garganta.

De pronto, estalló en un sollozo. No pudo reprimirlo. La silueta de su padre en la semioscuridad, la tibia y entrañable silueta de su padre le había desarmado.

—Pero ¿qué te pasa, Ignacio? ¿Por qué lloras?

Ignacio sintió deseos de encender la luz, de tirar de las sábanas y gritar:

—¡Mira!

Pero se contuvo. Lloró, lloró incansablemente.

—Pero ¿qué te pasa? Habla. Cuidado, que tu madre te va a oír.

Ignacio se decidió.

—Papá... Tengo que darte una mala noticia. Lo siento.

—¿Qué mala noticia?

—No te hice caso y... tengo algo.

Matías se incorporó y dio la luz.

—¿Cómo que tienes algo?

—Sí. —Ignacio añadió—: Canela...

Matías quedó desconcertado. De pronto comprendió. Apretó los puños y los dientes. Miró a su hijo. «¡Vaya!» De pronto, sin acertar a dominarse, levantó el brazo y le pegó a Ignacio un terrible bofetón.

El muchacho estalló en un llanto sin consuelo y en aquel momento Carmen Elgazu apareció en la puerta. Ignacio se ocultó tras el embozo.

—Pero... ¿qué ocurre?

Matías dijo:

—Nada, mujer. Nada de particular.

* * *

Luego Matías se lo contó todo a su mujer. Imposible ocultar aquello, por duro que fuera. Era preciso llamar al médico, curarle.

Como un rayo había caído sobre la cabeza de Carmen Elgazu. No supo qué decir. Se quitó el delantal, se fue a la cocina.

Matías Alvear la siguió, diciendo:

424

—Yo se lo perdono todo, menos que haya sido un hipócrita.

Carmen Elgazu no comprendía. Se acercó a Matías. Le miró a los ojos. «Algo grave habremos hecho tú y yo, que merezcamos tal castigo.» No pensaba entrar a ver a su hijo. Y sería la primera vez que ocultaría algo a mosén Alberto.

El médico dijo: «No es nada grave».

* * *

Una de las más grandes preocupaciones era Pilar. Era preciso impedir a toda costa que Pilar se enterara. Ello los obligaba a medias palabras, a repentinos silencios. Y aun así Pilar preguntaba: «¿Qué os pasa? ¿Es que Ignacio tiene algo grave?»

Ignacio había encontrado un consuelo: Pilar. Nunca la quiso como en aquellos días. En su ausencia, cuando la chica se iba al taller, quedaba absolutamente solo. Sus padres no entraban a verle jamás; sólo cuando llegaba el médico o cuando cumplían sus instrucciones; pero no le dirigían la palabra. En cambio, Pilar había hallado la ocasión de demostrarle su cariño. No se movía de su lado. Le contaba cosas, le arreglaba la cama, le llevaba tazones de leche haciendo tintinear la cucharilla en el camino. Ignacio, para no llorar de agradecimiento, simulaba quedarse dormido. Entonces Pilar suspiraba y con frecuencia se sentaba en la cama de César y permanecía inmóvil.

En cuanto al muchacho, soportaba difícilmente su situación. Una sensación de miedo le invadía. Las visitas del médico eran una tortura, la vergüenza le mataba. Y cualquier gesto de sus padres, cualquier palabra, le parecía una alusión. A veces pensaba que no le perdonarían nunca. El médico estaba serio. Ignacio hubiera preferido el doctor Rosselló...

A veces pensaba que nunca más podría dar sangre para el Hospital... Sus libros de Derecho, quietos encima del armario.

Una cosa deseaba y le molestaba a un tiempo: las visitas. Del Banco habían acudido la Torre de Babel, el cajero y el de Impagados. «Una gripe. No será nada.» Al de Impagados le dijo: «Lo siento por el trabajo». «No te apures —le contestó éste—. Nos arreglaremos entre todos. Aunque trabajo no falta.» El cajero llevaba una franja negra en el antebrazo, y siempre hablaba de Paco, su hijo adoptivo.

Julio García le ofreció: «¿Quieres algún libro? ¿Quieres la gramola?»

Mosén Alberto bromeó. Viéndole la barba le dijo: «¡Te advierto que yo también manejo la navaja!» Pero Ignacio, ante la expresión de su madre, sentía tanta vergüenza que no acertó a contestar.

Don Emilio Santos le visitó el primer día. Y luego no dejaba de telefonear a Matías todas las mañanas, a Telégrafos, preguntándole por Ignacio.

En cuanto a Mateo, le dijo:

—He visto al profesor Civil. No reanudaremos las clases hasta que estés restablecido.

No pasaba día sin que Mateo le hiciera una visita, antes de cenar. Si le parecía que Ignacio no se fatigaba, se quedaba una hora a su lado; si no, se iba en seguida.

El peso de Ignacio era tan fuerte —el de su soledad—, el corazón le daba tal vuelco cada vez que Matías Alvear, después de abrir la puerta del piso, pasaba frente a su habitación sin detenerse, que un día, el día de Reyes, al ver entrar a Mateo sonriente, con un pliego de revistas debajo del brazo le dijo:

—Tú crees que tengo la gripe, ¿verdad?

—Claro...

—Pues... No es cierto. Tengo una enfermedad venérea.

Mateo quedó estupefacto. Sacó el pañuelo azul.

—Pero... ¿cómo ha sido? No comprendo. ¿Algo grave?

—No. Hace unos años lo hubiera sido. Ahora se cura.

—Pero... ¿quedarás bien...?

—Completamente.

Mateo no sabía qué decir.

—No me sermonees —cortó Ignacio—. Sé que es culpa mía. Soy un imbécil.

Mateo estaba afectado. Después de un silencio preguntó:

—¿Conocías a la mujer...?

—Sí. Hacía medio año que duraba la broma.

—Eso es peor.

—Ya lo sé.

Luego Ignacio añadió:

—Mis padres están desesperados.

Mateo había reaccionado.

—¡Bah! —dijo—. Tu madre te perdonará pronto. —Luego añadió—: A tu padre, claro está..., le costará un poco más.

Ignacio dijo:

—Menos mal que Pilar...

—¿Qué?

—Siempre está aquí, acompañándome y contándome cosas.

Luego añadió que lo que más difícil veía de todo aquello era perdonarse a sí mismo.

Mateo le contestó:

—Yo, en cuanto estuviera curado, iría a confesarme.

Mateo le había adivinado el pensamiento. ¡Confesar! ¡Cuánto tiempo llevaba sin hacerlo! Cuando estuviera curado, cuando dejara definitivamente el lecho y pudiera andar como los demás hombres, iría a tomarse un baño, que se llevara todo su sudor y sus impurezas; luego iría a confesar. Como en los tiempos en que correteaba con César por las murallas y Montjuich. Entrar en cualquier iglesia y arrodillarse ante un hombre que hiciera sobre él la señal de la cruz. En realidad, aquélla había sido su primera idea en los instantes del gran miedo, cuando prometió subir a pie a la ermita de los Ángeles si se curaba; ahora Mateo se lo recordaba, y tenía razón. La idea de un templo silencioso, semioscuro, con una mano comprensiva puesta en su hombro, le reconfortaba.

Aquel día era el de Reyes. Mateo había traído, además de las revistas, una caja de bombones para Pilar. Pilar apenas si había osado tocar el papel celofana que la envolvía; tanta fue su emoción. Era la primera caja de bombones que recibía en su vida. Pilar ignoraba totalmente que Marta, hija del comandante Martínez de Soria, había recibido de Mateo una caja similar.

Matías y Carmen Elgazu agradecían a Mateo sus visitas y aquellas muestras de delicadeza. Y al verle tan sano y con tanta expresión de juventud en el rostro, no podían menos de compararle a Ignacio, hundido y sudoroso en la cama.

Lo que ocurría era que cinco eran pocos días para perdonar... Porque, en cuanto a pensar, no cesaba de pensar en su hijo, solo en la habitación, con la luz apagada. Pero Ignacio tampoco hacía nada para precipitar los acontecimientos, como no fuera su silencio y su postración.

Al octavo día ocurrió algo inesperado. Carmen Elgazu se había quedado sola en el comedor, repasando la ropa. Era media tarde y de pronto la puerta de la habitación de Ignacio se abrió. De reojo le vio salir en pijama, con una bufanda al cuello, los hombros caídos. Ignacio avanzó hacia el comedor, arrastrando sus zapatillas. Agotado, pero sin dificultad. Carmen Elgazu no levantó la cabeza; sin embargo, sintió que su hijo se había detenido y que se había quedado mirándola. Aquella bufanda al cuello y aquellos hombros caídos la habían impresionado. Le vio solo, absolutamente solo. Algo en su corazón estaba a punto de romperse. Entre ella —sentada junto a la ventana— y él —en el pasillo— se interponían la estufa, la mesa. ¿Cómo hacer para no levantar la cabeza? De repente, sintió que Ignacio había reanudado su marcha. Las zapatillas habían cruzado el umbral del comedor, era evidente que daban la vuelta a la mesa. Tal vez fuera a la cocina, a beber agua...

El olor de su hijo —olor a enfermo, a fiebre, a habitación cerrada— le llegó. Y súbitamente, las zapatillas se detuvieron. Comprendió que su hijo se había detenido detrás de ella. Tal vez mirara al río... Pero no. Sintió que una mano se posaba en su cuello, inclinado. Y que luego otra mano, inhábil, se posaba sobre su cabeza. Carmen Elgazu no se movió, la respiración de Ignacio le llegaba. De pronto Ignacio la abrazó decididamente, aplicando su mejilla a su cabellera; y entonces los ojos de Carmen Elgazu se llenaron de lágrimas y soportó sin protestar la lluvia de besos. Pronto se encontraron las húmedas mejillas de uno y otro. Y no se sabía cuál de los dos lloraba más. Y no se sabía cuál de los dos acertaría a articular la primera palabra.

Ninguno de los dos. Ignacio dio media vuelta y se volvió, arrastrando las zapatillas. Cruzó el umbral del pasillo, agotado. Carmen Elgazu no le miraba, pero le veía. Hubiera podido describir con exactitud cada pliegue del pijama, la caída de cada mechón de pelo. Llevaba la silueta de su hijo clavada en las entrañas.

Ignacio volvió a encerrarse en su cuarto. No había salido con aquella intención, pero así ocurrió. Tampoco Carmen Elgazu se había puesto a coser pensando en aquello; sin embargo, ahora se daba cuenta de que zurcía unos calcetines de Ignacio. Ya todo tenía otro color, otra dulzura con la tarde cayendo. Se oía la vida secreta, monótona y crujiente de la estufa encendida. Un gran silencio reinaba en la casa. El rostro de Carmen Elgazu había quedado inmóvil como una talla de madera; pero tenía la sensación de que acababa de separar las buenas alubias de las malas.

Un solo deseo: que llegara Matías Alvear. ¿Cómo le contaría aquello? Matías era duro, no quería oír hablar de Ignacio. Radio de galena, periódico, dominó. Pero Carmen Elgazu sabía que desde primeros de enero perdía en el Neutral todas las partidas.

Al día siguiente, Matías Alvear, sentado a la mesa del comedor, se desayunaba, preparándose para ir a Telégrafos. Y de pronto vio frente a sí, afeitado y vestido, a Ignacio. Las canosas sienes de Matías temblaron, lo mismo que la mano que sostenía la taza. Pero continuó bebiendo, como si tal cosa.

Por la noche le había dicho a Carmen Elgazu: «No le hagas caso. Es un hipócrita». Sin embargo ahora, al intentar levantarse por el lado opuesto al que se encontraba Ignacio, las piernas se le enredaron en la silla y no podía. Entonces oyó la voz de su hijo:

—Padre, te pido perdón.

Las pequeñas arrugas que Matías tenía entre los ojos y las sienes se le acusaron como nunca. Se detuvo. Consiguió ponerse en pie y miró a Ignacio. Pilar se había asomado a la puerta de su habitación. Ignacio repitió: «Padre, te pido perdón», al tiempo que leía en los ojos de Matías Alvear indicios de lucha. Entonces inclinando la cabeza se le echó al cuello y le abrazó; y su padre se halló dándole golpes en la espalda.

Carmen Elgazu había salido de compras. Pilar no sabía si unirse al dúo. Se le ocurrió gritar, al ver que los dos hombres se separaban: «¿Catarros...?» Pero en vano esperó que uno de los dos le contestara: «Neumáticos Michelin». Matías Alvear e Ignacio tenían un nudo en la garganta que les impedía hablar.

Y en medio de todo aquello, Pilar continuaba preguntándose qué pecado había cometido su hermano.

CAPÍTULO XLIV

Gran júbilo en la familia. Júbilo que devolvió a Ignacio las fuerzas, que le permitió salir al balcón aprovechando los tenues rayos de sol el mediodía. Al día siguiente, bajó las escaleras. Las piernas le flaqueaban, se paseaba como un viejo. Al otro le dijo a su madre:

—Hoy, si me acompañas, iremos a confesar.

Poco a poco la savia de la juventud le iba penetrando.

En la tarde del domingo habían acudido a verle David y Olga. Le encontraron excesivamente desmejorado. «Tendremos que volver a San Feliu.» Los maestros le contaron que habían conseguido recuperar casi todos sus alumnos. Iban a reanudar las clases. Se acordaban mucho de la cárcel..., pero ya todo había pasado.

—Todo pasa. Ya lo ves. La reclusión, las enfermedades.

Matías Alvear, en Telégrafos, había vuelto a hablar de su hijo. «Ya sale al balcón a tomar el sol.» Y en el Neutral dijo, ante las fichas de dominó: «Me parece que se ha acabado la mala racha». En efecto, emparejado con don Emilio Santos, su lápiz no cesaba de anotar tantos a su favor, en el mármol de la mesa. Julio García y el doctor Rosselló tenían que pagar las consumiciones de los cuatro.

Y en cuanto a Ignacio, cumplió lo prometido. Del brazo de Carmen Elgazu salió a media tarde, para ir a confesar.

—¿Dónde quieres ir?

—Con mosén Francisco.

Carmen Elgazu se alegró de la elección. Y tomaron la dirección de la parroquia de San Félix, cruzando la calle de las Ballesterías.

La elección de sacerdote había sido un acto consciente. Ignacio quería alguien que le comprendiera y le consolara, que le diera ánimos para empezar una nueva vida. César le había hablado tantas veces del vicario, que no vaciló.

Entraron en el templo y no había nadie. Ignacio se arrodilló y Carmen Elgazu fue ella misma a la sacristía. Allá estaba mosén Francisco, que llegaba de un entierro. Dos hombres le esperaban, no se sabía para qué. «Soy la madre de César. Mi hijo mayor, Ignacio, está ahí. Quiere confesar con usted.» Mosén Francisco abrió sus grandes ojos con entusiasmo. «¡Es usted la madre de César!» Le estrechó la mano con las dos suyas. La miraba con gran curiosidad y afecto. «Voy en seguida. Déjeme despachar a ese par de granujas.» Los dos hombres sonrieron. Cada vez que le veían salir para un entierro lo esperaban luego en la sacristía y le pedían un par de pesetas.

Ignacio se preparaba como mejor podía, el rostro entre las manos. Estaba dispuesto a hacer una confesión general. Su madre le dijo: «En seguida te atenderá». Cuando el muchacho vio que el vicario salía de la sacristía y se arrodillaba un instante para rezar y luego se encerraba en el confesonario, el corazón le dio un vuelco. Se levantó y echó a andar. Entonces fue Carmen Elgazu quien se llevó las manos al rostro.

¡Qué confesión! Fue algo perfecto. Cierto que el vicario le facilitó mucho la tarea: parecía que le iba leyendo el espíritu. Era su gran experiencia de confesor. Le arrancó hasta la última verdad, sin que Ignacio se diera cuenta. Insistiendo sobre las circunstancias. El confesonario estaba en un rincón, una cortina morada caía sobre la espalda de Ignacio, ocultándole la cabeza.

En cuanto el muchacho hubo hablado y dijo: «Eso es todo», el sacerdote hizo un gesto de familiaridad, que estableció una corriente de optimismo.

—Bien, ya lo ves. Eres un poco rebelde. Pero no te desanimes. Todos cometemos barbaridades: ahora yo acabo de escatimar una peseta a un par de pordioseros. Te costará mucho vencerte; te costará tanto como me cuesta a mí. Pero no te desanimes. Se trata de que pongas un poco de orden en tu vida, que no te des por vencido. Lo terrible es el hábito de pecar. Se adquiere el hábito de pecar como se toma el hábito de cualquier otra cosa.

»Soy muy joven para darte consejos. Sin embargo, voy a decirte lo que pienso, ya que has tenido la amabilidad de venir, ya que Cristo te ha tocado el corazón. Primero, basta de mujeres. Trata de resistir un mes, dos. Te costará mucho y algún día dirás: "¡No puedo más!" Cuando eso ocurra procura resistir unas horas, unos minutos aún. A lo mejor en este último minuto llega el milagro. Y si no llega, pues... lo dicho: a confesarte cuanto antes, conmigo o con otro. El recuerdo de a enfermedad puede ayudarte; pero no mucho, no creas. Los hombres escarmentamos muy poco. Yo creo poco en el miedo, creo más en la sombría.

»Y luego, procura ordenar tu vida. No estaría de más, creo —y no te sorprendas por lo que voy a decirte—, que hicieras algún ejercicio violento. Jugar a algo, o hacer gimnasia. Y desde luego, ducharte con frecuencia. La higiene me parece esencial. Para ordenar tu vida creo que dispones de todo lo necesario, según me has contado. Trabajas mañana y tarde, luego clase; después de cenar, estudio. ¿Qué más quieres? Ya verás que es sólo cuestión de sacar provecho de esas obligaciones. Yo te aconsejaría una cosa, que a lo mejor te parecerá que no tiene nada que ver: una cura de silencio. Prueba, ya me dirás el resultado. Procura pasar unos días, unas semanas, hablando lo menos posible. Trabaja en silencio en el Banco, estudia en silencio, economiza cuantas palabras puedas. Ya verás los efectos. En seguida te sentirás más severo. Verás que prestas atención, que ves las cosas mucho más claras. Las palabras distraen mucho, no puedes imaginar. Hay hombres que, oyéndolos hablar, creerías que son enemigos. Y en el fondo están de acuerdo, sin que ellos mismos lo sepan. Otros, en cambio, hablan creyendo que se comprenden, y en el fondo continúan siendo irreconciliables.

»Sobre todo, esto que te digo: la atención. Pon atención a cuanto hagas, a cuanto oigas. También descubrirás mundos nuevos. Los trabajos más humildes te enseñarán algo. Atención a los objetos de tu casa, a los sucesos del Banco, a lo que ves por la calle, a cuanto te rodea. No hay nada ni nadie que no pueda enseñarnos algo. Ahora te ocurre como a la mayoría: no fijas tu atención. Nos movemos como autómatas. Y no es eso. Hay que reflexionar. Cuando oigas una teoría no digas: ¡Mentira! Piensa que hay miles de cerebros que han pensado sobre ella antes que tú. Y tampoco digas: ¡El Evangelio! Evangelio no hay más que uno: amar a Dios y al prójimo.

»Si prestas atención —y no creas que todas estas teorías son mías: son de San Agustín—, descubrirás matemáticamente algo muy importante: la armonía. Te darás cuenta de que todo tiene armonía, de que todo forma parte de un conjunto armonioso. Los mismos sucesos que a primera vista sorprenden, comprenderás que son lógicos, que contribuyen a algo armonioso y grande. Descubrirás la armonía en los más pequeños detalles. Y esto te ayudará mucho a ordenar tu vida cotidiana. Tu espíritu se sentirá fortalecido, formando parte de ese conjunto armónico.

431

»En cuanto a otros consejos prácticos... no sé qué decirte. Creo que ya falta poca cosa. En realidad, tal vez debieras hacer honor a la familia que Dios te ha dado. Quiero decir... ¡qué sé yo!, unirte a ella sin que ello signifique que tengas que hipotecar tu libertad. Pero en fin, no cuesta nada jugar alguna partida de dominó con el padre: incluso salir algún día de paseo con la madre. Acompañarla alguna vez. No sabes la alegría que les proporcionarás. Es algo de lo que no tenemos idea. Luego da buenos ejemplos a tu hermana. No la conozco, pero tengo la impresión de que haces como la mayoría de los chicos: no la tomas muy en serio. Y en realidad no hay ninguna razón para ello. Muchas veces las hermanas, en momento de dificultad, nos producen grandes sorpresas. Esto lo sé por experiencia.

»Me has hablado de los amigos... Chico, en eso yo no soy quién para meterme. Tú los conoces y sabrás escoger, o saber qué hacer con ellos. Sólo te aconsejaría que por lo menos eligieras, entre tantos, uno con ideas cristianas. Eso de apartarse de las malas compañías tiene un aspecto antipático, cobarde. En realidad ¿qué quiere decir? Porque si todo el mundo cumpliera este consejo muchos nos encontraríamos solos, abandonados. Lo que hay que hacer es dar ejemplo a cuantos nos rodean. Tú tienes ocasión de hacerlo; fuerza no te faltará, si quieres.

»En cuanto a las ideas políticas, ni hablar. En eso aún puedo meterme menos. Entiendo muy poco de política. Sólo te aconsejaría volver a lo dicho: ante cualquier doctrina, hay un método infalible para aquilatar su valor: la armonía. Conocerás el valor de las doctrinas por su armonía.

»Bien, creo que ya basta. Si quieres, ven a verme otras veces. Siempre me encontrarás. Cuando quieras. Y reza cada noche por lo menos tres avemarías. No te olvides de eso: es esencial.

»Ahora, en penitencia,... rezarás... Una, una sola avemaría. Pero empezando a cumplir con lo dicho: procura rezarla con atención. Y verás como en este simple acto descubrirás que te sientes mucho mejor.

Hora y media. Exactamente hora y media le costó confesarse. Al levantarse del confesonario, las piernas le temblaban mucho más que antes y las rodillas le dolían como si le hubieran incrustado granos de arena.

Se arrodilló ante el altar del Santísimo, oscuro, y rezó el avemaría inclinada la cabeza. Y luego buscó a su madre con la mirada. Carmen Elgazu disimulaba su felicidad. Durante la hora y media iba pensando «¡Gracias, Señor!» A cada minuto que transcurría pensaba: «Que dure que dure...»

Salieron los dos: él la cogió del brazo. Al echar a andar, se sintieron protegidos por un gozo mutuo y solemne. Empezaba a oscurecer

432

hacía frío. Ignacio, con su mano derecha, apretaba el antebrazo de su madre: los altos tacones de ésta resonaban sobre el empedrado crac-crac, crac-crac.

CAPÍTULO XLV

En aquellas vacaciones de Navidad, no quedaron en el Collell más que algunos catedráticos y los criados. César se había pasado la noche del 31 de diciembre prácticamente en vela, arrodillado, y quiso esperar despierto a que en el monasterio sonaran las doce campanadas. Tan intensamente se sumergió en la meditación del momento, que le ocurrió algo extraordinario: no sólo no se acordó de Ignacio —de su cumpleaños—, sino que ni siquiera oyó las campanadas. Cuando volvió en sí, era el alba. Se encontraba en 1935.

Su profesor de latín llevaba unas cuantas noches atento a la vigilia de César, que en aquella ocasión alcanzó el máximo. Este profesor era un experto en problemas de ascetismo y misticismo. Quería escribir una Antología de autores ascético-místicos españoles, ¡y había descubierto que las obras pasaban de tres mil, sólo en la Edad de Oro! Franciscanos, dominicos, agustinos, carmelitas, jesuitas, etc..., autores no pertenecientes a Órdenes Religiosas, como Servet. Encabezando a los ascetas, Fray Luis de Granada y Fray Luis de León; encabezando a los místicos, Santa Teresa y San Juan de la Cruz.

El profesor creía ver en César huellas de misticismo, y se decía que acaso en sus rezos, de intensidad creciente, se acercaba sin saberlo al estado extático. Cualquiera de los fenómenos corporales concernientes a los extáticos —elevación del suelo, aureola luminosa, emisión de perfumes o presencia de estigmas—, lo juzgaba posible en el seminarista. No olvidaba que César, de pequeño, al andar parecía que saltaba.

En todo caso, en aquel 31 de diciembre el profesor se pasó la noche entera vigilándole por el ojo de la cerradura, soportando el frío intensísimo del corredor. Pero César permaneció arrodillado e inmóvil... No se acostó ni un momento, y cuando oyó la campana salió para lavarse.

En la sacristía, después de la misa, el profesor se le acercó y le interrogó sobre el particular. El muchacho abrió los ojos atónito y asustado.

—¿He faltado al reglamento? —preguntó.

El profesor le contestó que eso no importaba.

—Lo que me interesa saber es si te sientes fatigado.

—No... Ciertamente..., no.

—¿Qué meditabas?

—Pues... pedía perdón.

—¿Experimentaste... algún consuelo especial?

César se pasó la mano por la rapada cabeza.

—Pues... no sé, padre. Hubo un momento... Una gran paz.

El profesor le tiró de la oreja y le aconsejó que no abusara. «Tienes que dormir. Piensa que no eres fuerte.»

Una gran paz. El hombre entendió que César cruzaba las vías del ascetismo, pero que por el momento no había recibido ninguna manifestación mística, de matrimonio espiritual. Pero estaba seguro de que las recibiría un día. Y entonces, dichosos los que hubieran estado a su lado.

César se había turbado mucho con las preguntas: hasta el día de Reyes, estuvo en la enfermería; el día de Reyes, las monjas le pusieron dentro del zapato un libro sobre la estigmatizada Teresa Neumann y una bolsa de caramelos. «Te lo ha dado el Rey negro.» Las monjas sabían que César le tenía al Rey negro un cariño especial. Veía en él el símbolo de que el cristianismo no distinguía entre colores y razas. El muchacho se llevó los regalos a la celda, y se pasó el día leyendo el libro, de cabo a rabo, y comiendo caramelos.

A la mañana siguiente mandó a Pilar los que aún quedaban en la bolsa y el libro a Ignacio. «Léelo —le dijo a éste—. Ya verás qué prodigios más grandes. ¡Y Teresa Neumann vive aún, en Konnersreuth! Y uno de mis proyectos es ir un día a verla...»

Las fiestas habían terminado para todo el mundo, en el Collell y en la ciudad.

Los hijos del comandante Martínez de Soria se habían marchado la víspera de Reyes. Mateo había sido su inseparable camarada, además de Marta. Juntos habían visitado a Octavio Sánchez, quien resultó en efecto un simpatizante de Falange. El empleado de Hacienda —andaluz, que ceceaba con mucha gracia— escuchó con atención a los tres muchachos y al final, dirigiéndose a Mateo, le dijo: «Cuenta conmigo», en tono escueto y prometedor.

Luego... la ciudad reemprendió su vida y su muerte. La tregua había terminado.

E inmediatamente apareció con claridad un hecho: el paro forzoso roía como un cáncer la base de muchas familias. Metalurgia, construcción, la gran fábrica Soler —cintas y productos de goma—, Industrias Químicas y tartáricas, las imprentas, en todas partes decían: sólo tres jornales, sólo dos. Muchos obreros recibían una papeleta: «Hasta nuevo aviso». Las fábricas de bebidas veraniegas morían de frío; las de alpargatas, debido al mal tiempo, no vendían nada. Las perfumerías contemplaban intactas sus inmensas garrafas. ¡Hasta las viejas que vendían castañas —en verano mantecados— se quejaban! En la provincia, Portugal daba golpes mortales a la industria del corcho. En el resto de la nación, David y Olga no habían mentido: setecientos mil obreros parados.

El bar Cataluña estaba abarrotado de hombres sombríos lo mismo que el café Gran Vía. Algunos habían invadido el fondo del Neutral. En las barberías nadie tenía prisa. Obreros acostumbrados a madrugar se quedaban en cama hasta las once. Luego entraban en la cocina, dando un empujón a su mujer.

Sólo los Costa hicieron algo para remediar la situación. No sólo no despidieron a nadie, sino que, utilizando las energías acumuladas en la cárcel, inauguraron, contiguo a las canteras, un taller de marmolista para labrar las lápidas del cementerio. Ocuparon a tres hombres: un muchacho llamado Pedro, de una gran timidez, que había ido a pedirles trabajo; un tipo gordo —Salvio de nombre— que resultó ser el novio de Orencia... y Bernat. Bernat, dueño del taller de imágenes.

En efecto, uno de los afectados por la gran crisis había sido Bernat. Imposible continuar. Cuando vio que en la revolución de Octubre las iglesias no ardían se consideró perdido. En los Bancos le retiraron el crédito. «Otra revolución será.»

Bernat labraba ahora lápidas de cementerio como simple jornalero, junto a Salvio y Pedro, clientes uno y otro de la barbería comunista. Y si por alguien lamentaba el cierre del taller era por César.

Los Costa tuvieron otro rasgo aún: decidieron construir el inmueble de siete pisos, para aliviar el paro en la construcción. Encargaron el proyecto a los arquitectos Massana y Ribas, que colaboraban habitualmente.

Cuando su hermana Laura fue a pedirles explicaciones, le contestaron:

—Hay una razón que esperamos te convencerá: nos casamos.

—¿Cómo...?

—Como lo oyes. Nos casamos.

Era cierto. No se casaba uno solo, sino los dos. Con dos hermanas, hijas de un importante arrocero del pueblo de Pals. Laura quedó perpleja. A los muchos amigos que les felicitaban y luego les pedían que les reservaran uno de los pisos del inmueble en construcción, los industriales contestaron: «Los pisos que queráis, excepto entresuelo y principal. Éstos son para nosotros. Y el primero para Laura, si acepta...»

Para redondear su acción benéfica, a los Costa no les faltaba sino que se diera el permiso de reapertura de los locales políticos clausurados. Pensaban dotar a Izquierda Republicana de una serie de comodidades, para reagrupar a los afiliados. Sin embargo, el permiso no llegaba de momento.

La clausura originaba que el paro obrero apareciera más espectacular, que los afectados se sintieran más indefensos. Según estadística, eran 343 los obreros sin trabajo. Muchos hombres para una ciudad como Gerona. ¿Qué hacer en todo el día?

Surgió un hombre, decidido a amenizar la situación: el coronel Muñoz. El coronel Muñoz, al ver a los parados aburridos por calles y cafés, se dijo que era preciso imaginar algo. Algo para distraerlos, y al mismo tiempo para hacerlos aprovechar el tiempo, para instruirlos.

Empresario de espectáculos, dio con la solución. Para instruirlos organizó la proyección gratuita de documentales de cine en el Albéniz; para distraerlos, sesión diaria, a precios populares, de boxeo y lucha libre.

Los obreros acudieron en masa a ambos espectáculos, y su reacción ante uno y otro fue entusiasta. Los documentales les impresionaron mucho. Los tres hombres-anuncio de César pasaban al mediodía por la Rambla llevando los títulos sobre sus cabezas. Todos estos títulos giraban, por regla general, en torno a los arcanos de la naturaleza. El documental que cerró la primera sesión representaba la vida, en el fondo del mar, de un carnívoro de mil bocas y tentáculos devorando sin cesar docenas de indefensos crustáceos. Los obreros llegaron a odiar de tal modo aquel carnívoro que algunos le amenazaron con el puño cerrado.

En cuanto al boxeo y la lucha libre, nunca el coronel Muñoz hubiera podido soñar con un éxito parecido. El Albéniz, convertido en *ring*, se abarrotaba todas las tardes. Los hombres robaban a sus mujeres los dos reales que costaba la entrada. El boxeo los excitaba en la medida que las cejas de los contendientes manaban sangre; excepto algunos entendidos, atentos al juego de piernas, a la esgrima, a la técnica. Pero, sobre todo, la lucha libre. La lucha libre era prácticamente desconocida en Gerona. Fue una gran revelación. Los rivales subían al *ring* con albornoces, vistosos, que ponían: Pantera, el Ogro, el Pirata. Enormes tanques humanos, que de repente quedaban desnudos y se precipitaban uno contra otro. Todo permitido excepto golpes con el puño cerrado, tirón de pelo, mordisco y asfixia. Lo demás —cabezazos, puntapiés, salto contra el pecho, retorcimiento de miembros, partir al rival por la mitad— no sólo permitido sino aconsejado. El público ululaba porque ocurría algo curioso: en el *ring* —como en el fondo del mar— se encontraban siempre el Malo y el Bueno, elegidos por el empresario coronel Muñoz. Una Pantera que descuartizaba a su adversario empleando males artes; un adversario noble, resistente, que luchaba en silencio, con ciencia y sufriendo sin protestar. Inmediatamente los obreros odiaban a la Pantera; muchos le amenazaban también con los puños, lo cual a los espectadores les estaba permitido. Si al final la Pantera doblaba la espalda al Bueno, la gente desfilaba —Blasco en cabeza— inconsolable; si en última instancia el Bueno se llevaba la victoria, el cine amenazaba con venirse abajo.

Con frecuencia Matías Alvear, al salir de Telégrafos, veía la multitud haciendo cola para entrar en el local. Y su sorpresa era grande al advertir que en las filas abundaban las mujeres, y personas de las que nunca se hubiera podido creer que asistirían a tal espectáculo. Por ejemplo, el teniente Martín; por ejemplo, Julio García. A veces, Salvio, el novio de la criada de don Emilio Santos.

Algunas personas acudieron a Comisaría para protestar contra estas sesiones: don Pedro Oriol, mosén Alberto. El Comisario dio a entender que no estaba facultado para impedirlas. Raimundo decía en la barbería: «Por lo menos en los toros hay arte». Mateo, que ahora siempre se afeitaba allí, asentía con la cabeza.

Pero la distracción de aquellos cerebros era ficticia. En el fondo los roía un gran malestar. A lo largo del día se entrecruzaban por las calles asqueados. En las conversaciones citaban a los Estados Unidos, de donde se aseguraba que los obreros parados iban en coche a cobrar el subsidio.

Un lugar había en que la crisis se hacía sentir terriblemente: el Banco de Ignacio. Cuando el muchacho se reintegró a su trabajo, se encontró con que su Sección de Impagados absorbía a dos empleados más que de ordinario. «Nadie paga, todo el mundo devuelve las letras.» Firmas solventes pedían: «Guarden las letras cinco días, ocho». El director preguntaba: «¿Dónde iremos a parar?» Cosme Vila leía sin cesar, entre los papeles. Y en el cajón tenía un retrato de Vasiliev. Cada vez que lo abría para escribir una carta a otro Banco o a una empresa burguesa, veía a Vasiliev con su poderosa cabeza. Cosme Vila y su compañera no se perdían una sola sesión de lucha libre.

Ningún empleado pareció sospechar la enfermedad que tuvo Ignacio. Si no ¡menudas bromas! Se le había ocurrido llevar al Banco el libro sobre Teresa Neumann que recibiera de César, y todos se rieron mucho con él.

En la portada se veía a la estigmatizada con los ojos manando gotas de sangre.

—¿Qué pasa? ¿Quién es?

—Es una mujer austríaca que tiene visiones.

—¿Visiones? Los obreros en paro también las tienen.

—No os riáis. Es un hecho científico. Apenas si come desde 1923.

—¡Los obreros no comen desde Felipe II!

—¡Bah! Siempre seréis lo mismo. Docenas de médicos la han visto. Cualquiera puede ir a comprobarlo.

El único que le escuchó en serio fue el subdirector. A Ignacio el libro le había causado enorme impresión. Le dijo al subdirector: «Ahora yo me especializaré en este asunto de los estigmatizados, como usted lo hizo en Masonería. Ya hablaremos de ello, si le interesa». El subdirector le contestó: «Claro que me interesa». Luego añadió, mirándole con fijeza: «¿Qué te ha ocurrido? Me parece que vuelves a ser el de antes».

Ignacio se calló. En realidad, no sabía. Al entrar en el Banco había recibido la impresión de que era la primera vez que pisaba aquel local. Incorporados a su mente, y, sobre todo, a su sangre, los consejos de mosén Francisco, todo lo veía de otro modo. Pensó que había sido imprudente llevando el libro de Teresa Neumann. Y más aún, hablando de ello. Por un momento había olvidado que debía callar.

En todo caso, no reincidió. En los días subsiguientes cumplió a rajatabla su propósito: guardó silencio estricto. No hablaba sino lo necesario, y se iba habituando a ello. «¡Te has vuelto mudo!» Callaba por convicción. Porque veía que, en efecto, el resultado de la cura era sorprendente. No hablaba sino lo preciso en casa, y con el profesor Civil, los días de clase. Y el resultado era el previsto: se encontraba otro hombre, sereno, que trabajaba hacia dentro, que iba viendo las cosas claras. Parecía como si aprendiera a respetar al mundo, a sí mismo. Veía por las calles a los obreros en paro y callaba. Pensaba: «¡Señor, aquí hay un desequilibrio. Ayudadme a descubrir su causa!» Y entonces no pensaba —como hubiese hecho antes— en el fascismo o en «La Voz de Alerta» o en los moros que entraron en Oviedo. Sabía que el problema era más hondo. Pensaba que España no había encontrado su centro, que la gente andaba despavorida por la península buscando remedios parciales, y que desde docenas de años ninguna voz se había levantado a la altura suficiente para indicar: «El cáncer está ahí. Hay que hacer esto y lo de más allá». Entonces se asustaba porque le parecía que estas conclusiones se acercaban a las de Mateo; y callaba más que nunca, para alcanzar la verdad. Y viéndose incapaz, por el momento, de alcanzar la verdad de España, se tornaba humilde y pedía alcanzar por lo menos su verdad personal; lo cual suponía menos difícil porque en el fondo no tenía más que veinte años y su cuerpo no medía más que 1,74 metros.

Su verdad personal era ésta, la experimentada en el Banco: era la primera vez que veía el mundo. No sabía nada de él. Mosén Francisco tenía razón. O San Agustín. Hablando, el mundo engañaba; callando, se prestaba atención. Y con sólo prestar atención, cada minuto, cada segundo, cada mirada o cambio de luz cobraba un valor absolutamente imprevisible. Por ejemplo, acababa de descubrir que, a pesar de haber hecho el trayecto centenares de veces, no tenía idea de las tiendas que se encontraban desde su casa al Banco. Y que jamás había comprendido como entonces hasta qué punto cada voz tenía una honda resonancia espiritual, que podría dar la medida del hombre. No se había fijado ni en la nariz de Pilar, apuntando graciosamente al techo, ni en que el director llevaba tres anillos en un solo dedo, ni en que David y Olga andaban siempre asidos de la cintura, no del brazo, ni en que doña Amparo Campo tenía una cicatriz en la barbilla, ni en la gran diversidad de cielos que se sucedían en Gerona en invierno. Ahora cada segundo le reservaba una sorpresa, como si hubiera vuelto a nacer. Miraba el rostro completo de las personas, la superficie y contorno enteros de los objetos. Y desde luego el cielo. Apenas salía de casa, el cielo. Cielo que, a diario, era distinto, a veces lejano, a veces próximo, siempre inmenso, siempre de azul purísimo, nunca gratuito. Presidiendo la vida de todos. ¡Gran descubrimiento el de fijar la atención! Nuevos colores, nuevas formas, nuevos sonidos se ofrecían a su espíritu, en desfile infinitamente generoso. Las fachadas creaban luces y sombras, las sillas cobraban formas humanas, los árboles conseguían expresar cualquier sentimiento, desde el júbilo hasta la desesperación, en el borde de un plato había mil reflejos, mil rostros en la concavidad de una cuchara, los zapatos no gemían porque sí, sobre el lomo de los libros se detenía el tiempo, de repente los hombres parecían viejos, de repente la naturaleza se ponía a danzar. ¡Y qué colores! Morados, amarillos, rojos. Colores en los cristales de las ventanas, en el fondo de los ojos, en las uñas, en los techos. ¿Cómo era posible que antes no hubiera advertido su multiplicidad? «Cada hierba un milagro», como César entrevió.

Y el mundo de las formas. ¡Qué hermosos los campanarios de la ciudad! Era muy difícil hacer imágenes. Todo el mundo decía: el de San Félix parece una flecha dirigida al cielo, o una plegaria hecha piedra, o qué sé yo. La Catedral asciende poderosa como un báculo gigantesco; craso error. Mosén Francisco tenía razón: la palabra no servía para dar la medida justa. Por ello Ignacio se limitaba a contemplarlos sin descanso. Según donde se situara, el de la Catedral le parecía el más alto de los dos; según donde, le parecía más alto el de San Félix. Pero siempre subían, subían los dos juntos. Tan inseparables como David y Olga, como los cipreses y los huesos, como la revolución y la sangre.

Y luego estaban todos los sonidos. Los sonidos cotidianos y entrañables, que empezaban con el alba, se sucedían unos a otros a lo largo del día y morían con el sueño. A veces todos parecían ahogarse en el río. Pasaba un coche, y su bocinazo ¡paf!, se caía al agua y quedaba detenido, absorbido, empapado. Otras veces era lo contrario, todos los sonidos parecían emerger del agua: latir de motores de fábricas, ¡llantos de niño!

Y luego el tictac de los relojes, y los pasos de la gente, y las campanas.

¡Qué maravilloso mundo! Y qué hombre mosén Francisco, a pesar de cubrirse la cabeza con un espantoso sombrero. Porque si el silencio conducía efectivamente a la atención, también era cierto que ésta desembocaba en la armonía, como el sacerdote predijo. Mejor dicho: se la revelaba —regalo de Reyes— a quien estaba atento. Colores, formas y sonidos formaban un conjunto a la vez uno y múltiple, que estaba siempre en su lugar. Un todo armónico, cuyas partes se completaban unas a otras. Hombres y sillas se completaban, libros y tiempo, manos y uñas, árboles y viento, padres e hijos. Buenos y malos. Las cosas se parecían entre sí, o se parecían sus efectos, o sus divergencias convergían hacia un alarido, o una letanía común. De ahí que las campanas no se entorpecieran unas a otras ni siquiera cuando tocaban simultáneamente; de ahí que ahora el Oñar, al descender enorme a causa de las lluvias, a Ignacio le pareciera que era la imagen de su corazón.

Y todo parecía tender a un mismo fin: la belleza. Y no había nada que fuera exagerado, excesivo, que traspasara los límites. ¡Tal vez el frío! Pero no; gracias al frío la estufa, con Matías Alvear y Carmen Elgazu y Pilar en torno a ella, adquiría una personalidad secreta y honda de fuente de vida. Incluso las tempestades tenían su ley. Cada relámpago iluminaba la zona precisa para crear grandeza, y los truenos profundizaban en el vientre del mundo recortándole su origen. Un cactos que el vendaval hizo caer en plena Rambla quedó enraizado, verde y reluciente, en un árbol, como anunciándole que la primavera volvería a hacer brotar de él hojas hermosas.

CAPÍTULO XLVI

Julio García —en paro forzoso— se pasaba las tardes enteras en el Neutral, dedicando pequeños discursos a los que querían escucharle. Ahora le había dado por la estadística. Generalmente hablaba de memoria; cuando ésta fallaba, sacaba un papelito de la cartera.

—Fijaos bien dónde estamos, después de tantos siglos de excelente administración. ¡Ramón! Otro coñac. España..., 8.000 kilómetros de litoral, posee una marina mercante embrionaria; inferior a la que poseía en 1929. ¿Causas? El desastre de la Armada en 1588... Los astilleros a veces construidos lejos del mar... Ahora diréis: ¡pero tenemos muchos trenes! Es un error, 3,3 kilómetros de vía férrea por cada cien kilómetros cuadrados. ¿País montañoso...? Suiza lo es más, y posee 14,6 kilómetros ferroviarios por idéntica superficie. ¡Consolémonos con las carreteras! Imposible: no las hay. Sí, hay algunas; pero con bache obligatorio; lo cual, por otra parte, explica el incremento que toma la tartana, en ciertos lugares. Esto en cuanto al transporte, esencial en una nación.

»En cuanto a la gran industria, parece ser que vamos de mal en peor, a pesar del empuje que le dan los hermanos Costa. Producción de hierro, 5.000 toneladas en 1924, 2.000 toneladas el pasado año. Carbón, 9.000 toneladas en el año 1913, seis mil toneladas el año pasado. Hay mineros en paro —algunos están en la cárcel—; ¡qué se le va a hacer! Algunos geólogos extranjeros pretenden que la cifra de extracción podría triplicarse; Gil Robles no es geólogo, tampoco es suya la culpa. Bien, pasemos al acero: 24 veces menos que Alemania, lo cual es lógico; 3 veces menos que Luxemburgo, lo cual ya no lo es tanto... No tenemos petróleo ni gasolina; mucha hulla, pero mal administrada; unos Pirineos llenos —al parecer— de metales preciosos que nadie busca... En cambio —hay que reconocerlo—, este coñac es excelente. Aunque, desde luego, preferiría un Napoleón.

»Pasemos a las cifras agrarias. ¿Dónde he metido yo el papel? Aquí. Sí, el campo... Ya lo dije una vez, no hace mucho: el campo es magnífico. Véase, si no, la *Ilíada*, final del canto VIII. España, 504,520 kilómetros cuadrados de superficie. De todo esto, sólo es cultivable la cuarta parte. El resto —desierto de Aragón, de la Mancha, de Almería, etcétera...— miseria. Medios de cultivo —y que perdonen si por aquí hay algún campesino—, antediluvianos. Condiciones de trabajo... Esto, por fortuna, está mejor. Por ejemplo, Sevilla. En la provincia de Sevilla

441

hay un pueblo —Valodatosa— en el que las mujeres que recogen garbanzos cobran una peseta de jornal. Claro que a lo mejor se llevan algún garbanzo escondido en la pechera. En la provincia de Álava hay otro pueblo —Narros del Puerto— que pertenece íntegro a una señora: señora bien, desde luego. No es Grande de España, hay que hacer justicia. La señora compró Narros del Puerto —incluidos la iglesia y el cementerio— por 80.000 pesetas. Todo es suyo. Y el contrato pone, entre otras cosas: «La dueña podrá desahuciar a los colonos que fuesen mal hablados». Aquí, en cambio, tenemos más suerte. Aquí don Jorge les dice: «Avisadme cuando muera alguien de la familia. Uno de nosotros asistirá al entierro». ¿Os cansa el tema...? ¿No...? Pues adelante. Transportes, industria, campo..., ahora hablemos de la organización bancaria. Parece ser que hay una institución que realiza maravillas: el Banco de España. 15.000 accionistas se reparten 125.000 millones de pesetas al año. Claro que hay un consuelo: algunas de esas pesetas vienen a parar a Gerona. Preguntádselo al notario Noguer, y a don Pedro Oriol. Tal vez por eso hayan nombrado alcalde al notario Noguer. ¡Ah, precisemos! El año de la hecatombe de Marruecos —1921— fue el más productivo: el dividendo repartido fue el 54 por ciento de capital. No, no todo es culpa de la República, como algún malicioso está pensando, como a veces yo mismo he pensado. El director de Banco Arús me lo contaba el otro día. Parece ser que la Monarquía dejó una deuda de 20.000 a 22.000 millones de pesetas, no recuerdo bien. Claro, que la culpa la tuvo el incremento de la burocracia... Para no hablar del Ejército, de la guardia civil, de los policías... ¿De qué os reís? Ya veis, expulsado del Cuerpo desde la revolución de octubre. Puedo criticar, ¿no os parece?

Julio se sentaba siempre en el mismo rincón del café, íntimo a pesar de estar lleno de espejos. A causa de éstos siempre creía que el auditorio era numerosísimo. Y a veces lo era, en efecto, pero no siempre. Nadie le llevaba la contraria. La mayoría de oyentes empezaba celebrando sus ironías, pero a medida que los datos sobre la Patria se acumulaban, su sonrisa se iba entristeciendo. Algunos creían que exageraba, pero ¿cómo demostrarlo? Nadie llevaba contraestadísticas en cartera.

De vez en cuando salía algún desconocido que, al final, comentaba

—Entendido, entendido, somos unos borregos. Pero tenemos mucha gracia, ¿no es eso? —Entonces Julio García se echaba el sombrero para atrás y exclamaba: «¡Bien venido al Neutral, amigo! ¿Puedo invitarle a una copa?»

Don Emilio Santos sufría cuando el policía abordaba estos temas

Por regla general, salía del café. Si se quedaba allá le interrumpía, a su manera.

—De acuerdo, de acuerdo. Las instituciones en España funcionan mal. Antes y ahora. Pero la gente vale mucho.

Julio García miraba, con aire desolado, a su alrededor.

—Ya lo ven ustedes —contestaba—. El señor confiesa que las instituciones funcionan mal. Y el señor es el propio director de la Tabacalera.

Matías Alvear se mostraba más incisivo que don Emilio Santos. En Telégrafos también todo el mundo hablaba en aquel tono. Todos decían: «¡Deberíamos entregar el país a Norteamérica!» Matías contestaba a Julio: «Lo que tendríamos que hacer es criticar menos y ser más patriotas. Criticando nos quedamos solos. Todos los que estamos aquí tenemos abrigo y bufanda, ¿no? Y Barcelona está lleno de restaurantes donde aún se come por una peseta. De acuerdo con que faltan barcos y trenes. También faltan escuelas y aviones. Pero hay muchas familias que se quieren y por Reyes no falta a nadie un pequeño regalo..., aunque a veces no sea en especie. Y en cuanto a los otros países, supongo que en todas partes cuecen habas. De acuerdo con que Inglaterra vive mejor, y Norteamérica, y Francia. Sin embargo, nuestras mujeres son más guapas que las suyas. Y además, todavía voy más allá: en ninguno de esos países tienen andaluces y madrileños. Mira lo que son las cosas, Julio. Parece ser que tú no puedes vivir sin grandes toneladas de acero. Yo, en cambio —y perdonen los presentes—, no podría vivir sin andaluces y madrileños».

Julio sonreía e insistía en sus trece. Y la discusión proseguía, pues Matías no cejaba. Ahora Matías, rebosante por su reconciliación con Ignacio, se negaba a verlo todo negro. No obstante, los rostros que los espejos del café devolvían multiplicados, en general se ponían de parte de Julio. Muchos terminaban dominados por un gran abatimiento. Si alguno le llevaba la contraria con Matías pertenecía a la clase media. Algún comerciante o pequeño industrial, decepcionado de tanta inestabilidad y de la revolución de octubre, y que lo que quería era trabajar.

Julio García acostumbraba a marcharse del café ya tarde, poco antes de cenar. Cenaba de prisa —lo cual ofendía a doña Amparo Campo— y volvía a salir. «No paras un minuto en casa. ¿Qué te ocurre?», protestaba la mujer. Él le daba un beso en el cuello y bajaba las escaleras, sonriendo. «Tengo que hacer.» Su quehacer consistía en ir al Hospital, a ver al doctor Rosselló. A veces, a la Logia. Con frecuencia, a la escuela de David y Olga.

En efecto, en la cárcel había hecho gran amistad con el maestro; y

Olga le gustaba mucho. Le gustaba enormemente. A veces se preguntaba si no le gustaba más que doña Amparo Campo.

Por lo demás, David oía complacido las estadísticas de Julio. «Es evidente que todo esto es abrumador —comentaba—. ¡Menos acero que Luxemburgo...!»

Luego hablaban de sus situaciones respectivas, con gran familiaridad. Ahora los maestros estaban preocupados porque Santi, el alumno de camisa desabrochada, había robado una bicicleta en la guardería de la fábrica Soler. Tuvo que presentarse ante el Tribunal Tutelar de Menores. ¡Y el presidente del Tribunal era don Santiago Estrada!

En cambio, estaban contentos porque... el acuario en clase era una realidad. Una caja de cristal con más de veinte ejemplares multicolores que se paseaban entre pedruscos artificiales y burbujas. Los alumnos tenían prohibido volver la cabeza; en cambio, los peces podían contemplar a éstos a placer. Olga, al día siguiente de asistir al documental científico proyectado en el Albéniz por el coronel Muñoz, les dijo a los alumnos: «Pero no creáis que todo el mundo submarino sea tan hermoso como éste. En el fondo del mar hay monstruos de una fealdad indescriptible, voraces y asquerosos». Los maestros habían adquirido el acuario con el producto de los trabajos veraniegos efectuados en San Feliu.

Las conversaciones en el Neutral y con David y Olga se celebraban por la tarde o por la noche: las mañanas, Julio las pasaba leyendo poniendo a punto su fichero de suicidas. El último suicida en la provincia había sido un médico, tercer varón en la familia que tomaba ta determinación. También recogía datos sobre los intelectuales españoles que se habían suicidado: Ganivet, arrojándose a las aguas del Dwina Larra, disparándose frente al espejo su pistola, en la sien; Bartrina.

El interés de Julio por este asunto no tenía nada que ver con s carrera policíaca. Era algo psicológico, obedecía a algo temperamenta Julio era un hombre que amaba con pasión la vida, que no comprendí que alguien renunciara a ella voluntariamente. Cuando hojeaba el fich ro —370 fotografías de suicidas, ampliadas a tamaño postal— los ro tros de éstos le miraban con fijeza y a veces le daban escalofrío, per aseguraba que le sugerían muchas cosas. Estos rostros tenían algo c mún, según contaba: «ojos hundidos, o bien lo contrario, casi salié doseles de las órbitas». Olga pertenecía a la primera serie, David a segunda. Julio procuraba cerciorarse de que sus propios ojos era normales.

Doña Amparo Campo le criticaba que se dedicara a esto. Se sent molesta. «Valdría más que me llevaras a paseo. Todavía no he estac nunca en La Molina.» Julio le contestaba, con gesto desolado: «En p mer lugar, tengo prohibido salir de la ciudad. En segundo lugar, en España carecemos de medios de transporte».

* * *

Los derechistas de Gerona dormían tranquilos. Los 343 parados de la ciudad les preocupaban poco, al parecer. «El Gobierno dice que se construirán edificios públicos, que se les dará un subsidio.»

El local de la CEDA había sido remozado. Impresionaba por su magnificencia. Conserje con botones dorados, etcétera...

Atraídos por el local y el auge del Partido, un aluvión de estudiantes se había afiliado a la CEDA y también muchas señoras. Su contraseña era la honradez; su medio de acción, la espectacularidad; su base, la religión.

En la Liga Catalana era distinto. El problema de los obreros preocupaba. Don Jorge, el notario Noguer y los economistas se habían reunido para hablar de ello. Era preciso hacer algo. Se estimó que la alcaldía en manos de un hombre del Partido podría ayudar eficazmente, y, en consecuencia, en espera de elecciones municipales fue nombrado alcalde el notario Noguer.

No obstante, todos estaban algo asustados. Las calles ofrecían un aspecto poco edificante. La suciedad parecía una consigna. De no poner coto, llegaría un momento en que llevar sombrero sería considerado atentado a la pobreza. Y eso no. Era preciso hacer algo, pero defendiendo el derecho a llevar sombrero.

Por ello el notario Noguer, al tomar posesión de la Alcaldía, preparó el discurso concienzudamente. Primero se dirigió a los necesitados y les garantizó que se haría lo posible para remediar su situación y encontrarles trabajo. Habló en un tono de sinceridad y competencia tales que a muchos les dio cierta esperanza, previendo algún plan importante de obras municipales. Pero luego añadió, dirigiéndose a la población en general:

—Sin embargo, el Ayuntamiento estima que una cosa no tiene que ver con la otra. Nos preocuparemos de todo eso ciertamente. Y de la conducción de aguas y de las cloacas. Pero al mismo tiempo lucharemos para evitar que un aluvión de plebeyez asfixie las tradiciones aristocráticas de nuestra querida Gerona. Hay algo que a mí me causa verdadero espanto, más que la cárcel y los tiros: y es ese constante martilleo contra todo lo que significa bienestar, cultura, distinción, minoría. Si alguien escupe en esta acera, me parece que no sólo como alcalde y como notario, sino simplemente como hombre que ama la limpieza, tengo perfecto derecho a cruzar la calle y continuar por el otro lado, sin que por ello me llamen enemigo del pueblo. Así que, mientras yo esté en la alcaldía, los guardias urbanos vestirán con decoro, las basuras serán recogidas, se perseguirá la blasfemia, se multará toda suerte de escándalo público, se retirará de la circulación a los borrachos, lo mismo si son de la Liga Catalana que de la CNT, y se considerará que un abogado o un arquitecto es ciudadano tan respetable como un mecánico o un matarife. Para la buena marcha del Municipio se necesita la colaboración de todos. Cortaremos abusos y orgías; pero también todo intento de convertir las tres veces inmortal Gerona en un popurri de barrio.

Ésta fue la gran sorpresa. Nadie hubiera imaginado que el notario Noguer, a sus cincuenta y cinco años, guardara tal dosis de energía. Sólo su propia esposa, al parecer, encontraba todo aquello muy natural. «A mí no me ha extrañado nada —dijo—. Le conozco.»

Los de la CEDA admitieron que estuvo acertado. «La Voz de Alerta» publicó el discurso en letras de molde. Todo el mundo. Todo el mundo satisfecho, sobre todo mosén Alberto. Mosén Alberto sabía que el Museo Diocesano contaría con el apoyo incondicional del Ayuntamiento de Gerona.

Cuando en el Neutral leyeron: «Se perseguirá la blasfemia», alguien dijo: «Entre este texto y el de la señora de Narros del Puerto hay la diferencia de un papel de fumar».

El comandante Martínez de Soria estaba contento. Se sentía respaldado. Gran cosa tener un alcalde así. El teniente Martín le objetó, bromeando: «Lo que temo por usted son las represalias contra los amantes del alcohol...» El comandante sonrió. Cierto que bebía demasiado; pero esto formaba parte de su ser, como las manchas rojizas de su rostro. El comandante Martínez de Soria, contrariamente a Julio, parecía no dar importancia a la vida. En su existencia cotidiana todo lo llevaba a cabo con desprecio absoluto del peligro, de la posible circunstancia adversa, lo mismo que cuando en África mandó una compañía. Lanzaba su caballo al galope, blandía su florete en la sala de armas, sostenía la copa, jugaba a los dados, miraba a las esposas de sus amigos, siempre con idéntico desparpajo, sonriendo, atusándose el bigote blanquecino y levantando el hombro izquierdo en ademán peculiar. Era un militar hecho y derecho. Ahora bien, de repente, era otro hombre. Cuando suponía una lejana alusión al honor del uniforme, o a la Patria, o a su mujer o a su hija, entonces en vez de atusarse el bigote se hubiera dicho que iba arrancar a lo vivo el del adversario. Sin embargo, su temperamento inspiraba, en general, una gran simpatía a los que le trataban. Alguién decía que para odiarle era preciso hacerlo a distancia. Acaso algunos soldados en el cuartel opinaran lo contrario. Pero es que el comandante Martínez de Soria no se dejaba sorprender. No se dejaba sorprender ni siquiera por el pulcro Comisario don Julián Cervera.

El comandante Martínez de Soria estaba contento... y en el fondo lo estaban todos los derechistas, pues tenían las riendas en la mano. La única excepción era, en realidad, «La Voz de Alerta».

En efecto, si el profesor Civil entendía que los enemigos de la humanidad eran los judíos y la técnica —y en menor escala los masones—, «La Voz de Alerta» entendía que eran los socialistas y su Sindicato, la UGT; los comunistas y su barbería, y los anarquistas y su Gimnasio. Y entendía que el problema que éstos planteaban no era sólo de basura por las calles, sino mucho más importante. Y que nada había quedado zanjado con la cárcel, sino que, por el contrario, no había hecho más que empezar.

«La Voz de Alerta» juzgaba que el notario Noguer, a pesar de su discurso, que el distinguido jefe de la CEDA, a pesar de su éxito entre las damas; que don Pedro Oriol, con su bondad, y que el comandante Martínez de Soria vivían en el limbo. No se habían dado cuenta de lo que significó el 6 de Octubre. Tampoco se daban cuenta ahora de lo que significaban aquellas veladas de lucha libre, y la tenacísima labor que habían reemprendido todas las fuerzas enemigas.

«Gil Robles se niega a dar el golpe de Estado; un día u otro volverán a darlo ellos, y esta vez de verdad.» En realidad, su voz sólo era escuchada por su criada Dolores.

El dentista era más culto de lo que la gente presumía. Y tenía sus teorías, su criterio propio. «Cuando la burguesía deja pasar la oportunidad de hacer su revolución, es que se está descomponiendo. En este caso podrá aún, con la ayuda de un par de generales, rechazar un motín popular mal organizado; pero la fuerza de las ideas populares acabará cortándole la cabeza.» «La Voz de Alerta» comprendía que, en el plano nacional, el día en que se unieran los campesinos del sur de España con los obreros industriales de Vascongadas y Cataluña, ambas fuerzas caerían sobre el centro —Madrid— desalojando del Gobierno a todos los Gil Robles hasta la cuarta generación; en el plano provincial y de Gerona, comprendía que los escarceos hasta entonces inhábiles de sindicatos y partidos —lógicamente faltos de madurez— tocaban a su fin, como en muchas otras provincias españolas. Las experiencias de las capitales de tradición revolucionaria, y la de las grandes zonas campesinas y proletarias les habían abierto los ojos, con la ayuda de la Prensa. En ninguna localidad faltaba un Cosme Vila estudiando, un Casal sabiéndose de memoria todas las revoluciones obreras, triunfos y fracasos, un Porvenir —el joven Jefe de la

FAI— llegado como enlace, con todo Bakunin a cuestas. Especialmente los comunistas, gracias a los continuos enlaces internacionales, andaban cargados de teoría.

La suerte estaba —según el dentista— en que hasta entonces no se habían puesto de acuerdo. En que los anarquistas —individualismo— eran los enemigos declarados de los socialistas —control— y de los comunistas —colectivización—; por lo cual con astucia siempre podía movilizarse uno de los tres frentes contra los otros dos, como ocurrió cuando las elecciones del 1933, sin que ellos se dieran cuenta. Sin embargo, ciertos indicios revelaban que la unión que prácticamente ya habían conseguido los revolucionarios asturianos —Alianza Obrera en Asturias había sido una realidad—, ahora era la meta perseguida por los dirigentes que en secreto llevaran los hilos rojos de la nación. «La Voz de Alerta» especulaba aún con la tradicional incapacidad indígena para llegar a un acuerdo, y con las disidencias profundas nacidas en el seno del partido comunista, entre los adictos a Moscú y los que creían que Stalin había desvirtuado totalmente la doctrina de Marx y de Lenin. Pero, con todo, en el Casino y en el café de los militares daba la voz de alarma, denunciando especialmente que el tipógrafo Casal había sido nombrado jefe del Partido Socialista y de la UGT —sabia lección— y que el Comisario, muy pronto, iba a permitir la apertura de los locales sellados.

Su criada, Dolores, le decía: «Y para mí, señorito, aún son peores las mujeres que los hombres».

CAPÍTULO XLVII

El dentista había acertado al pronosticar que la clausura de los locales de partidos políticos tocaba a su fin: el permiso de reapertura llegó y la ciudad pareció removida de arriba abajo. Y en el acto los tres hombres de que habló —Cosme Vila, del Partido Comunista; Porvenir, de CNT-FAI; Antonio Casal, del Partido Socialista— asaltaron el primer plano de la ciudad. Su personalidad humana dio cuerpo a estos partidos, les insufló espíritu de concreción y de eficacia.

Los tres personajes no tenían sino un detalle común: su fe. El mayor en edad era Cosme Vila; el benjamín, Porvenir. Casal era el más silencioso, Cosme Vila el que prestaba más atención, Porvenir el que destruía toda armonía...

Mateo, al verlos por la calle, ensimismados y seguidos por una legión de fanáticos, le decía a su padre: «¡Ah, si todas esas energías se canalizaran en una sola dirección...!» Matías, al ver a Porvenir había dicho: «Ese armará mucho jaleo...»

* * *

Cosme Vila fue nombrado jefe local del Partido Comunista, en substitución de Víctor, y estuvo a punto de dejar el Banco, pues su mujer le decía: «¿Por qué no? Ya nos arreglaremos. Ya sabes que yo sé fabricar cestos...»

Cosme Vila se daba cuenta de que los afiliados lo eran por instinto, pero desconociendo por completo lo que significaba el comunismo y su situación real en España. Entendió que sería contraproducente enterarles demasiado, pues todos querrían opinar; pero unas cuantas ideas generales eran indispensables. Anunció, pues, en la barbería, un «Cursillo de iniciación marxista», que amenazó con reventar las paredes del local. Por primera vez en Gerona el comunismo fue tratado de una manera científica.

Los comunistas gerundenses supieron, gracias a su jefe, que Marx fue el teórico de la doctrina, Lenin su principal intérprete, Stalin el continuador. Que en España las primeras células se formaron en 1920, en Madrid y Barcelona. Que lo que persiguieron estas células era lo mismo que perseguían en la actualidad: incorporación de Portugal, formando la Unión de Repúblicas Socialistas, nacionalización de la tierra, de los trenes, de la marina, de las industrias —incluyendo las de los Costa—, de las clínicas dentales —incluyendo la de «La Voz de Alerta»—, de la Banca —¡incluyendo el Banco Arús!—. Jornada de seis horas, cada trabajador un fusil... hasta que no quedara un solo capitalista en el mundo. El plan inmediato en Gerona tenía que ser encontrar un local digno, editar un periódico y nombrar un Comité. Personalmente, cada afiliado tenía que imprimir en su corazón una hoz, un martillo, etc.

Oyendo a Cosme Vila, y viéndole, Ignacio hubiera comprendido hasta qué punto la luz que despedía su cabeza se parecía a la de César. Tantos años de rumiar ante su máquina de escribir, tanto entusiasmo acumulado, tanta soledad y sequedad en aquel piso sin muebles, desnudas las paredes... Al modo como el patrón del Cocodrilo se sentía en presencia de César más próximo del reino celestial que de su bar, los oyentes en presencia de Cosme Vila, sintieron que Rusia estaba mucho más próxima de sus penas que la nación en que habían nacido. Gorki el perfumista, con su pequeña barriga, decía siempre que él no

449

vivía en Gerona, que prácticamente él ya vivía, desde hacía muchos años en Moscú.

Sólo un par de afiliados —Salvio y Pedro, ambos marmolistas— al oír a Cosme Vila dijeron para sí que iba a convertir el comunismo en una organización burocrática.

Cuando el Responsable se enteró de que Cosme Vila andaba discurseando con tanto éxito, cogió un berrinche y convocó en el acto nueva Asamblea General, en el Gimnasio. Fue en esta Asamblea donde Porvenir se reveló, alcanzando un triunfo poco menos que apoteósico.

El joven anarquista era la viva estampa de José, de Madrid, pero con más poder personal y habiendo pasado más penalidades. Tenía veinte años. Había nacido de padres desconocidos en el puerto de Barcelona, en 1915, en plena guerra europea.

Un librero de lance de Atarazanas, junto al puerto, le enseñó a leer, a ratos perdidos. Un viejo barbudo que por una peseta permitía ver en telescopio la luna le enseñó quiromancia y juegos de manos. Porvenir un día extendió el brazo izquierdo, horizontalmente, y le dijo al librero: «Agárrate aquí»: le sostuvo un minuto en el aire. Otro día extendió el derecho y le dijo al viejo del telescopio: «Ahora tú». Y le sostuvo otro minuto. El día en que consiguió, bajo la estatua de Colón, sostener a ambos viejos a la vez, uno en cada brazo, las chavalas se murieron por él.

Conoció al Responsable en la FAI de Barcelona. Congeniaron, pues Porvenir, que había recibido lecciones de *jiu-jitsu* de un marinero japonés, al decirle al Responsable que sería capaz de hacerle dar dos volteretas con sólo asirle la muñeca de determinada manera, obtuvo una curiosísima respuesta: «Yo sería capaz de hacerte quitar los pantalones en plena Plaza de Cataluña, y hacerte abrazar a un fotógrafo como si fuera Greta Garbo». Porvenir comprendió que el Responsable hablaba de hipnotismo y aquello le entusiasmó. Reunió a sus camaradas de la FAI de Barcelona y les dijo, echando una moneda al aire: «Si sale cara, me quedo; si sale cruz me voy con ése a Gerona». Salió cruz y se fue con el Responsable.

Y Gerona le gustó, porque en seguida se hizo el amo. A Blasco le deslumbró contándole anécdotas de los «limpias» de Barcelona; al Cojo, con los juegos de manos; a las hijas del Responsable, por su musculatura, la brillantina de sus cabellos y la quiromancia. Sobre todo a la mayor de ellas le leyó inmediatamente el futuro: «Tú te chiflarás por mí». Ella sonrió. Y, gracias a ello, en aquella segunda Asamblea la muchacha ocupaba, en el inmenso gimnasio, encaramada en un potro de madera, un puesto de honor, fascinada por la elocuencia del hijo del puerto de Barcelona.

El discurso que Porvenir hizo en esta reunión sería considerado para siempre como una de las páginas más gloriosas en los anales anarquistas de la ciudad. Dijo que en 1814, en un pueblo ruso llamado Torjok, nació el primer anarquista, Miguel Bakunin..., cuyo padre había tenido 1.200 esclavos. Que «un tío llamado Marx quiso hacerle la santísima, sin conseguirlo...» Que uno de sus herederos fue el italiano Malatesta, quien aconsejó «la acción directa». Que España asimiló en seguida las teorías de Bakunin y Malatesta y que ahora, después de lo ocurrido en Asturias y del asesinato de Joaquín Santaló, era la hora de ir incluso más allá de lo que éstos aconsejaran.

—¡Camaradas, tenemos millón y medio de afiliados! En cabeza, Cataluña; luego, el campo andaluz. Nuestros enemigos son los burgueses y los comunistas. ¡Qué más da! Bemoles no nos han faltado ni para zumbar a los reyes —que lo diga Alfonso XIII— ni para amotinarnos contra Cristóbal Colón. ¡Adelante, pues! A instaurar el anarquismo en España. En Gerona, fuera tanto municipio y tanta sotana. Hasta para casarse hay que firmar cinco veces. Nosotros predicamos la ley natural. ¡Y nada de Bancos ni monedas! Yo hago juegos de manos y Blasco me limpia las botas. Otro te lleva en coche y el Cojo le hace un huevo frito. ¡La camaradería elevada al cubo! Gerona será la gran fiesta, en verano todo el mundo a la Dehesa, en tiendas de campaña. No habrá que mantener al obispo, de manera que todo fácil. Y una vez muerto, ale, al cementerio. Ahora va a hablaros el Responsable. Yo no tengo más que decir. No me las doy de pincho ni de nada. Cuando toquen a dar, daré como los demás; si me dan, mala suerte. Si alguien quiere algo de mí, ya sabe dónde vivo. Esto es el anarquismo. ¡Viva la CNT! ¡Viva la FAI!

La ovación fue ensordecedora. Blasco agitaba a un tiempo el cepillo negro y el cepillo rubio. El gimnasio resplandecía de alegría y libertad. Un tipo pequeño se subió por la cuerda hasta el techo. «¡Soy Bakunin!», gritó.

En el Partido Socialista, Antonio Casal consiguió también enardecer a sus afiliados. Tipógrafo de *El Demócrata*, de 36 años, casado y con tres hijos, Casal había sido socialista desde su primera juventud. «El camino del poder», de Kaustky, le había convertido a la doctrina, pero nunca había aceptado ningún cargo. Mas la Logia Ovidio se lo ordenó y Casal, a pesar de la oposición de su mujer, aceptó.

Su anárquica cabellera contrastaba con la prematura calvicie de Cosme Vila y con las brillantes ondas de Porvenir. Le fascinaba la lucha de clases; pero la idea de dictadura proletaria le ponía furioso, así como el hecho de convertir el terrorismo en una religión. Nariz prominente, boca pequeña y apretada, su particularidad consistía en llevar siempre algodón en una de las dos orejas. «Para hacerme el sordo si conviene.»

Su triunfo fue también clamoroso porque usó un lenguaje directo y enérgico, al que en Gerona, y sobre todo en la UGT, no estaban acostumbrados. Empezó diciendo que lo primero que tenían que hacer los afiliados, antes que pedir aumento de salario, era ponerse al corriente de pago... Luego añadió que nadie tenía que estar en el Sindicato porque sí, ni a disgusto; que si alguien, al salir, se ponía a leer a Santa Teresa perdía el tiempo, se lo hacía perder al Sindicato e incluso a Santa Teresa..., que mientras el comandante Martínez de Soria se paseara a caballo por la Dehesa y el Museo Diocesano obtuviera enormes subvenciones del Ayuntamiento, pocas esperanzas había de mejorar las condiciones de vida de los distintos oficios adscritos; que lo que importaba, por lo tanto, era forzar las elecciones antes de fin de año... ¡y ganarlas! Nada más.

León Blum, desde la pared, sonrió. Canela quería sindicarse, la Torre de Babel aplaudió a rabiar. Casal se abrió paso entre los grupos y salió, porque su mujer y sus hijos le estaban esperando.

CAPÍTULO XLVIII

Los hermanos Costa reabrieron Izquierda Republicana con todos los honores, y todo el mundo quedó en su puesto. Mateo e Ignacio, a la salida de casa del profesor Civil, veían a los militantes de los distintos Partidos bajar las escaleras, discutir y por fin dispersarse.

Los dos muchachos ya se llevaban bien, y, por tácito acuerdo, muy raramente hablaban de política. Estaban al corriente de todo cuanto ocurría en la ciudad —sobre todo Mateo—, de todas las fuerzas que se movilizaban; pero el curso les absorbía —sobre todo a Ignacio—. Éste estudiaba mucho, de acuerdo con el eficaz plan de vida que se había trazado. Todas las noches se sumergía en los libros de texto hasta quedarse dormido. Desde la mesilla de noche, San Ignacio parecía querer también estudiar, pues miraba por encima de su hombro el libro abierto.

Lo primero que Ignacio había hecho, después de sentirse absolutamente curado, había sido olvidar su promesa de subir a pie a la ermita de los Ángeles. En cambio no olvidó acompañar al Neutral a

Matías Alvear, de vez en cuando, y a Carmen Elgazu a hacer alguna visita a la iglesia del Sagrado Corazón. Tampoco olvidó mandar a Canela un recado que decía: «Muchas gracias».

Sabía por *El Demócrata* que, a pesar de las consignas de Unión, los anarquistas se negaban a colaborar con los comunistas, y que Cosme Vila y Casal rehusaban hacerlo con los Costa. A unos y otros les faltaba, por lo visto, platicar un rato con mosén Francisco; tal vez descubrieran la fórmula de la armonía. Sabía por el rubio ex anarquista que grandes sesiones de zarzuela popular sucederían a la lucha libre y al boxeo; zarzuelas en que el tenor sería el Bueno y el barítono el Malo o viceversa, para no variar. Había leído el discurso del notario Noguer, pero..., pensaba poco en ello. Por de pronto, se preocupaba de Pilar, correspondiendo a la compañía que la chica le hizo durante la enfermedad. Bromeaba con ella sobre el taller de costura, o sobre su Diario íntimo y le hacía contar cosas de las monjas, riéndose a pleno pulmón, lo cual encantaba a su hermana. A veces le pagaba el cine, o castañas, o churros; nunca faltaba una pequeña atención. Luego, además, había escrito a César, agradeciéndole el libro sobre Teresa Neumann. Larga carta, que dejó al seminarista estupefacto. «¿Qué le ha ocurrido a Ignacio?», se preguntó. La carta era la de un muchacho sensato, creyente, magnífico. César la enseñó a su profesor de latín, el cual le contestó, sonriendo, que la había leído antes que él... El seminarista sintió una alegría inmensa. «¡Ignacio convertido, Ignacio convertido!» Sus súplicas habían sido escuchadas. Ello le consoló en parte del disgusto por el cierre del taller Bernat.

Pero, sobre todo, Ignacio había escrito con inesperada emoción a Ana María. Empezó por cortesía y luego se halló reviviendo lo de San Feliu: la espontaneidad de la chica, sus verdes ojos, el balón azul, la conmovedora expresión de disgusto cuando él se puso grosero en la playa. Le escribió: «No, todavía no soy alcalde —lo es un notario— ni abogado; pero lo seré. Y entonces —¡sí, sí, Muntaner, 180, ya me acuerdo!— te nombraré concejal, o tal vez mi primer pasante. Acaso ganemos, juntos, muchos pleitos perdidos. Por de pronto yo acabo de ganar uno; gracias, primero, a una enfermedad y luego a un vicario de sombrero espantoso». Ana María le contestó con sello de urgencia, emocionada. Aquel día se puso sus mejores pendientes.

* * *

Mateo, en edad militar, obtuvo, gracias a Marta, que el comandante Martínez de Soria apoyara su petición de prórroga por estudios. Así que quedó libre, de momento, y respiró; y con él respiró Pilar.

No lo hizo por comodidad: servir a la Patria le parecía muy honroso; pero al igual que J. Campistol, jefe de las escuadras de Barcelona, a quien visitó, entendió que su puesto por el momento estaba en Gerona, bajo la camisa azul, y no en cualquier cuartel de la península bajo el uniforme caqui.

Don Emilio Santos se alegró de conservarle a su lado, Carmen Elgazu le hubiera echado de menos; el profesor Civil, más que orgulloso de sus dos discípulos, se hubiera llevado un gran disgusto; para no hablar de Raimundo, quien tenía en Mateo uno de los pocos clientes de recorte de bigote y masaje.

—Cuando tú necesites prórroga —le dijo Mateo a Ignacio—, hablaremos con Marta y el comandante también te lo arreglará.

Una cosa le estaba preocupando a Mateo: el corazón. No acertaba a explicarse lo que le ocurría, pero lo cierto era que al entrar en casa de Ignacio, llena la cabeza de «valores eternos, de mar azul y de yugos y flechas», sin contar con el Derecho Romano y la Economía, la espléndida juventud de Pilar, sus pómulos tersos y rosados, sus alegres vestidos cosidos y cortados por ella misma, su nariz respingada y sus ojos maliciosos le producían una gran sensación de bienestar. Antes de entrar en el cuarto de Ignacio, para estudiar con él cualquier lección difícil, se sentaba en el comedor, junto a la estufa, unos minutos, al lado de Carmen Elgazu, frente a Pilar. Y el júbilo de la muchacha en estos casos, lo hacía suyo, sin querer. Se iba interesando por sus pensamientos. Todo lo de la chica se le iba haciendo familiar y le parecía lógico saber a qué hora fue al taller, a qué hora salió, qué hizo luego, si volvió directamente a casa. Matías Alvear, con los auriculares de la galena en la cabeza, o leyendo el periódico, pensaba: «A ver si una de las flechas de que habla don Emilio Santos cruza este comedor y engarza a esos dos chicos». Carmen Elgazu, haciendo calceta, tenía aire de preparar la venida al mundo de un nuevo ser.

Todo aquello preocupaba a Mateo porque en un principio pensó que, en todo caso, le interesaría Marta. Perfil castellano, montaba a caballo, iba a Bellas Artes, se conmovía cuando alguna gran palabra se introducía en la conversación. Y, sin embargo, lo más que sentía por ella era admiración y estima, la consideraba una magnífica camarada. Podría fundar la Falange femenina en la ciudad; mirando a Pilar, nunca se le ocurrió preguntarle qué opinaba de José Antonio.

—¿Y de qué habláis en el taller?

—Pues... de nada. De chicos.

—¿Y de cine...?

—Naturalmente.

—Y... ¿de qué chicos habláis?

—¡Toma! De ti, si te parece.

—Yo no he dicho eso...

Ignacio abría por tercera vez la puerta de su cuarto y decía:

—Mateo, que nos espera el Romano.

* * *

Los discursos de Cosme Vila, Porvenir y Casal habían sido publicados íntegros por *El Demócrata*. Todo el mundo los leyó. En general se consideró que su tono era de una gran violencia; y sin embargo, el profesor Civil comentó que esta violencia era pálida comparada con lo que verdaderamente pensaban los tres hombres que los habían pronunciado. A su entender los objetivos de Cosme Vila iban mucho más allá de lo que dijo, y Porvenir sólo por ser la primera vez que habló evitó hacerlo de bombas, que en realidad era lo que se había traído de Barcelona. En cuanto a Casal, el profesor aseguró que su cerebro era tal vez el más incendiario de la ciudad. «Ya lo veréis. Es una caja de explosivos.»

Ignacio no sabía qué pensar. Intentaba ser justo. Seguía los consejos de mosén Francisco. En vez de calibrar los peligros que todo aquello podía entrañar para la ciudad, pensaba en los tres hombres que se erigían en jefes, y buscaba las causas posibles de su explosividad.

A su antigua teoría de que la infancia influía decisivamente —¿cuál habría sido la de Cosme Vila, cuál la de Casal?, la de Porvenir se la había contado...— ahora añadía otras muchas. Constitución física, temperatura del piso en que habitara, y, sobre todo, más o menos intensa vida familiar. A menos vida familiar —los de la FAI, «La Voz de Alerta»—, más violencia. A más vida familiar —sus padres, el profesor Civil—, más moderación. Había excepciones como el Responsable, viviendo con sus hijas y, sin embargo, hecho dinamita, y como Casal... Pero los ejemplos en favor de su teoría se contarían por centenares. Toda la clase media en bloque. El cajero: desde que había adoptado a Paco era un sentimental. Él mismo, Ignacio. Cuando espiritualmente se halló lejos de los suyos, llegó a encaramarse a un tablado de músicos para destrozar un trombón, y acabó nadando en mares de pus; ahora que, como Mateo, a veces se sentaba al lado de la estufa con sus padres y Pilar, tenía formidables inquietudes, pero sabía esperar.

¿Y Cosme Vila...? ¿Sería también una excepción...? ¿Rebajaría el tono cuando su compañera le diera el hijo que llevaba en las entrañas? Tal vez sí. Tal vez ante la débil carne del hijo deseara menos absolutos los poderes del Estado.

¡Válgame Dios! Ignacio se dio cuenta de que, pensando en aquellas cosas, proyectaba sobre ellas o bien una luz irónica o bien una luz de suficiencia. Esto le desazonó. Le dio miedo incurrir en vanidad, en suficiencia. Demasiado sutil y en paz consigo mismo. ¡Bien estaba la perspectiva en el profesor Civil, encorvado bajo el peso de los años, conocedor del griego y del latín! Él era un mocoso, que ganaba veinticinco duros al mes y estudiaba primer curso de Derecho. He aquí los peligros de la virtud. Imposible saber cómo se las arreglaba César para perseverar sin pecar de vanidoso. Era preciso, no sólo callar, sino hacer que callaran determinadas voces que nacían del silencio. Mosén Francisco habló de ducharse... Tal vez errara no siguiendo, antes que ningún otro, este consejo.

Pero... tampoco tenía que exagerar en este sentido. No, no era tan injusto como todo aquello podía dar a entender. La verdad era que, ahora, amaba al prójimo... También con excepciones: Canela y mosén Alberto. Pero contra esto ya no se podía luchar. Lo importante era que se mantenía sereno. Presentía que todos juntos se acercaban a una gran catástrofe; y por ello amaba al prójimo más aún. Ahora en vez de los rusos, de Rousseau y de Voltaire y de láminas de *Crónica*, leía las asignaturas de la carrera y el libro sobre Teresa Neumann. ¡Y la Biblia! Válgame Dios. «Aquellos dieciocho sobre los que cayó la Torre de Siloe, y los mató, ¿creéis que eran más culpables que todos los hombres que moraban en Jerusalén? Os digo que no, y que si no hicierais penitencia, todos igualmente pereceréis.»

¡Cuántas cosas veía claras! En Gerona bastaba que surgiera un hombre —Porvenir, Cosme Vila, Casal— para que un partido político cobrara auge. ¿Dónde estaba, pues, el valor permanente de la doctrina? Claro que a él le había ocurrido siempre lo propio. Tal vez fuera ésa la nueva Torre, peligrosa, de Siloe. En todo caso, en la ciudad lo permanente era la rebeldía de los solitarios, el instinto de conservación de las familias, la lucha entre los de abajo y los de arriba, las murallas.

Un hecho le aparecía más claro aún que los demás: continuaba clasificando a Mateo entre los exaltados.

También le parecía evidente que Marta, montada en su jaca o a pie y vestida de negro, era la mujer más hermosa de la ciudad.

CAPÍTULO XLIX

La doble boda de los Costa fue, en efecto, sensacional, y se celebró aunque la casa en construcción no estaba terminada todavía; de momento ocuparían dos pisos alquilados.

El obispo no los casó, como había profetizado Raimundo; ahora bien, la ceremonia fue espectacular. Se celebró en la parroquia del Carmen, tan espléndidamente adornada que parecía el local de la CEDA.

Se comentaba mucho que los Costa hubieran elegido novias tan ricas. Algunos lo consideraban poco democrático, otros opinaban que aquello no tenía nada que ver. En todo caso ellos hicieron las cosas como era debido. No se limitaron a invitar a su hermana Laura, al Comisario don Julián Cervera, a la Junta de Izquierda Republicana en pleno, a los directores de Banco, a muchos amigos hechos en la cárcel —Julio, David y Olga etc.—, sino también a todos sus obreros; los canteros, los fundidores, los de los hornos de cal, los marmolistas. A alguno de éstos entrar en la iglesia les vino a contrapelo; pero en el fondo se sintieron halagados.

Las novias habían sido más austeras. Se habían traído sus padres —propietarios con empaque— y media docena de parientes con cuello duro. Testigos, por su parte, un notario de Figueras y un arrocero de Pals.

Después de la ceremonia religiosa, hubo banquete en el Hotel Peninsular, con música a cargo de la orquesta del Rubio. Los ciento cuarenta y cuatro obreros de los Costa fueron acomodados en la sala contigua a la de los protagonistas de la boda. Los suegros de los dos industriales miraban asustados a aquellos hombres que no sabían coger el tenedor, y que libaban como soldados carlistas. Cuando el baile empezó temblaron ante la idea de que, por democracia, sus yernos entregaran sus esposas a aquel populacho. La mujer decía: «Esto es demasiado». La sonrisa de las hijas los consolaba, recordándoles que aquello pasaría pronto y que luego nadie les quitaría un apellido cuyo solo eco movilizaría los Bancos de la ciudad. Sin embargo, presentían luchas desagradables por culpa de la política.

Los Costa fueron prudentes. Un nuevo y oportuno reparto de habanos fue la señal de democrática despedida. «Hasta el lunes, fiesta», fueron diciendo a los obreros; y los obreros, endomingados, rojos de champaña y con cara de tarde de toros, fueron saliendo del hotel dándose palmadas y cuidando no tropezar con los dos tiestos de flores instalados afuera.

El Comisario —don Julián Cervera— fue de los que se quedaron. Y bailó con las dos novias. También se quedó Julio García, que fue de los que hablaron después del banquete. Los directores de los Bancos aguantaron firme, copa en alto, el del Arús bailando dale que dale con doña Amparo Campo, ésta feliz. El comandante Campos intentó templar los nervios de su esposa, a la que nadie sacaba a bailar. David y Olga se habían ido. Casal y Cosme Vila, tal como estaba previsto, habían declinado la invitación personal.

Poco antes de las seis, las dos parejas desaparecieron. Partieron en dirección desconocida. Apenas si Laura había tenido tiempo de hablar con sus cuñadas. Le parecieron más tratables de lo que había supuesto. Al quedarse sola con los suegros, miró a los invitados, uno por uno, y descubrió a Julio.

Laura tenía un pésimo concepto de Julio, por lo que había oído de él. Y sin embargo, el policía la conquistó. Le pareció inteligentísimo. Le contó la vida de las tortugas —no toda, porque no daba tiempo— y detalles curiosísimos sobre música africana. Le recitó unos versos de Hafiz. «Nunca hubiera creído que fuera usted así. Yo le tenía a usted por un bárbaro.» Julio, que había bebido lo suyo, sonrió. «La bárbara es mi esposa.» Laura soltó una gran carcajada. «Estoy muy alegre», dijo la muchacha. Tal vez influyera el hecho de que todos los obreros de sus hermanos, uno por uno, habían acudido a saludarla y despedirse de ella. «¡Pobres, pobres!», comentó, para animarlos.

Don Julián Cervera, el Comisario, había reflexionado mucho antes de aceptar la invitación. Julio le había dicho: «No se preocupe. Pronto se casará "La Voz de Alerta" y haremos que también le inviten a usted. Entonces todo el mundo comprenderá que el Comisario es imparcial».

Muchas chicas pegaron sus narices en los cristales del Hotel, desde fuera, para contemplar el banquete; una de ellas, Pilar. Si Mateo la hubiese visto, se hubiera indignado. Pero ya estaba hecho. El taller en pleno lo acordó; imposible rehusar. Todas, incluso Pilar, quedaron desilusionadísimas al enterarse de que los novios ya se habían ido. ¿Dos coches...? ¿Por separado...? ¡Mira qué tal! Todas admitieron que Laura estaba muy bien y que la esposa del comandante Campos era verdaderamente espantosa. Pilar, al ver bailar a Julio, pensó en unos años antes, cuando el policía le preguntó: «¿Qué...? ¿Te gusta la primavera?» Aquel día enrojeció pensándolo.

CAPÍTULO L

En la ciudad, excepto Cosme Vila, Casal, Julio, el comandante Martínez de Soria y algunos más nadie había tomado en serio la Falange que podría llamarse local. Considerada en bloque —Castilla, Madrid y demás—, era otra cosa. Los extremistas de izquierda no cesaban de hablar de asesinatos y los extremistas de derecha la consideraban la FAI blanca. El hecho de que un movimiento de curiosidad se alzara aquí y allá para oír sus mítines, no ahogaba la íntima sensación de que los falangistas eran muy pocos y de que no constituirían un peligro nacional excepto en el caso de que desde el poder se les brindara la ocasión. En Gerona se había sabido en seguida que el hijo del Director de la Tabacalera —gran cabellera y camisa azul— llegó con intenciones de abrir brecha. El notario Noguer, don Santiago Estrada, mosén Alberto y demás prohombres consideraban a Mateo una cabeza juvenil, con cuatro ideas espectaculares, desconocedor de la psicología de la región. El Responsable y muchos obreros —trabajando o en paro— profetizaron que recibiría muchas palizas; en cambio, David y Olga creían que el virus sería más contagioso de lo que parecía. «La gente actúa por mimetismo, sobre todo en épocas de transición como ésta.»

Algunas señoras se sentían atraídas, sin saber por qué. Falange tenía algo de clandestino, de misterioso y caballeresco. Mateo no se daba cuenta, pero a su paso despertaba algún suspiro de admiración.

Mateo se había propuesto llegar, lo más pronto posible, a la cifra de seis camaradas. Ello no lo consideraba imposible, pues a su entender en todas las poblaciones ocurría lo mismo: había unos cuantos muchachos que eran falangistas sin saberlo... Y otros manifiestamente simpatizantes, que leían los discursos de José Antonio con atención, pero que, faltos de un jefe inmediato, se mantenían pasivos. Se trataba, pues, de dar voces, fe de vida. «Por las barberías, por los cafés...» Al menor movimiento de simpatía que se notara, coger al catecúmeno por la solapa... y entonces ponerle a prueba. Decirle que Falange no le prometía ninguna ventaja, ni aumento de salario, ni aprobar los estudios sin esfuerzo; a lo más, algún disgusto serio. Darle a leer las Circulares, muy claras a este respecto. Si el muchacho, a pesar de todo ello, se cuadraba y exclamaba: «¡Arriba España!», se le entregaría el carnet.

El brazo derecho de Mateo era Octavio Sánchez, empleado de Hacienda, carnet número dos. Mateo, que dividía las inteligencias en elefantiásicas —Menéndez y Pelayo—, peso fuerte, peso mosca y peso pluma, clasificaba a Octavio en este último grupo. Entendiendo por peso pluma la facultad de escurrirse para pegar el primero.

Esto lo decía porque Octavio no se dejaba pillar nunca en falso. Cuando en Hacienda le hacían preguntas capciosas respecto de Falange, él contestaba con impecable rotundidad. Y lo mismo en la fonda en que se hospedaba.

En esta fonda, cerca de la Plaza Municipal, había ocurrido algo singular. Octavio, que siempre decía que era humanista, en el sentido de que prefería mil veces tomarse una copa en una tertulia que escalar un pico del Pirineo o penetrar en una gruta, había ido alargando considerablemente las sobremesas, en compañía del patrón del establecimiento y de su hija Rosario. Hasta que un día le dijo a la hija del fondista que la quería. La muchacha subió a su cuarto sofocada y volvió a bajar al cabo de un rato a confesarle que llevaba muchos días esperando la declaración. El patrón se mostró contento, pues consideraba que tener un pariente en Hacienda en ningún caso podía perjudicar.

La sencillez con que todo aquello había ocurrido, era abrumadora. Ahora Octavio llevaba camisa azul y su novia, Rosario, se la planchaba. Perfecto. Sentía gran simpatía por Ignacio y esperaba que una de las sillas del despacho de Mateo le perteneciera algún día. Mateo le decía: «No te hagas ilusiones. Ignacio lleva algo en la sangre que tira por otro lado».

Octavio no insistía. Octavio sentía un gran respeto por Mateo. Le consideraba Jefe y le hubiera obedecido a ciegas. Tenía perfecta conciencia de haber sido su primer camarada en la ciudad; de modo que cuanto más cargado de humo, de tensión y de circulares estuviera el despacho en que se reunían, más contento estaba de no ser simple funcionario de Hacienda, de contribuir, aunque fuera ceceando, «al amanecer de España». Con los Martínez de Soria se hubiera entendido muy bien, aun cuando le habían parecido un poco petulantes. Ahora le ocurría algo pintoresco. Conseguía hacer respetar Falange en Hacienda, en el Neutral, en todas partes... excepto en la fonda. En la fonda, el patrón, hombre de elevada estatura y enorme faja, le decía siempre, blandiendo la cuchilla del pan: «Escucha, Tavio. Como me metas a mi hija en jaleos, te devuelvo a Andalucía cortado en lonchas».

Mateo y Octavio habían puesto manos a la obra. La preparación de todas las demás fuerzas de la ciudad los estimulaba a ello. Mateo le dijo: «Hay que llegar a la cifra de seis. Seis hombres es poca cosa, pero en nuestro estilo bastan para abrir brecha. Seis falangistas en potencia existen seguramente en Gerona. Verás cómo en el plazo de un mes se presentan a nosotros».

El cálculo de probabilidades hecho por Mateo se reveló exacto. Veinticinco mil habitantes, no podían dar menos. La primera pieza cobrada resultó falsa; las demás, verdaderas.

La pieza falsa fue el teniente Martín. Se les ofreció, diciendo que ya en La Coruña había sido de Falange. Mateo se hizo el sordo. Quería eludir a los militares, sobre todo en la casta engomada del teniente Martín.

En cambio, aceptaron al hijo menor del profesor Civil. Lo cual era curioso habida cuenta que el profesor les había dicho a Mateo e Ignacio: «Ninguno de mis hijos será nunca falangista: les he dado formación clásica». Su hijo menor, Benito Civil, delineante en paro forzoso después de lo de octubre, ahora trabajando para los arquitectos Massana y Ribas, al enterarse de que Mateo iba a clase de Derecho con su padre se presentó en su casa y le dijo: «Camarada, me gustaría saber exactamente de qué se trata, pero en principio me parece que soy de los vuestros». Mateo le miró con fijeza. Por entonces el delineante estaba todavía parado. Mateo le dijo: «Falange no te promete encontrarte trabajo; al contrario, probablemente tendrás que ayudarnos a pagar algunas cosas».

Benito Civil parpadeó.

—¿Eres casado? —le preguntó Mateo.

—Sí.

—¿Tienes hijos?

—Sí. Dos.

—Pues piénsalo bien. Esto es peligroso.

—¿Por qué tan peligroso?

—Porque Falange ama a España sobre todas las cosas. Incluso sobre los hijos.

Benito Civil sintió un escalofrío. Su mujer le había dicho: «Déjalos. Esto no nos traerá más que disgustos». Pero algo le atraía, le mantenía de pie, en el despacho de Mateo, a la sombra del pájaro disecado.

Se llevó las Circulares a casa. Las leyó con apasionamiento. Benito Civil había intuido desde chico que no le bastaría vivir en Gerona, odiar la técnica y los judíos, que eran las ideas que su padre le había inculcado. Todo esto le parecía un poco desorbitado. Al leer en las circulares: «La idea de Patria es el término medio preciso entre el concepto local o regionalista —concepto raquítico— y el de supresión de fronteras o sociedad universal —concepto vago o quimérico—»; al leer: «Para nosotros, nuestra España es nuestra Patria, no porque nos sostenga y haya hecho nacer, sino porque ha cumplido los tres o cuatro destinos trascendentales que caracterizan la Historia del mundo: defensa de la Catolicidad, descubrimiento de América, etcétera...», Benito Civil se puso su americana a cuadros verdes —al delineante le gustaban las tintas de color— y andando algo encorvado, como su padre, el profesor, se presentó a Mateo y levantando el brazo, exclamó: «¡Arriba España!»

Ya eran tres. Se había avanzado la mitad del camino. El cuarto fue el hijo del doctor Rosselló. Miguel Rosselló empezó a sentirse falangista el día en que oyó a su padre hablar en contra de la Falange. «Cuando mi padre critica algo, es que es bueno...», se dijo.

El abismo humano abierto desde siempre entre el doctor Rosselló y su hijo era uno de los dramas telúricos de la ciudad. Miguel Rosselló seguía paso a paso las andanzas de su padre y le consideraba un ser indeseable, ganado por extrañas ambiciones personales. Cuando salía de su casa Miguel Rosselló miraba el cielo azul y ensanchaba sus pulmones. Rota la esperanza familiar, buscaba algo en que verter sus energías de estudiante. Un día leyó un discurso de José Antonio y se entusiasmó. Conoció a Octavio en el Neutral. Octavio le dijo: «Falange, a las personas como tu padre, que utilizan a los enfermos como medio, los condenaría a cadena perpetua o a algo peor aún». Miguel Rosselló quiso conocer a Mateo. Mateo miró el ojal de la solapa del catecúmeno, en el que brillaba una insignia de marca de coches.

—¿Eres aficionado a los coches?

—Sí.

—¿Por qué?

—Me gusta la velocidad.

Luego le preguntó Mateo por el resto de sus aspiraciones. Miguel Rosselló quería estudiar Medicina, «para salvar las personas que su padre destrozaba».

—No comprendo que hables así. Tu padre tiene fama de médico muy competente.

—Y lo es. Pero es un mal hombre.

—¿Te parece que un médico, antes que médico, tiene que ser hombre?

—Desde luego.

Mateo asintió con la cabeza. Le arrancó de la solapa la insignia Studebaker. Le dio a leer las Circulares: «Vuelve dentro de tres días». Miguel Rosselló, alto, casi imberbe, con cara de franqueza total, con mucha energía concentrada en las comisuras de los labios, volvió y gritó cuadrándose: «¡Arriba España!» Luego, al llegar a su casa, contó a su padre lo que había hecho. El doctor Rosselló le contestó: «Si no borras inmediatamente tu nombre, mejor dicho, tu apellido, de Falange, tendrás que buscarte otro techo». El chico le dijo: «Me buscaré otro techo».

El quinto camarada fue Juan Roca, estudiante de idiomas. Era hijo del portero de la Inspección de Trabajo —el competidor del subdirector en asuntos masónicos—. Se ganaba la vida dando lecciones de alemán y rellenando cédulas para la Diputación. Le gustaba todo lo alemán, empezando por el idioma y terminando por las máquinas fotográficas. Su padre le decía que el alemán era horrible, que sólo servía para recitar o cantar himnos. Pero Juan Roca continuaba estudiándolo, y enseñándolo, con la mejor voluntad.

Se presentó a Mateo porque estaba convencido de que Falange se inspiraba en las modernas teorías alemanas. Cuando Mateo le replicó que estaba en un error, que la mínima parte no española de la doctrina de Falange se había inspirado en Mussolini, el muchacho intentó hacer marcha atrás. Pero Mateo le detuvo. Le había gustado la mirada de Juan Roca. Le dio a leer las Circulares. Juan Roca las leyó y pensó: «Nada, nada, esto es alemán, por más que diga. O por lo menos podía haberlo concebido un alemán». Volvió al despacho de Mateo y extendió el brazo exclamando, sonriente: «¡Arriba España!» Mateo le dijo: «Antes de darte el carnet, asistirás a varias lecciones. En fin, tienes que liberarte de toda idea de extranjerismo».

El último fue Conrado Haro. Conrado Haro, el bonachón. Un chico de escalofriante buena fe, de familia muy modesta. Su padre era guardia urbano del Municipio. Conrado Haro quería ser marino. Todo lo que se relacionara con el mar le llegaba al corazón. Estaba desesperado porque la República no hacía nada en este sentido, porque tenía la marina abandonada. Cuando leyó en un retazo de periódico que Falange preconizaba que España volvería a ser grande por las rutas del mar, no vaciló un momento. Se presentó a Mateo. Mateo le dijo: «Es cierto. Ya lo ves, hasta el color de nuestra camisa es azul...» Conrado Haro gritó: «¡Arriba España!» En las Circulares entendió poca cosa. Los párrafos en que no se hablaba del «mar» se los saltaba. «Bien, bien, de acuerdo, de acuerdo», murmuraba. Mateo le admitió porque le vio un corazón puro, con un ideal concreto y dispuesto al sacrificio para realizarlo. Y se dijo que no cejaría hasta ver a Conrado Haro vestido de blanco en la cubierta de un barco.

* * *

Alcanzada la cifra de seis, Mateo pensó que era la hora de reunirlos. Apenas si se conocían entre sí. Octavio conocía a Rosselló, Roca y Haro se habían saludado alguna vez en la Rambla, Benito Civil era bastante mayor que todos ellos —veintinueve años, el viejo de la pandilla—. Era preciso presentarlos mutuamente y formar un bloque compacto. La idea de unidad era esencial.

A Mateo le encantaba la diversidad de procedencias y aun la diversidad de motivos que había impulsado a los seis camaradas. Y se dijo que entre todos formaban, en miniatura, un mundo completo. Octavio era la inteligencia instintiva y sutil, andaluza. Rosselló, el rebelde. Benito Civil, muy primitivo intelectualmente, pero de una conmovedora capacidad emotiva. Juan Roca de una gran tenacidad. Conrado Haro, el alma intacta. Cuando todas esas potencias espirituales se hubiesen identificado en un deseo común para la grandeza de España, Gerona empezaría a erguirse, y lo mismo se caerían de puro arcaicas las bravatas de *El Tradicionalista* que sonarían a hueco las panaceas de Casal, basadas en la producción y el transporte... Los Costa eran ingenuos. Estat Català estrecho de miras, el Responsable y Porvenir unos románticos peligrosos. El más peligroso... Cosme Vila, porque también su teoría era una concepción total de la vida. Por desgracia, basada en el materialismo, queriendo substituir los cuatro brazos de la cruz —los cuatro puntos cardinales, los cuatro elementos de la naturaleza— por la estrella de cinco puntas, que según el profesor Civil, ya en la magia babilónica significaba ciencia perfecta, el poder perfecto, es decir, Dios.

Mateo se dijo que tenía que unir a los camaradas... y además a otras personas. Una idea romántica —y también peligrosa, probablemente— le hurgaba en el cerebro.

Y la llevó a la práctica. Organizó un baile en su casa, para su cumpleaños, día de San José. Le dijo a Orencia, la criada: «Seremos trece. Prepare trece tazas de chocolate».

Don Emilio Santos le concedió el permiso necesario. Don Emilio Santos fiscalizaba todos los actos de su hijo sin que éste se diera cuenta. A veces incluso cometía pecadillos indignos de sus plateadas sienes: escuchaba detrás de la puerta. Cuando Mateo y Octavio se quedaban solos en el despacho, don Emilio Santos se acercaba por el pasillo y escuchaba. Gracias a ello se enteró de lo que significaría aquella reunión, y de que las primeras manifestaciones públicas de la Falange gerundense... se efectuarían en junio.

¡Santo Dios! La cosa iba de prisa. Ahora que el rumor de los demás Partidos crecía como una ola... Ahora que el Partido Comunista tenía ya local, y propio, en la Plaza de la Independencia, un local magnífico en cuyo balcón un monumental rótulo rezaba en letras rojas: «Partido Comunista de Gerona».

Todo el mundo fue recibiendo las invitaciones para el baile. Los primeros, Ignacio y Pilar. Carmen Elgazu estuvo encantada. Le parecía muy natural que sus hijos se divirtieran. «Los bailes en una casa particular no me dan ningún miedo», dijo. Matías Alvear le replicó que si él había echado alguna cana al aire, había sido precisamente en bailes de casa particular.

Mateo les dijo a Ignacio y Pilar: «Habrá invitados sorpresa...» Ignacio le contestó: «¡Bah, no me digas! Octavio, Rosselló, etcétera...» Mateo sonrió y añadió: «Y alguien más».

El personaje más emocionado ante la proximidad de la fiesta era Orencia, la criada. Orencia no hubiera podido justificar ante ningún juez por qué se había convertido en espía. Siempre fue una muchacha tranquila, y aun devota, de cerebro algo soñador, muy servicial. Por eso Carmen Elgazu la recomendó vivamente a don Emilio Santos. Pero... se puso en relaciones con Salvio, porque la muchacha se quería casar y Salvio era un hombre guapo y formal. Y ahí empezó la cosa. En cuanto supo que su novio era comunista, estimó su deber contarle de pe a pa las andanzas de Mateo. «Tendrías que advertir a Cosme Vila de que ya son seis afiliados, y que además...» «¡No me hables de Cosme Vila! —le interrumpía Salvio—. Yo soy trotskista.» Orencia se quedaba perpleja y pensaba que el día en que pudiera entrar en el despacho de Mateo consultaría en el diccionario lo que significaba aquella palabra.

El día del baile se propuso no perder detalle de cuanto ocurriera. Mateo le había rogado que, a pesar de ser San José, se quedara para servir a «los invitados». En compensación, luego tendría dos tardes libres.

A medida que «los invitados» fueron llegando, los iba mirando uno por uno, haciéndose a sí misma comentarios de una violencia inexplicable.

Allí estaba el señorito de la casa, Mateo, con zapatos nuevos, para causar impresión. Allí el hijo del profesor Civil, con su mujer, ésta con una cara de boba que no podía con ella. Allí el de Hacienda, con su novia, mosca muerta que en la fonda debía de hacer propaganda de Falange. Allí Alvear hijo, éste sí que era un tipo fino, que sería abogado y se negaba a afiliarse. Allí Pilar, gordita y mocosa, comiéndose con los ojos a Mateo. Allí Rosselló, de la última hornada, con sus hermanas, señoritas que no sabían lo que era fregar un plato... ni pasarse una tarde de fiestas preparando trece tazas de chocolate. Allí un tal Juan Roca, más feo que un demonio. Allí un tal Conrado Haro, que parecía un niño de teta...

¡Ale, a merendar, junto al pájaro aquel, que también era un detalle! Y la fotografía de José Antonio, presidiendo.

Mientras se oyeron las cucharillas y los platos, la criada cultivó su mal humor. Pero... luego ya no pudo. En cuanto oyó que se apartaban las sillas y vio que se encendían todas las luces de la casa, se detuvo. ¡De repente la gramola se puso en marcha! Un tango. Los primeros compases se los tragó con un poco de rabia. Pero de pronto, al oír el frufrú de los que bailaban, se puso sentimental, entornó la puerta de la cocina, se quitó el delantal y se puso a dar lánguidas vueltas, sola, abrazaba a un Salvio imaginario.

Nadie pensaba en ella. ¡Perra vida, mientras una está soltera! Los invitados vivían cada uno su tango. ¡Qué piso, qué muebles! Se bailaba en el despacho, en el pasillo y en el comedor, habilitados al efecto. Un vértigo magnífico se había apoderado de la casa.

«Grand complet.» Ignacio le había dicho a Pilar: «Ya ves quién tenía razón: ahí están los invitados sorpresa». Y le indicó a Rosselló y sus hermanas, a Octavio, a los demás con camisa azul. Pilar tuvo que aceptar el hecho. Sin embargo, ¿qué le importaba? Le bastaba con Mateo. ¡Magnífico vértigo, a fe! Sobre todo cuando, bailando los demás en el despacho y en el comedor, ella y Mateo se quedaban solos en el pasillo. En estos casos Mateo se detenía, estrechándola más contra sí. Pilar sentía la frente del muchacho rozar sus sienes, entremezclarse los cabellos, que los pies ocupaban una sola pieza de mosaico.

También Mateo se sentía eufórico. Por fin había podido acercarse a Pilar sin que Carmen Elgazu zurciera calcetines al lado. ¡Ni una sola llama en la casa, y tenía que secarse la frente sin cesar, con su pañuelo azul! Pilar llegó enfundada en un espeso abrigo. Sin embargo, debajo de él apareció un vestido increíblemente escueto y fino. La mano de Mateo temblaba en él. Temblaba incluso cuando intentaba encender la pipa con el mechero de yesca, artefacto que arrancó gritos de entusiasmo de las hermanas de Rosselló.

La nuera del profesor Civil revivía veladas de soltera. Octavio canturreó flamenco con un estilo que, al superar el de la gramola, levantó hasta el máximo el clima de la reunión. Ignacio, completamente entregado a la alegría natural de la casa, recordaba como pertenecientes a otra vida aquellas otras tardes de domingo en que dejaba lo mejor de sí mismo en una habitación rosa, con Canela. ¡Qué sabor acre le quedaba a uno en el paladar, y, luego, qué sensación de muerte en el alma! Tener amigos como los de ahora era tener alma, vivir.

Le pareció muy raro bailar con su hermana. La encontró mucho más alada de lo que se figuraba. «¿Te diviertes?», le preguntó. Pilar le contestó: «No lo digas a nadie, pero soy completamente feliz». Ignacio le dio un beso en la frente.

De repente, cuando nadie lo esperaba, sonó el timbre de la puerta. Mateo fue a abrir: era Marta. La criada pensó: «Ya sabía yo que faltaba una taza».

Marta vestía de negro, como siempre, y calzaba tacón alto. Los cabellos desmayados, como nunca, a ambos lados de la cara. Pálida, flequillo hasta las cejas, ojos serenos y lentos, mano emotiva que fue estrechando una por una las diestras de los demás. Sonreía con timidez y al mismo tiempo con algo de íntima seguridad.

Ignacio recibió una de las más fuertes impresiones de su juventud. Procuró aislar a Marta de todo cuando aludiera al Tribunal Militar de Represión, al asistente que tenía orden de acompañarla a galopar por la Dehesa, a la distancia que ella y su madre establecían entre sus vidas y las de sus semejantes. La admitió como una aparición, como algo hermoso y serio que surgía del fondo de una antigua ciudad y que venía a su encuentro en aquella tarde de San José, cruzando aquel umbral y estrechándole la mano también a él. A Benito le preguntó: «Tú eres el hijo del profesor, ¿verdad?» Al llegar a Ignacio le dijo: «Y tú eres Ignacio...» Pilar esperó en vano que dijera: «Y tú eres Pilar...» Pensó que tal vez la desconcertara la flor que llevaba en el pelo.

Y no era así. Cuando Mateo las presentó, diciendo en tono algo solemne: «Marta, ahí tienes la amiga que te mereces», Marta sonrió a Pilar con evidente deseo de resultarle agradable. Y cuando, enterada Marta de que Octavio había nacido en Sevilla e Ignacio en Málaga, levantó el brazo y acercando sucesivamente su taza de chocolate a los labios de los dos muchachos les dijo: «Brindemos por Sevilla y Málaga», Pilar quedó pasmada ante aquella osadía, pero reconoció que la chica lo hizo con perfecta naturalidad. En cambio, Octavio protestó contra que se brindara por Andalucía con chocolate. «La próxima fiesta la daré yo y se harán las cosas como es debido.»

Perfecta reunión. En otros lugares —cines abarrotados, Ateneo Popular— la tarde festiva avanzaba con más torpeza. Muchas personas —en la UGT, en Estat Català, en el Partido Comunista— hablaban de Unión; trece personas, en casa de Mateo, la habían conseguido. Sin contar con los Costa, que también la habían conseguido entre el paisaje nupcial de Mallorca.

En cuanto Ignacio asió a Marta por la cintura observó que la chica bailaba guardando las distancias, pero estrechando fuerte la mano. Hija del comandante Martínez de Soria, pensó. Sin embargo, nada en su espíritu se rebeló ante esta idea. Por lo visto, los prejuicios de antaño habían muerto en él.

Únicamente recordaba con absurda insistencia a sus dos hermanos, de Valladolid. Tan parecidos uno al otro, con la camisa azul, con el pequeño revólver invisible en la cadera. Pero Marta era menos irónica. Al escuchar prestaba gran atención. Si comprendía, asentía con viveza; si no, levantaba la mano para apartarse el flequillo a uno y otro lado de la frente. Mateo, que no cesaba de observarla, supuso que Ignacio debía de desconcertarla un poco, pues hablando con él la chica se apartaba el flequillo con inquietante regularidad.

Se bailó hasta las ocho, hasta que la mismísima gramola quedó afónica. Entonces se pasó al despacho, volvieron a colocarse las sillas, el coñac substituyó al chocolate. La intención era criticar un poco, y quedó cumplida. ¡Pilar opinó que aquello era peor que el taller! Octavio contó fabulosas historias de su tierra, de mujeres que para ir a los toros vendían el colchón.

Mateo quería evitar a toda costa que se hablara de política. Pero no pudo evitar que la mujer de Benito Civil, aludiera a San José —«su santo preferido»—, lo cual originó que Octavio, medio ateo, soltara un par de bromas sobre el florecimiento de ciertas varas que escandalizaron a la concurrenia. La nuera del profesor Civil se prometió a sí misma no asistir nunca más a una de aquellas reuniones; junto con la criada, fue el personaje trotskista de la fiesta.

Pilar estuvo muy brillante explicando el error en que incurren los hombres al suponer que a las mujeres les gusta vestir bien para que ellos las vean. «Nos gusta principalmente hacer rabiar a las otras mujeres.» Las hermanas de los estudiantes asintieron calurosamente. Ignacio repuso: «¡Así, pues, Marta se puso un collarete blanco sobre jersey negro para haceros rabiar a vosotras!» Todo el mundo se rió. Marta, abiertamente, y al final, ante el regocijo de todos, confesó que era cierto.

La novia de Octavio, Rosario, se rió, pero con timidez. En la fonda, la mayoría de los clientes eran como su padre: hubieran pedido vino tinto en vez de chocolate y hubieran hablado de pesca o de platos de estofado en vez de hablar de San José. Por eso le estaba agradecida a Octavio, porque elevaba su nivel en sociedad. Y por ello, al mirar de vez en cuando el retrato de José Antonio, que había quedado a su izquierda, pensaba que desde luego era más distinguido que el Responsable.

Rosario daba por descontado que allá todo el mundo era falangista, y suponía que no sólo Marta, sino incluso la mujer del delineante, y desde luego, Pilar se sabían de memoria lo que significaba «Régimen gremial o corporativo» en vez de «sindicatos políticos» como repetía siempre Octavio. Le daba mucho miedo ponerse a estudiar todo aquello, pero temía aún más no hacerlo. «Porque yo debo ser distinta de las demás, pero la verdad es que me arreglo para Octavio y no por las demás mujeres.»

Rosselló y Juan Roca, Haro y Civil se inspeccionaban unos a otros con gran curiosidad. Ardían en deseos de poder hablarse, comunicarse sus respectivos entusiasmos. Preguntarse: «Qué, ¿has leído el último discurso?» «¿Sabes lo que significa hacer guardia en los luceros?» Pero tuvieron que limitarse a cambiar miradas de solidaridad.

Dos de ellos —Rosselló y Roca— sabían que en la reunión había un disidente: Ignacio. Se mostraban agresivos con él. Ignacio fingía no darse cuenta. Mateo pensaba: «Como el tema suba de tono, se va a armar la de San Quintín». Menos mal que Marta abrió y cerró el asunto en un santiamén. Al enterarse de que Ignacio era más bien socialista, exclamó: «¡Oh, así no hay pega! En Valladolid todos los socialistas se pasan a Falange». Ignacio se mordió los labios. Y como arma de venganza, eligió tomar la palabra, olvidando el consejo de mosén Francisco, y deslumbrar a Marta, a Octavio, a los catecúmenos y al propio don Emilio Santos, el cual acababa de entrar, de regreso del Neutral. Habló durante bastante rato, solo, ante el entusiasmo de Pilar, que pensaba: «Vaya hermano de categoría que tengo». Habló de temas diversos, que no tenían nada que ver ni con el socialismo ni con Valladolid. Habló del Banco, de donde dijo que empleados que habían trabajado juntos ocho horas diarias durante años no tenían nada común, y verían la desaparición de unos y otros sin hacer un solo comentario. Habló de la carrera de Derecho, que estudiaba con el máximo interés porque enseñaba a no levantar los brazos a mayor altura que la cabeza. Habló de Teresa Neumann, diciendo: «Es aún más importante que aquel soldado francés de la guerra del catorce que recibió simultáneamente cinco heridas: dos en las manos, dos en los pies y una en el costado izquierdo. O sea exactamente las cinco heridas de Cristo». Finalmente habló del baile moderno, diciendo que su ritmo era desde luego obsesionante, pero que a su entender al final ganaría la batalla el *jazz* puramente melódico, y el ritmo sudamericano.

Ignacio se consideró satisfecho y Rosselló y Roca, nada rencorosos, sonrieron cordialmente. La claudicación de éstos alegró más aún a todos los componentes de la reunión, los cuales olvidaban por completo que era hora de ir a cenar.

Éxito total. Mateo, el más contento de todos. Ya eran «seis» perfectamente unidos, Pilar estaba encantadora. La idea de invitar a

Marta había sido afortunada —Marta quedaba incorporada al grupo, sobre todo a Pilar—. Ignacio había conocido de cerca a sus hombres y algo recordaría de todo aquello. ¿Qué más podía desear por trece tazas de chocolate?

También Marta estaba contenta. Y en todo el discurso de Ignacio sólo se apartó el flequillo una vez: cuando oyó que varios hombres podían trabajar juntos ocho horas diarias durante años, y continuar siendo absolutamente extraños entre sí, sin cederse uno al otro un milímetro de corazón.

En cuanto a lo de Teresa Neumann, le interesó en grado sumo, a pesar de las sonrisitas de Octavio. «El primer estigmatizado visible fue San Pedro.» ¿Qué significaba todo aquello? Sería preciso pedir detalles. Era hermoso, e Ignacio parecía estar muy documentado. Don Emilio Santos, llegado después del paso de los socialistas vallisoletanos a Falange, dio por bien empleado el gasto de la fiesta y se congratuló del buen sentido de todos. «Por ahora Mateo me da pocos disgustos, a pesar de las flechas.» Por otra parte, Pilar le gustaba mucho. Si en vez del corte hubiese estudiado mecanografía, la hubiera empleado en la Tabacalera. La mujer del delineante era la única que sentía mal sabor. Creía que su marido se había metido con gente «demasiado lista», de lo que no tenía ninguna necesidad, sobre todo ahora que ya trabajaba. A don Emilio Santos le hubiera dicho: «No se haga ilusiones. Los disgustos van a llegar».

CAPÍTULO LI

La vida iba rodando vertiginosamente. Mientras el 14 de abril, cuarto aniversario del advenimiento de la República, fue celebrado estruendosamente por Izquierda Republicana; mientras mosén Alberto iniciaba unas excavaciones en Rosas, en busca de la ciudad griega que tanto preocupaba al sabio doctor Relken, amigo de Julio; mientras la hermana de los Costa, Laura, tenía que acudir a la clínica dental de «La Voz de Alerta» para sacarse una muela, y el redactor jefe de *El Tradicionalista* le preguntaba, en tono que inquietó a la mujer: «¿Y usted, Laura, no se casa...?»; mientras David y Olga recibían cada quince días la visita del nuevo Inspector del magisterio nombrado después de octubre, el cual les advertía: «No les aconsejaría a ustedes que hicieran política con los alumnos...»; mientras el hijo mayor del profesor Civil, el arquitecto, recibía el encargo de construir un grupo de casas de veraneo en S'Agaró, playa de moda, y reclutaba para trabajar como peones a todos los murcianos de la calle de la Barca, los cuales se marchaban con sus mujeres y críos, mientras los demás obreros en paro continuaban levantándose tarde y lavándose en la cocina después de dar un empujón a su mujer, la Semana Santa llegó de nuevo a Gerona. Otra vez el silencio en casa de los Alvear, los capuchones negros sobre las imágenes. Carmen Elgazu volvió a gritar, camino del Calvario: «¡Perdonadnos, Señooooor...!» Los olivos volvieron a agitarse, las piedras a cobrar significación. En la procesión, Ignacio agitó de nuevo veinte veces la antorcha, y Pilar tampoco le reconoció desde el balcón. Quien recogió los excrementos tras el caballo del comandante Martínez de Soria no fue Ernesto, que se hallaba en el Manicomio. Fue el padre de Haro, el guardia urbano, quien se ofreció por ganar un jornal.

Y vino el Sábado de Gloria con el volteo de campanas, y nadie tiró petardos en el Palacio Episcopal. Y llegó la primavera, y los pintores volvieron al valle de San Daniel, bebiendo agua en la fuente de hierro milagrosa, y Jaime, el de Telégrafos, se estrujó de nuevo los dedos en los Juegos Florales, esperando inútilmente que citaran su nombre por su nuevo poema «Mujer». Y mientras Raimundo en la barbería proponía para solucionar los males de España que en cada pueblo hubiera un orfeón y una compañía teatral de aficionados, don Pedro Oriol aseguraba que nunca se lograría progresar si los gobernantes, cualesquiera que fuesen, no se decidían a realizar a fondo una repoblación forestal.

Y entretanto doña Amparo Campo le decía a Julio: «Julio, va pasando el tiempo y ya ves, todavía no me has llevado a La Molina, y este verano supongo que tampoco me llevarás a ninguna parte...»

* * *

Y, no obstante, para quien más vertiginosamente rodaba la vida, aunque él con sus hombros templados y su andar lento procuraba no perder pie, era para Cosme Vila.

La apertura del flamante local había significado su emancipación. Dejó el Banco. Su mujer se puso a fabricar cestos en el piso. Los padres de ésta, en el paso a nivel, le preparaban el trabajo, de un tren a otro. Con ello y con una subvención prometida por Barcelona, el jefe dispuso de un despacho y la ciudad contó con un local para el Partido Comunista.

Cosme Vila pudo ya contemplar la procesión de Corpus desde el balcón del Partido. Y al ver las inmensas alfombras de flores que cubrían la plaza, pensó que la primavera era hermosa. Y en homenaje a la primavera, procedió a nombrar el Comité.

No le gustaba Víctor, le consideraba peso muerto; pero era una vieja gloria y debía respetarle. Tesorero, se encargaría del archivo fotográfico y de ilustrar el pequeño semanario —algún día diario— que se iba a editar.

Gorki sería su brazo derecho, como Octavio lo era de Mateo. Gorki era aragonés, bajo y cuadrado, ojos de lince, pequeña barriga; sabía muchas cosas. Era extremadamente fanático. Nadie comprendía por qué fabricaba perfumes. Él decía: «Recorriendo la provincia con un muestrario en la mano, se entera uno de muchas cosas». Sería el redactor jefe del semanario, que bautizaron con el nombre de «El Proletario».

El cuarto miembro del Comité fue Murillo. Por unanimidad. Cosme Vila se daba cuenta de que un hombre sin escrúpulos podía prestar servicios en caso necesario... Naturalmente, habría que vigilarle. Pero si algún día se lavaba la gabardina, se rescindiría el contrato y se acabó.

El quinto miembro, tal vez el más fanático, Teo. El carretero gigante, Teo Arias. El mejor carretero de la ciudad. Trabajaba por su cuenta. Disponía de un carro de plataforma inmensa, desde cuyo centro, de pie y sosteniendo las riendas, levantaba en vilo las crines de dos caballos pardos, soberbios, también de su propiedad. Hacía veinte viajes diarios a la estación. Al pasar al trote delante del laboratorio de Gorki, todas las garrafas y botellas de éste temblaban en las estanterías. Al pasar delante del local del Partido Comunista, temblaban los cristales. Víctor decía, levantando la cabeza: «Ahí pasa Teo».

La importancia de Teo radicaba en su humanidad... y en que de pronto informó a todo el mundo de que era hermano del taxista que murió en Comisaría el 6 de Octubre. Nadie lo sabía, sólo los íntimos. Los dos hermanos no se hablaban desde hacía años. Pero el día del entierro Teo, ante la fosa, juró que vengaría a su hermano Jaime Arias. Y ahora, desde el Comité del Partido Comunista, creía llegada la ocasión.

Cosme Vila entendió que, de momento, con aquellos cuatro colaboradores inmediatos, le bastaría. Sería preciso celebrar otra Asamblea General, continuar el Cursillo de iniciación marxista. Pero lo importante era, antes que otra cosa, indicar a cada miembro del Comité su sitio exacto, y poner, respecto a la labor por realizar, los puntos sobre las íes.

Sentado en el escritorio del despacho de Jefe, pensaba en el Banco y en la máquina de escribir. Al oír dar las horas se decía: «Ahora el director tose, enciende la pipa y pide la firma. Ahora el subdirector saca su caja de rapé y despliega *El Demócrata*. Ahora Padrosa se come un emparedado de jamón. Ahora Ignacio lía un cigarrillo, sonriendo por lo bajo».

¡Qué hermoso era poder dedicar la jornada entera al ideal! Cosme Vila recordó la carta que dejó su padre sobre la mesa del comedor, antes de ahorcarse, dirigida a un hermano suyo: «No puedo soportar ver pasar hambre a mi mujer y a mi hijo. Ayúdalos cuanto puedas. Y que Dios te lo pague».

¡Qué duro era aquello, qué lejano y qué próximo!

Bajo la hoz y el martillo, los retratos de Marx, Lenin y Stalin, con un mapa de la provincia de Gerona pegado a la pared, Cosme Vila, en mangas de camisa, con un cinturón anchísimo, de cuero, que le había regalado su suegro, reunió al Comité, dispuesto a puntualizar. En las dos salas contiguas del piso la masa de afiliados lavaba los cristales, barría, colocaba bombillas, trasladaba otros trastos de la barbería, en la que sólo quedarían los espejos y la escupidera.

Su primer trabajo consistió en frenar el entusiasmo que mostraban los del Comité, y sus ganas de actuar y de conseguir resultados inmediatos. Se sacó una pequeña navaja del bolsillo y en tanto se quitaba el negro de las uñas les dijo que si algo podía echar a perder la marcha del Partido y la revolución era la prisa y el sentimentalismo. Citó textos, especialmente de Lenin. «Antes decidir, después votar.» «Los dirigentes de una revolución deben ser profesionales.»

—Así que seamos prácticos. En el Comité somos cinco, contra trescientos afiliados y luego toda una masa de simpatizantes. En lo posible, contentaremos a estos afiliados y procuraremos su bienestar; pero si las circunstancias lo exigen y hay que utilizarlos, se hace... En Rusia, en el año 1920, fueron sacrificados millones de rusos.

»La finalidad ya la sabéis: destrucción de todo el tinglado burgués de la ciudad y la provincia. En cuanto a los medios, en cada caso elegiremos el más conveniente, de modo que no hay que asustarse si un día gritamos «viva» esto y al día siguiente «muera». Nosotros creemos que lo que cuenta es el porvenir. ¿Por qué ponéis esa cara? Es curioso que cueste tanto convencer a la gente de que lo que murió, murió, y de que las lágrimas son agua. ¿Tú, Gorki, viste por Zaragoza alguna lágrima que no fuera agua? Yo aquí, no.

Otra idea:

—Hablar más de política que de economía: es más eficaz introducir una idea en una cabeza que un duro en un bolsillo. Un par de obreros en el Comité, esto sí, porque tienen instinto de clase; pero sujetos. Si los soltáramos pedirían las mismas cosas que piden los burgueses; además de que un buen revolucionario saca mejor partido del hambre que de la prosperidad.

»Así, pues, lo más importante es el clima revolucionario. Y luego tener presente que hay que repetirlo todo constantemente. De ahí la eficacia de un programa sencillo —los nueve puntos que leí en la barbería— y de los carteles y la Prensa. Es necesario llenar las paredes de carteles que digan siempre lo mismo y escribir siempre lo mismo en los periódicos. Por eso el semanario *El Proletario* constará de tres secciones, siempre las mismas: una para los campesinos —lenguaje claro, pues son desconfiados—; otra para los obreros industriales —muchas estadísticas—, y una tercera para los pescadores —lenguaje poético, pues son supersticiosos—. Yo me ocuparé del lenguaje claro y del lenguaje poético. Gorki de las estadísticas.

»En el seno del Partido, la organización es lo básico. En cada fábrica y taller un enlace, una célula agraria en cada pueblo. Hasta que el mapa de la provincia no esté lleno de banderas la cosa no empezará a marchar. Y tener esta idea fija: los del Comité somos los responsables de todo. Por de pronto, nos reuniremos todas las noches sin excepción. Luego, no nos permitiremos ni el menor lujo. Mesas y sillas en casa, nada más. Ni cines ni bailes ni matar las horas en tertulias. Y, sobre todo, no vestir como el alcalde o los Costa. En la cabeza, o nada, como yo, o en todo caso gorro de ferroviario. Nada de sombrero ni de pañuelitos que salen ni de corbata. Y nada de agua de colonia, a pesar del negocio de Gorki. Hay que cuidar todos los detalles, ser minuciosos. Contacto continuo con Barcelona y visitas periódicas de Vasiliev. Imponer una disciplina férrea y dar pocas explicaciones. De vez en cuando, un escarmiento. Y desde luego, estudiar. Y el que no esté dispuesto a morir por la idea, ir a la cárcel o sacrificar a la familia, vale más que se afilie a la Izquierda Republicana.

El Comité Ejecutivo aprobó la línea de conducta. Gorki se las prometió felices. Cosme Vila abrió un cajón del escritorio y se puso a comer un bocadillo.

Cosme Vila odiaba por igual a los terratenientes, a los militares y al clero. Y lo mismo a los disidentes del Partido, especialmente a Pedro, chico que vivía en la calle de la Barca con su padre, éste siempre en la cocina con una mosca pegada entre ceja y ceja. Tal vez el blanco preferido fuera el clero, no por convicción sino por temperamento. Pertenecía a la organización «Los militantes sin Dios» que acababa de fundarse en Barcelona, antiguamente «Los Sin-Dios», y decía que en acción antirreligiosa en España debía llegarse más lejos que en Rusia.

No obstante, era inteligente y no se hacía demasiadas ilusiones. Tenía un conocimiento muy preciso de cuantos le rodeaban. Sabía muy bien, que sus suegros no dejarían de admirarle nunca, hiciera lo que hiciera; en cambio, comprendía que los afiliados le echarían el alto si no remozaba sin cesar su autoridad. También sabía que Gorki, muy entero, no le perdonaría un fallo ni perdería un momento de vista el sello y el tampón; y que cuando Murillo se atusaba los bigotes lentamente, era señal de que rumiaba algún resentimiento.

Pero no importaba. Les daría pruebas de su voluntad indomable. Por de pronto, no se movía de su mesa de trabajo, ni siquiera para salir al balcón. No salía al balcón ni siquiera cuando, abajo, pasaba Teo, con su carro arrancando chispas de las piedras.

Ésta era la gran virtud del jefe, que trascendía al Partido. Permanecía inmutable. Los militantes admiraban su seriedad. Ya en la barbería comprendieron que la jugada era importante. Cosme Vila decía siempre que la frivolidad era el defecto burgués por excelencia, y el que a la postre les resultaría fatal.

Cosme Vila, después de analizar cada una de las decisiones que tomaban sus adversarios, llegaba a esta conclusión: que eran unos frívolos. Frívolo el notario Noguer cuando creía que, recogiendo la basura, se limpiaba una ciudad; frívolo Casal cuando afirmaba que un poco de algodón en el oído basta para no oír; frívolos los Costa cuando se declaraban eufóricos porque apenas reabierto el local contaban con mayor número de afiliados que antes del 6 de octubre, y solemnemente nombraban al mártir Joaquín Santaló presidente perpetuo del Partido y republicano ejemplar.

* * *

Ésta era la vida. Si Mateo soñaba en Marta para fundar la Falange femenina en la ciudad, si Izquierda Republicana explotaba para su propaganda los huesos de Joaquín Santaló y el Partido Comunista estaba dispuesto a sacrificar a sus afiliados, si el Partido Socialista y su Sindicato se recobraban con formidable ímpetu gracias a la cabellera anárquica de Casal, si Porvenir tenía tan loca a la hija mayor del Responsable, que ésta le proponía poner en práctica las teorías de Bakunin y huir los dos a Francia o donde fuera; si Mateo luchaba a brazo partido para arquitecturar el inicial entusiasmo de los recién ingresados y en la Liga Catalana don Jorge con su ortodoxia, resultaba un muro para los que querían convertirla en una entidad bancaria, todo ello formaba parte del juego de la ciudad —de su historia—, como el río o como la pulcra cabeza del Comisario. Ahora bien, llenaba el presente —la vida cotidiana, las calles— de irremediables asperezas. La diversidad de bandos afectaba a la existencia entera de la ciudad, desde sus instituciones hasta su marcha comercial. Porque el hecho de que cada hombre tuviera su local político —y cada local su conserje— traía como consecuencia que cada mujer tuviera su panadería, su vendedora de pescado. Vivir las ideas: ésta era la ley. Por nada del mundo un ugetista hubiera dejado una peseta en el estanco de un radical. Y además, cada ciudadano leía un solo periódico, que tallaba como en piedra su mentalidad. Y cada periódico tenía sus anunciantes, y los lectores sabían que los anunciantes de otros periódicos eran enemigos. De ahí que Matías Alvear soltara en el Neutral una frase que fue repetida durante mucho tiempo y que divirtió enormemente a Julio García: «Si esto continúa así, viendo la marca de los calcetines de un caballero sabremos si cree o no en el misterio de la Encarnación».

Matías Alvear hablaba de esta forma con ánimo a la vez alegre y triste. Triste porque hubiera querido que todo el mundo fuera más tolerante, que todos los periódicos anunciaran todos los calcetines; alegre porque en aquella libertad de organización y opinión veía la prueba de que las aguas habían vuelto a su cauce, y que el fantasma de la Dictadura Militar, que en un principio se temió, se había desvanecido. Matías Alvear recobraba poco a poco, sin darse cuenta, su confianza en la República. A don Emilio Santos, el menos optimista, le repetía la canción: «Un poco de seso y unos cuantos republicanos de buena fe. Todo marcharía sobre ruedas». Y a veces se conformaba con uno solo, con un jefe. Ni Gil Robles, «hipócrita», ni Azaña, «un resentido»; alguien nuevo, sensato, de buena fe. Matías Alvear creía que este jefe surgiría un día, «que no había razón para desesperar. Y entre tanto, ¿para qué revolverse la sangre?»

Lo que ocurría era que Matías Alvear, realista, estaba contento porque en Telégrafos el asunto catalanista había quedado zanjado y, sobre todo, porque entre las aguas vueltas a su cauce se hallaba su familia: Santiago, tranquilo en Madrid; José metido en un negocio de recambios de coches; en Burgos, su hermano libre tiempo hacía, la hija de éste a punto de casarse; uno y otro —e incluso el chico— otra vez en la UGT. Era, ciertamente, un balance positivo teniendo en cuenta lo ocurrido. Cerca de treinta parientes, contando con los de su mujer, y sólo se habían perdido cuatro dedos: los del cuñado de Trubia; que por cierto ya volvía a dirigir los talleres. En Bilbao, completos, y en San Sebastián. Carmen Elgazu también daba gracias a Dios por todo aquello; y ahora sólo le pedía que Ignacio perseverara siendo el que era, estudiando sin meterse en tanta lucha secreta como había en la ciudad, que César regresara pronto —¡le echaba mucho de menos!— y que la inclinación que Pilar sentía por Mateo tuviera buen fin.

CAPÍTULO LII

Mes de junio. Un gran sopor había invadido a la ciudad. Los movimientos eran lentos, los cuerpos se resistían a cambiar de postura. Mirando el sol se presentía que pronto mandaría rayos de fuego sobre las cabezas. En determinadas horas las calles parecían deshabitadas. Todo el mundo decía: «No sé por qué, pero me pasaría el día durmiendo».

Ignacio y Mateo aprobaron en la Universidad de Barcelona el primer curso de Derecho. ¡Ignacio llamó por teléfono a Ana María! La chica sintió que el corazón le estallaba. Dieron un paseo en barca, por el puerto. Ignacio hizo otro discurso...

Las familias de Mateo e Ignacio recibieron a los dos chicos en la estación. Por su parte, el profesor Civil hizo también acto de presencia. Hubo abrazos, besos, regalos. ¡Primer curso! En el Banco se repitió la canción: «Ignacio Alvear, consultas de tres a siete».

Pedro, el comunista disidente y solitario, quería comprar un aparato de radio a plazos, para recibir directamente las consignas de Moscú. Su padre, el viejo de la cocina, le dijo: «Vete a ver». El muchacho fue a ver y le dijeron: «De acuerdo, pero tiene usted que firmar estas letras». Pedro se negó a ello. Su padre le había advertido desde pequeño: «No firmes nunca un papel, Pedro. Yo, por haber firmado uno, estoy en esta cocina desde hace tantos años».

La cadena de Fiestas Mayores empezó. A las orquestas les llovían los contratos de todas partes. Gracias a ello el Rubio ex anarquista, el «chivato», consiguió ser admitido en calidad de saxofonista en la orquesta más importante de la ciudad: «Pizarro Jazz». Y, por otra parte, Mateo le había colocado en el almacén de la Tabacalera. Y al preguntarle Mateo: «Pero... ¿los músicos no notáis la crisis?...», el Rubio había contestado: «¡No seas idiota! Cuanta más crisis, más baila la gente». El Rubio estaba resultando un hombre aprovechable.

Otra persona aprovechable era mosén Francisco. El vicario de San Félix también consiguió un contrato: llevar su orfeón catequístico a cantar sardanas y *folklore* en Perpiñán. No quiso presentarse en Perpiñán sin que sus muchachos conocieran una canción en francés. ¡Vano intento! Eligió «Frère Jacques». No acertaban a pronunciar como era debido. Se armaban un lío. «¡No iremos a Perpiñán hasta que sepáis "Frère Jacques"!» Los chicos se excusaban. «Mosén, lo difícil es *entrar a tiempo*.» Por fin entraron y mosén Francisco se los llevó a Perpiñán, saludando con su inmenso sombrero a los soñolientos jefes de las estaciones.

¡Toque de alarma en casa de los Alvear! De repente llegó César. Llegó del Collell con una carta de su profesor de Latín que decía: «Oblíguenle a dormir. Aquí se ha pasado noches enteras rezando, sin notar cansancio». Matías Alvear le asió de la barbilla y le preguntó: «¿Es cierto?» César afirmó con la cabeza. «Pero me encuentro muy bien.» Matías Alvear no supo qué comentario hacer. Porque la verdad era que el chico tenía un buen aspecto. Carmen Elgazu se quitó el delantal y, arreglándose con prisa el moño, fue a visitar a mosén Alberto. «¡César se ha pasado noches enteras rezando, sin notar cansancio! ¿Qué opina usted?» Mosén Alberto, que ya estaba enterado del asunto por un informe del director del Collell, opinó simplemente que César era un santo y que aquello era una manifestación de la gracia. Carmen Elgazu se llevó las manos a las mejillas y exclamó: «¡Jesús!» Era tanto su júbilo que los ojos se le llenaron de lágrimas, que acaso fuera agua, acaso no. «¡Un santo! ¡Un milagro! ¡Mi hijo hace milagros!» Mosén Alberto intentó calmarla. «Son casos sobrenaturales, no hay duda. Ausencia de sueño... Es una de las manifestaciones características de los estados contemplativos, sobre todo el éxtasis. Lo mismo que la carencia de necesidad de alimento. Santa Catalina de Siena —por cierto que la imagen que tienen ustedes es magnífica— dormía media hora cada tres días y santa Lydwina durmió tres horas en treinta años. Sin embargo, tenga usted calma. Nada de milagros. ¡Y sobre todo no le digan nada al chico! Oblíguenle a acostarse.»

Y de repente, el sol desencadenó su ofensiva. Apenas asomaba tras la silueta de Montjuich, un calor bochornoso caía sobre la ciudad. Los grandes ventiladores de Izquierda Republicana fueron puestos en marcha, los pequeños del Banco Arús se complacieron de nuevo en trasladar los papeles de sitio; pero existían personas sin defensa posible. Los guardias urbanos —el padre de Haro, en el puente de Piedra—, los vendedores ambulantes, los albañiles, los peones. Sobre ellos caían los rayos como martillazos.

Era una especie de borrachera. Los cuerpos quedaban empapados y pronto la piel comenzaba a hervir. Y acto seguido, hervían los cerebros.

Sobre todo los cerebros de los obreros en paro. Éste era el punto delicado. Teóricos del hambre les habían dicho: «No os preocupéis; en verano se vive de cualquier modo». Los obreros parados descubrieron que era peor. El calor, el sudor, las horas largas. Sentados en las aceras con la gorra hasta los ojos, de pronto, hartos de sol y de sí mismos, pegaban un brinco. Buscaban un poco de sombra, algo fresco con que remojar los labios, un poco de conversación. Les parecía amargo incluso el tabaco. Pasaban los carros: «¡Helao, el rico helaoooo...!»

Y, además, llevaban ya muchas semanas acumulando miseria. Desde octubre. Las reservas se habían agotado tiempo hacía. La ayuda de las amistades, otro tanto. Las mujeres ya no encontraban ropa que lavar en el río, el propio río bajaba sin apenas agua. «Fulano de tal os conseguirá una colocación; dicen que Mengano necesitará gente.» Mentira. Fulano y Mengano preparaban las maletas para salir de veraneo.

El notario Noguer, desde la Alcaldía, cumplió su promesa en la medida de sus posibilidades. Consiguió que el Ayuntamiento en pleno votara la construcción de un Mercado cubierto, sobre el río, sobre el Oñar. Audaz proyecto. Ochenta mil pesetas iniciales fueron destinadas a él. Las mujeres contentas. ¡Plaza cubierta! Pero... los obreros llamados no llegaron a cuarenta. Cuarenta obreros, con botas de goma, empezaban a poner los cimientos, mientras los puentes vecinos se llenaban de curiosos.

Eso era todo. Eso, y los cincuenta murcianos que se habían marchado unas semanas antes hacia S'Agaró, a las órdenes del hijo mayor del profesor Civil, el arquitecto. Los demás, nada. Doscientos cincuenta hombres sin esperanza por lo menos hasta septiembre.

Y por si ello fuera poco, de los murcianos llegaron noticias alarmantes. Al parecer se habían instalado en la misma playa de S'Agaró, con sus familias, en barracones improvisados, y los veraneantes los barrían de aquel paraje alegando que lo ponían todo hecho una porquería.

El Demócrata traía la información. «Han tenido que instalarse junto a la carretera, en unos cobertizos medio arruinados. También de allí les han echado, porque es donde los coches se proveen de gasolina.»

La CNT salió en defensa de los murcianos, porque era el Sindicato al que estaban afiliados. «¡Trabajando bajo un sol que los mata, y no tienen ni siquiera derecho a vivir junto al mar!» Los doscientos cincuenta obreros parados se solidarizaron con la causa de sus camaradas.

Pero nada consiguieron. Ganó la protección al turismo.

Los obreros en paro se indignaron. Estos obreros dormían desnudos sobre la cama, a causa del calor, y ello aumentaba la impresión de desamparo que sentían.

Entonces empezó el paso de turistas hacia la costa. Coches con una piragua en el toldo, otros descapotados con hombres vestidos de blanco, con mujeres hermosas que llevaban la cabellera al viento o un pañuelo atado a la cabeza. *El Tradicionalista* anunciaba trajes de baño baratos, señalaba «itinerarios de belleza indescriptible».

Los obreros parados se dividían en grupos. Algunos consideraban todo aquello muy natural. Era la vida que rodaba, como los neumáticos por la carretera. Otros consideraban que todo en conjunto era una mofa, una broma de mal gusto que les jugaba el mundo.

Entre éstos —aunque personalmente trabajara— se contaba Salvio, que había fundado la célula trotskista. Pero no le hacían caso. El Partido Comunista, la UGT y Salvio se manifestaban impotentes para encontrar una solución. Los únicos que parecían comprender a los murcianos y a los parados eran el Responsable y Porvenir.

Porvenir iba de un lado para otro y era el único contacto humano bienhechor. «Nada en una mano, nada en la otra», de repente sacaba una peseta de la nariz de aquellos seres que no poseían moneda alguna.

Porvenir dirigió la ofensiva. Nocturna ofensiva contra la albura de las paredes, de las fachadas. Capitaneando un grupo de hombres cuyo asco era total, pues entre los que partían hacia Mallorca y Puigcerdá se contaban «La Voz de Alerta», don Santiago Estrada, don Jorge, ¡los hermanos Costa con sus mujeres!, se dedicó a llenar la ciudad de inscripciones. «Muera esto, muera lo otro.» Recorrían calles y plazas amenazando. En el portal de la casa del subdirector escribieron «Viva la FAI» y dibujaron una calavera.

El notario Noguer no tuvo otro remedio que nombrar una brigada nocturna de vigilancia. Serenos y guardias urbanos.

Entonces se repitió en los parados el milagro de César —ausencia de sueño— sin que en su caso mosén Alberto le hallara explicación. Ya ni siquiera podían dormir. Por lo que no sólo los días se les hacían interminables, sino las noches. Y puesto que la brigada de vigilancia les impedía pasarlas bajo el cielo estrellado, se metían en cualquier taberna abierta, a beber y a jugar a las cartas hasta las seis de la mañana; mientras Porvenir, al otro extremo de la ciudad, capitaneando otro grupo, rompía el cristal de una tienda o hacía resonar ensordecedoramente las persianas metálicas.

El notario Noguer sufría. Y pidió ayuda a la guardia civil. Entonces los parados llenaron las paredes más que nunca. Pero Porvenir les dijo:

—Camaradas..., aquí nos cazarían y además esto no conduce a nada. Tengo otro plan.

—¿Cuál?

Porvenir se pasó la mano por las brillantes ondas de su pelo.

—Mañana —dijo— todos a la Dehesa, a las doce en punto. Delante de la Piscina.

Aquel día el sol salió más temprano y penetró en los cerebros más hondamente. Todos acudieron a la cita. El joven anarquista los esperaba en *slip*, acompañado de la hija mayor del Responsable.

Cuando todos estuvieron reunidos, Porvenir buscó una piedra y la depositó en el centro de aquella inmensa explanada que los árboles no protegían, llamada el campo de Marte. Sobre la piedra puso una cerilla y a su lado, estratégicamente, un pedazo de cristal.

Los rayos que caían eran tan verticales que a los pocos instantes la cerilla se estremeció y quedó encendida.

—Eso... en los bosques —dijo Porvenir.

Todos comprendieron. ¡Los bosques..., los bosques...! Sembrar los bosques de cerillas y pedazos de cristal.

Éste fue el grandioso juego de manos imaginado por Porvenir, en la provincia. Mientras la esposa de Cosme Vila daba a luz un varón, el más joven comunista de España y del mundo, mientras Casal en la UGT comparaba su comité con el de Cosme Vila y al reconocer su escalofriante inferioridad pedía y conseguía la colaboración de David y Olga —Olga tesorera, David delegado de Propaganda—, mientras el comandante Martínez de Soria cruzaba su acero en el cuartel de Infantería con el coronel Muñoz, segunda espada de la guarnición, unos cuantos hombres se desparramaban por las montañas próximas y lejanas con cerillas y pedazos de cristal en las manos.

Fue el momento de la grandiosidad, fue la venganza. El resultado no se hizo esperar. Comenzaron a brotar los incendios, primero cerca de la ciudad, luego lejos, cada vez más lejos.

¡Qué arbitraria era la naturaleza! Algunos de los incendios nacían con timidez, nacían muertos. Unas llamas impotentes, que se asustaban al ver las costras en los labios del Cojo y se recogían sobre sí mismas hasta desaparecer. Otras querían avanzar, pero la tierra se negaba a transmitir su palabra roja. Otras alcanzaban cierta altura y reducían a la nada una familia de pinos, unos olivos perdidos, sin más. Sólo los reptiles huían en sacudidas violentas. Y los colonos de don Jorge regresaban a sus casas con las palas y los utensilios preparados para la extinción.

Pero en otros lugares, en cambio, especialmente por el lado de la ermita de los Ángeles, Rocacorba y Arbucias, el fuego prendió con espectacularidad. Las llamas, ayudadas por elementos invisibles, enlazaron unas con otras. Fue el gran milagro concebido por Porvenir. Pronto los pueblos adosados a las laderas y las masías vieron aparecer por las cumbres fantásticos resplandores. La visión se repitió aquí y allá simultáneamente; auténticos productos de prestidigitación. A la luz de estos resplandores los pinos y los alcornoques se doblaban heridos de muerte. Toda la provincia se puso alerta. Los incendios de los Ángeles eran visibles desde Gerona, desde los tejados, desde la propia escuela de David y Olga. Las montañas ardían, y los bosques, mientras Porvenir, el Cojo, Ideal y otros regresaban indiferentes o excitados, algunos algo asustados ante lo que estaban haciendo.

Los primeros momentos fueron de auténtico estupor. El profesor Civil subió a la azotea a contemplar el espectáculo. El coronel Muñoz se acercó a los ventanales de la Sala de Armas. Julio García salió a extramuros. Algunos canónigos subieron al campanario de la Catedral. Toda la ciudad buscaba las alturas. Ignacio se fue a Correos y con su padre subió a la Cúpula; una vez arriba, permanecieron mudos ante el horizonte en llamas, sufriendo doblemente, por los hombres que las provocaban y por la riqueza devastada.

El coche de don Pedro Oriol corría de un lado para otro de la provincia. Sus bosques parecían elegidos con precisión especial. Su mujer le decía: «La cuestión es que todo el mundo se salve».

Todo el mundo se salvó; pero no muchas barracas en el monte, ni muchos reptiles, ni utensilios, ni familias enteras de pinos, encinas y alcornoques. La tierra quedó ennegrecida, humeó. Se oían risas por los atajos, crepitar de lenguas vivas. Don Pedro Oriol lloró, el profesor Civil recordó a Nerón, Paco sacó apuntes, el notario Noguer publicó bandos sobre los imprudentes fumadores.

Mateo y Octavio, Benito Civil y Rosselló, Roca y Haro entendieron que el momento había llegado. Al regreso de los trabajos de extinción, para los que se movilizó el Ejército, pero en los que participaron muchos voluntarios, pusieron mano sobre mano en la mesa del despacho, ante la fotografía de José Antonio.

Al día siguiente unas letras de tamaño colosal —como Teo de pie sobre su carro— aparecieron en la Dehesa, pintadas en negro, una en cada tronco de árbol, en forma que leyéndolas unidas decían: VIVA FALANGE ESPAÑOLA.

Gerona volvió su mirada hacia aquellos plátanos milenarios, que en cierto modo parecían carbonizados también. Aquel VIVA —al que siguieron otros, en otros lugares— incrustados en negro, causó una nueva y fortísima conmoción, sobre todo porque se interfirió entre los MUERAS que continuaban escribiendo en los árboles vecinos y en las paredes los obreros en paro forzoso. Los falangistas también elegían la noche para trabajar, pues las rondas ahora se hacían en las montañas. Recorrían las calles también con su fe, con idénticos botes de pintura, idéntico carbón. De momento no hubo encuentro bajo las estrellas. Sin embargo, mucha gente juzgó que la presencia física de Falange en Gerona era una calamidad peor aún que los incendios. «Así, pues, el de la Tabacalera iba en serio» —decían—. Los voceadores de *El Demó-*

crata y *El Proletario* vigilaban las esquinas, esperando recibir de un momento a otro un ladrillo en la cabeza.

Luego, salieron los primeros folletos. En sábado, día de mercado, los seis falangistas se colocaron estratégicamente y repartieron los primeros folletos de Falange, con las flechas en la parte superior. «No se trata de fumadores que echan colillas, como cree el señor Alcalde. Los bosques arden porque la gente sufre, odia, y quien odia enciende las cerillas con sólo mirarlas.» Otros explicaban que la gente que sufría eran los obreros parados, u otros que trabajaban, pero con sed de justicia y Patria. Otros prospectos decían que en España morían los bosques —y con ellos los pájaros— porque desde muchísimos años los gobiernos no conseguían encender en el alma de los españoles una ilusión viva y única. En los centros de derechas se repartieron unas octavillas especiales, diciendo que «cada español debía ser mitad monje, mitad soldado».

Los folletos causaron asombro. Los obreros decían: «Hacen como los curas, dicen que nos quieren mucho». Cosme Vila extendió un ejemplar de cada texto sobre la mesa de trabajo y comentó: «Estos tíos no son tontos».

Benito Civil se había apostado a la salida de la estación de modo que su público se compuso casi exclusivamente de gente de los pueblos. Payeses con gorra y faja, que al ver las flechas preguntaban: «¿Esto qué es?», y que al leer lo de encender las cerillas con sólo mirarlas creían que se trataba de una nueva marca de la Arrendataria. Algún muchacho joven susurró, en voz baja: «Son los fascistas». Y aquellas palabras le valieron a Benito miradas cuya significación se le escapó. Mateo cuidó de los barrios obreros y pobres; Octavio pasó por oficinas y Bancos; el hijo del doctor Rosselló, Roca y Conrado Haro ocuparon el centro, sobre todo la Rambla.

Fue verdaderamente un mes pletórico. Los daños causados por los incendios eran incalculables, y mucha gente negaba que se tratara de sabotajes. «No hay nadie capaz de hacer una cosa así.» Mosén Francisco y los chicos del Catecismo vieron uno de los incendios ya desde Francia, al regreso de Perpiñán de cantar «Frère Jacques». «Nuestra Patria está ardiendo», pensó el joven sacerdote. A los muchachos nunca les había parecido tan maravillosa una montaña; por su parte mosén Alberto creía firmemente que los falangistas no eran ajenos a aquello. «Habría que vigilarlos», le decía al notario Noguer.

Y, sin embargo, aquello no impidió que los neumáticos rodaran por la carretera... Que la vida siguiera su curso, que las vacaciones fueran empezadas con matemática puntualidad, que cada día aumentara el tráfico hacia los centros de veraneo. Los incendios en la montaña originaron que el mar tuviera aún más partidarios. De modo que la costa —desde Blanes hasta la frontera, pasando por San Feliu y S'Agaró— quedó abarrotada en los lugares de moda. Los componentes de la colonia murciana se vieron internados más aún. Estorbaban en todas partes. Estos cambios les dolían, porque «al lado del mar se estaba como Dios» y además porque el agua potable les quedaba cada vez más lejos. Sólo la visión de algunas bañistas esculturales reconciliaba a los nómadas cabezas de familia con los veraneantes que los expulsaban. Pero la calma duraba poco. De pronto los invadía una gran cólera, y se sentaban fumando y contemplando las piraguas y los balones azules.

La invasión en la costa sugirió a varios propietarios acotar sus parajes, poner alambradas y vallas, crearse playas particulares. Algunos de estos parajes se decía que pertenecían a artistas de cine norteamericanas, que habían descubierto aquel rincón paradisíaco de España. Se citaba a Madeleine Carroll. Otros pertenecían a pintores extravagantes, que practicaban el nudismo con turistas extranjeros.

Las alambradas levantaron un clamor popular de indignación. «Se reservan hasta el paisaje.» «Hasta el mar es suyo, por lo visto.» Todo el mundo derribaba las vallas, o las saltaba, y llenaba los parajes acotados de toda suerte de porquerías. Porvenir, cansado de bañarse en el agua dulce de la Piscina, se dio una vuelta por allí y pronto se levantaron entre los pinos pequeños incendios. Sólo respetaron los terrenos de presuntas artistas norteamericanas porque Blasco gritó de pronto: «¡Cuidado! Podríamos provocar un conflicto internacional».

* * *

Si la opinión popular estaba desconcertada con respecto a los incendios, por el contrario los dirigentes políticos, derechistas e izquierdistas, sabían perfectamente a qué atenerse. Y presumían que el castigo sería duro para el Responsable y Porvenir. «La Voz de Alerta» regresó fulminantemente de Puigcerdá y en compañía de don Pedro Oriol se presentó en la Comisaría con testigos que habían visto a los anarquistas por las montañas.

Pero la cosa se revelaba difícil. No sólo faltaban las pruebas reglamentarias, sino que los incendios habían cesado. Y por lo demás, el Comisario se negaba rotundamente a admitir que los dos jefes anarquistas tuvieran nada que ver con el asunto.

—¿Cómo pueden ustedes suponer semejante cosa? El Responsable se pasa el día en el Gimnasio, y Porvenir en la Piscina. Docenas de personas les han visto allí mañana y tarde.

Por ello el Responsable y Porvenir estaban tranquilos. Porque contaban con la amistad personal del Comisario, don Julián Cervera. El Comisario había sentido desde el primer momento simpatía por uno y otro. Al Responsable le había dicho: «Me gustan los hombres que siguen siempre la misma línea». A Porvenir le había preguntado, riéndose: «¿Es cierto, Porvenir, que en Barcelona una vez se colgó usted un astrónomo del brazo izquierdo y un librero de lance del brazo derecho?»

Esta amistad se reveló eficaz. El Comisario no sólo rechazó en principio las protestas de los propietarios afectados, del Instituto de San Isidro y de los partidos derechistas e izquierdistas sino que con los Costa —que acudieron en taxi desde el pueblo natal de sus mujeres— discutió en tales términos que los dos industriales acabaron por encogerse de hombros. «Al fin y al cabo —le dijeron al Comisario—, los perjudicados son ustedes, los representantes del Gobierno.»

Casal reaccionó con mayor violencia. No le cabía en la cabeza que se dejara impune semejante atentado contra la riqueza forestal de la región. Se puso furioso; y, sin embargo, no iba a tomar represalias por su cuenta contra el Responsable y Porvenir. «¡Si las altas esferas creían que aquello beneficiaba a alguien...!»

No, no era eso, al parecer. Las altas esferas no creían que aquello beneficiara a nadie, pues el atentado, provocando reacciones diversas, acusaba aún más las diferencias que separaban entre sí a los Partidos Izquierdistas, lo cual les parecía de mal agüero, dado que el verano pasaría y que probablemente a fines de año habría elecciones. ¿El interés capital no era precisamente lanzarse a estas elecciones unidos, formando un frente común, desde la FAI hasta Izquierda Republicana?

Fue entonces cuando apareció en la ciudad el doctor Relken. Julio le recibió en su casa con todos los honores y le presentó sus amistades. Doña Amparo se sintió orgullosa. «¡Por fin huéspedes de categoría!» El doctor, al enterarse de la devastación de la provincia, comentó, limpiándose las gafas de doble espesor: «¡Ah, no hay manera de que ustedes los españoles se pongan de acuerdo! ¿Me quiere servir un poco de agua, doña Amparo?»

CAPÍTULO LIII

Carmen Elgazu, teniendo a César al lado, era la mujer más feliz del mundo. Los nueve meses de ausencia le habían parecido tan largos que una vez más se había dado perfecta cuenta de que entregar un hijo a Dios era perderle desde el punto de vista humano. Tres meses al año en casa; y una vez terminada la carrera, quién sabe adónde le destinarían.

Ahora le miraba, pareciéndole imposible que hubiera crecido aún más, que supiera tantas cosas... Siempre estimaba que César sabía muchas más cosas que Ignacio. En su escala de valores todo el Derecho no valía lo que un nuevo detalle litúrgico, o un poco de Teología.

César tomó, como siempre, posesión de su cama, de su silla en el comedor, de la ventana que daba al río, del balcón. Tomó posesión de su Biblia mutilada, comprobó que la imagen de San Ignacio cobraba una pátina de buena ley. Viendo los ojos de Pilar, y la felicidad que respiraba su hermana por todos lados, comprendió que la cosa entre ella y Mateo estaba más avanzada de lo que le habían contado por carta. Oyendo a Ignacio en la mesa, tranquilo y dueño de sí, comentando sin pasión los acontecimientos, comprendió que era cierto que su hermano había mejorado mucho desde que le dejó, en octubre último, exaltado por la revolución. César ignoraba que Ignacio hubiera estado enfermo. Atribuyó su cambio a los rezos, y tal vez a la influencia del profesor Civil, de quien tenía las mejores referencias.

Lo que más le impresionó del hogar fueron las imágenes de San Francisco de Asís y Santa Clara que Murillo les había mandado cumpliendo su promesa.

Carmen Elgazu las había puesto en el cuarto de Pilar, en el que el seminarista entraba muy raras veces. No le habían dicho nada a César, de modo que para el muchacho constituyeron una jubilosa novedad. Se quedó boquiabierto, contemplándolas a ambos lados de la coquetona cama de su hermana, sobre dos minúsculos pedestales. «¡Es lo mejor que ha salido del taller Bernat!», exclamó. Luego dijo que tendría que ir a darle las gracias a Murillo. Matías Alvear se rascó la nariz, pero de momento no le desanimó.

De la ciudad en general, lo que más impresión le produjo fueron, por un lado, los incendios, por otro la entrada de Falange —y por lo tanto de Mateo— en la vida pública.

Ante ambas cosas su reacción fue de asombro. Respecto de Falange, experimentó inmediatamente una sensación de malestar, tal vez porque mosén Alberto le había dicho, señalando las montañas: «Si tu madre supiera con quién se las ha Pilar, no le permitiría salir con quien sale». Pero esto no era todo. César había identificado, desde el primer día, la palabra Falange con la palabra Fascismo, y ello le inspiró siempre un temor especial. Temor que aumentó cuando su profesor de latín en el Collell le contó las persecuciones que sufrían los católicos en Alemania, añadiendo que por su parte Mussolini, en sus comienzos de lucha sindical, había publicado un folleto titulado: «Dios no existe», así como terribles blasfemias contra Jesús.

Sin embargo, se resistía a condenar. En primer lugar, uno de los internos del Collell, que tenía un retrato de José Antonio escondido en la mesilla de noche, siempre decía que éste era católico antes que otra cosa; y tocante a Mateo, parecía no sólo eso, sino incluso devoto, para no hablar de su conocimiento de la Biblia, que según Ignacio era sorprendente.

Por lo demás, mosén Francisco, a quien visitó en seguida, le dijo: «¿Mateo peligroso...? ¡Psé! Ya sabes que yo casi nunca estoy de acuerdo con mosén Alberto».

Tocante a las montañas, César no comprendía. A César no le cabía en la cabeza que pudiera quemar montañas ningún hombre. En el Collell se extasiaba viéndolas y nunca olvidaría cuando por Navidad quedaron vestidas de blanco. Y en cuanto a los árboles, ¡a veces creía incluso que tenían alma! En las noches que se había pasado rezando, a intervalos se asomaba a la ventana, y si había luna o si la bombilla del patio había quedado encendida, veía a los chopos agitar sus hojas, saludándole, o a veces parecía que descendían de ellos lentas lágrimas. ¡Nadie era capaz de quemarlos deliberadamente! Y desde luego, no había hablado aún de los cipreses, que a su entender eran los árboles que más motivos tenían para creer en Dios.

Y, sin embargo, el hecho estaba patente, los rescoldos por los montes. Y ahí estaban también los VIVAS de Falange en la Dehesa. Y además, los folletos. Incendios falangistas. ¿Qué pensar?

A César le costaba más que antes integrarse en la vida de los demás. Se sentía ausente. Sin embargo, observaba a Mateo y cuantas veces habló con él sacó buena impresión. Nada veía, serio, que oponer a cuanto decía. Sólo una de las frases de las octavillas le desagradó: aquella que decía: «La gente que sufre, odia». César admitió que por desgracia era así en muchos casos, pero que expresado en aquella forma podía dar a entender que tal odio era justo.

Mateo le contestó:

—Querido César, no pierdas de vista una cosa. Nosotros no nos dirigimos a personas como tú, que llevan cilicio, sino a obreros que son echados de todas partes por los bañistas y que, como dice tu hermano —tu hermano siempre habla muy bien—, «ven¯ que su mujer envejece rápidamente, el agua les queda lejos y no saben dónde colgar la gorra».

César asintió meditativamente. ¡Qué complicado era aquello!

Desde el punto de vista práctico, sus proyectos eran menos definidos que el año anterior. ¿Calle de la Barca? ¿El otro taller de imágenes? Evidentemente, todo aquello le era ajeno, sin saber por qué. ¿Dormiría durante el día las horas de sueño que le robaba a la noche? Quién sabe. Vivía en otra orilla. De momento lo atribuyó al brusco cambio de decoración. Gerona, viniendo del Collell, desconcertaba un poco como cuando se llega a una gran ciudad. ¡Pero es que le parecía que vivían en otra orilla sus propios padres! Incluso Carmen Elgazu... Llegó a pensar que le dolía más profundamente el hecho de que ardieran los árboles que el de que Murillo —por fin se enteró de ello— formara parte del Comité del Partido Comunista. César experimentó gran angustia y por otra parte notaba que Ignacio se daba cuenta de ello. No sabía qué hacer. Al comulgar pedía serenidad. Por la calle se detenía al oír las campanas. Hubiera querido entrar con frecuencia en el cuarto de Pilar a pedir a San Francisco de Asís que le iluminara con los rayos que salían de sus estigmas; pero si Pilar no estaba presente... no se atrevía; y si estaba presente no quería distraerla de sus líricos ejercicios literarios.

CAPÍTULO LIV

Ignacio y Mateo habían acordado con el profesor Civil que no reanudarían las clases hasta primeros de octubre. Sin embargo, para no perder contacto con los textos, un día a la semana irían a verle, y charlarían durante una hora. Fue Matías quien sugirió aquel repaso, entre otras causas porque el ahorro de tres mensualidades caería como una bendición. Mateo ya tenía ocupaciones fijas; Ignacio dedicó el tiempo sobrante a divagar por la Dehesa, a bañarse en el Ter o a ir a la UGT, en calidad de oyente de las clases de Economía que Casal continuaba dando a sus afiliados.

David y Olga se alegraron lo indecible de verle allí, y lo aprovecharon para revivir los tiempos en que estuvieron tan unidos a él. Le querían sinceramente. A veces decían que el afecto de Ignacio era el único que verdaderamente les era necesario. «Haces alguna escapada por otros dominios —le reprochaba David, sonriendo—. Claro, te hablan de cosas muy bonitas, como San Pablo y misiones históricas. San Pablo... no me quiero meter. Era tapicero y los tapiceros me han inspirado siempre mucho respeto; pero las misiones históricas, ya ves el ejemplo de Italia: Mussolini ya habla de misión histórica en Abisinia.» Olga remataba: «Cuando Mussolini o alguno de ellos grita: *Viva la misión histórica,* es cuestión de preparar unos cuantos ataúdes».

El problema religioso era el único que impedía a Ignacio creer enteramente en el socialismo como remedio posible de los males de España, ya que su descubrimiento de que las circunstancias de soledad, clima, constitución fisiológica, etc... influían directamente en el individuo, ahora superponía, con más convicción aún que cuando lo discutió con Mateo bajo los arcos de la Rambla, el factor económico.

En efecto, los incendios, la colonia de S'Agaró, los cientos de obreros que desfilaron por la UGT con sus problemas urgentes de subsistencia, todo ello relegaba a quimérico el pensar en las rutas del mar y otras sandeces. Casal, en sus lecciones, demostraba claramente que razas enteras en el curso de la historia habían sucumbido por falta de medios de producción. «Claro que se puede ser pobre y cantar flamenco —decía Casal—; pero la voz se quiebra pronto. También se puede ser rico y no tener remordimientos de conciencia; basta con correr las cortinillas. España es un país miserable, y además torpe. ¡En Madrid quebró una fábrica de material fotográfico porque los obreros se negaron a trabajar con unos guantes especiales, que les molestaban! De ahí que resulte tragicómico hablar de autarquía. Tenemos mucho que aprender. Lo primero que hay que inculcar es un poco de civismo. En Francia hay montañas de manteca en las tiendas... y en las casas... A última hora en los mercados regalan la fruta y las patatas... Pero... es que la gente cumple las leyes, y además se fabrican muchos automóviles. Civismo e industrialización, ahí está. La Revolución francesa tiene algo que ver en todo eso, creo yo. En fin, en España la línea a seguir está clara.»

Ignacio oía a Casal pensando que una gran verdad latía en sus palabras. Todo aquello le parecía más cerca del sentido práctico que cualquier otra doctrina. Pensaba que Matías Alvear hablaba un lenguaje análogo y ello para él constituía ahora la mejor de las garantías. Había acabado por admitir definitivamente que su padre era hombre de gran sentido común, y le erigía en árbitro de todos sus problemas, grandes o pequeños. Era poco espectacular creer en la experiencia paterna: Rosselló no le hacía ningún caso a su padre, Mateo no oía siquiera a don Emilio Santos; sin embargo, ello no alteraba el criterio de Ignacio. Matías Alvear podía fallar en las recetas, pero en cuanto a diagnosticar era infalible. Los telegramas continuaban descubriéndole el cruce de los acontecimientos y enseñándole a sintetizar; y la vida que dejó atrás en Madrid, le respaldaba, y los años de matrimonio y los hijos. Sin contar con que no era hombre de un solo periódico.

En cambio, le preocupaba lo indecible que su madre, Carmen Elgazu, hablara pestes de la UGT. Porque también su madre era sensata y tenía sentido práctico. Ella no creía que la finalidad de la UGT fuera regalar la fruta y las patatas. «Donde estén David y Olga —decía—, no espero que regalen sino malos consejos.»

Ignacio se reía y pensaba: «¿Cómo convencer a mi madre?» Por otra parte, tal vez ella acertara. El chico se guardaba de rechazar por infantiles los argumentos de Carmen Elgazu, incluso hablando de política. Desde que la besó en el cuello en el comedor, cuando la enfermedad, y luego la acompañó varias veces a la Iglesia, e incluso un día a comprarse un paraguas, la oía con mucha atención, porque admitía la existencia de un saber extralibresco, directo y eficaz.

Y por si esto fuera poco, ¿cómo resistir su entereza? Ignacio miraba ahora a su madre con admiración. Y ésta ¡cómo! le correspondía devolviéndole mil por uno. ¡Cariñoso hijo; que Dios se lo conservara! Entraba en la cocina a gatas y la asustaba haciéndole cosquillas en las piernas. En ocasiones, al verla sentada y cosiendo, se colocaba detrás, le deshacía el moño y asombrado ante la longitud de su cabellera —mezcla de blanco y negro— que le llegaba casi al suelo, la peinaba interminablemente como de niño hiciera en Málaga. En otras ocasiones organizaba pequeños complots familiares, con el fin de que Carmen Elgazu no tuviera que levantarse absolutamente para nada durante las comidas. Ignacio, Pilar y César y el propio Matías Alvear eran los encargados de ir a la cocina y de servir. Carmen Elgazu tenía prohibido moverse. Presidir la mesa y comer, nada más. Los cuatro confesaban que juntos no conseguían lo que ella sola, pero el detalle hacía feliz a la mujer. Ignacio oyendo a Casal se preguntaba a veces con inquietud si el programa de industrialización no traería consigo la pérdida de entidades humanas como su madre. David contestaba que al contrario. «Habrá muchas más. Ahora muchas mujeres querrían ser Cármenes Elgazu y no pueden, porque no tienen fuego en la cocina ni mesa que presidir.»

Otras veces, Ignacio pensaba en Marta. A Marta la palabra socialista —a pesar de que en Valladolid los socialistas se pasaran a Falange— parecía causarle horror. Hablaba poco de ello, pero resultaba claro. De Casal decía: «Sólo verle me da miedo». Ignacio le preguntaba: «¿Por qué?» Marta contestaba: «Eso es lo horrible, que no lo sé. Pero me da miedo».

Ignacio había observado que este sistema de sentenciar sin dar luego la explicación era habitual en Marta. Acaso quisiera dárselas de mujer intuitiva; lo más probable era que lo fuese verdaderamente.

No obstante, su intromisión en el círculo familiar le estaba poniendo nervioso. Ignacio continuaba experimentando fuerte impresión al ver a la muchacha, porque en realidad algo magnético emanaba de ella. Pero era una impresión desasosegadora, como la que produciría una estrella que no estuviera en su lugar. En el fondo no comprendía que Marta congeniara con su hermana. Eran totalmente distintas y, sobre todo, había entre las dos diferencias vitales, de inteligencia y aun de educación. Por lo visto, la picardía de Pilar, sus intervenciones inesperadas y la salud que irradiaba su persona conquistaban a todo el mundo. Ahí estaba Mateo como ejemplo vivo.

Ahora Pilar le decía, dándole un codazo a Mateo:

—¿Qué pasaría, Ignacio, si yo fuera a la UGT, mientras Casal está hablando del transporte y le quitara el algodón que lleva en la oreja?

Ocurría eso, que la alegría de Pilar acababa contagiándose. En realidad era inútil intentar hablar seriamente en su presencia. Varias personas lo intentaban —César, Julio—, pero no lo conseguían. Tal vez, el único que a veces lo conseguía fuera mosén Alberto.

César fracasaba. Pilar le tiraba de la nariz o le ponía la mano en la cabeza, imprimiéndole un movimiento de rotación y le decía: «Anda, hombre, que vives en este mundo». A veces le tocaba en los costados preguntándole, con expresión de cómico asombro: «¡Oye!, ¿qué te pasa aquí? ¿No te das cuenta de que te están saliendo alas?»

A Julio le tomaba el pelo. Pilar, desde que tenía un retrato de Mateo en la mesilla de noche, ya no le temía a nadie, ni siquiera al policía.

Y a Julio esto le ofendía. En paro forzoso, expulsado del Cuerpo, a pesar de las gestiones del coronel Muñoz, ahora iba con frecuencia a casa de los Alvear, aun cuando Matías le recibiera con menos efusión que antes, y aun cuando notara que Ignacio se había distanciado de él. No se inmutaba por ello. Respecto de Ignacio pensaba: «Ya volverá. Por de pronto, ya ha vuelto a la UGT». Respecto de Matías, sabía que en cualquier caso podía contar con él. De modo que el único hueso de la familia era Pilar.

Y era que Pilar le había gustado siempre enormemente. Ya cuando era niña. Pilar había significado siempre para el policía lo femenino intacto, el más imperioso e imposible deseo de la madurez. Doña Amparo Campo le gustaba por vicio, Olga le hubiera gustado por fuerte; pero aquellas mejillas sonrosadas de Pilar valían lo que no valía el triángulo de la Logia.

De modo que el único que imponía seriedad a la chica y en la casa era mosén Alberto. Tal vez porque el sacerdote suscitaba siempre temas tremebundos, que a Pilar la desazonaban y la obligaban a comerse las uñas, como, por ejemplo, el de la lepra, o ahora el de los incendios.

Si Mateo estaba ausente, mosén Alberto hablaba de Falange, «inspirada en las doctrinas paganas de Centroeuropa», lo cual dejaba en suspenso a Carmen Elgazu. A veces hablaba incluso de la muerte.

Sí, éste era el tema habitual en el sacerdote desde que había iniciado aquellas excavaciones en Rosas, subvencionadas en parte por el notario Noguer. Porque, por lo visto, ocurría en ellas algo singular: la ciudad griega no aparecía, pero, en cambio, aparecían centenares de calaveras. Una necrópolis. Tantas calaveras, al parecer, que no sólo el comedor de los Alvear estaba lleno de ellas en abstracto, sino que amenazaba con serlo en concreto; pues a mosén Alberto se le había presentado el problema de colocarlas.

Era inútil que Pilar le interrumpiera: «Pero, mosén Alberto, ¿no podría hablar de alguna cosa más divertida? ¿Por qué no cuenta aquello de Jonás y la ballena?» Imposible. A mosén Alberto le sobraban calaveras.

Y por lo demás, le surgió inesperadamente un aliado: Mateo. A Mateo le interesó en seguida aquel asunto y de repente le pidió al sacerdote: «Mosén, le agradecería mucho que me trajera un ejemplar».

¡Santo Dios! Matías Alvear enarcó las cejas y de buena gana le hubiera roto a su futuro yerno la caña de pescar en la cabeza. Carmen Elgazu creyó que debía de ser cierto lo de las doctrinas de Centro-Europa; en cambio, mosén Alberto respiró: ¡Por fin empezaba a colocarlas!

—La tendrás, Mateo, la tendrás. —Pero de súbito, pasándose la mano por la mejilla, le preguntó—: De todos modos... ¿cómo la quieres? ¿De hombre o de mujer?

Todo el mundo perdió la respiración, especialmente el propio Mateo. Jamás se les había ocurrido establecer tal distinción; tan acostumbrados estaban todos a suponer que la muerte iguala de una manera total a los seres humanos.

Finalmente, Mateo la pidió de hombre, lo cual a Pilar le devolvió, en cierto sentido, la tranquilidad.

* * *

El asunto de las calaveras a disposición de quien las quisiera desbordó el comedor de aquella casa y llegó a ser de dominio público, gracias a las periódicas informaciones que *El Tradicionalista* publicaba sobre los trabajos en Rosas. Y entonces se produjo la primera sorpresa para el excelente observador que era el doctor Relken: quedó demostrado que semejante objeto no interesaba a nadie. ¡Qué horror!, exclamaba todo el mundo.

—No comprendo —dijo el doctor en casa de Julio—. Yo creía que los españoles estaban familiarizados con la muerte.

El doctor Rosselló aseguró que esto no era cierto, que era propaganda religiosa.

En realidad Mateo no tuvo sino dos imitadores: David y Porvenir. David pidió un ejemplar —de hombre— para colocarlo en un pedestal en la clase cerca del acuario; Porvenir pidió otro, de mujer.

Y como siempre, el joven anarquista convirtió aquello en un juego de manos. Llevó la calavera al Gimnasio, la colocó en el suelo, en el centro. Los anarquistas parecieron ser los únicos seres de la ciudad familiarizados con aquello, lo cual hubiera dado que pensar al doctor Rosselló. Se acercaron a la calavera como si tal cosa. Le formulaban preguntas e introducían los dedos en sus agujeros. Blasco sacó el cepillo y cepilló su calvicie absoluta. Todo el mundo se preguntaba qué era aquella línea de puntos que se veía en el cráneo. Ideal sugirió: «Le habrían hecho alguna operación a la gachí». El Cojo ratificó: «Son puntos de sutura». Luego discutieron si la mujer sería casada o soltera. Bromearon obscenamente y desde aquel día la calavera fue la mascota de la FAI, como Joaquín Santaló —el esqueleto entero de Joaquín Santaló— era la de Izquierda Republicana.

CAPÍTULO LV

Luego se inició la quincena del amor. Los primeros beneficiarios fueron Laura y «La Voz de Alerta». Desde el día en que el dentista le había preguntado a la hermana de los Costa: «¿Y usted, Laura, no se casa...?», la mujer no vivía. Le había notado al dentista un tono especial. Y puesto que varias piezas de su boca exigían atención, sus visitas a la clínica dental se repitieron. En la última de estas visitas las insinuaciones de «La Voz de Alerta» habían sido tan evidentes que Laura acababa de decirles a sus hermanos: «Sí, me parece que hice una tontería no aceptando el primer piso de vuestro inmueble».

Luego, Octavio y Rosario. Octavio y la hija del fondista vivían una suerte de luna de miel. En presencia de la chica el empleado de Hacienda olvidaba el concepto de Patria y se dedicaba a quemar, en la medida de lo posible, las distancias que separan los cuerpos. Por fortuna el patrón de la fonda vigilaba, cuchillas en alto. «Tavio, no me metas a mi hija en jaleos... de ninguna especie.»

Luego, Mateo y Pilar. Y la compañera de Cosme Vila y su hijo, que era una preciosidad. ¡Y el de Impagados y su novia, que hablaban de casarse! Y el subdirector y sus archivos. Y el notario Noguer y su Mercado cubierto, cuyas obras avanzaban. Y David y Olga y la UGT.

Se hubiera dicho que Gerona, antes del asalto definitivo a las elecciones de que se hablaba, se concedía a sí misma otra tregua, parecida a la de Navidad.

El doctor Relken era también uno de los beneficiarios. Le estaba tomando afecto a Gerona, según decía. Le interesaban las excavaciones, y por ello fue a visitar a mosén Alberto. Le interesaban la Catedral, las imágenes antiguas. Encontraba a los españoles muy hospitalarios. En Barcelona había sido huésped de un diputado socialista que le colmó de atenciones. En Gerona no sabía cómo contentar a tanta gente: Julio, el Comisario, el doctor Rosselló, los arquitectos Massana y Ribas. ¡Válgame Dios, por suerte el doctor no bebía más que agua! Se bebía grandes cantidades de agua, por lo que doña Amparo Campo le tenía por un santo.

Quincena de amor. Ramón, en el Neutral, realiza increíbles viajes gracias al doctor Relken. El doctor —pelo rubio erizado, cortado a cepillo, cuello alemán y gafas de doble cristal— le contaba toda suerte de aventuras. El Cairo, Praga... Había estado en todas partes. ¡Incluso en Vladivostok! Ramón, mojándose los labios y mirando al techo de vez en cuando, vivía la quincena más intensa de su existencia.

—¿Y en Tánger...? ¿Ha estado usted en Tánger, doctor...?

—¡Cómo! El invierno de 1928 lo pasé allí.

—¿Y qué...? Muchos contrabandistas, ¿no?

El doctor se bebía un vaso de agua y le decía bajando la voz:

—Más de lo que te figuras.

Los obreros de los Costa disfrutaron también de su quincena. Autobuses a su disposición, que los llevaron hasta Valencia. Los dulces naranjos les atraían. En cambio, a Paco, el hijo adoptivo del cajero, continuaban atrayéndole los temas trágicos. Hasta el extremo que se presentó en el Hospital a pedirle permiso al portero para sacar apuntes en el depósito de los muertos. Lo obtuvo, a condición de sacarle un retrato a él, con la gorra azul.

Por el contrario, Matías Alvear continuaba siendo más y más apacible, y arrastraba en sus costumbres a don Emilio Santos. El amor de Matías Alvear por la pesca obligó a don Emilio Santos a seguirle todas las tardes Ter arriba, donde los peces picaban o no picaban, pero donde no faltaban nunca un par de cigarrillos liados a gusto, aire sano respirado con fruición y felices alusiones a la «pareja de tortolitos», Mateo y Pilar, para cuya insospechada aventura el director de la Tabacalera buscaba inútilmente un refrán.

En todas partes se registraban manifestaciones entrañables, y mosén Alberto estaba seguro de que la mismísima tierra de Rosas se mostraría pródiga y que bajo las calaveras aparecería la colonia griega. El coronel Muñoz, alto y elegante, concedió permiso a un tercio de la guarnición, y los soldados bendijeron su memoria una vez más. Para la población en general organizó espectáculos al aire libre, en la piscina: natación y concursos acuáticos, en uno de los cuales —la cucaña— Teo el gigante se llevó el primer premio. La víspera de San Juan se encendieron las tradicionales hogueras al atardecer, hogueras cuya inocencia llenó de nostalgia los ojos anarquistas.

También Raimundo el barbero captaba ondas benéficas. El barbero tenía una pasión: su clientela de bigote y masaje, a la que halagaba cuanto podía. En aquella quincena le dijo a Mateo:

—Mateo..., tengo una noticia para usted.

—¿Cuál?

—Conozco el sistema para que se gane usted... un amigo.

—¿Un amigo...?

—Sí. Pedro.

Mateo se calló. El barbero añadió, tijereteando:

—Regálenle ustedes una radio.

Mateo disimuló. Y, sin embargo, la idea se le clavó en la mente. Fue algo que le ensanchó la camisa azul. Y en la reunión del sábado planteó el asunto a sus camaradas.

Todos se quedaron asombrados. Benito Civil se ajustó su americana a cuadros verdes y preguntó: «¿Una radio a un comunista?» Mateo contestó: «¿Por qué no?» Octavio repuso: «Sería un honor para la Falange captar a Pedro». Pero luego añadió que no había un céntimo en caja. «Todo se fue en octavillas.»

Rosselló propuso abrir una suscripción entre las personas más o menos simpatizantes: Marta, el teniente Martín... Él personalmente aportaba... tanto. Dicho y hecho. Nadie se explicó cómo consiguieron, en unas horas de fiebre juvenil, reunir la cantidad necesaria. ¡El rubio del saxofón entregó veinticinco pesetas! Don Emilio Santos se mostró generoso; Matías Alvear, aunque no comprendía la situación, tuvo que abrir la cartera... A las siete de la tarde del lunes la radio relucía en la barbería de Raimundo, éste perplejo al comprobar que su idea había sido tomada en serio. Se organizó una comitiva —Mateo, Ignacio, que conocía a Pedro, Octavio y el Rubio, además de Pilar y Marta— y todos juntos, poseídos por un vértigo jubiloso, se dirigieron a marcha atlética hacia la casa de Pedro, que vivía en la calle de la Barca.

Cuando el muchacho, al abrir la puerta de su triste piso vio a Mateo con un aparato de radio, y a los demás en la escalera, se llevó una mano a la cabeza, luego abrió los ojos de par en par y, por fin, no sabiendo qué hacer, se agachó un poco para palpar el aparato.

Entonces todos irrumpieron en el oscuro comedor y le ayudaron a buscar un enchufe, encontrando uno a ras de suelo, en un rincón. Octavio se subió a una silla y colocó la antena.

Cuando las lámparas se encendieron y el aparato empezó a runrunear se oyó un ¡hurra! general. A Pedro, la emoción le tenía agarrotado. Pero de pronto se acercó a la radio y se apresuró a dar vueltas al botón. Pero... Moscú no salía, no era la hora de la emisión.

No se oían más que valses. Tan tentadores que Pilar asió de la mano a Mateo y se puso a bailar con él. Ignacio invitó a Marta. Hasta que de repente, en la puerta de la cocina, apareció un rostro cadavérico, con dos moscas pegadas en la frente. Entonces todo el mundo se calló. La radio fue desconectada.

—¿Qué pasa, qué pasa? —preguntó, con voz asustada, aquel rostro.

En cincuenta años que el padre de Pedro llevaba en el piso era la primera vez que en él oía música.

* * *

También para Ignacio la quincena se manifestó propicia: vacaciones. Descartado San Feliu, pues David y Olga se habían dado enteramente a la UGT, y queriendo a toda costa salir de Gerona para cambiar de aire, el muchacho pensó en el campo. ¿Adónde ir? Jaime, el telegrafista, le tenía dicho a Matías: «Si alguno de ustedes quiere pasar unos días en casa de mis padres, en la Cerdaña, avíseme».

El viaje fue decidido en un santiamén. Ignacio pagaría lo que en la fonda, y le tratarían como de la familia.

Ignacio se marchó, dispuesto a asegurar a los padres de Jaime que su hijo era el mejor poeta de la región. El pueblo en que vivían estaba muy cerca de Puigcerdá, donde «La Voz de Alerta» pasaba los veranos fundando clubs de *golf* que en invierno morían irremediablemente.

Nada más llegar, bendijo el ofrecimiento de Jaime como los soldados bendecían al coronel Muñoz. ¡Maravillosa comarca, rodeada de montañas, con bosques no quemados en las laderas, con rebaños tranquilos, con árboles frutales! La casa tenía un huerto y una era, y muchos conejos agazapados, que miraban estúpidamente. Ignacio no comprendió que Jaime hubiera abandonado todo aquello y hubiera preferido sentarse horas y horas ante una máquina que hacía: «Tata-ta».

Los padres de Jaime le dijeron a Ignacio:

—¡Qué quieres, chico! A los jóvenes os tira la ciudad. Jaime quería abrirse camino en Gerona, con la poesía. Pero dice que le falta influencia.

Luego le informaron de que el. cura era una bellísima persona y de que el relojero del pueblo estaba loco. Cuando llegaba un forastero le llamaba y enseñándole un reloj que tenía parado le decía: «Lo pondré en marcha el día que estalle la revolución».

Ignacio puso una expresión parecida a la de los conejos al oír hablar, incluso en la Cerdaña, de revolución. Pero no hizo caso. Inmediatamente la comarca le entró en el corazón, el valle y aquella casa. Caminos que el sol aplastaba durante el día, pero que hacia el atardecer se desperezaban, llevando y trayendo, a través de la llanura, carros, alfalfa y misterio. Entonces Ignacio veía la hierba quieta y, sin embargo, temblorosa de los campos, los montes de Nuria ensombrecerse y, no obstante, ganar en estatura, troncos y solitarias paredes que continuaban recibiendo en plena noche impactos de luz. Luego dormía totalmente, como nunca conseguía dormir en Gerona, y, a veces, de madrugada se asomaba a la ventana, comprobando que todo estaba en su lugar, que todos los relojes de la Cerdaña —excepto el del relojero loco— marchaban a la perfección. Eras, pajares, gatos y perros, olmos y chopos, la línea de Francia a dos kilómetros escasos, la carretera a Seo de Urgel, los atajos de los contrabandistas, el agua pirenaica que al doctor Relken le hubiera gustado beber, los viejos carlistas sentados en los bancos de piedra de la plaza del pueblo: todo tenía su norma y su ley.

De no ser por el relojero loco, Ignacio hubiera vuelto a Gerona diciéndole a César: «Comprendo que en el Collell se te antoje a veces que cada cosa de la naturaleza tiene de por sí un alma, que todas juntas o por separado te saludan, que algunas lloran, que muchas de ellas luchan para aprender tu nombre y el de tu profesor de latín»; pero el relojero —que en efecto le llamó en seguida, en cuanto le vio cruzar la calle— hundiéndose en la cuenca del ojo izquierdo el horrible monóculo de su oficio le contaba con estilo incoherente que todo aquello estaba muy bien —los rebaños, el agua—, pero que en el pueblo se disfrutaba de menos salud de la que él creería —matrimonios entre primos hermanos, había más miseria de la que suponían las autoridades, muchas familias que emigraban a Francia y que la vida en invierno era difícil allí, porque quedaban incomunicados y porque el túnel de Nuria —que ya la Dictadura les había prometido, y luego la República— no era nunca una realidad.

—Comarca feliz. Sí, sí. ¿Ves este reloj? Le das cuerda y anda para atrás. ¡Je, empleado de Banca! Aquí en la Cerdaña, en invierno no se puede vivir. Mi padre decía que no se quiso bautizar porque la iglesia estaba helada. Tenía razón. Es muy bonito venir a Puigcerdá en el mes de julio y andar como tú andas, con alpargatas y una camisa de seda con iniciales: pero en invierno... ¿Por qué hablo de revolución? Porque el oficio me ha enseñado «que las ruedas pequeñas son tan importantes como las grandes...» ¿Quiénes son las grandes? Los que vienen a jugar al *golf*. ¿Quiénes son las pequeñas? Los que van al monte por leña. Pero... todo llegará. Observa los relojes: *tic, tac, tic, tac.* Hay un veneno que mata a todo el mundo. ¡Un reloj que ocupe toda la pared! —me piden—. Se figuran que porque tienen dinero les daré un reloj de trece horas, o de veinticuatro. Nada de eso. *Tic, tac, tic, tac.* El último veneno, eso de Abisinia. ¿Has leído *El Diluvio*? Ahora, aquí, les queremos imitar. Me han dicho que en Gerona ya regaláis octavillas.

Ignacio regresó a Gerona algo obsesionado por aquel hombre. Y Gerona le devolvió a la realidad. Menos hierba quieta —murallas recibiendo también impactos de luz en plena noche— y más camisas de seda con iniciales.

Carmen Elgazu le encontró más gordo. César le dijo, inesperadamente: «Hoy he ido al valle de San Daniel. He visto la tapia del convento de clausura».

En cuanto a Gerona, se hallaba en plena fiesta. La quincena del amor había alcanzado su punto culminante. Cada barrio tenía su fiesta veraniega, como en la Cerdaña cada camino su carro. Papeles de color zigzagueando de balcón a balcón, típicos monigotes de madera colgados en el aire, tablados para los músicos, puestos de mantecados.

¿Cómo resistir? Era la fiesta de la Rambla y Matías Alvear había formado parte de la comisión organizadora. La familia era, pues, parte interesada. Y además, contaba con el espléndido emplazamiento del balcón.

En efecto, la familia Alvear desde su balcón lo dominaba todo, el ir y venir, las risas, las calvas de los músicos, el micrófono a través del cual el Rubio saludaba al respetable público, fumándose su saxofón. Teo apareció con una extraña mujer que le llegaba al ombligo, Gorki con otra que le llevaba dos palmos de ventaja, el teniente Martín con una vampiresa de tres al cuarto, que despedía oleadas de perfume. Bajo los arcos, apretados, bailaban Murillo y Canela, ésta con pendientes nuevos. Los niños pisaban adrede a los mayores —dos jugadores de ajedrez en el interior del Neutral—, los soldados echaban sus gorros al aire y un grupo de taxistas pasaba disimulando y pellizcando a las chicas, tirando petardos y derribando botellas de agua.

Sin embargo, los vecinos se opusieron a que el clima adquiriera un tono definitivamente bajo. Optaron por tomar personalmente posiciones. Honorables comerciantes, más o menos ventrudos, salían de las tiendas con la esposa y bailoteaban. El recuerdo de la juventud les encendía las mejillas. Nadie se abstuvo; las clases no contaban. Liga Catalana y CEDA, radicales e Izquierda Republicana se mezclaron fraternalmente. Media docena de viejos sacaron sus sillas afuera, al borde de la acera, para no perderse detalle. Las criadas eran absolutamente felices.

Pilar y Mateo, desde abajo y bailando sin alejarse demasiado, llamaban a voces a Matías y Carmen Elgazu —éstos en el balcón— para que bajaran también y los obsequiaran con un vals corrido. Carmen Elgazu, aunque riéndose, rehusó siempre, a pesar de que el propio don Emilio Santos se empeñaba en convencerla. El último día Matías dijo: «¡Pues ahora vas a ver!» Se tomó una copa de Estomacal y se bajó del brazo de doña Amparo Campo.

Gracias a esta concesión, Julio, por su parte, consiguió bailar con Pilar. Pilar sentía en su mano la húmeda mano del policía. Mateo no les perdió de vista, inquieto.

Entonces, por toda la Rambla, se encendió la traca final, la traca de los fuegos artificiales.

CAPÍTULO LVI

Luego llegó la quincena de las catástrofes.

El calor cayó de nuevo, como una maldición africana. El Oñar, prácticamente, se secó; el agua quedó estancada. Los obreros, luchando con los cimientos del Mercado, se quejaban de que aquellos efluvios los intoxicaban. Era un río muerto en el centro de la ciudad.

Las fiestas de los barrios extremos fueron raquíticas comparadas con las de la Rambla y la Plaza de la Independencia. Matías lo atribuía a las comisiones organizadoras, que no sabían despabilarse; en realidad, era el calor. Todo el mundo llegaba a la noche agotado, y apenas apuntaba el alba el sol ascendía de nuevo·con majestad impecable, bebiéndose la sangre de los ciudadanos.

Acaso fuera por ese vaho rojo por lo que uno de los alumnos de David y Olga tuvo una idea: Santi, el mayor de ellos, que ahora todo el día andaba detrás de Porvenir y que en la CNT prácticamente actuaba de botones, o de conserje, fue a la Rutlla a buscar dos amigos que se las daban de valientes y les dijo: «Vamos a la escuela, tengo un plan».

A los chicos les ganó la curiosidad. Eran más inteligentes que Santi, pero éste los dominaba por bruto. Llegaron a la escuela y el precoz anarquista se sacó del bolsillo algo —un diamante— y quebró uno de los cristales, como si fuera el escaparate de una tienda. Introdujo la mano por el boquete y abrió la ventana. Los tres saltaron al interior. ¿Qué vas a hacer? Santi se dirigió, flotando sobre sus inmensos pies, hacia el acuario y con el diamante quebró también, venciendo su espesor, el cristal. El agua empezó a perderse por el agujero. Los veinte peces de colores se cruzaron dentro del recinto como alocados. El agua les iba faltando y sus fauces, abriéndose, denotaban el miedo sideral. Los dos chicos reaccionaron inmediatamente. Ante la gratuita crueldad de Santi uno de ellos le asió las muñecas, sosteniéndolas entrecruzadas en la espalda tal como les había enseñado David y el otro le pegó en pleno rostro un terrible puñetazo. La sangre del bruto manó de su nariz cayendo dentro del acuario como para prolongar la vida de los peces unos segundos más. Los peces la hubieran bebido con fruición a no ser que de pronto se encontraron en el surtidor del jardín, donde en el acto se dedicaron a inspeccionar su nueva e insospechada morada, dando vueltas sin parar. David y Olga, a su regreso, no comprendieron el misterio, puesto que los salvadores de los peces no delataron a Santi; delatar les estaba prohibido.

De cómo en el cerebro de un botones —o conserje— de la CNT podía germinar repentinamente la idea de matar veinte peces de colores, nadie sabía una palabra. En todo caso los dos chicos, que adoraban a Olga y David, sentenciaron con su voz de barítono: «Santi acabará en la silla eléctrica».

Otra catástrofe ocurrió en la barbería que había sido comunista. Alarmante sequedad. Desde el traslado del Partido al nuevo local, los clientes desaparecieron. El barbero pensó en renovar la clientela, convertir tal vez su establecimiento en barbería de lujo. Adquirió dos flamantes sillones americanos, puso como marco a los espejos un hilo dorado. Se puso bata impecable. Todo inútil. Perdió la escasa clientela antigua sin atraerse otra. El hombre daba pena, mirando afuera con las manos en los bolsillos. Entonces pensó: «No tendré más remedio que echar el anzuelo a la CEDA». Pegó un pequeño retrato de Gil Robles en el cristal; pero de momento tampoco dio resultado. El subdirector comentó: «¿Qué le ha pasado a ese imbécil?»

Luego le tocó el turno a don Jorge. Don Jorge, al terminar una de las reuniones en Liga Catalana, se enteró, por el director del Banco Arús, de que su heredero acababa de alistarse en Falange...

El hombre sintió un golpe en el pecho. ¿Cómo era posible? Se puso el sombrero hongo y se dirigió hacia la puerta. Los años secaban el rostro de don Jorge. Ello, y la negrura de sus trajes, imponía respeto. Y en su casa la vida continuaba su ritmo, disciplinado y silencioso. Como decía el notario Noguer, «era una casa tan digna como pudiera serlo la de Teo, y tan necesaria como ésta para perpetuar la multiplicidad de los destinos humanos».

Por lo demás, la cosa había sido sencilla. El sábado en que se repartieron las octavillas, el hijo mayor de don Jorge salió de la estación y Benito Civil le entregó, como a todo el mundo, el papel en que se hablaba de los bosques, de los pájaros, de los que sufrían y odiaban y de la ilusión única. El heredero acababa de presenciar en una de sus propiedades en los Pirineos el incendio de un bosque de encinas; el guarda le había dicho: «Siento decírselo, señorito, pero todo esto tenía que llegar». El muchacho, que desde mucho tiempo desobedecía a su padre en el trato que daba a los colonos, no dijo nada. Contempló en casa del guarda el montón de sacos de patatas que ponían: «para don Jorge». Vio a dos de los chicos de aquel hombre asomados al pozo del huerto, para ver el círculo del sol abajo, sin que nadie los vigilara. El guarda le repitió: «¡Si usted supiera...!» Jorge, al llegar a Gerona, se fue al Banco Arús y pidió el estado de cuentas; no se lo podían dar sin autorización escrita de su padre. Fue a otros Bancos y lo mismo. Se miró al espejo y no vio en su rostro huella alguna de lucha. Incluso su nombre le preocupó: Jorge, como su padre. Su madre los quería a todos, pero cuando estaba delante de don Jorge no osaba levantar la voz. Éste, todas las noches, después del Rosario, la besaba en la frente. El muchacho, al leer la octavilla que le entregó Benito Civil, se encerró también en su cuarto, lloró y rezó y luego llamó a la puerta de Mateo. Mateo le dijo: «Depende de tu capacidad de sacrificio».

Don Jorge, en el local de Liga Catalana, decidió exactamente lo que unas semanas antes el doctor Rosselló. Le diría a su heredero: «O borras tu nombre de Falange, o te buscarás otro techo».

501

Extraño mes de agosto, en que se hubiera dicho que los rayos del sol iban abriendo los corazones. Ana María, en San Feliu, se arreglaba los moños esperando a Ignacio: éste a veces soñaba: *Tic, tac, tic, tac.* Y el sonido se le confundía con el *trap-trap* de la jaca que montaba Marta.

El doctor Rosselló pagó también su tributo... Las hermanas del Hospital se dieron cuenta de que el doctor inyectaba algo mortífero a los enfermos incurables. Comprobaron un caso concreto en una mujer de pueblo, que había padecido un accidente. Con las alas almidonadas surgiéndoles de la cabeza, rodearon al médico y le interrogaron. Éste rechazó la acusación. Las Hermanas fueron a ver al señor obispo. El señor obispo les dijo: «Pero ¿qué pruebas tienen ustedes?» Las Hermanas contestaron que no tenían otra prueba que el cadáver de la mujer de pueblo.

Don Pedro Oriol sacó la cuenta de las pérdidas personales que le habían ocasionado los incendios. Era abrumador. La mitad de lo que poseía. «La Voz de Alerta» le dijo: «¡Y venga aguantar, y venga aguantar! ¿Hasta cuándo?»

Era una quincena maléfica. ¡El subdirector sufrió una humillación espantosa! El padre de Roca, portero en la Inspección de Trabajo, consiguió unos datos sobre la masonería en Italia que no poseía él. ¿Era o no era masón el rey Víctor Manuel? El padre de Roca fue al Banco Arús, y, asomando su pequeña cabeza por la ventanilla, hizo bailotear el preciado papel frente a los ojos del subdirector.

Las personas se proponían algo y les salía al revés. Por ejemplo, César...

Ello ocurrió el último día de la fiesta de la Rambla, mientras sus padres estaban en el balcón escuchando la música de la Pizarro-Jazz. César se había quedado en el comedor, contemplando el río seco..., y rezando. Los bailables le llegaban como con sordina. De pronto, los rezos transformaron aquella música profana en música angélica. Oía violines. El muchacho casi se rió, pensando si en el cuarto vecino, en el de Pilar, San Francisco de Asís y Santa Clara le estarían dando un concierto al San Ignacio de la otra pieza. ¡Como un sonámbulo abrió la puerta para comprobarlo! El cuarto de su hermana estaba oscuro, pero le pareció ver una luz. Una luz a los pies de San Francisco, sobre el pequeño pedestal. Fue acercándose fascinado y entonces descubrió que era el reflejo de algo, del cristal de la ventana que daba al río, de las bombillas de las casas de enfrente. Pero en todo caso era una luz móvil que, partiendo de los pies del santo empezó a ascender por su hábito hasta quedar fija en su rostro. Entonces este rostro se tornó especial. Cobró expresión sobrehumana. Sin duda San Francisco de

Asís se disponía a hablarle. Miraba a César como si le viera pequeño, pequeño y que todavía iba disminuyendo de tamaño, debido a que el seminarista iba doblando las rodillas y las pegaba al suelo. Y sin duda alguna habría hablado, de no ser por la súbita catástrofe: Pilar, que acababa de bailar con Mateo, irrumpió feliz en su cuarto, riendo y dando vueltas aún, ajena a la presencia de César en la oscuridad, tropezó con él, dio un grito de espanto, la luz volvió a descender a los pies de San Francisco, toda la familia acudió a ver qué ocurría y Matías dijo a César: «Chico, no comprendo que no te baste con tu habitación para rezar».

Mosén Francisco había comentado un día con Ignacio que la convivencia con un santo era difícil. Ignacio había contestado:

—Querido mosén, es difícil la convivencia con cualquiera, con una persona normal, con quien sea.

* * *

Las dos últimas catástrofes que cayeron sobre la ciudad afectaron a un número reducido de personas, pero fueron irreparables. De común no tuvieron sino el desenlace: la muerte.

Uno de los protagonistas vivía lejos de la ciudad; el otro cerca. Uno de ellos tenía la familia en la ciudad; el otro lejos. Ninguno de los dos tenía nada que ver, directamente, con Ignacio; y, no obstante, éste, en ambos casos, pensó con dolor: «Bueno, los gusanos no pierden nunca el apetito».

Alguien —Ignacio no recordaba quién— atribuía estas ráfagas, estas repentinas acumulaciones de dolor, a los astros. Según él, de repente los astros señalaban una ciudad de la tierra y decidían: «Allá»; sus invisibles ejércitos descendían en tromba sembrando la ruina. «No es siempre Marte —decía—. La gente que cree que es Marte o que es Júpiter, se equivoca. Colaboran todos, todos los astros. Todos los astros miran siempre a la Tierra esperando el momento. Y el peor de todos es la Luna. La Luna hunde los barcos, hace vomitar a las mujeres embarazadas, trae la sequía y, sobre todo, enciende los cerebros. Cuando veáis los cerebros encendidos, mirad la Luna: se está riendo. Se pone bigote y se ríe. Estos días, desde luego, se está riendo una barbaridad. Hasta que algún día construyan un cohete o un obús y la despedacen.»

Ignacio pensó que, por esta vez, la ciudad elegida había sido Gerona. Y por lo visto la Luna precisó más aún: eligió el piso de Pedro. Mandó un ejército al piso de Pedro y en él encendió un cerebro: el del viejo de la cocina, el padre del joven comunista.

Según contó Pedro a Mateo y a todos cuantos fueron a verle, fue algo inaudito, inexplicable. Precisamente el viejo, desde que tenían radio, parecía haber rejuvenecido, se había pasado aquellos quince días pegado al aparato, excepto en las horas en que su hijo lo reclamaba para oír Moscú; y he aquí que aquella tarde, de repente, salió de la cocina, pero no solo: llevaba una maleta en la mano.

Pedro, asombrado, le preguntó adónde iba. El viejo le contestó con seriedad:

—Aquí no hago nada, me voy a América.

Pedro creyó que su padre bromeaba, si bien le extrañó mucho, puesto que su padre no bromeaba jamás.

—Ande, deje la maleta y venga a oír música —le dijo. Pero el viejo continuó avanzando por el comedor y repitió: «¿Por qué? Aquí no hago nada, es mejor que vaya a América». Y continuó avanzando, avanzando hasta que cruzó el umbral del balcón, que estaba abierto, hasta que tropezó con la barandilla, hasta que doblándose de repente sobre ella, debido a su peso, desapareció por el otro lado, estrellándose contra las piedras de la calle de la Barca.

Pedro no pudo sino salir al balcón con el rostro aterrorizado, roto el cerebro por el ruido sordo que el cuerpo de su padre hizo al estrellarse.

Y luego nadie pudo consolarle. Porque era evidente que hubiera podido evitarlo, hubiera podido levantarse y cerrarle el paso a su padre, cuando vio que se acercaba al balcón; pero él, aunque le extrañó, creyó desde luego que bromeaba, con su maleta.

Fue un drama sencillo y que sumió a todo el mundo en una gran perplejidad. Todo el mundo hizo cuanto pudo para consolar a Pedro; pero era inútil; además de que éste sólo contó el hecho una vez, en voz baja y en muy pocas palabras. Una ambulancia se llevó el cuerpo del viejo, un policía sacó el inventario de lo que había en la maleta: unos calzoncillos largos y un lápiz. ¡Un lápiz! ¿Para qué? Julio decidió esperar ocho días antes de presentarse a Pedro para pedirle una fotografía de su padre; pero en la cartulina 371 de su fichero apuntó: «Jaime Bosch, 67 años, ojos desorbitados».

Ignacio y el Rubio, Mateo y sus camaradas, ¡y Teo en representación de Cosme Vila! acompañaron a Pedro en el entierro del suicida, hasta el cementerio. Benito Civil propuso: «Habría que encargar una lápida». Todo el mundo le miró; entonces él recordó que era el propio Pedro quien las labraba.

* * *

La segunda noticia mortal la captó Matías Alvear en Telégrafos. El telegrama provenía de Valladolid e iba dirigido al comandante Martínez de Soria: el hijo mayor de éste había caído acribillado a balazos delante del local de las Juventudes Libertarias, mientras pegaba en la pared un cartel de Falange.

El comandante, al leer el telegrama, se cuadró militarmente, su esposa prorrumpió en un gran sollozo; Marta se retiró a su cuarto y se arrodilló. Cuando los ojos le quedaron secos como el Oñar, su padre le dijo:

—Haz tu equipaje. Nos esperan para el entierro.

En Valladolid, la familia —incluido José Luis— y una guardia de camisas azules acompañaron a Fernando al cementerio. Y al regresar a Gerona, cuando Marta apareció en el umbral del comedor de los Alvear, éstos se levantaron. Pilar se le acercó y la asió de la muñeca.

Marta no hizo ningún comentario. Se sentó en un rincón, junto a la pequeña mesa que el encaje de bolillos de Pilar cubría. César preguntó si Fernando había tenido tiempo de confesarse.

—Fue instantáneo.

El dolor de Marta era silencioso; el comandante, en cambio, había reaccionado en forma desconcertante. Por de pronto había envejecido cinco años, según el criterio de Marta; y en el cementerio de Valladolid perdió los últimos cabellos negros; ahora, al encontrarse de nuevo en Gerona intentó recobrarse. Y si por un lado, cuando estaba en casa, se dejaba influir por el estado de ánimo de las mujeres, acompañándolas a la iglesia con mucha frecuencia, al encontrarse en el cuartel no dejaba traslucir su estado de ánimo y bromeaba con los demás jefes como si tal cosa.

Por debajo de la puerta se deslizaban continuamente cartas de pésame: comandante Campos, notario Noguer, «La Voz de Alerta», coronel Muñoz... La última que abrió fue la de Mateo: éste le decía que en la lucha por el amanecer de España era inevitable que cayeran los mejores.

El comandante, con la carta en la mano, tembló de ira.

—¿Qué quiere decir ese loco con eso del amanecer?

Su esposa intentó calmarle; luego Marta le explicó que aquella palabra formaba parte del léxico falangista.

—Es una imagen. Quiere decir que Falange traerá la luz o algo así.

El comandante rompió la carta y quedó pensativo, mirando cómo las sombras invadían los tejados de la ciudad.

CAPÍTULO LVII

La dimensión de las catástrofes, apenas pasadas unas horas, quedaba reducida a comentarios. Enorme capacidad de absorción. El doctor Relken decía en el Neutral que los gerundenses eran gente estoica.

Sólo el estado de ánimo del comandante Martínez de Soria se comentó más de lo corriente. Las manchas rojas del rostro del militar habían intensificado su color hasta tal punto, que muchos de los detenidos de octubre exclamaban: «¡Si tuviera que juzgarnos hoy!» Julio comentó:

—No cantéis victoria. Hay muchos otros militares con manchas rojas y a lo mejor cualquier día nos juzgan en bloque.

Éste era el rumor que corría por la ciudad. Julio decía que las presiones para que Gil Robles diera un golpe de Estado no cejaban y que el hecho de que muchos generales en activo y aun jubilados fueran republicanos no constituía ninguna garantía. Muchos de estos generales se habían pasado al enemigo cuando la ley de Azaña, y al parecer el propio Martínez Barrio, refiriéndose a Franco, había comentado: «Ezos generalitos no me gustan ná...»

Entre las personas que negaban todo fundamento serio a estos rumores se contaba el subdirector. El subdirector le decía a Ignacio: «¡La mitad del Ejército es masón, y hablar de golpe de Estado! ¿Quién va a darlo en Gerona? El general nombrado, masón; el coronel Muñoz, masón, el comandante Campos, el Comisario. Valdría más que se callaran».

Matías Alvear aseguraba que los militares eran más listos que los mineros de Asturias. «No van a cometer una locura porque han asesinado al hijo de un comandante o porque los de Estat Català vuelven a mover la cola.»

Y, sin embargo, el dolor del comandante Martínez de Soria pesaba sobre la ciudad. Y cuanto más se erguía éste al andar y más copas de ron pedía en el café de los militares, más latigazos pegaba Teo desde su carro gigantesco al regresar de la estación, con más ardor recordaba Casal en la UGT que el pueblo unido constituye una fuerza social inmensa, más retratos de Joaquín Santaló se repartían por las calles, más honda se calaba la gorra el Responsable al declarar ante el Comisario: «¡Se acerca el invierno y no hay trabajo! ¿Creéis que los parados no saben incendiar más que pinos?»

El más sereno de todos ellos parecía don Santiago Estrada. Había regresado de las vacaciones, soñaba en dar un gran impulso a la campaña de Navidad. «La CEDA en esta Navidad tiene que repartir abrigos y bufandas a todos los pobres de la provincia.» Tal vez, en cuestión de serenidad, Cosme Vila no le anduviera en zaga. Sentado en el sillón presidencial del Partido Comunista, no paraba de estampar sellos en toda clase de papeles. Cada papel sellado era una banderita en el mapa, cada banderita un enlace en una fábrica o una célula en un pueblo. Don Santiago Estrada pensaba en llenar la provincia de bufandas; el Comité Ejecutivo del Partido Comunista pensaba llenarla de fanáticos.

El inmenso rumor que se levantó por doquier, cuando se supo que efectivamente iban a verificarse elecciones cinco meses más tarde, en febrero de 1936, cambió la faz de la ciudad. Las calles cobraron una extraña agitación, que no era la de las fiestas. Cada cerebro preparó sus baterías, las mujeres andaban más de prisa, tiendas, pescaderías, cafés, todo se llenó de alusiones. Muchas bombillas aparecieron rotas, no se sabía por qué. Cada partido político dio orden a su conserje de intensificar rigurosamente el control de entrada en el local.

Y entonces llegaron las lluvias, como para borrar todos los restos del pasado, del aplanamiento de cuerpos y espíritus. Tanto llovió que el Oñar se resarció de su esterilidad y se hinchó, se hinchó arrastrando basuras, hierbajos, hedores. Tanto se hinchó que se llevó con furia incontenible todos los cimientos del nuevo mercado. Una gran carcajada resonó entonces en el edificio municipal: eran los enemigos del notario Noguer, los concejales que habían votado en contra del proyecto, los miembros de otros partidos. El notario Noguer quedó estupefacto. «No es lo mismo abrir testamentos que urbanizar una ciudad.» Don Santiago Estrada le telefoneó diciéndole: «No se preocupe: se vuelve a empezar».

La Dehesa también cambió de aspecto. La lluvia despejó de la Piscina a todo el mundo, excepto a los anarquistas; y posó sobre los árboles una nota amarilla. Lluvia sobre el parque, sobre las avenidas, sobre los plátanos. Las letras «Viva Falange Española» se desdibujaron en los troncos. Y de pronto, una hoja se cayó. Le dijo adiós a su rama y quedó un momento en el aire, incierta en la elección de lo que habría de ser su nueva morada y su sepultura. Finalmente se posó sobre la huella de un zapato, junto a un charco, que a ella le pareció mar. Las demás hojas supusieron que era libre, que conocía otros mundos; y a su vez abandonaron sus ramas. Fue una rebelión silenciosa y multitudinaria. A ras de suelo se hubiera podido oír el secreto crujido de millones de nervios que se iban pudriendo. De vez en cuando llegaba de los Pirineos una ráfaga y entonces todas a una las hojas

se recobraban, danzaban, y la Dehesa se convertía en un bosque or-
feico, en un inmenso coro vegetal; finalmente, los nervios morían, en
forma de cruz.

Por el contrario, los otros nervios, los humanos, los de Casal y David
y Olga en la UGT, los del Responsable y Porvenir en el gimnasio, los de
Gorki y Víctor en el Partido Comunista, los de todos los izquierdistas
de la ciudad habían resucitado a la esperanza. ¡Elecciones! Los trescientos detenidos de octubre recordaron sus vueltas en el patio de la
cárcel. Al gitano que pregonaba: «A perra gorda el amén, a perra
gorda el amén». «¿Os acordáis de los cestos, con las etiquetas a nuestro nombre?» La gente se arrancaba *El Demócrata* de las manos —*El
Diluvio, Claridad, Mundo Obrero*—. Santi despechugado y pelirrojo se
contemplaba en la CNT los inmensos pies y decía: «Pronto tendré zapatos nuevos».

Y se veían las fuerzas perfectamente alineadas. Y se veía sobre
todo cómo alrededor de cada jefe se pegaba una sombra, el alma
forzosamente inferior, el ser baboso y esclavo: Teo, pegado a Cosme
Vila, David pegado a Casal, el Cojo pegado al Responsable, Octavio
pegado a Mateo, el Comisario pegado a Julio, éste pegado al doctor
Relken, turista con acento alemán.

Santi era el esclavo de la CNT. Era el esclavo de la CNT en abstracto. Cualquiera de los militantes podía ordenarle robar bicicletas
o matar peces de colores. La más consciente de las sombras, Teo.
Teo era el esclavo de Cosme Vila por disciplina. «¡A mí si Cosme Vila
me ordena que me eche bajo el carro lo hago!»; y lo hubiera hecho.
Por el Partido acaso hubiera llegado a desenterrar a su hermano;
por lo menos así se lo confesó un día a Gorki, al preguntarle el aragonés sobre el particular.

El menos justificable, Julio. Su sombrero ladeado se le caía ridículamente sobre la oreja en presencia del doctor Relken. Cuando éste
hablaba de España —mendicidad, analfabetos, gesticulación excesiva
y fanatismo—, Julio asentía humillado. Y cuando el doctor, después
de mostrar fotografías de Praga, Viena, San Petersburgo, las mostraba de clanes primitivos —de bosquímanos, de cafres— y aseguraba que
había más diferencia entre estos salvajes y el hombre centroeuropeo
y nórdico, que entre éstos y un perro amaestrado, Julio, a pesar de
conocer más psicología étnica que el doctor, sentía como si en la
escala desde el perro hasta el hombre centroeuropeo o nórdico —doctor Relken—, él, madrileño, y con él todos los españoles, se encontrara a mitad de camino.

Matías Alvear no era esclavo de nadie. Por ello, al conocer al doctor en el Neutral, se impresionó mucho menos que Julio y dijo de

él: «Al dominó y a muchas cosas le gano yo; y don Emilio Santos también le gana».

Y, no obstante, el hecho de que hubiera esclavos significaba que había jefes.

* * *

Ahora bien, los dos esclavos más esclavos eran los Costa. Lo eran de sus esposas. La Junta en pleno de Izquierda Republicana se estaba llevando las manos a la cabeza. Desde la boda, los Costa dedicaban su vida al hogar —a colocar las cosas que sus mujeres iban comprando— y a los negocios. Apenas si les quedaba tiempo para el Partido.

Por fortuna, la Junta en pleno se componía de gente casada y les comprendieron muy bien. «Estamos encinta, necesitamos teneros a nuestro lado», les decían sus esposas. ¿Cómo rehusar? Sin contar con que los suegros llegaban cada dos por tres de Pals —coche modelo 1900— y les buscaban donde fuera, en la fundición, en los hornos de cal, ¡en las canteras!, para preguntarles: «¿Qué, tratáis bien a las palomitas?»

Los Costa juraron a la Junta de Izquierda Republicana que vencerían aquellas dificultades. «Haremos lo que tengamos que hacer.»

—Ya sabéis —les dijeron los de la Junta—. En época de elecciones es el ejemplo el que cuenta.

Faltaba una última pieza: «La Voz de Alerta». «La Voz de Alerta» se había declarado voluntariamente esclavo de Laura. La boda entre ambos había sido anunciada. Los Costa quedaron estupefactos. «¡Nosotros, cuñados de "La Voz de Alerta", del hombre que jura que si los militares no preparan el golpe de Estado es porque están ciegos! ¡Nosotros...!»

Así era la vida, y Laura dichosa, diciendo aquí y allá: «¿Peligrosos los obreros? ¡Si son unos corderos! ¡Yo en el puesto de mis hermanos, y todos estarían abonados a *El Tradicionalista*!»

El signo, pues, de aquel verano y de aquel principio de otoño era la esclavitud. Esto afirmaba el profesor Civil, quien en las clases que éste había reanudado con Ignacio y Mateo daba a entender que estaba muy preocupado. Veía el porvenir negro y casi se alegraba de tener la edad que tenía. Los cambios de clima le habían fatigado enormemente, las colosales máquinas que los Costa habían importado de Inglaterra eran a su entender microbios que irían chupando lo poco sano que quedaba en Gerona. «La gente abandonará los campos y se vendrá a trabajar junto a esos monstruos. Llegará un momento en que todos seremos proletarios. Hasta a mi mujer le pondrán un número en la cabeza.» «¡Dentro de unos años, si vas a Puigcerdá —le dijo a Ignacio—, sólo encontrarás al relojero loco! Porque ése no pasa la frontera nunca, te lo aseguro. No hay ningún poeta de verdad que huya nunca de su país.»

El profesor Civil, en realidad, disimulaba un poco la causa de su preocupación. Porque el maquinismo era vieja historia, y ahora no tenía por qué desesperarse más que en otras ocasiones. Era otro el microbio que le preocupaba de una manera directa, otra importación: el doctor Relken. El profesor Civil estaba convencido de que el doctor Relken era judío, y esto le tenía fuera de sí. «¡Pobre Gerona! Ya lo veis. Lo primero que este hombre ha hecho es tratarnos de analfabetos; lo segundo comprar antigüedades a tres reales la pieza.»

CAPÍTULO LVIII

Ignacio gozaba lo suyo hablando de la estigmatizada Teresa Neumann, porque veía que con ello hacía feliz a Carmen Elgazu, encandilaba los ojos de César, asustaba a Pilar e intrigaba en grado sumo a Marta. Siempre elegía detalles interesantes, con tales visos de realidad que el propio Matías de pronto se daba cuenta de que el cigarrillo que le pendía de los labios se había convertido en ceniza.

Ignacio tenía un presentimiento: que un día u otro César recibiría del cielo alguna gracia especial. Por ello insistía en el carácter sobrenatural de las manifestaciones de la estigmatizada austríaca, porque suponía que el día menos pensado César les daría alguna sorpresa semejante.

Tocante a los estigmas —llagas aparecidas en el mismo lugar del cuerpo en el que Cristo las sufrió—, Ignacio aseguraba a la concurrencia que Teresa Neumann era la estigmatizada más completa que había existido, pues no sólo tenía las señales en las manos, en los pies y en el costado, sino que en la frente se le marcaban las espinas, en la espalda los latigazos de la flagelación, e incluso en el hombro la huella del madero. Y en cuanto a las visiones, que era el capítulo que más interesaba a todos, aseguraba que la enferma seguía en ellas el Calendario Litúrgico: veía la cueva de Nazareth en Navidad, en Viernes Santo asistía a la muerte de Jesús en el Calvario, etc...

Marta se preocupaba particularmente por lo de las visiones.

—Pero... ¿lo ve todo con detalle? —preguntaba.

—¡Claro! Asiste a los hechos. Ve a Cristo como yo os veo a vosotros. Y le oye hablar.

—¿Cómo es posible?

—Y a los apóstoles. Tal cual eran. Podría dibujarlos.

—Pero... ¿cómo se sabe que los oye hablar?

—Porque muchas veces, durante la visión, pronuncia en voz alta las palabras que oye. De modo que los asistentes pueden tomar nota de ellas.

—¿Habla en latín? —preguntaba Pilar, inquieta en la silla.

Ignacio movía la cabeza.

—Nada de eso. Hubo un profesor de idiomas de Munich que la interrogó después de una visión de Navidad, cuando Teresa Neumann despertó. La mujer había oído cantos y no se acordaba de ellos, no acertaba a repetirlos. El doctor quiso estimular su memoria. Le recitó el *Gloria in excelsis Deo* en varias lenguas antiguas y ella negaba con la cabeza. En cuanto se lo recitó en arameo, Teresa exclamó inmediatamente: «¡Eso he oído! Pero fue mucho más largo». Luego repitió palabras que, según dijo, había oído en boca de San Pedro en el Sanedrín; el doctor reconoció en ellas el dialecto de Galilea. Durante la visión de Cristo cayendo bajo el peso de la Cruz, Teresa, se irguió en la cama y exclamó: *Kum, Kum*, que significa: «¡En pie!» Fueron los soldados los que gritaron esto a Cristo y parece que Teresa oyó la misma palabra, «Kum», en boca del propio Jesús cuando resucitó a la viuda de Naim. Y cuando ve a Cristo aparecerse a los apóstoles después de la Resurrección oye: *Shelam, lachen!*, que significa: «La paz sea con vosotros. Soy yo». Y así por el estilo. Ahora pensad que Teresa Neumann no tuvo nunca profesor de arameo... Sin contar con que describe las calles de Jerusalén, las casas, los rostros.

Carmen Elgazu exclamaba, entusiasmada:

—¡Es magnífico lo que cuentas, hijo!

Ignacio añadía, mirando a su padre, y convencido de que Carmen Elgazu alcanzaría el límite de la felicidad:

—Sí, hay mucha gente que se ríe de esto; lo cual no le impide luego prestar crédito a cualquier horóscopo que le cueste veinte duros. Sobre todo si el mago lleva turbante. Yo... la verdad. Prefiero creer en Teresa Neumann, que por lo menos tiene ojos claros.

—¿De verdad?

—Sí, azules. Excepto cuando llora sangre, naturalmente. Además, los días en que puede llevar vida normal cuida enfermos y su madre cuida pájaros. ¡Ah, olvidaba un detalle! —añadía Ignacio—. Mientras está en éxtasis no sabe pronunciar la cifra tres, sino que dice: uno, más uno, más uno. O sea, estado infantil.

—A mí todo eso me da miedo —repetía Pilar.

—Pues a mí no —aseguraba Marta—. Y desde luego me gustaría mucho que todo esto sucediera cerca de aquí.

Matías Alvear se reía.

—No te quejes. Aquí, en Gerona, tienes un caso parecido.

—¿Quién?

—El Responsable.

—Es cierto —reía Ignacio—. El Responsable puede hipnotizarte y hacerte creer que asistes al Sermón de la Montaña.

—Y si quisiera podría hacer salir llagas a más de uno.

—Por de pronto a mí estuvo a punto de hacerme salir una aquí —añadió el muchacho, señalándose la mandíbula.

Sí, Carmen Elgazu era feliz. Ni Julio García, ni David y Olga ni el tumulto de la edad ni las elecciones de la UGT habían podido arrancar la fe de su hijo. Bastó un aviso del cielo —primero de año, terrible enfermedad— para que volviera los ojos a lo que ella le había enseñado. Carmen Elgazu sonreía en la cocina, mientras frotaba con Sidol los grifos y murmuraba bromeando: *Kum, Kum!*

Se sentía orgullosa. Que continuaran llegando cartas de Bilbao, en tinta violeta; ella continuaría contestando: «No temas, madre. Todo anda bien. César un santo, Pilar muy simpática, Ignacio vuelve a ser el que era». Las cartas de Madrid, Ignacio las contestaba riéndose de los anarquistas como él solo sabía hacerlo.

En cuanto a César, se había dado cuenta de que todo el mundo esperaba algo de él parecido a lo de Teresa Neumann: su profesor de latín, Ignacio, mosén Francisco... A Ignacio le decía: «No seas tonto. Los estigmas sólo los reciben personas que desean vivamente participar con Cristo en los dolores de la Pasión. Y yo... yo por desgracia soy un pecador como los demás».

Mosén Francisco le decía:

—Sí, pero... en el Collell no dormías...

El seminarista movía la cabeza.

—¡Oh, aquello duró poco!

Precisamente César se sentía culpable. El verano tocaba a su fin y no había conseguido nada de lo que se había propuesto. Se sentía culpable de falta grave contra la caridad. Los demás no existían para él. A la sed de apostolado, de acción, que había sentido en los veranos anteriores ahora le habían sucedido unas ganas irreprimibles de estar solo, y rezar... Rezar en el silencio de su cuarto, o en la iglesia. Nada más. Sin pensar siquiera en la familia, ni siquiera en la ciudad. Él y Dios. Se consolaba en parte pensando... que tampoco hubiera podido hacer nada, pues en la Barca los chicos se habían dispersado. Unos habían crecido demasiado, la mayoría de ellos estaban en S'Agaró.

Mosén Francisco procuraba animarle, demostrarle que en todo aquello no había culpa.

—No seas tonto. Se pasan temporadas de recogimiento. La acción de la gracia en ti es tan evidente ahora, en tus ganas de rezar, como lo era en el verano anterior, en que no te estabas quieto un momento. Y si no, vamos a ver. ¿Qué te ocurre cuando rezas? ¿Qué sientes?

César se encogía de hombros, algo aturdido.

—Pues... no me ocurre nada. Intento... representarme a Jesús, eso es todo.

Mosén Francisco asentía con la cabeza.

—¿Y lo consigues?

—Pues... a veces me parece que sí.

—¿Cómo le ves a Jesús? ¿En qué circunstancia?

César reflexionaba.

—Pues... casi siempre, en el momento de la Transfiguración.

—¿Vestido de blanco?

—Exactamente.

Mosén Francisco miraba a César con fijeza, obsesionado por la concentración que revelaba el semblante del seminarista.

—Dime una cosa. ¿El cuerpo de Jesús... despide rayos de oro?

—No, no —negaba César, con seguridad—. Rayos blancos.

—¿Jesús lleva algo en la mano?

—Nada, nada.

Mosén Francisco marcaba una pausa.

—¿Le ves en la cima de una montaña?

—Sí. En la cima de una montaña.

—¿Y los rayos de dónde le salen?

—Del corazón.

Mosén Francisco asentía de nuevo con la cabeza.

—¿No te das cuenta? Todo esto es muy grande, César. —El seminarista callaba. Mosén Francisco añadía—: Bueno, pero... explica con más detalles qué es lo que tú haces. ¿Qué sientes, o qué dices?

—Sentir... no sé —contestaba César—. A veces, una gran paz. A veces me parece que no siento nada.

—¿Y decir?

—Digo: ¡Oh, Señor, y Dios mío! O a veces canto el *Magníficat*.

Mosén Francisco se levantaba dominado por la emoción. Y le repetía que sería muy tonto preocupándose. Que todo aquello tenía tanto valor como la caridad. ¿Qué importaba que no pensara directamente en los demás?

513

—Esos rayos blancos, César..., atraviesan tu alma, no lo dudes. Y a través de ti llegan a los demás. A tu familia —ya ves los resultados—, a tus superiores, a todos.

César se mordía los labios.

—Yo quisiera que llegaran también a otras personas.

—¿A quién, pues?

—A muchas, no sé. A todo el mundo.

—Bueno, dime unos cuantos nombres. En la misa rezaremos los dos juntos por ellos.

César sonreía y se tocaba una oreja.

—Pues... me gustaría poder ayudar,..., ¡yo qué sé! A mi primo, José, de Madrid.

—Rezaremos por él.

—¡Y a Murillo! A un tal Murillo... Y a un tal Bernat. —Luego añadía—: Y a todos los de los incendios.

* * *

Otra cosa hacía feliz a Carmen Elgazu: que Marta se hubiera enamorado de Ignacio.

Ya no le cabía la menor duda. Ella había sido joven, y había detalles que no la engañaban. ¿Por qué Marta elegía, para «congeniar» con Pilar, precisamente las horas en que Ignacio estaba en casa? ¿Tan ciego sería éste que no se daría cuenta?

A Carmen Elgazu la satisfacía aquello, «porque Marta era educada y tenía una formación cristiana». Carmen Elgazu se decía: «Su madre debe de valer mucho, digan lo que digan en las tiendas». En cuanto al comandante, la mujer no sabía qué pensar. Le sentía muy distante de lo que ellos —los Alvear— eran. Tan aristócratas, levantando el hombro izquierdo en ademán peculiar. Sin embargo, se rumoreaba que desde la muerte de su hijo el hombre era menos juerguista, y que bebía mucho, pero que en compensación acompañaba con frecuencia a las mujeres a la iglesia.

¿E Ignacio...? Carmen Elgazu había llegado a una conclusión: el día menos pensado se hallaría delante de Marta sin saber cómo declarársele... ¿Cómo podía ser de otra manera? Marta era la chica de más personalidad que Ignacio había encontrado, y su hijo no iba a enamorarse de una cualquiera. Además, algo influyó mucho, a su entender: el dolor de Marta por la muerte de su hermano. El día en que apareció en la puerta del comedor, de regreso de Valladolid, con los brazos caídos a ambos lados del cuerpo, Ignacio se sintió unido a ella. Y ello continuaba, pues, de repente, Marta se quedaba pensativa y triste.

Carmen Elgazu evitaba hablar de este asunto con su hijo: en cambio, le dijo a Matías:

—Matías..., ya ves lo que son las cosas. Te veo tomando lecciones de esgrima con tu consuegro, en el cuartel de Infantería.

CAPÍTULO LIX

El mes de septiembre fijó posiciones. César se fue al Collell, reconfortado por sus diálogos con mosén Francisco. «La Voz de Alerta» y Laura se casaron, y partieron para un viaje que sería breve. «La Voz de Alerta» decía que no podía permanecer ausente en vísperas de elecciones.

Ésta era la obsesión de la ciudad: las elecciones. Todos los demás problemas habían pasado a segundo plano. Nada que no fuera el tema de las elecciones interesaba a nadie; acaso sólo existía una excepción: el tema «doctor Relken». Del doctor Relken se hablaba mucho en todas partes, pues además de que su físico llamaba poderosamente la atención —su cepillado pelo rubio, su cogote germánico—, nadie sabía a ciencia cierta qué diablos hacía en Gerona. Se contaban muchas cosas de él: que era un sabio, que le decía a mosén Alberto que había errado en la elección del lugar de las excavaciones, que formaba parte de una Compañía extranjera para la búsqueda de minas en el Pirineo, que se bebía verdaderos depósitos de agua, que no conseguía acostumbrarse al aceite de la cocina española...

Pero, excepto los dirigentes políticos, que no dejaban de observarle un solo instante, la masa creía que era simplemente esto: un hombre de ciencia. En el Banco Arús, Padrosa aseguraba haberle visto por Montjuich con un salacot en la cabeza, cazando mariposas.

Pero lo importante eran las elecciones. Los partidos derechistas estaban seguros de la victoria. Sobre todo la CEDA. Gigantescos carteles de Gil Robles iban siendo pegados en todas las paredes de la provincia, y lo mismo ocurría en toda España. Mítines..., camiones con altavoces, globos representando a Gil Robles, las bufandas preparadas para ser repartidas en el momento oportuno... «¡Por los trescientos! ¡Viva el obrero honrado! ¡Éstos son mis poderes!» Pronto se vio que las consignas elegidas eran tres. Primera, exaltación del jefe, Gil Robles. Segunda, dignificación del obrero honrado. Tercera, el insulto sistemático a la oposición.

En los mítines se atacaba a los revolucionarios de Octubre, se refrescaba la memoria de los ciudadanos referente a los asesinatos de Asturias, se publicaban datos sobre el desconcierto que trajo consigo el primer Gobierno de la República.

El subdirector le decía a Ignacio:

—¿Quién podrá resistir a una campaña semejante? La gente no es tonta. Los que tienen, querrán guardar. La clase media aspira a ver la peseta estabilizada. Y en cuanto a los obreros, salvo los ciegos, los demás están más que hartos de promesas.

Ignacio sonreía.

—Así que... no puede fallar...

El subdirector se ponía serio.

—Te diré..., si la cosa anduviera normal, no. Pero... todo el mundo sabe lo que esta vez significa la victoria. Así, que harán lo que puedan. Primero intentarán formar un frente único. Si todo ello fracasa... entonces apelarán a la fuerza.

—¿Cómo a la fuerza?

—Asaltarán las urnas.

* * *

En Liga Catalana el clima era también optimista. Su seguridad partía del mismo principio que la de la CEDA; el de que la gente estaba cansada de ensayos extremistas.

En realidad, los que creían en un aplastante triunfo derechista eran los portavoces de buena parte de la opinión. Mucha gente entendía que los nombres que los partidos derechistas presentaban en las candidaturas eran mucho más solventes que el cráneo mongólico de Cosme Vila y que las ondas brillantes de Porvenir.

«La Voz de Alerta» y Mateo eran los únicos que no compartían el general optimismo. «La Voz de Alerta», en plena luna de miel, le decía a Laura: «Es que nadie se da cuenta de la masa que representan los obreros, del número. Salen de todas partes. Es ridículo estar seguro de ganar. Por ejemplo, en Andalucía...»

Las dudas de Mateo obedecían a razones menos estadísticas. Mateo suponía que las derechas perderían, primero porque se lo merecían —se habían pasado dos años sesteando— y segundo porque no se unirían, «en tanto que sus adversarios, contrariamente a lo que pudiera creer el subdirector, terminarían por agruparse». «Son menos vanidosos, más realistas. Se unirán todos. En Gerona, los Costa se unirán incluso con los que querrían que sus negocios quebraran.»

Ignacio no lo veía claro. Ignacio creía que más bien se unirían los derechistas, cuyas diferencias eran simplemente de detalle. Por el contrario, en el otro campo los abismos le parecían infranqueables. «¿Cómo va a unirse Cosme Vila, que niega el derecho a la propiedad privada, con David y Olga, que esperan tener una casa propia? ¡Habladle a Teo de Porvenir y veréis qué cara pone!»

Por de pronto, Ignacio parecía tener razón. Las disidencias izquierdistas no habían hecho sino crecer en los últimos tiempos.

La situación pertenecía, pues, al orden sobre el que el profesor Civil gustaba de improvisar discursos. En este caso dijo que lanzar pronósticos era aventurado, pues con frecuencia, en el último momento, acontecimientos ajenos al problema básico obligaban a la opinión a dar un viraje en un sentido insospechado.

—Eso es lo terrible de las elecciones —les decía Mateo a sus camaradas—. Se decide el porvenir de la Patria y la opinión está a merced del resultado de un partido de fútbol o del atentado contra un Ministro.

En todo caso, el profesor Civil acertó en lo de los virajes insospechados. El otoño trajo efectivamente acontecimientos que influyeron de forma rotunda en el clima político. Fueron «hechos». Hechos, que era lo que la gente pedía, para supeditar a éstos sus dudas ideológicas.

El primero ocurrió en las alturas gubernamentales. Toda la prensa lo denunció con caracteres sensacionalistas. Parte del Gobierno estaba comprometido en un negocio sucio, había encubierto una colosal estafa: una especie de ruleta llamada Straperlo. Se decía que el hijo adoptivo de Lerroux había cobrado millones para permitir la introducción en España de aquella especie de ruleta fraudulenta. Muchos aseguraban que Gil Robles era del conclave, de acuerdo con el Ministro de la Gobernación.

—La reoca —se oía en el Banco—. Una firma y ale, a cobrar.

El subdirector se desgañitaba en vano, asegurando que Gil Robles no tenía nada que ver con todo aquello, que era un asunto exclusivamente del Partido Radical; la Torre de Babel ironizaba: «Así cuando el Jefe dice: Por los trescientos, se refiere a trescientos millones de pesetas...» Don Emilio Santos le dijo a Matías Alvear: «En esa ruleta esa gente ha perdido el cincuenta por ciento de las posibilidades de ganar».

Matías Alvear no creía que ello pudiera ser tan definitivo. En Telégrafos, muchos empleados, vencida la cólera inicial, habían comentado: «De todos modos, quien no se aprovecha, es tonto». Un cartero les dijo a los demás: «Yo ministro, no hubiera perdido la ocasión».

Sin embargo, ahí estaban los comentarios, preparando el advenimiento del segundo mazazo, evidentemente mucho más certero. Al oír la noticia por radio, Matías Alvear se quitó los auriculares y barbotó:

—Eso ya... pasa de castaño oscuro.

La noticia era de orden internacional, y se comentaba en todas partes; nadie podía imaginar hasta qué punto tendría repercusiones en una pequeña ciudad como Gerona. Repercutiría incluso en el fanatismo con que muchas mujeres continuarían comprando en tal carnicería y no en tal otra: el 4 de octubre, Mussolini había dado orden de invadir Abisinia, a pesar de las advertencias de la Sociedad de Naciones, organismo presidido por un español, liberal.

La noticia conmovió la ciudad. La gente agitaba *El Demócrata* por las calles, barbotando injurias.

—¡Hay que hacer algo!

—¡Esto no puede quedar así!

El primero en sacar buen fruto de aquel espontáneo movimiento popular fue Cosme Vila. Puso en el balcón la bandera a media asta y convocó Asamblea General. Primero explicó a los militantes la personalidad de Mussolini, «que alguien aquí quiere imitar». Luego describió la vida sencilla y pacífica de los etíopes, «a los que el Fascismo ha ido a cazar en su rincón, como en España Lerroux cazó a los mineros de Asturias cuando lo de octubre». Dijo que aquel atentado iniciaba la serie que Alemania e Italia iban a perpetrar, y que si el proletariado mundial no reaccionaba a tiempo, el pueblo quedaría aniquilado. Finalmente, aseguró que Rusia había sido la primera potencia en protestar contra la agresión a Abisinia.

Cuando, poco después del discurso, Víctor se disponía a llevar su texto íntegro a la imprenta en que se tiraba *El Proletario*, Teo detuvo su carro ante el local y el gigante subió jadeando la escalera: acababa de oír por radio, en el café Gran Vía, que el Padre Santo había bendecido los tanques que partían para África.

Cosme Vila no movió uno de sus músculos.

—De acuerdo —dijo—. Ahora vete.

Teo se puso la gorra, dijo «salud» y se fue. Entonces Cosme Vila volvió a llamar a Víctor, y éste dibujó las siluetas de Pío XI y Mussolini conduciendo un tanque y aplastando a un abisinio, el cual miraba al cielo horrorizado, en medio de un charco de sangre.

Casal fue menos espectacular. Prefirió los números, razonar su postura. En la clase de Economía explicó que la exaltación patriótica llevada al paroxismo como en Italia, ocasionaba aumento de natalidad y éste la necesidad de expansión, es decir, la guerra.

En cuanto al Responsable, proyectaba no sé qué represalia, pero Porvenir le tomó la delantera. Porvenir cogió la calavera —de mujer—, la pintó de negro, acopló a ella una peluca de pelo menudo y rizado, de forma que la imagen etíope era perfecta, y seguido de unos cincuenta partidarios se dirigió hacia la casa en que vivía un comerciante italiano, que ejercía las funciones de Cónsul. Los cristales fueron rotos, y la fachada quedó pintarrajeada con amenazas.

Pero, a la postre, lo importante fue el clima que se creó, el efecto producido sobre los tibios y la clase media. Julio dijo en el Neutral: «Mussolini nos ha prestado un gran servicio». *El Demócrata*, en una página extraordinaria, describió el éxodo etíope, bajo una lluvia de bombas. La figura del Negus con su paraguas adquirió caracteres de leyenda. Gente que nunca había imaginado ser extremista se conmovió y hablaba en términos de gran dureza. Matías Alvear miró de otro modo a Marta cuando la chica llegó a «congeniar» con Pilar; y desde luego miró de otro modo a Mateo, de lo cual éste se dio perfecta cuenta.

Don Pedro Oriol, en ausencia de «La Voz de Alerta», tomó en *El Tradicionalista* partido por la aventura mussoliniana. Ello desató los ánimos y fue la señal inicial para que dos hombres recuperaran el terreno perdido: los Costa. Los Costa vieron la ocasión y la aprovecharon; además de que sentían la causa sinceramente. Rompieron lanzas en favor del Negus. Abrieron una suscripción, encabezándola con una suma enorme, lo cual les ganó muchas simpatías. Izquierda Republicana fue el partido que inició la campaña más sistemática, más razonable e inteligente en contra de la acción italiana.

Izquierda Republicana llevó las cosas con tanta habilidad, que se decidió a dar un paso delicado: invitó al doctor Relken a dar una conferencia en el local.

«Abisinia, su vida y sus costumbres.» Esto rezaron los folletos anunciadores. ¡Magnífico! El doctor conocía el país al dedillo. *El Demócrata* publicó en primera página una fotografía en la que se le veía en Addis Abeba al lado de un camello.

Mosén Alberto, que a través del catalanismo estaba interiormente por los negritos, y a quien el tema de la conferencia interesaba en grado sumo, lamentó mucho que el acto tuviera lugar en Izquierda Republicana, donde no podía asistir. Sin embargo, no se notaría su falta. Los muros casi reventaron; tanta gente se reunió. Uno de los Costa hizo la presentación. Y luego el triunfo del doctor Relken fue total. No se refirió para nada a la guerra; sólo dijo que aquellos que suponían que la civilización etíope era primitiva desconocían por completo la cuestión. La civilización etíope, antiquísima, era rica y floreciente, y si muchos de los pueblos de África habían superado el estado salvaje era gracias a la influencia etíope. Por ejemplo, en el aspecto musical gracias a ella algunas tribus, como la de los Bongos, habían alcanzado una rara perfección. El doctor Relken, por medio de proyecciones, mostró al auditorio arpas, pequeñas guitarras, mandolinas, y a medida que la zona se orientalizaba, flautas, instrumentos usados en el interior de África gracias a los etíopes. Luego esculturas, tallas en madera, etc... Para no hablar del *tamtam*. El *tamtam* no era de origen exclusivamente etíope, sino característico de todos los negros del continente; pero, según el doctor Relken, en Abisinia resonaba de una manera especial. La emoción del público cuando el doctor, con la simple ayuda de sus manos y una mesa, imitó múltiples variedades de *tamtam*, todas de ritmo obsesionante y base indiscutible de la revolución musical en el mundo y en el *jazz*, fue indescriptible. Todo el mundo sintió su piel convertirse en tambor, y vio hogueras y desiertos y negros danzando: negros danzando la danza de la muerte, en torno a los tanques italianos. La ovación dedicada al doctor Relken fue apoteósica. Era la mejor conferencia que se recordaba en la ciudad.

El éxito del acto organizado por los Costa fue tal, que en seguida surgieron imitadores. David y Olga le dijeron a Casal: «Deberíamos invitar al doctor a dar una conferencia aquí». Casal contestó: «Bueno, pero... en todo caso no ahora, más tarde». También se recibieron invitaciones de varios pueblos. En cambio, Cosme Vila juzgó todo aquello muy hábil, pero se encogió de hombros. «Prefiero invitar a Vasiliev.» Quedaba claro que el doctor Relken no era comunista, y Cosme Vila no admitía heterodoxos en el local.

El orador, personalmente, le dijo a Julio, sonriendo: «Nunca había tenido tanto éxito». Se acostó temprano y rehuyó las aclamaciones. Y a pesar de los ruegos reiterados, mostró no tener prisa en repetir la sesión en algún otro lugar. Aseguró que hablar en público no le gustaba. Prefería evidentemente las pequeñas reuniones. «Soy hombre de... ¿cómo se llama esa palabra tan bonita que tienen ustedes...?»

—¿Para indicar qué?

—Un grupo de personas que se reúnen con asiduidad.

—¿Tertulia...?

—¡Eso es! Tertulia. Soy hombre de tertulia.

Era cierto. El doctor Relken prefería, a los discursos ante numeroso público, improvisar una reunión, por ejemplo en el Neutral. Improvisar; ésa era la palabra. Porque, en realidad, siempre se presentaba allí solo, a lo más acompañado de Julio. Pero el grupo llegaba a no tardar. La figura del doctor siempre llamaba la atención como su extrema seriedad, a pesar de la constante sonrisa. Pronto se for maba un pequeño corro a su lado, especialmente si Julio levantaba la voz o hacía alguna pregunta a los vecinos. En este caso el doctor aceptaba de buen grado una conversación general. Y siempre ocurría lo mismo: pronto se hallaba describiendo países lejanos, cosas lejanas que había visto, y que hacían las delicias de Ramón. Y a medida que hablaba el auditorio se iba haciendo más nutrido. Al final, surgía espontáneamente el capítulo que Julio acabó por llamar de ruegos y preguntas. Preguntas extrañas y dispares, que nunca quedaban sin respuesta, excepto si contenían intención humorística. En este caso el doctor Relken clavaba los ojos y daba la impresión de que no había comprendido. Fue por su falta de sentido del humor por lo que Matías Alvear dijo de él: «Al dominó y a otras cosas le gano yo; y don Emilio Santos también le gana».

—¿Es cierto, doctor, que en Rusia los obreros viven como rajás?

El doctor contestaba que Rusia era muy grande. Que desde luego, en los lugares equivalentes, vivían mejor que en España. Tal vez trabajasen más horas..., pero es con carácter voluntario. Quieren elevar el país.

—¿Y en Alemania?

El doctor se quitaba los lentes.

—Pues... Hitler intenta hacer lo mismo en Alemania; pero a Hitler los obreros le tienen sin cuidado. Los halaga por conveniencia; pero lo que quiere es dominar, dominar. Confía en sus astros...

El tema del nacionalsocialismo, del Fascismo y, de rebote, el de la Falange, eran frecuentes, pues a causa de la guerra de Abisinia se había desencadenado la primera ofensiva seria contra Mateo y sus camaradas; si bien muchos se reían de éstos, diciendo que eran cuatro desgraciados y que ya se les iba dando su merecido, «como ocurrió en Valladolid».

Al oír esto, el doctor volvía a erguir el cuello. No compartía la opinión de los que se reían.

—Están ustedes equivocados tomando a los falangistas en broma, porque son pocos. Los nazis empezaron siendo unos cuantos en una cervecería y en los comienzos de Mussolini ocurrió lo mismo. Aquí, por lo que veo, el fascismo basa su doctrina en teorías muy antiguas, que datan de la expulsión de los judíos y de la Inquisición. En este aspecto, claro está, se estrellarán contra el conocimiento que todos ustedes tienen de estos hechos. Pero, en cambio, son astutos en otros aspectos; por ejemplo, ensalzando la conquista de América, sin explicar al pueblo los... asesinatos en... masa —y perdonen ustedes la dureza de expresión— que realizaron los conquistadores. Y, sobre todo, son astutos infiltrando en sus cuadros una idea política muy peligrosa: la de la Unidad. Eso es, en efecto, algo más serio de lo que parece. Hitler combatió con esta arma, lo mismo que Mussolini. Verán ustedes cómo irán ensanchando sus cuadros, y sólo los militantes se irán pareciendo entre sí. Unidad, unirse todos para crear una fuerza. Es una idea que, repetida, acaba siendo arrolladora.

Alguien le objetaba:

—No veo lo que aquí puede arrollar.

—¿No...? —el doctor sonreía—. Ningún demócrata lo ve, y por eso, cuando se dan cuenta todo está perdido. Confían ustedes demasiado en el individualismo. También eran individualistas los italianos, y Mussolini llegó al poder. Lo que aquí pueden arrollar es simplemente la República.

Se hacía un silencio.

—¿Ganando las elecciones? —inquirió otro oyente.

—Pues... el fascismo español no las ganará —contestaba el doctor—. Pero pueden ganarlas las derechas si los republicanos no se deciden a unirse antes que ellos... Y si las derechas ganan esta vez, permítanme una pequeña profecía, como observador extranjero que soy: antes de un año los fascistas habrán impuesto su voluntad. Les bastaría con asegurarse la colaboración de unos cuantos generales; lo cual va a serles más fácil de lo que parece, pues por lo que veo en muchos sitios los falangistas son hijos de militares.

Julio mostraba estar de acuerdo con el doctor.

—Ya sabe usted mi opinión. Pero es difícil meter estas ideas en la cabeza de la gente. Aquí, si el toro no es grande no nos gusta.

—Sólo hay un remedio —concluía el doctor—. Unirse antes que ellos. Formar un *broque*.

—¿Un *broque*...? —Julio se reía—. Se dice bloque.

—¡Bueno! Bloque. Formar un bloque. Lo mismo da.

Alguien objetaba que era difícil armonizar todas las tendencias. Los intereses eran muy opuestos.

El doctor se encogía de hombros. «Luego... se discute. En fin, hay cosas que un extranjero ve mejor que el que está dentro.»

Alguien preguntaba:

—En Alemania es fácil unir a la gente, ¿verdad?

—Pues... más que aquí —informaba el doctor.

Julio añadía, sonriendo:

—Y a los que no quieren unirse se los expulsa, ¿no es así, doctor?

—¡Dígamelo a mí! —contestaba el arqueólogo, levantándose.

CAPÍTULO LX

El comandante Martínez de Soria estaba nervioso. Su esposa, que siempre parecía andar sobre una alfombra, se acercaba a la ventana y al tiempo de correr los visillos le decía: «Vete a montar un poco. Te distraerás».

El comandante estaba nervioso porque consideraba que el Ejército era la columna vertebral de la Patria y ocurría que no le gustaban ni la organización actual del Ejército ni las manos que conducían la Patria. Cuando lo del *Straperlo* juró: «¡Es absolutamente grotesco tener que servir a un gobierno de ladrones!» Y en cuanto al Ejército, todo le inducía a creer que las irregularidades de Cuba y África se repetirían si llegaba la ocasión, pues muchos jefes parecían empeñados en convertir España en colonia de algún otro país.

Su esposa procuraba calmarle. «Ten calma. No precipites las cosas.» Estas palabras tenían doble filo. Quería decir: «Haz lo que tienes que hacer... Pero asegura el golpe». El comandante miraba a su esposa y le daba un beso, con frecuencia en la mano. Le animaba verse comprendido por ella. Luego tiraba con fuerza del flequillo de Marta; se encerraba en su despacho o se iba a la Biblioteca del cuartel y allá seguía al dedillo el curso de las operaciones militares en Abisinia —decía que la infantería española, con la mitad del material, hubiera llevado el avance con ritmo mucho más acelerado—, y leía todo lo concerniente a la propaganda electoral que estaba en pleno apogeo.

Marta admiraba a su padre por su patriotismo. El comandante, cada tres palabras, pronunciaba el nombre de España. En el fondo, ante el mapa abisinio echaba de menos un Gobierno que organizara, en África o donde fuere, una empresa parecida. Marta le decía sonriendo: «De esto a la idea del amanecer hay un paso». El comandante rugía: «¡No uses esas palabras idiotas!» Aun cuando el mártir de la familia le doliera tan hondo, continuaba soltando pestes contra los falangistas.

Las elecciones... le daban miedo. Era de los convencidos de que las izquierdas se unirían, y de que si ganasen ocurrirían grandes catástrofes. Todos aquellos a quienes él había juzgado por lo de octubre se convertirían en héroes, y personalmente tropezaría a cada instante con el ataúd de Joaquín Santaló, y a no tardar probablemente con el suyo propio. Todo ello le había unido de nuevo a «La Voz de Alerta», en las conversaciones en el café. Siempre le ocurría lo mismo. Juzgaba que el dentista era un adulón, injusto con las clases inferiores; pero después de soslayarle tenía que acercarse a él.

La esposa del comandante era una mujer de tacto. Tenía sumo arte en aconsejar a su marido, sin que éste se diera cuenta. La esposa no pronunciaba el nombre de España cada tres palabras, pero de cada tres pensamientos le dedicaba uno. El segundo era para su marido. El tercero para sus hijos.

Nunca hablaba de Fernando. Murió, había alcanzado ya la meta. Era una lámpara encendida en el corazón. José Luis... continuaba en Valladolid estudiando y pegando carteles. —Al regresar del entierro de su hermano se dirigió a escribir un VIVA en el lugar exacto en que éste cayó—. En cuanto a Marta, era su consuelo próximo, inmediato. Y también su inmediato problema; más inmediato aún que el que planteaban los proyectos del comandante.

A la madre de Marta le preocupaban las relaciones de su hija con los Alvear. La familia, en general, le gustaba. Los Alvear tenían una virtud esencial: no eran catalanes. La esposa del comandante no comprendería jamás a los catalanes. Los juzgaba antipatriotas, materialistas... y blasfemos... En cambio, de Matías sabía que era un hombre cabal, con mucha gracia, muy español de contextura y un artista pescando; de Carmen Elgazu diciendo que era vasca creía haber hecho todos los elogios, y Pilar la encantaba. La encantaba por su espontaneidad, por su alegría espiritual. Siempre le decía a Marta: «No podías encontrar mejor amiga». De modo que quien le preocupaba de los Alvear era Ignacio.

La esposa del comandante creía poder renunciar sin gran esfuerzo al yerno conde o duque en el que al nacer Marta había soñado. Un abogado —un abogado que tal vez lo fuera excelente— le parecería muy bien, llegado el caso; pero... a condición de que no fuera de la UGT. Un abogado de la UGT en su casa sentaría como una estrella roja en el despacho de don Jorge. Sabía que Marta no se dejaba influir fácilmente y decía de ella que su flequillo era la cortina que interponía entre lo que pensaba y lo que pensaban los demás; sin embargo, si el amor danzaba por en medio, todo cambiaba. «En cuestiones religiosas, es el hombre el que se deja influir; en política e ideas sociales, cede la mujer.» Y si Marta se mantenía en sus trece, entonces la boda sería un fracaso.

Los temores de la madre de la muchacha tenían origen vario. Primero, la opinión personal. Había visto a Ignacio por la calle y le pareció un muchacho correcto, de aspecto inteligente y pletórico de juventud; pero... no llevaba uniforme. Viéndole se dio cuenta de lo que aquello significaba para ella; a la edad de Ignacio, la frente del comandante Martínez de Soria rozaba ya la primera estrella... Luego le asaltaron temores al oír algunas de las cosas que Marta contaba de él. Por ejemplo, que le criticara a ésta su afición a montar. Le decía que al verla regresar de la Dehesa a caballo, erguida a la altura de los balcones, con un asistente siguiéndola, la sentía tan lejana como una princesa mora. «¿Cómo es posible que diga tal cosa, si en las naciones que él considera ejemplares es más que corriente que las mujeres monten a caballo?» Y por último, le asustó el informe que dio del muchacho mosén Alberto. Mosén Alberto, al ser consultado, dobló el manteo sobre su brazo y contestó:

—Pues... con franqueza. Ignacio es la nota falsa de la familia.

La opinión del sacerdote puso sobre aviso a la madre de Marta. La mujer concedía importancia vital a la unidad familiar. Sabía que el hombre que se casara con Marta formaría parte del corazón y de la vida del comandante Martínez de Soria, y que en cierto modo debería seguir la suerte de éste, so pena de provocar una catástrofe. Las circunstancias de la nación no permitían alojar bajo un mismo techo a dos varones de ideología opuesta. Además, a su entender lo que España necesitaba estaba muy claro: una mano de hierro que apagara el volcán, que indicara a cada español su sitio. De modo que los demócratas, los que invocaban el derecho a amenazar cónsules italianos, que Dios los conservara lejos.

Ignacio tenía, por fortuna, un abogado defensor en casa del comandante y no de valor escaso: Pilar. La muchacha continuaba adorando a su hermano; y contaba de él todo lo bueno que había y lo que no había. De modo que su opinión actuaba de contrapeso, sobre todo por lo que se refiere al comandante. El comandante quería enormemente a la chica. Cualquier cosa que ésta dijera le caía en gracia. La madre de Marta, oyéndola hablar de Ignacio, sonreía con cierta indulgencia; en cambio, el comandante levantaba el hombro y admitía, divertido: «De acuerdo, de acuerdo. Estoy convencido de que Ignacio vale mucho». A veces añadía: «Mucho más que el loco que tú has escogido».

En el fondo, el comandante tenía celos a este loco, a Mateo. El hombre consideraba que Pilar era una criatura deliciosa. Le gustaba verla, hacerla ruborizar y tocarle la barbilla. Generalmente la piropeaba; pero a veces le interesaba también conocer su opinión sobre asuntos serios que en aquellos momentos ocupaban su espíritu. Siempre decía que Pilar era más aguda de lo que aparentaba. «Ale, basta de tu hermanito y escucha lo que te digo. ¿Qué opinas del doctor Relken?» Un día en que el parte de guerra había sido particularmente movido, le preguntó qué opinaba del conflicto italoabisinio.

—¿Yo...?

—Sí, sí. Tú... tú misma.

Pilar puso cara seria.

—Pues... que si fueran los ingleses los que hubieran atacado todo el mundo lo encontraría muy bien.

El comandante soltó una carcajada. A la legua se veía que aquello no había salido de su cerebro. El comandante se confirmó en la idea de que Pilar valía mucho.

—Ahí está lo terrible del caso —comentó luego con su esposa—. Ignacio me parece muy bien para Marta, pero Pilar en manos de Mateo quedará hecha trizas. Ese loco no le hablará más que de Gibraltar y olvidará decirle que el abrigo que ha estrenado es bonito.

En cuanto a la chica, correspondía al comandante. En su casa hablaba con frecuencia de él. Decía que era mucho más sencillo de lo que la gente creía. Entre otras cosas le quería porque le preparaba, a escondidas, unos *cocktails* que ni las artistas de cine. Lo único que no le perdonaba era precisamente eso, que siempre la tomara con Mateo.

—Menos mal que tiene simpatía a Ignacio —decía siempre.

Un día, añadió, dirigiéndose a Matías Alvear:

—No hace como mosén Alberto. que les ha declarado la guerra a los dos chicos.

—¿A los dos...?

—Sí, sí. A los dos.

—A ver si te explicas.

—Pues... muy sencillo. Aquí, que si el paganismo alemán y qué sé yo. En casa de Marta, les aconseja que tiren a Ignacio escaleras abajo.

—¡Válgame Dios! —Matías Alvear se sulfuró. Tenía su opinión sobre Mateo, pero no admitía que nadie se mezclara en aquel asunto.

En la primera ocasión propicia echó la silla para atrás y le dijo a mosén Alberto entre bromas y veras:

—Mosén... ¿Es que le disgustaría que Carmen Elgazu y yo llegáramos un día a ser abuelos...?

* * *

Bruscamente, se produjeron fisuras en la felicidad de los Alvear. Y fue precisamente por culpa de Mateo. Alguien les comunicó:

—Los falangistas se marchan voluntarios a Abisinia.

La familia quedó perpleja. No acertaban a dar crédito a aquellas palabras, pero la comida fue silenciosa, y todos esperaban la llegada de Mateo para interrogarle, de frente y sin ambages.

Cuando Mateo llegó, por la noche, notó algo especial. Y al oír la pregunta en boca de Matías contestó, sin inmutarse:

—En efecto, se habló de ello. En Madrid, León y Sevilla quería formarse una falange y acoplarla a una compañía de Camisas Negras;

pero al final se ha convenido en que en estos momentos España nos necesita. De manera que se desistió.

Pilar preguntó:

—Pero... ¿tú te habrías alistado?

El muchacho contestó:

—Desde luego.

Pilar no pudo abrir la boca. Se levantó de la silla, entró en su cuarto y se echó sobre la cama con una suerte de desesperación; en cuanto a Matías Alvear, sintió que una ola de indignación le cubría el pecho. Se levantó a su vez y cruzó el comedor. Al llegar al umbral se volvió y dijo, liando un cigarrillo:

—Bien..., se hablará de este asunto.

La segunda fisura en la felicidad provenía de Ignacio. Ignacio volvía a estar de mal humor...

Pilar opinaba que era a causa de la guerra de Abisinia. En casa de Marta había dicho: «En mi familia, papá está por los negritos. Se nota porque escucha la radio. A mamá, le dan mucha lástima, pero la bendición del Padre Santo la dejó turulata; pero desde luego el más fanático es Ignacio. Dice que los italianos son unos "agresores" y que después de esto querrán lo otro y luego lo otro, y que no sé qué de las Somalias. Y que todo proviene del exceso de natalidad. En fin, que vuelve a estar de mal humor y muy preocupado por la política».

Aquel día, cuando después de la declaración de Mateo, Carmen Elgazu entró en el cuarto de Pilar, Ignacio se recostó en el comedor, en la silla para atrás y preguntó al falangista:

—De modo que si no te marchas a Abisinia es porque España te necesita...

Mateo le sostuvo la mirada y contestó:

—Así es.

Ignacio movió la cabeza de arriba abajo.

—No te importaría nada disparar unos cuantos tiros... —prosiguió.

—Pues... me importaría. ¡Cómo no! —Mateo añadió—: Pero lo haría.

Ignacio tampoco insistió, y en ello siguió el ejemplo de Matías Alvear. Tomó los libros de Derecho que estaban encima de la mesa; Mateo se levantó a su vez, y le imitó. Éste no supo si llamar o no al cuarto de Pilar. Finalmente no lo hizo y ambos muchachos partieron hacia la clase del profesor Civil.

Mateo, una vez en la calle, echó a andar con seguridad. Sus pasos parecían seguir un ritmo militar; por el contrario, Ignacio caminaba pensativo y como dudando, con movimientos inciertos.

Pasaron dos postulantes: «Para la viuda de Joaquín Santaló...» En los balcones, muchas banderas a media asta, como la de Cosme Vila.

Corriendo, les rozó Santi, con sus pies inmensos. Llevaba un sobre en la mano.

Sí, desde hacía unas semanas la excitación de la ciudad infundía a Ignacio un extraño desasosiego; ahora los rítmicos pasos de Mateo le penetraban el cerebro.

Mateo a su lado monologaba:

—Sí, ya veo que esto ha caído mal. Lo siento. Somos, ni más ni menos, una pandilla de asesinos. ¡Voluntarios a la guerra, a matar negritos! ¡Qué horror! Como si hubiera algo grande en el mundo que se hubiera hecho sin el empleo de la fuerza.

«Para la viuda de Joaquín Santaló, para la viuda de Joaquín Santaló.» Más banderas a media asta. Santi volvía a pasar corriendo, sin el sobre, los sin trabajo sentados en la acera del café Cataluña.

—Otros han ocupado medio mundo, pero a Italia hay que condenarla al hambre. Nación latina ¡no faltaba más! ¡Ah, los pacíficos y civilizados etíopes! ¿Sabías que muchos de ellos todavía comen carne humana? Sería divertido que León Blum y Azaña y algunos más de sus apologistas aterrizaran por allá, por el interior. Los tostarían con un cuidado especial, en agradecimiento a sus discursos. Claro, claro, hay que defender a los pueblos pacíficos. Radio Londres así lo dice y aquí nos lo creemos. ¡Lo que se está ventilando es la ruta vital del Imperio inglés!; y somos capaces de defenderla con oro del Banco de España.

Ignacio no decía nada. Se había levantado las solapas del abrigo y apretaba los libros de Derecho contra sus costillas.

Llegaron a casa del profesor Civil. Ignacio sentía una pena honda. ¿Adónde iría Santi con su sobre? Tal vez a otro acuario. Su crueldad, por fin descubierta, no era la única. Otros chicos de su edad crecían con instintos parecidos. Algo profundo se rompía en los espíritus. Sobre la mesa del profesor Civil, *El Tradicionalista.*

En realidad, Ignacio tenía más experiencia que antaño y no veía, como entonces, sólo una cara de la medalla. Procuraba ser justo. Su honda pena provenía de que el desequilibrio lo percibía no sólo en la persona de Mateo sino dondequiera que volviera sus ojos. Tanto como el hecho de que Pilar no contara para nada en la decisión de Mateo de marcharse a Abisinia, le molestaba que la pedagogía racionalista de David y Olga hiciera posible la aparición de Santi. ¡Pero al mismo tiempo que la pedagogía de los maristas hiciera posible la aparición de Mateo! Y la de los jesuitas «La Voz de Alerta».

A Ignacio le parecía que él mismo participaba de esta dualidad, que era a la vez un poco Santi y un poco «La Voz de Alerta». ¿Cómo explicar, si no, que el argumento de que los etíopes comieran aún carne humana ni le impresionara, y en cambio le sacara de quicio que el doctor Relken en el Neutral ridiculizara el fanatismo religioso de las mujeres españolas?

Era evidente que los campos se iban delimitando en él. La herencia Alvear y la herencia Elgazu. Tal vez, el Seminario... y la UGT.

«Kum, Kum», en cuestión de fe, se había levantado. Desde el primero de año. No dudaba de Dios, pero le desconcertaba que el Padre Santo bendijera los tanques. En cuestión social, tampoco dudaba: había que asegurar Casa de Maternidad, educación, trabajo y sepultura al mundo. Y sobre todo libertad; pero le indignaba que en nombre de estos valores Porvenir paseara una calavera y Teo blandiera a su antojo su látigo de carretero.

Acaso lo que menos definido sentía en sí era su actitud frente a la Patria. Le ocurría que buena parte de las cosas que el doctor Relken imputaba a España él las había pensado, y aun las había vertido al rostro de Mateo en muchas discusiones; pero oírlas en boca extranjera le sulfuraba... Hasta el punto que en ciertos momentos justificaba a Mateo. ¡Humillante que en el Neutral se formara un corro de españoles oyendo complacido la vivisección del toreo, de la mantilla, del estado de las carreteras y de la oposición a la Reforma! El toreo era cruel, pero valiente y más artístico que la pelea de gallos; la mantilla parecía muy superior al salakot que, según Padrosa, llevaba el doctor Relken en Montjuich; si las carreteras eran malas tenían de bueno que conducían a alguna parte y la Contrarreforma cortó en seco el avance de la dispersión espiritual. Al diablo, pues, con aquellos discursos. Bien estaba que viniera alguien de Praga a explicar lo que debía ser la democracia; pero que este alguien dejara en paz lo que las madres españolas se ponían en la cabeza.

Y, sin embargo, era evidente que la herencia Alvear, David y Olga y el propio doctor Relken tenían razón en muchas cosas, y ahí estaba el drama y por ello era demasiado simple la frase que Carmen Elgazu escribió a Bilbao: «Ignacio vuelve a ser el que fue».

Porque, contentarse con guardar silencio, prestar atención y demás, buscando la paz del alma individual, cuando la ciudad en que uno vivía se preparaba para una lucha a muerte, resultaba de un egoísmo intolerable. España era pobre, la tierra se resistía a las manos, el nivel de vida era ínfimo. España no había aportado nada a la investigación pura, a los sistemas filosóficos, a la mecánica; y ni siquiera el profesor Civil negaba todo esto. Si en un tiempo dio genios en otras ramas, desde hacía lustros parecían haberse terminado. España no daba ni siquiera inventores. Cualquier cosa que asombrara al mundo —en medicina, en astronomía, en lo que fuera— desde hacía muchos años provenía de otros países. ¿Qué ocurría? La tesis de David y Olga, de Casal y de tantos otros, según la cual se había encerrado al genio español en el sepulcro del Cid, parecía imponerse, y por ello cuantas panaceas aportaran Gil Robles o José Antonio morirían en este sepulcro.

Pero... por otra parte, pensando en Marta por ejemplo, en su perfil castellano, en su nobleza y austeridad, ¡aparecía, en efecto, tan entrañable la tierra del Cid!

Y además, ¿no ocurriría que cada país tenía su misión que cumplir y España cumpliría con la suya, no arquitecturando en libros sistemas filosóficos, sino guardando en la conciencia colectiva, como en un sagrario, algo que tal vez tuviera más valor, y desde luego fuera más duradero: la fe y la unidad religiosa? Por lo demás, ¿es que podían brotar, y aun sería conveniente que brotaran, Goyas a cada lustro? ¿No valía con haberlos dado una vez? ¿Y la música, y el canto, y la danza, y la grandiosidad del paisaje, y aquellos cielos? A Carmen Elgazu no le interesaba nada que no fuera la salvación de su alma y de las almas que estaban a su cuidado. Tal vez en la indiferencia de la raza por las ciencias y los pensamientos que perecen latiera este rasgo fundamental. España tal vez no quisiera «especializarse», porque su sed era de cosas eternas, de algo que lo abarcara todo. ¿Cómo comprender, si no, que David y Olga, en vez de limitarse a instruir a sus treinta alumnos, quisieran ahondar en la mismísima entraña de éstos, influir de una manera total en su capacidad de ser hombres? Obsesión de lo trascendente. Ignacio recordaba que un simple portero de la Inspección de Trabajo estaba preocupado por saber si el Rey de Italia era o no masón... Por eso él había exigido en el Seminario estudiar no sólo Latín, Moral, Retórica y Teología, sino que quería que le hablaran de la miseria del hombre, y le dieran recetas eficaces para salvar al mundo. Por eso Miguel Rosselló se quejaba de que los libros de Bachillerato eran superficiales. De un país quería conocer desde su prehistoria hasta su futuro. Y luego saber lo mismo de todos los países. Tal vez por esa obsesión de totalidad, la Enciclopedia Espasa tenía más de ochenta volúmenes, el Quijote fuera un inventario de los sentimientos y de las aspiraciones humanas, y San Francisco Javier llegara, antes que nadie, al Japón, al otro confín de la tierra.

Y, sin embargo, en el vivir cotidiano ¡cuántas calamidades originadas por esta mentalidad! Las cosas se desorbitaban. Los hombres que, como Mateo, tenían fe en lo eterno de España, llegaban a soñar en cazar etíopes; y los que, por el contrario pedían que España diera la vuelta y se «europeizara» —desde los Costa hasta la *élite* intelectual de la nación— con sus maneras, no conseguían sino desmoralizar y crear un complejo de inferioridad.

Ignacio recordaba a este respecto la unanimidad de los intelectuales españoles de la época precedente —Giner de los Ríos, Ganivet, Joaquín Costa, etc...— y de los del momento —Ramón y Cajal, etc...— en su criterio sobre España. ¡Todos estaban de acuerdo con David y Olga... y casi con el doctor Relken! «Existía el atraso y ello se debía al cierre de los Pirineos. No ha circulado el aire entre España y Europa.» Sólo Unamuno, el de los caracoles humanos, se erguía en contra, asegurando que al otro lado de los Pirineos la gente era aún menos feliz.

A Ignacio le dolía la labor aniquiladora de aquéllos, pero le parecía ridículo el grito de éste: «¡Que inventen ellos!» ¿Era verdaderamente imposible armonizar la conservación de la fe religiosa con la necesaria importación de tractores? «¡Que inventen ellos!» Pero en España había 700.000 obreros parados, malestar, lucha social, sorda y fratricida.

Ignacio habló en este tono aquel día, en casa del profesor Civil, y el profesor Civil iba pensando: «Las dos Españas frente a frente. La de Unamuno, Carmen Elgazu, comandante Martínez de Soria, la secreta emoción de este muchacho al contemplar el mapa ibérico y oír hablar en puro castellano, y la de Julio García, David y Olga, Giner de los Ríos, Ramón y Cajal y el Responsable, la secreta rebelión de Ignacio al escuchar a mosén Alberto o al ver a "La Voz de Alerta". La familia de Bilbao y las de Madrid y Burgos. Era evidente que los contrastes eran, en el país, duros y múltiples como los que ofrecía su geología. Aquellos que colgaban en su despacho retratos de Felipe II y grabados de El Escorial —comandante Martínez de Soria— eran partidarios de Mussolini y daban lecciones de esgrima; los simpatizantes con el Negus —la Torre de Babel— tenían en su cuarto un retrato de Gandhi y un grabado de Versalles. ¡Pero si la Torre de Babel —pacífico— daba sangre en el Hospital, por otra parte se iba a la calle de la Barca a preguntar de qué piso exacto se arrojó contra el empedrado el padre de Pedro y escuchaba al doctor Relken como a un oráculo!; y si el comandante Martínez de Soria —belicoso— condenaba a muerte a Joaquín Santaló y tenía a Olga de pie durante un interrogatorio de cuatro horas, ofrecería la vida en cualquier momento por España, y elevaba el tono de una calle con sólo pasar por ella».

Por su parte, Ignacio pensaba que en los consejos de mosén Francisco debió de haber algo de oportunismo... Porque, nada de aquello era armónico; y, sin embargo, él lo descubrió precisamente al prestar atención. Complicada vida, complicada guerra de Abisinia, complicadas elecciones.

CAPÍTULO LXI

El subdirector, al leer en *El Tradicionalista* que el nuevo general, don Carlos Zurita Belaustegui, había tomado posesión del mando militar de la Plaza, comentó:

—La batalla ha empezado.

Barrido en los cuarteles, rancho extraordinario, permisos. El general era un hombre tan bajo, que sin el uniforme, y el poder de sus ojos, que continuamente rodaban, acuosos, hubiera pasado inadvertido. Pero el uniforme le daba anchura, y sus ojos movilizaron inmediatamente toda la Plana Mayor. Llegó con su esposa y tres hijas, y se instaló en un enorme caserón cerca del cuartel de Infantería. La terraza daba al patio del Seminario.

Le recibieron el coronel Muñoz y el comandante Campos. A los tres días, en la calle del Pavo, le recibieron, además de éstos, el Comisario, el doctor Rosselló, los arquitectos decoradores Massana y Ribas, Julio, el tipógrafo Casal y el resto. El aviso que se había cursado a cada uno de los H... ponía: «Muy importante».

Después de la firma en el Atrio, cada H... ocupó su sitio en el Taller. Presidió el coronel Muñoz, pues en la Logia el general tenía grado inferior a éste. Sólo los iniciados conseguían adaptarse a tal situación.

El general saludó a los nuevos H... Se expresaba en términos bruscos, salpicándolos de interjecciones inesperadas. Se le dio la bienvenida y el Trabajo comenzó.

Fue un Trabajo largo y pesado, lleno de precisiones y datos. Era preciso poner al general al corriente. De todos modos, uno a uno los temas fueron cayendo sin pena ni gloria excepto el último: la unión de todas las fuerzas izquierdistas, desde Izquierda Republicana hasta la FAI. Era preciso constituir un Frente único, el Frente Popular.

Julio quedó decepcionado. Siempre imaginó que el general traería en la faja la orden de reincorporación de su persona a la Jefatura de Policía. A Julio le urgía volver a tomar posesión de su despacho. Llevaba más de un año separado del servicio. Doña Amparo Campo no comprendía: «Te habrán puesto el último del escalafón». Julio, a veces, despreciaba a su esposa por eso, porque siendo verdaderamente ambiciosa confiaba en el escalafón.

—¿Te falta dinero...? ¿No...? Pues, anda, déjame en paz.

El coronel Muñoz le dijo a Julio:

—Me parece a mí que eso tiene ahora poca importancia. La cuestión es ganar las elecciones.

Desde la apertura del Trabajo, un hombre no había cesado de mover nerviosamente los dedos, dentro de los guantes blancos: el tipógrafo Casal. En primer lugar, no conseguía sentirse a sus anchas en la Logia, aun cuando le constara que en el cordón negro a modo de friso uno de los nudos le correspondía, aun cuando el ojo del triángulo le mirara también a él, y supiera como el que más que JAKIN significaba principio fecundante, BOAZ principio fecundado. Médicos, arquitectos, directores de Banco, coroneles, ¡ahora un general! Además, a veces dudaba de la eficacia. El Comisario nunca había querido atenderle...; y, en cambio, protegía al Responsable. Y, sobre todo, el local le parecía demasiado escueto y frío. A veces tenía la sensación de que llevaban las de perder, en una ciudad en que la Catedral se erguía tan majestuosamente, en que las murallas se mantenían como testigos impasibles. Le resultaba difícil convencerse de que gente que alcanzaba aquellos cargos era demócrata. ¡Un general es siempre un general! De pronto oyó la voz de éste, dirigida a él.

—En el Partido Socialista..., ningún problema para unirse. ¡Digo yo!

El tipógrafo Casal sintió que el algodón de la oreja le penetraba hasta el cerebro. Desde tiempo sabía que la orden que aquello implicaba tenía que llegar, pero sintió que el algodón le penetraba hasta el cerebro. Su mujer le había dicho siempre: «Yo creo que tienes que obedecerles. Son más altos que tú y saben lo que hace falta». Él se resistía, porque conocía a sus afiliados y tenía su opinión; pero acaso el consejo fuera certero. Acaso él mirara las cosas desde un punto de vista demasiado local, olvidando que el socialismo era internacionalista. De modo que probablemente ellos tenían razón: era absolutamente imprescindible la unión de todas las fuerzas izquierdistas.

Sin embargo, ¿cómo defender una causa no sentida? ¿Y cómo convencer a los afiliados? El tipógrafo consideraba factible la unión con Cosme Vila, pues el programa de éste al enfrentarse con la realidad se revelaría utópico y caería por sí solo; pero unirse a Izquierda Republicana era suicida. La Izquierda Republicana era un partido de burgueses como el notario Noguer, con la agravante de que no se daban cuenta de serlo. Izquierda Republicana era el peor enemigo que tenía el socialismo. El tipógrafo Casal explicó su punto de vista y concluyó:

—En todo caso, habría que imponer condiciones para después de la victoria.

El coronel Muñoz dio por terminada la reunión.

—Supongo que el H... Casal ha quedado impuesto del deseo formulado —dijo.

* * *

533

De regreso a su casa, Julio García expresó al tipógrafo que lo hábil sería precisamente simular que la que imponía las condiciones era Izquierda Republicana.

—Es un hecho cierto que hay una clase media asustada por el desorden. Yo creo que el Frente Popular debe levantarse bajo el signo de la moderación. De otro modo, el resultado de las elecciones nos sería adverso. En fin, creo que hay que ser realmente moderado. Lo he pensado mucho y lo creo así.

El tipógrafo llegó a su casa con la cabellera húmeda. Miró las estanterías de los libros y pensó: «No sé si he leído pocos o demasiados». Antonio Casal amaba apasionadamente a su mujer y a sus hijos. El día en que, de pequeño, vio que sus padres ponían migas de pan en el alféizar de la ventana que las palomas de la plaza acudían a picotear, que su padre cogía una, cerraba por dentro y a los pocos minutos en la cocina se oía el chisporrotear del aceite, entendió que era preciso acabar con la miseria del mundo so pena de que el mundo acabara con las palomas. Desde entonces fue socialista. Quería asegurar Casa de Maternidad y sepultura decente incluso a las aves. Los enemigos, a su entender, eran la superstición, la ignorancia, el atraso, y la acumulación del capital en manos individuales. Por ello se hizo masón, porque la Masonería luchaba contra esas calamidades, porque creía en la Cultura, el Progreso y la Fraternidad. Ahora, después de entrar de puntillas en los cuartos en que dormían sus tres hijos y de contemplarlos en silencio, fue al comedor, donde su mujer cosía acurrucada junto al brasero y le dijo:

—Bueno, ya está. Dentro de poco me verás del brazo de los Costa.

«Tienes que obedecerlos. Son más que tú y saben mejor lo que hace falta.» Muy bien, de acuerdo. ¿Pero cómo convencer de ello a David y Olga, a la Torre de Babel, y, sobre todo, a las docenas de afiliados que esperaban su momento?

El tipógrafo estaba tan preocupado que no tenía más que una idea: hablar con Cosme Vila. Era exactamente el día de San Narciso, patrón de la ciudad, y Gerona había quedado iluminada. Casal pasó delante de la casa del Miedo, de la mujer enroscada por serpientes, de los quioscos de churros pensando: «En este país continuamente se encuentran motivos para conceder una tregua». Una inmensa cola humana salía de los toros, otra del fútbol, otra descendía por San Félix, procedente del sepulcro del Patrón, cuyo cuerpo se conservaba incorrupto, según había repetido *El Tradicionalista* aquella mañana. Los primeros habían visto correr sangre viva por la arena, por el filo de la espada; estos últimos habían visto la sangre coagulada de San Narciso.

Encontró a Cosme Vila absorto en la contemplación de su hijo, que todavía no decía ni papá ni mamá, ni Stalin, ni andaba. El comedor era pequeño, y en su centro la mongólica cabeza de Cosme Vila parecía una gran bombilla. Era un piso que daba al río, como el de los Alvear, pero en el que nunca una caña de pescar había surgido de la ventana del comedor. Era húmedo y triste. Una de las sillas la ocupaba la esposa de Cosme Vila, que consideraba a éste un dios, dios que a no tardar —tal vez después de las elecciones— todo el mundo aclamaría, que repartiría campos y casas y riquezas a todos cuantos en la provincia hasta entonces se habían visto privados de ellos. En un rincón, ocupaban las dos sillas restantes los suegros del jefe, los guardabarreras. El suegro era un hombre alto y tímido, que cuando no tenía la banderita del paso a nivel en la mano no sabía qué hacer con ésta. La suegra no cesaba de mirar al pequeño.

—¡Hola, Casal! Tienes mala cara.

—No creo. En fin, eso no importa.

—No tenemos nada que ofrecerte.

—No necesito nada.

Cosme Vila adivinó en seguida de qué se trataba. Pero no le hizo el menor caso. A él sólo le interesaba hablar de su Partido, de Teo, de Víctor, de Gorki, de Murillo, que andaba vendiendo imágenes al doctor Relken.

—Me interesan los míos, ¿comprendes? Tengo que levantar un edificio. Tengo que convencer a toda esa pandilla de que no se puede ser comunista y fabricar agua de colonia. Con Teo ya se firmó el contrato. Continuará conduciendo el carro y zumbando a los caballos, pero todo este material pertenece al Partido, así como los beneficios. Él vivirá y podrá comprarse una gorra de vez en cuando; pero Gorki se hace el remolón. Veo que te estás impacientando. No sé por qué diablos tienes siempre tanta prisa. Claro, has venido por lo tuyo; pero ya sabes mi opinión. El comunismo es poco sentimental. Compréndelo. A mí me interesan Teo, Gorki, Víctor y Murillo. Vosotros os pasáis la vida consultándoos y, entretanto, los fanáticos avanzan. ¿Qué quieres hacer sin fanatismo? En el Arús yo veía que los que hacían dinero eran los fanáticos, eran los que contaban los duros como si fueran perlas. Tenían razón, desde su punto de vista. Yo tengo que llenar la provincia de fanáticos. Ya me van saliendo algunos, por la costa y el monte. Algún día organizaremos la marcha sobre Gerona. No te servirá de nada enseñar Aritmética. Antes tienes que convencerles de que es una asignatura sagrada y luego pegar un tiro al que se equivoque en una suma. Por eso, personalmente, amigo Casal, todos mis respetos. Siempre nos hemos llevado bien y mi mujer quiere mucho a la tuya. Pero este asunto de las elecciones, si te he de ser sincero, me carga. Me parece tan ridículo como creer que mi crío pueda opinar sobre la misión del Comité Ejecutivo. De modo que los argumentos sobran. Somos tácticos y la cosa está decidida. Nos uniremos con quien sea, con todos. Hay que abrir brecha. Nos uniremos con los Costa, contigo y aceptaremos los votos hasta de los limpiabotas anarquistas; pero óyeme bien. Nosotros vamos a lo nuestro. Personalmente, repito, todos los respetos.

Casal comprendió que a Cosme Vila le había molestado que fuera a verle a su casa. Quería dejar sentado que, allá o en el local, siempre era el jefe. Al tipógrafo todo aquello le parecía exagerado, y desde luego no facilitaba su labor.

No contestó. Sintió que los guardabarreras estaban orgullosos del discurso del yerno y que consideraban que era imposible añadir nada.

Casal sabía con quién se las había. «Bien, bien...», balbuceó y se puso a contemplar a su vez al crío. Y de pronto, sintió lástima por él. El crío había levantado un pie e intentaba comérselo. Tuvo la impresión de que la historia sería implacable con aquel puñado de carne. Cosme Vila le había hecho ingresar en el Partido sin pedirle la opinión. Era evidente que nadie le pediría la opinión jamás. Se irían pasando su pulgar de unos a otros para tomarle las huellas digitales; si algún día se negaba a ello o se equivocaba, le pegarían un tiro.

La esposa de Cosme Vila tenía los ojos encendidos. Cosía y sonreía, como su padre. Le preguntó:

—¿Qué tal está tu mujer?

—Muy bien. Muy bien.

Y se hizo un silencio. El tipógrafo sufría. Aquello era tan difícil como tratar con generales.

—¿Ya habéis cenado?

—No cenamos nunca. Hacemos una sola comida al día.

Casal se sentía desmoralizado. Hablaría con David y Olga. Los maestros eran realmente amigos. Olga una tesorera impecable. David y Olga le darían ánimos.

Cosme Vila le preguntó:

—¿Te gustó la caricatura que publicamos en *El Proletario*? ¿La de Mussolini y el Papa?

Casal contestó:

—No la vi.

—¿No la viste? ¿No lees *El Proletario*?

—La verdad... no.

A Cosme Vila le pareció natural.

—Obras con acierto. Son lugares comunes.

Hubo otro silencio. De pronto Cosme Vila dijo:

—¿Sabes que tenemos una mujer en el Comité Ejecutivo?

—No, no sabía.

—Se la trajo Gorki. Es valenciana. Resulta increíble la perspicacia que puede tener una mujer.

Se detuvo. Casal se reclinó en la pared.

—Yo tengo a Olga.

—Eso es distinto. Olga es un hombre. En fin, ella y David han creado un sexo neutro. Para ser mujer hay que haber tenido hijos, como la tuya, la mía o esa valenciana, que ha tenido cinco. Estoy muy contento con ella, aunque Teo no le quita los ojos de encima y no sé lo que ocurrirá.

—¿En qué sentido crees que te será útil?

—Pues... a veces uno tiembla. Tiene compasión, o qué sé yo. Entonces miras a esa mujer y te curas.

—¿Tú te mueves por amor o por odio?

—Por disciplina.

Casal se mostraba irónico.

—¿Crees que el hombre viene del mono? —preguntó, inopinadamente.

—¡Ah! Eso me gusta. Creo en la evolución. En la evolución ciega de la naturaleza.

—¿En la evolución hacia qué?

—He dicho en la evolución ciega.

Casal añadió, después de un silencio:

—¿Qué consecuencias sacas de que tu hijo quiera comerse su pie?

—Que no tiene conciencia de que sus miembros son suyos, y que somos un saco de instintos.

—El día en que tenga esa conciencia, ¿qué habrá ocurrido?

—No hables más. Ya conoces mi opinión: las lágrimas son agua.

El suegro, alto y tímido, escuchaba boquiabierto. Era un hombre con una inmensa verruga bajo la oreja izquierda. Cosme Vila le había profetizado que llegaría un día en que en los pasos a nivel habría un centinela eléctrico que no se equivocaría jamás; luego, un paso más en la evolución, se suprimían los pasos a nivel. Todo serían pasajes subterráneos.

—Pero no temas —le había dicho a su suegro—. No te quedarás sin trabajo.

Casal contemplaba a la esposa de Cosme Vila, a su crío y a los guardabarreras. A su modo, constituían una familia ejemplar. El ideal los había unido. Para los suegros, el comunismo era un sueño romántico, estelar y perfecto. Para Cosme Vila a la vez un arte y una ciencia. Para la esposa, una forma sencilla de solucionar los problemas de la provincia y de llegar a esposa de emperador; para el crío una ininterrumpida sucesión de huellas digitales.

Cosme Vila le acompañó a la puerta. Le veía fatigado. Le ayudó a ponerse el abrigo. Le dijo:

—Recuerdos a tu mujer.

CAPÍTULO LXII

El despliegue de propaganda de unos y otros había convertido la ciudad en un campo de batalla. Los rencores políticos se unían a los rencores personales. Desde la mentira inocente hasta la calumnia todo era válido para conseguir unos cuantos votos. Una particular circunstancia acusaba el trágico relieve del momento que se vivía: el calendario señalaba Navidad.

Todos los detenidos cuando lo de Octubre recordaron que aquel era el primer aniversario de su liberación. ¡Cuánto se había avanzado en un año! De los locales clausurados se había pasado a la combativa alineación de todas las fuerzas disponibles. Todo el mundo recordó la gran nevada del año anterior, cuando Gerona se convirtió en una inmensa Hostia. Ahora sobre la nieve, todas las pisadas quedarían impresas en forma rotunda, como si cada persona llevara botas de soldado. La huella del doctor Relken destacaría entre todas, porque era el único que llevaba las suelas claveteadas.

Don Santiago Estrada creyó llegada la ocasión de repartir las bufandas y demás prendas de abrigo recogidas por la CEDA. Una comisión de señoras fue nombrada, a la que se incorporó Laura, quien desde su regreso del viaje de bodas era el alma de todas las actividades benéficas de la ciudad; pero fue un fracaso rotundo.

La gente no quiso aceptar nada. «¿Qué quieren ustedes? ¿Comprar nuestros votos?» «Andando. Aquí no necesitamos nada.»

«No necesitamos nada.» Ésta fue la frase corriente. Ésta y las blasfemias. Laura quedó estupefacta. Las señoras no comprendían que los pobres no necesitaran nada, que siendo ellas ricas no les pudieran regalar nada. «Si pasaran tanto frío como dicen, tendrían menos amor propio y aceptarían.»

No obstante, decidieron continuar hasta fin de año, pues el Pirineo enviaba ráfagas cada vez más heladas. Decidieron pasarse incluso la noche de San Silvestre recorriendo pisos pobres, especialmente por el barrio de San Félix, que era el único que faltaba; y aquello fue el remate de la peregrinación. En una de las visitas pasaron tanta vergüenza, que renunciaron definitivamente a su apostolado.

El patrón del Cocodrilo les había dicho: «Yendo hacia los Baños Árabes, en el número 5, vive una mujer despeinada y horrible, que da pena. Todos los días entra aquí y le doy una copa de anís para calentarle el cuerpo».

A la luz del farol leyeron: núm. 5, y llamaron. Y les abrió la puerta la valenciana, querida de Gorki, a la que había aludido Cosme Vila. La mujer, miembro del Comité Ejecutivo del Partido Comunista, recibió a las señoras con la sonrisa en los labios. «Pasen, pasen» —las invitó—. Pero en cuanto las tuvo en el interior le entró una rabia incontenible. «¿Fin de año, eh...?» —Se dirigió a la esposa de don Santiago Estrada y arrancándole un guante exclamó: «¡Con eso da gusto pasar frío!» Y acto seguido dejó caer la prenda al suelo, limpiándose luego los dedos.

Fue algo increíble, que hizo llorar a Laura, cuando luego lo recordó. La mujer, de edad indefinida y de piernas poderosas, se desabrochó la bata. «¡Cinco hijos, cinco hijos! —decía—. Cinco hombres.» Luego les enseñó fotografías y recortes de periódicos en que se la veía en Valencia con el puño en alto. No habló de política. Sólo obscenidad. Era la noche de San Silvestre. Debía de haber bebido una copa de anís en cada taberna. Citó vagamente a Gorki y al hablar de Teo escupió.

El regreso de la Comisión de la CEDA fue penoso. Había por las calles borrachos que cantaban: «Jesús ha nacido en un pesebre». Don Santiago Estrada había preparado un refrigerio para las damas en el local del Partido, pero ninguna de ellas tenía apetito. «La Voz de Alerta» esperaba abajo a Laura, con el coche, y la condujo en silencio a casa.

* * *

Mosén Francisco no se arredró por el hecho de que todas las noticias que le llegaban contuvieran tanta violencia. Reunió a los niños del catecismo y empezó su campaña. Dibujó un inmenso cartel para el vestíbulo de la iglesia: «Rezad el Santo Rosario». Imprimió folletos y estampas con este consejo. «Rezad el Santo Rosario.» Repartió los folletos por las calles. Los deslizó por debajo de las puertas. «Se acercan momentos difíciles. Hay que pedir amor y no odio. Que los cristianos recen el Santo Rosario.» Al terminar la misa se volvía hacia los fieles, se ponía brazos en cruz y les decía: «Por Dios, basta de lucha fratricida. Recemos el Santo Rosario. Y que cada familia añada un padrenuestro especial por la paz de España».

Mosén Francisco se entusiasmó de tal modo con su campaña de Navidad que propuso a todos los fieles que lo rezaran a la misma hora. Dijo: «A las nueve y media de la noche, cuando oigáis las campanas, reuníos en torno a la estufa y rezad el Santo Rosario».

La primera persona que obedeció fue una mujer que nunca había tenido confianza en los repartos oficiales de prendas de abrigo: Carmen Elgazu. Carmen Elgazu, que adoraba a mosén Francisco, de pronto hacía: «¡Chisssst!...» imponiendo el silencio. Sonaban las campanas. «Ale, empezemos.» Y se persignaba e Ignacio iniciaba el *«Ave María, gratia plena, Dominus tecum»*. Inmediatamente Matías se levantaba. Matías Alvear, ni antes ni después del consejo de mosén Francisco, había conseguido rezar el Rosario sentado. Tenía que rezarlo paseando. Iba desde el comedor hasta la puerta de entrada y regresaba. Casi siempre le imitaba Ignacio, en sentido inverso, y ambos se cruzaban en mitad del pasillo. Carmen Elgazu se quejaba de que desde el comedor no los oía. Si Pilar se quedaba dormida, con las tijeras o con el gancho de la estufa le daba un golpe en las rodillas.

Otro hogar en que se obedeció, fue el del comandante Martínez de Soria. «¡El Rosario! ¡Es la hora!» Lo llevaba Marta, y el comandante también se levantaba y echaba a andar arriba y abajo. A veces sus excursiones eran mucho más largas que las de Matías e Ignacio. A veces en ellas alcanzaba lugares extremos del piso, como por ejemplo el despacho, donde a lo mejor se detenía ante el mapa abisinio y no regresaba al comedor hasta que el Misterio de turno había terminado. Su esposa rezaba con los ojos bajos, las cuentas de plata cayéndole sobre la impecable falda negra. Marta, de vez en cuando, se apartaba el flequillo y suspiraba. Cuando iniciaba el padrenuestro por la paz de España, el comandante se detenía un momento, mirando al techo; luego levantaba el hombro izquierdo, sintiendo un gran combate en su corazón.

Docenas de familias siguieron el consejo de mosén Francisco, mientras las luces navideñas se caían lívidamente al río. La figura del joven sacerdote pareció flotar alrededor de las estufas, y era como una sombra benéfica apaciguando los ánimos, en espera del 16 de febrero. Se rezaba el Rosario en casa de don Pedro Oriol, silencioso hogar, en casa del notario Noguer, con las letanías traducidas al catalán; en casa de don Jorge, cuyas dos sirvientas eran llamadas al rezo colectivo, y se sentaban a ambos lados de la puerta, en dos taburetes.

El Rosario se rezaba en el piso del subdirector, en el del portero de la Inspección de Trabajo, en el de la mujer que hacía la limpieza en casa de los Alvear.

El vicario había recomendado particularmente esta oración porque juzgaba que en su estructura estaban contenidos, mejor que en cualquier otra, los elementos todos de la vida humana. Sobre todo en los Misterios. Primeros los Misterios de Gozo, símbolo del placer que produce en el hombre el nacimiento de otro hombre; el vicario había bautizado docenas de hijos y siempre leía idéntica sonrisa en el rostro paterno. Luego los Misterios de Dolor, símbolo de la lucha en la tierra coronada por la muerte; mosén Francisco había asistido a docenas de entierros, y siempre escuchó idénticos llantos. Finalmente, los Misterios de Gloria, símbolo de la resurrección y del cielo eterno.

Para el sacerdote, todo estaba contenido ahí. «El día en que en toda España se rece el Rosario, el padrenuestro por la paz resultará innecesario.»

Sin embargo, ¿cuándo llegaría tal fecha? De los doscientos cincuenta obreros parados, sólo diez o doce habían seguido el consejo de mosén Francisco. Los demás andaban pegando carteles, algunos de los cuales eran dibujados por los arquitectos Massana y Ribas en la mesa contigua a la que utilizaba Benito Civil, su primer delineante.

CAPÍTULO LXIII

Cuando, el 15 de enero, Matías leyó el manifiesto en que se daba cuenta oficial de haberse constituido el Frente Popular, y comprobó que en el programa no figuraba nada que no tuviera un tono ecuánime y razonable, comentó: «Por fin parece que se ha impuesto el sentido común. A ver si esta vez Azaña salva la República».

Su contento hubiera sido total de no continuar doliéndole la conducta de Mateo. El muchacho no sólo no le había pedido excusas por su ex abrupto sobre Abisinia, sino que persistía en su actitud, sobre todo al comprobar que Pilar cedía. Por ahí se hundió todo. La chica, una vez secas las lágrimas y después de una conversación con Marta, salió con el sambenito de que Mateo hubiera sido un héroe marchándose a la guerra.

Matías Alvear no se decidía a cortar por lo sano, pues siempre confiaba en que la juventud vuelve al redil si ha recibido buenos principios: y pensándolo bien no podía dudar de que éste fuese el caso de

Mateo, pues no cabía olvidar que era hijo de don Emilio Santos, auténtico caballero, y el primero en lamentar la violencia del muchacho. Así que permitía que Pilar saliera con él, confiando además en que el triunfo del Frente Popular en las elecciones echaría definitivamente tierra sobre Falange.

En cuanto a Mateo, vivía jornadas de inquietud. ¡Su pronóstico se había cumplido!. . Las izquierdas se habían unido, el Frente Popular quedaba formado. Y entretanto, las derechas continuaban elevando globos y asegurando, en el Casino, que iban a ganar.

Otra preocupación del muchacho: no estaba del todo satisfecho de sus camaradas. Se arrepentía de haber aceptado al hijo de don Jorge. El chico palidecía cada dos por tres, a consecuencia de la conminación de su padre a que rompiera el carnet en el plazo máximo de dos meses, so pena de quedar desheredado; y por otro lado Miguel Rosselló cualquier día cometería una barbaridad. Era tan exaltado y tan grande su indignación ante el espectáculo de inconsciencia de que según él, el país daba muestras, que continuamente pedía intervenir de algún modo. Rosselló vivía en una fonda y la soledad le había desquiciado.

Mateo hubiera querido ensanchar su grupo, formarlo más de prisa y no verse obligado sin cesar a explicarlo todo, a justificarlo todo.

—¿Por qué en algunas provincias presentamos candidatura, si Falange no cree en los Partidos, ni en derechas ni en izquierdas?

—Porque, hasta días mejores, es preciso disponer de una tribuna para hacer oír nuestra voz. Y no hay mejor tribuna que el Parlamento.

A pesar de todo ello, Ignacio estaba totalmente convencido de que Mateo sabía adónde iba, de que no retrocedería ante nada. «Ahora espera órdenes de Madrid. En cuanto éstas lleguen, es capaz de poner los planes de Rosselló en práctica, todos de una vez.»

Ignacio no dejaba un momento de pensar en las elecciones. Y estimaba, lo mismo que los demás empleados del Banco, que el resultado era imprevisible.

Ésta era la opinión general. Y el interrogante inquietaba tanto más cuanto que todo el mundo comprendía que esta vez no se trataba de un sufragio rutinario. «En estas elecciones se deciden los próximos cien años de la nación.»

«De la nación, y quién sabe si de Europa.» Esto opinaba el profesor Civil. El profesor Civil creía que en las dos Españas que Ignacio llevaba dentro y que iban a enfrentarse el 16 de febrero latían los gérmenes de la futura lucha en el mundo entero. Continuaba creyendo que la estructura de la Democracia se bamboleaba en todas partes, por el desgaste natural de los sistemas y porque había caído en manos de dirigentes judíos, pero que por desgracia las fuerzas que se levantaban contra ella eran tal vez peores.

—¿Y por qué cree usted que en España nos anticipamos en la lucha? —le preguntaba Ignacio.

—Porque aquí hay más fanatismo que en ningún sitio. Las ideas se convierten en seguida en alma y carne.

El doctor Relken parecía compartir la opinión del profesor. Se pasaba el día en el Neutral cantando lo épico de aquella lucha. El día en que se hizo público el manifiesto del Frente Popular dijo:

—Son ustedes magníficos. La víspera de Reyes los vi acompañando a sus hijos con farolillos en el aire. Pedían muñecas, mecanos, bicicletas. Luego pedirán la cabeza del adversario. ¡No, no, no lo digo por reproche! Al contrario. Actúan ustedes por instinto de raza y en su raza hay sentimientos contrapuestos. Por eso la lucha es siempre aquí grandiosa. Cada uno defiende con los dientes lo que cree.

De repente añadió:

—Lástima que a veces vivan demasiado obcecados.

—¿Qué quiere decir?

El doctor dejó el vaso sobre la mesa.

—Tienes ustedes un refrán muy bonito —añadió— que creo que ahora se les puede aplicar. Ustedes dicen: «el que no corre vuela».

—¿Y pues...?

Julio explicó que el doctor Relken debía de referirse al comandante Martínez de Soria, quien había salido de la ciudad con dirección a Roma.

Todo el mundo quedó perplejo. El doctor se quitó los lentes y afirmó:

—Así es.

—Caray con el canguelo —sugirió uno.

—¿Por qué tanto miedo?

—Lo raro es que haya dejado la familia aquí.

Julio hizo entonces un signo negativo.

—Estáis equivocados. Volverá. Viaje de ida y vuelta... Ha ido con varios generales, y con Goicoechea.

Muchos supusieron que había ido a ver al Papa.

El doctor negó con la cabeza.

—Nada de eso. Pidieron audiencia a Mussolini, y éste se la concedió.

Hubo un clamor general. Uno de los más afectados por la noticia pareció ser Matías Alvear. Se levantó y se fue a su casa pensando una vez más en el furúnculo que significaba Mateo y sus semejantes. Ignacio se indignó más que nada porque Marta no le había advertido en absoluto de todo aquello.

—¿Por qué no me has dicho nada? —le preguntó por la noche.

—Para evitar que interpretaras la cosa a tu manera.

—Me parece que sólo hay una manera de interpretar eso.

—No lo creas.

En todo caso, Mateo la interpretó alegremente. Tanto, que se llevó a Pilar al cine. Necesitaba distraerse. Aquello era una luz a lo lejos. No tenía gran confianza en las personas que podían dar el golpe; obraban en defensa propia mejor que por voluntad profunda de rehacer el país; sin embargo, tal vez Falange pudiera pedir un puesto preeminente y encauzar las cosas.

—Sería lo peor que os podría ocurrir —opinó el profesor Civil—. No hay nada más peligroso para un partido que llegar al poder cuando todavía no está formado por dentro.

Los comentarios en el Neutral continuaron, y entretanto el comandante Martínez de Soria, ajeno a las conjeturas que se hacían sobre su viaje, regresó. Varios observaron que en el tren de regreso vestía de paisano.

Volvió tres días antes de las elecciones y calló como una tumba, ante la desesperación de muchos. Ni en el café de los militares dijo nada, ni tampoco a Marta; sólo a su esposa y al teniente Martín. Su esposa le preguntó: «¿Qué te ocurre?» Él contestó: «La cosa anda mal. El día 16 arrollarán las urnas como una carga de caballería cosaca».

Cuarta parte

Del 16 de Febrero de 1936 al 18 de Julio de 1936

CAPÍTULO LXIV

Cuando, a media mañana, el subdirector llamó a casa de don Santiago Estrada y le dijo a éste: «Parece que en la provincia todo está en orden, pero aquí hay una verdadera batalla», el jefe de la CEDA se levantó y preguntó:

—¿Cómo una verdadera batalla?

El subdirector le explicó que, tal como estaba previsto, los muchachos de la CEDA se habían echado a la calle a proteger a sus electores, montando guardia en los Colegios, pero que, de repente, habían hecho su aparición patrullas de comunistas y anarquistas, que se habían apostado en las aceras con cara de pocos amigos. Especialmente Teo iba al mando de una docena de tipos de su talla, y cuando diezmaban una cola se iban a otra.

Don Santiago Estrada parecía no comprender.

—Pero ¿están pegando a alguien?

—Pues... los dispensarios están llenos.

—¿De los nuestros...?

—Monjas, etcétera. Sería necesario que fuera usted a ver.

La esposa de don Santiago se horrorizó. «¡Por Dios, ve con cuidado!» —le dijo a su marido, al ver que éste se ponía el abrigo. El Jefe pidió el sombrero y salió. Y una vez en la calle, se dio cuenta en seguida de que nada iba a ser fácil, de que la calma de los últimos días había sido aparente, tal vez obedeciendo a una consigna. Y desde luego, las incursiones de Teo por un lado y de Porvenir por otro no eran lo peor. Lo peor era la súbita exaltación que al parecer se había apoderado de los militantes socialistas. David y Olga en persona, y docenas de los suyos, montaban guardia en las calles adyacentes a las urnas, y al menor incidente se consideraban provocados y llenaban de insultos a los electores.

—Cerca de la Catedral, Olga ha asido del moño a una mujer que

545

llevaba la papeleta en una mano y la mantilla en la otra, y la ha obligado a retroceder.

Don Santiago suponía que se exageraba. Imposible. El Frente Popular se había unido en forma muy artificial, y nada había hecho prever una acción conjunta.

Llegó al Colegio electoral de la Rambla y recibió una dolorosa impresión. Sus muchachos, con el brazal de la CEDA, andaban bajo los arcos como pequeñas fieras enjauladas, sin atreverse a acercarse a la cola de votantes. Muchos ferroviarios estaban sentados en el suelo, con un periódico en la mano. Vio a Rosselló —cinco flechas en el pecho— acompañando a un herido con la ayuda de un guardia urbano. Julio García discutía con una persona desconocida, que llevaba sombrero y bastón. Por encima de la cabeza del policía, y sobre la fachada, un gran cartel con la efigie de Joaquín Santaló.

La Rambla había quedado inundada de retratos del muerto. Los llevaban en carteles. La firma de éstos decía: «Paco».

Más arriba, hacia los cuarteles, las banderas catalanas cubrían gran número de balcones, así como la barbería entera de Raimundo. Muchos militantes de Izquierda Republicana llevaban tirillas prendidas en la solapa: «¡Viva Cataluña Libre!» «Por la libertad de Cataluña». «El pueblo catalán quiere vengar a sus mártires de octubre».

En unos Colegios reinaba la calma, en otros se gritaba: «¡Viva Rusia!» Don Emilio Santos había conseguido llegar a la urna sin que le molestasen. Matías Alvear había votado de los primeros, a las ocho de la mañana, cuando la Rambla estaba aún desierta.

Don Santiago Estrada se dirigió al Colegio de su barrio, votó y luego subió al local. ¿Y en los pueblos? —preguntó—. Las noticias de los pueblos eran más tranquilizadoras. Alguien dijo:

—El que se está ganando la plaza es el chaval ese de la CNT, Santi.

El subdirector asintió con la cabeza. Le había visto actuar. El chico llevaba sus puntiagudas botas de costumbre, y en cuanto veía un cura —mosén Alberto sabía algo de ello— se le acercaba por detrás y le pegaba una patada en la espinilla.

La mañana fue creciendo. De vez en cuando pasaban camiones con gente desconocida que gritaba: «¡Viva el Frente Popular!» Los militantes de Izquierda Republicana habían salido en bloque, colocándose estratégicamente. No insultaban a nadie. Fumaban, se frotaban las suelas de los zapatos en el borde de las aceras, viendo a sus aliados poner en práctica la teoría de la acción directa. Muchas familias circulaban de prisa, cogidas de la mano. Las azoteas estaban llenas de mirones. Desde aquella altura, las escaramuzas callejeras tenían algo de riñas entre insectos. De vez en cuando aparecía un poco de sangre en el empedrado, originando un gran tumulto.

El ser más asombrado ante el espectáculo, era don Santiago Estrada. El más seguro de lo que acontecía, Cosme Vila. El más lleno de curiosidad, el doctor Relken.

Olga, sin saber cómo, había perdido el dominio de sí. Recorría la ciudad en todas direcciones, seguida por algunas de sus alumnas. Cerca de la estación vio detenerse un taxi del que se apearon varias personas enfermas, protegidas por muchachos de la CEDA. Reconoció en ellas a varias monjas escolapias, las más encarnizadas enemigas de la «Escuela». Habían hecho gran campaña contra Olga y David. Al ver que incluso habían alquilado un taxi para que votaran las paralíticas, Olga cometió un acto que a ella misma luego la sorprendió. Se les acercó y las llamó «¡cochinas!» Los dos muchachos de la CEDA se aproximaron retadoramente. Entonces apareció David, y a su lado media docena de militantes de la UGT. Entretanto, las monjas habían puesto pie en la acera y miraban atónitas a uno y otro lado. David ordenó a los chicos de la CEDA: «¡Ale, lleváoslas; será mejor!» Ellos se dispusieron a obedecer, pero una de las monjas, repentinamente decidida, se abrió paso y entregó la papeleta al arquitecto Massana, que presidía la mesa. Entonces el propio David cedió el paso a las demás.

Tal vez los más fieles a su verdadero temperamento fueran los Costa. Los Costa habían ordenado el reparto de retratos de Joaquín Santaló, y hacia el mediodía, al ver que la cosa tomaba un giro favorable, sacaron otra oleada de retratos del Negus, que fue recibida con un clamor general de entusiasmo. Por lo demás, se mostraron liberales. Sus esposas, que acababan de dar a luz con pocos días de intervalo, quisieron votar y ellos pusieron un coche a su disposición. Sabían que votarían por las derechas, pero no importaba. Dijeron: «Cada cual es cada cual».

El más chulo de los derechistas fue el teniente Martín. Con su flamante uniforme se acercó al Colegio de la plaza de los cines y se encontró cara a cara con el Responsable y su sobrino el Cojo, el cual se había puesto el pañuelo rojo y, para aquella mañana, le había pedido prestada la calavera a Porvenir. El teniente dijo, sin gritar: «¡Viva España!» Aquello no venía a cuento. El Responsable le miró y al cabo de un rato escupió. Entonces el teniente se llevó las manos al sexo. El Responsable volvió a escupir y luego, dando media vuelta, echó a andar. Era una cita en el tiempo. El Cojo, desde lejos, le mostraba al teniente la calavera, y le señalaba a él con el dedo.

El comandante Martínez de Soria votó sin dificultades, acompañado de su esposa. Mosén Francisco se negaba a votar. El párroco de San

Félix se lo ordenó y él obedeció. Don Jorge quiso que le acompañara su hijo mayor, el falangista. Éste dijo:

—De acuerdo, pero yo no votaré.

—¿Cómo?

—Falange no cree en partidos —contestó el chico.

Don Jorge le pegó una tremenda bofetada y ordenó a su esposa:

—Que Jorge no salga de su cuarto.

La agitación aumentó al correr el rumor de que los militares iban a asaltar las urnas para impedir que se hiciera el escrutinio. Verdaderos cordones de hombres protegieron los alrededores de los Colegios. Algunos pedían armas, otros las llevaban ya. Llegaron las primeras noticias anunciando que el Frente Popular obtenía la victoria en los pueblos, y aquello originó nuevos clamores de entusiasmo. «Son bulos. No hay tiempo para saberlo todavía.»

A última hora de la tarde Porvenir, que se había tomado media botella de coñac en el Cocodrilo, vio a Gorki y a la mujer del Comité Ejecutivo del Partido Comunista pegando carteles de Stalin. Se les acercó y gritó: «¡Rusos! ¡Malos españoles! ¡La madre que os p...!» La valenciana contestó: «Ya nos veremos las caras, chulín». Y de un brochazo imponente incrustó al Jefe de la Unión de Repúblicas Socialistas Soviéticas en el portal de Liga Catalana.

El profesor Civil contemplaba desde su balcón los movimientos de la masa. «Nuestra juventud fue menos agitada», le dijo a su mujer.

* * *

Cuando se supo que el triunfo en España había correspondido al Frente Popular, un alarido se elevó de la tierra. Los vencedores pidieron espacio vital; a codazos se iban abriendo paso hacia los puestos de honor y de mando. Mayoría en el Parlamento. El pueblo había manifestado su voluntad. Era la hora de pasar cuentas.

Un río de champaña, pagado por los Costa, recorrió las calles y remojó las gargantas de los electores. Se consideraba que el triunfo era aplastante, incluso espectacular. Los periódicos anunciaban con enormes titulares la victoria. Empezaba una nueva era para la nación.

Había gente menos exaltada, que no admitía tal aplastamiento. «El número de votos recogidos por las Derechas en la totalidad del país es sensiblemente igual al de las Izquierdas... Lo que ocurre es que el Frente Popular ha ganado en las grandes ciudades, lo cual, dada la ley electoral vigente, les proporciona la mayoría...» El cajero del Banco hacía números, y aseguró que considerando que los nacionalistas vascos se habían aliado a la izquierda por razones separatistas, el número global de votos de Centro y Derechas era virtualmente mayor que el de las Izquierdas: 5.051.954 contra 4.356.559.

Pero nadie le hacía caso. Mayoría en el Parlamento. El subdirector en el Banco alegó que lo ocurrido era un escándalo sin precedentes en ninguna otra nación. Aseguraba que algunos ferroviarios habían votado cuatro veces; y que el número de derechistas a los que se había impedido votar era incalculable. «En toda España ha ocurrido lo mismo. A la hora del escrutinio se ha falseado todo, se han añadido los votos necesarios. Es un auténtico robo, pero esto no quedará así.» La Torre de Babel admitía que se habían cometido irregularidades en algún sitio, pero que, aparte de que el Frente Popular hubiera ganado lo mismo, también se habían cometido otras en Navarra y en algunas provincias castellanas en que ganaron las Derechas. Lo que más preocupaba a los observadores era la diferencia de opinión que acusaban las grandes ciudades en comparación con los pueblos. El doctor Relken había comentado: «Es una nueva prueba de que en cuanto los obreros se unen en gran número queda multiplicado su espíritu revolucionario». Cosme Vila se acercó a su pequeño y le dijo: «Ya lo ves, hombrecito. Hay que levantar grandes fábricas. Hay que fundar inmensas colonias de trabajadores».

Matías Alvear estaba atónito. Él había votado a las ocho de la mañana. Por el Frente Popular. No le gustaban las audiencias pedidas a Mussolini. Pero nunca se imaginó que pudiera ocurrir aquello. ¿Y la policía? Estuvo de vacaciones. Matías se alegraba del triunfo, pero lo hubiera deseado más limpio. Por fortuna, Azaña parecía dispuesto a poner las cosas en orden.

Carmen Elgazu se había persignado mil veces durante la jornada. Desde el balcón presenció todo lo ocurrido. Personalmente, unos días antes había recibido una carta de San Sebastián en la que su hermano le decía: «Acuérdate de que, antes que otra cosa, eres vasca». Al propio tiempo Matías, lo mismo que Ignacio, le había contado muchas historias de lo que pretendían los militares; sin embargo, la víspera había ido a consultar con mosén Alberto, y mosén Alberto le había advertido: «Querida doña Carmen, ya ve usted que yo soy catalán y podría decir lo mismo que los vascos; pero esta vez, vote por las Derechas». Carmen Elgazu obedeció. Y luego le decía a Matías:

—Ya lo ves, ya lo ves. Ésta es la libertad que predicáis. Ahora veremos lo que pasa.

Ignacio padecía enormemente. No se le había escapado detalle. Y la expresión de Marta era harto elocuente; sobre todo, al ver por las calles las efigies de Stalin y las banderas catalanas. Había ido a la UGT y encontrado a David y Olga en un estado de excitación increíble; por

549

el contrario, Casal daba a entender que los procedimientos no le habían satisfecho del todo. Casal conocía a Ignacio y le había dicho:

—De todos modos, no te inquietes demasiado. Son cosas inevitables, y por lo demás ellos, durante siglos, han hecho lo propio. Lo importante es que ahora ser empleado de Banca o mozo de cuerda o matarife no implicará cobrar un jornal de hambre. Y además, nada nos pillará de improviso y sin experiencia, como ocurrió en 1931. Creo que sabemos adónde vamos. Anda, anda, no seas crío y mira un poco las cosas cara a cara.

Sin embargo, Ignacio veía despeinada a Olga, lo cual nunca le había ocurrido a la maestra, y sentía crecer su malestar. Al salir de la UGT se había encontrado con una especie de manifestación que bajaba en tromba las escaleras del Seminario. Le dijeron que eran los presos comunes, que habían obtenido amnistía general. Había muchos gitanos y varios tipos barbudos, de piernas largas o cortas y mejor o peor traje, pero todos con un brillo especial en los ojos. Por lo visto, la amnistía había ganado casi toda la nación, especialmente Asturias, donde todavía había detenidos de cuando la revolución de octubre. Ignacio preguntó a La Torre de Babel: «Pero aquí, ¿quién ha dado la orden de abrir la cárcel?» La Torre de Babel le contestó: «No lo sé. Pero seguramente tu amigo, Julio García».

Ignacio se quedó perplejo. Claro. Julio se habría reincorporado a su puesto, ¡y con qué ímpetu! Matías Alvear opinó que era un tremendo error soltar a los presos comunes. La prueba estaba en que en Bilbao muchos de ellos, unidos a ex reclusos de cuando lo de 1934, lo primero que hicieron fue asaltar el penal, incendiándolo. ¡Ah, los incendios! No hay nada más peligroso. Se propagan con gran velocidad. Luego no hay quien los detenga.

De Burgos habían escrito más que contentos. En Madrid, Santiago, José y la mecanógrafa del Parlamento rebosaban de satisfacción a juzgar por una postal recibida. En ella José aconsejaba a César que dejase los latinajos y estudiase algo útil.

A Ignacio le parecía descubrir un punto maravilloso en aquella alegría popular. Imposible que todo fuera trampa e inconsciencia. Por lo visto, había algo profundo y radical oprimido dentro de la botella. Tuvo una especie de sueño fantástico, tendido en la cama muy próximo a la pequeña imagen de San Ignacio. Le pareció que una interminable hilera de personas humildes de Gerona se dirigían, pico al hombro, hacia las murallas que rodeaban la ciudad, y socavaban sus cimientos, golpeando al ritmo de la «Pizarro-Jazz», y que de pronto todas las piedras ciclópeas se desplomaban, sepultando a «La Voz de Alerta» y al pobre don Pedro Oriol, y que en lugar de las murallas se extendían inmediatamente campos ubérrimos, árboles frutales, como un paraíso. Santi brincaba entre los melones y las legumbres, seguido del Cojo y de Porvenir. Toda la ciudad se mostraba encantada. Y en el momento en que el doctor Relken se inclinaba en una de las acequias que regaban el paraíso, bebía un sorbo de agua y luego, irguiéndose, señalaba hacia el ángel decapitado de la Catedral y exclamaba: «¡Ahora allá!», despertó. Despertó y se encontró sudando. No sabía si él mismo formaba parte de la caravana con el pico al hombro o no. No sabía si era de los sepultados. En aquel momento su madre entró en el cuarto. Ignacio le preguntó:

—¿Qué opinas, madre, de todo esto?

Carmen Elgazu le contestó:

—Hijo, mío, sólo te pido que tengas mucho cuidado.

«La Voz de Alerta» había desaparecido de la ciudad. Se había llevado a Laura en el coche diciéndole a Dolores: «Estaremos un par de semanas fuera. O un mes». Laura le siguió como un corderillo. Laura, desde su fracaso con las prendas de abrigo, había perdido su confianza en la improvisación. Ahora, cualquier cosa que dijera el dentista para ella era artículo de fe.

Había muchas personas que al cruzarse por la calle sentían que sus recíprocos sentimientos habían cambiado. Los pequeños decían cosas inauditas, pues repetían lo oído a los mayores. Por el barrio de la Barca había varias personas totalmente escandalizadas, entre ellas la Andaluza. La Andaluza, que tenía humos de señoritismo, en el fondo prefería que sus muchachas fueran con militares distinguidos a que fueran con proletarios. Incluso daba a entender que su hija también lo era de un personaje importante. Alguien citaba el nombre de don Santiago Estrada; ella replicaba siempre: «Mucho más, mucho más».

Entre las personas que al cruzarse se miraron a los ojos con insistencia, figuraban el comandante Martínez de Soria y el coronel Muñoz. De momento no se hablaron una palabra. Sonrieron. El comandante levantó su hombro izquierdo y saludó; el coronel, elegante, se llevó a su vez la mano a la gorra. «¿Hasta el sábado? Hasta el sábado.» El sábado en la Sala de Armas se pusieron los cascos en la cabeza como si nada hubiera pasado. Cruzaron los floretes, como siempre. Era un combate singular. El teniente Martín saboreaba aquello. El comandante Campos, cuando el coronel Muñoz conseguía un tocado, sonreía a su vez. Las tres hijas del general habían pedido asistir a las sesiones de esgrima; pero su padre les contestó: «¡Ale, ale! Salid a la terraza y mirad cómo los seminaristas juegan al fútbol».

Uno de los que sufrió con más intensidad fue el delineante, Benito ivil. Su mujer le había dicho: «Ya lo ves. Ahora estás fichado y veremos lo que nos ocurrirá».

Menos mal que Mateo le dio ánimos. Mateo, en cuanto el resultado definitivo fue hecho público, reunió a sus seis camaradas y les dijo:

—Camaradas, ha ocurrido lo que tenía que ocurrir. Han ganado, porque tenían derecho a ello. Los dos años de experiencia derechista han constituido la más burda demostración de impotencia que recuerda la nación. No os dejéis impresionar por el argumento según el cual el Frente Popular ha robado las elecciones. Eso tiene poca importancia. Han empleado la fuerza; mejor para ellos. Ya sabéis que esto no cuenta... si se tiene razón. Si ahora el nuevo Gobierno se dispone a hacer una España grande, todo estará bien empleado. Sin embargo, me parece que, por desgracia, no ocurrirá así, y en tal caso los declararemos, en nuestro estilo, doblemente responsables. Sé que estáis impacientes y algo desanimados. Por lo menos lo noto en el rostro de algunos de vosotros. Pues bien, yo os daré mi opinión: ahora empieza nuestro triunfo. Esta opinión mía coincide con la expresada en una Circular que acabo de recibir de Madrid: «Ahora veréis cómo dentro de poco afluirá a Falange gente de todos los campos». Hoy somos aquí siete; antes de dos meses nos veremos obligados a no admitir más inscripciones. Los primeros que acudirán serán esos jovencitos que se han pasado dos años con brazaletes verdes. Se habrán dado cuenta de que gritar: «¡Estos son mis poderes!», no conduce a nada cuando no hay detrás una doctrina de auténtico contenido espiritual. Luego acudirán muchos monárquicos, oficiales del Ejército tibios, gente neutra. Todos menos los de Liga Catalana, porque en el fondo ésos prefieren bailar sardanas al son del látigo de Teo que unirse con José Antonio y con los que creemos en España entera; y luego... acudirán a nosotros los que más nos interesan: los obreros, porque el Frente Popular los decepcionará. No traerá a España más que atentados sin sentido, huelgas y catástrofes. No mejorará la suerte de nadie; como no sea la de Julio García y de unos cuantos vividores. Entonces vendrán a nosotros, si sabemos fijar nuestra posición. Y cuando esto llegue, he de advertiros que se les abrirá la puerta de esta casa con todos los honores. Será un día de gracia para Falange. Interesa más un obrero que cien ingresos procedentes de la clase burguesa. Y si fue comunista o anarquista, mejor que mejor; nos entenderemos más fácilmente con él. Ahora bien, por el momento creo mi deber deciros que corremos peligro. Me consta que figuramos entre los primeros a quienes se pretende enmudecer. Nos consideran «la cuña más agresiva». Esto es también un honor. En otras palabras, tal vez a alguno de los que estamos aquí le ocurra algo desagradable. Si eso sucede... los que queden, continuarán montando guardia con espadas. No estamos ni a favor ni en contra del Frente Popular. Estamos frente a todo aquel que atente contra España, contra la integridad de España. Ahora bien, nos defenderemos. Hoy saldréis de aquí cada uno con su revólver. Octavio os lo dará. Por ahora nada más. ¡Arriba España!

Octavio rubricó las palabras de Mateo, y cumplió su orden. El muchacho, en Hacienda, había expuesto la misma teoría que el jefe: «Ahora empieza nuestro triunfo». Los viejos funcionarios se quedaron perplejos, y una vez más le tomaron por loco.

Haro y Roca, en aquella sesión, demostraron ser valientes. Roca dijo: «Ya veréis cómo aumentarán mis alumnos de inglés. Siempre que la cosa anda hacia la izquierda, aumenta el número de alumnos de inglés». Conrado Haro veía esfumarse su posible ingreso en la Marina. El hijo de don Jorge introdujo el índice de su mano derecha entre el cuello duro y su piel.

Por su parte don Emilio Santos llamó a Mateo, cuarenta y ocho horas después de las elecciones, y le dijo:

—Hijo mío, en Cartagena, tu hermano está en la cárcel. —Le enseñó una carta. Luego añadió—: Yo me siento viejo. Ya sé que mis canas te importan menos que otras cosas, pero es lo cierto: me siento viejo. Tengo la impresión de que ni tú ni yo volveremos a ver a tu hermano; tú aquí... deberías procurar que no me quede solo.

*　*　*

Todos aquellos acontecimientos colectivos agotaron a Ignacio, porque no conseguía penetrar en su secreto. Había algo que le decía que no valía la pena adscribir el destino individual a aquellas mutaciones. «Tal vez tengan razón los que contemplan la multitud desde los tejados.» Le parecía que los hombres se iban transmitiendo la vara de mando unos a otros, relevándose en la venganza. Apenas unos conseguían llegar a la cima, abajo empezaba a oírse el rumor de los que aspiraban a derribarlos. Cabía tomar dos actitudes: dejarse llevar por el río o convertir el cerebro en una isla, el pecho en un frontón. Irse a la Dehesa y exclamar: «¡Mataos, yo viviré por mi cuenta, cerca de las hojas verdes!» Acaso existiera una tercera actitud: participar con los demás en la historia, pero sin entregarse a ella por entero, reservarse algo independiente e individual dentro de uno mismo: la facultad de juzgar... o los latidos del corazón.

En realidad, lo que le ocurría a Ignacio era esto: que sentía que el corazón le pedía paso a través de las urnas y las luchas ideológicas.

Era inútil combatir contra él oponiéndose prejuicios, obsesión de clases, política. Inmerso en la multitud, llegaba un momento en que se sentía solo; conseguida la soledad, necesitaba compañía. Y comprendía que todo esto no le ocurría por azar, sino que lo provocaba un agente exterior que montaba guardia frente a él como los socialistas frente a los colegios electorales. Ser que le guiñaba el ojo desde el otro extremo de cualquier calle a la que desembocara. Agente que se iba agigantando, y que de repente se perfilaba y tomaba la breve forma de Marta.

Sí, ya era hora de confesárselo. Estaba enamorado de Marta hasta los tuétanos. De Marta, discreta, de pies pequeñísimos; de Marta, un poco más crecida·que Pilar y menos´que él; de ojos graves. Con su cabellera partida en dos, con su flequillo. A pesar de montar a caballo y ser hija del comandante Martínez de Soria.

Agotado de discusiones en el Banco, en dura lucha contra las asignaturas de segundo curso que el arte del profesor Civil le hacía llevaderas, se dijo que para avanzar en el camino de la vida le faltaba el acicate de un alma que estuviera próxima a la suya por milagro, y que esta alma era, en efecto, la de Marta.

Todo ello era hermoso dado que tenía la convicción de que por su parte Marta esperaba el momento. Si no, ¿a qué su perseverancia en visitar el piso de la Rambla, los repentinos silencios de la muchacha cuando él se hacía el distraído, la melancolía que varias veces le sorprendió en la mirada, al volverse hacia ella? Y, sobre todo, ¿cómo explicar que el último día del año que murió, al cumplir él los veintiuno de su vida, Marta se le acercara y le dijera: «He tardado dieciocho años en conocerte; no estaré satisfecha hasta que lleve otros tantos conociéndote».

Ignacio, pensando en todo aquello, se sugestionaba. Al despertarse decía: «La quiero». Al dirigirse al Banco repetía: «La quiero». Al oír las campanas pensaba: «Yo he tardado en conocerla veinte años. Tampoco estaré satisfecho hasta que hayan transcurrido otros veinte».

Una mañana la llamó por teléfono. Nunca había oído la voz de Marta al teléfono. La atención con que ésta le habló le descubrió que la muchacha debía de estar siempre como esperándole, pues sus primeras palabras revelaron sorpresa, pero no desconcierto. En efecto, Marta le habló como si lo realmente importante para ella radicara en hablar con él, aunque fuera a media mañana, aunque para ello tuviera que dejar su cuarto sin arreglar. Ignacio le pidió que salieran juntos, aprovechando que era sábado y que él no tenía clase. Salir solos, como la víspera de Reyes, en que fueron a ver los farolillos y la cabalgata, y descubrieron que su amigo el Rubio, ¡el Rubio!, hacía de Rey Negro, montado en un magnífico caballo pardo, desde el cual los saludó y aun los bendijo, prometiéndoles con ello mil juguetes —mecanos, muñecas, bicicletas— y quién sabe si el juguete de un porvenir vivido juntos, uno al lado de otro, en perfecta comunión.

Marta aceptó, y salieron, llenando el sábado de íntimo y mutuo entusiasmo. Y luego salieron toda la tarde del domingo, sin contar con que por la mañana se vieron en misa, en compañía de Mateo y Pilar. Y luego las salidas continuaron, dándose cuenta uno y otro de que en realidad les hacía falta poca cosa para ser dichosos: estar juntos, nada más. Estando juntos, el tiempo cobraba un sentido pleno, los muros daban la impresión de poder ser atravesados, los pies danzaban en el suelo con un tintineo gnómico, de seres libres; y, sobre todo, el buen humor, intercalado entre instantes de emoción y ternura. Cualquier incidente les hacía gracia y los obligaba a juntar sus respectivos meñiques: un coche que pasara llevando muchas maletas en el toldo, con una de ellas a punto de caerse; un perro sin rabo, los pájaros filosóficamente sentados en los hilos telegráficos. Esto les gustaba especialmente: los postes telegráficos. Ignacio se acercaba a ellos, aplicaba el oído, invitaba a Marta a hacer lo propio y al oír el zumbido trasmisor exclamaba: «¡Exacto!» ¡Es mi padre, que está hablando desde Correos!» Un día Marta sacó de su bolso un espejo pequeño, redondo. Ignacio, al verlo, lanzó una exclamación de júbilo. Pegó su cabeza a la de Marta, y ambos se esforzaron por caber dentro del círculo. Se rieron lo indecible porque no lo conseguían. Marta preguntó: «¿Lo tiro al río?» Ignacio contestó: «Se lo merece». Marta lo hizo, y uno y otro contemplaron cómo el agua engullía el círculo en el que acaso vivieran todavía las dos mitades de sus rostros.

Marta creía a ciegas que Ignacio llegaría a ser todo un hombre. «Sólo le falta canalizar todas las energías en una sola dirección...» Lo que más le gustaba era subir con él a la Catedral y a las murallas. Mucho más que sentarse en el taburete de un bar. Le parecía que allá su amor cobraba solemnidad, que en realidad no era reciente. A veces llegaba a sentirse un personaje histórico.

Ignacio accedía a su deseo. Y en cuanto se encontraban rodeados de piedras y hiedra, agradecía al Señor que la aventura de las piquetas derribando murallas no hubiera sido más que un sueño. En el camino del Calvario, el muchacho se emocionaba más de la cuenta, pues recordaba a Carmen Elgazu avanzando por él con el rosario colgándole de los dedos. Y en cuanto llegaban a la ermita, eternamente esperando, Ignacio juntaba su mano a la de Marta, entrelazando los dedos, y ambos contemplaban el valle. Toda la historia de la ciudad, y su propia historia, el neto cielo mediterráneo y aquellos verdes que ni siquiera en invierno morían del todo, les unían en un solo ser, capaz de vencer todos los obstáculos.

Era un amor que situaba a Ignacio a infinita distancia espiritual de Canela y el pecado. Que le infundía un gran sentido de responsabilidad, precisamente porque no era fácil, porque en cierto sentido era superior a él, o situado en otra orilla. A Marta le gustaba mucho que Ignacio fuera bastante más alto que ella. Y a veces le repetía acariciándole la cara, frases que ya Ana María le había dicho: «También me gustan tus ojos, y esos pómulos angulosos que tienes».

Era un amor que a Matías Alvear le preocupaba mucho, pensando en el viaje del comandante Martínez de Soria a Roma.

Pilar se dio cuenta de que aquello iba definitivamente en serio, y alcanzó el límite de la felicidad. «¿Te das cuenta? —le decía a Mateo—. ¡Marta mi cuñada!»

¡Cuánto quería Pilar a Marta! Casi tanto como Ignacio... lo cual éste continuaba sin comprender, pues las diferencias entre las dos chicas eran evidentes.

El cuarto de Pilar era rosa y tenía el crucifijo muy bajo, en la cabecera de la cama; era un cuarto alegre. El cuarto de Marta, por el contrario, era grave. El crucifijo resaltaba cerca del techo, blanco, de marfil.

Pilar tenía sobre la mesilla de noche novelas que terminaban en boda; Marta también. Pero en tanto que Pilar forraba luego las que más le gustaban y las guardaba cuidadosamente, Marta las entregaba a su padre para la biblioteca del cuartel. Su padre le decía: «Las llevaré, porque no hay peligro de que nadie las lea. Nunca un soldado lee un libro, ni por casualidad».

Pilar estaba muy orgullosa de su cabellera exuberante, ondulada sin necesidad de ir a la peluquería; y Marta presumía de su color pálido y de su inmóvil delgadez.

Carmen Elgazu les dijo a una y otra:

—Bueno, ya estáis hechas unas mujercitas. Pensad que el hombre es, en gran parte, lo que quiere la mujer. Sobre todo, no olvidéis que la religión lo es todo en un hogar. —Luego añadió mirando a Pilar—: Y..., mucha pureza. —Carmen Elgazu, no sabía por qué, en este sentido le temía más a Pilar que a Marta.

CAPÍTULO LXV

En efecto, quien había dado la orden de abrir la cárcel era Julio García. Desde el momento en que el triunfo del Frente Popular fue conocido oficialmente, Julio se convirtió en gigante, en una especie de virrey de la ciudad.

El Comisario de la Generalidad tenía su despacho en el primer piso; la Jefatura de Policía quedaba abajo. El Comisario recibió de Barcelona poderes muy amplios; lo primero que hizo fue llamar por teléfono a Julio. Éste se puso un inmenso abrigo con cuello de negra piel, se caló el sombrero y bajó las escaleras de su casa. Pronto se encontró ante el enorme edificio. Varios agentes, al verle, se pusieron en pie. Él entró y tomó posesión de la Jefatura.

Delicioso instante, harto tiempo esperado. Llamó a todo el personal de plantilla y, señalando algo inmóvil en un rincón, dijo: «Antes de empezar a actuar, he de presentarles a ustedes mi secretaria. Se llama *Berta*». Los agentes miraron en la dirección indicada y vieron la tortuga.

Julio García hubiera deseado quedar solo unas horas para saborear su triunfo midiendo el despacho y llenándolo del humo de sus cigarrillos. Pero no le dio tiempo. Parecía como si la radio hubiera dado la noticia de su reincorporación. Tanta gente acudió a verle, que de momento no advirtió que algo había cambiado en aquel despacho, en el que no había entrado desde el año 1934: el pisapapeles del escritorio. Ahora había un pisapapeles de cristal, que representaba un pueblecito nevado. Con sólo tocarle, una lluvia de copos descendía lentamente sobre un campanario y unas casas diminutas.

El Comisario le dio carta blanca a Julio, y éste la utilizó.

Su labor fue inmediatamente ímproba. Pocos días le bastaron para demostrar a su mujer que se acercaba el momento de poseer una *Ínsula* y la provincia entera; que el Frente Popular no estaba dispuesto a perder tiempo.

Una de las medidas que le pareció más urgente fue la renovación de los Ayuntamientos de la provincia, que el Comisario le había ordenado. La tarea fue fácil. Muchos alcaldes habían presentado automáticamente la dimisión; en otros casos, los partidos izquierdistas le telefonearon diciendo: «Ya está arreglado».

Otra orden dada se refirió a la tenencia de armas sin permiso legal. Julio organizó unos registros, cuyo resultado fue concluyente: más de ciento cincuenta personas derechistas de la ciudad quedaron sometidas a atestados. Se citaban nombres. En el Banco Arús se hablaba de mosén Alberto.

A Julio le interesaba solucionar el problema del paro. El espectáculo de aquellos hombres que llevaban meses sin trabajo era ignominioso. Habló con el Comisario, con los Costa, con el arquitecto municipal. Recibió una comisión de tales obreros, y éstos salieron muy satisfechos. Por de pronto, se les asignaba un subsidio. ¡Ya era hora! Y antes de quince días, colocados en obras que emprendería la Diputación Provincial.

A Julio le ocurría algo singular. Había soñado en planes de venganza. Ahora que se hallaba en el poder pensaba principalmente en realizar una labor positiva e incluso metía baza en asuntos que no tenían nada que ver con sus funciones, pero que consideraba íntimamente ligados a la buena marcha de la provincia.

Entre estas acciones positivas se contaba la revisión del sistema administrativo del Hospital Provincial, del Hospicio, del Manicomio y demás establecimientos benéficos. El estado en que éstos se encontraban constituía una acusación formidable contra las autoridades salientes. Julio llamó al doctor Relken. Éste le trazó una síntesis rápida de lo que se podría hacer, en su opinión:

—En el Hospicio, menos delantales de presidiario, más comida y más gimnasia. En el Manicomio, menos calabazas, menos nabos y más material psiquiátrico. En el Hospital, más caras, más medicamentos, menos monjas y más enfermeras con título.

Otro de los problemas... era el de la enseñanza. Julio, en su período de vacaciones forzosas, había recorrido al azar los barrios extremos y había comprobado que el número de niños que no asistían a la escuela era muy crecido. Y sus informes sobre lo que ocurría en los pueblos, era desalentador. Se puso al habla con Barcelona y consiguió de la Generalidad el fulminante nombramiento de David y Olga como inspectores del Magisterio, con jurisdicción sobre todos los establecimientos docentes de la provincia, incluidos los religiosos.

Para cada tarea encontraba los nombres necesarios. Julio estaba satisfecho, y su alegría era compartida por todo el mundo; desde su fiel colaborador, el agente Antonio Sánchez, extremeño de fino olfato, hasta el Comisario y, de manera especial, los Costa.

Los Costa, en efecto, se sentían tan eufóricos con sus flamantes actas de diputado, que habían reunido a sus obreros y les habían hecho un discurso de amor y hermandad. Los obreros los habían oído con suma atención, y al final uno de los canteros les dijo a los dos industriales:

—Nos complace mucho que tengan ustedes tan buenas intenciones, pues de este modo suponemos que no surgirá ninguna dificultad.

—¿Dificultad...? ¿De qué se trata?

—¿No han recibido ustedes una nota del Sindicato?

—No hemos recibido nada.

—Bueno, no importa. Ya la recibirán.

Los Costa se habían encogido de hombros con cierta perplejidad. Pero pronto la buena armonía reinante y el recuerdo de que el local de Izquierda Republicana se hallaba abarrotado de la mañana a la noche, les devolvió el optimismo.

Las destituciones y los nuevos nombramientos cambiaron la suerte de muchas personas, y de rebote la de la ciudad. El notario Noguer se vio obligado a dimitir como alcalde y en su lugar fue nombrado, con carácter provisional, el arquitecto Massana. El arquitecto contaba con muchas simpatías. Era el gran impulsor de la Gerona moderna y se le atribuía un gigantesco proyecto de urbanización. Al tomar posesión del cargo, concedió una paga extraordinaria a todos los empleados dependientes del Municipio, y aquello le valió la adhesión unánime.

Entre las personas más eufóricas se contaban evidentemente David y Olga. Olga había vuelto a peinarse como era debido y había vuelto a ponerse su jersey de cuello alto. Les seducía la Inspección del Magisterio, de la que ahora eran responsables, y a ella dedicaron lo mejor de su tiempo.

Recabaron informes de todos los maestros de la provincia y las conclusiones a que llegaron fueron desoladoras. Por un maestro que cumpliera con su deber, veinte vivían con la rabia en el cuerpo, porque el sueldo era ínfimo o porque en el pueblo los padres preferían que sus hijos trabajaran en el campo. Muchos de ellos vivían prácticamente abandonados, no recibiendo dinero ni siquiera para comprar tiza y el edificio de la escuela se caía de puro viejo. Los maestros de la zona fronteriza se lamentaban doblemente, pues «en Francia, aldeas de cuatro casas tenían maestro, bien pagado, con escuela decente y todo cuanto le hacía falta.» David y Olga les dijeron: «Id tranquilos, esto se arreglará».

Luego les tocó el turno a los establecimientos de enseñanza religiosa.

—Es increíble —le contó David a Julio, después de la visita de inspección—. Las monjas y demás destinan hora y media a rezos, religión, etcétera... Sus libros de texto están plagados de exageraciones, imponen castigos absolutamente absurdos. Y esos hábitos que llevan, con crucifijos en el pecho, y esas alas almidonadas que obsesionan a los alumnos. Lo que ocurre en las Escolapias es algo indescriptible. En la iglesia separan las alumnas pobres de las de pago. Éstas son las primeras en la fila y, desde luego, a poco que estudien tienen aseguradas buenas notas. Las Dominicas son, más que nada, infelices. Casi ninguna tiene el título de maestra. Representan sainetes y comedias con ángeles y diablos, y a los diablos, naturalmente, se les cae la cola. Las del Corazón de María, son inteligentes, pero de un fanatismo recalcitrante. Sólo las Carmelitas realizan una labor eficaz, cuidando de pequeñas desamparadas. Pero desde luego basta ver el carácter de letra de las alumnas para darse cuenta de la educación que reciben. Son letras anémicas, sin ímpetu. En los Hermanos de la Doctrina Cristiana hemos descubierto, de paso, un caso de homosexualismo: el sacristán. Los Maristas se parecen a las Escolapias. En fin, si la Generalidad nos da permiso, pondremos las cosas en su punto.

Julio preguntó:

—¿Qué solución sugerís?

—Primero, examen de competencia a todas las monjas y frailes que no tengan título; y luego, prohibición del hábito.

Esto último constituyó el aspecto más doloroso de la reforma emprendida. Las personas afectadas sintieron como un golpe en el pecho. Hubo monjas que no acertaban a vestirse, a calzarse las medias, a ponerse las ligas. Las que llevaban el pelo cortado al rape daban la impresión de salir del tifus; por el contrario otras al quitarse la toca, descubrieron en sí mismas hermosísimas cabelleras. Los Hermanos Maristas consiguieron un traje negro cada uno, pero rechazaron el cuello duro, pues les daría aire de pastores protestantes. Hubo jaculatorias, lágrimas, vergüenza. ¡Señor, cuánta humillación! Cuando Pilar subió al Corazón de María y vio a sor Beethoven, que sin el hábito no sabía andar, soltó una carcajada.

Tocante al examen de competencia, el número de aprobados fue escaso. Dos tercios de los profesores examinados fueron declarados ineptos.

Había gente que consideraba todo aquello un atentado. Carmen Elgazu dijo: «Ya volvemos a las andadas. Lo primero que hacen es perseguir la religión». Don Emilio Santos temía que en definitiva toda la labor del Frente Popular se limitaría a eso: a perseguir a los curas y a los guardias civiles. «Tal vez algún tiro contra algún capitalista; pero nada positivo.»

Don Santiago Estrada encontraba mil motivos de crítica, lo mismo que el subdirector. Ignacio le decía a éste: «Ya, ya, pero ustedes se han pasado dos años con todos los triunfos en la mano, sin hacer nada».

Lo que más asustaba a las personas que querían mantenerse ecuánimes eran las andanzas de Cosme Vila, por un lado, y el Responsable por otro. Del local del Partido Comunista salía una especie de rumor constante, y continuamente había gente de aspecto hosco que subía y bajaba las escaleras. Se veía que estaban muy seguros de sí y que hacían caso totalmente omiso de los demás partidos y de las autoridades. Se detenían en cualquier sitio, echaban fuera a los demás y pegaban un cartel. Subían por los pisos y clavaban banderas en los balcones. Improvisaban pequeñas manifestaciones, y cuando lanzaban un «muera» se quedaban mirando a los transeúntes, conminándoles a que lo rubricaran. Jaime le aseguró a Matías Alvear que en ciertos barrios extremos algunos comunistas entraban en las panaderías y otros establecimientos, pagando la mercancía por medio de un vale que dejaban sobre el mostrador. «El día menos pensado —añadió— se lanzarán a la calle y se armará la de San Quintín.»

Los anarquistas parecían adoptar otra táctica. El Responsable aseguraba que a la CNT lo que le interesaba era el problema social. «Menos bravuconadas y más eficacia.» Según le contó el Rubio a Mateo, el Responsable preparaba una serie ininterrumpida de huelgas hasta que las condiciones de los obreros cambiaran totalmente. «Casal —dijo— también proyecta algo en este sentido, pero al parecer espera que el nuevo Inspector de Trabajo, que tiene que llegar de Madrid, esté aquí; en cambio al Responsable esto le tiene sin cuidado.»

Por otra parte, los anarquistas habían manifestado su disconformidad por el nombramiento del nuevo alcalde, el arquitecto Massana. «Con él todo quedará como antes. Arbitrios municipales y demás monsergas. Hasta por montar en bicicleta hay que pagar, lo mismo que por tener un perro.»

Y, no obstante, Gerona estaba mucho más tranquila que otras ciudades, según los informes que recibía Julio García. En Madrid habían sido incendiadas las iglesias de Santa María, de Nuestra Señora de la Misericordia, y algún convento de frailes. En Valencia, al parecer, hubo una verdadera batalla campal, con gran número de muertos. En Alicante, a causa de la huida del gobernador, se había adueñado de la ciudad un individuo llamado Botella y Pérez, quien, saliendo al balcón, había dicho a la multitud: «Compañeros, os dejo entera libertad para hacer lo que queráis; sois dueños de todo». Al lado del señor Botella se había instalado el camarada Milán, Jefe local del Partido Comunista, quien organizó en el acto el asalto a todos los comercios, iglesias y aun domicilios de personas derechistas, respetando sólo las vidas, lo mismo que en Yecla y en otros lugares. Julio, mientras archivaba estos informes, le decía a su fiel colaborador, el agente

Antonio Sánchez: «Son las explosiones inevitables en los primeros días. Luego todo se arreglará». Los Costa confiaban en que en Gerona se conseguiría encauzar las cosas en seguida.

La única persona que se atrevió a protestar públicamente contra las medidas tomadas en los establecimientos de enseñanza religiosos —especialmente contra la prohibición de llevar hábito— fue mosén Alberto. Publicó un artículo en *El Tradicionalista* acusando al Ministerio de Instrucción Pública en abstracto, y a David y Olga en concreto, de «enemigos de la libertad», y de que no cumplían las promesas de tolerancia formuladas antes de las elecciones. Y luego dijo desde el púlpito:

—Cierto que la obligación de los cristianos es acatar la autoridad. Pero cuando la intención de tal autoridad es manifiestamente la de perseguir a los representantes de la Iglesia e impedir el normal desenvolvimiento de sus actividades, la desobediencia es lícita.

Estas palabras, apenas pronunciadas, fueron consideradas por todo el mundo como un tremendo error. En efecto, pronto llegaron a oídos de la ciudad, y se levantaron varias voces diciendo que prácticamente constituían una invitación al motín. Entonces volvió a asegurarse que en el Museo que regía mosén Alberto se habían encontrado, cerca de la vitrina de casullas venerables, dos escopetas de dos cañones.

Julio consideró que no había motivo para una intervención oficial. Cosme Vila, al enterarse de que el policía daba esta respuesta, dijo:

—Parece que jugamos al escondite.

Cosme Vila le tenía una inquina especial a mosén Alberto. Años atrás, en el Banco, había tenido que mandarle una carta acompañando un estado de cuentas y le puso: «Mosén Aborto». Esta vez parecía haber perdido la calma y repetía: «Sí, sí, parece que jugamos al escondite».

De pronto abrió un cajón y sacó una ficha. La ficha era rectangular, de color amarillo, y en el centro de ella se veía una fotografía del sacerdote, en el momento en que en el patio de la cárcel les decía a los presos de octubre que el hombre puede sacar gran provecho espiritual de sus contratiempos.

Se levantó y se fue a ver a Casal. Éste le recibió en seguida. Cosme Vila le mostró la fotografía y luego dijo:

—Pero no es esto lo que me interesa. Es esto otro. —Y sacándose del bolsillo un papel, cuidadosamente doblado, lo depositó encima de la mesa.

Era un artículo. La fotografía no serviría más que para ilustrarlo, pero lo importante era el artículo en sí. Cosme Vila le pedía simplemente que lo insertara en *El Demócrata*.

—Ya comprenderás por qué te lo pido. *El Proletario* tiene mucha menor tirada que tu periódico.

Casal terminó de leer el papel y se pasó el pañuelo por la frente. Miró a Cosme Vila; éste se había levantado y le decía:

—Si quieres, pon tu firma; si no, pon la mía.

Casal parecía muy nervioso, como midiendo mentalmente la importancia de la jugada. Cuando el Jefe del Partido Comunista hubo salido, llamó a David y Olga y les mostró el artículo. Los maestros lo oyeron y reflexionaron un momento.

Por fin David comentó:

—Al fin y al cabo, lo que cuenta es cierto.

Casal se hundió el algodón en la oreja. Al día siguiente, todos los lectores de *El Demócrata*, y pronto Gerona entera, se enteró del caso del homosexualismo descubierto por los inspectores del Magisterio en el Colegio de los Hermanos de la Doctrina Cristiana.

El escándalo que la noticia produjo fue indescriptible. Santi se calzó sus puntiagudas botas, Porvenir cogió la calavera, Teo el látigo, la valenciana amiga de Gorki se abrió su vestido y exclamó: «¡Cinco hijos, cinco hijos!» El doctor Relken dijo en el Neutral que en los países nórdicos aquello no tenía importancia, pero que en España era imperdonable.

Inmediatamente, del local del Partido Comunista descendieron unos treinta militantes con un cartel. «¡Los frailes y el voto de castidad!»

En unos folletos se daban detalles. Se denunciaba el nombre del acusado: «Hermano Alfredo, sacristán». Se le describía físicamente: «Bajo y raquítico, de ojos azules y tiernos; ofrece caramelos y barras de regaliz a los alumnos».

El Tradicionalista publicó una indignada protesta, firmada por el Director del Colegio, en la que se rehabilitaba al Hermano Alfredo, «religioso intachable». La calumnia era doblemente ignominiosa, «dado que el Hermano Alfredo estaba enfermo desde hacía muchos años».

Sin embargo, una penosa nube pareció envolver el edificio. Las criadas, que a la salida de las clases iban a buscar a los pequeños, se los llevaban con extraña urgencia. Algunas familias retiraron a los alumnos, «hasta que se esclareciera la cosa». A los adictos, el Hermano Director los miró con agradecimiento. El Hermano Alfredo, ajeno a lo que ocurría, vio tantos claros en los bancos de la capilla que preguntó: «¿Qué les ocurre a los chicos?» El Director le dijo:

—Nada, nada. La gripe, como siempre.

CAPÍTULO LXVI

Parecía natural que el ritmo de los acontecimientos fuera acelerado. En realidad, los protagonistas eran personas a las que se había mantenido inactivas durante año y medio.

Desde el primer momento se vio que los cuatro puntos cardinales de la cólera popular eran mosén Alberto, el comandante Martínez de Soria, «La Voz de Alerta» y Mateo.

El dentista, apenas regresó del viaje con Laura, se enteró de que su Clínica Dental había encabezado la lista de domicilios registrados. Su criada, Dolores, le entregó un papel de la Jefatura de Policía en el que se le ordenaba presentarse «a la mayor brevedad, para responder ante las Autoridades de poseer una pistola, un fusil y seis bombas de mano disimuladas en el interior de un arca vieja, situada encima del depósito de agua». El comandante Martínez de Soria escapó al registro por su condición de militar, pero sabía que los trescientos detenidos de octubre habían elevado una instancia al general para que fuera juzgado por «un tribunal de la confianza del pueblo», en términos tales que su esposa y Marta estaban más que asustadas; y en cuanto a Mateo, por primera vez se había visto obligado a abrir la puerta de su despacho a personas no falangistas.

En efecto, tres agentes se presentaron en su casa, en los cuales reconoció a tres asiduos concurrentes a la UGT. Don Emilio Santos quedó estupefacto al verlos, y la criada se encerró en la cocina presa de una crisis de alegría y curiosidad. Mateo sacó su pañuelo azul y su mechero de yesca. Los agentes rechazaron la pitillera que les ofrecía y miraron sonriendo al pájaro disecado. Se plantaron ante José Antonio y preguntaron: «¿Es de la familia?» De repente empezaron a abrir con reprimida violencia los cajones, los armarios de la librería. No encontraban armas. «¿Dónde guarda usted las pistolas?» Mateo levantó los hombros y contestó: «No las tengo». Los agentes registraron su dormitorio, el comedor, la cocina, la despensa y por último el dormitorio de don Emilio Santos. Palparon el colchón y el director de la Tabacalera les dijo: «Pueden ahorrarse el trabajo». Volvieron al despacho de Mateo y se fijaron en el retrato de Pilar. Pidieron el fichero. Mateo reflexionó y dijo: «¿Para qué lo necesitan? Saben mejor que yo quiénes somos». Ninguna ficha, ningún papel que aludiera a Falange. «Por lo demás —añadió el falangista—, el Partido es legal. Los Estatutos están registrados en la Dirección General de Seguridad.»

Uno de los agentes le contestó:

—Vive usted atrasado de noticias.

Finalmente se marcharon, no sin sonreír de extraña manera. Mateo, a quien la última respuesta del agente había dejado inquieto, sabía que aquello no significaba más que una tregua. Supuso que se dirigían a casa de Octavio, del delineante, de Roca y Haro, de todos y cada uno de los camaradas. ¡Santo Dios, cómo temblaría el hongo de don Jorge cuando éste viera que palpaban su tálamo nupcial!

Se dirigió al comedor, donde don Emilio Santos había tomado asiento, extrañamente abatido. Iba a decirle algo, pero su padre le interrumpió:

—Supuse que te llevarían esposado.

Mateo quedó de pie frente a él. Todo aquello le dolía, pero estaba decidido más que nunca.

—¿Por qué crees que han dicho que vivo atrasado de noticias?

Don Emilio Santos no había oído nada y levantó los hombros.

Mateo se sentía incapaz de soportar la duda. Se peinó rápidamente y bajó la escalera. Se dirigió sin perder un instante a casa de los Alvear. Entre el Banco y Telégrafos, allá siempre sabían las cosas al minuto. Encontró a Ignacio estudiando en su cuarto, mientras Pilar frotaba el espejo del armario.

Ignacio le dijo:

—Pues... en efecto, hay una noticia importante... Por lo menos para ti. Deberías saberla.

—¿Qué ha pasado?

—Tu Jefe ha sido detenido.

—¿Qué Jefe?

—José Antonio Primo de Rivera.

Mateo quedó inmóvil.

—¿Cómo lo sabes?

—Lo ha dicho la radio. En Madrid, por tenencia ilícita de armas.

Mateo había enrojecido hasta tal punto que la propia Pilar se asustó, sin atreverse ni a acercársele ni a dirigirle la palabra. «José Antonio, secuestrado en los sótanos de la Dirección General de Seguridad.» La noticia era escueta y dura. «A eso se le llama apuntar directamente al cerebro.» Ignacio había vuelto a enfrascarse en sus estudios y Pilar no sabía dónde meterse. Mateo se despidió bruscamente y salió de la casa. Se dirigió a Hacienda y avisó a Octavio. Entre los dos convocaron inmediatamente a todos los camaradas. Se llamó incluso a Marta. Todos acudieron excepto el delineante, en cuyo domicilio estaban efectuando el registro esperado.

Uno a uno los ojos fueron retrocediendo, estupefactos. Lo primero que se acordó fue mandar a Madrid un telegrama de adhesión: «A las órdenes, siempre. Arriba España»; telegrama que Matías Alvear transmitió lentamente, con aire pensativo. Luego todos los camaradas se volvieron hacia el retrato de José Antonio, y le miraron a la vez con el mayor respeto y la mayor impotencia. En realidad, a todos les había asaltado idéntico temor, aunque ninguno de ellos se atreviera a formularlo: la ola de atropellos crecía en todo el país en forma tan avasalladora, que se podía temer lo peor: que en cualquier momento José Antonio fuera asesinado. Mateo pensaba: «Tiene la edad de los predestinados: treinta y tres años». J. Campistol, de Barcelona, le había telefoneado a la Tabacalera manifestándole idéntica zozobra.

Mateo volvió la espalda al retrato, y en tono enérgico dijo a sus camaradas que ni siquiera aquella contrariedad situaba el triunfo más lejos. «Cuanto más nos persigan, más próximo el día en que nos veremos obligados a cerrar la inscripción.»

Dos días después se recibió una Circular escrita por el propio José Antonio, en los sótanos en que se hallaba detenido. El Jefe Nacional hacía en ella un resumen de la labor del Frente Popular en el mes escaso que llevaba de vida, denunciando una vez más que los Estatutos regionales traerían consigo la desintegración de la Patria, profetizaba el avance implacable del Partido Comunista, informaba que la mayoría de los centros falangistas habían sido clausurados y citaba a todos los camaradas para la peligrosa tarea de la reconquista de España. Esta Circular conmovió profundamente a todos, pues su tono respiraba a un tiempo una gran confianza y una gran amargura. A Mateo le orientó de una manera precisa: lo del avance implacable le recordó la posición crucial que ocupaba Cosme Vila; y lo de la desintegración de la Patria el espectáculo que volvía a ofrecer la Rambla, en la que docenas de fanáticos tornaban a arrodillarse al oír tocar las sardanas de ritual.

El muchacho recordó sus grandes conversaciones con Ignacio, el miedo que volvía a sentir Matías Alvear de que les trasladaran a otra población, a Cuenca o Guadalajara. Companys volvía a presidir la Generalidad, y todos los separatistas exiliados habían vuelto, presentando sus facturas. Por ahí penetraba el virus, a su entender. Y el regreso de otra ola de emigrados: Margarita Nelken, la Pasionaria, etc..., lo acrecentaba más aún. Mateo creía saber que habían llegado a Barcelona, procedentes de Rusia, gran número de agitadores —Losovski, Neumman, Bazine— que se habían puesto a las órdenes de Bela-Kun.

Mateo medía la importancia de estos hechos. Y le parecía advertir una diferencia. Mientras los separatistas habían puesto manos a la obra inmediatamente, se hubiera dicho que Cosme Vila, a pesar de la prisa demostrada en el asunto del Hermano Alfredo y de mosén Alberto, esperaría aún unas semanas, aunque no muchas, a desencadenar la ofensiva general.

Yendo a buscar a Pilar, Mateo pensaba:

«Claro, Gerona ofrece muchas resistencias... Cosme Vila lo que hará será agotar los nervios... Provocar el desgaste, crear malestar. Y de repente, entrará en liza espectacularmente. Alguna decisión súbita, como todos los iluminados.»

Aquel día Pilar se alegró lo indecible al ver a Mateo. Pilar temía lo peor cuando estaban separados. Por fortuna, continuaba leyendo novelas rosas; pero todo el mundo le asustaba. El nerviosismo de la gente, un libro de profecías de la Madre Ráfols, que las monjas le habían prestado para que Carmen Elgazu las leyera; las zancadas, cada día más largas, de mosén Francisco, y, sobre todo, la seriedad de Marta.

—¿Temes por tu padre? —le preguntaba Pilar a su amiga.

Marta contestaba que sí, a pesar de que, en su casa, el comandante Martínez de Soria, les decía a las mujeres: «No seáis tontas. Se llevarán una sorpresa. Se llevará una sorpresa incluso el general. No podrán nada contra mí, ni siquiera conseguir una orden de traslado».

A Mateo esto le daba ánimo. Esto y la decisión de sus camaradas, sin exceptuar el hijo de don Jorge. Mateo, a través de Marta, iba teniendo confianza en el comandante Martínez de Soria. «Tal vez sea menos superficial de lo que pensaba —se decía a sí mismo—. Sin olvidar que dio un hijo, que un hijo suyo monta guardia al otro lado.»

Ignacio vivía con idéntica tensión que sus amigos, acrecentada por el temperamento, ahora más pesimista que nunca, del subdirector del Banco. Éste le decía que el principal culpable de todo lo que pudiera ocurrir en Gerona sería el doctor Relken. «Es masón —explicaba—. Conducirá la ciudad a la catástrofe. No hay nada más terrible que los agentes extranjeros. ¿Qué les importa el país? En el hotel ha pedido ya la mejor habitación. Todo el mundo le obedece, sin darse cuenta. Antes de un año habrá conseguido todo lo que busca. Se llevará de aquí la cartera llena y un álbum fotográfico de todas las ruinas e incendios. —Luego añadió—: Y los que creéis que todo esto tardará en llegar, estáis equivocados.»

Ignacio sólo se sentía aliviado cuando conseguía hacer sonreír a Marta. Entonces los nubarrones desaparecían y volvía a sentirse un hombre; un hombre con vida personal. También para Marta el amor era el elemento estimulante. Continuaban subiendo a las murallas; los días se alargaban, el valle de San Daniel se ofrecía a su mirada con más nitidez que nunca. Muchas veces contemplaban desde el puente del tren el lugar exacto en que cayó al río el espejo, pequeño y redondo.

CAPÍTULO LXVII

El Responsable y Porvenir estaban convencidos de que si el Frente Popular había ganado, era gracias a los anarquistas. Si el millón y medio de afiliados se hubiesen abstenido, como en 1933, la derrota hubiera sido total.

Ello los hacía plenamente conscientes de sus derechos. Y su carácter violento les impedía aceptar una lenta evolución de las condiciones sociales. Por si esto fuera poco, recibieron la visita de los anarquistas de Barcelona, los cuales les dijeron: «Camaradas, tenéis que ayudarnos. Es preciso hacer un ensayo en Gerona». En consecuencia, presentaron a la Inspección de Trabajo, con carácter conminatorio, unas bases pidiendo el control obrero en las Empresas, reparto equitativo de beneficios, salario a los patronos, etc. En caso de no aceptar, se declararía la huelga general ilimitada.

Estas bases fueron hechas públicas y la ciudad entera se escandalizó. Los murcianos que trabajaban en S'Agaró abandonaron sus barracas al leerlas y se trasladaron a Gerona, por cuyas calles desfilaron con carteles que ponían: «¡Saludamos a las Bases CNT-FAI y a la emancipación del obrero!»

Casal, Cosme Vila, los Costa y las autoridades tomaron aquello a chacota. «Son unos imbéciles», dijo Casal. El Inspector de Trabajo —flamante Inspector llegado a Gerona, amigo personal de Largo Caballero— llamó al Responsable y en tono de indignación le dijo:

—Pero ¿qué se ha creído usted? ¿Cree usted que la gente regala así como así la caja de caudales, y que una fábrica se dirige como quien dirige un coche? A los dos meses de esta confiscación, no quedarían más que unas cuantas máquinas destartaladas y la gente pidiendo que comer. ¡Reparto de beneficios! ¿Por qué no repartir también las mujeres? Lo mejor que puede usted hacer es..., ¡qué sé yo! Publicar otra nota en *El Demócrata*. Aplazar este asunto. Usted es inteligente y encontrará la fórmula.

El Responsable, que liaba un cigarrillo, no se inmutó.

—¿Eso es todo? —preguntó.

—Eso es todo.

El Responsable salió y convocó Asamblea General.

—¡Camaradas... desde 1933 un Gobierno cavernícola nos ha tenido así! —Hizo además de enroscar un tornillo—. ¡Ahora el pueblo gana las elecciones, la CNT presenta sus Bases y se nos contesta que los patronos no soltarán eso y que nosotros lo echaríamos todo a rodar! ¡Camaradas, en Gerona hay tres mil familias trabajando para una docena de propietarios! ¡La CNT se lanza al combate y declara la huelga general!

Huelga, huelga... La palabra llegó inmediatamente a oídos de la población.

Julio, al leer la noticia, llamó por teléfono al Gimnasio.

—Sois unos idiotas —dijo, sin preámbulo—. Me obligaréis a sacar las fuerzas de Asalto.

Le respondió Santi, que era el único anarquista que había quedado de guardia. Santi puso el auricular boca abajo e hizo: ¡Uh, uh...!

A los anarquistas de la ciudad se unieron inmediatamente los de la periferia, así como algunos descontentos por la premiosidad con que actuaba la UGT.

Cabía la esperanza de que el movimiento fuera caótico, sin sentido; pero ésta se desvaneció pronto. La huelga fue organizada según los métodos más ortodoxos. El Responsable entendía de aquello más de lo que el Inspector de Trabajo suponía.

Cosme Vila y Casal publicaron una nota dirigida a sus afiliados respectivos. «Acudid al trabajo, excepto en el caso de que los huelguistas usen de la violencia.»

El Responsable meditó un minuto largo... Sus hijas estaban a su lado. «Si te rajas, te habrás lucido.»

El Responsable dijo: «A las doce en punto, todos reunidos en el Puente de Piedra».

La orden fue cumplida estrictamente. A medida que se acercaba la hora, el grupo iba aumentando en número. Laura desde el balcón calculó en mil individuos los que se concentraban.

Los obreros que no se habían solidarizado con la huelga tomaban la cosa a broma. «Si no sacáis los tanques...»

Y, no obstante, pronto tendrían que cambiar de opinión. A las doce y cuarto, a una orden de Porvenir, cada grupo salió disparado hacia una dirección que le había sido fijada previamente. Unos carros se les habían anticipado, descargando en las aceras sacos de arena, piedras y ladrillos. A la vista de este material el entusiasmo de los amotinados creció. El Responsable movía sus ojos a uno y otro lado.

En un santiamén, ante cada puerta de fábrica y taller, brotó una barricada. Las piedras y los ladrillos estaban en el suelo, al alcance de la mano.

Entre los edificios ocupados se contaban la Central Eléctrica más importante de la ciudad, la Fábrica de Gas y el Suministro de Agua, si bien el Responsable había ordenado que de momento se asegurara el funcionamiento de estos Servicios.

La ciudad entera quedó asombrada ante aquella súbita demostración de fuerza. Cosme Vila y Casal comprobaron que ni un solo establecimiento industrial había sido olvidado. «Por lo menos el fichero de que disponen es tan completo como el nuestro», admitieron.

Los más asombrados..., los Costa. Los Costa se dieron cuenta de que a ellos no se les exceptuaba ni se les diferenciaba de patronos monárquicos como don Pedro Oriol. La fundición fue bloqueada, así como las canteras y los hornos de cal. Entonces comprendieron la alusión del cantero el día de la comida de hermandad. Sin embargo, no era cosa de permitir que los pisotearan. «Vamos a poner los puntos sobre las íes.»

Los Costa visitaron a Julio. Julio los recibió acariciando a *Berta*, lo cual los dejó perplejos. Los dos industriales ilustraron a Julio sobre las pérdidas que para ellos y la ciudad acarrearía aquella huelga estúpida. Julio les contestó:

—No puedo decirles sino una cosa. Hablaré con el Comisario, con el Alcalde, con todo el mundo. Intentaremos hacer entrar en razón a los huelguistas. Sin embargo, he de recordarles que la huelga es un derecho, y que si se formó el Frente Popular fue para conseguir ciertas libertades. Siento hablarles así. No diría esto a cualquiera, pero estimo que dos diputados republicanos tienen suficiente preparación política para comprender que, un mes después de haber ganado las elecciones gracias a los votos de los obreros, no podemos dar orden de utilizar las porras si se extralimitan un poco.

—¿Un poco?

—O mucho, lo mismo da. Por lo demás, a esos murcianos, por ejemplo, les impresionará muy poco el argumento de las pérdidas. Contestarán que ellos no han tenido nunca nada que perder.

Los Costa salieron más que inquietos y sólo su temperamento optimista les impidió tomar alguna intempestiva resolución. Sus esposas les dijeron:

—Nosotras, lo que haríamos es cerrarlo todo. Al fin y al cabo, con lo del Banco y lo de casa ya tendríamos para vivir. ¿Por qué no? Anda, pensadlo. Nos iríamos a vivir a Pals. Los papás más que contentos con ese par de críos.

Un capítulo de responsabilidades se abría ante los Costa. En Izquierda Republicana había mal humor por la huelga, por las noticias que traían los periódicos. Era cierto que en Toledo, Madrid, Cádiz, Granada, se multiplicaban las manifestaciones revolucionarias y en muchos otros lugares el fuego enlazaba uno a otro los campanarios. Los Costa decían que Azaña hacía cuanto podía para contener aquello, lo mismo que Indalecio Prieto. «Parece ser que Azaña confía en Cataluña, Vascongadas y Galicia para que le ayudemos a mantener las riendas. Por eso concede el Estatuto y da todas las facilidades. Y, sin embargo, ya lo veis. Aquí mismo, tan moderados, se permite que hombres como el Cojo anden sueltos con ladrillos en la mano.»

A las setenta y dos horas de huelga el Inspector telefoneó a Julio:

—El Responsable acaba de mandarme un ultimátum.

—¿Qué ha hecho usted?

—Nada. No transigir.

Julio le felicitó; y, sin embargo, la respuesta del Comité de Huelga fue fulminante: se dio vuelta a las llaves. La electricidad, el gas y el agua fueron cortados.

El triple corte provocó la mayor confusión que se recordaba en la ciudad. Todo quedó a oscuras. El Inspector intentó telefonear de nuevo a Julio. Las tiendas cerraron en el acto, los grifos de los lavabos dejaron caer su última lágrima, en las cocinas se oían las más extravagantes maldiciones.

El Comisario, Cosme Vila y Casal opinaron que la insolencia pasaba de la medida.

A Casal, el apagón le sorprendió en el momento en que ultimaba la tirada de *El Demócrata*. La máquina paró en seco y las bombillas se apagaron. El aprendiz del taller encendió una vela. ¿Qué ocurría? En realidad, se encendían velas en todas partes. Casal comprendió en seguida de lo que se trataba y salió a la calle, dirigiéndose a la UGT. Al entrar en el local recibió una impresión fortísima, pues le pareció que entraba en una iglesia, dado que David y Olga habían ido a comprar cuatro velas. Lo mismo ocurría en la Jefatura de Policía y en el Partido Comunista. El despacho de Cosme Vila parecía un altar, en el que Stalin era el santo, pues su retrato se hallaba rodeado de velas.

Casal y Cosme Vila se pusieron inmediatamente al habla, acuciados, además, por Julio, a quien doña Amparo Campo había ido a ver diciendo: «¡Te irás a cenar al restaurante! Sin agua no se puede cocinar».

Cosme Vila comprendió que el Responsable, por encima de los lamentos de las amas de casa, estaba a punto de conseguir un éxito rotundo, pues la reacción en general era favorable. Se hubiera dicho

que el propósito anarquista de llevar las cosas hasta el fin se contagiaba incluso a personas a las que todo aquello perjudicaba. Se oían
frases sintomáticas. «Desde luego tienen razón. La Fábrica Soler ganó
en 1935 seis millones de pesetas.» «Si las autoridades no intervienen
es porque comprenden que están en falso.» «Vale la pena estar unos
días sin agua si a fin de año le dan a uno un cheque...»

Cosme Vila le dijo a Casal:

—Ya sabes mi criterio. Los anarquistas son una pandilla de bandoleros. Os dije que los tratábamos con demasiadas contemplaciones.
Ahora, desde luego, se ha terminado. Tú verás si me sigues. Yo, desde
luego, pienso pedir fuerza armada y salir en su busca.

Casal frunció las cejas.

—No comprendo —dijo—. ¿Qué te propones?

—Que el lunes, a las ocho en punto de la mañana, tus afiliados
y los míos vayan a trabajar, cueste lo que cueste.

Casal se rascó la cabeza.

—Julio no querrá ayudarte.

—Julio ayudará. Esto le conviene menos que a nosotros.

Casal comprendía que lo absurdo había sido no resistir al principio.

—Debimos entrar a pesar de las barricadas.

Cosme Vila no compartía su opinión.

—Siempre ves las cosas a medias. Entonces hubieran sido unos
mártires, se les habría impedido manifestar su opinión. ¿Qué mejor
que cometan barbaridades? No olvides la ley. Hay que procurar que
el enemigo fracase por sí solo.

* * *

El acuerdo tomado por Cosme Vila y Casal llegó inmediatamente
a oídos del Responsable. Éste, que se preciaba de conocer el paño,
después de analizar la situación dijo que no sólo los comunistas res-
ponderían en bloque al llamamiento de su jefe, sino que, como siempre, arrastrarían con ello a los que dependían de Casal. «Éstos son
los perros de aquéllos», sentenció.

La única probabilidad de resistir, dada la intervención de la Fuerza
Pública, le pareció que estribaba en una participación masiva de los
anarquistas de la provincia. Sin embargo, no cabía contar con ello.
El Responsable sabía que entre la población campesina dominaba
Cosme Vila. «Los campesinos andaluces son anarquistas —explicó—,
pero en esta provincia son conservadores. Confían en los repartos de
Moscú.»

572

Toda la jornada del domingo la pasó recorriendo las diferentes barricadas. Y en seguida se dio cuenta de que no le iba a ser fácil dominar a sus hombres. La huelga les había dado el gusto de la pelea. Por lo demás, pensaba poco en los demás Sindicatos. Los principales enemigos continuaban siendo para ellos los patronos, los Presidentes con sus coches, los curas, los militares que se paseaban mirando irónicamente aquellos rústicos parapetos. Los enemigos continuaban siendo «La Voz de Alerta», los Costa, mosén Alberto, el comandante Martínez de Soria. Y la Falange de la ciudad, que en cualquier momento podía disparar desde las azoteas.

Hacia el atardecer, al Responsable le pareció haber convencido a sus camaradas. «Era preciso evitar la sangre.» ¿Por qué? —le había preguntado Blasco, que montaba guardia en la Central Eléctrica—. El Responsable le contestó:

—Nos matarían como moscas. —Luego añadió—: Les daremos «pa el pelo» de otra manera.

Pero apenas llegó la noche, la ciudad a oscuras volvió a exaltar a los amotinados. En las barricadas se organizaron hogueras para esperar el alba. Las mujeres de los anarquistas hacían compañía a éstos. En muchos sitios se bebió y hasta se cantó y se tocó la guitarra. Porvenir era el camarada ideal para improvisar juergas bajo las estrellas del firmamento. Santi brincaba de uno a otro lado.

A las siete y media de la mañana del lunes salieron las primeras patrullas de guardias de Asalto. Aquello acabó de inspirar confianza a los obreros socialistas y comunistas que habían recibido orden de reintegrarse al trabajo.

A las ocho menos diez minutos, los primeros obreros se acercaban pegados a la pared, por la acera, cuando entró en escena un elemento inesperado, espectacular, que alteró la faz de los acontecimientos: la caballería. Julio mandó caballos a los lugares de mayor concentración, y los jinetes se acercaron a las barricadas en actitud de franca disposición al combate. Aquello decidió la lucha. Hubo entre los anarquistas un momento de desconcierto, que les fue fatal. Las colas de obreros, procurando no rozar a ningún huelguista ni derribar las barricadas, abrieron las puertas de las fábricas y, en medio de un gran silencio, empezaron a entrar en ellas. En la fábrica del Gas el Cojo pegó un ladrillazo a un hombre raquítico y se armó un tumulto, pero no pasó de ahí. En la fundición de los Costa, las dos hijas del Responsable arañaron a la mujer que limpiaba el despacho, pero nada más. Los anarquistas se sentían en ridículo y desde lo alto de los caballos los jinetes les decían: «¡Ale, ale! Lo mejor es que entréis también, a ver si el sábado cobráis».

Se sentían en ridículo porque cada grupo constaba de un número reducido de hombres. Pero a medida que en las esquinas aparecían otros grupos que también habían sido desbordados, el aumento del número multiplicaba la indignación. Los caballos impedían que se formara la auténtica concentración de huelguistas a que ello podía dar origen. De pronto, las máquinas empezaron a funcionar. ¿Qué ocurría? Se encendieron absurdamente los faroles a aquella hora de la mañana. La Central Eléctrica también había capitulado. En las cocinas los grifos chorreaban, y en los lavaderos. Las mujeres se felicitaban de balcón a balcón.

Entonces el Responsable dijo en voz baja:

—Dispersaos, pero id por las bombas...

Esta palabra logró entre los amotinados un efecto mágico. A la mayoría les pareció de tanta responsabilidad la decisión, que ningún espontáneo se atrevió a obrar por su cuenta como se podía temer. Los jefes de grupo recobraron en el acto su autoridad. Todo ello ocurría entre el Puente de Piedra y la Rambla. Lo mismo Laura que el profesor Civil, desde sus balcones, vieron perfectamente cómo Porvenir tomaba la dirección de la Plaza de la Independencia encabezando una docena de camaradas, y que el Responsable y otros tantos, siguiendo la orilla del río, parecían dirigirse hacia el campo de fútbol o hacia las canteras de los Costa.

La fuerza pública, que no había oído la frase del Responsable, creyó que se trataba de la dispersión definitiva, que todo estaba terminado, y continuó patrullando, pero ya con aire aburrido.

Sólo volvió a reaccionar cuando a las diez de la mañana se oyó el primer estruendo. Provenía de la Dehesa. La primera bomba había estallado en la Dehesa. La colocó Porvenir. Eligió aquel lugar porque le pareció adecuado empezar entre un marco de plátanos milenarios. En aquel momento no pasaba nadie por allá; únicamente cerca de la Piscina había un acuarelista solitario, sentado en un taburete portátil, y hacia el Puente de la Barca un campamento de gitanos. El resto, desierto. Era una Dehesa invernal, de color pardo y violáceo, con un vaho de neblina.

Porvenir eligió una encrucijada de avenidas, que los domingos era utilizada por Bernat y los suyos para jugar a las bochas. La bomba levantó una polvareda inmensa, una gran cabellera de granos de arena y hojas muertas, y se calló. Algunos impactos en los árboles, de cuyos troncos surgieron aristas; una de las cuales le sirvió luego a Bernat para colgar en ella su gorra y su reloj.

Aunque la explosión sólo fue oída por los vecinos de aquella parte de la ciudad, pronto la cosa se supo y cundió el pánico. Casal salió del

574

taller de *El Demócrata* y se dirigió a la UGT. David y Olga le imitaron. En el Banco de Ignacio se interrumpió el trabajo. El Comisario ordenó fuera de sí: «¡Que se vigile la Telefónica!»

Un cuarto de hora después sobrevino la segunda detonación, mucho más intensa. Provenía del lado de Montjuich. Alguien dijo que se trataba de un barreno en las canteras, pero pronto quedó en claro que se trataba de algo mucho más grave: del polvorín.

—¡Imposible! —clamó el Comisario.

Julio meneó la cabeza con aire que no dejaba lugar a dudas.

El coronel Muñoz no comprendería nunca cómo fue posible que la bomba no causara ninguna víctima. Al parecer, la escuadra de servicio se había alejado circunstancialmente a cortar leña; el centinela, fusil al hombro, se había sentado detrás de una roca, a unos trescientos metros de allá.

Se opinó que era abandono de servicio. El centinela prefirió esto a haber quedado descuartizado.

Por fortuna, en el polvorín había muy poca cosa. Una semana después de las elecciones había sido retirado el material. Sin embargo, algo quedó, por lo que el estruendo fue tal, que las mujeres que lavaban en los arroyos del valle de San Daniel se asustaron; y a este lado de la montaña se asustó todo el personal del cementerio: el sepulturero y los muertos. Los soldados de la Guerra de África abrieron los ojos como si se encontraran de nuevo en 1921, cuando las emboscadas de los moros.

En cambio, los vivos parecían tocados de inconsciencia. Sólo las mujeres y los niños se encerraban en las casas, y algunos establecimientos bajaron con rapidez sus persianas metálicas. El resto de la población —taxistas, cobradores de Banco, camareros, etc.— se habían apostado en las esquinas a pesar de que los guardias de Asalto intentaban con renovada energía impedir las aglomeraciones.

Julio le decía a su fiel agente Antonio Sánchez:

—Lo terrible de esa gente es eso, que son poetas. ¿Dónde estallará la tercera? No se sabe. Imprevisible en el tiempo y el espacio. Las patrullas buscaban inútilmente a los anarquistas por las calles. Todos habían desaparecido. ¿Bombas de reloj? ¿Caídas del cielo? Acaso no estallara ninguna más.

A las once en punto, las personas que se hallaban en la Plaza de la Independencia oyeron el tercer estruendo. Pero fue un simple petardo. Un gran susto y nada más. Estalló en la mismísima Inspección de Trabajo. El Inspector, amigo de Largo Caballero, se tiró al suelo y se refugió bajo el escritorio. Al ver que no ocurría nada, cerró el puño y gritó: «¡Pronto sabréis quién soy!»

En aquel momento, toda la ciudad se sentía indefensa, a merced del Responsable. Incluso el coronel Muñoz. Al coronel, cualquier cordón que se arrastrara por el suelo en el cuartel le parecía sospechoso.

Todo el mundo se sentía a merced del Responsable, excepto Cosme Vila. Cosme Vila, a quien Teo tenía al corriente de cuanto ocurría, entendió, por el contrario, que el Responsable había perdido definitivamente la batalla en el momento de ejecutar el primer atentado.

—Analizad la situación —les decía a los suyos, los cuales miraban con inquietud el desarrollo del plan anarquista—. No os dejéis llevar por la espectacularidad del momento. Basaos en los hechos. ¿Qué buscaba la CNT? El paro de las fábricas, gracias a las barricadas. ¿Qué consiguió? Las fábricas y los talleres zumban que da gusto; las barricadas ya no existen. Luego cortaron la luz, el gas y el agua. También ahí han capitulado de una manera imbécil. Por burros, pues esta arma es revolucionaria ciento por ciento. Todo ese ruido de ahora no es más que el clásico funeral. Lo único que no debían haber hecho era eso: disgregarse y soltar bombas; lo que tenían que hacer era lo contrario: unirse y presentarse como mártires. ¡Qué se le va a hacer! A la gente no le gusta que la metralla le roce la cabeza; sobre todo, cuando sólo se la roza sin arrancársela. Así que, han perdido la oportunidad. ¡El polvorín! ¿Para qué? Para que el general les enseñe las polainas. La Dehesa, la Inspección... Eso es lo absurdo, lo propio de locos: entrar en litigio con el Inspector de Trabajo y echarle un petardo a él, en el escritorio.

Los oyentes se rascaban la cabeza. A todos les parecía que tener a la ciudad en un puño era en cualquier caso una demostración de poder.

—No seáis burros. Lo que hay que ver es lo que vendrá luego. Se han echado la opinión en contra.

Teo opinó:

—Pero han sembrado.

—¿Sembrado...? Sí, para nosotros.

Hubo un momento de perplejidad.

Cosme Vila dijo:

—El Inspector estará ahora como un cordero conmigo.

Nadie concedía a esto la menor importancia.

—Es esencial, teniendo en cuenta que el sábado a más tardar llegará nuestro turno, ¿no es eso?

—¿Qué turno?

—Nuestra presentación de Bases —explicó Cosme Vila—. Bases en serio, científicamente revolucionarias.

El jefe los miró de uno en uno. Le pareció que sus palabras abrían brecha. La valenciana estaba nerviosa y como preguntando a qué se esperaba.

Cosme Vila se dirigió a ella.

—¿Qué...? —le preguntó, en tono que todos sabían que preludiaba una súbita decisión—. Te gustaría meter baza cuanto antes... No estás convencida, ya lo veo...

Ella se sentó, con gesto aburrido.

—Pues... si quieres... puedes empezar —añadió Cosme Vila, acercándose al escritorio—. Puedes acompañar a ése. —Y señaló a Murillo.

—¿A qué? —preguntó el aludido.

Cosme Vila, que había adquirido expresión grave, abrió un cajón, sacó un paquete y se lo entregó.

—A redondear el prestigio del Responsable.

Todos quedaron estupefactos. El paquete contenía un objeto pequeño, ovalado, que pesaba increíblemente. Cosme Vila había tomado asiento.

Todo aquello era inesperado.

—¿Adónde hay que llevarlo? —preguntaron.

—Si no tenéis nada que objetar —dijo Cosme Vila—, yo escogería el Museo Diocesano.

Fue la orden. Orden recibida con extraño temor y extraño júbilo a la vez. Teo se hundió en un sillón, desesperado por no haber sido el elegido. Víctor se tocaba la cabellera. Murillo, con su gabardina sucia y sus bigotes de foca, sostenía el artefacto como quien sopesa un metal precioso.

Todo salió a pedir de boca. La orden fue cumplida sin pérdida de tiempo, con rapidez increíble. Hasta el punto que los guardias y los taxistas que rondaban la Plaza Municipal, en la que se hallaba el Museo Diocesano, no se explicarían nunca cómo había ocurrido aquello, ante sus narices, mientras ellos vigilaban. Al oír la detonación, seca, próxima, terriblemente próxima, puesto que la madera y los cristales del balcón que tenían encima de la cabeza saltaron hechos pedazos, se tiraron al suelo, cortada la respiración.

Murillo había entrado en el Museo tranquilamente, pues era día de visita. Lo había recorrido de un extremo a otro sin que ello asombrara a nadie, pues con frecuencia subía a él a contemplar imágenes antiguas. Antes de bajar, dejó su huella tras una puerta. Fue esta huella la que estalló minutos después.

Cosme Vila hubiera preferido los salones del fondo, donde había dormido el Padre Claret; pero Murillo, por razones personales, pre-

577

firió el salón rectangular, alto de techo, en que se erguía sobre pequeños pedestales la colección de vírgenes policromadas.

La valenciana, que esperaba en la calle a su lado, aprobó su plan. Lo aprobó porque de pronto, al tiempo que los guardias y los taxistas se tiraban al suelo, vio descender del balcón una catarata de miembros sueltos de aquellas vírgenes. El espectáculo la entusiasmó, sobre todo en el momento en que una cabeza de Niño Jesús, rebotando en el empedrado, fue a parar a sus pies. Estuvo a punto de recogerlo y gritar: «¡Otro hijo, otro hijo! ¡Seis hijos!» Pero el movimiento de los guardias le llamó la atención. Algo ocurría. Algunos de ellos se habían levantado y entraban precipitadamente en el lugar del atentado. Entonces Murillo oyó decir a un taxista que una de las sirvientas de mosén Alberto había sido hallada detrás de una puerta, con la cabeza reventada a causa de la explosión.

Inmediatamente la Plaza Municipal se llenó de personas de rostro airado, corrió la voz y, mientras el Responsable y Porvenir recibían en el Gimnasio la visita de unos agentes que los invitaban a seguirlos, aquellas personas vieron detenerse una ambulancia frente al Museo, bajar de ésta unas parihuelas y que la ambulancia tomaba la dirección del Hospital.

Alguien dijo que el corazón de la mujer latía aún, que el doctor Rosselló intentaría salvarla.

Mosén Alberto se encontraba en Palacio cuando la noticia llegó a sus oídos. Palideció, apoyó su mano en la pared y, tomando su manteo y poniéndose el sombrero, bajó las escalinatas. Camino del Hospital sentía que algo le pedía paso a través del pecho. ¡Ni siquiera sabía de cuál de las dos sirvientas se trataba! Lo único que sabía seguro es que le habían dicho: «Ha muerto».

Llegó al Hospital y vio encogido al campanero, como pidiendo perdón por algo. Una monja le acompañó al quirófano. El doctor Rosselló salía de él, confirmando que no podía hacer nada. Mosén Alberto se acercó a la mesa de operaciones, en la que una sábana cubría un cuerpo. Levantó la sábana. La impresión que recibió fue imborrable. Esperaba ver un rostro dulce y apacible y se encontró con una cara monstruosa. Tampoco reconoció cuál de las dos sirvientas era. No se enteró de ello hasta que vio a la menor de las dos arrodillada junto al cadáver, con las manos en el rostro.

No sabía qué hacer; tenía ganas de tocar con su mano la cabeza de la superviviente, para consolarla, pues era notorio que esta sirvienta se sentía definitivamente sola, vacía, como si con la muerte de su hermana le hubieran extraído también a ella la substancia vital.

Mosén Alberto propuso rezar el Rosario. Las monjas le advirtieron que el director del Hospital lo tenía prohibido, y que, por otra parte, era preciso desalojar el quirófano.

Entonces el sacerdote salió lentamente. Vio de nuevo al compañero, erguido ahora como un juez. Y luego, al doblar uno de los pasillos, se encontró cara a cara con Carmen Elgazu, quien, vestida de negro y acompañada de Pilar, al reconocerle se dirigió a su encuentro con expresión emocionada.

Mosén Alberto les dijo: «Es mejor que no entren». Pilar miraba los blancos pasillos con temor pánico. Si alguien pasaba, se sentía aliviada; pero si el pasillo quedaba desierto, el vértigo la ganaba, y se apoyaba en el antebrazo de su madre.

Había enfermos que iban y venían, preguntándose cuándo terminaría aquel espectáculo. Carmen Elgazu insistió en ver a su amiga muerta. Se despidió del sacerdote. Una vez en el quirófano dio pruebas de una entereza admirable. Puso en el pecho de la sirvienta una estampa de la Virgen de Begoña. A Pilar le dijo: «Esto es la muerte, hija mía». Pilar había quedado como hipnotizada ante el cadáver. Era el primero que veía. Le pareció recordar que alguien, a veces, tenía expresiones parecidas a aquélla, horrorosa, de la sirvienta. Carmen Elgazu fue quien ayudó a la hermana menor a levantarse y quien la condujo afuera, en dirección al Museo, ofreciéndose para quedarse en la casa y cuidar de todo.

En la Plaza Municipal ya no encontraron a nadie. Sólo había dos guardias de Asalto, de centinela ante la puerta del Museo. Los barrenderos habían amontonado en un rincón del patio los miembros de las Vírgenes que habían caído a la calle. El doctor Relken estaba allí, tenía entre las manos un brazo románico y había pedido permiso para examinarlo. Pilar le dijo a su madre: «Es el doctor Relken». En la ciudad no se hablaba más que de la bomba número cuatro.

Según le dijeron los dos guardias al doctor Relken, los anarquistas iban a pasarlo mal. «Esta pobre mujer no tenía nada que ver.»

El doctor Relken les preguntó si había pruebas de que ellos habían sido los autores. Uno de los guardias le miró con sorpresa. «No importa si las hay o no. Se sabe que han sido ellos.» El doctor movió la cabeza.

CAPÍTULO LXVIII

Ignacio había asistido al desarrollo de aquellos alborotos con el ánimo en suspenso. Le parecía imposible que las autoridades no zanjaran la situación de una plumada. A David y Olga les decía que permitir aquel estado de cosas era vergonzoso, fuera de toda medida. David y Olga, también muy disgustados, le contestaban: «Ahora se pagan las consecuencias».

Los maestros estaban seguros de que las gestiones de Casal acabarían dominando la situación. «No ha estallado ninguna bomba más. Y por otra parte Julio llevaba veinticuatro horas interrogando sin descanso al Responsable y Porvenir. ¿Qué más podía hacerse?»

Ignacio, oyéndolos, se puso más furioso aún. La muerte de la sirvienta le había afectado mucho más que si se hubiera tratado de un ministro. David y Olga le aconsejaban que no exagerara las cosas. «Ya, ya, no exagerar —replicaba Ignacio—. Es muy bonito hablar cuando se está a este lado de la barrera.» Y lo mismo le ocurría en el Banco. En el Banco la indiferencia por aquella muerte era total. Lo que preocupaba a los empleados —excepción hecha del subdirector y del cajero— era que de la experiencia de Control obrero no quedaba ni rastro, y lo único que los animaba era el rumor de que Cosme Vila y Casal iban a presentar las bases que servirían de réplica a las del Responsable.

Ignacio no encontraba motivos de satisfacción sino en la familia. En su madre, lavando platos en el Museo; en Pilar, ofreciéndose para velar en el Hospital el cadáver de la sirvienta; en César, escribiendo desde el Collell: «Ya he aprendido a poner inyecciones. En este mes llevo dieciocho sin romper una sola aguja».

Y en Matías Alvear. Matías Alvear reconciliaba a Ignacio con la humanidad porque le veía sufrir tanto como él sufría, a pesar de que en Telégrafos, según contaba, la vida no se detenía. Los telegramas continuaban llegando como si nada ocurriera en la ciudad. «Salgo mañana tarde.» «Nacido varón. Abrazos.» El día en que murió la sirvienta nacieron más de veinte varones en la provincia.

¡Qué hombre su padre! Sufría, pero no perdía la serenidad. Seguía al dedillo el curso de los acontecimientos, en compañía de don Emilio Santos. Era consolador verlos a los dos por la calle, siempre pulcros, siempre correctos, saludando con cordialidad al más humilde de los conocidos. Al despedirse no se daban la mano, pero se quitaban el sombrero. Para el muchacho constituían la prueba irrefutable de que las bombas no lo destruían todo.

Esta comprobación le era muy necesaria dado que muchas personas le decepcionaban —David y Olga, Julio García...— y también porque se decepcionaba a sí mismo. ¿Cómo era posible que el espectáculo de Gerona, en vez de adormecerle la carne se la despertara...? ¡Volvía a pensar en Canela! ¡Qué complicado, el cuerpo humano! Por fortuna, ahí estaba Marta, su recuerdo entrañable.

Marta, auténtico motivo de satisfacción. Que Dios bendijera el momento en que la muchacha se cruzó en su camino y palpándole la cara, le dijo: «Me gustan tus ojos, y esos pómulos angulosos que tienes».

La muchacha era un encanto de criatura, con una fuerza de carácter que no doblaban ni las huelgas generales. Ante el caos de la ciudad había dicho: «No podemos aportar ninguna solución colectiva, porque la autoridad está en manos de quien está; pero cada uno de nosotros, personalmente, debe ocupar su puesto».

Aquella tarde ella entendió, de acuerdo con el comandante Martínez de Soria, que su puesto estaba en el Museo Diocesano, al lado de Carmen Elgazu, poniendo orden en las salas que habían saltado hechas pedazos. Sin temor a los grupos que se veían por las calles y que los limpiabotas capitaneaban, salió de su casa y se dirigió al Museo. Debajo del brazo llevaba una bata azul que había pertenecido a su padre. Al llegar ante el edificio, saludó a los dos guardias de Asalto y subió. Carmen Elgazu, al verla, experimentó vivísima emoción. Carmen Elgazu llevaba un enorme pañuelo negro en la cabeza, para protegerse del polvo, atado debajo de la barbilla. «Ya lo ves, hija, ya lo ves.»

Ignacio se enteró de todo esto por Matías Alvear. El muchacho salió al balcón, pensando en aquellas dos mujeres de su vida. Pasaban carros con sacos procedentes de las barricadas. El Neutral estaba cerrado. Las luces temblaban nerviosamente en las fachadas.

De pronto sintió que su puesto estaba también en el Museo, junto a su madre y a Marta. Oscuros temores le invadieron. Salió precipitadamente y pasó frente al Cataluña, cuyo altavoz vomitaba consignas. Subió la escalera del edificio diocesano y entró. Encontró a Marta en el salón donde había estallado la bomba, rodeada de Vírgenes mutiladas por todas partes. La muchacha le miró. Acudió Carmen Elgazu y también se quedó mirándole. Él dijo que quería ayudar. Al ver la bata azul de Marta, pidió también algo para él y Carmen Elgazu le trajo de algún sitio una absurda sotana vieja, en la que Ignacio se enfundó. Y sin decir nada se puso a trabajar, mientras las dos mujeres miraban la sotana con sentimientos contrapuestos. Amontonaban escombros, cristales. Ignacio temía que de pronto apareciera mosén Alberto, pero no había cuidado. Mosén Alberto recibía visitas continuamente, de gente que se le ofrecía para asistir al entierro de la sirvienta, que al parecer constituiría una auténtica manifestación.

Ignacio sufría porque poco a poco su emoción, que tenía que ser dolorosa, se transformaba en un sentimiento dulce mientras contemplaba a Marta colocar dentro de una caja, con gran respeto, brazos y piernas de madera policromada...

* * *

El entierro, espectacular de por sí, lo sería más aún porque una reciente disposición había prohibido todas las manifestaciones religiosas fuera de los templos, incluidos los entierros. De manera que ningún sacerdote acompañaría a la sirvienta ni monaguillo con la Cruz.

Por la noche, Carmen Elgazu regresó a su casa agotada del trabajo en el Museo. Y no se quitaba de la cabeza el alcance de la tal disposición. Mientras cenaba, servida por Pilar, los ojos se le humedecieron.

Y de pronto, oyó el cerrojo de la puerta y entraron, procedentes del Neutral, Matías y Julio. Julio no perdía sus costumbres: en las grandes ocasiones continuaba visitando a los Alvear.

Julio había envejecido en los últimos tiempos. Todos pensaron en ello al verle entrar en el comedor. Su sombrero ladeado ya no le iba. Asomaban arrugas encuadrando el bigote.

Matías y Julio se dieron cuenta en el acto de que Carmen Elgazu había llorado. Julio se sentía violento. Casi lamentaba haber subido la escalera. Pero quería congraciarse con Matías, que era el primero en tratarle como si fuese responsable de algo.

Carmen Elgazu se levantó y le preparó el café de siempre... Ignacio salió de su cuarto, cansado de estudiar. Y fue Pilar quien preguntó, de sopetón:

—Bueno, ¿y por qué no puede ir una Cruz en un entierro?

El policía quedó perplejo. No esperaba aquella salida tan directa.

—Yo qué sé, chica —contestó—. Yo no firmé la orden. —Y se sentó.

—Quieren quitarla de todas partes, hija, eso es todo.

Julio se atusó el bigote. Era curioso que le plantearan aquellos problemas. Pero ¿qué contestar? En el fondo quería demasiado a aquella gente. Dijo que era mejor tomarse las cosas por el lado bueno. «¡Qué les voy a decir yo! Se producen cambios...» La mirada de Carmen Elgazu le obligó a continuar: «Pero en lo íntimo nadie se va a meter, supongo. —Luego añadió—: Se quiere separar por completo la Iglesia del Estado. Nada más. No mezclar la religión con la vida pública».

Ignacio intervino, inesperadamente:

—Oiga, Julio. Es mejor dejar este asunto, ¿no le parece?

En aquel momento Julio decidió levantarse, y salir. Pero no le dio tiempo. Carmen Elgazu, pareciéndole que Ignacio la apoyaba tomó asiento frente al policía y le dijo:

—No tiene derecho a enfadarse, Julio. Ignacio tiene razón. Usted sabe mejor que nosotros lo que pasa. Hacen lo posible para desterrar el nombre de Dios. No se preocupan sino de eso, y para conseguirlo buscan la amistad de quien sea, incluso de personas como el Responsable. Hay algo que los ciega: el odio a la religión. Todo aquel que lleva sotana o crucifijo es peligroso como un veneno. ¡Virgen Santísima! ¡Cuán equivocados están! Sin religión no hay más que odio. Es el único freno, aunque usted no lo crea. Si yo no hubiera persignado tantas veces a Ignacio, ¡quién sabe lo que sería de él! Y lo mismo le digo de Pilar. No pretenderá que todo marcha como es debido, ¿verdad? Ya oye lo que se grita por las calles. Tener la familia reunida, así como nosotros aquí, es un atraso. Hay que hacer como David y Olga y como en el extranjero. ¡Qué pena da todo eso, Virgen Santa! Porque es inútil, ¿comprende? No conseguirán nada. ¿Creen que le han hecho algún daño a la sirvienta? Ya está donde ella quería estar. Oiga bien lo que le digo, Julio. Pueden luchar contra Dios, pero perderán. Aún quedan muchas personas como la sirvienta; no lo olviden. Tendrán mucho trabajo, mucho. No canten victoria, no, porque a veces lloremos. Podrán incendiar iglesias, todo lo que quieran. Podrán prohibir las cruces en los entierros, los monaguillos; pero no podrán prohibir que recemos aquí —se señaló el pecho— y esto es lo principal.

CAPÍTULO LXIX

A «La Voz de Alerta» le hería el amor propio el que los extremistas se dedicaran a luchar entre sí. «Mirad si nos consideran inofensivos, que ya ni siquiera se preocupan de nosotros.»

En todas partes se hablaba del entierro. Los Alvear decidieron que los representara Ignacio. El comandante Martínez de Soria decidió ir personalmente, lo mismo que el teniente Martín y que unos cuantos oficiales adictos a aquél. Don Jorge se vistió como convenía a la ceremonia y ordenó a todos sus hijos que hicieran lo propio. A Jorge, el hijo desheredado, le dijo: «Tú haz lo que te parezca».

El problema era arduo para Mateo. El muchacho quería asistir, pero temía que su presencia fuera interpretada como adhesión «al espíritu que informaba a "La Voz de Alerta"». Finalmente, decidió abstenerse y mandar a dos camaradas. Eligió a Octavio y a Conrado Haro.

—Poneos la camisa azul —les dijo.

La esquela aparecida en *El Tradicionalista* anunciaba la ceremonia para las tres en punto de la tarde. A las dos y media la Plaza estaba abarrotada. Cuando el coche fúnebre hizo su aparición y se detuvo ante el Hospital, hubo un momento de gran expectación. Inmediatamente, la presidencia se alineó —mosén Alberto en el centro, don Jorge a la derecha, el comandante Martínez de Soria a la izquierda—. Luego fue sacado el ataúd y el coche quedó inundado de coronas.

La comitiva se puso en marcha. En el aire sólo resonaba el *Miserere* de pasados entierros. Mosén Alberto lo recitaba en voz baja, como un murmullo, y don Jorge y el comandante le contestaban. *Dies irae, Dies illa*...

El coche, al llegar al río, en vez de dirigirse al cementerio bifurcó hacia el centro de la ciudad. Grupos de curiosos se formaron. Los guardias se acercaron al cochero.

—¿Qué itinerario siguen?

El cochero contestó:

—Pasar ante la casa mortuoria.

Los guardias se retiraron, manteniéndose a una distancia prudente, con las porras en la mano.

A medida que la comitiva se internaba en la ciudad, la curiosidad de la gente era mayor. Por fortuna la Plaza Municipal, donde se erguía el Museo, no estaba lejos y la comitiva desembocó pronto en ella.

El cochero dio lentamente la vuelta frente al edificio mortuorio y una extraña emoción recorrió el dorso de todos al ver el balcón con las maderas arrancadas de cuajo. Los transeúntes se quitaban la gorra. Sólo un par de taxistas daban la impresión de haber adoptado una actitud irónica.

Octavio y Conrado Haro seguían la comitiva en silencio, arrastrando los pies como los demás. Pero de pronto, al pasar frente al Ayuntamiento y ver la inmensa bandera catalana que cubría la fachada, Octavio sintió que algo le subía a la garganta. Miró al comandante

Martínez de Soria y gritó: «¡Arriba España!» Y luego: «¡Viva España!»

Todo el mundo quedó perplejo. Sólo le respondieron Conrado Haro, con voz tímida, y el teniente Martín. Nadie más, ni siquiera el comandante Martínez de Soria.

Los guardias se acercaron inmediatamente.

—¡Al cementerio! —ordenaron. Entre los espectadores se oían protestas y los taxistas luchaban contra su deseo de responder a la provocación. «¡Fuera, fuera! ¡Muera, muera!»

La comitiva alcanzó penosamente la orilla del río y tomó por fin la dirección del cementerio. No hubo despedida de duelo. Todos los acompañantes sabían que la ruta sería larga, pero nadie se atrevía a desertar. Los vecinos de Octavio miraban de reojo al falangista, sin decir nada.

El sepulturero recibió la noticia de que llegaba la comitiva entera y abrió la verja de par en par. Don Jorge apenas conseguía sostener el paso que mosén Alberto y el comandante Martínez de Soria habían impuesto. Su pierna izquierda le flaqueaba.

El cochero frenó ante la verja y se apeó. Unas parihuelas esperaban en el suelo, y fue descargado el féretro. El sepulturero indicó:

—Por aquí, por aquí. —Y señaló la avenida central, entre los cipreses.

El nicho destinado a la sirvienta era propiedad de mosén Alberto. Estaba situado, en el ala este, próximo al depósito. Las parihuelas, conducidas por los mozos de la funeraria, abrieron la marcha, la presidencia siguió y luego la ingente multitud, haciendo crujir metálicamente la arena.

Todo el mundo quería presenciar la ceremonia, pero iba a ser imposible. Los cipreses y los panteones obturaban la visibilidad de los rezagados.

La llegada ante el nicho fue espectacular, pues coincidió con la aparición, en lo alto de la escalinata que daba acceso a la parte norte del cementerio, de la implacable patrulla de guardias.

Las parihuelas fueron depositadas en el suelo. El ataúd era el centro de todas las miradas. Mosén Alberto movió la mano, sintiendo físicamente la falta del hisopo. Hubiera querido rezar un responso, pero la presencia de los guardias lo impedía. Finalmente, indicó al sepulturero que esperara. E inició un padrenuestro.

Al instante los guardias pegaron un salto venciendo los tres peldaños que les separaban del lugar. Mosén Alberto se calló. E inmediatamente se oyó un concierto de silbidos escalofriantes, que brotaban del otro lado de la tapia.

Mosén Alberto comprendió y ordenó al sepulturero y a los mozos que procedieran a internar el ataúd en el nicho.

Éstos obedecieron. La caja se introdujo en el agujero con rara precisión. Luego el sepulturero cogió el capazo y la paleta y con seis ladrillos idénticos a los que utilizaron los anarquistas en sus barricadas, empezó a tapiar el hueco.

El último ladrillo, prodigiosamente justo, coincidió con un nuevo concierto de silbidos, que sonaron más distantes.

La ceremonia había terminado. Don Jorge se acercó a mosén Alberto, le asió la mano y se la besó. El comandante Martínez de Soria le imitó, luego don Pedro Oriol, luego don Santiago Estrada. Imposible atender a todos, de modo que mosén Alberto levantó la diestra y esbozó una bendición.

Los de la cola habían salido ya del cementerio. El profesor Civil le decía a Ignacio: «Vámonos, vámonos».

La mujer del sepulturero, apoyada en la verja con un crío en los brazos, parecía esperar que ocurriera algo. Y, sin embargo, reinaba una insólita calma. En realidad, la gente iba saliendo sin que ocurriera nada. Los silbidos habían cesado. Sólo se iba rezagando el teniente Martín. Octavio y Haro le preguntaron:

—¿Vienes...?

Él contestó:

—No, todavía no.

Nadie más advirtió que el oficial se quedaba en el cementerio; ni siquiera los guardias.

Octavio y Haro se preguntaban qué pretendería el teniente Martín. Le vieron esconderse tras un panteón que decía: «Familia Corbera» y encender un pitillo, esperando.

A cinco metros del panteón se levantaba una tumba de hermosa lápida en la que estaba escrito un nombre: «Joaquín Santaló», y veinte metros a la derecha, sobre un montón de tierra, sobre un bulto de tierra parecido al vientre de una mujer, una placa, entre otras de la fosa común, rezaba: «Jaime Arias, Taxista».

Jaime Arias, hermano de Teo el gigante y muerto en Comisaría el 7 de octubre, de un balazo en la sien. El teniente Martín contemplaba la lápida de Joaquín Santaló, la placa del hermano de Teo. La diferencia entre las dos tumbas se le antojó una ley inexorable: diputado, lápida hermosa; taxista humilde, fosa común. Más allá, a la izquierda, el nicho en que reposaba el comandante Jefe de Estado Mayor, que cayó de su caballo blanco fulminado por el disparo del diputado de Izquierda Republicana.

El teniente Martín —alto, moreno, con bigote recortado— tiró el pitillo, lo aplastó, y asiendo la cruz de Joaquín Santaló la atrajo hacia sí hasta derribarla. Luego cogió un puñado de tierra húmeda y ensució con ella la lápida, sepultando el nombre.

Terminada la operación se dirigió a la fosa sobre la cual se leía: «Jaime Arias, Taxista». Intentó borrar el nombre restregando contra él las suelas de las botas. La pintura resistía, por lo que sumergió la placa en el barro. Sólo quedó al descubierto la palabra «Taxista». Parecía como si Jaime Arias continuara ofreciendo sus servicios a los habitantes del lugar.

Luego el teniente Martín cruzó la avenida central y se dirigió, rodeado de cipreses, al nicho del comandante jefe de Estado Mayor. Llegado a él, se cuadró y saludó militarmente.

En aquel momento le vio la mujer del sepulturero. Su presencia le extrañó en grado sumo y avisó a su marido. Su marido conversaba con unos desconocidos junto a la verja. El teniente se dirigió hacia ellos, se abrió paso y sin saludar cruzó el umbral e inició el regreso a la ciudad.

Apenas había andado veinte metros, el sepulturero se internó en el cementerio dispuesto a recorrerlo, olfateando. Estaba seguro de que el oficial había cometido una fechoría.

* * *

Cuando los Costa recibieron el informe sobre el ultraje de que había sido objeto la tumba de Joaquín Santaló, se indignaron hasta un extremo indescriptible.

—¡Vamos a redactar inmediatamente una denuncia en regla!

Al enterarse Cosme Vila de lo acontecido en la fosa de Jaime Arias, le dijo a Víctor:

—Vete inmediatamente al cementerio y saca unas fotografías.

Todo el mundo evitaba comunicarle a Teo lo sucedido. En cuanto el gigante supiera que la tumba de su hermano había sido profanada, podía ocurrir cualquier cosa.

CAPÍTULO LXX

La huelga, las bombas y aun el cadáver de la sirvienta, todo pasó a segundo término. La gesta del teniente Martín, descrita con todo detalle en *El Demócrata*, según nota oficial de la Jefatura de Policía, acaparó el primer plano de la actualidad.

Todo el mundo comprendió que el cáncer no había sido extirpado por el hecho de haber ganado las elecciones y que era preciso cerrar con llave el capítulo derechista. Y para llevar esto a cabo se reunió la Comisión de Seguridad.

Esta Comisión estaba formada por el Comisario, don Julián Cervera, en calidad de presidente; por Julio, jefe de policía; los Costa; el arquitecto Massana, alcalde; el arquitecto Ribas, representante de Estat Català; Cosme Vila y Casal. El agente Antonio Sánchez actuaría de secretario.

Julio había ido a la reunión acuciado por su mujer. Doña Amparo Campo le decía: «Sigue los consejos del doctor Relken y sé práctico. No olvides que en Madrid están examinando si vales o no vales». Los arquitectos Massana y Ribas estaban algo asustados, los Costa a punto de estallar de indignación. En realidad, el único verdaderamente sereno, consciente de los hechos y de lo que era preciso hacer, era Cosme Vila. Su mongólica cabeza y su ancho cinturón de cuero iban a dominar la reunión.

Después de breves discusiones fue acordado entregar al teniente Martín a la Autoridad Militar, a la que incumbía el expediente. «El general sabrá lo que tiene que hacer.»

Respecto de Falange, habida cuenta de que a uno de los afiliados, Miguel Rosselló, se le había encontrado un arma y que dos de ellos, Octavio y Conrado Haro, habían lanzado gritos subversivos en la Plaza Municipal, se acordó la disolución del Partido, clausura del local, detención preventiva de los tres miembros citados y pedir declaración al jefe, Mateo Santos.

Julio, acto seguido, leyó el resultado de los ciento cincuenta expedientes abiertos por tenencia ilícita de armas. La mayoría de los expedientados serían castigados con una multa, nada más. Por el contrario, don Jorge de Batlle, «La Voz de Alerta» y otros propietarios de la provincia serían detenidos, por habérseles encontrado armas de calibre mayor y no haberlas entregado espontáneamente.

Los Costa, al oír el nombre de su cuñado, arrugaron el entrecejo.

Pero era completamente inoportuno plantear allí una cuestión familiar.

Cosme Vila preguntó cómo era posible que en la lista no figurara mosén Alberto, puesto que se le habían encontrado en el Museo «dos escopetas de dos cañones».

Julio le contestó que ello no era cierto, que aquello era una invención popular.

—La verdad es que no le encontramos absolutamente nada.

La reunión era lenta. Se pasaba de un tema a otro de los que Antonio Sánchez tenía anotados en la orden del día sin que cambiara el tono de las voces. Daba la impresión de que se podrían tomar acuerdos gravísimos sin que este tono cambiara.

El arquitecto Ribas puso sobre el tapete el problema del comandante Martínez de Soria. «Parece que hemos olvidado que la mayoría de los 'aquí presentes estuvimos en la cárcel y fuimos juzgados por él. No comprendo que el general no haya tomado decisión alguna a este respecto.»

Julio contestó:

—El comandante Martínez de Soria tiene apoyos de envergadura, ésa es la verdad. No sólo de Capitanía General se reciben órdenes paralizando la cosa, sino incluso del Ministerio de la Guerra.

Las palabras de Julio causaron estupor. Ello implicaba que existía en el país una cadena de jefes de ideas reaccionarias que se protegían unos a otros, manteniéndose en puestos estratégicos.

Hubo un momento de silencio, que aprovechó Cosme Vila para levantar el brazo y pedir la palabra.

—Yo desearía —dijo— informar a la Comisión de dos cosas importantes.

—¿Qué cosas...?

—Primera: Jaime Arias. El Partido Comunista exige que el atentado contra el hermano de nuestro camarada Teo sea vengado y da treinta días de plazo para que sea castigado el teniente Martín.

Ante el silencio creado, Cosme Vila continuó:

—Segunda: Deseo anunciar a ustedes que el Partido Comunista presentará en breve sus bases. Bases triples: industria, comercio y agricultura. Y simultáneamente, un proyecto de reformas concernientes a la estructura política de los municipios y de la provincia. —Y diciendo esto miró al alcalde de la ciudad, arquitecto Massana.

Éste movió la cabeza.

—No sé a qué se refiere usted —repuso—. Odio las alusiones vagas.

Cosme Vila enarcó las cejas.

—Si me permiten ustedes —dijo—, concretaré estas alusiones. —Sacó del bolsillo un papel y se puso a leer—. Algunas irregularidades observadas a vista de pájaro...

»Todavía se celebran en la ciudad entierros de primera, segunda y tercera clase. En Gerona, la mortalidad infantil no ha disminuido desde 1920. Docenas de trabajadores viven en la calle de la Barca, en el barrio de Pedret o en las cuevas de Montjuich como se vivía en la era troglodita. No hay un solo caso de hijo o hija de familia obrera gerundense que haya conseguido poder estudiar en la Universidad. No hay locales para organizar Academias obreras gratis y, en cambio, el Seminario ocupa dos manzanas. La ciudad cuenta con un equipo de fútbol remunerado, que posee campo de juego; si los obreros piden jugar en él, se les contesta que destrozan la hierba. Actualmente, hay tanta policía en la ciudad como en la época de la Dictadura. Si registráramos uno a uno los pisos de nuestras primeras autoridades —con perdón de algunos de los presentes—, advertiríamos que su nivel de vida y su sentido de la decoración son muy superiores al de los obreros que he citado. Todo ello unido a que continuamos dando vueltas alrededor de un centro putrefacto: el río, y encarcelados entre las murallas que *El Tradicionalista* llama patrióticas. Iglesias y conventos abarrotados de oro, con una docena de establecimientos religiosos de enseñanza. Conciertos organizados por la Asociación Musical —presidente, doctor Rosselló—, pero sólo se permite la entrada a los abonados. Un magnífico Casino, con billares, sala de tal y de cual y biblioteca, pero sólo para los socios. Me gustaría mucho comparar ante ustedes este estado de cosas con lo que ocurre en Rusia, donde cualquier manifestación económica, artística o científica se orienta en beneficio del proletariado. Aquí éste no cuenta. Un par de pesetas los domingos y se acabó. Llevamos dos horas reunidos y no he oído una sola vez la palabra pueblo. En Rusia todas las reuniones son para el pueblo, y cada corporación municipal está al servicio del pueblo. Todo esto y mucho más se podría decir. Repito que el Partido Comunista entiende que es preciso mejorar la vida de los trabajadores. No cejaremos en este empeño. Aunque no lo parezca, el Municipio debe ser piedra básica. Todo esto lo precisaremos en el programa cuya presentación he anunciado.

La declaración de Cosme Vila causó una gran impresión, sobre todo por el tono en que fue pronunciada. Los Costa se miraban estupefactos.

Quien tenía que contestar era Julio. Julio estuvo a punto de dar un giro insospechado a la reunión, denunciando a los asistentes que los anarquistas, a pesar de ser tan memos, habían aportado pruebas contundentes de que los autores del asesinato de la sirvienta de mosén Alberto no fueron ellos, sino el Partido Comunista. Pero se contuvo, porque en muchos aspectos Cosme Vila tenía razón, y además porque no era cosa de exasperar los ánimos.

—Bien, está usted en su derecho —dijo, por fin—. Presente usted ese proyecto de mejoras en cuanto lo tenga ultimado. De todos modos, no pierda de vista una cosa: vivimos en República democrática y no en régimen comunista. Tenemos mucho trabajo, mucho, aunque usted no lo crea, y nada es fácil, se lo aseguro. Lo más cómodo sería decir: «Muy bien, vamos a emplear la fuerza. Este cura no me gusta, abajo. Este comandante tampoco, fuera». ¡Ya, ya! Todo tiene sus inconvenientes. Este país es enteramente de fanáticos; no crea que sólo los hay en el partido comunista. Y los fanáticos dan siempre sorpresas. Ya sé que vive usted en un piso menos confortable que el mío. ¡Qué se le va a hacer! En cambio, yo me zampo menos comilonas que Gorki. En fin, no vamos a discutir sobre la naturaleza humana. El objeto de esta reunión era pasar cuentas, señalar responsables y dictar las necesarias sentencias. Esto ya lo hemos realizado, que es lo importante. Ahora los agentes cumplirán inmediatamente con su deber.

* * *

El doctor Relken aprobó enteramente las medidas tomadas. Le dijo a Julio: «Créame usted. Proceda a la desmembración de Falange. Solos no harían nada, pero unidos a los militares constituyen una amenaza constante. En cuanto a las pretensiones de Cosme Vila, no tienen ustedes más remedio que apoyar a Casal y a los Costa para combatirlas. Que éstos demuestren espíritu revolucionario, y la balanza se inclinará a su favor».

El doctor Relken vivía unos días absolutamente felices. Era cierto que había alquilado la mejor habitación del hotel, espaciosa, con teléfono y un timbre que a los dos minutos se convertía en una camarera. El pelo le había crecido mucho desde que llegó a Gerona. Ya no lo llevaba muy cortado, sino peinado hacia atrás, con encrespados bucles rubios en la nuca. El mentón le salía más que nunca y continuaba sonriendo y bebiendo mucha agua. Se pasaba el día hojeando revistas, visitando a los amigos, dando ciclos de conferencias en el Partido Socialista, en Izquierda Republicana e incluso en Estat Català, y preocupándose por los mínimos detalles de la vida de la ciudad. Siempre decía que el tipo humano español le interesaba enormemente, por lo rico que era y porque continuamente se amputaba a sí mismo, a lo vivo, sus cualidades. «No se parecen ustedes en nada a los checos —comentaba—. Algo más a los húngaros y más aún a los rumanos, sobre todo los catalanes. Con un sentido patético mucho más interesante, desde luego.»

Consideraba que los gerundenses carecían de espíritu de iniciativa. Él hubiera propuesto grandes reformas. En el plano comercial, habría estimulado la creación de grandes almacenes en la ciudad, aun a riesgo de sacrificar pequeñas tiendas. En el plano industrial, entendía que las posibilidades eran inmensas... a condición de preocuparse del Pirineo. «Habría que buscar la materia prima en el Pirineo —decía—. En el Pirineo debe de haber incluso petróleo.» Imaginaba la llanura que rodeaba a Gerona y la del Ampurdán convertidas en refinerías de petróleo. En el plano cultural..., elogiaba el Orfeón, la Biblioteca municipal, el Archivo y el Museo Diocesano. Y aseguraba que las personas más inteligentes de la ciudad eran Julio y «La Voz de Alerta».

Mucha gente decía del doctor que escribía un libro de razas comparadas. En el Banco de Ignacio se aseguraba que era homosexual. El subdirector le tenía, como siempre, por masón; el profesor Civil por un judío que esperaba el momento de meter mano sobre el primer filón de metal que apareciera en el Pirineo. Mateo le consideraba, simplemente, un agitador político, con pretensiones de maquiavelismo, pero cretino como él solo, inferior al más zoquete de los españoles, y que en circunstancias políticas menos anormales ya hubiera tenido que largarse a Andorra o Francia.

En todo caso fue el primer ciudadano que leyó en *El Demócrata* la noticia de que todos los acuerdos de la Comisión de Seguridad habían sido ejecutados. Los leyó en la misma imprenta, antes de que el periódico fuera repartido. Con frecuencia iba allá a visitar a Casal, al que decía, viéndole trabajar: «Con esas máquinas que tienen ustedes es imposible sacar periódicos en serio». Casal le contestaba: «En serio o no, las noticias que damos son importantes».

Era cierto. Las noticias eran importantes: encarcelamiento de don Jorge, de «La Voz de Alerta», de Rosselló, por tenencia ilícita de armas. Encarcelamiento de Octavio y Haro por gritos subversivos y ofensas a la República. Disolución de Falange e interrogatorio al jefe. Entrega del teniente Martín a la Autoridad Militar.

Ante estas noticias, los izquierdistas se frotaron las manos de gozo. Entre los derechistas cundió el pánico. Todo el mundo condenaba el acto del teniente Martín, y el propio comandante Martínez de Soria, al enterarse de ello, lamentó no ser general para arrancarle las dos estrellas de la manga; y por su parte Carmen Elgazu había dicho: «Se necesita ser muy poco hombre para hacer una cosa así en el cementerio». Sin embargo, nadie suponía que ello traería consigo la detención de otras personas, nuevos registros y la disolución de Falange Española.

Laura había quedado yerta al ver que los agentes se llevaban a su

marido. «¡No pueden hacer eso, no pueden hacer eso!» El dentista
había pedido unos minutos para cambiarse de ropa. Se puso su mejor
camisa, la mejor corbata. Barbotaba los más intraducibles insultos.
Retardaba el momento de salir de la habitación. Laura se le había colgado al cuello y le decía: «¡No salgas, no salgas!» «La Voz de Alerta»
le dio varias instrucciones relativas a las joyas y valores de la casa.
Redactó una nota para don Pedro Oriol. «Que la publiquen en seguida.» Finalmente, le dijo: «Te prohíbo que tus hermanos intervengar
en este asunto».

Don Jorge reaccionó en forma distinta. Miró a los agentes y dijo
«De acuerdo. Déjenme despedirme de los míos». Llamó a su esposa, a
todos sus hijos, y uno a uno fueron desfilando y dándole un beso. Na
die lloraba. Las dos sirvientas estrujaban el delantal entre las manos.
Don Jorge pidió su hongo, sus guantes y su bastón. Se dirigió a su hijo
falangista y le ordenó: «Vete a buscar un taxi». Los agentes le hicieron comprender que tenían orden de llevarle a pie. Don Jorge dijo a
su esposa: «Avisad al notario Noguer y que vaya a verme con el abogado».

Octavio estaba en Hacienda cuando los agentes fueron a buscarle.
Apenas si nadie se dio cuenta. Sólo el cajero, con quien siempre discutía. Más tarde nadie lo lamentó, pues todo el mundo le consideraba
colérico y presumido. Sólo su novia fue a ver a Pilar y se echó en sus
brazos, creyendo que Matías Alvear podría hacer algo por él.

Haro le dijo a su padre, el guardia urbano: «Lo siento. Da parte a
Mateo y llévame libros de Marina». Haro y Octavio se encontraron en el
cuartelillo con Rosselló, quien ya llevaba cuarenta y ocho horas en
él. «La Voz de Alerta» y don Jorge se encontraron en la cárcel con un
gitano medio dormido en un rincón, y con un campesino de cicatriz
en la frente que, por entre unos pajares, había perseguido con una
hoz a un hermano suyo.

En cuanto a Mateo, acababa de enterarse de la detención de sus
camaradas cuando los mismos agentes de la otra vez llamaron a la
puerta. Les abrió la criada y al verles exclamó: «¡Pasen, pasen!» Los
agentes la miraron sorprendidos, temiendo que aquellas palabras ocul-
taran algo. Preguntaron por Mateo. Éste salió al pasillo. Le entregaron una orden, que el muchacho leyó con atención. Sacó el pañuelo
azul y se secó la frente: Luego preguntó: «¿Puedo sacar algo del despacho?» Los agentes contestaron: «Absolutamente nada». Mateo insistió: «¿El retrato de mi novia...?» Uno de ellos repitió: «Absolutamente
nada». Pero el otro agente intervino: «Puede usted sacar el retrato de
su novia». Mateo espiaba todos los movimientos de los dos hombres.
Finalmente dio media vuelta y regresó con el retrato de Pilar, que

puso en la mesa del comedor. Entonces el agente de más autoridad procedió a sellar el despacho. Don Emilio Santos acudió en aquel momento y contempló en silencio la operación del policía.

—¿Te vas con ellos? —preguntó luego a Mateo.

Éste contestó:

—Supongo que sí.

El agente dijo:

—No. Nada de eso. Tiene que presentarse usted mismo, a las ocho de la noche.

Mateo enarcó las cejas.

—A las ocho tengo clase de Derecho.

El agente levantó los hombros.

—Lo siento.

* * *

Toda la tarde transcurrió en medio de gran zozobra. La familia Alvear estaba convencida de que Julio se quedaría con Mateo. Sabían que éste defendería sus ideas hasta el fin, y que protestaría por la detención de sus camaradas. Pilar alternaba ira y llanto, y de repente exclamaba, refiriéndose a Julio: «¡Y pensar que ese hombre sube a casa y le damos café!» Matías Alvear procuraba contemporizar, pero el propio Ignacio estaba convencido de que Mateo ya no dormiría en casa, e imaginaba a Pilar con un cesto en la mano, subiendo a la cárcel a llevarle la comida.

Mateo no estaba tan seguro. Decía que si la intención de Julio hubiera sido detenerle ya lo habría hecho.

—Lo que tenemos que hacer es pensar en otra cosa. Yo creo que tú, Ignacio, deberías ir a clase lo mismo, y excusarme con el profesor Civil. Tú, Marta, a Bellas Artes. ¿Por qué no? A ver si terminas de una vez el retrato de tu padre. Y Pilar que vaya a Comisaría a buscarme a las nueve. Veréis como saldré. De un humor de perros, pero saldré.

Pilar era la más reacia al optimismo. Consideraba a Julio un monstruo y la sola idea de que pudiera detener a Mateo excedía a sus posibilidades de resistencia.

—Si a las nueve no has salido, ese bárbaro me oirá —decía—. Con una mujer no se atreverá.

Nadie comprendía qué podría hacer Pilar. Dejaron que se desahogara, pero la situación era penosa.

¡En cuanto a Marta, era la que demostraba más serenidad! Y suponía que en el fondo Mateo deseaba ser detenido, para acompañar a sus tres camaradas.

Decidieron seguir el consejo de Mateo. Cada cual iría a lo suyo. Esperaban con ansia el momento de separarse. Les parecía que algo hermoso se quebraba y que tardaría en volver. Pilar miraba a su padre como pidiéndole que hiciera algo. Éste no sabía qué decir, pues comprendía que Julio estaba al margen de sentimentalismos.

CAPÍTULO LXXI

Cuando Mateo llegó a la Jefatura de Policía el agente que estaba a la puerta le dijo que esperara y llamó al despacho de Julio. Al cabo de un momento, Antonio Sánchez asomó la cabeza. Miró a Mateo y dijo: «Siéntese, por favor».

Mateo tomó asiento. En aquel instante daban las ocho en la Catedral.

A los diez minutos fue Julio en persona quien apareció en la puerta.

—Pase, haga el favor.

Mateo entró en el despacho del jefe en medio de la más exquisita corrección.

Cuando se halló sentado ante Julio se dio cuenta de que le molestaba más aún la presencia del extremeño Antonio Sánchez, que tenía los labios finísimos y delgados y una expresión sibilina. Permanecía de pie entre el jefe y el fichero.

Lo primero que le preguntó Julio a Mateo, ahorrando otro preámbulo, fue si el teniente Martín pertenecía a Falange.

A Mateo la pregunta le sorprendió. Contestó:

—Pues... no.

—¿No a secas...?

El muchacho pareció meditar:

—Puedo aclarar la cosa —dijo—. Pidió el ingreso, pero le fue negado.

—¿Por qué razón?

—Se juzgó que su temperamento no se adaptaría.

Julio encendió un pitillo.

—Sugiere que ustedes no habrían profanado nunca una tumba... izquierdista.

Mateo contestó:

—Exacto.

Antonio Sánchez sonrió. Mateo le miró y dijo:

—Cuando el atentado contra las de Galán y García Hernández, José Antonio fue el primero en protestar.

Julio asintió con la cabeza. El policía parecía dispuesto a entablar con Mateo un diálogo amable, un simple cambio de impresiones.

—¿Qué sabe usted de una carta escrita por José Antonio a los militares de España?

—Absolutamente nada.

—...En la cual cita una frase de Spengler que dice: «A última hora, siempre ha sido un pelotón de soldados el que ha salvado la civilización».

Mateo meditó un momento.

—Creo que la afirmación de Spengler es certera, pero de la carta no sé absolutamente nada.

Julio se echó para atrás.

—¿Qué opinión tiene usted de «La Voz de Alerta»?

Mateo se encogió de hombros.

—Mala.

—¿Por qué...?

—Representa... el espíritu egoísta y rencoroso contra el cual luchamos.

—¿Qué opinión tiene usted de don Jorge?

—Don Jorge... es más excusable.

—¡Vaya...!

—Le educaron así.

—¿A qué otras personas de la ciudad desprecia o excusa?

—Sería largo de contar.

Julio consultó un papel que tenía delante.

—¿Qué relaciones tiene usted con el comandante Martínez de Soria?

—Muy escasas.

—¿Qué opinión tiene usted de él?

—Dio un hijo por nuestra causa. Me inspira un gran respeto.

—¿Cree usted que ha recibido una copia de la carta dirigida por José Antonio a los militares de España?

—No sé nada de la carta.

Mateo comprendió que Julio quería insistir hasta el fin. Sonrió.

—Con franqueza —preguntó Julio—. Hablemos de Falange. ¿Qué se proponían ustedes? ¿Llegar a ser unos cuantos y hacer qué...?

Mateo escuchó la pregunta sin inmutarse. Contestó:

—Nos proponemos llegar a ser los suficientes para devolver a España su unidad y su razón de ser.

—¿Cuál es la razón de ser de España...?

—Ser fiel a sí misma. —Viendo que se había hecho el silencio, añadió—: Y derramar su luz espiritual al mundo.

Julio miró un momento a *Berta*, que avanzaba hacia él. Luego preguntó, moviéndose en la silla:

—¿Qué haría usted conmigo, si pudiera?

Mateo hizo una mueca de desagrado.

—Podrían hacerse muchas cosas. Por ejemplo... —El acusado reflexionó un momento—. Se le podría preguntar qué se propone hacer con Gerona, y con España... —Viendo que Julio no reaccionaba, prosiguió—: También me gustaría situarle ante un público de tres mil personas y ponerle a discutir con... ¡qué sé yo! Vamos a poner... con José Antonio. A ver qué pasaba. —Viendo que Julio permanecía quieto, añadió bruscamente—: Luego le expulsaría de la Masonería.

Julio enrojeció. Se echó para atrás. No comprendió el alcance de la frase.

—¿Qué quiere usted decir?

—Nada. Nada de particular. —Viendo el furor del policía, añadió—: Le expulsaría por una razón que no tiene nada que ver con... —Se calló—. Le expulsaría por inteligente. —Mateo se sentía molesto, sentado en el centro del despacho, sin respaldo en qué apoyarse. Miró a Julio y prosiguió—: De veras. Es usted demasiado inteligente para ser masón.

Julio pegó un puñetazo en la mesa.

—¡Basta!

Mateo se calló. Al cabo de un momento dijo:

—Ha sido usted quien me ha preguntado.

Se hizo el silencio. Julio había conseguido dominarse. Alargó el brazo y apretó un botón. Mateo cerró los ojos. Al darse cuenta de que la luz no le daba de lleno, levantó los párpados. Julio había vuelto a consultar el papel que tenía delante.

—¿Qué opinión tiene usted de Casal?

Mateo contestó, con calma:

—Un equivocado.

—¿Y de Cosme Vila...?

El muchacho movió la cabeza.

—Uno de los personajes más nefastos de la ciudad.

—Cuando entregó usted la carta de José Antonio al comandante Martínez de Soria, ¿qué comentario hizo éste?

—No sé absolutamente nada de la carta.

—¿Cree usted que muchos oficiales de la guarnición le serían fieles?

El falangista se encogió de hombros.

—¿Cuántos paisanos calcula usted que tomarían las armas?

Mateo continuó callado.

—Nos interesa saber eso. Saber si muchos oficiales seguirían al comandante. Y también el número aproximado de paisanos que se unirían a él.

—No sé de qué está usted hablando.

Julio esperó un momento.

—Sí lo sabe. Hablo del levantamiento que se prepara contra el Gobierno de la República.

Mateo hizo un gesto de asombro.

—¿Gobierno...? No sabía que esta República tuviera un Gobierno.

—¿No...?

—No.

Julio apoyó los codos en la mesa.

—Prefería usted el gobierno de Gil Robles.

Mateo negó con la cabeza.

—No, por cierto.

—Ya... No cree usted en regímenes parlamentarios.

—No.

—¿En qué cree usted, pues...?

Mateo se protegió los ojos con la mano.

—En un hombre con sentido profético.

—¿Como Mussolini o Hitler...?

Mateo sentía vértigo. Su postura y la expresión de Antonio Sánchez le daban vértigo. Julio apartó un momento el foco de luz.

—¿Por qué causas cree usted que hemos detenido a sus tres camaradas?

Mateo arrugó el entrecejo.

—Pues... a Rosselló, por tenencia ilícita de una pistola; a Octavio y Haro, por haber gritado «¡Arriba España!»

—¿Cómo supone que les tratamos?

—Con corrección.

Julio abrió inesperadamente un cajón del escritorio y preguntó:

—¿Por qué guardaba usted esto en su despacho? —Y sacó un trozo de papel. Estaba escrito por el hermano de Mateo, detenido en Cartagena.

Al ver el trozo de papel, Mateo se puso serio. Julio lo desdobló y leyó: «Es terrible estar entre cuatro paredes cuando hay tanto que hacer fuera. Tus noticias me han llegado bien. Continúa».

—¿Qué noticias? ¿Qué es lo que debe usted continuar?

Mateo no contestó. Julio, sin insistir, volvió a guardar el papel en el cajón.

—¿Su hermano es mayor que usted?

—Un año más.

—¿Ingresó en Falange cuando usted?

—Exactamente.

—¿Y qué es lo que tiene usted que hacer fuera?

Mateo volvió a protegerse los ojos.

—¡Yo qué sé! —dijo, aburrido.

Antonio Sánchez se impacientó. Entonces Julio informó a Mateo de que en aquellos momentos se estaba efectuando un nuevo registro en su despacho.

Mateo le preguntó:

—¿Podría quedar yo en la cárcel y mis tres camaradas en libertad?

—Eso incumbe al Comisario.

Julio consultó de nuevo la lista.

—¿A qué atribuye usted que ningún obrero le haya ofrecido sus servicios?

Mateo contestó:

—A que aquí no nos conocen. En otras partes tenemos a muchos obreros afiliados.

—¿Y por qué se alistan?

—Porque están cansados de demagogia.

—¿Ustedes proponen Sindicato Único?

—Sindicato Vertical.

—¿En qué consiste eso?

—Sería largo de contar.

Julio meditó un momento.

—Así, pues... el resumen de su doctrina es: Hombre profético, Partido Único, Sindicato Vertical.

Mateo negó con la cabeza.

—No. El resumen de nuestra doctrina es: amor a España.

Julio se puso nervioso. El sonsonete le estaba fatigando. Se levantó y se reclinó en la pared. Pero de repente notó que un inesperado sentimiento abría brecha en él. Pensó en Pilar. Pensó que Pilar quería a aquel muchacho que tenía delante. Y también pensó en don Emilio Santos, con quien tantas veces había jugado al dominó en el Neutral. El hecho de que aquellas dos personas vivieran enteramente para el falangista impresionó a Julio de una manera súbita y penetrante. Se reprochaba haber cedido a la tentación de utilizar el foco de luz.

Mateo callaba. Se mostraba fatigado. No sabía qué hacer con su pañuelo: tan mojado estaba. Parecía absurdo, sentado en un taburete en el centro del despacho sin respaldo en que apoyarse, la mecha amarilla colgándole del bolsillo del pantalón.

Julio contempló a *Berta*, que había llegado a sus pies. Entonces se acercó al falangista y le sometió a un interrogatorio de intensidad creciente. Y mostró estar enterado de todo cuanto había hecho desde su llegada a Gerona, desde sus primeros contactos con Octavio hasta la reciente entrega del carnet a Marta Martínez de Soria y el telegrama a Madrid. «A las órdenes siempre.» Le preguntó qué entendía por revolución, por qué hasta el momento se había abstenido de la menor acción violenta. Por qué llevaba dos semanas entrevistándose con un capitán de la Guardia Civil. Por qué había colocado al rubio ex anarquista de asistente del comandante Martínez de Soria. Por qué le dijo por teléfono a J. Campistol de Barcelona: «Absteneos de venir». Por qué sus tres camaradas, al ser interrogados sobre el particular, se habían mirado entre sí con estupor. Por qué Octavio llevaba en la cartera una lista de personas de la ciudad encabezada por los Costa; por qué Haro había escrito en un papel: «El acento del doctor Relken no es alemán, es checo». Por qué Benito Civil introducía con frecuencia su mano derecha entre los papeles personales de los arquitectos Massana y Ribas. Por qué el hijo de don Jorge le había dicho a un colono: «Necesitaría cien sacos vacíos, altos de noventa centímetros». Dónde había visto Mateo que los pájaros disecados tuvieran una puertecita en el vientre, que se abría con sólo tocarles una pata. Dónde había oído que un hijo le dijera a su padre: «Sí, sí, ya lo sé. Pero nada importante se ha hecho en el mundo sin el empleo de la fuerza». Por qué hablando en la Tabacalera de una remesa de habanos que tenía que llegar en noviembre, había exclamado: «¡Bah! ¡Quién sabe lo que pueda ocurrir en noviembre!»

Julio le dijo a Mateo que al llegar noviembre no habría ocurrido absolutamente nada de particular. Tocante al escudo de la camisa, debía escoger entre quedarse sin escudo o sin camisa; y en cuanto al doctor Relken, no era alemán ni checo: era simplemente el doctor Relken, sabio arqueólogo, aficionado a antigüedades.

Julio le dijo a Mateo que no bastaban un pañuelo azul y un mechero de yesca para fundar una célula fascista en una provincia como Gerona, fronteriza, de gran responsabilidad. Hacían falta cierta experiencia, algunas canas e incluso simpatía personal. Tampoco bastaba con decir: «Me voy a Abisinia». Lo importante era ir; y en tal caso volver. De todos modos, que no se imaginara que una Jefatura de Policía era una tribuna dialéctica. De momento, las acusaciones contra él eran concretas y era preciso que las oyera, pues a pesar de todo la República no negaba posibilidades de defensa a ningún ciudadano. Quedaba acusado de haber intentado fundar en Gerona una asociación política declarada ilegal en Madrid, de haber utilizado para ello menores de edad y de haberles repartido armas, de estar dispuesto a obe-

decer a jefes de esta Asociación antes que a las autoridades gubernamentales, de haber confeccionado listas con miras a una acción de represalia, de participar en un movimiento clandestino de rebelión que
se iniciaba y de haber entregado una carta al comandante Martínez de
Soria, cuyo texto incitaba a éste a tomar el mando de dicha rebelión
en la plaza de Gerona.

Durante todo este discurso, Mateo había continuado protegiéndose
los ojos con su mano. De haber oyentes, se habría esforzado en esgri-
mir argumentos; allá entendía que no valía la pena. Estaba fatigado.
Lo que deseaba era la sentencia, conocer la suerte que le esperaba.

La violencia de la luz había terminado por ocasionarle un vértigo
tal, que a lo último oyó a Julio como si la voz de éste brotara del
fondo de un parque con niebla. Ahora que se había hecho el silencio,
el vacío era más intenso, más doloroso aún. Tenía la sensación de que
esperaban algún comentario de su parte, unas palabras, la defensa
que el Gobierno de la República no negaba a ningún ciudadano; pero no
podía. De pronto se había quedado absorto, contemplando estúpidamente un objeto del escritorio, el pisapapeles, dentro del cual Julio,
sin querer, había desencadenado una nevada.

Mateo tenía la sensación de que los músculos de su rostro se rela-
jaban, de que alteraban su forma. La frente se le ensanchaba enormemente. Estaba seguro de que sonreía y por nada del mundo quería
hacerlo en aquella circunstancia. La voz de Julio había callado. No se
oía nada.

De pronto le pareció oír ruidos de puertas que se abrían, de pasos.
Y al instante unas sombras se irguieron ante él, amenazantes, ocultando la sonrisa de Antonio Sánchez. Eran hombres, que se dirigían
a él, que acaso quisieran esposarle o llevarle quién sabe dónde, acusado de tener un depósito de armas en el vientre de un pájaro disecado.

Mateo no pudo reprimir un grito de espanto, al reconocer, entre
aquellas sombras, muy próximo a sus ojos, un objeto de su despacho
que imaginaba lejos, un objeto agujereado, amarillento. Lo sostenían
dos manos de venas rojas, que temblaban ligeramente: la calavera. La
calavera de su escritorio. La hubiera reconocido entre mil. ¿Qué había
ocurrido, por qué la habían llevado allí?

Entonces oyó claramente la voz de Julio, que le preguntaba:

—¿Reconoce usted eso...?

Mateo abrió los ojos. Advirtió con sorpresa que veía con claridad,
que distinguía las formas. Una gran sensación de alivio le invadió.
Miró a Julio, y vio que éste había reclinado contra la lámpara un re-

trato con marco. Reconoció en el retrato a José Antonio, que le miraba sin pestañear.

—Sí, le reconozco. Me lo dedicó en 1933, en El Escorial.

* * *

La gran sorpresa de Mateo fue que, a pesar de todo aquello y de la gravedad de las acusaciones, fue puesto en libertad. Julio subió a ver al Comisario y al bajar dijo:

—Bien, va usted a ver que no somos tan fieros como nos pintan. El Comisario dice que le soltemos. Así que queda libre; en cambio, sus tres camaradas, de momento, quedan retenidos en el calabozo. De todos modos considérese en libertad vigilada. Tenga la bondad de no ausentarse de Gerona, y de presentarse cada cuarenta y ocho horas aquí. El agente de servicio en la puerta tendrá un libro de firmas a su disposición. Ahora puede usted marcharse, y perdone las molestias.

Mateo se levantó, desconcertado. Las piernas le temblaban. Tenía la sensación de que los ojos le hervían. Advirtió que la mecha amarilla le colgaba del pantalón y la introdujo en el bolsillo. Echó a andar en dirección a la puerta. Tropezó con un obstáculo imaginario. Luego recobró el equilibrio y salió.

No tenía idea del tiempo transcurrido. Vio que el agente de servicio no era el mismo. Aquello le hizo suponer que debía de ser muy tarde. Maquinalmente se tocó la camisa y vio que el escudo le había sido arrancado. Recobró la conciencia y una ola de indignación le invadió. Los últimos pasos hasta la puerta de salida los dio con su energía habitual.

Al llegar afuera vio inmediatamente unas sombras que se le acercaban: eran Pilar, Ignacio y Marta.

Las dos muchachas le asieron del brazo. Él preguntó:

—¿Qué hora es?

—Las diez. Las diez menos cinco.

Antès de continuar miró al aire. Sintió que Pilar, Ignacio y Marta le llevaban calle abajo. Había un cielo rutilante, cielo de mayo, por encima de los tejados. Pilar le preguntaba:

—¿Qué te han hecho, qué te han hecho?

Mateo contestó:

—Dejemos eso; ya hablaremos.

Sentía el temblor de las manos de Pilar, asidas a su brazo. Miró a la muchacha. Vio sus brillantes ojos, su expresión dulcísima; percibió una gran atención en todo su ser. Pilar le llevaba como el mejor tesoro recobrado, como defendiéndole contra los transeúntes. Mateo sintió que amaba a **aquel ser** directo y sencillo. A pesar del peinado, poco elegante aquel día, pues, según dijo Pilar, tenía que lavarse la cabeza.

Al llegar a la Rambla, Pilar quería que subiera con ellos.

—No, no. Me voy. Mañana hablaremos.

—Sube a casa. Yo misma iré a avisar a tu padre y vuelvo.

Mateo dijo:

—No, de veras. Es mejor que vaya a casa.

Ignacio opuso que era lo más prudente.

—Yo te acompañaré.

—Te acompañaremos todos —dijo Marta.

Mateo pidió que sólo le acompañara uno de ellos: Pilar.

Pilar le agradeció la elección. Sus dedos presionaron una vez más el brazo de Mateo. Ignacio dijo: «Mañana nos contarás...» Mateo respondió: «Nada, ha ido bien». Marta le estrechó la mano. «¡Arriba España!» Él contestó: «¡Arriba!» Mateo y Pilar echaron a andar.

Cruzaron el Puente de Piedra y tomaron la dirección del domicilio de Mateo. Había una extraña calma en la ciudad. La temperatura era templada y dulce. Circulaban pocas personas. Pilar quería decirle muchas cosas y no le salían. Andaban muy despacio, ella con su cabeza reclinada en el hombro de Mateo.

Sólo le preguntó, sin modificar esta posición:

—¿Qué eran unos paquetes que llevaban dos agentes que han entrado?

Mateo contestó:

—El retrato de José Antonio y la calavera.

Pilar prosiguió:

—Te duelen los ojos, ¿verdad?

—Un poco.

—Subiré a prepararte algo.

—No, no hace falta.

Llegados frente a la casa, Mateo se detuvo. Sus dos manos retenían las de Pilar. Con sus ojos, que le dolían, miró los de la muchacha.

—Perdona, ahora tendrás que regresar sola.

—No importa.

Mateo prosiguió:

—Mañana iré a veros después de comer.

—De acuerdo. Por la mañana te telefonearé.

—No, no. Es mejor que no lo hagas.

Pilar calló un momento.

—¿No puedo hacer nada...? ¿No tienes que darme ninguna instrucción?

—Pues... sí. Espera un momento. Déjame pensar. —Inclinó la cabeza—. Sí. Vete a ver a Jorge y dile que mañana pase por la Tabacalera antes de las doce.

—Entendidos.

Pilar deseaba que Mateo le diera un beso, pero éste no lo hacía. Pilar se puso de puntillas y le besó en la frente. Mateo le devolvió el beso. Se despidieron. «Vete de prisa a casa.» «Iré despacio, pensando en ti.»

Mateo se disponía a franquear el umbral de la puerta cuando percibió una sombra en el balcón. Era don Emilio Santos. Mateo sintió una gran emoción en el pecho.

—¿Subes? —le preguntó su padre.

—Sí.

Subió las escaleras apoyándose en la barandilla. Tenía ganas de abrazar a su padre cuando éste le abriera la puerta.

No tuvo necesidad de llamar. La puerta estaba entreabierta. La cabeza de su padre apareció tras ella. Don Emilio Santos le estrechó la mano e hizo: «¡Chiiissst...!» Y cerró la puerta sin hacer estrépito.

—Tienes visita —le dijo en voz baja.

—¿Quién?

—En el comedor. Dos guardias civiles.

Mateo tuvo un sobresalto.

—¿Qué quieren?

Don Emilio Santos dijo:

—No sé. No creo que tengas nada que temer.

Mateo se miró al espejo del perchero y se compuso la corbata sobre la camisa azul. Dio unos pasos y entró en el comedor.

Los dos guardias civiles se levantaron al verle. Uno aparentaba unos veinticinco años; el otro era bastante mayor, gordo y con cara de persona de gran fidelidad.

Mateo se les acercó. El mayor de ellos dijo:

—El capitán Roberto nos ha hablado...

Mateo los miró profundamente. Le pareció no equivocarse, leer sinceridad.

Contestó:

—Depende de vuestra capacidad de sacrificio.

CAPÍTULO LXXII

El Tradicionalista denunció a los gerundenses que la colocación de la bomba número cuatro fue ordenada por Cosme Vila en persona, y que Murillo, ejecutor del atentado, aprovechando la confusión, se había adueñado de una de las imágenes que cayeron a la calle y la había vendido al doctor Relken, «quien la guardaba, junto con otras piezas, en la habitación número veintitrés del Hotel Peninsular».

Don Pedro Oriol había supuesto que la denuncia provocaría gran revuelo. Alguien comentó en el Neutral: «¡Caray con el doctor! Mucho ateísmo y comprando santos». También el subdirector se indignó ante el hecho de que el doctor arramblara con obras de arte de la provincia. «Es la continuación de lo que hicieron los masones ingleses al quedarse con las catedrales católicas», dijo. Y también se indignó Cosme Vila. La acción de Murillo le sacó de quicio. Si Cosme Vila consideraba grave un delito en un militante comunista, era éste: sacar provecho de un acto de servicio. Pero aparte estas reacciones sueltas, la ciudad no hizo el menor caso de la noticia. Se esperaba el juicio del teniente Martín. Esto era lo importante. Esto, y la ejecución de los acuerdos de la Comisión de Seguridad, cuyos resultados se iban conociendo.

Todo el mundo sabía que don Jorge y «La Voz de Alerta» circulaban por los pasillos de la cárcel como tigres enjaulados. Jocosas anécdotas relativas a su comportamiento corrían de boca en boca. Unos contaban que a «La Voz de Alerta» le dolía terriblemente un diente y que, separado de su clínica, había pedido al gitano que se lo arrancara por el empírico método del cordel. Otros decían que el campesino que persiguió a un hermano suyo con una hoz, por entre los pajares, había escamoteado de noche el hongo, los guantes y el bastón de don Jorge, y ahora armado con estas prendas, perseguía al rentista y a los guardianes. Todo el mundo se reía. Algunos decían: «Deberían dejar ver todo eso los jueves y los domingos».

Respecto a Octavio, Haro y Rosselló se contaba que se pasaban las horas en el calabozo cantando himnos subversivos, como el de la Legión, el de Falange, el *Giovinnezza* y el alemán. Los agentes habían tenido que amenazarlos con la porra. Se decía que el padre de Rosselló se había negado a interceder en favor de su hijo. «Quiere tener ideas propias: que pague las consecuencias.» La novia de Octavio rondaba todo el día alrededor de Jefatura, como buscando una brecha por donde introducirse.

Se suponía que todos estos detenidos tardarían mucho en ser puestos en libertad, pues a medida que el sumario avanzaba, nuevas acusaciones aparecían contra ellos. Respecto de Mateo, se decía que ahora pensaba celebrar las reuniones en el bar Cocodrilo. Alguien criticaba que hubiera sido puesto en libertad. Otros respondían: «Lo han hecho para ver si se hunde hasta el cuello». Varios fumadores aseguraban haber encontrado folletos clandestinos de Falange en los paquetes de picadura que la Tabacalera distribuía. Por otra parte, algunos soldados habían visto al muchacho hablando con el comandante Martínez de Soria en la Sala de Armas. «Fue allá donde le entregó la carta.» «Se les va a caer el pelo.» «Hay guardias civiles complicados en el asunto.»

La denuncia de *El Tradicionalista* se fundió como la nieve bajo aquella diversidad de preocupaciones. Por lo demás la contrarréplica en las páginas de las publicaciones locales fue fulminante. *El Demócrata*, tomando como base la alusión de *El Tradicionalista* al valor de la imagen adquirida por el doctor Relken, publicó en primera página, en la edición del día siguiente, una estadística firmada por el arquitecto Massana sobre las riquezas acumuladas por la Iglesia Católica en España. Según el arquitecto, las joyas de las coronas de la Virgen alcanzaban por sí solas una cifra astronómica. Sin contar el oro macizo de las custodias, sagrarios y candelabros. «Hay altares cuyas columnas laterales son de oro.» Se citaban los mantos de la Virgen de Toledo, de varias de Andalucía. Datos sobre Montserrat, sobre la Catedral de Gerona. Mosén Francisco, a quien la visita de Laura había puesto de buen humor, exclamó: «Es curioso. Hay detalles sobre San Félix que yo mismo desconocía. No sabía que fuéramos tan ricos». Carmen Elgazu comentó: «Claro, preferirían que esas joyas las llevaran las mujerzuelas».

Los estudios de este tipo interesaban grandemente a los lectores. Y sin embargo, ninguno de ellos obtuvo tanto éxito como el número extraordinario de *El Proletario*, que Cosme Vila lanzó dos días después de la nota de *El Tradicionalista*, como anuncio y preparación de la Asamblea General del Partido, con tanto fervor esperada.

Fue un número de dieciséis páginas, con un suplemento. Excelente papel, cubierta llamativa, impresión impecable. Tirada enorme, reparto gratis en Gerona y la provincia.

Cosme Vila había tenido la inteligente visión de abarcar a un tiempo lo mitológico y lo inmediato: con ambas dimensiones consiguió interesar a todo el mundo. Lo mitológico fueron las dieciséis páginas dedicadas íntegramente a Rusia, lo inmediato fue el suplemento, dedicado a personas y sucesos de la localidad.

Fueron varios días de trabajo intenso, que a la postre se vio compensado. El reporte sobre Rusia lo preparó Gorki.

En la portada se veía a Stalin sentado en el Kremlin. A sus pies miles de obreros aclamándole con rostro feliz. Arriba, en dos medallones poéticos, Marx y Lenin contemplaban, desde el más allá, su obra.

En el interior iba el reportaje, con fotografías y documentos verídicos. Los comunistas gerundenses quedaron boquiabiertos ante el espectáculo de las gigantescas obras que se realizaban en Rusia, de riegos, vías de ferrocarril, extracción de minerales, etc... Enormes tentáculos parecían extenderse por todo el país, multiplicando sus riquezas. Pero, acaso lo que más les impresionaran fueran las condiciones en que trabajaban los obreros rusos. Los comedores colectivos, las enfermerías, el número y magnificencia de las piscinas de que disponían en las mismas fábricas, los campos de deporte. «Comparad esta piscina de Novgorod con la de la Dehesa», escribía Gorki en tercera página, al pie de un grabado colosal. «Comparad este campo de fútbol de Odesa con el de Gerona, cuya utilización, obreros, os está prohibida so pretexto de que destrozáis la hierba.» Los militantes de Cosme Vila hundían la nariz en las páginas, husmeando en el Gran Canal, en los comedores colectivos, en las viviendas moscovitas, georgianas. Especialmente Teo, a la vista de aquellas piscinas, se volvía loco, pues su manía continuaba siendo dar saltos desde un trampolín, y comprendía que en Odesa, y sobre todo en Novgorod, podría darlos incluso mortales.

Los afiliados repetían lo que el doctor Relken había dicho un día en el Neutral: «Desde luego en Rusia se vive mucho mejor que aquí». Los afiliados estaban convencidos de que la gran masa de trabajadores se componía de voluntarios. En la última página, Gorki, insertó un grabado representando lo que sería el Metro de Moscú, todo en mármol.

En cuanto al suplemento, dedicado a la localidad, fue tal vez uno de los blancos más certeros conseguidos por Cosme Vila.

El papel utilizado era inferior al del *Boletín*, la impresión más deficiente, el tamaño más reducido; pero no importaba. Constituía un inenarrable desfile de personajes de la localidad, cada uno con su leyenda. Alguien lo bautizó: «Álbum familiar».

En primera página aparecía el comandante Martínez de Soria montando a caballo al lado de Marta. El porte de ambos era digno; por el contrario, sus rostros aparecían monstruosos, merced al procedimiento de alargar la boca de oreja a oreja.

Todo el mundo se rió de la doble imagen. Todo el mundo se rió, excepto Ignacio. Ignacio, al ver aquello, palideció, se le cortó la respiración. Había encontrado el suplemento en el vestíbulo, al regresar del Banco; alguien lo había deslizado por debajo de la puerta.

Jamás había sentido ira semejante. Su padre temió que cometiera alguna imprudencia, pues el muchacho miró, papel en mano, en dirección al local del Partido Comunista. «Verdaderamente es una canallada —dijo Matías Alvear, cubriendo con disimulo la puerta del pasillo—; pero ¿qué quieres? Todo eso se cae por sí solo, un día u otro.» Ignacio, inmóviles las mandíbulas, por fin dobló, a distancia, la hoja del semanario, y se encontró ante una nueva fotografía del comandante, esta vez desfilando sable en alto, mientras en un rincón unos obreros pequeños, reducidos de tamaño, le miraban con miedo.

Aquello era ingenuo e Ignacio no pudo reprimir un comentario que hirió los tímpanos de Carmen Elgazu.

Fue recorriendo las otras páginas, una por una. Y a medida que las doblaba iba comprendiendo la astucia de Cosme Vila. Vio a don Jorge apeado de un taxi en el portal de una de sus propiedades, pinchando con el bastón en un cesto lleno de patatas que le presentaba un colono. Vio a «La Voz de Alerta» en el café de los militares, inclinado en posición rastrera, ofreciendo fuego, con su mechero, a un coronel. El pie rezaba: «Dentro de pocos días, este hombre volverá a sentarse en la redacción de *El Tradicionalista*».

Salía don Santiago Estrada del brazo de su mujer, en pleno Puente de Piedra, ambos soltando una carcajada. Luego una fotografía del señor obispo, al que seguían dos pajes sosteniendo cojines morados. Los Costa fumando un puro mientras los obreros salían de la fundición. ¡El hijo del profesor Civil con una octavilla falangista en alto! El notario Noguer, Laura, los capuchones de Semana Santa, un entierro de primera clase, con los plumeros de los caballos recortándose en el cielo azul.

Y en última página, el golpe mortal, la obra maestra del aparato fotográfico de Víctor; un clisé que representaba el Hermano Alfredo en el patio de los Hermanos de la Doctrina Cristiana, repartiendo caramelos a un grupo de chiquillos. Los ojos del Hermano Alfredo, retocados con arte exquisito, expresaban una gran beatitud.

Ignacio, al terminar, se dirigió a la ventana del comedor, la abrió de par en par y tiró al río el Suplemento. Pilar, que estaba en la ventana de su cuarto, ajena a cuanto ocurría, gritó: «¿Qué haces?» Ignacio se retiró y cerró los postigos con estrépito. La muchacha entonces miró abajo, al agua; y le dio tiempo de ver como la corriente se llevaba lentamente la gran carcajada de don Santiago Estrada.

Y no obstante, la finalidad perseguida por Cosme Vila había sido conseguida. En los cafés, los comentarios irónicos en torno a las fotografías se multiplicaron. Raimundo, extrañamente agresivo desde la guerra de Abisinia, pegó en la pared la correspondiente a «La Voz de Alerta». En el Banco era opinión unánime que Laura y el notario Noguer hubieran debido ser respetados; en cambio, el pinchazo del bastón de don Jorge a una patata tuvo gran aceptación.

Todo quedaba preparado para la Asamblea General. Murillo estaba tranquilo, pues Cosme Vila no le había dicho nada con respecto a la venta de la imagen. A Teo, una alusión a su hermano Jaime Arias, hecha en el Suplemento, le llenó de gozo, apaciguándole en parte de la rabia que le mordía por el atentado del teniente Martín. Toda la masa de afiliados al Partido Comunista vivía horas de fiebre, sobre todo porque se anunció que estarían presentes en el Teatro Albéniz varios dirigentes comunistas de Barcelona, y probablemente el camarada Vasiliev. La misma bomba número cuatro acabó siendo considerada una hábil jugada del jefe.

Cosme Vila no se movía de su escritorio, abriendo ahora un cajón, ahora otro. Su mujer le quería más que nunca; sus suegros sólo dejaban de pensar en él en los instantes estrictos en que tenían que cerrar el paso a nivel.

El jefe estaba satisfecho porque veía que abría brecha en la ciudad. Antes de las elecciones, la casi totalidad de afiliados eran obreros de fábrica; ahora sabía que algunos estudiantes de matemáticas se habían declarado comunistas en sus conversaciones, y al pasar él notó que le miraban con gran curiosidad y cierto respeto. Se hablaba de un practicante del Hospital, comunista. De un profesor del Instituto, de varios intelectuales solitarios, y aun de alguna persona hacendada.

Don Santiago Estrada preguntó en el Casino:

—¿Cómo es posible que una persona hacendada sea comunista?

Nadie le dio una explicación satisfactoria.

* * *

Casal se quedó muy sorprendido al recibir una invitación personal de Cosme Vila. «Tienes una silla reservada en el escenario, en la Presidencia.» Lo mismo les ocurrió a David y Olga: otras dos sillas reservadas.

En cambio, el doctor Relken no acertaba a explicarse que su nombre hubiera sido olvidado. Se sirvió un vaso de agua y le dijo a Julio: «Asistiendo el ruso, han preferido mantenerme apartado».

Casal sospechaba que la invitación de Cosme Vila no tenía nada que ver ni con las relaciones personales ni con buenos deseos de solidaridad.

609

Por otra parte, David y Olga se habían sentido picados en lo más vivo de su curiosidad. En la invitación que recibieron, una posdata de puño y letra de Cosme Vila decía: «Vuestra presencia sería interesante, pues para el plan de reforma de la enseñanza que pensamos presentar, contamos con vuestro Manual de Pedagogía».

Estas palabras llenaron a los maestros de un júbilo que les resultaba difícil disimular. La verdad era que la Generalidad continuaba no dándoles sino vagas esperanzas respecto a su Manual. Como inspectores del Magisterio de la provincia, podían distribuir plazas, sancionar, crear nuevos centros docentes y prohibir el uso del hábito; pero en el régimen interior de las escuelas, la tradición levantaba contra ellos obstáculos a menudo insuperables. Propuestas como las de lavar semanalmente la cabeza a los alumnos o de dedicarlos a la agricultura, habían sido recibidas con hostilidad por parte de algunos maestros. Otros habían implantado, por cuenta personal, reformas cuya audacia se revelaba excesiva.

Ante la ayuda sugerida por Cosme Vila se mostraron partidarios de asistir a la Asamblea. Casal les dijo: «Pues bien, yo os acompañaré».

Julio, en cambio, declinó la invitación que también había recibido. Lo mismo que el Comisario. Desde la reunión de la Comisión de Seguridad cualquier iniciativa de Cosme Vila les parecía sospechosa. «Que se ande con cuidado —comentó Julio en aquella ocasión—, que la caballería está deseando volver a salir.»

Cosme Vila había solicitado la presencia de una patrulla de Guardias de Asalto. Según él, la célula trotskista, al anuncio de la llegada del camarada Vasiliev, preparaba una acción contra éste.

La Asamblea estaba anunciaba para las nueve de la noche. Y sin embargo, a partir del cierre de las fábricas se notó alrededor del Teatro una gran efervescencia, y se veían caras desconocidas, de tipo rural, llegadas de toda la provincia. El Responsable y Porvenir, en un café, dudaban entre hacer algo o aceptar en silencio el fracaso de su movimiento, fracaso que llevaba trazas de convertirse en definitivo.

En realidad habían transcurrido pocos días desde la presentación de las bases anarquistas. Los ochocientos huelguistas continuaban, por lo tanto, en la brecha; pero se notaba entre ellos evidente desánimo, pues las máquinas zumbaban a pesar de todo, y en muchos hogares había aparecido inevitablemente la negra miseria. Los anarquistas decaían de una manera especial al anochecer, al encenderse todas las luces de la ciudad. Entonces comprendían hasta qué punto su sueño había sido breve. Comentaban entre sí las cuarenta y ocho horas en que Gerona había quedado a oscuras, en que la gente andaba por las calles palpando la pared. Especialmente, Santi no se hacía a la idea de que la luz hubiera vuelto.

Ahora el Responsable le decía a Porvenir:

—A nosotros nos fastidiaron por el mero hecho de pedir Control. Ahora esos animales pedirán mucho más y todo el mundo mutis.

Porvenir contestaba:

—Por burros. Debimos pedirlo todo, hasta la abolición de la moneda.

Y no obstante, ninguno de los obreros que se iban concentrando frente al Teatro se acordaba ya de la huelga anarquista. En cambio, para muchas empresas su prolongación se revelaba fatal. Los Costa, sobre todo, estaban desesperados. Sus mujeres les decían: «¡No! ¡Si terminaréis haciéndonos caso y nos iremos todos a vivir a Pals!» Laura había llegado con su canción a complicar aún más las cosas. A ella no le importaba ni la huelga ni la Asamblea; a ella le importaba su marido detenido, «La Voz de Alerta», sobre todo porque mosén Alberto le había dicho: «Si no se espabila usted, y por poco que los comunistas metan mano, los quince días de arresto se convertirán en quince meses».

Los Costa le contestaban: «¿Qué podemos hacer? El arresto es legal. ¿Creéis que podemos alterar el Código?»

Mosén Alberto había aconsejado a Laura que removiera cielo y tierra. El sacerdote pretendía estar al corriente de las bases que había preparado Cosme Vila, de acuerdo con los jefes comunistas de Barcelona y con el profesor del Instituto recientemente ganado por el marxismo. «Se trata de una auténtica revolución de tipo soviético, de poner la provincia en manos de la turba.» El notario Noguer creía que exageraba.

La minuciosidad de los informes de mosén Alberto contrastaba con la ignorancia absoluta en que se encontraba la propia masa de afiliados comunistas respecto a lo que oirían aquella noche en el Teatro Albéniz. A medida que avanzaba la hora, la Plaza se abarrotaba y se oían comentarios de todas clases. «¡Vamos a dar un ultimátum *que pa qué*!» Otros aseguraban que se pediría sentencia de muerte contra el teniente Martín y convertir los cuarteles en locales para el pueblo, «como se había hecho en Rusia».

Ante la aglomeración que se producía, los porteros del Teatro decidieron abrir las puertas, aun cuando faltaba una hora para empezar. Y en poco más de veinte minutos el local se llenó. Porvenir, desde el café, dijo, viendo las colas: «Hay mucha hembra»; y era verdad. Muchas mujeres, algunas llevando carteles que decían. «¡Viva Rusia!» Los que decían: «¡Viva el camarada Vasiliev!», estaban en la estación, rodeando al Comité Ejecutivo del Partido, en espera de la llegada del tren.

En el momento en que los altavoces del Teatro anunciaron la entrada en Gerona del camarada Vasiliev y de los jefes comunistas de Barcelona, una ola de emoción estremeció a la multitud. El hijo del sepulturero se subió a la butaca. Todo el mundo miraba a la puerta de entrada, pero los altavoces comunicaron que los oradores harían su aparición directamente en el escenario.

Eran muy pocos los que conocían a Vasiliev. Su imagen no había aparecido ni siquiera en *El Proletario*. Algunos recordaban una fotografía que publicó *El Día Gráfico*, en la que se le veía en el puerto de Barcelona, puño en alto, recibiendo a unos marinos de un petrolero ruso.

Por ello su entrada en el escenario, rodeado de dirigentes, fue doblemente espectacular. No hubo necesidad de presentaciones entre él y la masa. Una cabellera blanca un poco anárquica, gafas con cristales de doble espesor, cuello poderoso. Su tez, mate, contrastaba con el moreno meridional. Con dos manos de gestos secos saludó a la multitud. Y en el instante en que los altavoces iniciaron *La Internacional*, su puño se elevó como un poste humano, prieto y enérgico, arrastrando consigo los puños de todos los asistentes. Los acordes del himno electrizaron a la concurrencia. Se veía la inmensa cabeza de Teo asomando, con la sonrisa en los labios, en el fondo del escenario, rozando la parte inferior del medallón de Lenin. La valenciana, increíblemente endomingada, aparecía en primer término. De Gorki no se veían más que su pequeña barriga y sus escrutadores ojos. Los bigotes de foca de Murillo cosquilleaban a un dirigente de Barcelona. A la derecha del ruso, la cabeza iluminada de Cosme Vila.

Entre los dirigentes de Barcelona había dos o tres bajitos, directamente surgidos del pueblo, de boca esquinada. Llevaban gorro de ferroviario y ello causó entre el pueblo la mejor impresión. Casal, David y Olga ocupaban las sillas extremas de la izquierda. A Olga los reflectores la favorecían mucho. Estaba hermosa.

Terminada *La Internacional*, Vasiliev tomó asiento. Todo el mundo le imitó. Se hizo el silencio; y al instante Cosme Vila declaró abierta la sesión.

Habló un camarada de Barcelona. Felicitó al camarada Cosme Vila por haber conseguido levantar en una ciudad retrógrada y eclesiástica como Gerona la bandera revolucionaria. Ya las fuerzas burguesas de la ciudad y provincia debían de sentir en sus carteras —que llevaban en el sitio del corazón— y en sus trabucos —que guardaban en las sacristías— el avance implacable de la nueva fuerza, del Partido Comunista.

El orador aseguró a los gerundenses que no estaban solos en la lucha. En toda España, grupos de proletarios se unían en sus centros, en otros teatros. En todo el Mediterráneo, y en Extremadura, Asturias y Galicia. En Madrid, centro del territorio, y en Zaragoza, en muchos pueblos casi desconocidos, células comunistas extendían su red, para dar fin al imperio de aquellas carteras y de aquellos trabucos.

—No estáis solos, camaradas gerundenses. Los dirigentes catalanes y nacionales del Partido, están pidiendo en estos momentos la nacionalización democrática de la Banca, de la industria pesada, de los ferrocarriles. Se pide la substitución de la fuerza pública, que prácticamente tiene bloqueadas las calles, y que representa una carga insoportable para el Estado, por una milicia popular, por una fuerza proletaria armada que, al ejemplo de las milicias bolcheviques en Rusia, garanticen el...

Una ensordecedora ovación acogió estas palabras. Cosme Vila miraba hacia las butacas y los palcos como buscando a alguien. Su suegro, situado en el gallinero, estiraba el cuello convencido de que le buscaba a él. Cosme Vila estaba satisfecho porque había reconocido en uno de los pasillos laterales a los estudiantes de matemáticas y, cerca de la entrada, al profesor del Instituto.

También el porcentaje de mujeres le satisfacía. Sabía que éstas constituían una fuerza. Sin embargo, consideraba que la valenciana había cometido un error gravísimo poniéndose aquel vestido espectacular.

Todos los oradores de Barcelona siguieron la misma línea, reservando visiblemente para Cosme Vila el honor de presentar las bases locales. Ridiculizaron a Gil Robles y a Calvo Sotelo. Atacaron a Mussolini y a Hitler, y durísimamente, a Oliveira Salazar, «uno de los obstáculos que había de vencer el proletario para conseguir la unión ibérica». Atacaron a Azaña y a Casares Quiroga, «burgueses disfrazados, que se hacen los sordos cuando se les habla de que se prepara un levantamiento militar». Atacaron a Prieto y se mostraron más bien amables con Largo Caballero. Ensalzaron a los héroes del Partido, especialmente a Dolores Ibarruri, la Pasionaria.

Uno de los oradores era un hombre extraño, de aspecto místico. A los pocos momentos de iniciado su discurso, la multitud advirtió que le faltaba un brazo. La manga flotante se convirtió en obsesión para todos. El hombre explicó que el brazo lo había perdido en la revolución de octubre. Aquello dio a todas sus palabras un tono de predestinación. Cuando explicó que estudiaba ruso desde muchos años antes, que pensaba hacer un viaje a Moscú, invitado por el camarada Vasiliev, que tal vez podría incluso, con la mano que le quedaba, estrechar la diestra del propio camarada Stalin, parecían surgir auténticas llamas de las hileras de butacas.

—Si consigo ver al camarada Stalin —dijo el orador—, le contaré de viva voz el agradecimiento del pueblo español por su ayuda. Le contaré cómo hemos vivido hasta ahora, cómo han vivido nuestros pueblos, nuestros padres, cómo vivirían nuestros hijos si el pueblo ruso no se hubiera puesto en marcha. Continuaríamos humillados y explotados por caciques como Calvo Sotelo, que aun ayer en el Parlamento aseguraba que el Ejército es la columna vertebral de la Patria. ¡Nosotros sólo tenemos una Patria, la de todos, la del proletariado universal, Rusia...!

—......!!

—Camaradas de Gerona..., yo aprovecho esta ocasión para proponeros el envío al camarada Stalin de un telegrama de adhesión. Estad seguros de que llegará a sus manos, pues para él...

Le fue imposible continuar. A nadie se le había ocurrido la posibilidad de comunicar directamente con Stalin. La sola idea enardeció de tal modo a todos, que muchas mujeres tenían los ojos llenos de lágrimas. Personalmente, Teo sintió que a gusto hubiera salido en el acto con su carro, camino de Moscú. El orador de aspecto místico se retiró a su silla en medio del más frenético entusiasmo.

Fue entonces cuando se levantó Cosme Vila. Y en el acto, la gente se sintió transportada a la realidad. Del viaje a Moscú y por las altas esferas, a la vista del jefe local, los asistentes regresaron a la ciudad, a Gerona, a las bases.

Cosme Vila no era orador enfático. Al contrario, era eficaz, por realista. Desde la primera palabra electrizó el ambiente, porque operó por sorpresa. En vez de confirmar lo de sus predecesores y decir que todo iba bien, empezó afirmando que todo iba mal.

—Nuestro camarada de Barcelona ha hecho muy bien proponiendo mandar un telegrama al camarada Stalin. Todos estamos de acuerdo. Sin embargo, he de poner un reparo. Ahora, en estos momentos, no podemos hacerlo. No por falta de ganas, sino porque no somos dignos de hacerlo. ¿Por qué?... Porque no estamos limpios, porque entre nosotros hay un traidor.

Todo el mundo quedó inmovilizado en su puesto.

—Para mandar un telegrama al camarada Stalin es preciso que todos los firmantes estemos limpios, hayamos cumplido con las reglas del Partido, con la disciplina, el esfuerzo, y sobre todo, con la honradez. Explotar el Partido o beneficiarse de él es ponerse al nivel de los burgueses. Entre nosotros hay alguien que no está limpio, y considero que mientras este alguien no haya recibido la lección que merece, no podemos honradamente rendir homenaje al camarada Stalin, ni presentarnos con la cabeza alta ante su representante entre nosotros, el camarada Vasiliev.

Cosme Vila continuó:

—Todos vosotros habéis oído hablar de esa bomba que todos llamamos la número cuatro. Pues bien. Yo ordené su colocación. Lo admito y lo afirmo, y aun digo que lo haría mil veces. Estimo que hasta que en todos los Museos de esta índole no se haya hecho otro tanto, no tendremos verdaderamente posibilidad de avanzar. Ahora bien, a consecuencia de este acto de servicio, un miembro del Partido se ha procurado una retribución económica.

Murillo se puso rígido. Tan rígido que el cuerpo no obedeció su intención de abrirse paso entre los dirigentes de Barcelona y huir. Por lo demás, no le hubiera dado tiempo. Cosme Vila le señalaba con el índice, en medio de un silencio impresionante, se acercaba a él con lentitud, de un tirón le arrancaba las insignias del Partido y del local.

Hileras de puños en alto manifestaron al acusado el sentimiento que la denuncia formal del jefe había despertado en ellos. Dos o tres muchachos jóvenes iniciaron un movimiento como para irrumpir en el escenario; Cosme Vila los detuvo con un ademán, y continuó mirando fijamente al ex decorador del taller Bernat, que, pálido de rabia, se dirigió retadoramente al jefe, luego a la sala y bruscamente, dando media vuelta, se abrió paso, tropezando con la valenciana, y desapareció.

Una ensordecedora ovación premió la energía demostrada por Cosme Vila. A partir de aquel momento su mongólica cabeza mantuvo hipnotizados a todos.

Cosme Vila se sacó del bolsillo unos papeles, que extendió sobre la mesa, y sin pérdida de tiempo hizo públicas las bases que el Comité Ejecutivo había redactado.

—En caso de ser aceptadas, podremos declarar que nuestra obra ha sido eficaz. En caso negativo, nos veremos obligados a decretar la huelga general, de duración ilimitada.

El Partido Comunista se apoyaba en los nueve puntos que en su día Cosme Vila había leído en la barbería. En el plano social exigía la inmediata implantación de la jornada de seis horas, el control obligatorio en las empresas y la participación obrera en los beneficios. Las bases del Responsable, poco más o menos.

En el plano político, se pedía la inmediata destitución de todas las autoridades —Comisario, jefe de Policía, etc...— y la convocatoria de elecciones populares para proveer dichos cargos, elecciones en las que sólo podría votar quien presentara carnet de trabajador.

En el plano económico, se exigía la creación de tres Cooperativas Obreras: patatas, pan y aceite, y la municipalización de los servicios públicos. Toda la familia provista de carnet del Partido Comunista o de un Sindicato obrero —Socialista o CNT—, disfrutaría de ellos gratis.

Al llegar al apartado de la enseñanza, Cosme Vila informó que en este aspecto el Partido Comunista depositaba un crecido margen de confianza en los camaradas David y Olga, presentes.

Cosme Vila se refirió entonces al problema religioso. El anuncio de este tema despertó inusitado interés. El jefe dijo que razones psicológicas que no podían ser desestimadas, impedían llegar en este aspecto, de un solo golpe, al ideal, que sería la completa exterminación de la fábrica de embustes que era la Iglesia Católica. Ello no se había conseguido ni siquiera en la Unión Soviética. Ahora bien, se pedía la inmediata prohibición del uso de la sotana a los sacerdotes y la clausura de todos los conventos que no se dedicaran a obras benéficas. Los locales sobrantes, lo mismo que el de la CEDA, el de la Liga Catalana y demás partidos fascistas, servirían para la instalación de las Organizaciones Obreras.

Cosme Vila había leído todo aquello con voz pausada. Dejó el papel y prosiguió:

—Faltan muchas cosas aún. Todos vosotros sabéis que se han encontrado armas en casa de unos ciento cincuenta fascistas, de los cuales sólo unos diez están en la cárcel. ¿Qué significa esto? Que los registros se han efectuado a la ligera, y que no se les castiga. Todos sabemos que no hay un solo derechista que no posea armas. Así pues, estimamos que no podemos dejarnos sorprender. El camarada Hernández, de Barcelona, ha aludido a la Milicia Popular Armada. ¡Exigimos la creación de esta Milicia en Gerona, pues todos sabéis que los militares quieren sublevarse!

La reacción fue unánime. Gritos de «¡Ar...mas! ¡Ar...mas!» empezaron a tronar en el local. A poco, el teatro entero repetía estas palabras. La palidez de Teo obsesionaba a todo el mundo, así como la manga flotante del orador de Barcelona.

Luego Cosme Vila continuó:

—Camaradas, al llegar a vuestras casas, reflexionad sobre cada uno de los puntos que exigimos. Entonces veréis que la confianza que nos habéis depositado no queda defraudada. Son reivindicaciones elementales en el programa proletario. Constituyen la primera etapa: España puede ponerse en cabeza de la revolución, junto con la Unión Soviética. Debéis de estar dispuestos a luchar por todos los medios para que nuestra voz sea oída. Si no nos oyen, entonces son los demás los que tienen que estar dispuestos... a conocer nuestra voluntad implacable.

Cosme Vila fue de nuevo premiado con gritos de «¡Viva el Partido Comunista Español! ¡Viva Rusia!» A los militantes veteranos sólo les había extrañado un detalle: Cosme Vila no había atacado ni una sola vez a los anarquistas, como era de esperar. Al contrario, incluso les había alargado una mano, lo mismo que a Casal. Algunos supusieron que era una cuestión táctica.

Al ponerse en pie, el camarada Vasiliev interrumpió aquellas especulaciones. El dirigente ruso recobró la sequedad con que entró en el escenario. Recibió la ovación de la masa, sin mover un músculo de su rostro. Sólo de vez en cuando asentía con la cabeza o levantaba el puño.

Todo el mundo se preguntaba en qué idioma iba a hablar. Se decía que el español resultaba terriblemente difícil a los rusos. Por ello, cuando el camarada Vasiliev pronunció las primeras palabras de saludo en catalán, la multitud se enardeció. El dirigente ruso hablaba penosamente, pero en forma clara. Tenía que meditar cada palabra y la manera de pronunciarla. Ello surtía un gran efecto. Cada sílaba que después de aquel esfuerzo brotaba de sus labios, cobraba importancia excepcional. Así que su discurso, en realidad muy breve, duró mucho.

—Camaradas... Catalanes. Yo, en nombre Unión Soviética..., os traigo saludo Rusia. Felicito... camarada Cosme Vila, vuestro jefe. Por... su... inteligencia, por... su lealtad. Su... gesto expulsar...camarada..., me ha conmovido..., pienso dar parte... a jefes Unión Soviética. Camaradas... apruebo programa... revolucionario... que... vosotros... habéis... también... aprobado. Se acerca... momento triunfo... proletariado. Camarada Stalin... me ha encargado... salude pueblo... español... y catalán. Luchad... liberad a vuestros hermanos. Todos los países... están con vosotros. España... muy atrasada... por culpa... religión... y dictadura burguesa. Pero... Unión Soviética... hermana España. Camaradas... de... Gerona. Disciplina... y... heroísmo. ¡Viva... el... proletariado universal! ¡Viva... Rusia! ¡Viva... el Partido... Comunista... Español!

CAPÍTULO LXXIII

Hubo varias personas a las que el carácter clara y ferozmente revolucionario de aquellas bases, no sorprendió. Entre ellas el profesor Civil. El profesor Civil pensaba que ni por un momento Cosme Vila había supuesto que las autoridades las aceptarían; estaba seguro de antemano de que, exceptuando tal vez lo relativo a lo religioso, las rechazarían una por una. Pero, a su entender, la negativa era precisamente lo que Cosme Vila buscaba. Denegadas las aspiraciones del pueblo, decretaría la huelga general, que coincidiría con la de los anarquistas. Absoluta confusión en la ciudad; a las autoridades se les escaparía el orden público de las manos, se enlazaría con los movimientos revolucionarios que se anunciaban en Barcelona. El profesor Civil estimaba que Cosme Vila conseguiría su máxima aspiración: que su aliada la negra miseria cundiera en la ciudad.

Por su parte el comandante Martínez de Soria prestó especial atención a la entrega de armas del Ejército a las organizaciones obreras, y a la creación de la Milicia Popular armada. Pidió audiencia al general y al coronel Muñoz. Consiguió verles juntos, en el Gobierno Militar. Ambos jefes pensaban que quería interceder en favor del teniente Martín, lo cual no era cierto. «La propuesta de Cosme Vila —dijo— constituye un ultraje al honor del Ejército. Por otra parte, de no accederse a la creación de esta Milicia Popular, las Organizaciones Obreras procederán a la desmoralización de los cuarteles. Gran número de soldados asistieron a la Asamblea, y al parecer algunos de ellos, al salir, pisotearon su gorro militar. Yo suplicaría al general que tomara las medidas necesarias para garantizar la integridad del Ejército en la plaza.»

El comandante Martínez de Soria vio que sus palabras surtían efecto, y que el general y el coronel Muñoz no estaban seguros ni mucho menos de que exagerara. El general, bajo y cuadrado, despidió llamas por los ojos y se paseó de arriba abajo soltando interjecciones. El coronel Muñoz tenía más dominio de sí. Por otra parte, llevaba muchos sábados entendiéndoselas en la Sala de Armas con el comandante. Le dijo a éste:

—El general ha recibido una copia de las bases y está estudiando la respuesta adecuada. Por mi parte no me siento autorizado para darle al general ningún consejo, máxime teniendo en cuenta que sé que no lo ha pedido a nadie. Me consta que resolverá lo mejor.

El comandante Martínez de Soria insistió. El general, bruscamente, pidió que le dejaran solo. El comandante y el coronel salieron juntos del despacho. Entonces el comandante Martínez de Soria dijo a su acompañante:

—Coronel, le ruego que en bien de todos reflexione sobre mis palabras.

Y se retiró.

«La Voz de Alerta» recibió en la cárcel la noticia de las bases, como si efectivamente el gitano le hubiera arrancado el diente con un cordel. Tuvo la impresión de que no saldría de aquellas paredes, de que de un momento a otro subiría Cosme Vila y acabaría con él, con don Jorge, con los propietarios que cumplían la condena. Le entró un pánico indescriptible. De un lado pensó que había errado prohibiendo a Laura que hiciera intervenir en el asunto a los Costa. De otro lado, se reprochaba no haber tenido nunca un gesto generoso con sus semejantes, como no fuera con su criada Dolores, la cual ahora le subía el cesto de la comida con puntualidad ejemplar. Cualquier ruido no familiar, provocado por el gitano o por el bastón de don Jorge le sobresaltaba.

«Si estuviese fuera...», pensaba. Se sentía capaz de convencer al comandante Martínez de Soria de la necesidad de hacer un viaje a Madrid y hablar con otros militares de confianza. ¡Porque lo difícil era saber qué jefes estarían dispuestos verdaderamente a dar el golpe que no quiso darse en octubre, y cuáles chaquetearían a última hora! Don Jorge no confiaba en esto. Y por su parte había agotado sus reservas de cólera. No pensaba sino en los dos colonos suyos detenidos cuando lo de octubre, a los que consideraba instigadores de su actual encierro. En el último párrafo de las bases había leído: «Las propuestas para la transformación agrícola serán anunciadas en breve plazo». Don Jorge no creía que la turba irrumpiera en la cárcel, pero estaba seguro de que se incautaría de sus propiedades. Sentíase fatigado y había pedido al director que, teniendo en cuenta su edad, ya que no su condición, se le permitiera comer en mesa con mantel y dormir en la enfermería. El director le satisfizo en lo último; en cuanto a la mesa con mantel, el reglamento de la cárcel lo prohibía.

Mateo fue otro de los no sorprendidos. Sin embargo, al leer las bases tuvo una crisis de desfallecimiento. Al leer, al final, «¡Viva Rusia!», se echó hacia atrás en la silla. ¿Qué había ocurrido en el país para que centenares de pechos españoles aclamaran a un dirigente llegado de tierras del Este, para que en las calles se vieran carteles aconsejando a madres españolas que adoraran a Stalin? ¿Dónde estaban los responsables de todo aquello? Todos, todos eran responsables. La masa fanatizada era la más excusable. Los gobernantes, los de ahora y los de siempre, y las empresas que ganaban millones, los hombres que, con la pluma o de palabra, procuraban extirpar el concepto de Patria. ¡Ahí estaban los corazones buscándose otra lejos, en la frontera asiática...!

Su padre rondaba en torno de Mateo, con aire compungido, pues llevaba diez días sin saber nada de Cartagena. «¿Sabes algo de tu hermano?», le preguntó. Mateo le contestó: «Continúa en la cárcel, pero está bien».

Don Emilio Santos sufría enormemente. Suponía que si habían soltado a Mateo era para que con él no se perdiera el hilo de la trama, y porque sabían que el muchacho daría el pecho más que nunca.

—Hijo mío —le dijo—. Te advertí que todo esto me parecía peligroso. Verdaderamente, ahora no sé qué pensar. A veces pienso que tienes razón, y que todos tendríamos que hacer como tú. Sin embargo, te noto en los ojos algo que no me gusta. Me parece que tú pecas por el otro lado, y que si pudieras harías con ellos lo que ellos están haciendo contigo y con tu hermano. ¡No olvides nunca mis consejos! En última instancia el amor puede más que el odio. Procura estar seguro de que obras por amor, no por lo contrario.

Mateo, por primera vez en mucho tiempo había asido del brazo a su padre y se lo había estrechado con fuerza. También por primera vez en mucho tiempo don Emilio Santos vio que su hijo se disponía a salir sin la camisa azul. Sin la camisa azul, en el exterior: la llevaba bajo la otra, y a la criada el detalle no le había pasado inadvertido.

Con el eco de las palabras de su padre en los oídos, el muchacho se había dirigido a casa de los Alvear, encontrándolos sumidos también en la más completa confusión. Ignacio tenía ante los ojos un ejemplar de las bases y decía, con angustia: «En el Banco han caído bien...» Matías, al ver a Mateo, se quitó los auriculares de la galena. La presencia del muchacho no le ayudó a despejar la calidad sombría de sus pensamientos. Continuaba creyendo que los temperamentos como Mateo influían en que las cosas llegaran a extremos tan inverosímiles. Sentía cierto apego por el muchacho; difícil no querer a quien su hija quería tanto. Pero hubiera preferido un abogado de pleitos más tranquilos, o un funcionario de Telégrafos. Cuando supo que Julio había conseguido hacerle perder prácticamente el conocimiento con un foco de luz, sintió por su amigo de la infancia un inmenso desprecio. Y tras la ambición de Julio oyó tintinear, como siempre, los brazaletes de doña Amparo Campo. Ahora estaba seguro de que don Emilio Santos tenía razón: Mateo daría el pecho más que nunca, buscaría otro local, buscaría, a ser preciso, las catacumbas. Allá se reuniría con los que quedaran, con los que ingresaran de nuevo; con Marta.

Matías Alvear también contemplaba las bases de Cosme Vila, y le dijo a Mateo:

—Sí, ya veis adónde hemos llegado. A las doce de la noche querían obligarme a mandarle un telegrama a Stalin.

Carmen Elgazu estaba inquieta porque había quedado con Marta en que irían juntas al cementerio a llevar flores a la sirvienta. Abrió la ventana que daba al cielo de mayo. Y viendo que nadie decía nada, preguntó, dirigiéndose a Mateo:

—¿Estáis seguros de que es un acierto haber colocado al Rubio de asistente del comandante?

Mateo le preguntó:

—¿Por qué no?

—No lo sé.

Mateo contestó:

—El Rubio es un amigo más fiel de lo que podría serlo cualquier otro más de acuerdo con nuestras ideas.

Ignacio opinaba lo mismo a este respecto. Estaba convencido de que se podía contar con el Rubio en caso de necesidad.

Marta dijo:

—Claro que se puede contar con él. Mi padre le quiere mucho. En seguida ha aprendido a montar. Además, es un irónico. Hemos encontrado al Responsable paseando solo por la Dehesa y se ha detenido y desde lo alto del caballo le ha dicho: *Au revoir...*

Carmen Elgazu sirvió el café a Mateo y le preguntó:

—Así que Julio, como siempre...

Mateo dijo:

—No puedo quejarme. Me dejó en libertad.

Pilar le preguntó:

—¿Qué crees que le pasará ahora...?

Mateo se tomó el café de un sorbo.

—Ahora... Julio rechazará las bases. Habrá huelga. Probablemente tiros. Pero, por lo pronto —añadió—, el doctor Relken se enterará de que con España no se juega...

Todos le miraron perplejos. Carmen Elgazu se sentó frente a él en la mesa y le dijo:

—¡Ale, ale, no hagáis tonterías! ¡Todavía queréis armar más jaleo! ¡Santo Dios! —añadió—. Pronto no podremos ir ni siquiera a misa.

* * *

Julio había sonreído con tristeza al leer las bases. Había en ellas algo que no perdonaría jamás: que se propusiera la sustitución del jefe de Policía. Apenas había terminado de leerlas, el Comisario irrumpió en su despacho llevando otra copia. «¡Monstruoso, monstruoso!», clamaba. Julio, al verle, dijo: «Comisario, esto va a ser duro. Hay que hablar inmediatamente con el general».

Julio pasó una hora examinando de cerca la obra de Cosme Vila. Llegó a la conclusión de que, de acceder a sus pretensiones, la ciudad desembocaría en una pintoresca situación: Cosme Vila, comisario; Gorki, jefe de Policía; Teo, alcalde, etc. Los obreros invadiéndolo todo; los demás no tendrían derecho ni siquiera a jugar al dominó en el Neutral. Julio pensó: «Excelente espectáculo para mi mujer, que quería verme con la alta sociedad». Y se imaginó a sí mismo barriendo el despacho de Cosme Vila, o aportando personalmente un nombre más al fichero de los suicidas.

Julio recibió un número incalculable de visitas. Todos los ocupantes de cargos cuyo relevo estaba previsto, se personaron en Jefatura a verle. El Inspector de Trabajo le dijo a Julio: «¡Menudo favor me hizo Largo Caballero mandándome aquí! Primero un petardo; ahora, un punterazo en salva sea la parte». El juez de Primera Instancia detalló en un informe interminable los atropellos jurídicos que todo aquello implicaría. «Por ejemplo, el cargo de juez, comprenda usted...» Julio le interrumpió:

—¡Claro que le comprendo, mi querido amigo! ¡Claro que le comprendo!

A Julio toda aquella gente le pareció cobarde. Todos aquellos seres suplicantes que desfilaban por su despacho eran personas mayores, con una carrera, con experiencia de la vida; visiblemente el espectáculo de un millar de gorros ferroviarios dirigiéndose hacia ellos les amputaba toda facultad de razonar, toda confianza en sí mismos o en las leyes de la astucia.

Julio era el único que no perdía la cabeza. Era preciso admitir que mucha gente se dejaba llevar por el contagio, por la atracción que ejercía aquel seísmo social y, como consecuencia, en aquellos momentos las bases de Cosme Vila tenían infinidad de partidarios, incluso entre ciudadanos que nunca soñaron con el marxismo; pero el número de refractarios era también considerable. Todos los patronos grandes y pequeños, la masa intermedia de personas cuyas ocupaciones quedaban notoriamente al margen de la casilla «ocupaciones obreras», y que, por lo tanto, tendrían que colaborar en el fondo colectivo sin sacar nada de él.

A Julio le parecía que por ahí había errado Cosme Vila. Pasada la primera sorpresa, empleados de Banca, funcionarios de toda suerte, las propias clases del Ejército, los guardias de Asalto, aparejadores, modistas, todos aquellos cuyas manos no salían encallecidas de la jornada de trabajo, se levantarían contra sus pretensiones de dominio absoluto. Además, se produciría la escisión: en una misma fábrica los que trabajaran en las máquinas se considerarían proletarios, y, én cambio, negarían tal título y las ventajas inherentes a él al cajero y a los demás empleados del despacho.

—Ahí Cosme Vila ha perdido un punto —le dijo Julio a Antonio Sánchez—. Lo inteligente es ganar posiciones creándose el menor número posible de enemigos. A menos —añadió— que se disponga de una superioridad numérica o material aplastante, en cuyo caso lo mismo da. Pero a esto no ha llegado Cosme Vila.

Y por ello sospechaba Julio que Cosme Vila había propuesto la creación de la Milicia Popular armada; porque comprendía que a local o posición ocupados correspondería una interminable lista de descontentos. Y, en realidad, éste era el aspecto que Julio consideraba más grave de las bases: la Milicia Popular. El jefe de Policía sabía que mientras los guardias, los caballos, los fusiles y las porras estuvieran a sus órdenes, en un momento podría restablecer la normalidad, como había ocurrido cuando las barricadas de los anarquistas.

También el general estaba furioso por lo de la Milicia. Cuando Julio le llamó por teléfono, contestó: «¡Es absolutamente intolerable, y lo que deberían hacer ustedes es meter inmediatamente en la cárcel a toda esa gentuza!»

Julio no compartía la opinión del general. Julio no perdía la cabeza, pero al advertirle al Comisario que la situación era difícil, habló sinceramente... Los acontecimientos tomaban una dirección que nunca hubiera previsto y haría falta un gran tacto. Un instante en que Antonio Sánchez salió del despacho, le pareció sentirse fatigado. Se puso a jugar con la llave del cajón del escritorio, introduciéndola en la cerradura y sacándola de ella. Pensó un momento en Carmen Elgazu: «El odio a la religión los ciega a ustedes». De pronto, al ver el retrato de José Antonio, que, aunque puesto de cara a la pared estaba allí, se levantó indignado consigo mismo. Dijo: «Manos a la obra». Y tomó el listín de Teléfonos y llamó a los Costa y a Casal. Su decisión de rechazar las bases en bloque —acaso con ligeras salvedades— estaba tomada.

Cosme Vila había concedido ocho días de plazo. En aquellos ocho días era preciso crear un dispositivo que pulverizara los efectos de la huelga en el momento en que ésta se produjera.

Los Costa contestaron a su llamada. Al reconocer la voz de Julio, lanzaron una exclamación de júbilo. ¡Por fin! Los Costa no le perdonarían jamás a Cosme Vila que los hubiera incluido en el Apéndice del *Proletario* fumando un puro. Los dos industriales entendían que si habían conseguido fumar puros ello lo debían a una vida entera de trabajo y, por otra parte, su ideal era que los fumara todo el mundo. «Por el contrario, ese idiota de Cosme Vila —les decían a sus mujeres— lo que pretende es que todos fumemos almendra tostada.»

También a Casal le alegró la llamada telefónica, a pesar de que al jefe socialista las bases no le daban ningún miedo. Al oírlas en el Teatro ya tuvo la seguridad de que serían un fracaso. Y luego se había afincado en su opinión. Los militantes de la UGT y otras personas neutrales consideraban todo aquello una aberración. Su propia esposa le había dicho: «Francamente, cuando vea a la mujer de Cosme Vila le diré lo que pienso de esto». Sólo los camareros le habían indicado a Casal: «Pues desde luego seis horas de trabajo no está mal...»

No obstante, algo preocupaba a Casal: la lucha que adivinaba en el interior de David y Olga. Se daba cuenta de que David y Olga vivían unas horas de auténtica prueba. Casal los sabía demasiado enteros para renegar de sus ideas a cambio de imponer el Manual de Pedagogía. Sin embargo, antes que otra cosa eran maestros; la profesión los obsesionaba.

Antes de salir para Jefatura les preguntó:

—Supongo que, haga lo que haga, estaréis conmigo...

David y Olga se escandalizaron.

—¡Naturalmente! —contestaron. Olga añadió—: La actitud de Cosme Vila es canallesca.

* * *

Ignacio no lograba comprender que su ex compañero de trabajo Cosme Vila hubiera llegado a tales extremos. Tampoco conseguía olvidar la ofensa que le infligió al ridiculizar a Marta en *El Proletario*. A veces, al contemplar a su novia, la veía con la boca enorme, de oreja a oreja; tenía que hacer un soberano esfuerzo para seguir el consejo de prudencia que le diera su padre.

En este estado de ánimo influyó mucho la actitud de los del Banco, que sin ser comunistas asistían divertidos al espectáculo. Y además... la pérdida de la calma que le había aconsejado mosén Francisco. Volvía a estar nervioso. Y ya llevaba tiempo sin confesar.

Ignacio había rechazado por absurdo el proyecto de subir al local del Partido Comunista y obsequiar a Cosme Vila con un puñetazo. Pero deseaba con toda el alma que la revolución de éste fuera un fracaso. Confiaba en que Julio en aquellos ocho días daría pruebas de eficiencia. Matías le decía: «Pues claro que sí, ya verás, ya verás».

Ocho días de espera. Cosme Vila había dicho: «Durante estos ocho días todo el mundo al trabajo y a cumplir con su deber». Era curioso que los hombres anduvieran constantemente perdonándose la vida, concediéndose plazos. Aquello permitía, claro está, muchas cosas. Por ejemplo, respirar y darse cuenta de que una vez más había estallado la primavera, de que crecían flores y la hierba estaba hermosa en el valle de San Daniel, aun cuando el arquitecto Ribas no se acordara de ir a pintarla con su caballete portátil. Permitía contemplar a Pilar dando pruebas de gran entereza, contando, a pesar de todo, anécdotas del taller de costura, en el que por lo visto el buen humor no había menguado. Permitía contemplar a Carmen Elgazu rezando el mes de María en el cuarto de Pilar con una mariposa encendida ante la Virgen. Y ver a Marta soplando graciosamente en dirección a su flequillo.

¡Bendita tregua, que permitía reflexionar! ¿Qué se proponía Mateo respecto del doctor Relken...? «Se enterará de que con España no se juega.» A Ignacio le parecía adivinar, y temía que las consecuencias fueran graves para su amigo. Por otra parte, faltaban quince días para los exámenes y Mateo se había retrasado mucho. Sin contar con que el muchacho tenía prohibido ausentarse de la localidad. ¿Cómo haría para examinarse en Barcelona? El profesor Civil sufría por ello, además de que la noticia de que su hijo Benito era de Falange le había acortado la vida.

Ocho días de espera. El sábado, Mateo le propuso a Ignacio ir precisamente al valle de San Daniel. Ignacio le acompañó. Anduvieron en silencio, contemplando la naturaleza. El Galligans, convertido en arroyo, el camino que lo bordeaba, la tapia del convento de clausura. Al otro lado de la tapia se erguían unos cipreses... y se oían risas. Las monjas. La media hora de recreo al día. Se decía que en aquella media hora podían reír y saltar y perseguirse por el jardín... entre cipreses. Mateo se detuvo para escuchar estas risas. ¿Estarían las monjas al corriente de lo que ocurría en la ciudad?

Mateo pensó en César. Arrancó un poco de yedra de la tapia. Luego la tiró, porque no olía. Cantaban las ranas en el arroyo. Cruzaron un pequeño puente de madera. Con sólo volverse veían aún el campanario de la Catedral. Flores, flores silvestres entre los prados, en las orillas del camino. Margaritas, amapolas. Los perros se paraban para ver a los dos muchachos. Era la tregua, que permitía reflexionar, que permitía el despliegue dulce de la primavera.

Mateo dijo por fin:

—A veces uno tiene ganas de irse a vivir a una isla.

Ignacio no contestó. Mateo se le acercó y le asió del brazo un momento,

CAPÍTULO LXXIV

La reunión que Julio tuvo con los Costa y Casal, a la que asistió el doctor Relken en calidad de consejero, fue un fracaso. El plan de Julio era conceder a Cosme Vila algo de lo que pedía —para dar impresión de imparcialidad— y negarse a todo lo restante. Pero al precisar este «algo» fue cuando se produjeron las discrepancias.

Cuando Julio sugirió acceder a la clausura de los locales derechistas, los Costa se opusieron a ello en nombre de la libertad de asociación que preconizaba la República. Cuando sugirió la clausura de los conventos, se opuso Casal en nombre de la libertad de cultos. Las Cooperativas obreras, subvencionadas por los bienes del Obispado y los Bancos, a los Costa les parecieron una patochada. No hubo acuerdo.

Ni siquiera el doctor Relken, con su eterno sonsonete de «unidad», consiguió mejor resultado.

De modo que, después de prolijas discusiones, los reunidos se dispersaron. ¡Y, sin embargo, era preciso hacer algo en contra de Cosme Vila! Los Costa decidieron apelar a la Generalidad, Casal consultó con Barcelona y el Partido Socialista le contestó: «No es cosa de que por un puntillo de provincias echemos a perder las buenas relaciones que nos unen con el Partido Comunista». Por si fuera poco, la Logia le ordenó: «Aténgase a las normas generales del Sindicato».

Y, no obstante, nada de ello alteró la decisión de Julio: las bases fueron denegadas. Julio, de acuerdo con el Inspector de Trabajo, publicó la nota oficial. Sólo se accedía a la número cinco: clausura de los locales de los partidos derechistas y del taller en que se imprimía *El Tradicionalista*. Lo demás era considerado un atentado, y las autoridades tomaban las medidas necesarias para sofocar cualquier intento de imponer las bases por la fuerza.

Apenas la radio y *El Demócrata* hicieron pública esta decisión, todo el mundo comprendió que la ciudad entraba en un momento decisivo.

Todo el mundo sabía que el Comité Ejecutivo del Partido Comunista estaba reunido en sesión permanente, en compañía de dos delegados de Barcelona que quedaron en Gerona en espera de la respuesta oficial; era de prever que la réplica de Cosme Vila sería fulminante.

Y, no obstante, Cosme Vila dio prueba, una vez más, de sangre fría. Recibió la nota escrita. Teo se levantó como una torre y preguntó: «¿Qué se hace?» Cosme Vila le miró y contestó: «De momento, ir a la Comisaría, agradecer la aceptación de la base número cinco y preguntar cuándo será puesta en práctica. Luego veremos».

Los dos delegados de Barcelona asintieron con la cabeza; y Cosme Vila, acompañado de Gorki, realizó la gestión.

Julio los recibió en su despacho. Cosme Vila llevaba la lista de los locales afectados por la orden de clausura: imprenta de *El Tradicionalista;* redacción de este periódico, que era a la vez el local de los monárquicos; CEDA, Liga Catalana, Acción Católica, Congregación Mariana. Cosme Vila preguntó:

—¿Cuándo será cursada la orden?

Julio contestó:

—Ya está cursada, excepto Liga Catalana. Liga Catalana —añadió en tono enérgico— continuará abierta...

Cosme Vila le miró y no insistió. Luego, el jefe del Partido Comunista dijo:

—Nosotros deseamos alquilar la imprenta de *El Tradicionalista.* En cualquier caso, pagamos cinco pesetas más que el mejor postor.

Julio contestó:

—Se abrirá un concurso legal.

Cosme Vila y Gorki se retiraron. Hasta media tarde, pues, no informó Teo de que las órdenes habían sido efectivamente cursadas a don Pedro Oriol, a don Santiago Estrada, al obispo en persona, y que los guardias de Asalto habían sellado los locales. Entonces el jefe del Partido Comunista decidió movilizar a sus afiliados. Se personó en la emisora y decretó la huelga general. Luego convocó a todo el mundo para el día siguiente, a las tres y media de la tarde, en el Puente de Piedra. Y mandó enlaces a las células de los pueblos, especialmente a los campesinos, para que acudieran en masa a la manifestación.

Mosén Alberto, que desde la muerte de la sirvienta parecía otro hombre, obsesionado por la idea de hacerse digno del trágico fin que tuvo la mujer, al oír la alocución de Cosme Vila se levantó, se dirigió a su cuarto y arrodillándose rezó con toda su alma para que Dios tuviera compasión de la ciudad.

* * *

Mateo comprendió que el momento era propicio para actuar. Comprendió que ni el señor obispo ni don Pedro Oriol ni don Santiago Estrada estaban en condiciones de replicar de una manera eficaz. La independencia ideológica de Falange le abría las puertas, una vez más...

Cuando el hijo de don Jorge fue a verle a la Tabacalera, cumpliendo el encargo que le había hecho Pilar, Mateo le puso al corriente de su conversación con Julio y le dijo:

—Mi despacho está sellado, y el Partido declarado ilegal. Y, sin embargo, tengo que hablaros. El Rubio ha accedido a que nos reunamos en su casa. Avisa, pues, a todos los camaradas para que vayan allí a las siete y media. A todos, excepto uno: Roca. Dile a Roca que le excluyo simplemente porque es indispensable que, por lo menos, uno de nosotros quede a salvo... En el puesto de Roca asistirán dos nuevos camaradas ingresados..., dos guardias civiles: Padilla, muy eficaz, ya le conoceréis, y otro llamado Rodríguez. Avisa también a Marta.

Jorge cumplió. Y, entretanto, Cosme Vila hizo su declaración por radio. De modo que Mateo se dirigió a casa del Rubio consciente de la importancia capital de aquella reunión.

Se reunieron en la cocina, y el Rubio salió al balcón, con el casquete de la *Pizarro Jazz*, para distraer a los vecinos...

Mateo se dio cuenta en seguida de que un punto de desánimo había ganado a sus camaradas. Sólo la presencia de los dos guardias civiles operó benéficamente. Pero todos pensaban en el peligro, y en el calabozo en que se mordían los puños Octavio, Haro y Rosselló.

Mateo les dijo:

—Camaradas, la huelga general ha sido decretada. La situación será caótica. Es el momento propicio para hacer oír nuestra voz, al modo como elegimos el de los incendios en las montañas para repartir nuestras primeras octavillas. Esta vez es preciso obrar. No temáis que nuestras acciones queden diluidas por el hecho de que Cosme Vila ocupe el primer plano de la actualidad; por fortuna, Falange tiene estilo propio y nada de cuanto hagamos, por insignificante que sea, pasa inadvertido. Yo propongo a vuestra aprobación dos acciones simultáneas. Una, que demuestre que estamos en contra de quienes, en nombre de la izquierda y de los avances sociales, desintegran a España; otra, que demuestre que estamos en contra de quienes, en nombre de la derecha y de la defensa de España, cometen barbaridades. Es decir, iremos de un lado, contra el teniente Martín; de otro, contra el doctor Relken.

Hubo un murmullo de curiosidad.

—Para darle una lección al teniente Martín, Falange irá al cementerio —dos camaradas— y reparará la ofensa que aquél infirió a Joaquín Santaló y a Jaime Arias. La tumba del diputado continúa llena de barro, y la cruz en el suelo. Se pondrá en pie la cruz, se limpiará la lápida, de forma que el nombre aparezca de nuevo, y se colocarán cinco rosas a sus pies. Y lo mismo ante la fosa de Jaime Arias. Se quitará la indigna placa de metal que hay y se colocará en su lugar una pequeña lápida que encargué a Pedro, en la que hemos borrado la palabra «Taxista». Dice simplemente: «Jaime Arias, cuarenta y dos años. Murió el 7 de octubre de 1934. Deseamos su descanso eterno». Y a sus pies, otras cinco rosas. —Mateo marcó una pausa. Luego añadió—: Y se rezará un Padrenuestro en cada tumba.

Los asistentes estaban emocionados y Mateo continuó:

—Creo que los camaradas Jorge y Civil son los indicados para llevar a cabo este acto de servicio. Y sería de desear que, a pesar de las circunstancias, llevaran camisa azul.

Jorge fue el primero en reaccionar.

—¿Crees que nuestro acto será bien interpretado? —preguntó.

Mateo repuso:

—Demostraremos que no nos gustan los ataques a quienes no pueden defenderse. Y si no somos bien interpretados, nosotros habremos cumplido. —Luego añadió—: Si alguien tiene algo que objetar, le ruego que lo diga.

Nadie decía nada. El mayor de los guardias civiles preguntó:

—¿Y la segunda acción de que hablaste?

Mateo acercó un poco más la silla a los asistentes.

—Ya os lo he dicho: se trata del doctor Relken. Supongo estaréis de acuerdo conmigo en que lo que ocurre es una ignominia. Lleva ya muchos meses aquí dándonos la lata. Nos ha tratado de trogloditas, de analfabetos, de estadio intermedio entre el cafre y el hombre civilizado. No le gusta nuestro aceite, ni el horario de las comidas, ni que matemos toros jugándonos la vida. Nadie le dice nada, nos roba hasta nuestras Vírgenes. Conclusión: hay que pegarle una paliza fenomenal, que le impida ver la huelga desde fuera de la cama.

La reacción fue instantánea. Todo el mundo se ofreció voluntario; incluso Marta... Sobre todo, los guardias civiles parecían gozar de antemano el placer de saldar las cuentas pendientes con el doctor.

—¡Calma, calma! —rogó Mateo—. A mí me parece... que hay que hacer esto mientras Benito y Jorge están en el cementerio; así que, la elección no es dudosa. —Se dirigió a los guardias civiles—. Vosotros dos, vestidos de paisano, y yo.

—¿Tú también...? —preguntó Marta.

—Hija mía —repuso Mateo—, eso no me lo pierdo yo por nada.

El menor de los guardias civiles preguntó:

—¿No es mucho tres contra uno?

Su compañero, Padilla, respondió:

—¿Por qué...? Bastante expuesto es el asunto.

Mateo asintió con la cabeza.

—Tenemos que ser varios, por diversas razones —explicó—. No se trata sólo de pegarle una paliza. Creo que, además, deberíamos pelarle al cero esa cabeza rubia tan mona que tiene.

Marta se retorció la muñeca izquierda con entusiasmo.

—¡Cuando lo sepa Pilar! —exclamó.

—Luego —añadió Mateo—, ya que no le gusta el aceite corriente, se lo daremos de ricino.

Jorge hizo una mueca de repugnancia.

—Y sobre todo —continuó Mateo— hay que rescatar todas las imágenes y devolverlas al Museo.

Padilla, el mayor de los guardias civiles, parecía hombre experimentado y habló de los inconvenientes que presentaría la ejecución del acto.

—De eso hablaremos luego nosotros —dijo Mateo—. Pero no creo que sea demasiado difícil. Mañana es sábado y en los hoteles hay mucho jaleo.

Jorge y Benito Civil vivían un poco ajenos al proyecto del Hotel. No pensaban más que en lo suyo, en la cara que pondría el sepulturero al verlos entrar en el cementerio y dirigirse a las tumbas de Joaquín Santaló y Jaime Arias. «Creerá que diez rosas que llevamos son diez cargas de trilita.»

Padilla continuaba rascándose la cabeza.

—Hay otro asunto —dijo— del que no hemos hablado. —Miró a todos—. ¿Qué pasará luego...?

Todo el mundo cayó en la cuenta de que existían autoridades.

—A vosotros... nada —dijo el guardia, señalando a Benito Civil y a Jorge—. Nadie podrá haceros nada por rezar un padrenuestro en el cementerio. A nosotros —continuó, señalándose a sí mismo y a su compañero, Rodríguez— tampoco. Vestidos de paisano no nos reconoce ni Dios en Gerona; y tanto mejor. Pero si pasamos a...

—Perdona —le interrumpió Mateo, al oír que nadie los reconocería—. Es preciso que se sepa que ha sido Falange.

—¡Ya se sabrá, hombre de Dios, ya se sabrá! —exclamó Padilla—. Pero una cosa es que se sepa que ha sido Falange, y otra que se sepa que ha sido Padilla y Rodríguez, ¿no te parece? —El guardia añadió—: En resumen: aquí el único que peligra eres tú. —Se dirigió a Mateo—. ¿Qué harás luego?

Mateo hizo un gesto de impaciencia.

—¡Huy, no preocuparse por mí! Ya hablaremos luego de lo mío. Ahora lo que interesa es eso. Explicar a la gente el porqué Falange ha llevado a cabo estas dos acciones. Naturalmente... el doctor dará mi nombre. —Reflexionó un momento—. Pero además creo sería preciso repartir unos folletos fijando nuestra posición.

Rodríguez guiñó el ojo a la manera andaluza.

—Echarlos desde las azoteas, como hacían en Sevilla.

Padilla dio su conformidad al plan. Luego preguntó, cortando:

—¿Dónde se imprime eso?

Mateo exclamó:

—¡Oh! Aún hay que redactarlo.

Marta se separó el flequillo a uno y otro lado.

—Mi padre en el cuartel tiene *ciclostyl* —dijo—. Me lo prestará.

Mateo le preguntó:

—¿Estás segura?...

—¡Claro que sí!

Padilla la miró. Se veía que en tal clase de asuntos desconfiaba de las mujeres.

—Muchas veces voy a ver a mi padre allí —explicó Marta—. El *ciclostyl* lo tiene en su despacho. Además... se lo digo. Y me acompañará.

Mateo salió en defensa de Marta y dio la cosa por resuelta.

—De acuerdo —dijo—. Esta tarde tendrás el texto.

—¿Cuántos imprimo? —preguntó la chica.

—Saca los que puedas.

Padilla insistió en saber qué pensaba hacer luego Mateo.

—Piensa que Julio, tocándole al doctor...

Mateo se pasó la mano por la frente.

—Sí, claro... —admitió—. No sé. —Luego añadió—: No tendré más remedio que permanecer escondido en algún sitio.

Marta le miró presa de repentina emoción.

—Claro, claro —añadió Mateo. Se sacó un pitillo y el mechero de yesca—. Adiós, luz del sol.

Hubo un momento de silencio.

—Vamos a ver —propuso Padilla—. Tal vez el Rubio te permita quedarte aquí.

Mateo movió la cabeza. Luego hizo un gesto de impaciencia.

—¡Bueno! Dejemos eso ahora. Ya lo pensaré.

Terminada la sesión llamaron al Rubio. El muchacho apareció en la puerta de la cocina llevando en las manos el saxófono.

—¿Qué pasa?

Al verlos a todos reunidos con tanta seriedad, revivió sus tiempos de conspirador anarquista.

—Menuda orquesta tengo yo aquí.

Mateo sonrió.

—Nos vamos —dijo.

El Rubio tomó asiento mientras algunos se levantaban.

—No vais a salir todos juntos, supongo.

—Nada de eso. —Mateo señaló a Benito Civil y a Jorge—. De momento saldrán ésos.

Jorge preguntó:

—¿A qué hora lo del cementerio?

—Mañana, a las cuatro de la tarde.

Mientras los dos muchachos se despedían, Rodríguez dijo, dirigiéndose al jefe:

—Hay otro aspecto de la cuestión... Todo esto perjudicará a Octavio, Haro y Rosselló...

Mateo guardó un instante de silencio. Luego dijo:

—No hay otro remedio.

CAPÍTULO LXXV

Cosme Vila había anunciado la concentración de militantes y adheridos al Partido Comunista para las tres y media de la tarde. La mañana transcurrió, pues, con extraña calma. Nada de barricadas, ninguna coacción. Los únicos huelguistas que se veían circular pertenecían a la hornada anterior, eran los hijos del Responsable. A las razones que éstos tenían de desear reintegrarse al trabajo —cansancio, falta de reservas— ahora se unían las ganas de llevar la contraria a Cosme Vila. No obstante, el Responsable había ordenado: «Aguantar firme. Todo el mundo sabe que fuimos nosotros los que abrimos brecha. Vamos a ver con quiénes desearán tratar las autoridades, si con ellos o con nosotros».

Y, sin embargo, el Responsable vivía amargado. Eran malos días para él. Tenía que resignarse a asistir al desarrollo de las maniobras comunistas. Lo mismo que en la noche de la Asamblea, aquella tarde él y Porvenir, instalados en un café, tuvieron que limitarse a contemplar las riadas de hombres con gorro de ferroviario y de mujeres que llevaban insignias del Partido de Cosme Vila, que iban agrupándose en la Rambla en medio del orden más perfecto.

El Responsable decía:

—No pasan de quinientos tíos.

Porvenir jugaba con una baraja entre las manos.

—¡No seas optimista! A estas horas ya nos doblan.

Y faltaban todavía sesenta minutos para la hora fijada.

A las tres y media en punto, en la Rambla no cabía nadie más. Era una tarde bochornosa. Fue el momento en que aparecieron en el Puente de Piedra Cosme Vila, Víctor, Teo y la valenciana. Cosme Vila se había puesto por primera vez corbata roja, que llameaba al sol.

La multitud, al verlo, enmudeció. ¿Quién iba al lado de Cosme Vila? Los más próximos reconocieron al místico orador de Barcelona, al que le faltaba un brazo. Su presencia emocionó a todos. Apareció un taxi descubierto, en el cual se había instalado un altavoz. Gorki iba en él, de pie, y sería el encargado de transmitir las órdenes. Se veían muchos balcones cerrados, así como muchas tiendas.

Gorki leyó ante el micrófono una cuartilla escrita por Cosme Vila. Era preciso desfilar, en acto de protesta, primero ante la Inspección de Trabajo, por no haber sido aceptada la jornada de seis horas. Luego ante Comisaría, etc... Señaló el itinerario. Citó el local de la CEDA, cuya clausura al parecer había sido ficticia, ya que por la escalera de atrás iban retirando las cuatro mil prendas de abrigo con que por Navidad quisieron comprar el voto de los pobres.

Todo el mundo vestía ropa de trabajo. Se veían algunas alpargatas nuevas, relucientes. E inmediatamente comenzó el desfile.

El Inspector de Trabajo, al serle notificado que se acercaba la manifestación, adoptó una decisión espectacular: cerró balcón y ventanas, entornando incluso los postigos. Y lo mismo él que los funcionarios permanecieron en el interior, trabajando como si tal cosa.

Cuando el gentío se hubo situado enfrente del edificio, Cosme Vila llamó a Teo. Le entregó un papel que contenía la nota de protesta. Le dijo: «Sube y espera la respuesta». Teo cumplió; el Inspector rompió en pedazos la comunicación en las propias narices del carretero.

Teo apretó los puños y bajó. Cosme Vila escuchó su relato. Luego miró a los balcones y dijo a Gorki: «Comunica esto a los camaradas». Gorki, de pie en el taxi y por medio del micrófono, describió a la multitud la entrevista.

Éste fue el sistema que empleó el jefe en cada uno de los jalones del itinerario. En la Comisaría fue Julio quien recibió a Teo y quien le dio una nota escrita: «La Jefatura de Policía no consentirá nunca que se implante en la ciudad una dictadura proletaria. Y se mostrará implacable contra cualquier ciudadano, grupo o masa que intente alterar el orden público o adueñarse de la calle».

Gorki comunicaba cada vez a la multitud, por medio del altavoz, la respuesta de las autoridades, añadiendo: «¡Camaradas! ¡Nuestra réplica es ésta: huelga general!»

Después de Comisaría se dirigieron, siguiendo la calle de Ciudadanos, hacia el Ayuntamiento. Al pasar ante el Banco Arús, Cosme Vila miró hacia los grandes ventanales opacos. Se entreveía una luz dentro. Reconoció la de la mesa del subdirector. El subdirector estaría allí, movilizando invisibles ejércitos contra la Masonería.

En el Ayuntamiento, el alcalde no estaba; el secretario, tampoco; ningún concejal.

—¿Es que habéis abandonado esto? —preguntó Teo, agitando el papel de protesta en la mano.

Un hombre de edad avanzada salió de un cuartito donde se guardaban los objetos perdidos.

—¿Qué pasa?

Vio la multitud afuera, a Cosme Vila con las manos en los bolsillos. Teo le entregó la nota.

El hombre se puso las gafas.

—Cooperativas, Servicios gratis... —Se quitó las gafas y miró a Teo—. Y el señor alcalde limpiándoos lo que yo me sé, ¿no es eso?

Era el conserje fiel: cincuenta años de servicio.

—¡A callar! —ordenó Teo—. ¡Entrega esto al alcalde y que conteste por escrito!

Gorki gritó por el altavoz:

—¡Camaradas, ya veis que el recorrido va siendo pródigo en resultados!

La multitud se impacientaba. En aquel momento aparecieron patrullas de guardias de Asalto que por lo visto iban siguiendo la cosa de cerca. Hubo un momento de silencio. Todo el mundo miró hacia Cosme Vila.

Por el lado del río se oyó, al mismo tiempo, un timbre de bicicleta. Alguien montado en bicicleta pedía abrirse paso. Llevaba un pañuelo rojo en el cuello y gritaba: «¡Dejadme pasar, dejadme pasar!»

Algunos querían echar el intruso al río, pero otros reconocieron en él al hijo del sepulturero.

—¡Quiero hablar con Cosme Vila!

El hijo del sepulturero, bordeando los límites de la manifestación, consiguió llegar a presencia del jefe. Bajó de la bicicleta, saludó puño en alto y le comunicó que en aquellos momentos dos falangistas habían entrado en el cementerio llevando algo rojo en las manos.

Cosme Vila enrojeció, pero contestó: «Bueno, bueno, ahora no estamos para falangistas». Y dirigiéndose a la multitud ordenó:

—¡Nada, nada! ¡Adelante, continuad hacia la CEDA!

La masa se puso en marcha de nuevo. Y al alcanzar el local de la CEDA comprobaron que, en efecto, todo había sido evacuado por una puerta trasera. Aquello puso furioso a todo el mundo, especialmente a la valenciana. De vez en cuando se apoderaba del micrófono el manco de Barcelona y, dirigiéndose a la ciudad en general, decía: «¡Ciudadanos, secundad nuestra huelga!» Huelga, huelga. Ésta era la consigna. Los militantes, enardecidos por el recorrido y por el sol que caía, iban invitando a los comerciantes a cerrar sus tiendas y ostentaban carteles. ¡Sobresalían los murcianos, que de pronto habían abandonado al Responsable y se habían unido a Cosme Vila, al igual que los camareros!

Cosme Vila sabía que, a partir de aquel momento, empezaba lo importante: la manifestación ante los cuarteles. Probablemente los oficiales habrían sido avisados. ¿Qué ocurriría? Era preciso ser prudente.

Cruzaron el Puente de Piedra. Hubo una escena jocosa, pues abajo, en el río, había varios pescadores de caña, absortos en su cometido. A los murcianos les pareció aquello una traición. «¡Eh, eh —les gritaron—, que estamos en huelga!»

Y entonces ocurrió lo inesperado. Llegó otro mensajero, esta vez un hombre de edad avanzada, obeso, camarero del Hotel Peninsular. A codazos se abrió paso en dirección a Cosme Vila y le comunicó en voz alta:

—Camarada..., el jefe de Falange y dos desconocidos han asaltado en el Hotel la habitación del doctor Relken y han dejado al doctor sangrando por todos lados.

Cosme Vila quedó inmóvil. Le pareció entender que Falange había elegido aquella tarde para dar un golpe decisivo. Cementerio, doctor Relken. ¿Qué más prepararían?

Cosme Vila recobró la calma. Se acercó a Gorki y le dio instrucciones. Gorki comunicó a la multitud el atentado falangista. «¡Han irrumpido en la habitación de un amigo del pueblo, el doctor Relken, y, atacándole tres contra uno, le han causado heridas graves!»

Se oyó un inmenso rugido. Y de pronto gritar: «¡Ar... mas, ar... mas!» Cosme Vila había supuesto que la masa pediría ir al piso de Mateo Santos, en la plaza de la Estación. Pero ocurrió lo contrario. El instinto les dictaba que antes que otra cosa era preciso pedir armas y ya los más avanzados habían doblado la esquina en dirección a los cuarteles de Artillería. Entretanto, el cielo se iba tiñendo de un rojo caliginoso, indescriptible. Nubes temblorosas, de tarde, cruzaban el horizonte por el lado de la Catedral, huyendo del sol.

De repente, este cielo grandioso pareció ensombrecerse. Como si algo se interpusiera entre la multitud y el sol. ¿Qué ocurría? Bandadas de pájaros surgían de los tejados. No eran pájaros, era algo más leve aún. Eran octavillas que descendían con lentitud por el espacio, remontando a veces a pesar de la falta de aire.

El desconcierto duró un segundo tan sólo. ¡Octavillas de propaganda! Todo el mundo, incluso el propio Gorki, imaginó que era una sorpresa que les había preparado Cosme Vila, y los brazos se levantaron esperando los papeles.

Por fin Gorki, desde un taxi, tomó, arrugándolo, el primero que se puso a su alcance. Lo desdobló y se dispuso a leerlo ante el micrófono. Pero en aquel momento Cosme Vila se lo arrancó de las manos.

«¡Españoles...! ¡Os habla Falange Española! ¡Hoy hemos puesto cinco rosas rojas en la tumba de Jaime Arias, porque entendemos...»

Cosme Vila apretó los dientes. Y al mismo tiempo oyó un rumor profundo, de mar bravía. Cada militante agarraba una octavilla pensando que era el Partido Comunista quien le hablaba. Al comprender que era Falange Española, barbotaba algo ininteligible. Los guardias de Asalto, con octavillas en la mano, miraban atónitos a los tejados.

Los cuarteles estaban a la vista. «¡Armas! ¡Armas!» Cosme Vila se puso en marcha, todo el mundo le siguió.

El centinela, al ver la muchedumbre que se acercaba, salió de la garita. «¡Cabo guardia...!» Éste salió. Llamó al oficial. Un alférez joven que se dispuso a esperar al emisario.

El emisario fue, como siempre, Teo. El alférez tomó la nota en sus manos. «Teniente Martín, Milicia Popular, entrega de armas...»

El alférez miró al gigante. Luego gritó:

—¡Guardia, a formar!...

Salieron los soldados y la guardia formó. Algunos de los soldados habían asistido a la Asamblea del Partido Comunista y sonreían bajo el casco. El alférez, en cambio, era amigo del teniente Martín y, sobre todo, sentía gran respeto por el comandante Martínez de Soria.

El alférez dijo a Teo:

—Contesta a tus jefes que transmitiré esto. Son mis palabras como oficial de guardia. —Luego añadió—: Como simple oficial del Ejército, diles que siento no disponer de un bombardero para lanzar una tonelada de píldoras sobre todos vosotros. ¡Rompan filas...! ¡Mar...!

Teo se caló la gorra hasta los ojos. Transmitió el recado a Cosme Vila. Gorki lo comunicó a la multitud.

Era algo más de lo que podía pedirse. Una piedra salió zumbando y dio en un cristal del cuartel. Cosme Vila comprendió la gravedad de la situación y se apoderó personalmente del micrófono. «¡Camaradas, seguidme! ¡Seguid a vuestro jefe! ¡Ya volveremos aquí!» Su intención era alejar a la masa de la zona militar. Le costó lo suyo. Especialmente las mujeres insultaban al oficial, quien continuaba impertérrito en la puerta del cuartel.

Sólo la esperanza de que Cosme Vila los llevara hacia algún sitio concreto desde donde preparar el asalto consiguió vencer a la multitud. «¡Armas, armas!» Siguieron a Cosme Vila. Éste no llevaba dirección fija, reflexionaba solamente. De pronto apareció al otro extremo de la explanada que se extendía detrás de los cuarteles una nube de chicos, que visiblemente salían de la escuela. Con carteras a la espalda, con sus libros en la mano, jugando a los boliches.

Los pequeños, al ver la manifestación, se asustaron. Algunos echaron a correr, otros se refugiaron en los portales o en la reja del monumento militar de la plaza, altísima columna en cuya cima rugía un león.

Cosme Vila observó que algunos de estos últimos llevaban papeles en las manos. ¡Octavillas falangistas! Se les acercó y les preguntó:

—¿De dónde habéis sacado esto? —Ninguno contestaba.

—¿De dónde habéis sacado esto? —repitió, enfurecido.

Uno de ellos contestó:

—Han caído en el patio de los Hermanos.

—¡De los Hermanos...! —Gorki oyó al chico. Miró a Cosme Vila. Cosme Vila asintió con la cabeza.

—¡Camaradas, el patio de los Hermanos de la Doctrina Cristiana está lleno de octavillas falangistas!

No hubo necesidad de añadir nada más. El cordón que formaba la Presidencia fue roto, el taxi de Gorki quedó detenido, envuelto por la multitud. Todo el mundo se dirigió corriendo hacia los Hermanos de la Doctrina Cristiana. Vagas y oscuras acusaciones se abrían paso en los espíritus. Alguien entró en un garaje y salió con latas de gasolina. Teo y la valenciana fueron los primeros en llegar ante el edificio, que aparecía quieto y extático entre campos de legumbres, dorado por el sol que había empezado a desplomarse tras las montañas de Rocacorba.

Los comunistas irrumpieron en el patio, cuya verja estaba abierta. Las octavillas se esparcían aquí y allá, aunque en pequeño número. Cruzaron hacia el otro lado, donde aparecía una puerta interior abierta. Entraron y no vieron a nadie. Los pasillos, desiertos. Se hubiera dicho que el Colegio estaba abandonado. Unos se desparramaron por las clases. Teo y la valenciana, con mejor instinto, atacaron una espaciosa escalera que se ofrecía ante ellos. Al llegar al primer piso se detuvieron. Se oían murmullos. «¡Allí...!» Siguieron por un corredor y de pronto apareció ante sus ojos algo oscuro, recogido: la puerta de la capilla. Al fondo, cirios encendidos, un altar: dos hileras de cabezas y un canto monótono.

La capilla quedó abarrotada de militantes que se dirigieron al encuentro de la Comunidad reunida. Los Hermanos volvieron la cabeza y, estupefactos, se levantaron. El armonio había enmudecido. Destacaba algo dorado en el altar, con un círculo blanco en el centro. Las intenciones de Teo eran inconcretas. «¡Todos ahí...!», ordenó, señalando la pared. Uno a uno, los hermanos obedecieron. Entonces, inesperadamente, surgió de la sacristía, con una vela en la mano, un hombre raquítico, que al ver a toda aquella gente quedó paralizado. Teo lo reconoció en el acto. ¡El hermano Alfredo!

Teo se acercó a él en dos zancadas y, derribando la vela de un manotazo y asiéndole por entre las piernas, le levantó como si fuera de papel.

La visión del Hermano enardeció a todos. Abajo, otros comunistas iban entrando en el patio. Arriba, la Comunidad asistía con los ojos desorbitados a todo aquello y el director no dejaba de mirar la Custodia. Pequeños misales, otros libros, sillas, caían sobre el altar. Un cirio se dobló y brotaron pequeñas llamas.

Teo, llevando al hermano Alfredo, se había dirigido al armonio y le obligaba a pisar las teclas con los pies. No brotaba ningún ruido y aquello volvía a poner furiosa a la valenciana.

Alguien se acercó al altar y roció de gasolina las proximidades de las llamas. «¿Qué haces?», gritó una voz. Dos de los Hermanos que estaban en la pared intentaron dirigirse allá, pero fueron detenidos por brazos vigorosos.

, Una súbita llamarada se levantó, ocultando tras una cortina de humo la imagen de San Juan Bautista de la Salle.

Teo continuaba jugando con el hermano Alfredo. Pero al oler a quemado y a la vista del incendio se dirigió a los ventanales. Quería abrir uno de ellos, pero en un santiamén los murcianos rompieron los cristales de todos. Sin embargo, el humo y la sofocación iban haciendo la capilla irrespirable. Gritos por todas partes. El humo que salía y la aparición de Teo llevando en hombros al hermano Alfredo enardeció a los de abajo.

«¡Caramelos, caramelos...!», gritó alguien. El grito hizo fortuna. «¡Caramelos a los chiquillos!» Alguien tiró una piedra. «¡Animal!», gritó Teo.

La valenciana no pudo resistir la tentación. Se acercó por detrás a Teo y dio un empujón al raquítico cuerpo del hermano Alfredo para tirarlo abajo. Teo resistió. Sin embargo, los de abajo habían visto la operación y por otra parte el incendio de la capilla se extendía a los bancos.

—¡Tíralo, tíralo!

Se formaban cordones de hombres como dispuestos a recibir el cuerpo del Hermano, pues el ventanal era bajo. El Hermano había perdido el conocimiento, vencido por el vértigo y los zarandeos de Teo.

En aquel momento entró en el patio el taxi de Gorki. Teo no supo lo que le ocurrió. Oyó algo de Jaime Arias. Izó al Hermano y lo lanzó al espacio, hacia la derecha, donde vio que había un claro y unos peldaños.

Al instante, la primera llamarada brotó del primer ventanal. Una suerte de pánico se apoderó de todos. Los Hermanos se asfixiaban con el humo. La valenciana se dirigió hacia la escalera dando gritos de entusiasmo. Todo el mundo la siguió. Abajo eran muchos los que habían dado media vuelta y salido del patio. Aparecieron unos guardias de Asalto.

Poco después, parte del convento ardía. Algunos chiquillos se habían ocultado en la huerta. No sabían si contemplar aquello o el incendio tras las montañas de Rocacorba.

CAPÍTULO LXXVI

Al día siguiente llegaba César en el autobús Bañolas-Gerona. Los criados del Collell, seminaristas, se habían visto obligados a marcharse a pesar de que faltaba un mes para finalizar el curso. Los campesinos de la comarca les hacían la vida imposible, negándose a suministrar víveres al Internado si ellos no se marchaban.

El muchacho bajó en la plaza de la Independencia, con su maletita en la mano. Se dirigió con lentitud a su casa, donde ignoraban su llegada. La gente iba y venía con agitación. Oyó que alguien hablaba de que «todavía ardían maderos» y de «caramelos a los chiquillos».

—¿Dónde arden maderos?

—En el Colegio de los Hermanos de la Doctrina Cristiana.

Entró en el piso de la Rambla. «¡César!...» Todos acudieron a abrazarle. La maleta cayó al suelo. «¿Qué ha pasado? ¿Qué ha ocurrido en el Collell?» Carmen Elgazu tenía su cara entre las manos y le comía a besos.

César intentó tranquilizarlos. Lo suyo no era nada. Estaba bien, estaba muy bien. Había tenido que marcharse porque la gente de los pueblos protestaba. Pero aquello no tenía importancia. Ya sólo faltaba un mes para finalizar el curso y además, antes de marchar, le dieron los aprobados. ¡Por Dios, lo importante era lo que ocurría en Gerona! ¿Qué ocurría en Gerona que ardían maderas en los Hermanos, que la gente corría por las calles?

Carmen Elgazu exclamó:

—Hijo mío, todo lo que puedas pensar es poco.

César tenía excelente aspecto. De nuevo ocupó la presidencia de la mesa. En los rostros de los suyos leía inquietud, pero a la vez el contento de tenerle entre ellos.

Carmen Elgazu se vio obligada a relatarle la muerte de la sirvienta, la situación en que se encontraba Mateo —escondido en el piso del Rubio—, la situación de Marta, las bases que habían presentado los comunistas.

Había algo que preocupaba mayormente a César. Saber si en los Hermanos había ardido la capilla.

Ignacio informó:

—Fue donde prendieron fuego.

Carmen Elgazu añadió:

—¡La Sagrada Forma ha sido quemada, sí! Ya ves hasta dónde hemos llegado.

Matías hubiera deseado celebrar la llegada de César de otra manera.

—¡Bien, bien! —cortaba—. Ya me estaba yo preguntando: ¿cuándo veremos a César?

César sonreía.

—Ya lo ves. Ya estoy aquí.

Pilar le contó más tarde que habían asesinado al hermano Alfredo. César quedó inmóvil. Se tocó las gafas.

—¿Por qué precisamente al hermano Alfredo?

Ignacio contestó con naturalidad:

—Querían una víctima. Uno u otro tenía que ser.

El seminarista se hallaba visiblemente afectado, pero conservaba una extraña calma.

—¿Y qué pasará ahora? —preguntó.

Carmen Elgazu volvió a intervenir:

—Nada, hijo. ¡Absolutamente nada! ¿Qué quieres? Eran más de mil.

—Bueno, bueno. Dejemos eso —decía Matías.

César se hizo cargo de que con su actitud intensificaba la pena de los demás. Matías se había levantado y miraba al río. El muchacho se dirigió a Pilar, la cual estaba preocupadísima.

—Pilar... —dijo—. ¿Cuándo podré saludar a Mateo?

La muchacha se volvió hacia él como tocada por un resorte.

—¡Imposible! Piensa que te seguirán dondequiera que vayas.

Era inútil eludir un obstáculo; salía otro.

César preguntó por mosén Alberto y por mosén Francisco.

—Mosén Alberto, deshecho por lo de la sirvienta. Mosén Francisco... trabajando como siempre.

Entonces sonó bruscamente el timbre de la puerta.

—¿Quién será?

Por un momento la familia supuso que sería Julio. No, Julio no; tal vez Marta.

—Pilar, vete a abrir.

Era don Emilio Santos. Todos se levantaron para recibirle. Al ver a César, el padre de Mateo tuvo una gran sorpresa y algo así como un presentimiento de que traería aires benéficos. Le puso la mano en la rapada cabeza.

—Mejor hubieras hecho quedándote donde estabas —le dijo.

César negó, sonriendo.

—Me echaron.

Don Emilio Santos tomó asiento. Carmen Elgazu fue a prepararle café.

—Me sentía solo, y he venido... —dijo.

Todos exclamaron:

—¡Bien hecho! ¡No faltaba más!

—Todo esto es una locura, César —comentó, mirando de nuevo al seminarista.

Matías preguntó a don Emilio:

—¿No le han molestado a usted...?

Don Emilio movió la cabeza.

—Pues... ayer tuve una nueva visita de los agentes. —Luego añadió—: Parece mentira que Julio suponga que yo he de delatar a mi hijo.

Ignacio le dijo:

—No sé. No me gusta que se quede usted solo en casa.

—¿Por qué? Yo no temo nada...

Ignacio insistió:

—No diga eso. Todos sabemos que le asusta quedarse solo.

El hombre movió la cabeza.

—No es que me asuste, Ignacio —explicó—. Pero es natural. A mí me gusta la vida familiar, ¿comprendes?

Ignacio no sabía qué decir. Don Emilio suspiró:

—Parece que medio mundo se ha vuelto loco —dijo—. Y lo que asusta —añadió— es pensar que el otro medio se defenderá.

Carmen Elgazu, que acababa de servirle el café, le miró con curiosidad.

—¿Cree usted que la otra mitad se defenderá?

Don Emilio tomó un sorbo.

—¡Claro! —exclamó, sintiéndose reconfortado—. Miren ustedes. Puedo darle un detalle. En la Tabacalera, el cajero, que no es hombre bélico ni mucho menos, les aseguro, se presentó ayer con una de las octavillas de Falange y dijo: «Hay que reconocer que esto es algo».

Ignacio hizo un gesto de escepticismo.

—Sabe usted... —dijo—, lo de Mateo es muy bonito, pero...

—¿Pero qué...?

—Pues... que asaltar conventos es más fácil.

—No es tan fácil —dijo Matías.

—¡Bueno! Quiero decir que le es más fácil a Cosme Vila ganar adeptos.

Ignacio añadió, después de un silencio:

—Me avergüenzo de lo que está ocurriendo, en serio. Nunca hubiera creído que España pudiera ser así.

Carmen Elgazu asintió con energía.

—Tienes razón, hijo.

—La capacidad de odio que hay es terrible —prosiguió Ignacio—. Estoy verdaderamente avergonzado. Son miles de españoles capaces de cualquier barbaridad.

Don Emilio Santos dejó la taza sobre la mesa.

—¡Ah, no simplifiquemos las cosas! —dijo—. También los hay a miles capaces de lo contrario. Y si no, al tiempo...

Ignacio no insistió. Don Emilio Santos se sentía consolado. En aquella casa se encontraba a sus anchas. Miró a César. Quería preguntarle algo y no sabía qué.

—¿Qué se dice en el Collell? —habló por fin—. ¿A qué se atribuye todo esto?

César le miró con fijeza.

—A que la sociedad se aparta de Dios.

* * *

Por el momento, las medidas tomadas por la Jefatura de Policía eran dos: interrogatorio a Cosme Vila y detención de Teo; por otro lado se buscaba a Mateo y a los dos desconocidos que tomaron parte en el atentado contra el doctor Relken.

Ésta era la reacción práctica registrada en las alturas. Julio había dicho: «Se procederá severamente contra unos y contra otros».

Tocante a la población, la muerte del hermano Alfredo provocó indignación general, y salieron muchas personas afirmando que las acusaciones contra el sacristán carecían de fundamento. Por fortuna, parte del edificio pudo ser salvado, gracias a la eficaz intervención de los bomberos. Pero toda una ala del convento se derrumbó.

Los que con mayor vigor reaccionaron en contra del hecho fueron los innumerables ex alumnos de los Hermanos de la Doctrina Cristiana. En el patio de aquel Colegio habían jugado al fútbol muchos ciudadanos gerundenses y, en algún rincón, fumado el primer pitillo. Por lo tanto, el convento era sagrado para ellos y consideraban que ni la miseria que pudieran pasar los seguidores de Cosme Vila ni la noticia de la paliza al doctor Relken justificaban que hubiera sido incendiado.

En resumen, «la otra mitad» de que hablaba don Emilio Santos sintió por primera vez, con fuerza inequívoca, que algo vital estaba en peligro, que estaba en peligro la propia vida de la sociedad, las creencias, la historia y tradiciones por las que el país había vivido siempre.

El sentimiento era inequívoco en el fondo de cada ser, y cada ser lo manifestaba a su manera. Las viejas saliendo de la parroquia del Carmen, pegada a Comisaría, y persignándose al ver pasar a Julio. Los veteranos tradicionalistas coincidiendo en tomar el sol en parajes apartados donde pudieran hablar a sus anchas. Los educandos de los Hermanos yendo una y otra vez a contemplar los escombros de su Colegio, con la esperanza de encontrar el lápiz perdido, los libros. El sobresalto de las taquilleras en los cines al ver entrar por la ventanilla unas manos ennegrecidas. La ausencia en la Rambla de toda persona que no llevase en el bolsillo un carnet obrero con todos los sellos necesarios.

No obstante, esta protesta era en el ánimo de la mayoría un simple sentimiento miedoso. Al notario Noguer, que no se cansaba de repetir: «Hay que tomar una determinación», fueron infinidad los que le contestaron. «¿Qué quiere hacer? La batalla está perdida».

En realidad, en los únicos lugares donde se perfilaba claramente una voluntad de acción, y de acción común, era en el interior de algunos cerebros repartidos por la ciudad; el cerebro de «La Voz de Alerta», los cerebros de ciertos oficiales del Ejército, los cerebros de algunos jóvenes tradicionalistas y de la CEDA, cerebros de falangistas y, dominándolos a todos, el cerebro del comandante Martínez de Soria.

Un indicio claro lo suministraba la manera de tratar a los soldados. Algunos oficiales veían sin lugar a dudas que su autoridad disminuía y eran blanco de bromas y frases alusivas; por el contrario, otros habían adoptado de repente una actitud rígida, imponiendo la más estricta disciplina, como defendiendo en cada orden el amenazado prestigio del uniforme.

En cuanto a los jóvenes tradicionalistas y de la CEDA, tuvieron una curiosa reacción, parecida a la del cajero de la Tabacalera: leyeron con avidez y se pasaron de mano en mano las octavillas de Mateo.

«Es un error suponer que los militantes comunistas se han lanzado a la calle para tener una piscina como la de Novgorod. Nadie se juega la vida por una piscina. Sólo se combate por algo espiritual, aunque a veces los propios protagonistas no se dan cuenta.»

«Si Falange ha puesto rosas rojas en las tumbas de Jaime Arias y Joaquín Santaló, ha sido porque respeta a los que dan la vida por una idea.»

Los hijos de don Santiago Estrada no daban crédito a lo que leían sus ojos. Habían visto arder su Internado en Mataró y ante el incendio de los Hermanos revivieron la escena. Las palabras de Mateo penetraban en ellos certeramente. «Nadie combate por una piscina.» Nadie combate tampoco por unas prendas de abrigo.

Los dos muchachos se encontraban sin partido y con el local clausurado. Desde aquel momento no pensaron sino en la manera de entrar en contacto con Mateo. ¿Qué hacer? No querían comprometerle; por otra parte, querían oír de sus labios explicaciones concretas. Finalmente, fueron a ver a Marta...

En cuanto a «La Voz de Alerta», la entrada de Teo en la cárcel acabó por convencerle de que el dilema estaba claro: matar o morir. Verse obligado a compartir la celda con el gigante era una tortura superior a sus fuerzas. A través de las rejas del locutorio le dijo a Laura: «¡Vete a ver al comandante Martínez de Soria y dile que te dé una pistola! En el momento señalado usaremos de ella, saldremos de aquí y nos uniremos a las fuerzas. Don Jorge está decidido, a pesar de la edad, y los demás lo mismo. Y el primero que desaparecerá será Teo».

Laura se había horrorizado viendo a su marido en aquel estado; el comandante Martínez de Soria, a quien los nervios de aquella mujer inspiraban escasa confianza, le dijo: «No sé de qué fuerzas está usted hablando».

En cuanto a Mateo, por primera vez se atrevió a confiar a sus camaradas que, en efecto, se preparaba un movimiento militar para el caso de que el Gobierno no se decidiera a poner orden en la nación. Después de la paliza al doctor Relken y de restituir la imagen al Museo, aprovechando el caos por la manifestación comunista, se había ido a casa del Rubio y allá se quedó, en la cocina. La madre del Rubio estaba convencida de que era un músico de la *Pizarro-Jazz* y de que también eran músicos Padilla y Rodríguez, los únicos camaradas que, vestidos de paisano, iban a verle.

Mateo, en ausencia de Octavio, Haro y Rosselló, y por ser los dos guardias civiles los únicos no conocidos como falangistas, los nombró jefes de escuadra. Serían los encargados de enlazar con Roca, Jorge y Benito Civil, a quienes, de momento Julio parecía dejar en paz a pesar de lo del cementerio, y con Marta; así como de dar instrucciones a los que ingresaran de nuevo.

Fue, pues, a Padilla y Rodríguez, a quienes Mateo comunicó que el comandante Martínez de Soria estaba en contacto con Barcelona y Madrid «para defender a España con la sangre».

—Está claro que no hay otro remedio —dijo—. La pasividad de Julio y la de todos los Julios en el resto de nuestra pobre Patria resulta monstruosa. Hay una auténtica conspiración masónico-socialista-soviética contra España. Los movimientos de salvación que se inician son muchos, especialmente dentro del Ejército. Falange ha dado la orden de no obedecer sino al jefe militar que pronuncie la palabra «Covadonga»; y ésta es la palabra que pronunció el comandante Martínez de Soria al llamarme, por mediación de Marta. Así que ya lo sabéis. La cosa está prevista para octubre o noviembre, quizá más tarde. Cuando la red quede establecida con seguridades de éxito; en estos meses nos defenderemos como podamos, captando el mayor número posible de adeptos y sin perder nunca contacto.

Padilla y Rodríguez le preguntaron:

—¿El capitán Roberto está al corriente...?

Mateo levantó los hombros.

—No sé... El problema de la guardia civil es muy delicado. No sa sabe.

Padilla pareció preocupado. Luego añadió:

—¿Qué generales dirigen el golpe?

Mateo sacó el pañuelo azul.

—Creo que Mola y Sanjurjo... Pero no sé. Hay otros.

Rodríguez preguntó qué impresión se tenía de Gerona, si podría contarse «con muchos fusiles».

Mateo hizo un gesto de duda.

—Depende más de ellos que de nosotros. Si continúan incendiando y matando, creo que podremos contar con... ¡qué sé yo!, con trescientos hombres.

Padilla estimó que la cifra era exagerada. Tenía pésima opinión de las posibilidades combativas de los catalanes, y estimaba que casi todos «estaban liados con la chusma».

—Te equivocas —dijo Mateo—. Aquí hay más reservas de lo que parece. La gente es cauta, desde luego, porque tiene mucho que perder; pero si se acierta con darles la palabra justa, responderán como en Castilla u otro lugar. Ya veis que hasta don Jorge pide un fusil.

Rodríguez se quitó de los labios la colilla.

—Don Jorge ha ido siempre de caza.

Mateo les recomendó en grado sumo que Marta se abstuviera de visitarle. «Si hay algo urgente, que le dé el recado al Rubio.»

Luego les pidió que, al pasar bajo el balcón de los Alvear, saludaran con la mano.

En cuanto al comandante Martínez de Soria, no se tomaba ya la molestia de discutir el «porqué». Para él ya no existían más que la palabra «Covadonga», la obediencia a los jefes de Madrid y el número posible de «fusiles» con que podría contar en Gerona. Sentía como Mateo las heridas a la Patria, cada ¡Viva Rusia! en labios de mujer española le atravesaba el uniforme; pero quería que dominara en él el militar. Serían muchas vidas las que arrastraría consigo. La suerte de una plaza, quién sabe si la suerte del Movimiento. La provincia era importante, fronteriza, con puertos de mar. «Covadonga». No había dicho nada aún a su mujer; nada ᐧtampoco a Marta. Marta se reía de sus precauciones, pues siempre a través de Mateo, y ahora a través de Padilla y Rodríguez, iría sabiéndolo todo.

El comandante contaba con el apoyo de varios oficiales de la guarnición. Había notado en la mirada que le serían fieles. El que recibió en la puerta del cuartel a Teo le había dicho, al ver pasar unos guardias civiles acompañando a los Hermanos al Palacio Episcopal:

—Mi comandante..., ¿sabe usted que el general Franco ha escrito varias veces al Gobierno conminándole a que restablezca el orden?

El comandante se había atusado el blanquecino bigote.

—Conminación es mucho decir... Pero, en efecto, parece ser que ha advertido a varios ministros.

* * *

Julio estaba enfurecido contra los Costa y Casal, que no habían querido secundar su proyecto por estúpidos regateos.

—No se dan cuenta —le decía a Antonio Sánchez, volviendo a su primitivo pensamiento— que he de tener algo más que guardias que oponer a esa chusma. Hubiera podido ordenar que se disparara contra los asaltantes, ya lo sé. ¡Hubiéramos podido sacar incluso la artillería! Pero hubiera sido peor. Hay que darles algo que masticar. ¡Quién sabe lo que habría ocurrido de no acceder a clausurar los locales derechistas! Y si hubiésemos intervenido en la manifestación, en vez de incendiar el convento, habrían incendiado los cuarteles.

Y, no obstante, Julio no había perdido ni mucho menos la confianza. Creía en el desgaste de las explosiones revolucionarias. En consecuencia, estaba convencido de que, a pesar del caos del momento, el inmenso clamor de protesta que se levantaba en todas partes acabaría sepultando a los protagonistas de aquella revolución. A su entender, el miedo, los cuchicheos, las miradas de odio, el terriblemente solitario entierro del hermano Alfredo, y, sobre todo, la catástrofe económica y social que significaba la huelga y la absurdidad y despotismo de las bases que la motivaban serían el peor enemigo de Cosme Vila; mucho peor que la artillería. ¡Si los Costa y Casal le hubieran ayudado ya, todo aquello estaría agonizando! A la condena de la brutalidad comunista se añadiría la oferta de otro programa constructivo en que refugiarse. En vez de esto, Casal se limitaba a retirar el carnet de la UGT a los camareros, a ordenar a sus afiliados que el lunes se presentaran al trabajo, y los Costa cerraban sus fábricas y se decidían, ¡ahora!, a hacer una manifestación de Izquierda Republicana y a protestar ante la Generalidad.

La confianza de Julio y sus argumentos sobre el desgaste convencían a Antonio Sánchez; pero no al coronel Muñoz, ni al Comisario ni mucho menos al general.

—Mi general —le había dicho Julio a éste—, ustedes los militares pecan muchas veces de falta de perspicacia, y perdone que le hable así. A usted, ver un incendio o la ciudad paralizada le pone tan nervioso que ya le parece que ello ha de durar siempre y que lo que hay que hacer es exterminar a éste o a aquél. ¡Permita que le hable como Jefe de Policía! Todo esto está mal, muy mal. Esa gente intenta asaltar el poder, lo sé. Pero... he de hacerle una pregunta: ¿Qué prefiere usted? ¿Tener un poco de paciencia, utilizar a las personas de orden como las de Izquierda Republicana, como Casal y los que le son fieles, esforzarse con el Inspector de Trabajo para encontrar un punto de coincidencia, estudiar un procedimiento para desgastar a Cosme Vila por la astucia, o ponerse declaradamente en contra del pueblo y favorecer con ello la rebelión militar que se prepara...? ¡Un momento! —exclamó, al ver que el general pegaba un brinco en su sillón—. ¿Qué prefiere usted, oír que el pueblo pide Cooperativas, o ver al comandante Martínez de Soria entrar en su despacho con una pistola y un bando declarando el estado de guerra?

El general casi insultó a Julio.

—¡Qué se ha creído usted! ¡Si sabré o no sabré, ¡puah!, lo que pasa en el Ejército! ¡Qué me va usted a decir ló que puede el comandante Martínez de Soria! ¡Nada! ¡Nada!, ¿me oye usted? ¡Todo eso son cuentos! Un comandante es un comandante, ¿no es eso? ¡Y un general es un general!, ¿no es así?

Julio le interrumpió. Y le dijo que no había sólo comandantes complicados en el asunto. Que había generales, y no de poca monta. Sanjurjo, Mo...

No había nada que hacer. El general no creía que Sanjurjo, con la experiencia de 1932, intentara nada ahora.

—¡Usted no se preocupe de eso y meta a todos esos salvajes en la cárcel! —repitió por centésima vez.

El Comisario estaba de su parte, el alcalde lo mismo y muchos más. En realidad, Julio no contaba sino con un aliado: el comandante Campos, veterano del Ejército. El comandante Campos creía con él que sería insensato indisponerse con el pueblo, cuando acaso a no tardar tendrían que recurrir a él para defender la República.

¿Y el coronel Muñoz?

El coronel Muñoz era el más ecuánime. Sentado bajo el triángulo de la Logia, en la reunión del primero de junio expuso su opinión. No compartía los temores de Julio y del comandante Campos respecto a la rebelión militar y, por lo tanto, no era partidario de ceder demasiado ante el partido comunista; tampoco compartía los del general respecto al peligro que significaba realmente Cosme Vila y así no veía la necesidad de meter en la cárcel a todos los dirigentes obreros exaltados. A su entender, el justo medio se imponía una vez más. ¿Qué podía ocurrir? La huelga, muy bien. Todo parado. Duraría una semana, dos. A los quince días, ¿qué comerían los obreros? Ya los anarquistas sabían algo de ello... ¿Se decidirían a asaltar tiendas y almacenes antes que considerarse fracasados? Entonces entraría en acción la astucia de que hablaba Julio... El H... Casal irrumpiría en el primer plano de la actualidad. Presentaría sus bases socialistas, compactas, estudiadas, razonables. Ello respaldado por la fuerza pública. Un estudio a fondo de lo que a cada oficio le hacía falta. «Y conjuntamente a las bases, se comunicaría al pueblo que éstas merecían la aprobación del Inspector de Trabajo y de las autoridades. Con aplicación inmediata, además, en beneficio de aquellos que mostraran su adhesión a ellas.» ¿Consecuencias de todo ello...? Los industriales y comerciantes verían, por fin, una posibilidad de acuerdo moderado. Se reaorirían algunos locales. En cuanto a los obreros, excepto algunos románticos la mayoría empezaría a reflexionar. Sus mujeres les dirían: «¿Te das cuenta? Fulano de tal cobrará tanto, y tú aquí parado». Todo esto —repetía— respaldado por la fuerza pública. Las patrullas debían circular continuamente por la ciudad.

—Amigos, yo creo que no hay que perder la cabeza. El Frente Popular ha resultado ficticio, de acuerdo. En España pactar con gente como Gorki o el anarquista ese de las botas resulta peligroso para los que amamos el orden y el progreso; y por ello la República se ha preocupado desde el primer momento de la instrucción pública. Sin embargo, no hay que olvidar lo que teníamos antes de la victoria del Frente Popular. En las elecciones compramos la libertad de conseguir avances sociales, la posibilidad de que las grandes potencias no nos consideraran un país de inquisidores y esclavos; es justo que ahora tengamos que pagar un tributo. No hay que perder la cabeza por ello. Que cada uno se mantenga en su puesto. En Madrid saben adónde van, y lo que se tiene ante los ojos no debe perjudicar la visión del conjunto ni de lo futuro. Yo pido, de un lado, que el jefe de Policía se muestre enérgico, y de otro, moderación a los que quisieran tomar medidas draconianas. La Historia no se hace en un día y creo que desde 1931 hemos dado un gran paso en la civilización. Soportemos los contratiempos en homenaje a los ideales que nos unen.

Pocos fueron los que salieron convencidos. El general comprendió una vez más que el coronel era un ingenuo y recordó lo que sus tres hijas solteras decían siempre de él: «¡Qué excelente marido haría!» Julio estaba desesperado viendo que nadie tomaba en serio, ¡ni siquiera los militares!, el peligro del levantamiento. Ni siquiera viendo lo que ocurría con el asunto del teniente Martín, con el traslado del comandante. En cuanto a Casal, al llegar a su casa dejó los guantes blancos sobre la mesa y fue a dar el consabido beso a sus tres hijos. Su protuberante nariz los despertaba a veces. Su esposa no le aconsejó, como antaño, «que obedeciera a los que eran más altos que él». Por el contrario, de un tiempo a esta parte, se había puesto a la defensiva y le contó lo que la mujer de Cosme Vila le había dicho: «Cosme cree que ha llegado la hora».

—¿Qué significa eso? —dijo—. Anda con cuidado. Ya sabes que el instinto no me engaña.

De pronto vio los guantes del tipógrafo sobre la mesa. Los tomó y exclamó: «¡Jesús, qué sucios están! He de lavarlos en seguida».

CAPÍTULO LXXVII

Cosme Vila había mandado una nota a Julio hablándole del peligro militar, y ofreciéndole todos sus afiliados de la ciudad y provincia para cuando lo considerase oportuno. Julio había pegado un puñetazo en la mesa. El primer puñetazo nervioso que Antonio Sánchez observaba en su jefe.

Cosme Vila había reunido luego el Comité Ejecutivo, en el cual el catedrático del Instituto, señor o camarada Morales, según el interlocutor, ocupaba el lugar de Murillo. Cosme Vila entendía que a los intelectuales debía hacérseles poco caso, pero que, en cambio, daban gran prestigio al Partido.

En la reunión faltaba Teo, y la valenciana estaba nerviosa por ello. A Víctor le había parecido excesivo lo ocurrido en los Hermanos y temía por la opinión pública y aun por la de los propios afiliados en cuanto reflexionaran en frío.

Cosme Vila cortó las lamenciones del viejo.

—No vamos a hacer marcha atrás, ¿verdad?

En opinión de Cosme Vila, la confabulación de autoridades, falangistas y otras fuerzas de la ciudad contra el Partido Comunista era tan notoria que ella sola bastaba para unir en bloque a los militantes.

—No cesan de tener reuniones, de discutir para acabar con nosotros. Todo esto es del dominio público y no hay mejor argumento para justificar nuestra conducta. Obramos en defensa propia.

Gorki asintió a las palabras de Cosme Vila.

—Por lo demás —prosiguió éste—, ¿qué puede ocurrir? Nada. Dispondremos de la imprenta de *El Tradicionalista* para explicarnos. Y, sobre todo, de la huelga, para acaparar la atención.

Miró a Gorki.

—Gorki... —le dijo—, vas a tener mucho que hacer. Es preciso convertir *El Proletario* en diario. El camarada Morales nos ayudará, puesto que es profesor de literatura. —Dirigiéndose a Víctor añadió—: Mañana hay que sacar el primer número.

—¿Mañana...?

—Desde luego.

A todos les pareció imposible.

—Y tened eso en cuenta: lo importante para nosotros es la huelga, es decir, las bases. La gente las aplaudió, pero en realidad no sabe lo que significan. Hay que explicárselo con detalle, una por una, machacar hasta que las entiendan. —Luego añadió—: También hay que protestar contra el atentado al doctor Relken.

El catedrático del Instituto intervino:

—¿Hay que aludir al levantamiento militar?

Cosme Vila arrugó el entrecejo.

—Sobre eso... de momento mutis.

Cosme Vila entendía que el periódico debía mantener el espíritu revolucionario en un sentido positivo.

—Ésta es nuestra misión. Lo que nos proponemos con la huelga es muy grande; es definitivo. Nada, pues, de presentarla como una merienda en el campo. Al contrario... Hay que hacer comprender a los camaradas que no será cosa fácil; pero que, con tenacidad, a las autoridades no les quedará más remedio que ceder. Tampoco era fácil lo que se consiguió en Rusia en 1917.

Víctor dijo:

—Convendría presentar en seguida puntos positivos.

Cosme Vila asintió con la cabeza.

—Naturalmente, naturalmente... —Reflexionó—. Habría que presentar en seguida puntos positivos... —Continuó hablando, concentrado—. Habría que decirles... eso: que, aunque poco a poco, las autoridades cederán. Mejor dicho, que han empezado a ceder... ¿Por qué no, si es lo cierto? De momento, hemos clausurado cinco locales enemigos. Y además, tenemos imprenta. Alquilada, pero a nuestra disposición. Eso antes de empezar.

—¿Y ahora...?

—Ahora... vamos por la jornada de seis horas. Y por la entrega al pueblo de varios edificios. Eso caerá, eso caerá, sin ninguna duda. Luego a la reelección de alcalde.

Miró a todos.

—Mientras se progrese, la gente aguantará. Lo peligroso para una huelga es la situación estacionaria.

Gorki habló del hambre, de las tiendas cerradas.

Esta vez Cosme Vila no vaciló un instante. Se sintió a sus anchas.

—No creerás que somos tan memos como el Responsable, ¿verdad?

—¿Qué quieres decir?

Morales pidió también una aclaración.

—Desde el primer momento —explicó Cosme Vila— pensé en el problema del hambre, de la falta de reservas. Hablé de ello largamente con los camaradas de Barcelona; y, como siempre, encontramos una solución.

—¿Solución...? —repitió Gorki como un eco.

—Sí. ¿Por qué no? No sé si conocéis esta frase: «En las huelgas, quien tenga el campo resistirá mucho tiempo». —Ante la actitud expectante de sus camaradas, prosiguió—: Pues bien, nosotros, en la provincia, tenemos el campo.

Entonces Cosme Vila expuso su plan. Desde febrero no había hecho más que recibir visitas de campesinos que no confiaban sino en él para liberarse por fin del yugo del propietario. «En la manifestación había más de doscientos campesinos, entre ellos cinco colonos de don Jorge.»

—De modo que conseguir víveres será un simple problema de transporte —dijo—. Cada célula en el campo recogerá los donativos de los campesinos.

Después de una pausa prosiguió:

—Hay que recorrer la provincia con camiones y carteles que digan: «Víveres para los huelguistas de Gerona». O mucho me equivoco, o el resultado será sorprendente. Se trata de encontrar aquí un local, donde almacenarlo todo. Vamos a ver si podemos utilizar el de las Congregaciones Marianas, que está en planta baja. —Cosme Vila añadió—: Estos víveres serán entregados gratuitamente a los huelguistas, y barrerán de paso a los que hayan imaginado rendirnos por hambre.

La idea entusiasmó a todos. La valenciana gozaba de lo lindo imaginándose junto a una báscula entregando víveres a los camaradas.

El camarada Morales intervino:

—Tal vez fuera un medio para captar otros afiliados...

Cosme Vila asintió con la cabeza.

—¡Desde luego! Si la cantidad de víveres recogidos es la que yo pienso, el reparto podrá beneficiar a todo ciudadano que esté en huelga, sin distinción de partido. No excluiremos ni siquiera a los anarquistas.

Gorki se tocó la barriga.

—¡Menudo rato pasará el Responsable!

El camarada Morales miraba fijamente a Cosme Vila.

—Será una anticipación dada al pueblo de lo que serían las Cooperativas... —sugirió.

Cosme Vila le miró. Todo aquello le gustaba.

—Exacto.

Faltaba organizar y poner en práctica la recogida de víveres. El partido pagaría una parte mínima de su importe, y este mínimo sería lo único que percibirían los campesinos. De momento, se aconsejaría a éstos que entregaran el lote anual de especies que correspondiera al propietario; si esto no parecía suficiente, entregarían algo de su parte.

¿Cómo estimularlos? Cosme Vila creía que la confianza que muchos campesinos tenían en el partido ya en aquel instante, bastaría; sin embargo, era preciso anunciar la presentación de las Bases Agrícolas para un plazo muy próximo, y hacer observar que todo aquello serviría de experiencia.

—Hay que emplear la palabra «Colectivización» —dijo—. Esto estimula la generosidad, pues el campesino sabe que será correspondido a su vez, y que lo que entrega no se pierde.

Gorki intervino. Preguntó si se levantarían barricadas y si se ocuparían el Gas, el Agua y la Electricidad.

—Nada de eso, nada de eso —opinó Cosme Vila—. Hay que procurar beneficiar al pueblo y no perjudicarle. Si le damos víveres y por el otro lado le quitamos el gas y el agua, la hemos fastidiado.

Morales dijo:

—Una huelga pacífica...

—De momento, lo más pacífica posible.

Morales había quedado pensativo. Le parecía imposible que las cosas no fueran más complicadas y estaba seguro de que debía de haber puntos débiles. Dijo:

—No obstante..., son muchas las horas que se pasará la gente sin hacer nada. Sin barricadas que defender, sin trabajo... Habría que ocuparles el pensamiento. De otro modo, tal vez sea difícil controlarlos...

Cosme Vila le agradeció la comprensión.

—Ocuparles el pensamiento... De momento, a muchos los emplearemos en la recogida de víveres por la provincia. Otros trabajarán en la Cooperativa. Hay que darles la impresión de que lo dejamos en sus manos; sin dejar de recordarles que al primero que se propase se le caerá el pelo como a Murillo.

Gorki intervino:

—A mí me parece que Morales tiene razón. Esto no basta. Los días son largos.

Cosme Vila se mordió los labios. Le gustaba que le pusieran objeciones razonables.

Víctor dijo:

—Con *El Proletario* tendrán que leer.

Morales cortó:

—Eso ocupa una hora lo máximo.

Cosme Vila dudaba. Reconocía que aquello no lo había previsto. Era preciso hallar una solución, y la solución debía buscarse siempre en el centro. Abrió el cajón del escritorio. Sacó un ejemplar de las Bases y se puso a leerlas detenidamente. Dobló la hoja. Al final de la segunda página, se pasó la mano por la cabeza.

—¿Por qué no ponemos en práctica —propuso, bruscamente— la base número nueve?

—¿Cuál es?

—La de la Milicia Popular.

La valenciana hizo un gesto displicente.

—¡Bah! Con las armas que te dieron.

—¡Sin armas, sin armas! —interrumpió Cosme Vila—. Hacer la instrucción sin armas, en la Dehesa.

Morales sugirió:

—O hacerla con algo simbólico. Una azada o un simple bastón.

La idea fue bien acogida.

—Un bastón, un bastón —opinó Gorki.

—Eso ya lo veremos —cortó Cosme Vila—. Lo importante es que la instrucción se haga. Ya llevaba días pensando en ello. Hay que formar las secciones, las escuadras; hay que darles mando. Estamos aquí sin organizar, como si no tuviésemos nada que hacer.

Guardó silencio y construyó algo más su teoría.

—Escuadras de seis hombres. Cinco bastones excepto un miliciano, que tendrá un fusil. Y este fusil servirá para enseñar su manejo a todos.

Víctor supuso que no se obtendría permiso para el fusil.

—Hay un procedimiento sencillo —opinó Cosme Vila—. No pedirlo.

Nadie se atrevió a replicar.

Morales asintió. Al catedrático le sugestionaba aquello.

—Que vayan a la Dehesa a quitárnoslo, eso es —repitió Cosme Vila.

La valenciana preguntó:

—¿Y de dónde sacamos los *pum pum*?

Gorki la miró con desdén.

—Algo hay almacenado. ¿O es que crees que estamos dormidos?

La valenciana alzó los hombros.

—Perdona, guapo.

Cosme Vila estaba entusiasmado. «Ocupar el pensamiento...» Se movilizaría el campo, las carreteras plagadas de camiones con carteles, víveres al pueblo, los demás cayéndose de envidia. Julio vería que podían resistir un año. En la Dehesa, instrucción. Esto Julio no lo permitiría jamás. Esto no lo permitiría ni él ni el Comisario. Y mucho menos el general. La caballería... La caballería irrumpiría en la Dehesa exigiendo la entrega de los fusiles. «Sobrará para mantener el espíritu revolucionario...»

654

Ante el Comité, de momento quería quitar importancia a lo de
da Milicia.

—Eso de los *pum pum* se arreglará —dijo—. Ahora lo que interesa
es el local. El local —repitió—. Para almacenar los víveres.

Gorki miró a Morales. Y le preguntó si no podría utilizarse parte
del edificio del Instituto.

El catedrático sonrió.

—En primer lugar, yo no soy el director —dijo—. Y luego no me
parecería prudente expulsar a los alumnos y substituirlos por coles.

La valenciana le miró con desconfianza.

—¿Por qué? Serían víveres para el pueblo.

Cosme Vila zanjó la cuestión.

—Dejar eso. Hay que hacer una gestión para el local de las Congregaciones Marianas.

A la valenciana le preocupaba otro asunto.

—¿Y el transporte...? —preguntó.

Consideraba que nadie como Teo sería capaz de organizar el transporte de aquello...

Cosme Vila le miró con intención.

—Unos días en la cárcel no sientan mal a nadie —dijo.

Morales preguntó:

—¿Estás seguro de que los campesinos se desprenderán de algo...?

Cosme Vila se encogió de hombros.

—Supongo que sí...

Gorki también tenía confianza. Había recorrido la provincia con
su muestrario de perfumes y estaba hecha un jardín.

—Es el momento, ¿comprendéis? Si esto hubiera caído en enero...

—¿Buena cosecha...? —preguntó Víctor.

—¡Uf...! Hay de todo. Frutas, verduras, legumbres...

Morales asintió con la cabeza.

—Claro. Estamos en junio.

Cosme Vila dio por terminada la sesión.

Se levantaron. Cada uno recibió instrucciones. Gorki, Víctor y
Morales fueron a la imprenta de *El Tradicionalista*. Cosme Vila se
dirigió a la radio. Consideraba que hablar por radio era eficaz. El
día de su alocución habían conectado el aparato en muchos cafés.
Quería informar a los afiliados de cuanto habían acordado. Era preciso dar a entender que el Partido Comunista actuaba con un poco
más de sentido común que la CNT. «De momento, no hablaré de la
Milicia. Víveres para todos, y salida del primer número de *El Proletario*
para mañana.» También pensaba hablar de Murillo, el cual se había
constituido jefe de la célula trotskista, amenazando con no sé qué.

CAPÍTULO LXXVIII

El doctor Relken quedó muy satisfecho al oír a Cosme Vila hablar de él por radio. Y más aún al día siguiente, al desplegar *El Proletario* y ver su nombre cruzar la página, y noticias sobre el curso de su curación.

A decir verdad, no podía quejarse de nadie. Desde el primer instante había recibido las mayores pruebas de solidaridad que recordaba; desde el dueño del hotel hasta el doctor Rosselló, que le examinó una a una las heridas con una paciencia estraordinaria, pasando por una representación de Izquierda Republicana que fue a manifestarle su adhesión, otra de Estat Català, otra de la UGT, etc.

Su azoramiento al ver entrar en su habitación a Mateo y a dos desconocidos había sido indescriptible. Al ver que se dirigían a él, que le mostraban un papel que decía: «¡Arriba España!», que le abrían la boca y se lo introducían, obligándole a tragárselo, supuso que le iban a matar. Y los primeros puñetazos le confirmaron en ello. Sin embargo, la ola de furor que al recobrar el conocimiento se apoderó de él desapareció ante las primeras muestras de atención. El Comisario en persona había acudido a verle en el acto, y, unos minutos después, Julio.

Y ambos le habían prometido desde el primer momento: «Doctor, no cejaremos hasta dar con los culpables. Va en ello el honor de la ciudad y del pueblo español». Naturalmente, no era caso fácil, pues Mateo parecía haberse escondido en el infierno y las señas de los dos camaradas que le ayudaron no coincidían con las de nadie sospechoso; pero Julio acababa de telefonearle dándole dos noticias satisfactorias. Primera, que tenían una pista. Segunda, que habían hecho pública su intención de guardar como rehenes a los tres falangistas detenidos, mientras no apareciesen los culpables.

Lo que más molestaba al doctor era el pelado al rape. Las heridas fueron más aparatosas que profundas; los efectos del ricino perdieron en duración lo que ganaron en rapidez; pero contra el pelado al rape era imposible luchar como no fuera poniéndose salacot. En realidad, «el mayor de los tres agresores» le había dejado prácticamente como una bola de billar; bola que relucía escandalosamente al sol cuando el doctor salía a la terraza del Hospital o a dar una vuelta. El doctor tenía la sensación de que «la otra mitad de la ciudad», la que no leía *El Proletario*, ni había ido a verle, se reía de él y se alegraba del percance.

En Gerona no existía sino otra cabeza al rape que pudiera competir con la del doctor: la de César. Eran las dos cabezas más redondas de la ciudad, y el barbero Raimundo hubiera contemplado una y otra con orgullo. La primera vez que se encontraron frente a frente, el doctor Relken maldijo más que nunca a los autores de la agresión. Reconoció al seminarista, a quien recordaba del Museo; pero no dijo nada y se volvió despacio al Hospital.

César había vencido su azoramiento de antaño. En su casa habían imaginado que ante aquellos acontecimientos abriría las manos diciendo: «No comprendo, no comprendo». Y no era así. Miraba las cosas cara a cara y reaccionaba en forma enérgica. Tal vez porque de noche dormía, porque de momento sus pies no se despegaban del suelo ni en las palmas habían brotado aún los estigmas.

Confesó que se alegraba de que el doctor Relken hubiese recibido unos coscorrones y cuando, en el Museo, la sirvienta al verle le preguntó: «¿Quiere usted una taza de chocolate, César?», él contestó: «Sí, tráigala. Me sentará bien».

La teoría de César era idéntica a la de don Emilio Santos: el odio había ganado a la ciudad, era preciso derramar amor por todos lados. Subir a los pisos, a las murallas, a la Catedral y derramar amor sobre la ciudad.

Encontró un aliado en mosén Francisco. El vicario le decía:

«Nuestra misión es actuar como si tal cosa. Si nos prohíben esto, hacer lo otro o procurar hacerlo de otra manera. Si prohíben a la gente venir a misa, iremos a celebrar misa en los pisos. Hay algo que no nos pueden arrancar.» Y se tocó la cintura, que un cilicio más penetrante que el de César rodeaba.

¡Mosén Francisco había obtenido permiso de Julio para entrar en la cárcel! Don Jorge, «La Voz de Alerta» y los demás detenidos por la misma causa que éstos habían solicitado confesar. Mosén Francisco fue allá, y al salir le contó a César lo que vio: unos hombres que acaso un día volvieran a sus egoísmos, pero que en los momentos que estuvieron arrodillados ante él habían conseguido despojarse incluso del odio. Todos se arrepentían de no haber sido mejores, de haber contribuido por sus actos o por sus omisiones a aquel estado de cosas. «Si no existiera el secreto de confesión, te contaría detalles edificantes —decía mosén Francisco—. Verías qué pronto cambia a veces el corazón de los hombres, por qué caminos les llega el amor.»

Ésta era la esperanza de mosén Francisco, que César compartía con poco entusiasmo, obsesionado por las frases de su profesor de latín: «La sociedad se aparta de Dios». «El pecado se ha adueñado de nuestra Patria.»

Ésta era la esperanza de mosén Francisco, a pesar de que al marcharse y pasar delante de Teo, éste escupió al suelo. Y a pesar de que las paredes de los pasillos de la cárcel estaban llenas de insultos, que se prolongaban, siguiendo la historia. Los detenidos de octubre habían iniciado los mueras, «La Voz de Alerta» al entrar les había impreso dirección opuesta. Ahora Teo escribía por su cuenta y su letra insegura, pero de tamaño colosal, vencía de nuevo y arrancaba carcajadas del gitano, el cual se había convertido en su perro fiel.

Una cosa había afectado al seminarista: que hubiera sido precisamente Murillo quien colocara la bomba en el Museo y robara la imagen. Ahora oía decir de él: «Espera órdenes del POUM, de Barcelona. Tal vez sea éste el peor grano que le salga a Cosme Vila». A César, a pesar de sus teorías amorosas, le sería difícil perdonar a Murillo. Tan difícil como creer que «La Voz de Alerta» se había despojado del odio efectivamente.

A César le ocurría un poco lo que a Marta: había cosas que eran más fuertes que él. Por eso en seguida el seminarista y la chica se llevaron bien, aun cuando ésta en sus actos le desconcertase un poco. Marta le desconcertaba porque, a pesar de las circunstancias —por la situación de Mateo tenía prohibido ir con Ignacio por la calle—, su energía y su alegría eran totales. No que hiciera de sí misma lo que quisiera, sino que cuando un sentimiento se manifestaba potente en su interior se entregaba a él por entero. Ésta era la verdad. Daba la impresión de hallarse en su ambiente, combatiendo, y Matías Alvear quedaba anonadado. «Es hija de militar, es hija de militar...», decía. Había impreso las octavillas en las propias narices del comandante Campos. Veía todos los días al Rubio y le daba los recados precisos para Mateo. Veía con harta imprudente frecuencia a Padilla y Rodríguez, y los instruía sobre Falange, pues la adhesión de los dos guardias civiles era puramente instintiva. «El error de los sistemas capitalistas y marxistas es considerar que los intereses de patrono y obrero son opuestos —leía la chica en una Circular, mientras los dos guardias civiles torcían la boca, con una colilla en los labios—. En el orden sindical que...» Padilla y Rodríguez se rascaban el cogote. «Está bien —decían—. Está muy bien. Pero... —acercaban sus sillas a la de Marta—. Oye una cosa. Ya volveremos a eso luego. ¿Por qué esperar a noviembre? ¿Qué dice tu padre? ¿No comprende que se nos van a merendar?» Marta contaba todo eso a los Alvear y decía que ella personalmente no le temía en absoluto a Julio. «Se cuidará muy mucho de meterse conmigo.» ¡Se permitía incluso el lujo, al menor descuido de su padre, de saltar sobre su jaca e ir a dar una o dos vueltas al circuito de la Dehesa! Un día, los anarquistas la vieron y le tiraron piedras. Ella tan fresca. Ahora se proponía volver allí, aun cuando la Dehesa estuviera plagada de huelguistas de Cosme Vila. Ignacio entendió que era una provocación sin gracia, y lo mismo opinó César. Marta reconoció que tenía razón. «No lo he dicho para dármelas de valiente, creedme —explicó—. Pero es que me molesta, la verdad, que por esos palurdos no podamos seguir nuestras costumbres.»

Marta contó que los dos hijos de don Santiago Estrada habían ido a verla, acompañados de dos muchachos más de la CEDA. «¡Habríais tenido que oírme! Brazo en alto y diciendo: Depende de vuestra capacidad de sacrificio.» Y volver a empezar con las Circulares...

César no sabía si admirarla o no. La quería, pero no sabía si aquél era el papel que correspondía a una mujer. En todo caso, Carmen Elgazu no había leído nunca Circulares ni siquiera vascas; y en cuanto a Pilar, se contentaba con repasar los cuadernos atrasados de su Diario íntimo, de los tiempos en que Mateo la esperaba mañana y tarde a la salida del taller de costura. ¡Pilar estaba menos en su ambiente que Marta! Soportaba la separación con' entereza, pero adelgazaba a ojos vistas. Su amor por Mateo se revelaba algo absoluto, conmovedor. ¡Le habían prohibido incluso pasar por la calle de las Ballesterías, por debajo del balcón en que el Rubio montaba guardia hablando con los vecinos! Una fotografía. Nada más que una fotografía de Mateo en la mesilla de noche, a los pies de San Francisco de Asís y Santa Clara. Si Pilar miraba hacia arriba, era para rezar por el de abajo, y éste era su egoísmo. Un retrato de Mateo, su imagen en la mente... y un sobresalto cada dos por tres. En la manera de sonar el timbre le parecía que llegaban malas noticias. Al desplegar el periódico, temía a los titulares. «¡El jefe de·Falange ha sido hallado en...!» El Demócrata publicaba a diario el parte de guerra. «Hay una pista.» «Los culpables del atentado al doctor Relken, a punto de ser detenidos...» Pilar se arrodillaba en su cuarto y rezaba: «Señor, ¿por qué le persiguen como a un criminal? ¿Qué ha hecho, qué ha hecho Mateo?» Al ver al doctor con la cabeza al rape, le miró como si éste fuera un oso. El doctor le correspondió con expresión muy distinta y más compleja que la que mostró al encontrarse con César. Pilar le decía a César: «Reza por Mateo, César. Anda tú, que eres un santo». Y por las noches soñaba con que se subía a los tejados, que tropezaba con una chimenea en forma de saxófono y que se introducía por ella descendiendo hasta la cocina del Rubio, donde se encontraba a Mateo pasándose por la frente el pañuelo azul, con un pie sobre la calavera y el otro sobre la tortuga del jefe de Policía.

César sentía todo aquello más próximo a su alma que el año anterior, cuando se notaba extraño entre los mortales. A gusto hubiera ido a ver a Julio y le hubiera contado cuatro verdades. Su preocupación eran los Hermanos de la Doctrina Cristiana, que habían quedado sin techo. Consiguió de mosén Alberto que los instalaran como se merecían, en casas particulares. ¡También quería conseguir la destitución de David y de Olga como inspectores del Magisterio! Por desgracia mosén Alberto le desanimaba. «No hay nada que hacer, ya lo ves —le decía—. Ni destituciones, ni taller de imágenes, ni catacumbas, ni nada. Y si se intenta un levantamiento militar, perderemos. ¡Vete, vete a la calle de la Barca y verás cómo te recibirán! Pero te aconsejo que dejes la navaja de afeitar en casa...»

César no compartía su opinión. Mosén Francisco iba a la calle de la Barca y no le ocurría nada. Mosén Alberto estaba demasiado afectado por la muerte de la sirvienta y no creía que aún existieran personas como el patrón del Cocodrilo.

¡El patrón del Cocodrilo! ¿Por qué no visitarle y a través de él conseguir un buen escondite para Mateo...? ¡Porque el piso del Rubio, siendo éste asistente del comandante Martínez de Soria, era un polvorín!

Actuar, actuar... como decía mosén Francisco. En la tarde del lunes, al encenderse las montañas de Rocacorba como todas las tardes desde el cambio de luna, se fue a la calle de la Barca, bamboleándose sobre sus pies. Y nada más entrar en el Cocodrilo, quedó estupefacto, reclinada en el mostrador vio a Canela, rodeada de soldados. Todos bebían y ellos echaban al aire los gorros de militar. Canela estaba borracha y al reconocerle le dijo: «¿Qué..., ya se curó tu hermanito?» César no comprendió. Vio levantarse de un rincón una mujer guapetona. «¡Eh, éste es el que engatusaba a los críos con cuentas y catecismos!»

César salió. La calle estaba abarrotada. Le pareció reconocer antiguos alumnos, chicos y chicas a los que había lavado las piernas en el río. Habían perdido su compostura. Los recordaba sentados en el suelo honestamente, con las piernas cruzadas. Ahora se habían subido a las rejas de las ventanas, silbaban, se daban empujones al hablarse, miraban las bombillas y se reían. ¡Y cuántas blasfemias! Nadie le saludó. El silencio era peor. Había pasado por sus vidas como agua sobre mármol. «Tío César.» Todo inútil.

César permaneció un rato más, esperando al ser solitario, al ser único que sin duda existía y que saldría a su encuentro exclamando: «¿Qué tal estás, 4 × 4, 16?»

Pero el patrón del Cocodrilo apareció en el umbral. «Es mejor que te largues», le dijo. Había gitanos en torno a un organillo donde se pisoteaba un montón de basura y gritaba: «¡Huelga, huelga de barrenderos!»

César miró al patrón y, dando media vuelta, inició el regreso. «¡Eh, eh, peque...!» Él no se volvió. En una barraca de tiro los monigotes eran Alfonso XIII, un moro, un obispo y un militar lleno de condecoraciones. «¡Siempre toca, siempre toca!»

En cada esquina había hombres con papelitos en la gorra. «Proletarios del mundo, uníos.» Al pasar, le miraban con curiosidad recelosa. «¿Dónde hemos visto esa cara?», parecían preguntarse.

Un perro famélico le seguía lamiéndole los pantalones. César se agachó y le acarició el lomo. «Cuco, cuco...», susurró, en el tono justo para que le oyera. En la puerta trasera de la iglesia de San Félix alguien había escrito: «Viva yo».

CAPÍTULO LXXIX

La huelga se extendió en forma implacable. Izquierda Republicana abrió cuantas fábricas y talleres pudo. Sin resultado. La buena voluntad de los Costa quedaba anegada en la oleada popular.

La huelga trastornaba implacablemente los puntos vitales de la industria y el comercio y servicios tan importantes —¡el matarife tenía razón!— como el de recogida de basuras. Por lo demás, las calles estaban ocupadas por los huelguistas. Cosme Vila hubiera podido suspender el reparto del correo, pues varios funcionarios eran afiliados y se le habían ofrecido; pero no se atrevió.

Los economistas de la ciudad consideraban todo aquello una catástrofe sin precedentes. Los viajantes que llegaban a la estación con los muestrarios se volvían en el primer tren. Muchos patronos, con su fiel contable al lado, repasaban los libros y se llevaban las manos a la cabeza. Las ratas habían hecho su aparición en varios almacenes de la ciudad. Se paseaban al acecho, por encima de las cajas, haciendo tintinear botellas vacías.

Los Bancos parecían establecimientos mortuorios. Montañas de impagados. Al subdirector todo aquello le dolía en su carne y, desolado, se contemplaba las uñas. Algún cliente despistado llegaba de fuera.

—¿Qué ocurre?

—Huelga. Hay huelga.

Y no obstante, la primera impresión que daba la ciudad era más bien de fiesta, impresión que el propio cierre de establecimientos corroboraba, así como la profusión de banderas. Todo ello tenía una causa concreta: la puesta en práctica de la recogida de víveres que ideó Cosme Vila, y la apertura en el local del Centro Tradicionalista —el de las Congregaciones Marianas no pudo ser conseguido— de la Primera Cooperativa Proletaria Gerundense.

En efecto, aunque no sin vencer dudas y resistencias, el plan de abastecimiento campesino iba siendo una realidad. Las dudas se habían manifestado principalmente entre las mujeres de los huelguistas, las cuales, ante el decreto de huelga ilimitada, habían previsto el hambre para al cabo de una semana. «¡Os ocurrirá lo que al Responsable!», habían advertido a sus maridos. La alocución radiofónica de Cosme Vila anunciando que se establecería una cadena de camiones entre la provincia y la ciudad no había disipado su escepticismo.

Al ver que la primera caravana de vehículos se disponía efectivamente a salir al campo por los cuatro puntos cardinales de la ciudad, se acercaron a los militantes montados en la parte de atrás diciéndoles: «¡A ver, a ver!... ¡Os traeréis un par de calabazas y gracias!... ¡Unos cuantos nabos!» Su argumento era simple: los payeses eran unos avaros; era ingenuo pensar que darían algo.

Y, sin embargo, todo ocurrió de otro modo. Cuando, a la caída de la tarde, los mismos camiones hicieron su aparición cargados de toneladas de productos de la tierra, la estupefacción y el júbilo no tuvieron límites. Y de ahí el aspecto festivo de la ciudad. Todo el mundo andaba de un lado para otro preguntando: «¿Y dónde repartirán eso, dónde repartirán eso?»

—En lo que fue Centro Tradicionalista.

Las más impacientes acudieron allá en seguida con sacos, capazos y toda suerte de enseres en los que cupiera algo. Otras les decían: «¡Pero no tanta prisa!... ¡Ya darán instrucciones!» — «¿Qué instrucciones ni qué tontería? El estómago no espera.» Y allá se fueron, a la Primera Cooperativa Proletaria Gerundense, haciéndose acompañar de sus hijos, por si la carga resultaba demasiado pesada.

Entonces comenzaron las decepciones. En primer lugar, las mujeres imaginaban que todo aquello funcionaría al buen tuntún. En vez de esto se encontraron con una organización estricta y severísima, que haría imposible el escamoteo. Se habían improvisado unos mostradores detrás de los cuales un equipo de militantes, capitaneados por la valenciana, haría la distribución.

—Pero ¿qué diablos esperáis aquí? ¡Fuera, fuera!

Las mujeres quedaron estupefactas.

—¿Y todo eso qué? ¿Para vosotros?

—¡Sal de ahí!

La valenciana estuvo a punto de arrancar el moño a una militante de los barrios extremos.

Por fin se supo algo. El reparto empezaría el jueves, a las ocho en punto de la mañana. Era preciso llevar en papel de la alcaldía certificados del número de familiares, y el carnet del Partido a la vista.

Aquello fue el origen de una de las mayores concentraciones femeninas que se recordaban en la Plaza Municipal. En las veinticuatro horas que había de plazo, el Ayuntamiento fue asaltado. El conserje volvió a salir enfurecido de su cuartucho de objetos perdidos. ¡Atrás, malas brujas, atrás! Le molieron materialmente. Dos andaluzas le encerraron con llave en su chiscón. El conserje armó un ruido infernal y los urbanos le liberaron. Entretanto, las mujeres habían subido hacia la oficina del Censo. ¡Un certificado, un certificado! Apenas, si, teóricamente, existían familias de menos de seis miembros. Las discusiones eran interminables. El arquitecto Massana, desde su despacho de alcalde provisional, oyó la algarabía y salió hecho un basilisco. Ordenó a los urbanos que utilizaran las porras. «¡Fascistas! —gritaban las mujeres—. ¡No queréis ni certificar cuántos somos! ¡Fascistas, querríais que estuviéramos muertos!»

Todo pasó y los certificados se extendieron, no sin ser valorados en un real por el municipio.

Y el jueves, a la hora convenida, se abrieron las puertas de lo que había sido Centro Tradicionalista. A las ocho y cinco minutos la primera mujer —la esposa del sepulturero— cruzó el umbral llevando un cesto enorme repleto. Un murmullo de admiración se levantó de la cola interminable que se había formado. Inmediatamente salió otra mujer —una pariente lejana de Teo— izando con entusiasmo un monumental melón sobre su cabeza. Los «hurras» a Cosme Vila y a la Cooperativa Proletaria empezaron y llevaban trazas de prolongarse quién sabe hasta cuándo. «¡Viva el Partido Comunista!» «¡Viva Cosme Vila!» «¡Viva Rusia!» Otras mujeres iban saliendo con sus cestos rebosantes.

Muchos maridos se habían instalado en la acera, esperando.

—¿Qué te han dado? ¿Qué te han dado?

—¡Mira, ya lo ves! Patatas, arroz, harina, ciruelas. ¡Huele, huele esta sandía!

—¿Y de eso qué...? —preguntó uno, cerrando la mano y frotando pulgar e índice.

—Nada, ni una perra.

La resistencia había sido vencida. La huelga podía durar semanas. En el interior del almacén, Víctor revisaba los certificados y los carnets, Gorki se encaramaba por unos sacos tratando de alcanzar algo, y la valenciana se cuidaba de las balanzas que ella hubiera deseado básculas.

—¡Abre el saco, abre el saco!

—¿Qué...? ¿Pensabas que iba en broma?

Algunas mujeres se quejaban de la ración. Les parecía que las primeras beneficiarias habían obtenido mejor lote.

—¡A ver si te arranco lo que yo me sé! —gritaba la valenciana. Y entre carcajadas iba sirviendo patatas, harina, cerezas... Muchas veces las cerezas las colgaba, riendo, de las orejas de los militantes.

Las mujeres desfilaban hacia sus casas. Jamás habrían cocinado con tanto entusiasmo. ¡Menudo arroz...! Los maridos, a medida que la mañana avanzaba, se alejaban de allá y se sentaban en las aceras y en la barandilla a lo largo del río. Poco a poco fueron liando un cigarrillo y desdoblando *El Proletario*, por el que se enteraron de que el Ampurdán era la comarca que de momento iba a la cabeza en la entrega de víveres; que el ojo del doctor Relken tenía un color morado menos intenso que en la víspera; que en la provincia de Madrid el Partido avanzaba con ímpetu incontenible, y que en Rusia, en el primer trimestre del año, el nivel de vida de los obreros había aumentado en un treinta y cinco por ciento.

Las autoridades, que no habían tomado del todo en serio ni la alocución radiofónica ni lo de los certificados familiares, arrugaron el entrecejo. A mediodía, doña Amparo Campo le dijo a Julio:

—¿Te das cuenta? ¿Sabes lo que ocurre con eso? Que las pocas tiendas que hay abiertas prevén que pronto todo escaseará y aumentan los precios que da gusto.

Julio no la oyó siquiera. La dirección que todo aquello imprimía a la huelga era insospechada. ¡Diablo de Cosme Vila! Pensó en el coronel Muñoz: «Dentro de quince días, ¿qué?» Se fue a Comisaría y convocó a los de siempre: Comisario, Alcalde, Fiscal, los Costa, doctor Relken...

Entretanto, Cosme Vila, sentado ante su escritorio, recibía informes sobre la marcha de los acontecimientos. Su consigna era no dormirse sobre los laureles. El catedrático Morales le dijo: «¡Vamos a la imprenta!... ¡*El Proletario* es tan importante como los víveres!» Morales le demostró la imposibilidad material de sacar *El Proletario* todos los días. «Haría falta un cuerpo de redacción.» Cosme Vila contestó: «Bien, de acuerdo. Pero prefiero que salga una hoja sola todos los días a que salgan cuatro páginas un día sí y otro no».

Cosme Vila le despidió. Quería quedarse a solas. A solas podía permitirse saborear su triunfo. No tanto el de la Cooperativa —conseguir vivas regalando arroz es fácil— como el del campo. Las noticias que traían los militantes que llegaban con los camiones eran eufóricas. Nunca hubieran supuesto una tal predisposición en los camaradas de la provincia. Varios conductores le contaron detalles tan magníficos del desinterés y entusiasmo con que eran recibidos y con que los payeses les regalaban los víveres que Cosme Vila, por primera vez después de mucho tiempo, sintió que se le humedecían los ojos.

—¿Os reciben bien, sí...?

—¡Cómo! ¡Tendrías que verlo!

Verlo, verlo... Era la invitación que faltaba. Cosme Vila lo abandonó todo y decidió participar en uno de los viajes. Eligió una caravana de seis camiones que se dirigían a la comarca de La Bisbal. Subió en el primero.

—¿Cuándo salimos?

—En seguida.

Todo aquello era un brusco cambio de decoración. Los carteles «Ayudad a los huelguistas de Gerona», tremolaban al aire. Por las carreteras se veían niños y niñas saludando a su paso. De pronto, a unos diez kilómetros escasos, el primer camión vio alguien en la cuneta agitando una bandera.

—¡Ahí, ahí tienen algo preparado!

Frenaron. Un campesino dijo:

—¡Camaradas! Tenemos algo para vosotros.

Mes de junio. Las faenas de la siega estaban en su apogeo. El camión se internó por el campo. En toda la provincia las hoces cortaban espigas. Los militantes saltaron al suelo. Cosme Vila los imitó. Los militantes saludaron con el puño. Los payeses contestaron cruzando con él la hoz. Detrás, a su espalda, se extendían las doradas mieses. La provincia debía de ser, en efecto, un jardín, como decía Gorki.

Los acompañaron a un cobertizo abarrotado de sacos. «Para los camaradas de Gerona.» Etiquetas con letra parecida a la de Teo.·

Se acercaron mujeres que lavaban en una acequia.

—¡Eh...! ¡Dadles aquellos higos que hay en el cesto!

La enorme cabeza de Cosme Vila asistía inmóvil a la escena. El jefe llevaba alpargatas nuevas. Uno de los militantes era bajo y jorobado, y los sacos tenían dónde apoyarse. Cosme Vila no revelaba su identidad a los payeses. Los miraba a los rostros, duros, duros, de nariz enorme, parecida a la de Casal. Se les leía el fanatismo en los ojos pequeños, inquietos, puntos negros titilando. Un camión se llenó. «¡A ver, las cuerdas!» Todo acontecía con extrema simplicidad. Poco ruido. Escaso número de personas, ancho paisaje. Parecían contrabandistas. Algo de rito religioso. «¡Dentro de quince días, volved!» Cuando la caravana arrancó, un payés gritó: «¡Decid a Gerona que esperamos las bases!»

Cosme Vila oyó el grito. Salía de entre las espigas. Las bases agrícolas. Las mujeres se volvieron a las acequias a lavar. Las bases. Era evidente que en todo aquel rito latía la esperanza de las bases. Los donantes eran colonos; llevaban generaciones encorvados inútilmente.

La peregrinación continuó. Llegaron hasta cerca del mar. El viento del camión en marcha despejó los pensamientos de Cosme Vila. Paralelo a la carretera asomó el tren pequeño, lento, que iba a la costa, con los primeros veraneantes acodados en las ventanillas. Ni uno solo contestó a sus puños levantados. «¡Fascistas!», les gritó el conductor. Pero no le oyeron.

A Cosme Vila, los donantes espontáneos —las banderas agitándose de pronto en la cuneta— le llenaban de gozo. Y sin embargo, prefirió en mucho las citas prefijadas, las colectas en las células comunistas. «Campesinos del mundo, uníos.» En ellas todo se ejecutaba con un sentido instintivo de la organización. El jefe local presentaba al conductor una lista de lo preparado. En el papel, el sello del partido garantizaba que no faltaría un quilo y que la calidad era la mejor. «Hubiéramos querido llegar a setecientos quilos, pero ha sido imposible.» En muchos portales se veían aún carteles anunciando la manifestación en Gerona. El secretario preguntaba: «¿Cuántos sois los que hacéis la revolución?» Se les informaba del número aproximado: «Un millar». Jefe y secretario se miraban. Sería preciso intensificar la ayuda. Se dirigía al conductor. «Vamos a ver si el viernes os mandamos algo por ferrocarril.» Luego pedían órdenes. «¿No traéis ninguna orden?» Levantaban el puño. «¡Salud, y a mandar!»

El regreso a Gerona fue triunfal. El paisaje era hermoso, pero sería preciso aprovechar mejor el terreno ¡y canalizar el río! Cosme Vila comprendía que la unión entre la ciudad y el campo se estaba realizando, las dos tenazas de que hablaban los comunistas alemanes. Magnífica idea la huelga, su nutrición. ¡Las tapias de las grandes propiedades amurallaban de trecho en trecho la carretera! Con los vidrios sembrados como uñas de señores medievales.

Al llegar al paso a nivel, Cosme Vila oyó: ¡Cosme! Pero el tren se interpuso. Luego, la barrera se levantó. Sus suegros le saludaron con la mano, emocionados al verle sentado, coronando la inmensa pila de sacos del primer camión.

En los arrabales había mujeres esperando el paso de los camiones. Clima de euforia. Por todas partes señales de agradecimiento. La caravana frenó al entrar en el casco urbano. Cosme Vila pasaba a la altura de los balcones. Algunos habían cerrado, agresivos, como el de la Inspección de Trabajo; en otros, por el contrario, las familias palmoteaban.

Cuando la caravana se detuvo frente al Centro Tradicionalista para descargar, la valenciana apareció en el umbral de la puerta. Estaba agotada. Sin embargo, tuvo ánimo para decir: «Hoy hemos hecho más adeptos que en un año de discursos».

Frente al Centro Tradicionalista vivía don Pedro Oriol. Vio la llegada de Cosme Vila. Entornó los postigos meditabundo. Don Pedro Oriol sufría, era de los seres que más sufrían en la ciudad. En aquel Centro había pasado muchos años de su vida; su destino actual le llenaba de congoja. Y echaba de menos *El Tradicionalista*.

Por otra parte, le habían anunciado que cerca de la ermita de los Ángeles, uno de los camiones había dejado una mancha de gasolina en el camino, y que se veía humo, humo en la montaña.

* * *

—¡Peor para él, mucho peor para él! —le había dicho el coronel Muñoz a Julio al ponerle éste al corriente de la situación—. ¡Los que dan son los colonos, y dan lo del propietario! ¡Cuando les muerdan a ellos, dirán que nones! ¡Y entonces va usted a ver a los de aquí, acostumbrados como estarán...!

A los ocho días de Cooperativa Proletaria y de huelga, el resto de la población estaba asustado. Los suegros de los Costa habían telefoneado a éstos: «¡Nos están robando el arroz, nos están robando el arroz!»

El Partido Comunista daba la impresión de haber decidido jugarse su existencia a cara o cruz. Era el tema de las conversaciones. Y, sin embargo, un detalle escapaba a la comprensión. Se justificaba que Cosme Vila, por su origen y por las meditaciones a que podía dar motivo su antiguo empleo, fuera comunista. Parecía lógico que lo fueran Teo, Gorki y la valenciana; pero nadie se explicaba la súbita revelación del catedrático Morales. «¿Qué tiene que ver ese hombre con la chusma?» Todo el mundo sabía que formaba parte del Comité Ejecutivo. ¡Al salir del Instituto de comentar el Quijote o una tragedia de Racine, se iba a la Cooperativa a repartir ciruelas! Y después al periódico.

Era gran amigo de David y Olga. En tiempos fue simple maestro como ellos. David y Olga tuvieron esperanzas de ganarle para el socialismo: él les había dicho siempre: «Dejadme reflexionar, dejadme reflexionar». El resultado de las reflexiones había sido su adhesión al Partido Comunista. «Todos los defectos y crueldades las sé —confesó a los dos maestros—. Pero considero que es una etapa que hay que franquear, desgraciadamente inevitable. Luego se verá que no ha sido inútil.» Era un gran admirador de Rusia y consideraba que aquella nación había dado un paso gigantesco desde 1917, adaptándose a la vida moderna y multiplicando sus posibilidades. «Una nueva revalorización del hombre, que hay que poner en práctica en el mundo entero.» Otros que le conocían atribuían todo aquello a un problema sexual. Le consideraban un profesor resentido por su fealdad, al que las mujeres no hacían caso; y que por ello odiaba la sociedad y se sentía a sus anchas al lado de la valenciana o colgando ciruelas en las orejas de otras horribles militantes.

Su actitud había producido estupor y nerviosismo entre la población. Desde el punto de vista práctico, David y Olga eran de las pocas personas que no podían lamentar la decisión del catedrático. ¡Gracias a su intervención consiguieron que —¡por fin!—, aunque un mes antes de finalizar el curso, en un par de docenas de escuelas los alumnos construyeran cometas, cultivasen un campo, se lavaran la cabeza, se turnasen democráticamente en la vigilancia, diesen una explicación científica del cosmos y escucharan con atención las peroratas higiénicosexuales de sus profesores!

Morales les decía, sonriendo: «En pago, los productos que saquen del campo servirán para la Cooperativa...»

Casal asistía confuso a todo aquello. Preguntó a David y Olga qué se proponían.

—¿Qué pretendéis con todo esto?

Los maestros le miraron con fijeza, como si por fin se decidieran a darle una explicación franca. Por último le dijeron: «Amigo Casal, vamos a hablar claro. No creas que todo esto tenga nada que ver con el Manual... Lo que pasa es que tenemos pruebas de que lo del levantamiento militar es cierto».

—¿Cómo...?

—Como lo oyes —David prosiguió—. Y en consecuencia creemos que deberíamos unirnos todos y no alimentar discrepancias.

Casal les miró a los ojos. Se le hacía difícil dudar de ellos.

—¿Habláis en serio...? —preguntó.

Olga le contestó:

—Nos consta que es cierto.

Tanto, que de Barcelona habían salido para Francia varios representantes de la República, con la misión de asegurarse la ayuda del Frente Popular francés para cuando el momento llegara...

Casal no sabía qué decir. Olvidó la Cooperativa Obrera, los malabarismos de Cosme Vila y las dificultades con que tropezaba para redactar unas bases que satisficieran a todos.

—Así que Julio tenía razón... —masculló. Luego volvió a dudar—. ¡Imposible, imposible! ¿Qué pueden esperar? Serán cuatro jefes aislados. La mayoría de los militares están por la República.

—No seas iluso —añadió David—. Lo que pasa es que estamos olvidando dónde radica el verdadero peligro.

Casal se dejó ganar por el nerviosismo. Consultó inmediatamente con los jefes de la UGT de Barcelona. De Barcelona le contestaron: «Es cierto. Cuidado con los militares, los carlistas y Falange».

La mujer de Casal le dijo: «¿A ti te extraña que se subleven? ¿Qué van a hacer, si no? Cosme Vila los iría matando poco a poco a todos».

A Casal le entró un furor incontenible. Comandante, carlista, Falange. ¿Qué pasaba con Mateo que no daban con él?

Tal vez Cosme Vila estuviera en lo cierto... ¿Iba a verle o no iba a verle? Estimó que ya se había rebajado demasiado. ¡Y además aquel piso destartalado! ¡Qué desnudez! Casal pensó que la confortable cama en que dormía con su mujer le impedía cometer ciertas barbaridades. Pero era evidente que el peligro era grave. El tono de convicción de David y Olga no mentía. A Casal le pareció comprender por qué el Partido Socialista le aconsejaba no indisponerse demasiado con Cosme Vila.

David y Olga le informaron sobre la actitud de los suegros de los Costa. «La mitad del pueblo de Pals es suyo y se quejan porque les han escamoteado quinientos quilos de arroz.»

* * *

Ignacio no perdía detalle de cuanto acontecía. Y recordaba que en una conversación con el profesor Civil le dijo a éste: «Cuando vea claro, lucharé...»

¡Santo Dios! ¿No veía claro aún? ¿No quedaba suficientemente claro que para detener las toneladas de veneno que caían a diario sobre la ciudad proponían aumentar el sueldo a la gente? Su padre advertía que la violencia de los preparativos que veía a su alrededor contagiaban a Ignacio. «No seas estúpido —le dijo—. Para ser valiente no es necesario tomar un fusil. Yo, en tu lugar, estudiaría más que nunca y me vendría de Barcelona con media docena de sobresalientes.»

Estas palabras, en vez de inquietar a Ignacio, intensificaron su malestar. No por lo que le concernía, sino por la situación de Mateo. Ya no era posible. ¡Media docena de sobresalientes! Exámenes convocados y Mateo no podría presentarse. El profesor Civil se había lamentado de ello a diario. «¡Decidme dónde está, decidme dónde está, iré a darle clase aunque tenga que pasar por la chimenea!» El profesor Civil también soñaba. Pero Ignacio no le dio nunca la dirección.

Ignacio comprobaba hasta qué punto quería a su amigo. Se sobresaltaba tanto o más que Pilar. Al igual que a César, le preocupaba su escondite. Cualquier día subirían a casa del Rubio a hacer un registro. Era preciso que Mateo cambiara, que buscara otro sitio. ¿Dónde? Marta compartía su opinión. «Hay que hablar con el Rubio, él acaso indique un lugar.»

Antes de marcharse a Barcelona quería dejar aquello resuelto. Por la calle se había encontrado con Julio quien le dijo: «¡Hombre, Ignacio! Tal vez tú puedas indicarme dónde se encuentra Mateo...» Luego el policía había sonreído dando a entender que bromeaba y había intentado darle una palmada amistosa en la espalda. Ignacio le había detenido la mano. «Con nosotros ha terminado», le había dicho.

Mateo había hecho saber que los exámenes le tenían absolutamente sin cuidado. En cambio, la idea del traslado le pareció acertada e inmediatamente propuso la casa de Pedro. «Me aceptará —dijo—. Me aceptará, estoy seguro. ¡Y por lo menos allá tendré una radio!» Pilar había caído casi desmayada. «¡En casa de un comunista!» Por el contrario Ignacio aprobó el plan. «¿Dónde mejor? ¿A quién se le ocurrirá buscarle allá?» Ignacio estaba seguro de que Pedro no delataría nunca a Mateo..., a menos que se lo ordenaran directamente de Moscú.

Quedaron en que el Rubio hablaría con Pedro. El Rubio le conocía de antiguo y también estaba seguro de él. «¿Cómo lo va a delatar si es un chico que no dice nunca una palabra?» Por lo demás, sabía que Pedro odiaba a Cosme Vila, a Teo, a Vasiliev, a todos. A todos los consideraba traidores a Rusia y, al repasar el Boletín, había exclamado: «¡Trucos de fotografía! Lo que hay allá es mucho mejor».

Marta había propuesto un plan, al margen de lo de Mateo: proponía que Pilar acompañara a Ignacio a Barcelona. «¡Te conviene distraerte! Aquí te consumirás.» Pilar se negó rotundamente. «Imagínate que mientras estoy allá ocurre algo...»

A Ignacio no le quedó otro remedio que hacer las maletas solo. Permanecería tres días lo menos fuera. Muchas personas, entre ellas el subdirector, le dieron toda clase de consejos. «Vete con cuidado en la Universidad. Hay muchos estudiantes que son de las Juventudes Libertarias. Y, sobre todo, cuidado en la pensión... No hables con nadie, ni una palabra sobre política y sobre tus ideas.»

El profesor Civil fue a despedirle a la estación. «¡Repasa la lección cuarenta y tres!» Marta le dio un beso en la frente. En el momento de arrancar el tren se acercó a la ventanilla, le puso un sobre en las manos. «Deberías entregarlo a la persona misma.» El sobre decía: «J. Campistol, Balmes, 110, Barcelona». Luego sacó el pañuelo para despedirle; e Ignacio vio que era un pañuelo azul.

J. Campistol era el jefe de Falange en Barcelona. ¡Válgame Dios! La cosa estaba clara. La chica quiso situarle ante el hecho consumado. ¿Y por qué llevaba pañuelo azul? Le había advertido mil veces de que no provocara a nadie.

Ignacio barbotaba mil juramentos desde la ventanilla. La chica gritó: «¡Que Dios te proteja...!»

En cuanto el tren desapareció, Marta se metió el pañuelo en la manga. Y al instante experimentó una clara sensación de soledad. Miró al profesor Civil. Luego se dijo que las circunstancias no permitían lloriqueos. Al contrario. En aquellos días lo que debía hacer era redoblar su actividad. La gente, en la estación, tenía los periódicos desdoblados y los leía con avidez. ¿Qué ocurría? Las noticias eran alarmantes. En el Parlamento, las discusiones entre diputados eran violentísimas. Calvo Sotelo había sido amenazado claramente, sin rodeos. José Antonio continuaba en la cárcel; y Calvo Sotelo era precisamente el jefe político del comandante Martínez de Soria.

Marta se fue a su casa y desde aquel instante no cejó. Procuraba imitar de su padre la energía que éste demostraba en determinadas circunstancias. Muchos de sus consejos de estrategia los llevaba impresos en la memoria. Ahora le parecía que debía ponerlos en práctica. Marta pensó en uno de ellos: «Es preciso conocer lo mejor posible los colaboradores de que uno dispone».

Marta pensó en el acto en sus camaradas. ¿Eran buenos o malos? Un poco de todo. En conjunto, no podía quejarse.

La encantaban, desde luego, Jorge y Roca. El hijo de don Jorge, a pesar de su aspecto engomado, se mostraba valiente. En la manifestación comunista había descubierto la presencia de los dos principales colonos de su padre. Los esperó en la Rambla y les dijo: «Mi padre está en la cárcel y a mí me ha desheredado. Pero como intentéis nada contra él o contra otro miembro de la familia, os las entenderéis conmigo. Y ya sabéis que yerro difícilmente una perdiz...»

Roca también le gustaba a Marta. Era algo ingenuo. Estaba seguro de que triunfarían «porque Hitler también había empezado así y había triunfado». A él le hubiera gustado reunirse con los camaradas en una cervecería, como el jefe alemán; pero en Gerona no las había y tenían que coincidir en la barbería de Raimundo, o ver a Marta en casa de ésta, que en el fondo continuaba siendo el lugar más seguro. Pero Marta le quería. Podía contar con él. A su padre le habían despedido de guardia urbano. «Porque yo marchaba contra dirección», había bromeado el muchacho.

En cambio, Marta quería menos a Benito Civil. El hijo del profesor le parecía un pobre hombre. Sus chalecos eran de por sí algo inadmisible. Tal vez tuviera la culpa su mujer, que no cesaba de lamentarse. Cuando Benito fue al cementerio a poner las rosas rojas, su mujer le dijo: «A lo mejor ya no vuelves». Y se le había echado al cuello. Marta tampoco quería mucho a Octavio, a éste menos que a ninguno, y no comprendía que Mateo le apreciara tanto. «Hipócrita y presuntuoso.» Se alegraba de que estuviera él en la cárcel, y no Jorge o Roca, por ejemplo. A Rosselló le echaba de menos por su impetuosidad y porque le plantaba cara a su padre; a Haro le conocía muy poco.

Padilla le decía a Marta: «Es curioso. En conjunto sois unos críos. A veces me pregunto si no me he metido en un lío». Marta le contestaba: «Siéntate y calla». Y le soltaba otra circular.

El comandante Martínez de Soria espiaba, por su parte, los manejos de su hija. Ahora le parecía que Falange le sería de utilidad el día del Alzamiento, a pesar de que eran tan pocos. «Lástima que no sean doscientos.» Con todo, tenía más confianza aún en los tradicionalistas. «Los tradicionalistas tienen una ventaja —pensaba—. Casi todos son cazadores; en cambio, de esos chicos posiblemente sólo Jorge sabe manejar un fusil.» Además, entre los tradicionalistas había muchos mayores de edad. Gente como don Pedro Oriol que, al dirigirse al cuartel, lo haría a conciencia. El comandante estaba satisfecho porque después de muchas dudas se había entrevistado con el notario Noguer, y el notario le había contestado: «Cuente conmigo». El notario Noguer le dijo luego que no podía calcular el número de afiliados que se pondrían a sus órdenes en cuanto los avisara. «Ya sabe usted. Esto es muy grave... Y está por medio el asunto Cataluña. Sin embargo..., me parece que muchos responderán. —Luego añadió, poniendo la mano sobre la mesa como si ésta fuera un acta—: De todos modos, cuente por lo menos con treinta hombres».

¡Treinta hombres! ¿Quiénes eran, más o menos? Un abogado, un médico, tres industriales, dos agentes comerciales... «Basta, basta», interrumpió el comandante. Aquello le satisfizo. Se sintió optimista. De Renovación podía contar con diez. Don Santiago Estrada le había prometido cincuenta. Tal vez exagerara, pero tal vez no.

«Lo que siento —pensaba a veces el comandante, mientras su esposa rezaba el Rosario en voz alta y él se perdía por los pasillos de la casa— es que el chico no esté aquí. En Valladolid se ganará seguro; en cambio, aquí me prestaría un gran servicio.» También le dolía que no pudiera hablar de todo aquello con el hombre que acompañaba a su hija; aunque no dudaba que Ignacio acabaría siendo de Falange un día u otro.

El comandante echaba de menos a «La Voz de Alerta». «Éste sería el personaje clave.» Pero ya no confiaba en que saliera de la cárcel. La quincena había transcurrido y no le sacaban. También echaba de menos al teniente Martín, «ese majadero que insulta a los muertos»; aunque había encontrado un sustituto eficaz en el alférez que recibió a Teo, el alférez Romá, de pudiente familia barcelonesa.

El comandante ignoraba que el Rubio alojara a Mateo. Le había admitido de asistente sabiendo que había sido anarquista, por creer que ello desconcertaría a determinados oficiales. Le mandaba hacer recados, que sacara brillo a las polainas, que cuidara del caballo; pero tenía buen cuidado de que no husmeara en sus papeles.

Marta se reía una vez más de estas precauciones y se complacía en demostrar ante su padre la amistad que la unía con el Rubio.

—Pero... ¿qué te pasa con ese bromista? —le preguntaba el comandante—. Deberías tener más cuidado con él.

Marta le contestaba:

—¡Ah...! ¿no tienes tú secretos? Yo también... —Y acercándose a su padre le pellizcaba en las rojas mejillas.

* * *

Cosme Vila no se dormía sobre los laureles. Desde el primer momento había previsto la dificultad de que habló el coronel Muñoz. La cantidad de víveres que se necesitaba era fabulosa. ¿Hasta cuándo resistirían los campesinos? Por otra parte, había varios productos básicos —carne, leche, aceite— que no entraban en la distribución.

El jefe consideraba que sería un error exprimir demasiado el jugo de la provincia, especialmente teniendo en cuenta que de momento la ciudad no podía corresponder. El sentido común aconsejaba evitar que a los campesinos pudiera ocurrírseles siquiera que se abusaba de su generosidad. Quince días más exigiendo el mismo ritmo en las entregas y los primeros toques de alarma se harían sentir. Una mujer que al advertir el bajón dado en la pila de garbanzos miraría a su hombre conteniendo el mal humor. Otra que al ver partir, eufóricos, a los militantes de los camiones comentaría con recelo: «¿Sabes que esa gente ha encontrado el sistema?»

Cosme Vila era el único en anticiparse a este peligro. Los demás vivían absolutamente confiados. ¿Quién dijo que los campesinos sólo darían lo del propietario? Ahora ya se mordía en su carne y no por ello habían cambiado de actitud.

Entre los militantes de la ciudad se comentaba mucho esta prueba de fraternidad. Algunos obreros confesaban que los campesinos eran más fanáticos que ellos. «Desengañaos, lo son, lo son. No les llegamos ni a media pierna.»

El catedrático Morales, en sus conversaciones con David y Olga, y sobre todo con Víctor, a quien pretendía deslumbrar sin conseguirlo, daba una explicación del fenómeno.

—Los campesinos ven en el comunismo una solución más fulminante aún que los industriales —decía—. Los obreros industriales saben que la fábrica produce lo accesorio, y que esta condición no se alterará aunque un día su riqueza les pertenezca en común; en cambio, a los campesinos les consta que en cuanto se les reparta la tierra, ésta les suministrará lo necesario para vivir.

A ello atribuía que las células en los pueblos agrícolas fueran menos espectaculares que las de la ciudad, pero más conscientes y aún más violentas. Lo mismo que Cosme Vila, había hecho un viaje por la provincia regresando edificado. Asistió a las reuniones cotidianas de los militantes. Contaba y no acababa de lo que vio. «Los payeses se reúnen en los cobertizos o en la era, porque en la taberna o en el estanco siempre está el sargento de la guardia civil. Palabras, pocas; rondas de vino, muchas, y muchas miradas fuera, a los campos, y mucho prestar oído al mugido de las vacas.» Cosme Vila era considerado como un padre por aquellos que le conocían; un ser mitológico por los que no. Los primeros le describían y hablaban de la anchura de su frente, para medir la cual se veían obligados a levantar la visera de la gorra. Algunos le preguntaron al catedrático: «Y a letra te gana incluso a ti, ¿no es eso?»

Siempre había un labrador que explicaba la doctrina comunista. Si lo hacía en términos elementales, los ojos brillaban; si empleaba palabras raras los oyentes se pasaban la lengua por las encías. «Sí, claro, claro —comentaban—. Debe de ser eso.»

Entendían que para ser felices era preciso matar al cura. Y luego al sargento de la guardia civil. Hecho esto, se podría colectivizar. La colectividad la concebían como un haz de esfuerzos en común en el momento de las faenas duras: tractores que servirían para todos, abonos que llegarían a placer, avionetas con líquidos para matar los escarabajos, para desinfectar los olivos; en el momento del reparto darían lo que tocara dar, pero cada uno sabría que era el amo. «Darán lo que tengan que dar —le contaba el catedrático a Víctor—. Pero cada uno quiere poseer un pedazo de tierra y unos cuantos animales.»

Por ello llenaban los camiones, contentándose con recibir a cambio ejemplares de *El Proletario*.

—¿Y de las bases qué...?

—Cosme Vila las está redactando. Los fascistas le ponen dificultades, pero caerán.

—Bueno, bueno, dile que sabemos esperar.

Y, sin embargo, y a pesar del entusiasmo de Morales, Cosme Vila sabía que no podrían esperar. ¡La tierra se cansaría de ser nodriza! Por otra parte, el número de beneficiarios aumentaba a diario en la Cooperativa. Algunos anarquistas se habían presentado con la cabeza gacha, por el plato de lentejas. Cosme Vila comprendió que tenía que conseguir dinero para que los huelguistas pudieran comprar carne, leche y aceite y para pagar a los campesinos.

Dinero, dinero. No debía decir nada a nadie, pero necesitaba dinero. La situación era eufórica en la ciudad. Prácticamente lo dominaba todo, y las autoridades se tambaleaban. Faltaba un tirón más. Un tirón y el alcalde dimitiría, y el Comisario. ¡Si el Municipio fuera suyo! Con los recursos que había en él. Todo llegaría. En cambio, parecían fallarle los pescadores; los pescadores le habían contestado: «El comunismo ya nos lo hacemos nosotros, y si queréis pescado traednos billetes».

Billetes, para comprar también pescado para los huelguistas.

No quedaba más remedio que hablar con Barcelona. El manco le había hecho promesas, el camarada Vasiliev también. El camarada Vasiliev le había dicho: «Si hace falta, se abrirá una suscripción en Rusia»; Cosme Vila entendió que era la ocasión, y por ello el jefe decidió el viaje a Barcelona, o tal vez enviar como delegados a Morales y a Gorki.

Un hecho resultaba evidente: Cosme Vila no era el único personaje que tomaba decisiones. Simultáneamente a sus monólogos interiores, se desarrollaban interminables diálogos en la Jefatura de Policía. El Comisario entendía que las cosas habían llegado al extremo. Su decisión consistió en encararse con Julio con energía insospechada, poco habitual en él. «¡Hay que mandar un ultimátum a ese imbécil!», había dicho. Julio no se dejó impresionar; sin embargo, consideraba que el Comisario tenía razón y que era preciso hacer algo.

La población no conseguía víveres pagando, mientras los comunistas llenaban sus cestos cada mañana en el Centro Tradicionalista. En la estación se negaban a descargar bultos, según el destinatario. «¿Eso para quién es? ¿Costa, Corbera...? ¡Ahí se queda!»

Por otra parte, los propietarios se habían levantado en bloque para protestar. Los colonos les decían: «¡Se acabó de ordeñar la vaca! ¡Lo hemos entregado a los camaradas de Gerona!» Algunos propietarios se dejaban amedrentar por las amenazas, que por regla general salían de boca de las mujeres; otros, a imitación de los suegros de los Costa, habían levantado acta notarial y presentado pleito al juzgado.

Todo esto tenía suma importancia, pues los abogados veían una ocasión para tomar la palabra, y además el juez, que no olvidaba que Cosme Vila había querido substituirle sin contemplaciones, parecía predispuesto a fallar en favor de los propietarios.

Las consecuencias de la situación podían ser gravísimas. Ya *El Proletario* escribía en letras de molde: «¡Los propietarios intentan impedir el suministro de víveres al pueblo! ¡El juez se entrevista con los propietarios! ¡Defenderemos a los colonos con todos los medios de que dispongamos!»

Ahí estaba. Julio advertía claramente cuál era el plan de Cosme Vila: conseguir que los propietarios, por cansancio, renunciaran a sus derechos. En este caso, los campesinos habrían conquistado posiciones definitivas, gracias al Partido Comunista.

—¡Naturalmente que es eso! —rubricaba el Comisario, al ver que Julio iba más allá que él mismo en sus acusaciones—. ¡A ver, pues, si terminamos el asunto de una vez!

Cosme Vila oyó rumores de lo que se estaba tramando en contra suya. Entonces decidió no ausentarse personalmente de la localidad y mandar a Barcelona a Gorki y a Morales. «Yo me quedaré aquí a parar el golpe», dijo.

La masa de afiliados vivía ajena a estas preocupaciones. ¡Y era preciso ocuparse de ella! Cosme Vila no olvidaba ni un momento la observación del catedrático: hay que ocuparles el pensamiento... Porque, en efecto, se veía que los afiliados, inactivos a causa de la huelga, se aburrían. Algunos habían empezado a beber. Otros hablaban de formar una Compañía Teatral y un Orfeón.

Era el momento, no cabía duda. Era el momento de poner en práctica el proyecto de la Milicia Popular. Mientras las autoridades se preparaban a lanzar la ofensiva contra el Partido Comunista, éste se prepararía para defenderse. Base número nueve. ¿No se acordó así? Con bastones, con algunos fusiles. ¡Convenía no perder minuto! El jefe echaba mucho de menos a Teo. No obstante, pensó que, dadas las características del asunto, debía cuidarse personalmente de todo. Constituir la Milicia y además —otra cuña esencial— fundar células en los cuarteles, entre la tropa.

Por lo demás, todo estaba preparado. Para los cuarteles contaba con un alférez de Artillería, chusquero. Y tocante a la organización de la

Milicia, al día siguiente de haber sido acordada por el Comité Ejecutivo había hablado con dos veteranos del Partido. Militares retirados —brigadas en la guerra de África— y ambos aceptaron con entusiasmo encargarse de su formación. «Cuando quieras, camarada.» Uniformes, el Partido los tenía. Gorros también; y los bastones los habían suministrado, de madera de roble, las células agrícolas de los Pirineos.

¿De cuántos hombres se compondría la Milicia? Cosme Vila consultó el fichero del despacho. Veía desfilar los rostros en las cartulinas como Julio los ojos de los suicidas. Eligió un total de doscientos cincuenta varones de dieciocho a cuarenta y cinco años. No quiso citarlos por medio de *El Proletario* para evitar la publicidad; les mandó aviso personal a domicilio, acompañado de un paquete que contenía un mono azul y un gorro también azul.

—A la Dehesa, a las seis de la tarde, con este uniforme y alpargatas.

Los doscientos cincuenta hombres recibieron el aviso sin saber de qué se trataba. «¿Sabes algo?» «¡Nada! ¡Absolutamente nada! ¿Por qué nos habrán dado ese mono?»

La curiosidad los llevó a ser puntuales. Cosme Vila los esperaba en compañía de los dos brigadas. A medida que los seleccionados llegaban, los iba saludando uno por uno. «¿A qué viene eso?» «La Milicia. La Milicia Popular.» ¡La Milicia Popular...! Los hombres se miraban unos a otros. ¡Por fin! «¿Y armas?» «¡Todo se andará!» Sin querer adoptaban aires marciales.

Cosme Vila los arengó con léxico parecido al de los cuarteles. Los rostros no se parecían a los de las fotografías. Eran menos cerrados, más débiles. Sería preciso imponer severa disciplina.

—¡Manos a la obra!

Los dos brigadas dieron un paso al frente. Una lista por orden alfabético dividió la Compañía en secciones y escuadras. Se oían peticiones: «A nosotros nos gustaría ir juntos». Cosme Vila contestaba:

—¡Esto no es un convento de monjas!

De pronto, una voz ordenó: «¡Nombramiento de sargentos y cabos!» Los militantes se mordieron las uñas; hubo gran expectación.

Cosme Vila dio los nombres. «He tenido en cuenta los servicios prestados al Partido, la mayor o menos experiencia —algunos de vosotros han hecho ya el servicio militar— y las facultades físicas.»

Los dos brigadas de África, a uno de los cuales no le faltaban siquiera los bigotes afilados, revivían días históricos. A los sargentos y cabos que resultaron elegidos les entregaron un fusil; a los simples números un recio bastón. El brigada de los bigotes, Molina de apellido, le dijo a Cosme Vila: «Esto nos gusta porque aquí, por lo menos, sabemos que todos son voluntarios».

Surgió una dificultad: el altavoz de la Piscina. Vomitaba bailables tan estentóreamente que su ritmo era obsesionante. Segunda dificultad: los curiosos. Surgían de todas partes, sobre todo de la Piscina. —La mayoría de estos últimos eran anarquistas e iban con *slip*—. Destacaban Porvenir y la hija menor del Responsable, la cual exhibía este verano *maillot* blanco.

Pero los dos brigadas superaron aquello. «¡Alinearse... Mar!» Los doscientos cincuenta hombres obedecieron, distanciándose con el brazo. Las secciones formadas, impecables. Cosme Vila contemplaba todo aquello reclinado en un plátano milenario.

Pronto, bajo el follaje, y aprovechando los intermitentes silencios del altavoz, se oyeron los gritos marciales: «¡Un, dos, un, dos!» Por el momento la uniformidad era dudosa, y las alpargatas se revelaban demasiado ligeras para hacer crujir la arena como los brigadas hubieran deseado. «¡Media vuelta... Mar...!» Algunos continuaban en línea recta, como atraídos por el *maillot* blanco de la hija del Responsable. Otros se dirigían hacia Cosme Vila; los dos brigadas, que también exhibían mono azul, tan nuevo que se les abombaba en el pecho, se miraban con aire desesperado.

Vuelta a empezar, otra vez agrupados, cada uno en su puesto. «¡Un, dos, un, dos!»

De pronto, todo salió a la perfección. «¡Izquierda, mar!» Todos a la izquierda. «¡Derecha, mar!» Todos a la derecha. «¡Media vuelta...!»

Los milicianos obedecieron como un solo hombre. Y entonces, ante la estupefacción de todos, se encontraron frente a frente de una formación idéntica a la suya, pero compuesta de caballos.

Los brigadas enmudecieron. Nadie acertó a explicarse qué había ocurrido. ¿De dónde salieron? ¿Cómo? ¿Quiénes eran los jinetes? El sol y el sudor emborrachaban y nadie acertaba a distinguirlo.

Cosme Vila permanecía impasible. Había visto aparecer los caballos a la entrada de la Dehesa, a trote más agresivo aún que el del comandante Martínez de Soria cuando daba vueltas al circuito. «Ahí va el regalito de Julio García...», se dijo. Y, en efecto, a no tardar reconoció los gorros de los guardias de Asalto.

La caballería. La prometida y esperada caballería. El teléfono de la Piscina había comunicado con Jefatura y ante la escalofriante noticia de la Milicia Popular, las autoridades exclamaron: «¡Es el momento! No hace falta ni siquiera el ultimátum». Allí estaban ahora los animales relinchando, mirando a los milicianos con ojos acuosos, siendo mirados por éstos con una expresión que iba transformándose de sorpresa en cólera y deseo de que un rayo cayera sobre sus crines, a medida que descubrían de qué se trataba.

El momento fue de intenso desconcierto. Dos secciones de guardias a pie habían hecho su aparición envolviendo a la Milicia. Los milicianos se sentía ridículos, formados de aquella manera, con el bastón en el hombro; los que llevaban fusil sabían que estaba descargado; y algunos se alegraban de ello dada la expresión del oficial de Asalto que se había apeado de su caballo.

Este oficial era un gigante parecido a Teo, con menos ángulos en la cara. Parecía llegar dispuesto a no perder tiempo. Se dirigió a Cosme Vila: «De orden del Comisario va usted a entregarme los fusiles y venirse conmigo. Y disuelva en el acto la formación».

Cosme Vila le escuchó. El altavoz de la Piscina había parado. «¡Camaradas, no entregar nada! ¡Corriendo a vuestras casas!»

Los milicianos no esperaban aquello. Sin embargo, como tocados por un resorte se quitaron el gorro y echaron a correr en todas direcciones. Por otra parte, los guardias de a pie desplegaron y a cincuenta metros escasos les obstruyeron el paso. Los del bastón se rindieron sin resistencia apenas, aunque ninguno cedió el arma sin acompañar el gesto de una sonrisa irónica. Los del fusil forcejearon con dureza, pero a la postre quedaron indefensos.

El oficial ordenó a todos: «¡Andando! ¡Y poco ruido!» Algunos obedecieron. Otros miraron a Cosme Vila y se hacían los remolones. Varios, con franca insolencia, sacaron las tabaqueras del bolsillo. «¡Andando, o habrá jaleo!» E indicó las porras de sus agentes. La prudencia se apoderó de los milicianos. Lentamente empezaron a dispersarse. «¡Andando!» Los agentes los persiguieron porras en alto y los milicianos, por último, pusieron pies en polvorosa.

Cosme Vila había quedado allá, escoltado por un grupo de guardias.

—Usted se viene conmigo a Comisaría —repitió el oficial.

Cosme Vila no se inmutó.

—¿Me llevarán a caballo o a pie?

—A pie. —El oficial enfundó su pistola—. ¡En marcha!

Ordenó a los jinetes que se volvieran al trote y a la casi totalidad de los de a pie los mandó regresar por el otro lado. Sólo cinco agentes quedaron escoltando a Cosme Vila.

Echaron a andar. Cosme Vila dio unos pasos más adelante. Alguien entre los curiosos gritó: «¡A la cárcel!»

Cosme Vila meditaba su situación. La avenida central de la Dehesa era larga. Las botas de los guardias resonaban con más contundencia que el calzado de la Milicia Popular. El jefe consideraba que Julio cometía un error llevándole a pie. Según el itinerario que siguieran al entrar en el casco urbano la masa de afiliados se daría cuenta de lo que ocurría y organizaría lo que hiciera falta en su defensa. ¡En línea recta sería preciso pasar ante el local del Partido!

Por el momento, sin embargo, se había quedado sin defensores. Los curiosos que se iban agrupando más bien le eran hostiles. «¡A la cárcel!», se oyó otra vez.

En la Catedral dieron las siete de la tarde. Ya los caballos habían desaparecido. Cosme Vila irrumpió en la calzada que conducía a la Plaza de Telégrafos. En todo lo que alcanzaba la vista no se veía concentración alguna de militantes.

—Tal vez más adelante. Los milicianos habrán avisado a alguien. Todavía no da tiempo.

De pronto, el panorama cambió. Al llegar al Puente, en el que convergían varias carreteras de entrada a la población, oyeron a su espalda una algarabía infernal. Gritos, ruidos de motores y bocinazos.

Cosme Vila volvió la cabeza, y los guardias lo mismo. ¿Qué ocurría? Un camión, y luego otro y luego otro. Cosme Vila comprendió: entraba en Gerona la caravana de víveres procedente de Bañolas. «Víveres para los huelguistas de Gerona.» Pedían paso a través de los transeúntes. Iban cargados de ajos y en las cúspides aparecían sentados felices militantes.

Cosme Vila no perdió un momento. Se irguió sobre sus pies, miró en dirección a los camiones y luego levantó el puño con energía estremecedora.

Los militantes, desde sus torreones de ajos, le reconocieron en seguida. Vieron a los guardias. ¡Detenido! Llevaban al jefe detenido. El grito se escapó de sus gargantas. Las bocinas sonaron al unísono en colosal estruendo. Los militantes saltaron desde los camiones al suelo y en actitud suicida se dirigieron de frente hacia los guardias. Algunos, faltos de otra cosa, llevaban manojos de ajos en las manos.

La circulación se interrumpió. Algunas mujeres se mezclaron entre los militantes. Los balcones se abrieron.

Dos guardias quedaron escoltando a Cosme Vila y los tres restantes, con las porras en alto, esperaron la acometida de los militantes. El oficial tocó el pito, pero ningún otro agente apareció por los alrededores.

A la vista de las porras los militantes no se decidían a avanzar. De pronto de la parte trasera de uno de los camiones salió una piedra que dio de lleno en el hombro de uno de los guardias. Éste cayó al suelo.

—¡Animales! —gritó el oficial. Y sacó su pistola.

Los demás guardias le imitaron. Se oyeron tres disparos.

El pánico fue indescriptible. Algunos militantes se refugiaron detrás de los camiones, otros se dispersaron. En las ventanas no había quedado nadie.

Súbitamente, el primero de los camiones puso el motor en marcha y arrancó, de prisa, sorteando a los guardias. Se arrimó a Cosme Vila. El conductor gritó dirigiéndose a éste: «¡Sube, sube!» Y había abierto la portezuela.

Cosme Vila dudó un momento.

—¡No! —rehusó—. ¡Pero concentraos en Comisaría!

Los guardias, al advertir la inclinación de Cosme Vila, supusieron que iba a subir y dispararon contra los neumáticos.

Cosme Vila se volvió furioso.

—¡Ya está bien, ya está bien!

El camión huía a toda velocidad. En la puerta de Telégrafos había aparecido Matías Alvear con bata gris y lápiz en la oreja. Pero, al oír los disparos, volvió a entrar.

Gosme Vila prefería ser llevado a pie, ahora que todo el mundo estaba alerta. La valenciana asomaba a lo lejos, seguida de una patrulla de militantes. Se veía su inmenso escote. El guardia herido se había incorporado por sí solo. Era preferible que fuera así.

—¡Andando!

El trayecto fue lento, pues era preciso sortear continuamente montones de basura. La huelga de barrenderos y de los encargados de la recogida continuaba. La ciudad hedía, y algunos parajes iban resultando inaccesibles. Se hablaba de que la tropa se encargaría del servicio. Perros famélicos iban por aquí y por allá, parecidos al que siguió a César en la calle de la Barca.

CAPÍTULO LXXX

No existía periódico derechista para poner al corriente a la opinión. No obstante, las noticias se filtraban por misteriosos conductos. El intento de Cosme Vila de constituir la Milicia Popular llenó aún más de zozobra a todo el mundo. ¿Qué pasará ahora? ¿En qué parará la intervención de las autoridades?

Todo ocurría con lógica implacable. Cosme Vila argumentó ante Julio y el Comisario que no pretendía sino entrenar a sus afiliados para desfilar. Dio pruebas nada triviales: casi todo eran bastones, los fusiles estaban descargados. ¿Qué puede intentarse con fusiles descargados?

Julio llamó al oficial de Asalto. «Enséñenos esos fusiles.» Eran viejos, inservibles. Cosme Vila sonrió.

Afuera se había estacionado la masa gritando: «¡Viva Cosme Vila!» Julio consultó con el Comisario. Decidieron soltarle.

—Pero renuncie usted a la Milicia —dijo Julio en tono categórico—. Si intenta usted concentrar de nuevo a los milicianos, dormirá usted en la cárcel al lado de don Jorge y procederemos a la clausura del local.

Luego el Comisario añadió:

—Y prepárese a recibir noticias.

Cosme Vila salió, pero había dejado de sonreír. Estaba preocupado y cansado. Ordenó a los que le esperaban que se dispersasen. Se fue a su casa, quería dormir. «Mañana hablaremos, mañana hablaremos.»

A los muchos que entendían que Julio se mostró débil éste les contestaba: «¡Ya está bien, ya está bien! Esto, para Cosme, era básico. Además, ya veis que no avanza un paso. Se desgastará, se desgastará inútilmente».

Al día siguiente, *El Proletario* atacaba duramente a Julio. Publicaba un clisé en el que se veía a dos agentes disparando sus pistolas contra el camión, que huyó a toda velocidad. Los ánimos de los militantes se habían exaltado lo indecible con todo aquello, pues la posibilidad de disponer de armas y de encuadrarse de una manera orgánica les había entusiasmado.

Cosme Vila acudió al despacho temprano. No sabía si había enfocado bien o mal la Milicia. Tal vez cometiera algún error. Al parecer la voz popular aseguraba que disponía incluso de morteros. Su mujer le había dicho: «Hagas lo que hagas, en seguida te calumniarán, diciendo que pretendes esto o lo otro».

Estaba preocupado y los que le rodeaban se dieron cuenta de ello. Sin embargo, era imposible detener la marcha de los acontecimientos. Víctor se le acercó.

—Oye una cosa. Perdona que escoja este momento..., pero la gente se queja.

—¿Qué gente?

—La que va a la Cooperativa.

—¿Y pues...?

—Se les reparte siempre lo mismo. Querrían un poco de carne.

Cosme Vila le miró.

—Ya hablaremos de eso luego.

Víctor salió y entró en el despacho el conductor del primer camión de la víspera.

—Oye. Ayer, con todo aquel jaleo, no pude decírtelo. En el campo piden las bases.

Cosme Vila acabó enfureciéndose: «¡Dejadme solo! ¡Hasta que regresen de Barcelona Gorki y Morales no puedo tomar ninguna determinación!»

Ésta era su preocupación principal. Según las noticias que trajeran los dos delegados, todo estaba resuelto, y los fusiles, aunque descargados, se volverían contra Julio. ¡Sobre todo, el dinero era lo que más falta le hacía!

—Id a la estación a esperarlos y que vengan en seguida.

Gorki y Morales llegaron en el tren de la mañana, en el mismo tren que Ignacio. Nada más verlos aparecer en el umbral de la puerta del despacho, Cosme Vila comprendió que traían noticias medianas.

—Sentaos. ¿Qué hay?

Los dos delegados se pusieron a hablar atropelladamente.

—Nos han recibido como si fuésemos ministros.

—Que insistamos, sobre todo, en la formación de células en los cuarteles...

—Nos han dicho que...

Cosme Vila les interrumpió.

—¡Resultados prácticos, resultados prácticos! —clamó—. ¿Qué hay del dinero?

Gorki contestó:

—Dinero... algo darán, pero poco.

Los ojos de Cosme Vila perdieron el color.

—El Partido tiene poco dinero —justificó el perfumista—. Y naturalmente, todas las provincias lo necesitan.

Cosme Vila se quedó de una pieza. Visiblemente comprendía que el golpe era duro y sus consecuencias graves.

—¿Y Vasiliev? —interrogó—. ¿Qué ha dicho Vasiliev?

Al verle en aquel estado, Morales intentó dar argumentos.

—Vasiliev... habló con mucha lógica. «Puedo pedir la suscripción a Rusia —ha dicho—. Pero tendré que hacer el informe, mandarlo, allá tendrán que preparar la opinión... y ustedes lo que necesitan es ayuda inmediata.» A mí me ha parecido...

Cosme Vila pegó un puñetazo en la mesa.

—¿Pero dan algo o no dan algo?

Gorki tomó asiento frente a él.

—Vasiliev vendrá el sábado, él en persona, y algo traerá. Pero desde luego será poco.

El jefe no se hacía a la idea de que aquello era una realidad. ¿Cómo luchar contra la ofensiva que se desencadenaba desde todas partes contra la huelga? Pensó que debía de haber ido a Barcelona él personalmente. Imposible que no se hubieran hecho cargo de la situación. ¡La partida estaba ganada a condición de resistir dos meses más! En vez de esto, se perdían en excusas casi burocráticas. Cosme Vila tomó asiento pensando en el fanatismo de la masa que le seguía, en el esfuerzo de los campesinos. ¡Imposible defraudarlos! Él era el jefe, los llevaba por el camino de la revolución proletaria. Si claudicaba y los obreros, sin protección, se veían obligados a presentarse uno por uno al patrón en demanda de ser readmitidos, le maldecirían hasta la muerte.

Morales leía cólera en su semblante, no desánimo.

—Si me permites, te hablaré de una sugestión que nos han hecho...

Cosme Vila le miró.

—¿Qué sugestión...?

—Tal vez pudiera ser una solución...

Cosme Vila alzó los hombros.

—He de advertiros que la solución se encontrará de todas maneras.

Morales prosiguió, mirándole con fijeza y como dudando de la acogida de sus palabras:

—Se trata de los anarquistas.

Cosme Vila arrugó el entrecejo.

—¿Cómo de los anarquistas?

—Déjame hablar —cortó Morales—. En Barcelona opinan que podríamos sacar partido de dos cosas: del estado en que se encuentra el Responsable y del hecho de que los campesinos de Barcelona sean anarquistas. ¿Por qué no conseguimos que el Responsable pida ayuda a éstos, les pida víveres? Vasiliev cree que probablemente los obtendría. Entonces podríamos hacer algo común en la Cooperativa. Nosotros prestar al Responsable los camiones... ¡En fin! Sin necesidad de que los afiliados se enteraran. O informándolos, lo mismo da.

Cosme Vila oyó aquello en silencio. Al pronto la sugestión le pareció absolutamente grotesca. ¡Unirse al Responsable! ¡Se quedaría con los víveres y, si pudiera, hasta con los camiones!

No obstante, su sentido realista se imponía. Algo quedaba claro, gustara o no gustara: el apoyo anarquista, dadas las circunstancias, podía ser verdaderamente eficaz... ¿Por qué no pensar en el asunto? ¡Y por otra parte algo debía hacerse!

No dijo nada. Sería preciso estudiar aquello.

Vio a Morales y Gorki pendientes de la expresión de su rostro.

—Ésta u otra, mañana os daré una solución —dijo. Abrió un cajón del escritorio y sacó de él un bocadillo.

Cosme Vila cambió de humor. Temía que su reacción contra Barcelona hubiera quebrantado en los delegados el sentimiento de unidad.

—¡Bien, bien! —exclamó, mordiendo el panecillo—. De modo que habéis visto al camarada Vasiliev en persona...

Gorki dijo:

—Hora y media hablando. Ni más ni menos.

Cosme Vila añadió:

—Le dolería no poder ayudarnos...

—Estaba desolado, desde luego.

Cosme Vila asintió con la cabeza.

—Explicadme cómo andan las cosas en Barcelona.

Morales se sintió a sus anchas.

—Andan bien —dijo—. El POUM es duro de roer, pero el Partido conserva una disciplina de hierro. Los socialistas ceden, hasta en Izquierda Republicana tenemos militantes. En fin, lo sabes mejor que nosotros.

Cosme Vila se interesó por los dirigentes de Barcelona que habían asistido a la Asamblea en el Albéniz.

—¿Y el camarada Hernández...?

—Ha mandado a su mujer a Rusia. Quiere aprender el ruso para traducir a Gorki.

Cosme Vila asintió complacido.

—¿Y el manco...?

—El manco... de momento se queda en Barcelona. Dice que nuestra revolución campesina es ejemplar y que deberá tenerse en cuenta en su día. En fin, nos ha rogado que te felicitáramos.

Cosme Vila formuló aún una pregunta:

—¿Y armas?

—Vasiliev te hablará de ello.

El jefe no quiso prolongar más la entrevista. Hablaba, pero su pensamiento continuaba fijo en la negativa del dinero. ¡Algo debía hacerse! Veía desfilar ante él los irónicos ojos del Responsable y la ondulada cabellera de Porvenir.

Se levantó bruscamente, como era su costumbre.

—Bueno, de acuerdo. Esta tarde tendremos reunión del Comité en pleno. Ahora hay que ir a trabajar.

—¿Qué hay que hacer?

—Pues... vosotros al periódico. Reseñad vuestro viaje a Barcelona. Dad impresiones sobre aquello. Que salgan en el número de mañana.

—¿Y lo de la Dehesa, qué...? —preguntaron Gorki y Morales, antes de salir del despacho.

—Nada. Unos cuantos tiros sin intención.

* * *

Ignacio llegó de Barcelona contento, por las notas que llevaba en el bolsillo. ¡Segundo curso! Ante la familia y Marta, reunidos en torno a la mesa, habló de las facilidades que había encontrado en los exámenes.

—Temía que surgieran tropiezos y no ha sido así. Los catedráticos muy correctos, todo muy bien. Contesté y me aprobaron. —Miró a su padre—. ¡Ya soy medio abogado! —Matías contestó:

—Neumáticos Michelín.

Las palabras de Ignacio alegraron el corazón de todos

—¿En la pensión, qué...? —preguntó Carmen Elgazu.

—Pues... todo muy bien. Cama de dos colchones y vista a un jardín. —Luego añadió—: Y una sirvienta estupenda.

Marta hizo un mohín coqueto.

—Me alegro mucho.

Carmen Elgazu estaba segura de que su hijo ocultaba todo lo malo. Se lo agradecía, pero en el fondo estaba inquieta. Le preguntó si todo lo que había visto en Barcelona era tan agradable como la sirvienta.

Ignacio cambió de expresión.

—Pues en realidad yo iba a lo mío. —Luego añadió—: ¡Bueno! Ocurren cosas inexplicables, desde luego.

—¿Por ejemplo...? —interesó Marta.

—Por ejemplo... en el tren de regreso —dijo Ignacio—. Un soldado quería saltar por la ventanilla y el cristal no obedecía. Creo que era en el Empalme. Con toda tranquilidad se echó hacia atrás y lo rompió de una patada. Luego, claro está, tampoco pudo bajarse a causa de los trozos de vidrio que habían quedado. Entonces volvió a sentarse sin decir nada, y sin que ocurriera nada.

La familia guardó silencio. Ignacio también. Se había colocado al lado de Marta y de vez en cuando le estrechaba la mano bajo la mesa.

El detalle había puesto sombrío a Matías.

—¿Qué consideras más peligroso? —preguntó a su hijo—. ¿Barcelona o esto?

Ignacio contestó con decisión:

—Barcelona, desde luego.

Marta intervino.

—¿Por qué? Más que esto no puede ser.

Ignacio miró a todos.

—Barcelona es más peligroso —explicó— por la sencilla razón de que es mayor. Todavía hay más mezcla de todo, de toda clase de gente. Aquí es imposible matar a alguien y pasar inadvertido. Esto es aún una ventaja.

Luego explicó que tuvo que ir a llevar una carta... a un tal J. Campistol, y que le pilló en mitad de la calle un tiroteo espantoso. Tuvo que refugiarse en un café, detrás de un mostrador.

Carmen Elgazu se santiguó. «¡Jesús, hijo, con qué tranquilidad hablas de tiros!»

A Matías le pareció recordar que J. Campistol era el Jefe de Falange de Barcelona y le pidió a Ignacio explicaciones sobre la carta.

—Es bastante imprudente llevar cartitas a estas alturas, ¿no te parece?

Había olvidado que Pilar estaba presente. La muchacha al oír aquello enrojeció. Todos miraron hacia ella. Se le habían humedecido los ojos y el pensamiento de todos voló hacia Mateo.

Matías dijo:

—Vamos, vamos, Pilar, no te pongas así.

Ignacio intervino.

—Estamos hablando de los falangistas de Barcelona.

Pilar había sacado el pañuelo. Agradeció la ternura de todas las miradas.

Marta le dijo a Pilar:

—No te preocupes, mujer. Esta noche, Mateo se trasladará a casa de Pedro. Allí estará seguro, de veras. Y además tal vez todo esto dure poco. —Luego añadió, mirando a Ignacio—: Somos muchos los que luchamos para que esto dure poco.

Ignacio se había puesto nervioso.

—Si lo dices por Falange... —contestó.

—¿Qué ocurre?

Ignacio se vio obligado a continuar.

—¡Nada! He conocido unos cuantos en la Universidad.

—¿Y qué...? —insistió Marta.

—Pues... ¡qué sé yo! Vanidosos. Provocando... En fin, unos chulos de marca mayor.

Marta se puso seria.

—Bueno —dijo—. ¿Y cómo conociste que eran de Falange?

—Por la camisa azul.

—Es raro que la llevaran. Lo tenemos prohibido, excepto en ocasiones excepcionales.

—Pues se ve que allá hay ocasiones excepcionales todos los días.

Marta no quedó convencida.

—Te daré otro detalle —añadió Ignacio—. Continuamente se miraban, decían CAFE y se reían.

Al oír aquello Marta quedó roja como la grana. Los demás se miraron perplejos.

687

—¿Qué significa eso? —preguntó César, tocándose las gafas de montura de plata.

Ignacio levantó los hombros.

—No sé... Yo cuento lo que oí, nada más.

Marta se se separó el flequillo a uno y otro lado.

—Muy sencillo —explicó—. Son nuestras iniciales, CAFE. «Camaradas, Arriba Falange Española.»

* * *

El subdirector del Banco había sido el encargado de proponer a los Costa el traslado de su fortuna al extranjero. «Nuestro Banco puede hacerlo. Hemos servido ya a tres clientes. Les puedo explicar el procedimiento. Podrán elegir entre Suiza, Inglaterra, Estados Unidos...»

El subdirector llevaba a cabo estas gestiones doliéndole el corazón. Le dolía que salieran divisas de España. Pero lo prefería a que sirvieran para comprar armas con destino a Cosme Vila.

Los Costa le contestaron con dureza poco habitual en ellos. «Mientras haya República, nosotros no sacaremos ni un céntimo.»

Estaban desesperados por la huelga, por la milicia, por los asesinatos, por todo; pero querían defender la República.

Era su idea. En su último viaje a Madrid, les habían dicho que el Partido Comunista preparaba una revolución para agosto y los militares el levantamiento para noviembre. «La única posibilidad de hacer fracasar a unos y otros es unirnos en bloque los republicanos de buena fe, que todavía somos unos cuantos.»

Los Costa creían que el súbito crecimiento de la tendencia revolucionaria de muchos Partidos, Sindicatos y personas se debía al peligro militar. Su suegro se enfurecía al oír aquello.

—Estáis ciegos —les decía—. Completamente ciegos. Ésta es la excusa que dan. Se van hacia la revolución porque éste es su plan desde el primer momento. ¡Sí, sí, no sonriáis de esa manera! Éste es el plan de todos ellos desde 1931. Y no digamos desde vuestro famoso Frente Popular.

Los Costa se veían obligados a discutir con mucha gente. Algunos viejos de Izquierda Republicana atacaban a Casal en forma que ellos estimaban injusta.

Las esposas de los dos industriales, poco acostumbradas a discutir, habían tomado una determinación: marcharse a Pals, llevándose a sus respectivos hijos.

Los Costa las habían dejado partir. Sin ellas, el piso les parecía vacío. «Cuando uno se ha acostumbrado a la familia...» Pero consideraban que su puesto estaba en Gerona, ayudando a las personas de sentido común.

¡Válgame Dios, cuán escasas eran esas personas al parecer!: de pronto *El Demócrata* anunció que Casal iba a presentar con carácter conminatorio las bases de su Sindicato. «¡Era el único que faltaba!»

Los Costa querían dimitir. «¡Que se vayan todos a freír espárragos!»

La opinión de los Costa no conseguiría enfriar el entusiasmo que Casal, David y Olga sentían por las bases, pues no sólo habían sido redactadas de acuerdo con las últimas experiencias socialistas en el mundo, sino que tenían algo verdaderamente original: nacían aprobadas por la Inspección del Trabajo. ¡Y contaban con el apoyo de las autoridades para ser llevadas a la práctica! Espléndida transformación de la provincia: aprovechamiento de los arrozales, exportación masiva de ajos, nuevos mercados para la industria del corcho, intercambios con Méjico... Las necesidades de cada oficio habían sido estudiadas al microscopio, desde las de los matarifes hasta las de los camareros que habían desertado.

Cien folios, escritos a máquina por Olga. El trabajo había sido duro. Y lo único que los maestros no comprendían era que el catedrático Morales —a quien veían con frecuencia— no hiciera el menor caso de las bases y que *El Proletario* no se dignase siquiera mencionarlas.

El catedrático Morales se reía de ellos.

—¿Por qué os extraña? Vuestro socialismo es ingenuo —decía—. Todas las inteligencias del mundo están abriendo los ojos..., ven que os perdéis en tierra de nadie e ingresan en nuestras filas. No contamos solamente con Teos y similares, no creáis. ¿Por qué no escucháis Radio Moscú? Estos días ha ido allá vuestro escritor favorito, Gide, y ha hablado desde el balcón de la Plaza Roja. Mañana daremos en *El Proletario* el texto de sus discursos. Ha dicho que el Occidente confía en Rusia para que ésta acuda a salvarle. ¿Qué pretendéis con esos papelitos? ¿Aumentarles el sueldo a los maestros?

Casal barbotaba:

—¡Pues tendrán que tragárselas! Vamos a ver quién habrá sido el táctico esta vez.

Por desgracia, estaba escrito que el tipógrafo no iba a salirse con la suya. Apenas el Inspector del Trabajo había estampado su firma al pie de los cien folios que le presentó Olga, cuando empezó a circular una noticia de la que al pronto no hicieron caso, pero que luego se reveló como cierta: la de que Cosme Vila y el Responsable habían llegado a un acuerdo y que a partir de aquel momento se ayudarían mutuamente en el mantenimiento de sus huelgas respectivas.

—¡Imposible! —clamó Casal—. ¿Cómo puede ser eso?

—Muy sencillo —le contó un afiliado—. El campo gerundense aportará víveres como hasta ahora, víveres al Partido Comunista; por su parte, el campo de Barcelona aportará los que pueda al Responsable. Todo ingresará en la Cooperativa Proletaria de Cosme Vila, pero se beneficiarán en común.

La noticia se confirmó oficialmente. El acuerdo estaba hecho, «sin que implicara aproximación ideológica. CNT-FAI y el Partido Comunista continuarían exigiendo cada cual lo suyo, en forma irreconciliable».

Casal quedó estupefacto. «¡Esto será un aborto! ¡Se echarán unos encima de otros como lobos!» Se equivocó. A los comunistas los ganó la disciplina y a los anarquistas la posibilidad de saciar el hambre y la enigmática sonrisa del Responsable, que decía: «Dejadme hacer, dejadlo de mi cuenta».

Casal pensó luego que todo ello, en el fondo, no cambiaba nada, tal vez lo contrario. Sus bases serían la nota cristalina del sentido común. También esta vez se vio obligado a rectificar. En cuanto Julio le recibió, tomó el inmenso «Informe» de sus manos, lo hojeó y dijo: «Muy bonito, muy bonito... Arroz, tratados con Méjico... Pero, de momento, ¿qué, amigo? Todos parados, y quién sabe hasta cuándo. Esa gente puede resistir un año...»

Casal se sulfuró.

—Pero ¡publicar las bases, y todo el mundo se pondrá de nuestra parte!

—Se publicarán, amigo Casal, se publicarán. Pero que todo el mundo se ponga de nuestra parte, ya no es tan seguro.

David y Olga, con su natural pesimismo, estaban convencidos de que habían perdido la batalla. CNT-FAI y el Partido Comunista del brazo constituían una fuerza incontenible. El propio general había telefoneado a la Comisaría: «¡A la cárcel toda esa gentuza, a la cárcel!»

El Demócrata publicó íntegras las bases.

—Pero ¿qué están hablando de ajos si ya no queda uno solo en la provincia?

Los militantes de la UGT defendían aquello con tesón.

—Es magnífico, es lo que nos hace falta. Pero ¿cómo ponerlo en práctica?

Los camiones iban y venían. Al pasar bajo el balcón del Centro Tradicionalista, se oía: «Un, dos, un, dos». Hacían la instrucción arriba, a puerta cerrada. Se decía que incluso mujeres aprendían a manejar el fusil. Todas las tardes, bajo el tupido follaje de la Dehesa, Víctor y el catedrático Morales, que ya había terminado el curso en el Instituto, dirigían, pincel en ristre, a los muchachos del Partido que demostraban afición y aptitudes.

CAPÍTULO LXXXI

La exaltación de los anarquistas por haber reconquistado un puesto de honor en la ciudad fue tan espectacular, que los bares y cafés que continuaban abiertos vieron vaciarse sus botellas en un santiamén. Incluso los que llevaban días olfateando por la orilla del río y por los campos cercanos en busca de algo comestible, hallaron en el fondo de sus bolsillos con qué festejar aquello. ¡Ahí era nada montar en un camión con carteles y banderas, zumbar carretera adelante y regresar al atardecer con montañas de alimentos! Su alegría era tan grande como lo fue su miseria. Era preciso seguir paso a paso la vida del Cojo desde su orfandad para comprender los gritos que daba. Era preciso saber que la novia de Ideal le había dicho a éste: «Chico, ¿para qué voy contigo si no tienes qué comer ni puedes llevarme al cine?», para no sonreír ante la importancia que se daba ahora el muchacho.

Sólo algunos veteranos temían que Cosme Vila les preparara una jugarreta. Los demás, nada. «¿Qué jugada ni qué ocho cuartos? No hay trampa posible. Sus camiones llegan, ¿no es eso? Pues ya está.»

El Responsable se sintió capaz de hipnotizar al mismísimo Comisario. «¡Por algo os decía yo: resistir!» Muchos le daban palmadas en el hombro. La gestión en Barcelona la había llevado a cabo con arte consumado. Sus hijas no habían perdido nunca la confianza en él. Ahora le decían: «Nos parece que es el momento de hacer algo grande».

Porvenir, con su pelo ondulado y un traje nuevo, azul marino, volvía a pasear por la Rambla como en los felices días de su llegada a Gerona. Volvió a sacar la calavera, volvió a ejecutar juegos de manos, echaba monedas al aire al ver un grupo de badulaques.

—El anarquismo tiene eso —contaba en el café Gran Vía—. Hoy abajo, mañana arriba. En Barcelona me lo decía el librero: Bakunin pasó malos ratos, pero los pasó muy buenos. Ahora ¿qué? UGT, izquierdas y demás estrechándose el cinturón. Nosotros aquí con tortillas de seis huevos. ¿Eh..., Santi, se te apetece una tortilla de seis huevos? Pero no precipitarse. No para todo ahí. Ahora vendrá todo, hasta la confiscación. No hay que olvidar el programa porque estemos en el paraíso.

El Responsable y Cosme Vila no se hablaban. Su entrevista había sido escueta y brevísima, en terreno neutral: la barbería de Raimundo. La conveniencia mutua los hizo llegar a un acuerdo pero se despidieron sin darse la mano ni desearse salud. Para los asuntos de trámite, Porvenir llamaba por teléfono a Gorki, o Gorki a Porvenir. Su última frase era siempre: «Ahora, cada uno a lo suyo».

El Responsable sentía nacer en su pecho sentimientos contrapuestos. A medida que crecía en entusiasmo, crecía en envidia. Envidia de Cosme Vila. ¡Lo que éste había hecho en poco tiempo! Había suprimido a la sirvienta y al hermano Alfredo. Había pegado fuego a un convento y paralizado la ciudad. Editaba un periódico y estaba organizando una Milicia Popular que podía competir con el Tercio.

El Responsable comprendía que la CNT llevaba leguas de retraso en cuanto a resultados. «¡Pero nosotros cortamos el gas, el agua y la electricidad!», replicaba Ideal. El Cojo citaba la explosión del Polvorín, el miedo que pasó el Inspector de Trabajo al oír en su despacho el petardo. El Responsable no se dejaba impresionar. Sabía que todo aquello había sido bien organizado, pero que duró poco y que la desgracia les impidió hacer más.

Y, no obstante, el hecho de que a la postre Cosme Vila hubiera tenido que recurrir a él le demostró que, en el fondo, el Partido Comunista se andaba por las ramas. «A mí me parece que nosotros atacamos siempre más al centro», dijo el día en que por primera vez, después de la resurrección, reunió en pleno su Comité Ejecutivo.

Porvenir le miró retadoramente, como exigiendo pruebas. Y entonces el Responsable dijo, con naturalidad:

—Os voy a dar una a todos. —Paró un momento—. ¡Nada de suprimir sirvientas ni sacristanes! —Hizo otra pausa—. ¡Nada de volar esta piedra o la otra! Tal como están las cosas, hay que llevar a cabo algo decisivo y CNT-FAI se encargará de efectuarlo: hay que suprimir al comandante Martínez de Soria.

El silencio que siguió a estas palabras constituía la prueba del efecto que produjeron. Una sensación de escalofrío recorrrió el gimnasio. ¡Suprimir al...!

Pero pronto la tensión cedió. En el fondo de su cerebro, uno a uno fueron preguntándose los anarquistas: «¿Por qué no?»

Ideal fue el primero que abrió la boca.

—Con lo que le importaría a él convertirme en fiambre —dijo.

El Cojo se había sentado en el alféizar de la ventana.

—Debimos hacerlo cuando lo de octubre.

—No es que yo crea por ahora en un levantamiento fascista —argumentó el Responsable—. Pero si dejamos sueltos a los militares, algún día nos la dan, desde luego. A mí me parece que suprimiendo esa estrella se aclararía un poco el panorama.

Porvenir intervino:

—Es el número uno de la ciudad. El otro día me lo encontré y me

692

creí que estaba borracho. ¡Ja, ja! Silbaba. Es más monárquico que Romanones. Tiene una nariz como la del ex rey, que en paz descanse.

—¿Cómo que en paz descanse?

—Para mí, siendo ex, es como si hubiera muerto.

El ambiente se había desatado.

—¿Y la hija qué? —preguntó súbitamente el Cojo—. Presume mucho de vestido negro.

A las dos hijas del Responsable les dio un vuelco el corazón. La de Porvenir se escandalizó.

—¡No seas idiota! La chica no tiene nada que ver.

—¿Que no tiene nada que ver? ¿Y montar a caballo?

—Anda, no seas pelmazo. Habla del padre, de acuerdo; pero deja tranquila a la familia.

El Responsable se esforzaba en dominar la situación.

—¿Por qué he propuesto esto...? Por una razón sencilla —explicó—. Porque entiendo que el peligro viene siempre del Ejército. Guardan miles de hombres secuestrados, comiendo rancho y perdiendo oportunidades. Muchas veces he pensado que no habrá progreso hasta acabar con eso. —Luego añadió—: A mí me gusta menos que a cualquiera matar un hombre. Pero, que me zurzan si hay otro remedio.

El Cojo se había bajado súbitamente de la ventana.

—Pienso una cosa —dijo por fin—. ¿Estamos seguros de que el comandante es el número uno de la ciudad?

—¿Quién va a ser, sino?

Se veía que el Cojo tenía una idea fija.

—Total, un comandante... ¿qué? —dijo—. Quedan hasta generales. Yo preferiría asaltar la cárcel y saldarles las cuentas a «La Voz de Alerta» y al don Jorge ese de la madre que...

La novia de Porvenir pareció hallar acertado el plan. Desde un día en que, al salir ella de la Piscina, «La Voz de Alerta» la miró de determinada manera, no podía pensar en el dentista sin sentir ganas de cometer una barbaridad.

—Es una idea que no hay que olvidar —dijo.

Blasco votó en contra.

—Ésos ya están en el garlito —opinó—. Si hay que zumbar, se zumba a los de fuera. Y si no encaja el comandante, se le da pa el pelo al notario Noguer o a uno de esos. Material no falta.

Porvenir reflexionaba. A veces sentía celos del Responsable. Comprendía que tenía más experiencia que él. En Barcelona consiguió que la CNT le escuchara y movilizara los campesinos. Porvenir se preguntaba: «No sé si yo hubiera conseguido otro tanto».

—El Cojo tiene razón —dijo—. ¿Quién asegura que el comandante es el cogollo del asunto, que no es un simple criado? ¿Del obispo, por ejemplo, o de ese curita del Museo, que le confiesa todos los días? ¡El curita, sobre todo, a mí...!

El Cojo negaba, negaba enérgicamente con la cabeza.

—Copiar, siempre copiar —decía—. Copiar lo que hacen los demás. ¿No se soltó ya una bomba en el Museo? Mantengo lo de la cárcel. ¡Hay que zumbar a «La Voz de Alerta» y al propietario ese de las cuatrocientas masías!

—Cuarenta.

—Pues cuarenta.

Santi vivía los momentos más intensos de su vida. ¡Andaba pensando que lo mejor sería contentar a todos! Pero no intervenía. El Responsable le tenía prohibido intervenir en las reuniones oficiales hasta haber cumplido los diecisiete años.

El Responsable escuchaba a todos con los ojos bajos, puestos en dos bolas de hierro del gimnasio. Apretaba de tal modo los labios, que su hija mayor temía que de un momento a otro tomaría las dos bolas y las tiraría contra la cabeza de sus colaboradores.

—¡Basta ya! —exclamó por fin, levantando la cabeza y vertiendo acero por la mirada. Se caló la gorra hasta las cejas—. ¿A qué tanto plan y tanta monserga? —Impuso el silencio—. Aquí el número uno es el Ejército. Curas, dentistas, propietarios... ¿Y quién tiene las armas? —Se dirigió al Cojo—. ¿Qué prefieres; que te apunte una ametralladora o un sacamuelas? —Miró alrededor—. Parecéis idiotas. Aquí el número uno es el comandante Martínez de Soria.

Nadie replicó.

—Eso no significa... —añadió el Responsable, cortando el silencio— que no hay más días que longanizas...

El sargento, novio de la hija mayor del Responsable, apenas había dicho nada. Pero era quien más hincha le tenía al comandante. Se alegró del acuerdo tomado, pero conocía a sus camaradas y temía que todo quedara en simple proyecto.

—Ahora viene lo principal —dijo—. ¿Cómo se cumple este servicio?

Aquel léxico cuartelero ponía nervioso a Porvenir. Ideal hizo una observación.

—Hay una pega. El comandante nunca sale solo.

Era cierto. Blasco lo corroboró. Blasco continuaba recorriendo las mesas del café de los militares y dijo: «Siempre anda rodeado de tres o cuatro oficiales jóvenes».

—Y si no, va con su mujer y su hija —informó el Cojo.

La hija del Responsable intervino.

—Antes que hablar de esto quizá debiéramos discutir otro aspecto del asunto: las autoridades.

El Responsable hizo un gesto de gran convicción.

—Nada —cortó. Repitió su gesto—. Nada. Encantados.

—¿Encantados...?

Se quitó la gorra.

—Vista gorda.

Su tono no dejaba lugar a dudas.

—Vamos a ver si por una vez hacemos las cosas con la cabeza —añadió—. Lo primero que hay que hacer es seguirle la pista. A qué hora sale de su casa, cuál es su itinerario para ir al cuartel, etc...

Los demás daban por sentado que el momento más a propósito era cuando el comandante montaba a caballo en la Dehesa. ¿Para qué discutir más? Lo que hacía falta era elegir el arma. Porvenir era partidario de la pistola, el Cojo de la bomba de mano.

—¡A callarse! Esto ya se verá. —El Responsable volvía a estar furioso. Se dirigió a Blasco, Ideal y Santi.

—De momento, vosotros le vigilaréis —ordenó.

El Cojo advirtió con indignación que él quedaba excluido.

—¿Y yo qué...? ¿Bailando la rumba...?

El Responsable le miró con fijeza.

—Tú te plantas ante el Museo y observas los horarios del reverendo en cuestión.

CAPÍTULO LXXXII

Mateo, durante su encerrona en casa del Rubio había intimado poco más que antes con el muchacho. Cuantas veces había intentado hablarle del «Sindicato Vertical y de las rutas del mar», el Rubio se había tocado el casquete militar o, en su defecto, el de la «Pizarro Jazz» y le había contestado:

—Yo te digo una cosa. Con la novia que tienes no comprendo que te metas en esos líos.

Mateo se sentía decepcionado. Y dando vueltas por el piso, alrededor de la madre del Rubio, casi ciega, se preguntaba cómo podían vivir los reclusos en cuyo pecho no latieran grandes ideales. «Deben de morir de aburrimiento y de asco.»

Mateo llevaba la camisa azul. Le gustaba permanecer escondido porque podía llevar la camisa azul. A veces se sentía un personaje importantísimo, voluntariamente en la sombra, dirigiendo desde ella el destino de millones de seres. Otras veces pensaba que, en realidad, había echado al combate media docena tan sólo, pero aquello bastaba para detenerle el corazón. Le parecía que en «Las Confesiones» de San Agustín, que Pilar le había mandado, aprendía a aquilatar el valor real de una sola alma, de un alma simplemente, los abismos y las cumbres a que puede llegar. Y cuanto más le leía, más convencido estaba de que, de haber vivido en aquel momento y en España, San Agustín hubiera sido falangista.

Cuando el Rubio le dijo: «Puedes trasladarte a casa de Pedro», no supo si alegrarse o no. Empezaba a acostumbrarse a los objetos de la casa, a los programas de la orquesta en las paredes, a la luz. Sin embargo, por otro lado también le atraía el piso del comunista disidente y solitario.

Rodríguez subió y le prestó el uniforme. Al ponerse el tricornio, Mateo se miró al espejo. Ni él mismo se reconocía. El Rubio se rió. Los correajes le molestaban. Era ya de noche, y en el momento de salir a la calle se encomendó a la patrona del Cuerpo.

Todo fue como una seda. Nadie sospechó de él. Entró en la calle de la Barca y advirtió que la basura de que hablaba Rubio había sido recogida. Subió al piso de Pedro. Llamó en la forma convenida y la puerta se abrió.

Pedro le recibió con la seriedad de siempre. Mateo quería agradecerle el rasgo, y además, tener la seguridad de que no ocultaba intenciones peligrosas de ningún género. Por ello le tendió la mano y le miró profundamente a los ojos. Pedro pareció sentirse intimidado. Le estrechó la mano y luego se reclinó en el esqueleto de la máquina de coser que había en un rincón.

Mateo le dijo:

—Oye una cosa. No querría pecar de insolente ni nada parecido. No veas ninguna mala intención en lo que voy a decirte. Pero querría preguntarte por qué has accedido a esconderme.

Pedro contestó con naturalidad:

—Pues... ¿Por qué no iba a hacerlo...? —Mateo se sintió tranquilo.

Pedro había adelgazado con la huelga. Ahora volvía a trabajar en las canteras como siempre, y el sol implacable que caía todo el día, había teñido de negro su rostro.

Mateo le dijo:

—Bien, ya estoy aquí... Pero no te preocupes; haz tu vida como siempre. Yo permaneceré donde tú me digas, sin hacer ruido.

—He pensado en eso —contestó Pedro—. Ya ves cómo está esto —señaló el balcón—. Se ve todo desde fuera. Me parece que no deberías salir de la cocina.

—Pues muy bien, me quedaré en la cocina.

Pedro añadió:

—Si quieres, llévate la radio allí.

Mateo sonrió:

—Te lo agradezco mucho.

Se veía que Pedro tenía hecha la lista de cuanto debía decirle.

—En caso de apuro, la llave de la azotea está ahí —señaló detrás de la puerta—. Siguiendo los tejados alcanzarías la iglesia de San Félix.

Aquella invitación devolvió a Mateo a la realidad. En un momento, ¡zas!, Julio podía dar con él.

Pidió permiso para entrar en la cocina.

—Cuando quieras.

Mateo entró. Lo primero que vio fue un papel matamoscas colgando. Luego un cordel que cruzaba la estancia de uno a otro lado. Un grifo goteando. Una ventana pequeña y roñosa.

Junto a la puerta, reclinada en la pared, una silla de mimbre, de patas cortas.

—¿Era la silla de tu padre?

—Sí.

En el muro, una mancha grasienta de los cabellos, de una cabeza humana que se había apoyado allí.

Mateo, instintivamente, se acercó a la ventana. ¡La Catedral! Aquello le alegró el corazón. Pequeña ventana, pero suficiente para que desde ella se viera la Catedral. El campanario parecía estar al alcance de la mano, gigantesco.

—Se oirán bien las horas.

—Tú dirás.

Todo quedó decidido. Mateo le dio dinero para la manutención. Cocinaría para los dos. Al regresar Pedro del trabajo, encontraría la comida hecha.

—Ya me dirás qué es lo que te gusta.

—Me gusta todo.

Mateo quedó un instante pensativo. Faltaba ponerse de acuerdo sobre un punto delicado.

—Tendré que estar en contacto con alguno de mis camaradas... —dijo.

Pedro le miró. Reflexionó a su vez.

—¿Hay alguno que no esté fichado?

—Sí, varios...

—Pues que venga uno de esos. Uno solo.

—Bueno, de acuerdo. Vendrá uno... a ver, déjame pensar. Uno de mi estatura. También vestido de guardia civil.

No había más que hablar. Un colchón en la cocina y una manta; Pedro, un camastro en el comedor. A las siete de la mañana, Mateo hirvió la leche para Pedro, y éste se fue a trabajar al sol, a las canteras.

Al quedar solo en el piso, Mateo pensó inmediatamente en Pilar. ¡Si pudiera verla! Dura separación. ¿Por qué el taller de costura no estaría situado en la casa de enfrente? Hubiera podido verla, asomando un solo ojo por el postigo del balcón.

Antes del mediodía llamaron a la puerta. ¡Pam, pam, pam! Un cuarto golpe. Era Rodríguez. ¡Válgame Dios! Mateo le esperaba con impaciencia.

—¿Qué hay, qué hay?

Rodríguez no podía estar mucho rato.

—Volveré mañana. He de ir a ver a Marta. Dame el uniforme.

—Pero ¿qué pasa?

—Nada. Todo marcha bien. —Le dejó un ejemplar de *El Proletario* para que se enterara de las últimas novedades.

Mateo le pidió que al día siguiente le llevara una Historia Universal.

—Pídesela a Marta o a Ignacio. ¿A qué hora vendrás?

—Lo mismo que hoy. A las once.

Aquello le salvó. La Historia Universal. Al día siguiente Rodríguez se la llevó y a Mateo le pareció reconocer en seguida el ejemplar. ¡Exacto! Era el que Pilar estudiaba cuando iba a las monjas.

Mateo lo tomó con emoción. En la cubierta, guerreros a caballo. «Compendio de Historia Universal.» Lo abrió por la primera página; y en letra infantil leyó:

> *Virgen santa, Virgen pura,*
> *haced que me aprueben*
> *de esta asignatura.*

¡Gran consuelo para Mateo! En los momentos en que por la pequeña ventana de la cocina penetraran el calor o el desaliento, la letra infantil de Pilar le devolvería el ánimo. Mateo lanzó una especie de grito de júbilo. Rodríguez le dijo: «¿Qué te pasa? ¿Te vuelves loco?» Mateo quiso guardar la emoción para sí.

Rodríguez vivía un mundo más real. Y le costó muy poco hacer que Mateo entrara en él.

—Perdona, Rodríguez, perdona. Hablemos de lo que importa.

Rodríguez le enteró de pe a pa de la marcha de la Cooperativa, de la Milicia, de la unión de Cosme Vila con los anarquistas; le entregó un ejemplar de *El Demócrata* con las bases de Casal. Mateo las leyó atentamente. «¡Ni una palabra sobre el hombre, portador de valores eternos!»

El guardia iba a verle todos los días a horas distintas. El uno de julio, por la manera de llamar a la puerta, Mateo comprendió que ocurría algo extraordinario. Y, en efecto, fue así: tres obreros, con mono de trabajo..., se habían presentado a Benito Civil, al salir éste del despacho de los arquitectos Massana y Ribas.

Mateo se levantó.

—En serio —explicó el guardia—. Quieren ingresar en Falange.

Los ojos de Mateo se humedecieron.

—Pero... ¿Quiénes son? ¡Explícate!

—Dos albañiles y un electricista.

La cosa iba en serio. Rodríguez se lo contó con detalle. Los tres pertenecían a la UGT. Las bases de Casal los habían decepcionado. «Nadie combate por una piscina.» Una de aquellas octavillas caídas de los tejados se había detenido en la mano de uno de ellos. Discutieron. El electricista era un chico romántico, que «escribía versos y tal». Los dos albañiles estaban cansados de tanto desorden y de oír tantas blasfemias.

Mateo sacó el mechero de yesca. ¡Si pudiera ver a Ignacio y agarrarle de la solapa! Tenía una apuesta hecha con él. Ignacio le había dicho: «Obrero, ninguno». Ya tenía tres. Dos cansados de oír blasfemias y uno que escribía versos y tal.

Mateo le dijo a Rodríguez:

—Hay que comunicar al comandante que contamos con tres fusiles más a su disposición.

Rodríguez dijo:

—Ya lo sabe. Con los de la CEDA que se alistaron, sumamos quince.

—¡Dieciséis! —rectificó Mateo.

—Claro, contándote a ti, sí. —El guardia civil añadió—: Y si cuentas a Marta, diecisiete.

Mateo negó con la cabeza.

—Nada de armas para Marta. En todo caso, cuidará del botiquín.

Mateo le preguntó por las últimas novedades sobre el alzamiento.

—Es curioso. Yo soy el jefe y ahora el que recibe instrucciones.

Rodríguez le dio la última lista.

—La CEDA llega a cincuenta hombres, Renovación a doce, Liga Catalana a treinta y cinco. Los tradicionalistas, muchos; no sé exactamente.

—¡Treinta y cinco Liga Catalana! —Aquello era un triunfo para Mateo—. Ya veis que los catalanistas, si se les habla como es debido, también entienden.

Rodríguez no dio su brazo a torcer.

—Sí, pero ya veremos el día de los tiros.

Mateo preguntó:

—¿Se sabe algo más sobre los generales?

—De la Península, no; pero sí de Baleares y Canarias.

—¿Quiénes tienen el mando?

—En Baleares, el general Goded; en Canarias, Franco.

A Mateo le había exaltado la noticia de los obreros. Aquel día, su curiosidad era insaciable.

—¿Por qué crees que el Gobierno ha dejado a Mola en Navarra? Precisamente los requetés...

—Nada, un despiste. Mejor para nosotros.

—¿Cuándo viste al comandante?

—Ayer.

—¿Y qué dice?

—Pues... hablamos de las plazas que se consideran seguras, que responderán.

—¿Cuáles son?

—El comandante considera ganadas Alicante, San Sebastián, Oviedo y Santander.

¡Alicante! Mateo se entusiasmó pensando en que José Antonio estaba allí.

—¿Y Barcelona y Madrid?

—Dudoso. En Barcelona, tal vez dependa de nosotros, de la guardia civil.

A Mateo se le antojaba estar ya en vísperas del día señalado. La soledad y las ganas de salir a la calle, a respirar aire puro, tenían la culpa de ello.

—¿Dónde tenemos que presentarnos nosotros? ¿En el cuartel de Artillería o en el de Infantería?

—¡Uy, qué prisa tienes! Nadie sabe eso, ni siquiera el comandante.

—Bueno, bueno, de acuerdo. —Mateo añadió—: Oye una cosa. ¿Y los oficiales?

Rodríguez dijo:

—Como siempre; mitad y mitad. Pero el comandante opina que con los que hay basta para ganar.

Mateo se movió de la silla.

—Una última pregunta. ¿Qué piensa hacer con el general...?

—Pues... si se opone... —El guardia civil hizo ademán de cortarse el cuello en redondo.

Entonces entró Pedro, con polvo amarillo en las pestañas. Llevaba siempre *El Demócrata*, nunca *El Proletario*. Rodríguez se levantó. Mateo preguntó a aquél:

—¿Por qué no llevas nunca *El Proletario*?

Pedro conectó la radio.

—No quiero dar ni una perra a esos traidores.

* * *

Mosén Alberto se dio cuenta de que un hombre le vigilaba. No podía salir sin tropezar con él. Y cuantas veces, desde el interior del Museo, miraba afuera, le veía pasar, cojeando, bajo los arcos, hablando con los taxistas o con los limpiabotas, mirando de vez en cuando a los balcones.

—¿Quién es? —le preguntó a César—. ¿Le conoces?

César asintió con la cabeza.

—Le llaman el Cojo. Es el sobrino del Responsable.

—¿De la FAI...?

—Sí.

El error del Cojo consistió en no ocultarse debidamente, en querer hacerlo a plena luz, airearlo, como entendía que debía obrar un anarquista.

Los partes que iba dando al Responsable se parecían terriblemente unos a otros.

—Sale a las ocho y se va a la cábila de los jesuitas. Allá se mete en la sacristía y sale disfrazado. Siempre le ayuda a misa el calvo ese del Banco Arús. A las nueve, a casa. Supongo que se desayuna como Dios, porque sale más pimpante que tú y que yo. Se va a Palacio. A las once, directo a ver al notario Noguer. Allí conspira hasta la una. A la una, comida. Por la tarde, casi no sale del Museo. A veces, hacia las siete, se vuelve a casa del notario. A las nueve entra. Algún día visita a los fascistas más fascistas de la Rambla, los parientes del compañero de Madrid que estuvo aquí.

—¿Los Alvear...?

—Eso, el de Telégrafos.

El Responsable asentía con la cabeza.

—Y... ¿quiénes le visitan a él?

—Poca gente. Se ve que ese Museo no interesa ni a la de tres.

—Pero ¿quiénes le visitan te digo?

—Pues..., la que más, la hermana de los Costa. ¡Menudo pájaro! Luego, claro está, la sirvienta entra y sale. Luego monjas. Y desde luego, por la tarde, no falla nunca el seminarista pelado, el de las orejas.

El Responsable se limitaba a asentir con la cabeza sin dar nunca la orden de acabar con mosén Alberto.

—¿Y el comandante, no va nunca?

—Nunca. Bueno, ya lo sabes todo —insistía el Cojo—. ¿Cuándo entramos en acción? A mí me parece que lo mejor es cuando sale de Palacio. Allá arriba no hay nunca nadie, está aquello desierto.

La prudencia del Responsable permitía a mosén Alberto continuar viviendo. Viviendo con el miedo en el cuerpo, pero viviendo. Aquella persecución le tenía fuera de sí. Soñaba con el Cojo, con su pañuelo rojo. Varias veces estuvo a punto de detenerle en la calle y preguntarle: «¿Qué le pasa a usted, qué quiere?» Pero César le había aconsejado que tuviera paciencia, que no los enojara más aún. «Tal vez acabe pronto todo esto.»

Mosén Alberto había cambiado. Hablaba con menos seguridad y celebraba la misa con más fervor. ¡Incluso admitía que el día de la polémica con Ignacio, éste le cantó unas cuantas verdades! Por eso iba ahora con frecuencia a ver a los Alvear. Por lo demás, aparte de la fidelidad de Carmen Elgazu, sabía que con sólo citar a Marta tenía tema agradable asegurado para toda la sesión.

Un hecho le molestaba: que ni siquiera Carmen Elgazu le hablara nunca del movimiento que se preparaba, a pesar de lo enterados respecto de él que sin duda estaban todos en la casa. Matías Alvear se hacía siempre el tonto, como si los militares no existieran o no hicieran más que leer revistas en el cuartel o jugar al dominó. Pilar había pasado unos días encogida como un caracol, pero ahora apretaba los labios para comunicarse energía. ¡Ni siquiera César soltaba la lengua! El seminarista se limitaba a repetir de vez en cuando su: «Tal vez acabe pronto todo esto».

De modo que a mosén Alberto, para seguir paso a paso el curso de los preparativos, no le quedaba más remedio que hacer lo que contaba el Cojo: visitar diariamente al notario Noguer. Porque ni Laura ni las demás mujeres que iban a verle al Museo sabían nunca nada preciso. Laura le decía: «¿Cómo voy a saberlo? Nadie tiene confianza en mí. El propio comandante me ha puesto bonitamente de patitas en la calle». Sus hermanos, según ella, andaban despistados y siempre tardaban veinticuatro horas más que los demás en enterarse de las cosas.

No obstante, en punto de información, al sacerdote le bastaba con el notario Noguer. El ex alcalde conocía al dedillo el curso de todos los acontecimientos. Se había ganado por completo la confianza del comandante Martínez de Soria. «Como siempre —decía sonriendo— en los momentos difíciles la Liga Catalana da consejos.»

El sacerdote deseaba con toda su alma que el levantamiento llegara cuanto antes. Todos los días, en el Palacio Episcopal, era esperado como el portavoz digno de crédito por antonomasia. El Cabildo estaba dividido en opiniones. A unos, la cosa les infundía esperanza, a otros no. Muchos consideraban que, en caso de triunfo, los militares los salvarían del peligro de los incendios, pero que por otro lado presentarían factura y tratarían a la Iglesia en forma despótica. Los viejos aseguraban que la mayoría de los jefes del Ejército eran pésimos cristianos, aficionados a la bebida, de costumbres dudosas. La fama que tenía el comandante Martínez de Soria los confirmaba en esta opinión.

Mosén Alberto les decía:

—De momento, que defiendan la posibilidad de continuar ejerciendo nuestro ministerio. Luego veremos. Supongo que en el Ejército hay de todo, como en todas partes.

Pero los canónigos no se dejaban convencer, y al cantar en el coro de la Catedral miraban temerosamente hacia la puerta de entrada.

Mosén Alberto continuaba siendo el consejero de toda la familia religiosa femenina de la ciudad. Las Superioras de todos los conventos le visitaban. Mosén Alberto les aconsejaba que pusieran a salvo cuanto de valor tuvieran en los conventos. «Saquen los pianos, mándenlos a alguna casa particular...» «Toda la ropa de valor tendrían que esconderla.» Algunas Madres Superioras le hacían caso; pero la mayor parte de ellas decían: «Pero ¡por Dios! ¿Por qué van a molestarnos a nosotras? ¿Qué hemos hecho?»

El notario Noguer atendía a mosén Alberto con más afecto que de ordinario porque consideraba que, después del señor obispo, quien más peligraba era él. La noticia de que el Cojo le vigilaba le tenía preocupadísimo. No sabía qué hacer. «Porque prevenir a las autoridades sería perder el tiempo», decía. Mosén Alberto le pedía por todos los santos que no se preocupara de él. «Será lo que Dios quiera, no se preocupe. Cuénteme las últimas novedades.»

El notario Noguer había hecho a su vez un gran cambio. De natural pacífico, ahora manejaba con auténtica fruición pelotones de hombres armados. Todos los objetos de su mesa de notario se convertían en simbólicos instrumentos de agresión. «Se ocupará toda la ciudad en un momento. Frente a Correos, un cañón. Ahí, frente al Ayuntamiento, otro. Frente a la Emisora... no recuerdo. El comandante cree que en Teléfonos bastará con una escuadra. En Comisaría tres por lo menos. Intendencia quedará instalada donde Cosme Vila tiene ahora la Cooperativa.»

Pretendía saber que Falange había pedido ocupar el lugar de más peligro. «De todos modos, el comandante los considera demasiado jóvenes. Además de que su idea es mezclarnos a todos, los paisanos y la tropa.»

Mosén Alberto callaba al oír hablar de los falangistas. Continuaba teniéndolos por irresponsables y paganos; pero reconocía que eran valientes. Y la paliza al doctor Relken le había llegado al corazón.

Luego hablaban de la situación general. El notario decía: «los enemigos de la sociedad»; mosén Alberto «los enemigos de la Iglesia». El notario había presenciado en Barcelona un desfile socialista y se le puso la carne de gallina. «Con cabos gastadores, con banderines rojos. ¡Vivas al Ejército Popular! Al pasar delante de los cuarteles levantaron el puño.» «El subdirector del Banco tiene razón —decía—. La Masonería lleva las riendas de todo eso. Ahora Barcia se ha ido a la reunión del Gran Oriente en Ginebra. ¡Dios sabe las consignas que traerá!»

Con frecuencia hablaba de Julio y de Olga. El notario los consideraba los dos personajes más responsables de la ciudad. «¿No ve lo que hace Julio? Espera a ver por dónde se inclinará la cosa. En cuanto a Olga, es una inteligencia de primer orden, por desgracia mal empleada. Asiste impávida a todo cuanto ocurre.»

Mosén Alberto le oía sin pestañear. Compartía la opinión del notario, añadiendo, sin embargo, que existía otro personaje tan nefasto como los dos citados: el coronel Muñoz. «Es un elegante de cubierta de barco. Vería arrasar la ciudad y no perdería la compostura.»

El notario Noguer decía:

—El comandante le teme más al coronel Muñoz que al propio general. Dice que la primera medida a tomar ha de ser...

El notario había llegado varias veces a este punto de la frase y nunca la había terminado, al extremo que a mosén Alberto el hecho le llamó la atención. ¿Qué le ocurría? ¿Qué medida era la que cortaba en seco su facultad de hablar?

La situación era curiosa y mosén Alberto suponía que el propio notario acabaría dando una explicación un día u otro. Finalmente, éste pareció decidirse. Una mañana particularmente cargada de noticias dijo:

—Mosén..., muchas veces he pensado hablarle de algo. —Se quitó las gafas y continuó—: Ya sabe usted que me he comprometido a salir a la calle, el día que se me ordene, con un fusil. El problema es el siguiente: ¿Qué pasa si tengo que hacer uso de él...?

Mosén Alberto trasladó su manteo de uno a otro brazo. La esposa del notario no estaba presente, lo cual facilitaba el diálogo.

—En resumen —replicó el sacerdote, después de reflexionar—, me pregunta usted si, dadas las circunstancias, es lícito matar.

—Exacto.

El sacerdote permaneció unos instantes con la cabeza baja. Luego contestó:

—A mí me parece que, por las razones que usted y yo analizamos a diario, el alzamiento militar está justificado desde el punto de vista moral. De forma que tomar parte en él es, en sí, lícito. Ahora bien —añadió—, existe el alma de cada individuo. Más claro, depende de la intención personal. Si el día señalado sale usted a la calle y mata por odio, pecará... Si lo hace en defensa propia, no pecará.

El notario Noguer se quedó pensativo.

—Sabe usted... —dijo—. Esa distinción es válida hecha aquí, en frío, tomándose unos bizcochos. Ahora bien..., en el momento de apretar el gatillo...

El sacerdote entendió que aquello llevaría lejos.

—Lo que vale es el acto primero, el acto consciente de salir a la calle en defensa propia o creyendo cumplir un deber. La borrachera del combate... ¡qué quiere usted!

El notario Noguer le miró con fijeza.

—Conclusión... que puedo salir tranquilo.

Mosén Alberto se mordió los labios.

—Yo creo que sí.

Luego se pasó la mano por la cara.

—De todos modos... —añadió—, me gustaría que planteara usted el problema a otro sacerdote. A mosén Francisco, por ejemplo...

El notario Noguer le contestó:

—¡Uy, puedo hacerlo! Pero ya sé lo que va a contestarme mosén Francisco.

—¿Cómo que lo sabe?

—Mirará a los bancos del catecismo y dirá: «Puede usted salir... no tenga miedo».

Aquel día mosén Alberto se despidió del notario con preocupación. Consideraba que dar un consejo semejante no era casi «obra de hombres...» Menos mal que el notario le había dicho: «Le voy a hablar de hombre a sacerdote...»

¡Sacerdote! Mosén Alberto pensó en la palabra matar. A medida que andaba hacia el Museo, evocaba en su memoria «los motivos por los cuales...» En la calle veía por todas partes señales de violencia y peligro. Grupos en las esquinas, una bandera de la FAI inesperadamente clavada en un quiosco de periódicos.

Sacerdote... Todo aquello le situaba ante un problema moral hondo: el de que muchas personas como el notario Noguer se lanzarían a la calle más que nada para defenderlos a ellos; en resumen, para defender a la Iglesia.

Mosén Alberto sintió que unos meses antes ello le hubiera situado al borde de la vanidad. Se hubiera dicho que no era cosa despreciable ser ministro de una institución por la que tantos seres humanos ofrecerían gustosos su vida.

Ahora pensaba en la responsabilidad. Había mejorado. Lo notaba con sólo cruzar la puerta del Palacio Episcopal. Ante aquellos tapices dorados que colgaban del techo recordaba la visita a Roma, en compañía del notario Noguer, con motivo del Jubileo.

«¿Por qué tanta riqueza?», había preguntado éste al salir del Vaticano. La sombra de los primeros cristianos, pobres y descalzos, flotaba sobre la frente del notario. Mosén Alberto, entonces, le contestó: «¿Cómo querría usted que la Iglesia se defendiera si continuara en unas catacumbas, si el Papa viviera en un garaje? La Iglesia cuenta ahora con millones de prosélitos, tiene que recibirlos, hacer frente a las persecuciones, ayudarla en los países en que sufre. Nazareth era lógico cuando sólo había doce pescadores que creían en Cristo. Ahora esos doce pescadores han triunfado y el Vaticano simboliza este triunfo».

A mosén Alberto continuaba pareciéndole acertado todo eso. Sin embargo, aquel día en que había dado a un hombre licencia de armas pensaba que era preciso añadir algo: que el ministro simple y escueto de esta Iglesia triunfante debía de continuar viviendo en su intimidad como los doce pescadores. Que debía pisar las alfombras de Palacio, por mullidas que éstas fueran, con ausencia absoluta de soberbia o voluptuosidad. ¡Que, a ser posible, debía ponerse granos de arena en los zapatos!

Mosén Alberto quería ser bueno, despojarse de lo superfluo. Muchas veces, paseando solo por las salas del Museo, se detenía pensando en la bomba que estalló. ¡Qué aviso del Señor! Un ser como Murillo, con sus bigotes y su gabardina sucia, podía dar fin en un segundo a su facultad de juzgar a los demás, situarle a él frente al Juez Supremo, frente al que le preguntaría: «¿Qué hiciste del talento que te di?» «Señor —tendría que contestarle—, lo empleé en vanagloriarme de ser perito en retablos antiguos, en deslumbrar con citas bíblicas a almas sencillas como Carmen Elgazu.» Hasta que un día, en la rueda eterna de los tiempos, vería a Carmen Elgazu ocupando en el cielo una de las sillas doradas de que ahora él gozaba en el Palacio Episcopal.

¡Arena en los zapatos, bomba en el Museo! Ahí estaban los dos hilos mediante los cuales el remordimiento tiraba de su alma para arriba. En resumen, César y la sirvienta...

Especialmente César. El muchacho, desde que había vuelto del Collell, le tenía obsesionado. ¿Qué había en aquel muchacho, cuyo lenguaje era superior al de los canónigos? Le tenía obsesionado porque había descubierto en él algo más importante que su labor en la calle de la Barca: había descubierto que César deseaba morir.

La cosa era evidente, se le notaba en los ojos y en cada palabra. César ahora decía siempre: «El pecado se ha adueñado de la ciudad». No eran las banderas las que se habían adueñado de la ciudad, ni los milicianos: era el pecado. El pecado de unos y otros, los pecados del propio César. Sintiéndose impotente para expiar todo ello con actos diminutos, quedándose sin postre o llevando cilicio, César quería realizar el acto supremo: el de dar su vida. En realidad, mosén Alberto comprendió por fin el verdadero significado de la frase que el seminarista repetía a menudo: «Tal vez dure poco todo esto». ¡Santo Dios! Era evidente que con ello no pudo referirse jamás a la unión CNT-Partido Comunista, ni al coche que llevaba a doña Amparo Campo a comprar cosas aquí y allá. Era evidente que, sin saberlo, se refería a sí mismo, a su carne flaca y estirada, como queriéndose ir al cielo. César quería ofrecer su ser insignificante por la salud espiritual de Gerona, y, sobre todo, por la salvación «de los enemigos». En realidad, César no pedía a Dios permiso para matar sino para morir. Mosén Alberto lo veía claro. ¡Sobre todo quería salvar a Teo! Siempre hablaba de él. Quería ir a la cárcel a verle, a llevarle tabaco. Le parecía que Teo, con su estatura, representaba la aparatosidad de lo que un día u otro ha de empequeñecerse para presentarse ante el Tribunal de Dios.

Mosén Alberto pensaba en todo ello. Y se sentía mejor hombre y mejor sacerdote. Sólo al ver bajo los arcos al Cojo, espiándole, sentía que su corazón pertenecía aún a este mundo, que no le era fácil transformar, como hacía César, el odio en amor.

CAPÍTULO LXXXIII

Don Emilio Santos, don Pedro Oriol, el profesor Civil, Matías Alvear y, en general, todas las personas de su edad y mayores no conseguían dormir. Pasaban la mitad de las noches prácticamente en vela. Matías Alvear oía dar las tres en la Catedral, las cuatro, las cinco. Hacia el alba conciliaba el sueño, lo mismo que Carmen Elgazu.

Los diálogos entre esposos, en la misma almohada, daban la medida de lo que ocurría, de la angustia reinante. Algo amenazante, suspendido a ras de los tejados, podía describir la parábola de un momento a otro.

Cada persona pensaba en la manera de defender lo que le fuera más querido; si las monjas trasladaban pianos y Pilar se había cosido el retrato de Mateo en el interior de los vestidos, el arquitecto Ribas, jefe de Estat Català presentía pruebas terribles para Cataluña y, por encima de todo, procuraba mantener el fuego sagrado. Temía que las demás preocupaciones alejaran a las mentes la que a su entender era la principal: el bienestar y la prosperidad de Cataluña. Si se quemaba una iglesia, pensaba: un monumento que Cataluña pierde. Si saltaba hecho pedazos un trozo de vía férrea, decía a sus colaboradores: un trozo de vía que perdemos. El arquitecto Ribas estaba seguro de que el principal objetivo del comandante Martínez de Soria era cerrar con llave las cuatro provincias catalanas. De modo que se mantenía al acecho para salvar de unos y otros cuanto pudiera; y le había dicho al arquitecto Massana: «Deberíamos conseguir permiso del Departamento de Cultura de la Generalidad para incautarnos de lo que estimáramos de valor, si vemos que la cosa huele a quemado». El arquitecto Massana estimó acertado el proyecto y consiguieron el permiso sin dificultad, con ayuda de Julio.

Cosme Vila también defendía lo que le era más querido: el prestigio del Partido. Temió que el acuerdo con los anarquistas sentara mal a la opinión y buscó la manera de distraerla, como había ocurrido cuando el incendio de los Hermanos; esta vez le pareció oportuno hablar de la célula trotskista y así lo hizo. *El Proletario* inició una campaña violentísima contra Murillo, Salvio y sus secuaces. La acusación que éstos formulaban a Cosme Vila y al Partido Comunista era concreta y opuesta a la de Pedro: había traicionado al proletario mundial, supeditando sus intereses a los de Moscú. «¡Vasiliev es el amo absoluto! ¡Si ordena darle el pico al Responsable, se hace; si ordena agotar los recursos de la provincia, se le obedece!» Murillo aportaba datos de los tiempos en que él, «ofuscado», había formado parte del Comité Ejecutivo.

Cosme Vila aseguró en *El Proletario* que Murillo, resentido por su expulsión, planeaba repartir a los suyos por las carreteras y atentar contra los camiones de víveres que continuaban asegurando el suministro. «¡Vigilad las carreteras!» En los pueblos, los propios campesinos establecieron turnos de vigilancia.

No sólo podía temerse la acción de Murillo y los suyos. «¿Dónde estaban Mateo y los demás que atacaron al doctor Relken? Imposible dar con ellos, a pesar de los registros domiciliarios. Sin duda se escondían por los campos y el hambre y el odio los llevaría a cometer cualquier barbaridad.»

El período de vigilancia se inició. Se vigilaban las carreteras y los pasos a nivel, se vigilaban las imprentas y la Cooperativa; la guadaña suspendida en los tejados; y unos a otros, los hombres. Guardias de Asalto recorrían la ciudad: «¡Documentación!» Se buscaban pistolas y revólveres. Por ello la gente de la edad de Matías Alvear no podía dormir. Por ello Cosme Vila cuidaba más que nunca de su seguridad y de su prestigio.

Algunos patronos de poca monta habían acudido a verle y le habían dicho: «Oye. Concretamente, ¿qué es lo que querrías...?» Cosme Vila se había mostrado implacable. «Las bases están claras. Que el taller sea de la comunidad.»

En la visita que Vasiliev hizo a Gerona llevó el cheque prometido, exiguo, pero en compensación recorrió las calles escoltado por el Comité en pleno; se personó en la Cooperativa, donde fue aclamado por las mujeres; subió a uno de los camiones y recorrió la provincia; la cual era, en efecto, un jardín. «Tal vez la provincia más hermosa y variada de España.»

Ya en la estación, sin embargo, al despedirse le había dicho a Cosme Vila: «Todo eso está muy bien; lleváis las cosas como es debido, en todas partes nos dais gran satisfacción. Ahora bien, he echado de menos algo... fundamental, que un jefe de partido no debe olvidar jamás». Cosme Vila había abierto los ojos con curiosidad infinita, contento de que se lo dijera a él a solas, sin que los demás le oyeran: «¡Entre los milicianos que aprenden la instrucción —prosiguió Vasiliev—, he visto que tu mujer no estaba!»

El tren partió y Cosme Vila permaneció un minuto clavado en el andén. ¡Su mujer! Vasiliev tenía razón. Se apoderó de su pecho un entusiasmo sin límites por la sagacidad de aquel hombre y de la revolución que representaba. Se sintió pequeño, un simple aprendiz...

Su mujer quedó estupefacta. «¿Yo un fusil? Pero ¿por qué? ¿No comprendes que el crío...?» Cosme Vila hundió en los suyos sus ojos, esperando, esperando, sin añadir una palabra más. Y aquel silencio dio a entender a la mujer del jefe que Cosme Vila debía de tener razón, que si él estimaba que debía ir a aprender la instrucción, por algo sería. Y dejó el biberón y se fue al primer piso del Centro Tradicionalista, donde su presencia paralizó de emoción a los dos brigadas de la guerra de África, a todos los milicianos, a la valenciana y a las demás mujeres que marcaban el paso y aprendían a desmontar y montar el cerrojo a gran velocidad.

¡Y Cosme Vila no paró ahí! Le obligó a su suegro a hacer otro tanto. «Ya cuidará del paso a nivel tu mujer.» Su suegro le miró perplejo, pero poniéndose el chaleco, dijo: «Andando».

Entonces Cosme Vila en persona se puso a vigilar a los que hacían la instrucción. La inhabilidad de su mujer le ponía nervioso y al llegar a casa le decía: «No quiero cenar». Era el castigo que le imponía. No cenar y prohibirle que le diera un beso a su hijo. El crío ya no se comía el pie; ahora señalaba con el índice los caballos, las vacas, las jirafas de un libro en colores que el suegro le trajo. A veces el niño alcanzaba con su rechoncha mano un ejemplar de *El Proletario* y lo desmenuzaba, babeándolo luego. Cosme Vila se le plantaba entonces delante y no sabía qué hacer. Le parecía raro que aquel minúsculo ser sentado en el suelo, con aquella cabeza pequeña y chata, fuera hijo suyo. No quería dejarse conmover. ¡Tampoco podía llevarle a hacer la instrucción! Pero podía mandarle a Rusia en cuanto tuviera edad de soportar las inclemencias del viaje.

La vigilancia había ganado la ciudad. Padres a hijos, vecinos a vecinos. La huelga continuaba. El doctor Relken se ofreció a los arquitectos Massana y Ribas: «Si para vigilar los monumentos y las obras de arte puedo serles útil, cuenten conmigo».

El catedrático Morales les decía a David y Olga: «¿Qué os parece el cambio dado en poco tiempo? Mi abuelo era rico. Murió sin haber empleado un cuarto de hora de vida en pensar que existía una palabra llamada pueblo. Ahora esta palabra ha pasado a primer término. Es la principal preocupación de todo el mundo. Me parece que conseguir esto bien vale mantener unas cuantas fábricas cerradas».

David y Olga le preguntaban:

—Pero, en definitiva, ¿qué os proponéis?

El catedrático Morales les contestaba:

—Aquí, obligar al alcalde a dimitir, y que el Teatro Municipal se llame «Teatro del Pueblo». Luego seguir escalando las bases, una a una. En toda España nos proponemos hacer lo que se hizo en Rusia. Con permiso de la UGT...

En el Banco, a Ignacio le habían dicho que podía tomarse las vacaciones anuales cuando quisiera. «¿Vacaciones...? ¿Para qué?» No podría salir de la ciudad, ni a Puigcerdá ni a la costa. No podía salir ni siquiera de su casa a partir de las ocho de la noche. Su padre se lo tenía prohibido. No hacía otro trayecto que el necesario para llegar a casa de Marta, adonde subía diariamente. «Ya me tomaré las vacaciones más tarde... Por Navidad o ya veremos.»

En casa de Marta parecía no ocurrir nada. El hecho de que padre e hija disimularan sus respectivas actividades los obligaba a hablar en la mesa de temas generales y a afectar aire tranquilo; y, sin embargo, se vigilaban más que nunca entre sí, y la esposa del comandante los vigilaba a los dos.

Ignacio le había dicho a Marta:

—Lo que no comprendo es una cosa. Con la mezcla que estáis haciendo —Renovación, CEDA, Falange, etc...—, ¿qué pasará si triunfáis? Supongo, desde luego, que se acabó la República...

Marta reflexionó.

—Ya ves —dijo—. Te juro que no había pensado en ello. Nunca se me había ocurrido pensar concretamente en lo que vendría después. No sé por qué me figuraba que pondríamos en práctica el programa que predica Falange.

Ignacio movió la cabeza.

—Eso demuestra muchas cosas, pero, en fin... Supongo que los de «arriba» saben perfectamente lo que quieren.

Marta reflexionó.

—Pues... te diré —replicó—. No sé si sabrán más que yo.

Ignacio hizo un gesto de asombro.

—¡Sí, hombre, no te extrañe! Supongo que de momento lo que quieren es restablecer el orden en la nación. Luego... no sé —prosiguió—. Por ejemplo, mi padre querría restaurar la Monarquía; pero tengo entendido que muchos de los generales que intervienen son republicanos y que quieren mantener la República.

Ignacio la oyó pensativo. Finalmente, dijo:

—Claro, claro... Seguramente todo depende de como vaya la cosa. De si resulta fácil o difícil.

Por primera vez, Marta, al oír aquello, le asió las muñecas y le miró profundamente a los ojos.

—Dime, Ignacio —preguntó, con voz dulce—. ¿Tú qué deseas, que resulte fácil o difícil...?

Ignacio le sostuvo la mirada.

—Siento decepcionarte... —contestó por fin—. Pero no puedo contestar como desearías.

—¿Cómo que no?

—No. Comprenderás... —añadió el muchacho— que no me hace ninguna gracia ver a la valenciana con un fusil apuntando a tu padre, a ti y a todo aquel que no vista mono azul. En fin, que no me hace gracia nada de esto. Ahora bien... tampoco veo claro lo que vendría después. De manera —concluyó— que mi papel es exactamente el de un imbécil.

Marta le soltó las muñecas. Bajó la vista y dijo:

—¿Continúas pensando que España no tiene salvación...? ¿Que no hay nada que pueda elevar los sentimientos de la gente, despertarla?

Ignacio se encogió de hombros.

—Lo veo difícil, la verdad... «La Voz de Alerta», el notario Noguer, ¿Qué es lo que los hará cambiar? Si ganan, volverán a las de siempre. Más duros que antes porque la conciencia les remorderá menos, puesto que han sufrido. Pero, en fin, no quiero hablar por los demás; quiero hablar por mí. No sé qué nos ocurre, Marta, en este país. Pero somos... yo creo que somos locos. Tú crees que yo vivo tranquilo, ¿verdad? Que pienso con la cabeza, que he mejorado mucho... ¡Cómo no! Aprobé segundo curso, ya no subo nunca a la UGT... Pues bien, te aseguro que estoy más excitado que nunca y que soy el mismo de antes o peor. Influible, según el clima me da. A ti misma te respeto..., pero creo que por ti, no por mí, ¿comprendes? Creo que por miedo a perderte. Y en casa me domino los nervios porque mi madre lo merece. En fin, que si hubiera nacido en una esquina, a estas horas montaría en esos camiones o tal vez los volara en la carretera. ¿Qué esperanzas hay, Marta? Somos... ¡qué sé yo! El profesor Civil venga a hablar de la cultura mediterránea. ¿Por qué vemos gigantes en todas partes? Sí, claro, dicen que somos más sensibles que los demás, que nos anticipamos... Me gustaría que me convencieras de que lo vuestro es una cruzada, ¿comprendes? ¿Cómo puede ser una cruzada si la mayoría de los que la llevan a cabo...? ¡Sí, ya veo! La idea, superior al hombre, etcétera. Con medios mínimos se pueden obtener grandes resultados. No sé, no sé. «Por sus obras los conoceréis...» Y te juro que las obras de don Jorge...

Marta le escuchaba emocionada. Miraba al muchacho que tenía enfrente, moreno, de rostro enérgico y trabajado, de expresión muy parecida a la de Matías Alvear, excepto en los ojos, que eran de su madre, de aire ligeramente madrileño a pesar de no haber vivido allí, y sentía que le admiraba. Admiraba su lucha, su franqueza. No le faltaba más que un empujón... Comprender que estaba precisamente en sus manos, en las manos de la gente como él y su padre, de la clase media eterna y sana, dar categoría y elevar el tono de la misión emprendida de reconquistar a España.

—Tu error tal vez consista en no ver más que «La Voz de Alerta» y que el notario Noguer... y que las personas como mi padre —le dijo—. Pero has de saber que hay otras muchas. Hay muchachos como Roca y Haro, como Padilla y Rodríguez, y personas como el subdirector de tu Banco. Habrá dos albañiles y un electricista... Mucha clase media, mucha. Será la base de la nación. Te comprendo muy bien, y no pretendo convencerte ahora. Ya lo verás por tus propios ojos. Mira... ¿Por qué insistir? ¿Quieres un detalle? Supongo que va a servirte de punto de referencia. ¿Sabes quién fue a ofrecerse para salir con arma? Adivina.

—No sé.

—Pues vas a saberlo: el profesor Civil.

* * *

Encabezando la lista de los vigilados figuraba el comandante Martínez de Soria. El Rubio fue quien se dio cuenta de ello. El comandante creía que su asistente se limitaba a sacarle brillo a las polainas, a cuidar de su caballo; en realidad, el Rubio le había tomado afecto, principalmente por ser el padre de Marta.

Y, además, conocía las maneras de sus antiguos camaradas. Le bastó ver a Ideal mirar al balcón ocultando el rostro para comprender que algo ocurría. Luego, ante el cuartel, vio a Blasco encendiendo un cigarrillo cara a la pared; más tarde a Santi sentado en la acera con aire aburrido.

Comprendió de qué se trataba. ¡Qué poco sabían disimular! De no ser la cosa trágica, pues soltar un tiro era a la vez lo más difícil y lo más fácil del mundo, el Rubio se hubiera reído. Sin embargo, sintió como un cosquilleo en el corazón. Y después de reflexionar con la nariz pegada a los cristales, le dijo a Marta:

—Marta, siento decírselo a usted, pero... creo que es mi deber: mire quién está allí.

Marta miró y vio a Ideal, detenido ante una tienda de plumas estilográficas.

—¿Y pues...?

—Quieren matar a su padre de usted.

Marta enrojeció y se volvió hacia el Rubio con actitud de pánico. Pensó en su hermano, caído en Valladolid. No sabía qué decir.

—¿Usted cree que...?

—Los conozco. Por eso se lo digo.

El Rubio le contó lo que venía observando de una semana a esta parte. Y concluyó:

—Avise a su padre sin tardar. Y mi consejo es que salga lo menos posible... y nunca solo. Y, desde luego —añadió—, que se busque otro asistente.

—Si yo le acompañara sería peor. No les importaría darme también a mí.

—Pero ¿por qué?

Marta conocía la historia. Comprendió que la razón era aceptable. Entonces sintió una ola de agradecimiento hacia aquel muchacho que Mateo consideraba demasiado frívolo. Pensó que Ignacio tenía razón cuando decía de él: «¡Bah! ¡Es más serio de lo que él mismo cree y de lo que su saxófono podría dar a entender!»

Marta no perdió ni un minuto y se dirigió al cuartel. En el camino, cerca, vio a Blasco encendiendo un cigarrillo... Pasó sin dificultad, los centinelas la conocían; y llegada al despacho de su padre le comunicó la advertencia que el Rubio acababa de hacerle.

El comandante Martínez de Soria se quedó de una pieza. Se pasó la mano por la cabeza.

Marta quería echársele al cuello, pero se contuvo. El comandante dijo mirando afuera:

—Claro, claro, he de ir con cuidado.

Y de pronto enrojeció. Le entró una rabia incontenible. Barbotó una retahíla de juramentos que por su incoherencia se parecían a los del general. Marta le escuchaba muerta de pánico. Nunca había visto a su padre en aquel estado, lo que le dio idea más clara aún del peligro que todo aquello significaba. En el patio del cuartel, unos pocos soldados se paseaban con aire provocadoramente aburrido. «¡Todo esto acabará, todo esto acabará!»

A decir verdad, la noticia sorprendió al comandante. Esperaba un ataque por el lado comunista, pero nunca por el lado del Responsable. De momento acusó al coronel Muñoz y a Julio de instigadores; luego murmuró, bajando el tono de voz para tranquilizar un poco a Marta: «No, no, nada de eso. Son ellos mismos, esa pandilla de cretinos».

Todo aquello reveló a Marta algo importante: que su padre no estaba exento de miedo. Durante varios minutos le notó en los hombros una inclinación inequívoca, que denotaba miedo. Luego dio la impresión de que intentaba dominarse, y de que por fin lo conseguía. La cólera se adueñó de su espíritu, o tal vez efectuara una autocura de pensamientos nobles.

Porque, si era cierto que fue el temor de un balazo en la sien el

714

que al pronto paralizó al comandante, también lo era que, acto seguido, el hombre sintió con más fuerza aún la responsabilidad de lo que llevaba entre manos. Nadie más que él dirigía el movimiento en Gerona; si le ocurría algo, el enlace quedaría roto, otros tendrían que volver a empezar.

Pensó que el hecho de que sus atacantes fueran unos irresponsables tenía dos facetas opuestas. De una parte, parecía más fácil escapar a ellos, puesto que sus planes no habrían sido científicamente meditados; de otro parecía más difícil, puesto que cualquiera de ellos era capaz de dar la vida para acabar con la suya.

Reflexionó. Lo más urgente era conseguir que saliera Marta. Llamó a dos soldados y les ordenó que la acompañaran. Él quedó reunido con el alférez Romá y dos tenientes que con éste formaban su escolta de confianza.

Los oficiales se enfurecieron al conocer la noticia. Su juventud los movía a concebir planes de gran espectacularidad. El comandante disimulaba su estado de ánimo:

—¡Cuidado, cuidado, mucho cuidado!

Cuando calculó que Marta habría llegado a casa se hizo acompañar por todos ellos y salieron. Bajaron por las escaleras del Seminario. Andaban con naturalidad, pero entre todos vigilaban de continuo puertas, balcones y esquinas. No vieron a nadie sospechoso y alcanzaron con tranquilidad el piso. Sólo al entrar en él Marta les dijo:

—Mirad, allí hay uno de los centinelas.

Ideal continuaba absorto en la contemplación de las plumas estilográficas.

El alférez Romá le miró con infinito desprecio.

—¿Ese escarabajo?

El comandante, a la vista de Ideal, enrojeció de nuevo.

—¡Y pensar que esos tipejos tienen en jaque al Ejército!

El comandante Martínez de Soria seguía como todo el mundo el curso de los acontecimientos. Lo que más le indignaba eran «los ultrajes al Ejército». Según él, el Ministerio de la Guerra asistía impasiblemente a una serie de traslados y combinaciones, que afectaba siempre a los oficiales de más pundonor. Muchos ascensos y lugares de responsabilidad, en la mayoría de los casos eran concedidos a aquellos que eran considerados por sus compañeros como más ineptos. «Es más importante ser adicto al Frente Popular que haber defendido a España y tener una hoja de servicios impecable.»

Él se había salvado... por puro milagro. Su amistad con Goicoechea le había valido. «Personas como él —decía— mientras no les peguen un tiro no dejan de tener sus recursos...»

Por ello no admitía de ningún modo que un crío como Ideal pudiera tumbarle de un balazo. Después de muchos proyectos, que iban desde encerrar a todos los anarquistas en un calabozo en compañía de serpientes boas, hasta permanecer él recluido en casa, sin salir, decidieron algo que les pareció más decisivo: informar a Julio de lo que ocurría, advirtiéndole que respondía con su cabeza de la del comandante.

La idea fue del propio padre de Marta. Encargó de la misión al alférez Romá y al mayor de los dos tenientes, el teniente Delgado.

—Ya lo sabéis. Id a la Jefatura... y que la cosa no deje lugar a dudas.

Los oficiales continuaban pensativos. Les gustaba el proyecto, pero... todo lo que no fuera la supresión de los del complot lo estimaban insuficiente.

—Tranquilizaos, tranquilizaos —les dijo el comandante—. Eso no significa que me vaya a la Dehesa a exhibir el tipo. —Sonrió—. Oficialmente, hoy empiezo a estar acatarrado. —Les dio una palmada en el hombro y los acompañó a la puerta.

Marta moría de curiosidad por saber lo que se había decidido. Su padre le dijo, al verla salir precipitadamente de su cuarto: «Ya te informaré, pequeña, ya te informaré».

Los oficiales se dirigieron a Jefatura. Ninguno de los dos había hablado nunca con Julio. Le conocían porque su sombrero ladeado era inconfundible, así como su boquilla y su tez morena. Además ¿quién no sabía de él? Era el personaje más importante de la ciudad; tal vez seguido de cerca por Cosme Vila y por doña Amparo Campo. En efecto, ésta no le iba en zaga. El coche de que Julio disponía como Jefe de Policía raras veces estaba a su disposición. Doña Amparo Campo recordaba sus caminatas por los campos de la Mancha cuando niña y quería resarcirse. Apenas si saludaba a sus amigas como Carmen Elgazu. Vivía una vida de puro ensueño, limitada a deslumbrar a la criada, a contemplarse los quimonos y coleccionar chismes. Y le decía a Julio: «No comprendo que mantengas al Comisario en su puesto. Tan burro como es. ¿Por qué no ocupas tú también ese cargo?» En realidad sólo admitía como personas dignas de codearse con ellas al coronel Muñoz y al doctor Relken. «Doctor, véngase a comer con nosotros.» El doctor aceptaba casi siempre. «Pero, doña Amparo..., poco aceite, poco aceite...»

La entrada de los dos oficiales en el despacho de Julio dejó boquiabierto al agente Antonio Sánchez. El alférez Romá no pudo dejar de mirar a la puerta de la izquierda, tras la cual sabía que continuaban cantando himnos subversivos Octavio, Haro y Rosselló. Luego dijo a Julio que querían hablarle a solas.

Antonio Sánchez se retiró. Julio guardó consigo a *Berta* y el pisapapeles nevado.

La conversación fue rápida, fulminante.

—Señor García, los anarquistas proyectan un atentado contra el comandante Martínez de Soria. El Responsable, su sobrino, Porvenir, el limpia, etcétera... Nosotros y unos cuantos oficiales más a los que en estos momentos representamos, tenemos el máximo interés en que eso no se lleve a cabo. Nuestra propuesta es la siguiente: cuide usted de atajar la cosa. Es usted el Jefe de Policía y está en sus manos. Si no ocurre nada, nada y todos contentos. Si le ocurre algo al comandante —aunque sea por otro conducto que el anarquista...—, sentimos no poder responder de lo que suceda luego.

—¿A quién?

—Exactamente a usted. ¡Viva España! —Y salieron del despacho.

Julio permaneció inmóvil tras su mesa de escritorio. Un hecho le pareció que quedaba fuera de dudas: aquellos oficiales, llegado el caso, cumplirían su palabra. Por lo tanto, era preciso reflexionar. Julio había alcanzado un momento de plenitud en su carrera y no era cosa de perderlo todo alegremente. Ahora mismo, la sala de espera estaba llena de personas que deseaban verle. ¡El arquitecto Massana, alcalde, guardaba turno! Iba a pedir autorización para que los camiones de víveres pagaran arbitrio al entrar en el término municipal. La correspondencia de Barcelona y Madrid llevaba en gran parte la advertencia: «Para el jefe en persona». La vida se le daba generosamente y los tiempos en que en Madrid recorría anónimamente y sin un céntimo los puestos de churros, habían terminado. Como le decía al doctor Rosselló: «En casa conviene mejor Wagner que el folklore andaluz».

Imposible, pues, admitir por un momento tan sólo que dos apuestos oficiales cortaran en seco todo aquello. Curiosa situación. De pronto la vida del comandante Martínez de Soria se convertía en preciosa para él. Casi tan preciosa como la de doña Amparo Campo. Porque, detrás de aquellos oficiales, debía de haber otros, y luego otros...

Era preciso respetar la vida del comandante... Y, sin embargo, los oficiales debían comprender que no podría vivir siempre pendiente del pulso de su jefe. De momento, sí. ¡Que estuvieran tranquilos! No sólo llamaría al Responsable y a todos sus colaboradores, sino que les daría órdenes draconianas. Él sabía cómo hacerlo: acompañándolas de alguna promesa o concesión.

—Ahora bien, esto no bastaría. El alferecillo había dicho: «Aunque el atentado llegue por otro conducto...» ¿Insinuó que no eran sólo los anarquistas los que habían sentenciado al comandante?

Julio, echándose el sombrero para atrás, se preguntaba cómo habrían llegado a conocimiento de ello. Porque el hecho era cierto. Personalmente lo supo gracias a Murillo, quien, muerto de miedo por las amenazas de Cosme Vila, era ahora escudero y esclavo del policía. Murillo le había comunicado que el Partido Comunista preparaba la supresión de varias personas de la localidad, entre las que se contaban el comandante Martínez de Soria y algunos médicos. «¿Por qué algunos médicos...?», le había preguntado Julio al jefe trotskista. «Es la táctica rusa —contestó Murillo—. Suprimir médicos. No sé por qué.» En todo caso, lo importante era que el comandante encabezaba también la lista negra de Cosme Vila.

Julio acarició a *Berta*. La voz del alférez Romá volvía a su cerebro. ¡Cuánto odio delató! «Después de todo —pensó— yo les pago en la misma moneda.»

*   *   *

Mosén Alberto, vigilado; el comandante Martínez de Soria, vigilado; Julio, respondiendo con su cabeza. *El Proletario* repetía: «Murillo y Falange intentan hacer volar a pedazos los camiones de víveres».

Un hecho extrañaba a la ciudad: la insistencia con que Cosme Vila pedía la destitución del alcalde. El arquitecto Massana decía a unos y otros. «¿Eso os extraña? Quiere entregar la vara al catedrático Morales».

Tal vez fuera cierto. El catedrático se estaba convirtiendo en el hombre del día, empujado por las alabanzas del periódico y por la convicción que tenían los huelguistas de que un hombre como él realzaba el prestigio del Partido.

Cosme Vila hacía cuanto podía para aumentar la popularidad del futuro alcalde. Ocasiones no le faltaban para ello. Le encargó de un viaje de propaganda entre los campesinos, preludio de las Bases Agrícolas. Su voz se derramó por las comarcas anunciando a los colonos que la canalización del río Ter estaba en estudio, así como la creación de unos embalses que convertirían toda la provincia en tierra de regadío. Al parecer, la única dificultad estribaba en las expropiaciones. Los propietarios se negaban rotundamente a ceder un palmo de terreno, al modo como en las fábricas los patronos se negaban a ceder una sola de sus acciones. «Esto retrasará las Bases. ¡Pero llegarán! Unidos todos, y venceremos.»

El catedrático Morales cumplía cuanto le ordenaban, con la felicidad retratada en el semblante. La valenciana, a veces, le tiraba de la chaqueta y le decía: «Anda, Lope de Vega. Que te estás haciendo el amo, ¿eh?» El catedrático se reía pues nunca hubiera imaginado que la valenciana conociera el nombre de Lope de Vega.

El estado de pánico en que vivía la ciudad, la profusión de banderas revolucionarias, la ausencia de la risa, los súbitos silencios que se producían en las calles, a veces constituían para el hombre motivos de reflexión. «La etapa necesaria», se repetía. Se miraba al espejo. ¿Qué tenía que ver su fealdad con todo aquello, con la obediencia ciega a Cosme Vila, aun cuando éste fuera a su lado un ser primario, o en todo caso mucho menos refinado? Nada. Absolutamente nada. La única causa de que prestara juramento fue su convicción de que la hora había sonado, la hora de la rebelión de las masas en el mundo. Hasta el presente dichas masas habían tardado siempre uno o dos siglos en captar las ideas que elaboraban para sí las *élites*. De suerte que cuando las muchas valencianas del mundo empezaban a hacerlas suyas, ya las *élites* habían dado un viraje o vuelto a antiguos moldes. Ahora, por primera vez, masas y *élites* se fundirían, constituirían un mismo organismo. Por todo ello valía la pena prometer canalizaciones a los campesinos, ver la invasión de perros famélicos en la ciudad. Los patronos se arruinaban con la huelga, las ratas les roían el negro color de los cabellos. Un rumor de protesta crecía, crecía, se formaban grupos en las esquinas, ¡en la Cámara de Comercio se hablaba de ametralladoras!, por primera vez hombres que hasta entonces sólo se habían preocupado de vender telas o latas de conserva al precio más alto posible, se iban a las murallas de Montjuich y apretaban los puños sin levantarlos, en dirección adonde suponían que podían hallarse la mongólica cabeza de Cosme Vila, la gorra del Responsable, el ladeado sombrero de Julio.

Ahora hablaban del catedrático Morales. Especialmente la *élite*, que se anticipaba en uno o dos siglos. Morales leía en los ojos de antiguas amistades suyas —otros catedráticos, abogados, el propio doctor Rosselló— un miedo cerval. Como si estos hombres supusieran que el catedrático Morales les señalaba con el dedo, daba sus nombres y descubría sus bajezas, el desequilibrio entre sus creencias y sus actos, en la indiferencia con que escuchaban a los clientes pobres, en su horror por Marx no porque habiendo éste localizado el cáncer propusiera remedios antihumanos, sino porque sus profecías se cumplieran de manera implacable.

El catedrático tenía unos ojos que parecían comprados, de quitapón, separados de su alma por una hoja metálica. Con ellos observaba la reacción de sus grandes enemigas las mujeres. Las mujeres, entre las que hubiera deseado brillar. A su entender, eran las que alarmaban a sus maridos para permitirse el lujo de infundirles coraje luego. Aseguraba que los grandes sentenciados de la ciudad vivían acoquinados a causa de sus mujeres. Era la sirvienta de mosén Alberto la que le decía a éste: «Cuidado, mosén, que todavía le están vigilando». Era la esposa de don Santiago Estrada la que le decía de continuo al jefe de la CEDA: «¿Quiénes son esos que nos siguen? ¿Has visto la insignia que llevan en la solapa?» Era la esposa del comandante Martínez de Soria la que entraba y salía de la iglesia con una gravedad de viuda de guerrero que ponía los pelos de punta al comandante. Era Laura la que levantaba en vilo la cárcel, eran las mujeres de los comerciantes las que protestaban: «¡Pronto tendremos que ir a pedir limosna!» Y, por su parte, ellas mismas lloraban y pataleaban en su intimidad, maldiciendo el hondo rumor del pueblo en marcha.

El catedrático Morales fue quien sugirió la exterminación de varios médicos. Excepto el doctor Rosselló, los demás de la localidad tenían más fe en la moral que en la ciencia. Médicos de cabecera, medio curas, ponían el termómetro en las axilas con la sonrisa en los labios. Vertían en las familias extemporáneas dosis de resignación. Eran libres para obrar de aquel modo, y acaso no fuera malo. Ahora bien, en las revoluciones actuaban de silenciador, eran los grandes mitigadores del dolor humano y lo mismo curaban a un hombre del pueblo que a un explotador. El propio Cosme Vila había quedado pasmado al escuchar de boca del catedrático: «El grito de un hombre al que nadie sepa cortar la pierna, tiene más eficacia revolucionaria que la acción de gracias a la Virgen por haber sido operado satisfactoriamente».

La ciudad correspondía a Morales apretando los puños en las murallas y en los hogares. A diario pasaban trenes procedentes de Francia, abarrotados de viajeros que se dirigían a Barcelona con motivo de la anunciada Olimpiada Popular. Estos viajeros, mejor que amantes del deporte parecían, por su aspecto e indumentaria, combatientes de algún ejército fantasma. Levantaban el puño en las ventanillas, llevaban alrededor del cuello pañuelos idénticos a los del Cojo o Ideal. El catedrático Morales fue varias veces a desplegar banderas a su paso. La gente aseguraba que los trenes que se detenían descargaban misteriosas cajas para el Partido Comunista.

Todos los días la gente desplegaba el periódico esperando la gota decisiva, la cerilla que prende fuego. Ni siquiera los ríos de Gerona estaban de acuerdo. El Oñar bajaba seco; sus charcos olían como siempre. La valenciana hubiera chapoteado a gusto en ellos... si hubiese podido hacerlo al lado de Teo. En cambio el Ter, como si temiera su próxima canalización, bajaba crecido, arrastrando aguas turbias. El mes de julio caía con fuerza astral sobre las cabezas, calentándolas.

Sol que no se daba descanso desde el alba hasta el anochecer. A mediodía había un momento, el momento en que caía vertical, en que la gente quedaba inmóvil en las calles, como reseca, como chupada por los rayos. Las almas temblaban entre los huesos.

Muchas personas acudían a diario a la estación a esperar la llegada de la Prensa. Entre estas personas se contaba Matías Alvear, quien tomaba *La Vanguardia*, el único periódico que le inspiraba confianza.

Un día, el tren se retrasó. Matías Alvear fumó varios cigarrillos paseando por la acera. *La Vanguardia* no llegó hasta el mediodía, en el momento del sol vertical. La gente se precipitó sobre los vendedores. Matías Alvear vio que los titulares eran mucho mayores que los de *El Proletario*. Consiguió un ejemplar. Vio una patrulla de Asalto y decidió irse a casa sin leer nada. Lo leería en el comedor tranquilamente.

Subió las escaleras con lentitud, abrió la puerta y se instaló en el sillón. Carmen Elgazu notó algo raro y le pasaba con frecuencia por detrás mirando por encima del hombro para enterarse de lo que ocurría.

Matías comprendió en seguida que la cerilla había sido echada a los leños. Sucesos de gravedad sin precedentes ocurrían en la capital de España, a juzgar por lo que acontecía en los escaños del Parlamento. Matías no sonrió como antaño al leer: «Tumultos en la sala»; por el contrario, su rostro expresó desde el primer momento la mayor preocupación.

Calvo Sotelo había descrito la situación de España en tono patético. Al parecer, no era sólo el río Ter el que bajaba crecido. Calvo Sotelo dio las cifras oficiales de lo ocurrido desde el 16 de febrero: 400 bombas habían estallado aquí y allá, 330 asesinatos, 1.511 heridos, 170 iglesias destruidas totalmente, 295 destruidas parcialmente, 485 huelgas; en cárceles y calabozos se hallaban unos doce mil ciudadanos pertenecientes a partidos derechistas...

Las palabras de Calvo Sotelo habían causado una impresión profunda en las Cortes, y el Presidente del Consejo, señor Casares Quiroga, le amenazó por cuarta vez. Entonces Calvo Sotelo alzó los hombros. «¡Bien, señor Casares Quiroga! Me doy por notificado de la amenaza de Su Señoría. Y le digo ante el mundo lo que Santo Domingo de Silos contestó a un rey castellano: "Señor, la vida podréis quitarme, pero más no podréis". ¡Pues no faltaba más! Tengo anchas las espaldas.»

A la salida, en los pasillos, «La Pasionaria» había dicho en voz baja: «Este hombre ha hablado por última vez».

Matías Alvear arrugó el entrecejo. Carmen Elgazu, al pasar, no había leído más que «Santo Domingo de Silos». «¿Por qué no dejarán a los santos en paz?» —había exclamado.

Matías Alvear sufría porque desde el primer instante intuyó que aquello no quedaría en meras palabras, que se llevaría a cabo conduciendo a una situación irremediable.

El hermano de la Doctrina Cristiana refugiado en casa del subdirector le preguntó a éste: «Pero... ¿son ciertas estas cifras?» —El subdirector le contestó: «¡Ni siquiera se atreven a desmentirlas!»

Cuando Ignacio leyó: «La vida podréis quitarme, pero más no podréis» recordó que su madre, el día en que Julio subió a verlos, pronunció casi las mismas palabras con relación a la muerte de la sirvienta.

Cosme Vila pensó: «Es la etapa necesaria». El comandante Martínez de Soria admitía que Ideal fuera capaz de pegarle un tiro, pero no que el Gobierno de la República ordenara hacer lo propio con Calvo Sotelo.

Matías Alvear en el Neutral, encontró a la gente muy excitada. Don Emilio Santos era el que estaba de mejor humor, pues había recibido noticias de Cartagena: «¡Mi hijo vive todavía!»

Eran horas lentas. El catedrático Morales anotó en sus cuadernos: «*Elite* y masa empiezan a fundirse: el Presidente del Consejo y el Cojo sentencian a las personas por los mismos motivos».

* * *

No hubo descanso porque no podía haberlo. Y no podía haberlo porque la gente cumplía su palabra. Cuando Santi prometía comerse una tortilla de seis huevos, se la comía.

Por ello, al llegar el 13 de julio todo el mundo comprendió. A Matías Alvear no le sorprendió; al comandante Martínez de Soria tampoco... Cuando la radio, *La Vanguardia* y *El Proletario* dieron la noticia de que el Presidente del Consejo había cumplido su palabra, todo el mundo comprendió que tenía que ser así, que no había acaso descanso porque no podía haberlo.

«La Dirección del cementerio del Este, de Madrid, ha comunicado al Ayuntamiento que, sobre las cinco de la madrugada, ha sido dejado allá un cadáver que ha resultado ser el del señor Calvo Sotelo.»

La sorpresa se la llevó la esposa del comandante, al ver que las manchas del rostro de éste adquirían un tono violáceo. Y Carmen Elgazu, al ver que Matías se sentía incapaz de continuar con el periódico en las manos y se levantaba y salía a la calle.

La sorpresa se la llevó el alférez Romá al ver llegar al comandante al cuartel, en contra de su decisión de no salir sin escolta.

722

—¿Qué ocurre?

El comandante no le contestó:

—¿A qué día estamos hoy? —preguntó.

—13 de julio.

13 de julio. Las radios dieron los consabidos detalles. Guardias de Asalto se habían presentado en el domicilio de Calvo Sotelo invitándole a que los siguiera. En la camioneta le atravesaron la nuca de un balazo. David y Olga lamentaban el hecho. Casal lo atribuía a un acto de venganza de los guardias. «Falange había asesinado al teniente Castillo, de su compañía, y han querido vengarle.»

El comandante no se avenía a razones. Por primera vez había gritado: «¡Asesinos!» Los periódicos publicaban fotografías del incesante desfile, en Madrid, por la casa mortuoria. El comandante Martínez de Soria fue el primero en patentizar desde Gerona su adhesión. Mandó un telegrama de pésame. Don Pedro Oriol le imitó y don Santiago Estrada. Pronto se formó la caravana. Matías Alvear, con el lápiz en la oreja, le dijo a Jaime: «Esto me recuerda aquellos días de octubre».

Carmen Elgazu vivía un poco ajena a los datos concretos y desconocía la real importancia que podía tener Calvo Sotelo. Cada día desconfiaba más de las mujeres que para defenderse o defender a sus maridos decían: «¿No ha leído usted...?» A ella le parecía que lo bueno y lo malo estaban perfectamente delimitados en el fondo de cada uno; y cuando existían dudas, no cabía sino mirar las Tablas de la Ley.

Así que en aquel momento no preveía la dirección precisa de los cambios políticos que podía haber, y entendía que, en realidad, el hecho de ser presidente de un Consejo no alteraba las bases por las cuales un hombre no debía amenazar a otro. Había preguntado a Ignacio: «¿Calvo Sotelo era católico...?» E Ignacio le había contestado: «Sí».

Aquello le bastó. Creyó comprenderlo todo. Por un momento imaginó una desgracia que abarcaba a la Patria entera. Pero, de pronto, el espacio le dio vértigo. Algo instintivo la obligó a ceñir el problema a lo que pertenecía de forma inmediata a sus entrañas. Como si su corazón le dijera: «¿Qué entiendes tú de los demás?»

Tuvo el presentimiento de que se avecinaba una catástrofe no en el cementerio del Este de Madrid, sino en el seno de su familia. Tal vez ello ocurriera porque se encontraba sola en el piso, porque ninguno de sus hijos estaba allí y Matías se había marchado de aquella manera.

No sabía qué hacer. Podía leer el periódico para enterarse mejor; pero no quiso. Miró afuera. Un maravilloso cruce de sombras iba envolviendo los tejados. En las casas de enfrente se encendían luces. Se veían mujeres preparando la mesa.

La mesa. La mesa eterna. Hubiera querido ver a todos los suyos en la mesa. ¿Qué hora era? Entró en el cuarto de Ignacio y encendió una mariposa ante la imagen de la mesilla de noche.

Sonó el timbre. Era Pilar. Carmen Elgazu sonrió al verla. Le dio un beso con fuerza desacostumbrada. «¿Qué te ocurre?» —le preguntó la chica—. «Nada, hija, nada. No me pasa nada.»

Llamó Ignacio. Carmen Elgazu le dio un beso como siempre.

—¿Ha venido Marta? —preguntó el muchacho.

—No, hijo.

Regresó Matías. Habría ido al Neutral. Miró afuera, al río. Carmen Elgazu pensó: «Todos van llegando». Quitó el periódico de la mesa y puso el mantel. Un mantel amarillo, con flores en cada esquina.

Faltaba César. Probablemente andaría por la parroquia. Reunía a los chicos y jugaba con ellos. A veces interrumpía los juegos y les daba una explicación plástica de la muerte de Cristo. Arrimaba sus espaldas a la pared, pegado su cuerpo a ella desde los tacones y extendía los brazos en cruz. Su actitud era tan dramática, que los chicos perdían la respiración.

El timbre sonó. Pilar fue a abrir deslizándose por el mosaico del pasillo. Carmen Elgazu, al ver a César, suspiró. Se le acercó y le dio un beso, que el seminarista le devolvió.

—¡Fuerte, fuerte! —reclamó Carmen Elgazu.

César la miró con aire extrañado.

—¿No te lo he dado fuerte? —preguntó.

Matías se puso los auriculares de la galena. Ignacio vio sombras en los muros.

—¿Qué es eso?

—He encendido la mariposa en tu cuarto.

—Es poco divertido.

Del 18 al 30 de Julio de 1936

CAPÍTULO LXXXIV

Julio comprendió que los dados estaban echados. No era de prever que los militares esperaran hasta noviembre. Aprovecharían el clima creado por los últimos sucesos para intentar dar el golpe. El policía lamentaba que Gerona fuera tan pequeño. Imposible esquivarse unos a otros. Sabía que si pasaba por la Rambla se encontraría con el alférez Romá; si daba la vuelta, se encontraría con el teniente Delgado.

Leía en los rostros de éstos una sonrisa irónica. Le miraban a la cabeza. Julio se decía: «No seáis bobos; en casa, Wagner y no folklore andaluz...»

Se entrevistó con el general y con el coronel Muñoz. Les manifestó sus temores: sería preciso entregar armas al pueblo.

El general supuso que Julio se había vuelto loco. Le rebatió los argumentos uno por uno, por centésima vez. ¿Sanjurjo, Franco? ¿Qué podían hacer? Uno en Portugal, el otro en Canarias. Lo de las armas al pueblo era una propuesta inaudita, dadas las circunstancias. «Tengo entendido que los campesinos organizan una concentración aquí. ¿Por qué no les damos un par de cañones?»

Julio les dijo:

—Viven ustedes en el limbo. Un día de éstos se encontrarán en el calabozo. El comandante Martínez de Soria arengará a la tropa y la repartirá por la ciudad. Supongo que cuenta con unos doscientos paisanos, quizá trescientos. Nos fusilará a todos. ¡A todos!

Las tres hijas del general llamaron a éste por teléfono. Aquello salvó a Julio de encontrarse en los sótanos del cuartel haciendo compañía al teniente Martín, quien les decía a los centinelas que lo más duro de la cárcel era verse privado de mujeres.

Julio no se arredró. Tenía su plan y lo pondría en práctica. ¡Un general era poco para echar las cosas a rodar! No podía confiar en nadie. «Tendré que salvar personalmente la ciudad.»

Comprendía que era el único enlace posible con Cosme Vila, con el

Responsable, con Casal y con todos. Hizo un rápido cálculo de los hombres. Pensó en Mateo. «Mateo cree que sólo ellos están dispuestos a dar la vida. Va a ver los que surgen en el otro lado. Me gustará darle una lección a ese crío.»

Doña Amparo Campo admiraba la calma de su marido. Con tantos quebraderos de cabeza, y nada le impedía hacer su vida normal: tomarse su baño diario, escuchar unos discos, leer a Voltaire. A veces permanecía con el doctor Relken, hablando de filosofía, hasta las tres de la madrugada. «Las dos ideas, las dos ideas de que yo hablaba —decía el policía—. El mundo se está dividiendo en dos bandos.» El doctor Relken entendía que los problemas eran más complejos. Se reía de él. «Así, pues, las partes del mundo ya no son cinco —bromeaba—; son dos.»

El doctor Relken también era partidario de armar al pueblo. «Y debería usted encarcelar al resto de Falange.»

Julio negaba con la cabeza al oír esto último.

—Se han alistado otros muchos. Las familias se exasperarían más aún. Los padres de los falangistas irían a ofrecerse al Ejército.

Julio no perdía la cabeza porque tenía la seguridad de que la sublevación sería un fracaso. Tal vez provisionalmente, y por sorpresa, los militares ganaran en alguna plaza; pero en la mayoría sería un desastre. Por lo tanto lo que le preocupaba era el aspecto individual. Salvar a Gerona. Porque veinticuatro horas les bastarían al comandante o al alferecillo aquel para acabar con su baño y su discoteca...

Al doctor Relken le aconsejó que se marchara. «Váyase a Barcelona. Se lo ruego. Hasta que todo haya pasado. De la primera escapó usted; de la segunda no sé...» El doctor estimó que Julio le aconsejaba razonablemente.

—Pero... ¿no cree usted que podría serles útil?

—No lo veo. Usted ya cumplió su misión cuando las elecciones.

El doctor quedó pensativo.

—Siento marcharme porque me interesaba lo de las minas —añadió.

—¿Qué quería hacer? ¿Meter baza en el asunto?

—Pues... ¿por qué no? Es un asunto muy importante para todos.

Julio le dijo:

—¡Pero no sea idiota! Ya volverá. Cuando todo esté despejado; y entonces sacaremos del Pirineo hasta platino si le place.

Cosme Vila y el Responsable acudieron al llamamiento de Julio. Y éste quedó estupefacto al ver la naturalidad con que ambos le contestaron: «Nosotros daríamos la vida en el acto».

Julio les preguntó si sus afiliados estarían dispuestos a hacer lo propio. El Responsable se indignó, consideró que la duda era humillante. En cambio, Cosme Vila movió la cabeza. La sugestión le pareció interesante.

Imposible contestar. ¿Por qué no enterarse?

Cosme Vila no pensaba nunca en la muerte. Le parecía que ello paralizaría sus acciones. La doctrina por la que luchaba era tan grandiosa, que se perpetuaba en el tiempo. Por lo tanto ¿a qué pedir más? Él podía disolverse en la tierra; su obra se habría realizado.

Y, sin embargo, la pregunta de Julio le recordó que el peligro era colectivo y que su decisión personal no bastaba. Era preciso conocer uno por uno los granos de arena para calcular su resistencia. En realidad, el fichero de su despacho indicaba que unos hombres estaban dispuestos a vivir, y querían que este vivir se desarrollara dentro de un orden nuevo; pero no especificaba si estaban dispuestos a morir.

¡Diablo de Julio! Cosme Vila pensó en ello. Habló con el catedrático Morales. A Morales la idea le entusiasmó. Era preciso completar el fichero. No podía hacerse con rapidez. Sería preciso arrancar verdades sin que dolieran, mirar profundamente a los ojos, en medio de una conversación.

—¿Preguntar a quién?

—A los afiliados. A los hombres de más de veinte años.

Cosme Vila reflexionó. Le parecía un poco espectacular. Y sin embargo... Pensó que no bastaba con saber que sus afiliados obedecerían una orden. La verdadera potencialidad radicaba en la disposición previa, arrebatada y ciega.

Cosme Vila salió del despacho y miró al azar entre los militantes. Gorki y Morales podían realizar la labor. ¿Qué importaba? La conciencia no podía ser un secreto.

Morales empezó al día siguiente, al regresar de la redacción. El local estaba lleno a cualquier hora, gracias a la huelga. Todos los camaradas, al verle, le saludaban. «¡Hola, Lope de Vega!»

Habló con un hombre de unos cuarenta años, cojo, accidente del trabajo en las canteras. Hablaron en un rincón. El hombre vivía enfurecido ante la inminencia de la sublevación militar y juraba que él lo había previsto hacía tiempo.

Morales asentía con la cabeza. De pronto le preguntó:

—¿Tú estarías dispuesto a dar la vida para derrotarlos?

El hombre no titubeó un solo instante.

—Desde luego.

Morales hizo un signo de satisfacción. Luego dijo:

—A mí me llena de orgullo todo eso. En el fondo soy novato en el Partido y vuestro ejemplo me infunde mucho valor.

—Yo tengo el carnet 120 —explicó el hombre.

Morales le miró con fijeza.

—A veces pienso una cosa —prosiguió—. Los momentos son graves. ¿Qué haríamos si el Partido nos pidiera el máximo de sacrificio? Por ejemplo... —añadió, después de una pausa— si nos pidiera dar la vida, no por los militares sino... sin explicarnos la causa. ¿Qué haríamos?

El hombre quedó perplejo. Se pasó la mano por la cabeza.

—¿A qué viene eso?

—A nada. Me lo pregunto.

El hombre marcó a su vez una pausa. Luego dijo:

—Eso no se sabe nunca. Yo... creo que la daría.

El catedrático Morales pareció emocionarse.

—¿Eres casado o soltero?

—Soltero.

Gorki no había oído aquella conversación. La misión le gustaba, pero le daba miedo. «Preguntarle a un hombre si estaría dispuesto a morir es mucho preguntar...» Sin embargo, Cosme Vila le había dicho: «¿Qué importa? Total, la conciencia no debe ser un secreto».

Sin saber cómo, se encontró en el balcón interrogando al carnet número 171. Un muchacho de unos treinta años, empleado de una tintorería. Estudiaba ruso hacía tiempo, sin resultado. «¿Darías la vida por el Partido?»

—Desde luego.

—¿Casado o soltero?

—Casado.

Gorki invitó a su interlocutor a fumar. Recordó los consejos de Cosme Vila.

—¿Y si el Partido nos pidiera algo peor? —prosiguió Gorki, en tono distraído.

El militante sonrió.

—No sé qué puede haber peor que dar la vida.

Gorki echó una bocanada de humo.

—Pues... hay algo peor... Dar la vida de otro.

—¿De otro?

—Sí. De otro.

El militante no comprendía.

—No comprendo.

—De cualquiera —prosiguió Gorki—. De cualquier camarada..., de Víctor. —Se reclinó en la barandilla. Luego añadió, en el mismo tono—: Dar la vida de tu mujer.

El militante se echó para atrás. Por un momento supuso que aquello iba en serio.

—¿Qué ha hecho mi mujer? —preguntó.

728

Gorki le tranquilizó.

—No, no, no tengas miedo. No se trata de que haya hecho nada. Tenemos una conversación, ¿no es eso?

Cosme Vila se acercó a ellos. El militante daba vueltas a la gorra con una sola mano. La idea de la mujer le obsesionaba.

—Pues... para mi mujer —dijo, mirando súbitamente a Cosme Vila— querría saber el porqué.

Cosme Vila disimuló. Hizo un gesto como denotando que ignoraba de qué estaban hablando. Y, sin embargo, arrugó imperceptiblemente el entrecejo. Al sugerir la pregunta a Gorki y Morales lo hizo por un placer casi exclusivamente intelectual. Ahora, al tener ante sí un hombre de carne y hueso, casado, comprendió que la cosa tenía verdadera importancia. Hasta tal punto que se preguntó a sí mismo si sacrificaría a su mujer. Recordó sus facciones, su pálido rostro después del parto, su manera inhábil de manejar el fusil en el Centro Tradicionalista. Le pareció que la sacrificaría. Se reclinó en la barandilla. El militante se había marchado, nervioso. Cosme Vila pensó en su hijo, en el crío que ya señalaba con el índice caballos y vacas en el libro en colores. «Al crío, no. Al crío no —se dijo—. También querría saber de qué se trata.»

Esta frase le salió casi en voz alta, de modo que Gorki le interpeló:

—¿Qué estás diciendo?

—Nada, nada —contestó Cosme Vila.

Morales proseguía su labor. Se sentaba frente a los interrogados. Recordaba los exámenes en el Instituto, cuando preguntaba a los alumnos: «¿Quiénes fundaron Roma?» Ahora las preguntas las hacía a hombres y eran mucho más importantes.

* * *

El comandante Martínez de Soria había procedido, sin saberlo, a una encuesta parecida. En realidad, cuantos oficiales, en la sala de armas, le habían dado su palabra de honor habían hecho con tal acto ofrecimiento de sus vidas. Y lo mismo los doscientos treinta y cinco hombres que sumaban las últimas listas —la lista definitiva— suministradas por los cuatro Partidos que él llamaba nacionales.

Pocas horas después de conocida la muerte de Calvo Sotelo había recibido la orden de prepararse. Ante la dramática situación, el Alzamiento se adelantaba en cuatro meses a la fecha prevista. De un momento a otro recibiría la orden de concentrar las fuerzas disponibles y declarar el estado de guerra en la ciudad. «Queda usted facultado para tomar las medidas que estime convenientes.»

El comandante se paseó por el cuartel, inhóspito y sucio. Leyó en los muros toda suerte de inconveniencias escritas por los soldados. Éstos, al licenciarse, querían dejar constancia de su desacuerdo. Ponían la fecha y el nombre, lo cual era honrado de su parte.

El alférez Romá y el teniente Delgado no se movían de su lado. Por fin el telegrama llegó, cifrado. Decía escuetamente: «Día 19».

CAPÍTULO LXXXV

Mateo recibió la orden mientras estaba preparando la comida de Pedro.

Le ocurría una cosa estúpida, sin explicación. Las horas se le hacían tan largas que continuamente se acercaba a la ventana de la cocina y miraba la inmensa mole de piedra del campanario de la Catedral. Y de pronto le parecía que este campanario, en el que el sol daba de lleno, empezaba a inclinarse, a inclinarse, que su base era móvil y que de un momento a otro caería sobre su cabeza. Mateo retrocedía en la cocina, tropezando con la silla de patas cojas. Se pasaba la mano por los ojos. Aquello era una pesadilla. Quería dominarse y volvía a la ventana. Luego se dirigía a los fogones a preparar la comida de Pedro.

Pedro se había dado cuenta de su nerviosismo y le había dicho:

—Si quieres, iré a buscarte una mujer. Tendremos las luces apagadas.

Mateo, por más esfuerzos que hizo, no pudo indignarse. Comprendió que tal vez Pedro estuviera en lo cierto. No obstante, se dominó. No sólo por el peligro y su promesa de vida casta, sino por Pilar. La Historia Universal continuaba ofreciéndole a menudo la entrañable plegaria: «Virgen Santa, Virgen Pura, haced que me aprueben de esta asignatura».

Rodríguez le dijo: «El día diecinueve, a las seis y media de la mañana».

La preocupación de Mateo era saber si subiría a ver a Pilar o no, antes de presentarse en el cuartel. Las seis y media de la mañana le parecía una hora inconveniente. A veces dudaba y pensaba: «Me parece que mi obligación sería subir a ver a mi padre, que se lo merece de sobra».

A Pedro no había podido sino arrancarle una confidencia: Estaba seguro de que en Rusia el hombre era feliz.

—Mi padre, en Rusia, no se hubiera suicidado —dijo.

Mateo le miró con simpatía.

—¿Por qué? —preguntó.

—Porque no, porque allí hubiera sido feliz.

Mateo intentó explicarle que en Rusia la felicidad era imposible porque los creyentes se veían perseguidos y los no creyentes llevaban en el alma, como en todas partes, la angustia de lo incompleto; pero Pedro negaba con la cabeza, mientras comía sardinas, que era lo que más le gustaba.

—Ojalá fuera esto como aquello. Mi padre no se hubiera suicidado.

El muro que constituía Pedro a veces descorazonaba a Mateo. Se preguntaba si después de la victoria conseguirían convencer a alguien. Pensando en los albañiles y el electricista, cobraba ánimos. Pero se decía que cada alma en torno suyo buscaba lo absoluto y que lo absoluto —bien claro se veía en San Agustín— no podría darlo aquí abajo ni siquiera Falange... Entonces llegaba Rodríguez y en el entusiasmo del guardia civil bañaba de nuevo su espíritu.

Mateo tenía otra preocupación: que el comandante Martínez de Soria les permitiera custodiar al general, al Comisario y a Julio García hasta que se decidiera sobre su suerte. Mateo creía que nadie como Falange era digna de confianza para tal misión.

Rodríguez le preguntó:

—¿Has tirado muchos tiros?

Mateo sonrió.

—En Madrid.

—¡Caray, cuántas cosas hacíais en Madrid! —comentó el guardia.

«La Voz de Alerta» y don Jorge supieron por Laura que se acercaba el momento de su liberación, pero no conocían la fecha exacta. Desde aquel momento vivían con el oído atento a las pisadas en la escalera. Reconocían el caminar de todos los de la cárcel y pronto se miraban decepcionados. Sólo el gitano les daba a veces alguna esperanza, pues el ritmo de sus pies era variable. Casi siempre subía soñoliento; pero alguna vez parecía bailar. Los pasos del baile les sugerían la imagen de un emisario haciendo tintinear las llaves... y llevándoles armas en abundancia.

Laura había conseguido introducir un revólver por entre las rejas. Don Jorge lo quería para él, «La Voz de Alerta» también. A veces, cuando Teo se paseaba por el patio, «La Voz de Alerta» le apuntaba con la imaginación. Pero en varias ocasiones había sentido pena por el gigante. Teo no parecía el mismo desde su entrada en la cárcel. La decepción que sentía por el hecho de que Cosme Vila no le liberara, era indescriptible. El mundo se le caía encima. Toda su escala de valores se veía transformada. «¡Yo, que hubiera dado la vida por él!» Tampoco se explicaba que no acudiera a liberarle la valenciana.

Don Jorge había advertido que Teo, fuera del contagio de la multitud y separado de su carro, era un niño. La gigantesca plataforma de su carro y la multitud le convertían en algo que no era él, en un bruto, en un loco.

Uno de los abogados hacía observar a don Jorge y a «La Voz de Alerta» que probablemente también ellos habían cambiado... Fuera de la cárcel, imposible soñar en que hallaran un punto humano en Teo. Al oír esto, ambos pensaban en los consejos de mosén Francisco el día en que se confesaron con él. Y de rechazo en el peligro que continuaba cernido sobre sus cabezas. «Hacemos muchos planes de liberación y quién sabe si saldremos vivos.»

La ciudad comprendió que la hora crucial se acercaba, porque de pronto los trenes fueron suspendidos. Al parecer, en Barcelona existía un especial estado de alarma y se habían declarado varias huelgas y las comunicaciones habían quedado rotas. Los que tenían parientes en aquella capital se inquietaban.

El Responsable entendía que ya no podía dilatarse más el plazo concedido al comandante Martínez de Soria... Sus costumbres eran conocidas, la sublevación era inminente. ¡Manos a la obra! Se había decidido «disparar contra él con pistola, por la espalda, en cuanto doblara la esquina de la Plaza Municipal, bajo los arcos, al dirigirse al cuartel por la tarde, entre tres y cuatro». Existía allá una escalera que comunicaba con una extraña azotea... El fugitivo caería a través de ella en una buhardilla que ocupaba un limpiabotas amigo de Blasco.

Como autor del atentado se había designado a Porvenir. El Cojo fue considerado demasiado impulsivo. Era preciso apuntar a la nuca, como los guardias a Calvo Sotelo.

Era de suponer que el alférez Romá y los dos tenientes titubearían un instante y que su gesto sería el de atender al comandante al verle caer; aquellos segundos le bastarían a Porvenir —quien, por lo demás, iría disfrazado— para penetrar en el portal y cerrarlo. Porvenir le dijo a Blasco: «A ver si tu camarada el limpiabotas me tiene preparada una media de ron».

La hija del Responsable le preguntó:

—¿No te temblará el pulso? Al fin y al cabo, el comandante es un hombre.

Porvenir negó con la cabeza.

—A su hija, no podría... —dijo. Luego añadió—: Pero a él, que lo parta un rayo.

Referente a mosén Alberto habían surgido dudas. En todo caso se vería luego. Primero interesaba el comandante, puesto que los trenes ya no marchaban y se esperaba de un momento a otro la noticia.

Y, no obstante... Porvenir pasó tres días disfrazado de otro ser, con bigote y barba, en la escalera que hacía esquina en la Plaza Municipal, sin ver al comandante.

El comandante no había olvidado la advertencia del Rubio. El hecho de haber desaparecido Ideal, Blasco y el resto le hizo suponer que el período de vigilancia había terminado; su última salida fue el día en que recibió el telegrama. A su regreso decidió permanecer en casa hasta la madrugada del día 19, con un fusil ametrallador al alcance de su mano.

El Cojo lanzaba terribles improperios: «¡Nos lo merecemos! ¡Por haber tardado tanto!» El Responsable estaba furioso. Ideal proponía asaltar el piso. «Nos achicharraría», contestaba el jefe.

Cosme Vila había desistido, por su parte. Supuso que el comandante habría aleccionado suficientemente a un substituto; y nada le molestaba tanto como una acción que creara enemigos y que no fuera eficaz en sí misma. Su única preocupación consistía en saber la fecha exacta, el día de la sublevación. Hablaba de ello con Julio. No conseguían dar con la llave. Julio se inclinaba a creer que sería el primero de agosto. Cosme Vila creía que antes. El doctor Relken, antes de marchar, les dijo: «De todos modos, Gerona tiene poca importancia. A la larga tendrán ustedes que correr la suerte de Barcelona».

El Responsable, ante el cariz que tomaban los acontecimientos, alteró sus planes. Ordenó a Porvenir ocultarse en un piso frente al que ocupaba el comandante y en el que una vieja les alquiló una habitación exterior. Desde esta habitación se dominaba la salida de la escalera. Ideal y Santi se turnarían en la vigilancia; en cuanto el comandante asomara, Porvenir se lanzaría a la calle y se confiaría al azar.

El comandante suponía, más o menos, todo aquello, y vivía horas angustiosas, lo mismo que todo el mundo. El profesor Civil había ido a ofrecerse para salir con armas a escondidas de su mujer. ¡Era la primera cosa que le ocultaba desde la guerra de Cuba! Y sentía remordimientos. Sin embargo, el notario Noguer le había dicho:

—Se lo agradecemos mucho, profesor. Que una persona como usted se haya decidido, nos prueba que cumplimos con nuestro deber. Pero tal vez no hagan falta tantos hombres. En todo caso, no pierda cuidado; si le necesitamos, le mandaremos aviso.

El profesor se sintió algo humillado. Supuso que le rechazaban por la edad. También él oía dar las tres en la Catedral, las cuatro, las cinco, como Matías Alvear. A veces preguntaba: «¡Si me habré contagiado de ese diablo de Mateo!» Porque las peroratas del profesor en contra de la violencia habían sido muy numerosas, tanto como los alegatos en favor del concepto de Gobierno legítimamente constituido y similares; conceptos que daban risa a Mateo, que siempre le contestaba que era suicida y estúpido circunscribir el porvenir de la Patria a un problema jurídico.

Y a pesar de ello, el profesor Civil se había decidido. Se decidió el día en que vio a Vasiliev desfilar, entre una doble hilera de mujeres, ante la Cooperativa. En la mirada del ruso le pareció descubrir una ironía incalificable. «¡Mujeres españolas!», exclamó el profesor Civil. Pensó en la suya. Ignacio le hizo observar que aquella exclamación podía haberla lanzado Mateo. Por lo demás, Ignacio había observado que muchas personas, sin darse cuenta, utilizaban el lenguaje de Falange. El propio Prieto en sus discursos hablaba de «lo nacional», «de los valores del espíritu», de «las aventuras históricas». El subdirector hablaba «del hondo patrimonio de la raza».

El profesor Civil entendía que la cosa en él era más simple. Se había contagiado, no de Mateo, sino de Benito, de su hijo. Había claudicado ante él. El profesor quería demasiado a sus hijos para no hallar razones con que justificar sus locuras... y aun seguirlas. Su claridad mental y su dominio en el terreno teórico sucumbía frente al sentimiento de la familia. A lo largo de su vida se había dado cuenta de ello en ocasiones sin importancia; ahora la cosa había afectado a lo principal. El profesor decía: «Si uno de mis nietos, con una peonza en la mano, me pidiera que perdonara a los judíos, creo que les perdonaría».

Ignacio había sacado de todo ello una conclusión: la atmósfera reinante alteraba los cerebros. Se operaba una gran transformación. Se advertía incluso en los rostros. La Torre de Babel tenía una nariz más afilada que antes, con un punto de crueldad; Carmen Elgazu se hundía en sus grandes ojeras, que le infundían aspecto dramático. El flequillo de Marta había empequeñecido y ahora sólo le brotaban de la cara los ojos. Unos ojos decididos, serenos, negros, de una intensidad indefinible; mirando a Ignacio, a César, a Pilar, a todos, al comandante Martínez de Soria, a Padilla y a Rodríguez, a la ciudad, con todo el ardor de su juventud; mirando de vez en cuando, sin hablar de ello con nadie, al balcón tras el cual Ideal y Santi cuidaban de Porvenir como de un tenor en día de estreno.

* * *

El día 17, la señal de alarma resonó en la ciudad: algunas guarniciones de África se habían sublevado. El comandante Martínez de Soria no acertaba a explicárselo, pues la consigna era para el día 19. Supuso que el temor de que el Gobierno tomara medidas en aquella zona, considerada vital, había forzado a sus jefes a adelantarse a la Península en cuarenta y ocho horas.

Sin embargo, no se sabía nada. Sonaba el nombre del general Franco. Este nombre inspiraba gran confianza al comandante, porque conocía el prestigio del general entre las fuerzas de Marruecos. De todos modos, se hablaba más que nada de la Legión. «Entonces, es el teniente coronel Yagüe», informaba el comandante.

Imposible saber nada en claro. El coronel Muñoz había objetado: «¿Cómo puede ser Franco, si está en Canarias?» El coronel pretendía conocer a los jefes y estaba seguro de que Sanjurjo se hallaba en España desde muchos días antes y de que la cabeza directora de todo era el general Mola.

Hasta el día siguiente, 18, las radios no empezaron a dar noticias algo precisas. Lo de África era un hecho y no se trataba solamente de la Legión. Todas las fuerzas marroquíes y todas las guarniciones: Melilla, Ceuta, Tetuán, Larache... En el Banco hacían semana inglesa y el subdirector se pasaba las horas oyendo emisoras de onda corta. El Hermano de la Doctrina Cristiana estaba a su lado. El aparato lanzaba gritos de «¡Viva España!» En los llanos de Axdir, el Caíd había convocado a los guerreros de Beni Urriaguel y les había dicho: «¡Por la gloria de Dios, por la fuerza y el poderío que residen en Él. Al glorioso héroe, tan afortunado de mano, alma y corazón: al general Franco. ¡Que las bendiciones divinas sean sobre ti y los que contigo combaten en la buena senda! Nosotros no regresaremos de España hasta que los mayores y los menores gocen de vuestra paz. Porque Dios ayuda al siervo tanto como dure la ayuda del siervo a su hermano. ¡Y veréis como a nuestros heroicos hombres no les importa la muerte!»

Julio estaba al corriente de aquello y le pareció comprender que el proyecto de los que empezaban a ser llamados «rebeldes» sería utilizar tropas marroquíes. «¡Bendiciones divinas! —ironizó—. Siempre lo mismo. Musulmanes defendiendo el catolicismo.»

Lo que no comprendía era cómo lograrían transportar las tropas a la Península, pues Julio estaba convencido de que la Marina se pondría de parte del Gobierno y bloquearía el Estrecho de Gibraltar.

—Las transportarán por el aire —sugirió el agente Sánchez.

—No sé de dónde sacarán los aparatos.

A última hora se decía que el Gobierno era dueño de la situación.

Aquello desencadenó una crisis de alegría entre todas las personas opuestas a la sublevación. Casal, David y Olga no salían de la UGT, pendientes de la radio. Los Costa habían recibido una llamada telefónica de las mujeres, desde Pals. «¿Qué pasa, qué pasa? Venid aquí con nosotras. Estamos asustadas.» Los Costa les prometieron ir, pero su intención era muy otra. La sublevación les había devuelto todo su entusiasmo democrático. Olvidaron la huelga, el cierre ilegal de los locales de derechas. Y pensaron con renovada seriedad en el problema de Cataluña. El arquitecto Ribas tenía razón. Aquello significaría el fin de Cataluña. Era la voz que se iba extendiendo por toda la ciudad. «¡Veríamos a los moros invadiendo Cataluña!» Alguien creía saber que el proyecto era trasplantar en masa la población catalana. Por fortuna, las noticias de África eran optimistas. «¡Y si fracasan en África ni siquiera se atreverán a continuar!»

Cuando uno de los guardianes de la cárcel anunció con indignación el levantamiento contra la República, «La Voz de Alerta» sonrió: «¿A eso le llaman República? Son una pandilla de bandoleros».

El comandante Martínez de Soria no se dejaba impresionar y comprendía que en África el movimiento había triunfado. Lo mismo que en Canarias. Era la primera etapa. Al día siguiente, 19, se decidiría la suerte de la Península...

El comandante temía que durante la noche el general y Julio mandaran ocupar la ciudad, tomando como fuerza básica los Guardias de Asalto. No suponía que se atrevieran a armar al pueblo.

Se acostó sin quitarse el uniforme, dispuesto a dormir intermitentemente. De vez en cuando se levantaba y, acercándose a la ventana miraba afuera. Al ver que todo estaba tranquilo y que las calles continuaban libres le decía a su mujer: «¡Cuidado que son ingenuos! No comprendo que no vean que eso tiene que ser hoy».

Empezó a clarear. El comandante Martínez de Soria saltó de la cama. ¡Era el momento! Su mujer se levantó a su vez y, aprovechando que el comandante había salido del cuarto, se arrodilló ante el crucifijo. El comandante, al regresar, la sorprendió en esta actitud. No dijo nada. Se le acercó y le dio un beso en los cabellos. Marta se estaba vistiendo en su cuarto. Tenía un botiquín sobre la mesilla de noche con las iniciales: CAFE.

Marta había advertido a su padre que los anarquistas vigilaban desde uno de los balcones de enfrente, por lo que el comandante había ordenado al teniente Delgado que fuera a buscarle en coche. De este modo a Porvenir o a quienes fueran, no les daría tiempo de actuar.

A las seis y cuarto llegó el Rubio. A las seis y diecisiete minutos, tres soldados de confianza. Los cuatro permanecerían en el piso custodiando a la esposa del comandante.

A las seis y veinte minutos un coche se detuvo ante la puerta, en silencio. «¡Ahí están!» El comandante y Marta bajaron saltando los peldaños. La portezuela del coche se abrió. Penetraron en él. «¡Viva España!» El teniente Delgado ocupaba el volante. Pisó el acelerador. El comandante le preguntó:

—¿Todo el mundo en su puesto?

—Todo el mundo, mi comandante.

Camino del cuartel se veían hombres que andaban pegados a los muros o por el centro de las calles, disimulando. Eran los voluntarios, los que habían prestado juramento.

Una hora después, la ciudad quedó ocupada. Todo funcionó con precisión matemática. Tropa, guardia civil y paisanos. El general, en pijama, daba vueltas en su cuarto, horrorizado. Sentados en tres sillas le contemplaban, arma al brazo, el alférez Romá, Benito Civil y un muchacho de la CEDA. Este último había pedido a una de las hijas del general una taza de café. El coronel Muñoz se encontraba encerrado en su despacho, en compañía del comandante Campos, bajo la vigilancia de un capitán, de Padilla y del hijo de don Jorge. El Comisario quedó detenido en su domicilio, lo mismo que Cosme Vila, el Responsable y Casal. Los únicos que no se habían dejado sorprender habían sido Julio y el doctor Relken. El doctor Relken salió la víspera para Barcelona, en coche. Julio no se hallaba en casa. Cuando el guardia Rodríguez, a las órdenes de un teniente, llamó a la puerta, salió con los ojos desorbitados doña Amparo y dijo: «¿Qué quieren ustedes? No está, no está». Registraron el piso y no estaba. Doña Amparo se negó a dar noticias sobre su paradero. «Le esperaremos», dijo el teniente. Y puso en marcha la gramola.

A medida que la ciudad despertaba, se iba dando cuenta de lo que ocurría. Era domingo. Muchas personas, al salir de casa con el misal en la mano, retrocedían un momento. ¡Hombres armados! Al reconocer a las personas que llevaban fusil, sentían que el corazón les latía con sentimientos indefinibles. ¡Dios mío, la suerte estaba echada! Algunos se alegraban francamente, otros lo consideraban una canallada. Más de una docena miraban a los paisanos voluntarios y se decían: «Yo debí hacer otro tanto».

En el campo contrario la reacción fue sórdida, de una violencia interior indescriptible. Los huelguistas salieron a la calle y sus miradas expresaban odio de siglos. Pero las consignas eran severas. ¡Dispersarse! Prohibidos los grupos de más de cuatro personas. El día se presentaba radiante. En cuanto alguien se resistía, las culatas de los fusiles se prestaban a actuar. En la actitud de algunos soldados se advertía cierta reticencia, pero los oficiales vigilaban de cerca. Los paisanos voluntarios cumplían su misión con una conciencia que llenaba de gozo al comandante.

Éste declaró el estado de guerra, montado en su caballo. Un momento pensó en el jefe que cayó en octubre, en idéntica actitud...

«La Voz de Alerta», don Jorge y los demás propietarios habían sido liberados. Teo, al verlos marchar, apretó los puños, aunque suponía que era el término legal de la condena. «¡Decidle a Cosme Vila que es un c...!» Todos los sentimientos humanitarios de «La Voz de Alerta» habían desaparecido.

Octavio, Haro y Rosselló salieron asimismo del calabozo. Estaban pálidos como víctimas de una enfermedad. Al ver aparecer, en el calabozo, el rostro de dos guardias civiles a aquella hora de la mañana, se habían mirado inquietos. Al oír ¡Viva España! se pusieron en pie de un salto. Al ver que se les tendía un fusil a cada uno, comprendieron. Cruzaron la puerta dando gritos y al asomar a la calle miraron al cielo nítido, y luego vieron a Mateo, que los esperaba sonriendo. «¡Arriba España!», gritó éste. Los tres falangistas querían abrazarle. «¡Arriba!», contestaron. Mateo les dijo: «Vuestro puesto está en el Hospital Militar. No perdáis tiempo. Presentaos al sargento Hurtado».

Mateo había salido a las seis y quince minutos. Pedro, que los domingos se levantaba tarde, al verle aparecer en el comedor y dirigirse a la puerta temió que se repitiera la escena del suicidio de su padre.

—¿Dónde vas? —le preguntó.

Mateo le dijo:

—A defender a España.

Pedro se incorporó. No comprendía. Temía que Mateo se hubiera vuelto loco.

Mateo le informó:

—Lo de África es cierto. Hoy nos toca a nosotros.

Pedro, súbitamente, comprendió. Le miró con ira repentina.

Mateo se le acercó con decisión.

—Te agradezco mucho lo que has hecho. Y no olvides que hay diez mil falangistas en España dispuestos a corresponderte en cuanto nos necesites.

No dio otra explicación. Comprendió que le sería imposible convencer a Pedro. Salió a la calle y no fue a ver ni a su padre ni a Pilar; directamente al cuartel. Pero pasó por la Rambla y su mirada se dirigió, emocionada, al balcón de los Alvear.

Todavía no había conseguido conocer a los dos albañiles y al electricista, los cuales montaban guardia en la estación.

Hacia mediodía, las calles se hallaban llenas de curiosos. En realidad, las fuerzas eran pocas, dada la extensión de la ciudad. Había zonas de ésta que daban la impresión de que la cosa no iba en serio. El espíritu crítico se adueñaba de muchos, pues había personas, como el subdirector, a las que el fusil en la mano les sentaba como alpargatas en día de fiesta. En cambio, don Jorge lo llevaba con maestría, lo mismo que don Pedro Oriol.

Se hablaba de sublevación en Barcelona, en Madrid y en todas partes. Alguien aseguraba que en todas partes era un éxito. Por el contrario, llegaban noticias de combates en las calles de Barcelona. La sublevación de algunas plazas, como la de Zaragoza, había dejado estupefacto al general. «¿Cómo es posible? ¡En Zaragoza está Cabanellas, republicano como yo!» El muchacho de la CEDA que le custodiaba levantaba los hombros irónicamente. «¡Qué le vamos a hacer, mi general! Tal vez Cabanellas no llevara mandil.» El alférez Romá reprendió severamente al chico. Su conciencia de militar le impedía mofarse del comandante de la plaza. A gusto le hubiera pegado un tiro al general, pero de ninguna manera consentiría ofenderle.

Ante los sindicatos, la guardia era sólida. Prohibida la entrada. Ello impidió las consabidas concentraciones. Los militantes de Cosme Vila, del Responsable, de Casal y los miembros de Izquierda Republicana y Estat Català se hablaban entre sí en una esquina, o se visitaban a domicilio. «¡Esto es intolerable! ¿Qué hacer?» Unos decían: «Yo tengo arma; yo un fusil, yo una pistola». Pero ¿cómo organizarse? Al saberse que los respectivos jefes estaban detenidos, el furor de unos y otros aumentó: «¡Hay que hacer algo!» El catedrático Morales temía que fusilaran a Cosme Vila. Olga estaba convencida de que lo mismo le ocurriría a Casal. «¡Hay que hacer algo!» Pero... aunque pocas, allí estaban, en lugares estratégicos, las ametralladoras. Y un par de cañones. Todos tenían la sensación de que habían sido unos imbéciles. «¡Si nos lo estaban diciendo ellos mismos!»

Era evidente que ante el enemigo común se despertaba de hombre a hombre un sentimiento de solidaridad. Muchos militantes se repartían por la ciudad en actitud provocadora. Elegían los lugares custodiados por los muchachos de la CEDA y de Falange. Se detenían y sacaban la petaca. Rosselló y el hijo mayor de don Santiago Estrada no se avenían a razones y se les acercaban apuntándoles. Ante el Matadero Municipal, Mateo ordenó a varios: «¡Manos arriba!» Y procedió a registrarlos. Halló un bulto extraño. Era una pipa. El militante sonrió. A otro le halló un revólver. Mateo se llevaba detenido a este militante. Un alférez se le acercó. «¿Qué ocurre? No hagas nada sin consultármelo a mí.» Fue el alférez quien se llevó al detenido.

Gran número de familias habían prohibido a sus hijos salir de casa. Algunas no les permitieron ni siquiera ir a misa. El número de personas que encontraban justificada la sublevación era crecido, pero de una parte el desconocimiento de las verdaderas intenciones de los militares y de otra el temor de que todo aquello fuera un fracaso, con las terribles represalias que ello traería consigo, mantenían los ánimos en un estado de angustia incalculable.

Matías Alvear había prohibido a los suyos que salieran. Sólo hacia las once de la mañana, al ver que en realidad en las calles no había nada que temer, accedió a los constantes ruegos de Ignacio y Pilar y permitió que ambos fueran a dar una vuelta, con la orden de no separarse. Ignacio quería ver el aspecto de la ciudad, a los sublevados en acción, y a Marta; Pilar quería ver a Marta con el botiquín... ¡y sobre todo a Mateo! Las cuatro horas de espera, de las siete a las once, se le habían hecho interminables. Continuamente oteaba la Rambla desde los cristales del balcón. Había visto a muchos soldados, al notario Noguer, a «La Voz de Alerta», pero no a Mateo. Al salir, cruzaron calles y más calles sin resultado. No veían ni a uno ni a la otra. Finalmente, delante del Matadero, vieron a Mateo.

Pilar perdió la respiración. Allí estaba su novio, con camisa azul, unas flechas bordadas en el pecho, arma al brazo. Pálido por la encerrona; larguísimos cabellos, que reclamaban unas tijeras. Mateo no la veía. Fue Padilla quien le dijo: «Me parece que allá viene alguien sospechoso».

Mateo se volvió como un rayo. Al ver a Pilar quiso acercarse, instintivamente. Pero el alférez le miró con fijeza. La chica vio que Mateo, sin insistir, desde lejos se dirigía a ella inclinando la cabeza, y comprendió que aquello era lo máximo que le estaba permitido. Apretó los dientes y se hubiera puesto a patalear. Entonces se dio cuenta de que a cinco metros escasos había una ametralladora y que unos soldados les hacían signos de que se alejaran. Pilar contempló aquel artefacto diabólico, nervudo, con tentáculos de muerte. Se hubiera echado a llorar. Quería gritar: «¡Mateo!»; pero éste había dado media vuelta otra vez, cumpliendo alguna orden. Por su parte Ignacio, al ver a su amigo con el arma, había recibido una impresión fortísima y todas sus conversaciones sobre la «dialéctica de las pistolas» le vinieron a la mente. ¡Mateo, en 1935, ya se había alistado a un proyecto de marcha sobre Madrid, desde la frontera de Portugal! Ahora observaba sus gestos siguiéndolos uno a uno. Al verle acercarse a un grupo de hombres y registrarlos, experimentó un indecible malestar, a pesar de que Mateo actuaba sin fanfarronería. Luego dirigió la vista hacia la ametralladora, lo mismo que Pilar. Y su angustia aumentó. El cañón, increíblemente estrecho y delgado, apuntaba a la fachada de Correos, a la puerta por donde a diario entraba y salía Matías Alvear.

Ignacio asió a Pilar del brazo. «¡Vámonos! Cuando todo esté terminado, que venga él a casa.» Pasaron frente al local comunista. Desierto. El letrero cubría el balcón como algo no estrenado. La Catedral dio las horas. La luz temblaba en Montjuich, como si las murallas sintieran vivir jornadas importantes.

Imposible dar con Marta. ¡Por Dios, que no le ocurriera nada! «La Voz de Alerta» gritaba en el Puente: «¡Dispersaos!» Llevaban arma personas que no se hubiera sospechado nunca. Varios empleados del Banco, bajo los arcos, usaban metáforas futbolísticas para profetizar la derrota de los militares.

De repente, Ignacio vio al comandante. Pasaba en coche, con el teniente Delgado, lentamente. El comandante sacó la mano por la ventanilla y los saludó a él y a Pilar. Pilar, sin darse cuenta de lo que hacía, se llevó la mano a los labios y les mandó un beso. ¡Continuaba queriendo mucho al padre de Marta! Le tenía por un valiente; y el comandante continuaba obsequiándola con *cocktails* a escondidas.

Ignacio se limitó a inclinar la cabeza.

El paso del comandante transformó a Pilar. La chica pensó que, en realidad, ella también hubiera debido salir... con botiquín. ¡Ahora se daba cuenta! ¿Y si los comunistas empezaban a disparar desde los balcones? ¡Dios mío, qué pocas enfermeras debía de haber! Claro que ella no sabía ni siquiera poner inyecciones... Y, sin embargo, lo hubiera dado todo por encontrar a Marta y preguntarle qué debía hacer. Ignacio le decía: «¡Ale, a casa, que ya deben de estar intranquilos!» Por la Rambla pasaba el subdirector. Encontró el medio de acercarse a Ignacio. Estaba desesperado. Pensó que la primera providencia sería ir a la Logia de la calle del Pavo y poner al descubierto todo aquello, y el comandante se había negado. Un teniente se les acercó: «Basta de conversaciones».

Ignacio y Pilar subieron las escaleras. La mesa estaba puesta. ¡Don Emilio Santos sentado en el comedor! Al verlos, se levantó. No había podido resistir la soledad, en su piso, con su criada que de tan nerviosa había roto un plato y una taza a la hora del desayuno. Se quedaría a almorzar con ellos.

—¿Habéis visto a Mateo...?

—Sí. Está delante de Correos.

Don Emilio Santos había recorrido media ciudad sin dar con él.

«¡Hubiera podido venir a verme!», lamentó. Ignacio dijo: «Si no lo ha hecho, es que le estaba prohibido. Hay un alférez que los tiene en un puño».

Don Emilio Santos había escuchado las radios. En muchas ciudades se luchaba a brazo partido. «¡Cuánta gente está muriendo en estos instantes!» Se sabía de varias provincias en que el Alzamiento había fracasado. Las emisoras del Gobierno daban noticias alarmantes para los sublevados... Se veía que las autoridades no habían dudado en entregar armas al pueblo. Al parecer, casi todo el litoral mediterráneo se había declarado adicto al Gobierno.

Las palabras de don Emilio Santos convirtieron la fuente de arroz en algo frío y poco apetitoso. A todos se les hizo un nudo en la garganta. ¡El litoral! Aquello significaba que Cartagena... Pero don Emilio Santos tenía confianza en que sería un bulo. Ignacio pensó también en Alicante, donde estaba detenido José Antonio... «A lo mejor, en los primeros momentos le han liberado...» «¡Cuánta gente está muriendo en estos momentos!» Esta frase martilleaba los cerebros, mientras los tenedores subían lentamente hacia la boca. Carmen Elgazu pensó: «Deberíamos encender otra vez la mariposa». Sin embargo, en vez de encenderla a San Ignacio, no sabía por qué le pareció más adecuado hacerlo a San Francisco de Asís.

Don Emilio Santos le dijo:

—San Ignacio, San Ignacio, que era militar...

—¿San Ignacio era militar? —preguntó Pilar, sorprendida.

Carmen Elgazu accedió a los deseos del huésped. Matías Alvear estaba nervioso. Era de las personas que con más hondura sentía la importancia de lo que se estaba ventilando. Comprendía que cualquiera que fuera el resultado, los acontecimientos seguirían una marcha loca. Pensaba en su hermano de Burgos. Burgos, probablemente, quedaría en manos de los militares. En toda Castilla, Falange era poderosa. Aunque los campesinos... ¿Qué harían los militares con su hermano, jefe de la UGT? En Gerona se decía que a Casal iban a fusilarle... ¿Y si los mineros asturianos bajaban al asalto de Castilla...?

Carmen Elgazu preguntó si se sabía algo del Norte. Don Emilio Santos no sabía nada. «No se sabe, no se sabe... El Norte es católico. Estará al lado de los militares. Pero no se sabe nada.»

César oía a unos y otros sin pronunciar una palabra. Le había impresionado en grado sumo la arenga del Caíd, que don Emilio Santos también había oído por radio. «Las bendiciones sean sobre ti.» «Dios ayuda al siervo tanto como dure la ayuda del siervo a su hermano.» ¿Qué significaban estas últimas palabras? Era la imprecisa poesía musulmana. El Caíd también había dicho: «¡Ya veréis cómo a nuestros heroicos hombres no les importa la muerte!»

César pensó: «A mí tampoco». Luego se arrepintió de su vanidad. Y, sin embargo, era lo cierto. Mejor dicho, la deseaba. Él no entendía una palabra de lo que estaba ocurriendo. No sabía si la dureza de la mirada del comandante era loable, si eran ciertas las cifras dadas por Calvo Sotelo; si estas cifras justificaban lo otro... Lo único evidente era que en España había faltado caridad, y que para expiar el mal era preciso que alguien diera la vida. Él se ofrecía. Él no era Cosme Vila, ni soldado ni pertenecía a Falange; él era un seminarista. En resumen, representaba a la Iglesia renovándose eternamente; pero también al pecador. Había ido a misa a las seis y media de la mañana, y su regreso coincidió con la salida de las tropas. ¡Fue de los escasos ciudadanos que oyeron la primera declaración de Estado de Guerra! En la misa le pareció que mosén Francisco, en el momento de la Elevación, contemplaba la Hostia con ojos de súplica infinita. Como si supiera que «en aquella jornada morirían muchos hombres». Mientras don Emilio Santos hablaba, César pensaba en mosén Francisco. Estaba seguro de que a mosén Francisco tampoco le importaría la muerte.

Carmen Elgazu le dijo a César:

—¿Qué te pasa, hijo? ¿Por qué no comes?

El sol caía a chorros sobre la ciudad.

CAPÍTULO LXXXVI

Hora por hora, las noticias iban siendo alarmantes. El Movimiento fracasaba en muchos lugares. El país vasco se había declarado adicto al Gobierno. El comandante Martínez de Soria no se lo explicaba. ¡San Sebastián se consideraba seguro! Pudo más en los vascos su nacionalismo que otras consideraciones.

En Madrid se combatía encarnizadamente. Valencia era «leal». En Barcelona... por de pronto, el general Aranguren, de la Guardia Civil, se había puesto a disposición de las autoridades gubernamentales. Aquello fue un nuevo golpe para el comandante. El capitán Roberto, de la Guardia Civil, y Padilla y Rodríguez casi lloraban de rabia. «¡La Guardia Civil al lado de estos canallas, no!» Y, sin embargo, era cierto, y muy posible que aquello inclinase la balanza de la ciudad en favor del Gobierno, arrastrando a toda Cataluña, la frontera, los puertos de mar.

Las únicas noticias satisfactorias continuaban llegando de África, de Castilla, de Navarra, ¡de Oviedo!, y de algunos puntos aislados del Sur: Cádiz, Granada... En Sevilla, el general Queipo de Llano manejaba como podía sus hombres y los refuerzos que llegaban de Marruecos por vía misteriosa.

Casi todos los aeródromos en que había aparatos, estaban en manos del Gobierno. La Marina también, tal como previó Julio. El destructor *Churruca*, después de desembarcar unos legionarios en Cádiz, había zarpado rumbo a puerto gubernamental.

El comandante Martínez de Soria decía: «Madrid se ha considerado siempre perdido, y los planes han previsto desde el primer momento dirigir sobre la capital cuatro columnas, dos del Norte y dos del Sur. ¡Pero habiendo fallado el país vasco, todo cambia!»

Se sabía que en Castilla los falangistas voluntarios se contaban por centenares, y que en Navarra los requetés acudían en masa al llamamiento del general Mola. «Hay familias en que se presentan con boina roja, el abuelo, el padre y todos los hijos», informaba don Emilio Santos. Carmen Elgazu decía: «Los navarros son medio vascos». «¡No me hables de los vascos!», gruñía Pilar. Pero, por otro lado, en muchas plazas «el pueblo» se había lanzado a la calle con absoluto desprecio del peligro.

A última hora de la noche llegó la noticia definitiva, sin remedio, que no dejaba lugar a la esperanza: las fuerzas sublevadas en Barcelona se habían rendido. El propio general Goded, ¡el general Goded!, había hablado por radio pidiendo que se evitara un inútil derramamiento de sangre. Ello significaba que las demás guarniciones catalanas debían seguir su ejemplo.

¡Rendirse! El comandante Martínez de Soria palideció. El alférez Romá y los dos tenientes le miraron con sobrehumana intensidad. El teniente Martín, que también había sido liberado, pensaba: ¿Rendirse? ¡Jamás! Muchos de los voluntarios que montaban guardia en las calles no sabían una palabra de lo que ocurría; suponían que todo marchaba viento en popa.

El comandante Martínez de Soria calculaba las posibilidades sólidas de resistencia. Consideraba que más de la mitad de la población estaba con él. Había pedido flores para el cementerio, para el comandante muerto en octubre, y todo el día fue un desfile de personas llevando ramos. Contaba con edificios macizos, con las murallas, con Montjuich... Pensó en la guerra de la Independencia. En la cima del monumento rugía el león...

Pero comprendía que sería una locura. Siempre se había considerado que en Barcelona las fuerzas sindicales podían organizar en pocas horas un ejército de 80.000 hombres. ¡Éstos y la Guardia Civil acarrearían el fracaso! Caerían sobre Gerona con ímpetu incontenible. Sin contar con los campesinos de la provincia. Sin contar con los enemigos del interior, armados en su mayor parte.

No era posible resistir. Gerona estaba perdida. El comandante suponía que Castilla, Navarra, Galicia —al parecer en Galicia se había triunfado—, Sevilla y África bastarían para organizar desde estos puntos la reconquista del territorio. Estas regiones y algún milagro... Pero Gerona estaba perdida y no cabía otro remedio que rendirse... Ya los huelguistas y otra gente que hablaba de «leales» y «facciosos» —«¿Leales a quién —decía el comandante—, a Casares Quiroga, a Vasiliev?»—, se agitaban, parecían prepararse a caer sobre la presa.

El comandante Martínez de Soria, en el cuartel, pidió que le sirvieran coñac. Pensó en su esposa, en la arenga que leyó en sus ojos. Pensó en Marta, que se hallaba en el Hospital Militar con el botiquín esperando heridos, que por fortuna no llegaban... Pensó en los doscientos treinta y cinco hombres a los que había arrastrado a la aventura. En los otros doscientos, como el profesor Civil, cuyos servicios no se habían utilizado pero que figuraban en las listas.

El comandante sabía que le tocaría morir. Podía tomar un coche y acercarse a la frontera. A la sola idea sintió que su carne se despreciaba a sí misma. ¡Gritaría «¡Viva España!» hasta que el plomo mandara callar su corazón! Mejor era morir de esta suerte que no haber perecido unos días antes en manos del Cojo... Por lo menos ahora había plantado la semilla. Y se reuniría con su hijo. «¿Dónde estaba su hijo?» Mateo decía: «En los luceros». El comandante sonrió. El otro, Fernando, estaba en Valladolid... y Valladolid era de España.

¡Barcelona se ha rendido, Barcelona se ha rendido! Se hubiera dicho que las voces salían de los muros. El comandante se levantó. Era preciso dar la orden de retirada a los voluntarios, advirtiéndoles que se había fracasado y que quedaban libres de irse a sus casas o tomar la decisión que estimaran conveniente. «Hay que indicarles que probablemente las represalias serán espantosas.» ¡El Movimiento acabaría por triunfar!, pero de momento en Gerona no había esperanza. Los soldados... que regresaran al cuartel. Los oficiales debían imitar su ejemplo personal, y él pensaba entregarse a las autoridades. ¡Que cada uno sepa morir con honor, como caballeros del Ejército Español!

Era una noche cálida, en la que se hubiera dicho que todos los misterios de la antiquísima ciudad salían a flote. Lluvias de estrellas descendían sobre la Catedral y el profesor Civil, viéndolas, le decía a su mujer que presagiaban la guerra. En el empedrado de las calles solitarias se oían pisadas. Rodríguez, que patrullaba, les decía a sus compañeros que aquellas pisadas eran las de la tropa que luchó contra Napoleón. «¡Entonces hasta las mujeres tomaron su fusil!» «Ahora no ha habido más que una mujer: Marta.» Rosselló le contestó: «Si hay guerra verás como saldrán Martas por docenas». Los que montaban guardia en la vía oían el rumor de las turbias aguas del Ter. Del fondo del pozo de la casa Pilón subían chillidos de extraños pajarracos. Tras las murallas, las estaciones del Vía Crucis, pintadas en blanco, trepaban por la colina recibiendo el beso de la luna. Era una milagrosa ciudad en donde se hubiera dicho que el amor debía de ser rey. Bajo los arcos se hubieran podido cantar salmos, uno tras otro, en letanía inefable.

En cambio, la consigna que comenzó a circular recordaba más bien el *Dies irae*. Retirarse, se había fracasado; la represalia sería espantosa. Los pajarracos del pozo de Pilón cruzaban la bóveda subterránea como locos. En una hora escasa los doscientos treinta y cinco voluntarios conocieron la verdad. ¿Cómo era posible? ¡Ahora empezaban a comprender las sonrisitas que vieron a última hora, las frases alusivas! Blasco había gritado con insolencia: «¡Mañana, todos calvos!» Los voluntarios se miraban unos a otros bajo la lluvia de estrellas, con el pánico retratado en el semblante. Las diferencias de edad acusaban mayormente la situación. ¡Retirarse...! Sálvese quien pueda. Goded se había rendido. ¿Y el comandante Martínez de Soria?

—El comandante Martínez de Soria es quien ha dado la orden.

Un soldado dijo:

—Se acabó la farsa.

Aquélla fue la revelación del electricista, del último alistado. Traspasó su fusil a la mano izquierda, y acercándose al soldado le arrancó el gorro de la cabeza y con él le dio en la cara a modo de guantazo. Hubo un altercado tremendo, el primero desde la declaración del Estado de Guerra. El soldado barbotó: «¡Ya nos veremos, guapo!» Mateo acudió. Había sido presentado al electricista a media tarde. «Has hecho muy bien», le dijo. Luego se dirigió al soldado:

—¿A qué llamas tú farsa? ¿A la redención de España?

El soldado, sonriendo, se alejó. Entonces un oficial le ordenó cuadrarse y le dio un bofetón de una dureza inimaginable.

Cada hombre hacía sus planes. Algunos suponían que no les ocurriría nada y se volvían a sus casas dispuestos a permanecer en ellas. A otros les entró un miedo indescriptible, y pensaban en los más inverosímiles lugares donde esconderse. Otros decían: «Inútil, inútil; darán con nosotros dondequiera que nos metamos». Alguien insinuó tímidamente que los militares se habían precipitado y que no era como para agradecerles el lío en que los habían metido.

La orden era: «Devolver el arma al cuartel». Algunos obedecieron, otros la guardaron consigo. Todos pensaban en sus familias, en cómo los recibirían al verlos regresar derrotados, en el miedo que se apoderaría de todos. Voces serenas hacían oír su timbre. «¡Qué más da! Hemos cumplido con nuestro deber. ¡Viva España! ¡Arriba España!» Los ojos se humedecieron al oír aquello: «¡Viva España!»

Empezaba a clarear cuando las calles se desalojaron. La ametralladora de Correos, había desaparecido, lo mismo que los cañones. Sólo quedaban los guardias civiles, algunos soldados y algunos oficiales y los de Falange. Los demás hombres se habían retirado.

«La Voz de Alerta», al llegar a su casa y contar a Laura lo ocurrido, temblaba de pies a cabeza. «¡Tengo que huir, tengo que huir!» Comprendía que no tenía salvación. Pensaba en los Costa. «¡Hay que avisar a tus hermanos en seguida!» Laura lloraba. «¿Qué quieres pedirles? Estaban furiosos por la sublevación. Además que no sé si conseguirán nada. ¡Dios mío!, ¿qué vamos a hacer?» En la puerta de la alcoba sonaron dos golpes. Era la criada, Dolores. «Señorito..., sé lo que ocurre. Todo el día de ayer estuve pensando en usted. Cojamos el coche y nos vamos a mi pueblo. Ya sabe usted que allí todos le queremos. Le defenderemos todos, ¡todos!» «La Voz de Alerta» sintió que aquellas palabras eran el Evangelio: «¡Haz las maletas! Pon esto, pon lo otro...»

El notario Noguer subió a ver a mosén Alberto, el cual no se había acostado. El notario le dijo: «Hay que pasar la frontera inmediatamente. Hay que ir en coche hasta donde sea y luego buscar un guía. Usted se viene también con nosotros».

Mosén Alberto dudó. Dijo que no podía tomar ninguna determinación sin consultarlo con el señor Obispo. «¡Pues vaya a Palacio y vengan a casa antes de las ocho! El comandante no hablará con las autoridades hasta media mañana. No hay tiempo que perder.»

Don Pedro Oriol no quería moverse del piso. «Estoy fatigado. Además, ¿qué pueden hacerme? Supongo que les interesarán otras víctimas.»

Mateo reunió a todos los falangistas y les dijo: «Camaradas, ya sabéis que en Gerona el Movimiento no ha fracasado. Quien diga lo contrario, miente. Aquí hemos triunfado... sin resistencia además. Nuestra labor ha resultado inútil. Ahora tenemos que retirarnos porque en Barcelona ha habido traición. ¡Pero no importa! Tal vez muramos todos, pero España se salvará. Con sólo un reducto que hubiera quedado bastaría, y han quedado no sólo reductos, sino provincias enteras. Que Dios nos proteja. ¡Arriba España!»

Todos le rodearon con efusión. Rosselló le dijo: «Por lo menos tú, ponte a salvo». Mateo contestó: «Yo me voy a visitar a mi padre. Tal vez volvamos a vernos. Os doy mi palabra de honor de que haré lo que crea mejor para el servicio de España. Si pudiera dar la vida para salvar la de José Antonio o la vuestra, la daría».

CAPÍTULO LXXXVII

A las nueve en punto, el comandante izó la bandera blanca en el cuartel y mandó una nota al general indicándole que se rendía con todos sus hombres y armamento «para evitar derramamiento de sangre». La nota añadía: «Creo haber servido a España. Una y mil veces volvería a hacer lo que he hecho».

Aquélla fue la señal. Todos cuantos custodiaban a los detenidos se retiraron al cuartel y luego a sus casas. El general salió a la calle y se encontró con el coronel Muñoz que salía en su busca. Ambos se dirigieron a Comisaría. El Comisario estaba en su puesto, secándose el sudor. También el agente Antonio Sánchez. Julio no había llegado todavía. El general dijo: «Hay que proceder inmediatamente a la detención de esos traidores. Vamos al cuartel». El Comisario sugirió la conveniencia de esperar unos minutos. Había mandado aviso a todos los jefes de los Sindicatos y Partidos Políticos que se habían mantenido adictos al Gobierno de la República, y parecía deber de corrección que ellos formaran parte de la comitiva que fuera al cuartel. «No hay que olvidar que ha sido el pueblo el que ha ganado la batalla en Barcelona y en tantos lugares.»

El general creía que era asunto estrictamente militar y de Orden Público. El coronel Muñoz lo mismo. «Vamos nosotros, usted como Comisario y Julio como Jefe de Policía. ¿Dónde está Julio?» Los acompañarían guardias de Asalto.

El Comisario accedió de mala gana. ¡Cosme Vila, el Responsable, Casal! Se indignarían al saberlo. Tal vez estuvieran detenidos aún. «Tal vez alguno de ellos haya sido fusilado.»

Salieron a pie, formando un grupo compacto que cruzó la Rambla en medio de la mayor expectación. La gente empezaba a salir, insegura. Al reconocer al general y a sus acompañantes, todo el mundo comprendió lo que había pasado. La rendición era un hecho. «Se dirigen al cuartel a detener al comandante Martínez de Soria.»

La comitiva cruzó el Puente de Piedra. Un extraño silencio se había adueñado de aquella parte de la ciudad. Tomaron la avenida paralela al río. Allá al fondo, frente a los cuarteles, se veían manchas oscuras. Se hubiera dicho que había agitación. A medida que avanzaban, percibían voces y ruidos. «¿Qué ocurre?» Suponían que encontrarían el cuartel muerto, con los oficiales formados en espera de su llegada. En vez de esto, era evidente que había gran movimiento. El general, de pronto, temió que la nota mandada por el comandante fuera una estratagema y que los oficiales se aprestaran a disparar sobre ellos a quemarropa. A lo lejos se veía, pequeña, la bandera blanca. Y los gritos continuaban. Ordenó a varios guardias de Asalto que se acercaran a ver lo que ocurría. Éstos obedecieron y regresaron con la noticia de que la gente que había allá eran militantes del Partido Comunista y de la CNT-FAI. Habían visto la bandera blanca en seguida y se habían adelantado a pedir justicia. El general lanzó varias imprecaciones. «¿Son muchos?» «Continuamente llega más gente. Si no se da usted prisa, asaltarán el cuartel.»

Echaron a andar. Y al llegar a unos quinientos metros del edificio se ofreció a sus ojos un espectáculo inaudito. Del cuartel empezaban a salir los soldados tirando sus gorros al aire y pisoteándolos. «¡Licenciados, licenciados!», gritaban. Se quitaban las guerreras, y algunos paisanos les cedían, riendo, sus chalecos, camisas o boinas, poniéndose por su parte la indumentaria militar, en actitudes ridículas. Había mujeres que se quitaban las blusas y las colocaban sobre la cabeza de los soldados, a modo de pañuelo.

—¿Quién ha ordenado licenciarlos? —gritó, exasperado, el general.

Nadie contestó. Los soldados, al verle, iniciaron un movimiento de huida, algunos ni eso. De pronto alguien informó: «¡El comandante Campos!» Porvenir estaba allí y comentó, en voz alta: «No vamos a continuar con Ejércitos, ¿verdad?»

El coronel Muñoz hizo comprender al general que lo más urgente era proceder a la detención de los oficiales sublevados. Todo aquello se arreglaría más tarde. «¡Paso, paso!» La multitud que se iba congregando era enorme. La noticia de la rendición se había propagado ya por toda la ciudad. «¿Y dónde está el comandante Campos?»

Éste apareció en la puerta del cuartel, en compañía de dos sargentos que se habían quedado en sus casas durante la sublevación. El comandante Campos explicó al general que, al ver que la turba se congregaba ante el cuartel, había temido lo peor, y que licenciar a los soldados fue la única forma que vio eficaz para evitar que lincharan a los oficiales. «La orden de reincorporación podrá darse en cualquier momento», añadió.

El general le oía enfurecido, pero estimó que todo aquello era razonable. Entró en el cuartel. «¿Dónde están esos cretinos?» «En el salón de oficiales.» Allá se fueron, y el general en persona abrió la puerta.

El comandante Martínez de Soria estaba en el centro de cuantos habían secundado el movimiento. Eran unos veinte y el general fue mirándolos uno a uno, deteniéndose especialmente en el alférez Romá, que le había tenido en pijama unas cuatro horas, en su cuarto. Los oficiales estaban de pie, los brazos a lo largo del cuerpo. Ninguno de ellos se cuadró ante el general ni saludó militarmente. Éste comprendió. No acertó a articular una sílaba: tanta era su indignación. Se acercó al comandante Martínez de Soria y de un tirón le arrancó la estrella, respetando las condecoraciones. Luego hizo lo propio con los demás, con ritmo nervioso y rapidez inaudita. Mientras tanto, el coronel Muñoz procedía a desarmarlos. Al quitarle el sable al comandante le dijo: «Lo siento...» Éste, al encontrarse sin sable, se quitó también los guantes blancos y los dejó sobre la mesa, al lado de la botella de coñac.

El general hizo un breve discurso anunciándoles que se les acusaba de rebelión militar contra el Gobierno al que habían jurado fidelidad, y que serían sometidos a juicio sumarísimo. El comandante Martínez de Soria le hizo observar que habían jurado fidelidad a España, pero no a un Gobierno que procedía a su ruina. El general le contestó que no era el momento de jugar con palabras.

—¿Dónde quedan detenidos? —preguntó el coronel Muñoz.

El general replicó:

—¡En... el calabozo! ¡En cualquier calabozo!

El comandante Campos se acercó al general. Le advirtió que la masa concentrada afuera preferiría sin duda alguna la cárcel, la cárcel civil. «No olvide, mi general, que ha sido el pueblo el que...»

«¡Al diablo con el pueblo!» El general estaba harto de oír aquella palabra. Por desgracia, los calabozos en condiciones estaban en el cuartel de Infantería. «¡Hay que trasladarlos allá ahora mismo! ¡Andando!»

El comandante Martínez de Soria palideció. Había oído el rumor de la multitud afuera y sabía que sólo el comandante Campos y el temor de las pistolas habían contenido aquel alud. ¡Salir ahora, seguramente a pie y cruzar la ciudad! Conocía al general. No suponía que hubiera mala fe. Había en él algo inconsciente, obraba por instinto.

—General —dijo—, aquí al lado, en el despacho, está mi hija. Le agradecería a usted que mandara custodiarla hasta mi casa.

El general abrió y cerró los ojos precipitadamente.

—¿Su hija...? ¿Qué hace su hija?

El comandante marcó una pausa.

—Pues... ahí está.

El coronel Muñoz intervino:

—No se preocupe. Se la acompañará a su casa.

Los guardias de Asalto rodearon a los detenidos. El general, el coronel Muñoz y el Comisario salieron, y aquéllos detrás. Al comandante Campos le parecía una enorme imprudencia, pero sabía que el general no le daba importancia a nada y suponía que con un grito contendría una multitud.

Al aparecer en la puerta del cuartel la figura del comandante Martínez de Soria, el clamor de la turba fue infernal. «¡Asesinos, asesinos!» Por primera vez se hallaban verdaderamente mezclados comunistas y anarquistas, sin distinción. Socialistas en menor número, pero tampoco faltaban. Y soldados, con boinas o blusas de mujer en la cabeza. Y en primera fila los murcianos. La colonia de murcianos estaba allá entera, con algunos chiquillos. «¡Asesinos, asesinos!» Muchos iban armados y blandían sus pistolas. Al aparecer el teniente Martín el clamor redobló en intensidad. «¡Las tumbas de Joaquín Santaló y Jaime Arias!» Casi las habían olvidado. El teniente había encendido un cigarrillo, y un oficial de Asalto, de un manotazo, se lo tiró al suelo. «¡No haga el chulo, idiota!»

La comitiva echó a andar. La guardia era cerradísima; imposible abrir brecha. De pronto se oyó una voz que salía de lo alto de un camión militar parado allí. «¡Por las armas!» El general no entendió claramente, pero se volvió en redondo. «¡Por las armas!» La multitud se dividió instantáneamente en dos grupos definidos. Los que preferían ver al comandante Martínez de Soria sin estrella, sin sable, sin guantes blancos, despidiendo dolor por los ojos y el alma; al alférez Romá adoptando una actitud de olímpica indiferencia; al teniente Delgado, pálido como un cadáver; al teniente Martín y a los demás; los que preferían esperar que de un momento a otro pudiera despejarse la escolta y echar todos los oficiales al río, y los que al grito de «¡Armas!» se sintieron subyugados por esta palabra, recordando las que habían visto la víspera en manos de los amotinados, la ametralladora de Correos y los cañones. Los primeros continuaron cercando a los oficiales; los segundos entraron en tromba dentro del cuartel.

El general comprendió que era tarde para actuar, y que la media docena de sargentos que había dejado en el cuartel sería impotente para contener el alud. En cuanto al comandante Martínez de Soria dio un grito en dirección del coronel Muñoz: «¡Me ha prometido usted velar por mi hija!» El coronel le contestó: «Y he cumplido, no tenga usted miedo».

Los soldados licenciados fueron los guías de los que prefirieron entrar en el cuartel. Los acompañaron a través de largos corredores en dirección al depósito de fusiles, de bombas de mano. En uno de los patios aparecieron dos cañones. Los milicianos montaron en ellos. A gusto hubieran disparado. Querían arramblar con cuantas armas pudieran. Algunas bombas de mano, por su tamaño, no les cabían en los bolsillos; otras sí. Se llenaban de ellas la pechera. Cogían balines y los tiraban al aire o hundían las manos en ellos, dejándolos caer en cascada. Muchos se pusieron uno en la boca. El contacto frío y metálico los refrescaba. Los más sagaces descubrieron fusiles ametralladoras, se apoderaron de ellos y salieron afuera. Otros se ponían correajes con dos pistolones. Trozos de bandera servían para colocárselos en el cuello, a imitación del Cojo. Algunos se los doblaban en la cabeza a la manera · de los piratas. Los soldados decían: «¡En el cuartel de Infantería hay mucho más!» El camión que había fuera fue abarrotado de armas y alguien lo condujo a toda velocidad hacia el local del Partido Comunista.

Entretanto la otra comitiva avanzaba, cruzando el Puente de Piedra. La gente había ocupado las aceras y contemplaba el paso de los oficiales detenidos. «¡Asesinos, asesinos!» «¡En Barcelona han muerto tres mil camaradas!» «¡En Madrid dos mil!» Aquellas cifras impresionaban al general. Los guardias de Asalto se multiplicaban para que ningún oficial ofreciera blanco seguro a la muchedumbre.

Al entrar en la Rambla se produjo el choque inesperado. En dirección contraria avanzaban, en fila, Cosme Vila, el Responsable, la valenciana, el catedrático Morales y Julio. Los primeros acababan de ser liberados. Julio se había decidido a salir de su escondite en casa del doctor Rosselló.

El Comisario, al verlos, gritó: «¡Ahí están!» El general ordenó avanzar sin hacer caso. Pero la multitud había visto a sus jefes y, dirigiéndose a su encuentro con los puños en alto, gritaba: «¡Viva Cosme Vila! ¡Viva el Partido Comunista! ¡Viva la CNT! ¡Viva Rusia!» El alférez Romá le dijo al teniente Delgado: «Ni un solo viva a la República». El teniente Delgado no pudo contenerse y gritó: «¡Viva España!» Sólo le oyeron unos cuantos. El coronel Muñoz le miró por primera vez retadoramente. El teniente Delgado le dijo: «¿Un coronel se asusta de oír Viva España?»

Cosme Vila parecía un muerto. En veinticuatro horas sus ojos se habían hundido de forma inverosímil, como si los centinelas que le tocaron en suerte no hubieran cesado de apretar en ellos los dedos. Alrededor de la cabeza tenía aún mucho pelo, pero arriba la calvicie era absoluta y ahora relucía al sol. Iba en mangas de camisa, con el cinturón ancho regalo de su suegro y las alpargatas ligeramente abiertas. Correspondió a los vivas de la multitud levantando el puño como sólo él sabía hacerlo. Todo el mundo advirtió que en el costado derecho llevaba un enorme pistolón.

El Responsable llevaba dos. Su gorra, puesta con energía increíble, su visera saliendo agresiva, no bastaban a ocultar, allá al fondo, el color gris de sus ojos. Era más bajo que Cosme Vila, pero al andar se afincaba más en el suelo. Cosme Vila revelaba al andar su origen burocrático, de empleado de Banca. Había llevado zapatos durante muchos años. El Responsable apenas levantaba el pie. Y avanzaba, avanzaba con ritmo incontenible. Daba la impresión de que hubiera podido atravesar los cuerpos del comandante Martínez de Soria, del general, de la multitud, y continuar avanzando sin detenerse. Los suyos le habían rodeado. Santi, de un salto, se le había colgado al cuello y le había dado un beso. Luego miraba a los dos pistolones y los acariciaba. El Cojo decía, mirando al teniente Martín: «¡Y no podemos matarlos!»

La valenciana llevaba el escote de las grandes solemnidades. Al ver a los críos de los murcianos se enterneció. «¡Cinco hijos, cinco hijos!», gritó, señalándose los senos. Julio le dijo: «Ale, ale, no decir tonterías».

El catedrático Morales llevaba un libro debajo del brazo y su aspecto era digno. Parecía el teórico de todo aquello, que interiormente sacaría grandes conclusiones sobre la psicología de las masas. En cuanto a Julio, estaba serio. Aquello no le gustaba. Al ver a los oficiales detenidos y la multitud siguiéndolos, comprendió lo que había pasado. Su primera intención al salir de su escondite había sido dirigirse al cuartel y hacerse cargo personalmente de todo; pero comprendió que era el momento de ganarse o perderse a Cosme Vila y al Responsable. Y prefirió ganárselos. «Si todos nos pusiéramos en contra, no habría nadie capaz de frenarlos.»

Estaba contento porque la multitud le vio junto a ellos, en medio de los dos jefes, identificado. Aquel gesto bastaba. Ahora podría dedicarse a entorpecer los proyectos de ambos, que imaginaba apocalípticos.

El Comisario, al verle, se le acercó. «¡Gracias a Dios!», exclamó. La frase sonó extemporánea en aquel ambiente. La valenciana lanzó una carcajada. «¡Eres más fascista que Lope de Vega!»

Cosme Vila y el Responsable, al alcanzar la comitiva, se miraron un momento y parecieron ponerse de acuerdo. ¡Los eternos guardias de Asalto! Ni siquiera se permitía al pueblo tomarse la justicia por su mano respecto a los militares. El Cojo tenía razón.

El coronel Muñoz se acercó a Cosme Vila. «Le ruego que distraiga a esa gente. A los militares hay que juzgarlos oficialmente. Es ley en todo el mundo.»

Cosme Vila miró al coronel. Julio apoyó la tesis del coronel Muñoz, ¡e incluso el catedrático Morales! «Es ley en todo el mundo.» Fue un acierto psicológico del coronel. Cosme Vila pensó en la prensa del mundo entero relatando los hechos.

—Distraiga a esa gente.

Cosme Vila miró al Responsable. Éste estaba furioso y los suyos bailoteaban alrededor, esperando órdenes. Por otra parte, el general no se había detenido, de modo que los oficiales y la escolta se habían distanciado unos doscientos metros.

—A nosotros estas leyes no nos interesan —dijo el Responsable—. ¿Quién las firmó? ¿Alfonso XIII?

Cosme Vila se encogió de hombros.

—Tú haz lo que quieras con los tuyos. Yo creo que a los militares hay que juzgarlos.

El coronel suspiró. Dio media vuelta y se alejó. El Responsable se mordió los labios. Estaba en juego su amor propio. Se le acercaron sus hijas.

El catedrático Morales intervino:

—Pero hay que exigir que el Tribunal sea popular, que sea el pueblo.

Aquellas palabras provocaron un entusiasmo indescriptible. ¡Tribunal del pueblo! La valenciana se veía con toga y una campanilla, sentenciando a derecha e izquierda. La idea subyugó al mismísimo Responsable.

—Pero que sea pronto —dijo.

La agitación entre la muchedumbre que no oía el diálogo crecía por instantes, al ver que se perdía contacto con la comitiva. Ya los oficiales y los guardias habían doblado la esquina de la Plaza Municipal. «¿Qué se hace, qué se hace?» El caudal de energía disponible era incalculable.

Entonces se oyeron bocinazos. El camión que había ido a dejar las armas del Partido Comunista regresaba abarrotado de militantes, los de los pañuelos en la cabeza a modo de piratas. Todos llevaban fusil ametrallador. En el centro de ellos iba Gorki. Cosme Vila reconoció entre los del camión al obrero de la tintorería, que dijo: «Para mi mujer querría saber de qué se trata».

Gorki pegó un salto desde el camión, a pesar de su barriga, y se acercó a Cosme Vila. «¡En Madrid están muriendo los nuestros por centenares! ¡El Ejército y los curas se han atrincherado en el Cuartel de la Montaña!»

Los curas, los curas... Fue la palabra mágica. Fue el acierto psicológico de Gorki.

«¡Camaradas, el pueblo da su sangre, en Gerona el pueblo ha ganado! ¡A exterminar las cuevas de la oposición!»

Cosme Vila, en mangas de camisa, con su cinturón ancho y sus alpargatas, se puso en marcha en dirección opuesta a la de los militanres. Su decisión estaba tomada. Era preciso arrasar las iglesias de la .ciudad. ¡No más farsa ni espera!

La dirección que tomaba era la de la iglesia del Sagrado Corazón, la de los jesuitas. Era la más cercana. La multitud comprendió en seguida y se olvidó del comandante Martínez de Soria con sorprendente facilidad. También comprendió Julio y, disimulando, se retiró, tomando el camino de Comisaría. Cosme Vila arrastró tras sí el millar de fanáticos entre gritos, vivas y mueras. La iglesia apareció a la vista de todos. El espectáculo de sus torres grises, serenas, y, sobre todo, el de su enorme puerta cerrada, acabó de enardecerlos. «¡Han cerrado, sabían lo que les esperaba!» Junto a la iglesia estaba la residencia de los jesuitas, abandonada. Alguien sabía que a través de ella se comunicaba con el templo. ¡Adelante!

Los conductores de la turba irrumpieron en la residencia. Nadie, todo desierto. En la sala de espera, una mesa y un enorme álbum cronológico de los Papas. Santi se había colado entre los primeros y tocaba todos los timbres que hallaba a su paso. A través de un corredor austero dieron con la puerta de comunicación. Entraron en la iglesia. Los que habían quedado fuera esperaban que de un momento a otro la inmensa puerta del templo se abriera de par en par.

Cuando oyeron los primeros golpes no pudieron contenerse y todos a una subieron los peldaños y, embistiendo con los hombros, ayudaban a los que forcejeaban desde dentro. «¡A... hoop! ¡A... hoop!» A la sexta tentativa la puerta cedió. Y al instante se encendieron todas las luces del templo. Santi había dado con el tablero de interruptores en la sacristía y había iluminado la fiesta. El templo se manifestó impotente para contener a todos. Se oyeron disparos. El Responsable, con su arma, disparaba contra el Sagrado Corazón del altar mayor. No fallaba un tiro, pero la imagen no se caía. Casi siempre le daba en la boca, de modo que la imagen, a cada tiro, cambiaba de expresión, lo cual enardecía más y más a todos. Otros asaltantes destrozaban los altares laterales, los bancos. La valenciana se había mojado la cara en agua bendita. Gorki se había subido a uno de los púlpitos y con un bastón larguísimo que alguien le dio intentaba alcanzar la enorme lámpara central, cuyos cristales tintineaban.

Lo que más obsesionaba a la mayoría eran los confesonarios. En cada uno había una tarjeta con el nombre del confesor. «¡Lástima que ninguno de ellos esté ahí dentro!» La madera era dura, resistente. Los culatazos apenas hacían mella en los ángulos. Unos se sentaban en el interior, otros se arrodillaban. «¡Las cosas que habrán pasado ahí!»

Porvenir era el atleta. Fue el primero en acercarse al inmenso crucifijo de la entrada. Agarrándolo por los pies pidió ayuda. «¡Al río, al río!», gritó. Pronto docenas de manos se ofrecieron. «¡Paso, paso!» La caravana salió. Cristo había quedado tendido, inclinado hacia abajo, pues los que sostenían la imagen por detrás eran más altos que Porvenir. Al alcanzar la barandilla del río se ofreció el Oñar, fangoso, a su vista. Para tirar la Cruz abajo tuvieron que apoyarla en la barandilla y levantarla con esfuerzo sobrehumano. «¡Va...!» Cristo cayó, dando media vuelta completa. Se cayó y quedó clavado en el barro como una flecha. Los brazos de madera de la cruz eran patéticos, señalaban en todas direcciones. La imagen, cabeza abajo, como San Pedro.

En el interior de la iglesia la lucha de los hombres contra la matería estaba en su apogeo. No habría otro remedio que emplear el fuego. Todo era de primera calidad. «¡Lo que tendrán ahí esos tíos!» Cosme Vila fue el primero en incendiar el altar mayor. Se decidió a ello porque calculó que, dado el espesor de la piedra, el edificio no ardería, de modo que no habría peligro para la vecindad. Sólo arderían los altares. Las llamas prendieron en las telas. Ardió un confesonario, luego unos bancos. El Responsable disparaba ahora contra la lámpara y muchos le imitaron. Cosme Vila, al ver a Gorki en el púlpito, de repente pensó: «En realidad, el alcalde tiene que ser él».

El catedrático Morales no comprendía que fuera tan fácil destruir cosas que tenían siglos. Y lo que le llamaba la atención era que todo ocurría sin apenas intervención de la voz humana. Cada ser empleaba las manos, los pies; derribaba obstáculos empujándolos con el vientre, disparaba; unos se reían, otros pensaban en que se habían casado allí; sonaba una bandeja como si fuera un gong, temores supersticiosos de que se cayera algo y los aplastara; *Ave Maria Gratia Plena Dominus Tecum* siguiendo la concavidad de la cripta; colores; sorpresas al tacto, pero apenas intervención de la voz humana. El catedrático

Morales se reía viendo actuar a Raimundo el barbero. ¿Por qué se mezclaban hipócritas en aquella labor?

De pronto las llamas crecieron de tamaño. El humo se iba haciendo espeso. Todos, el propio Cosme Vila, comprendieron que había sido un error provocar el incendio tan de prisa. Aquello los obligaría a salir. ¡Con la cantidad de juegos que podían inventar allá dentro! Ninguno estaba satisfecho de lo que había conseguido. Sólo Porvenir... Porvenir destrozaba los tubos del órgano.

—¡Fuera, fuera...!

Todos obedecieron. Era una pena. El incendio era oloroso. Todo el templo despedía olores excitantes: la madera, el incienso. Olor a cosa buena. La lámpara central acababa de desplomarse y el chico de uno de los murcianos se había salvado de milagro.

Al aparecer en la puerta, Cosme Vila se llevó la gran sorpresa. Imaginaba que la muchedumbre que no había cabido en el templo se habría estacionado fuera, y no era así. «¿Dónde están?», preguntó. Vio que en realidad, excepto los de dentro, no había quedado casi nadie.

—Se han ido —informó alguien—. A otras iglesias.

Era cierto. No habían podido soportar el suplicio de la inactividad y pronto se había formado otra columna, capitaneada por Blasco, que se dirigió a la iglesia del Carmen.

Cosme Vila se enfureció. Hubiera querido organizar todo aquello metódicamente. Pero no era posible. Entonces el Responsable se dio cuenta, por su parte, de que en realidad Cosme Vila dirigía la orquesta. ¡Con el trabajo que había en la ciudad! Llamó a los suyos y sin decir una palabra echó a andar hacia otro lado, como tocado por una idea repentina. Antes de abandonar la calle, volvió la cabeza. Y vio que la primera llama gigantesca salía por la puerta principal. Era extraño que uno no quisiera tan sólo ver el remate de la obra empezada, que se cansara uno tan pronto de operar en el mismo lugar. Era la riqueza. La cantidad de guaridas de la oposición que se ofrecían a su labor purificadora.

Mientras la iglesia de los jesuitas ardía por dentro, en la del Carmen, ocupada por Blasco y su grupo, se repetía la escena anterior, pero con mayor experiencia. El Cojo, que odiaba copiar —y, sobre todo, copiar a Cosme Vila o a Gorki—, en vez de subirse al púlpito y otras zarandajas, se había dirigido directamente al Sagrario, destrozándolo de un culatazo. Su idea era sacar el copón y así lo hizo. Lo tomó en sus manos y de pronto se volvió. «¡Fratres, fratres!», gritó. Lo levantó cuanto pudo. Los llamaba a todos, invitándolos a que se acercaran. Los milicianos acudieron, aunque de momento no comprendían las intenciones del Cojo. Sin embargo, de súbito sus cerebros se iluminaron. ¡La comunión! El Cojo los invitaba a eso. Algunos se arrodillaron, otros permanecieron de pie. El Cojo afectaba aire serio y con su pata coja se acercó al comulgatorio. Entonces empezó a distribuirles una pequeña Forma a cada uno, murmurando cada vez: «*Miserere nobis*». Al llegar a la docena no pudo contener la risa. Soltó una carcajada y entonces abriendo la pechera de Blasco, que hacía de monaguillo, le vertió el resto de las Sagradas Formas entre la camisa y la piel. Blasco se movió como una bailarina. El limpiabotas cogió una Forma e intentó pegársela a la frente. Le pareció que el momento más divertido sería cuando, echando a correr, los discos blancos fueran saliéndole por debajo, por los pantalones.

El Cojo trepó entonces por los peldaños del altar mayor. Se situó tras la imagen de la Virgen del Carmen y de un empujón la tiró abajo. Entonces él ocupó su lugar, la hornacina, y extendió los brazos como un predicador. Alguien había encendido las luces, por lo que las costras de los labios del Cojo eran visibles, en tono amoratado. Se oyeron disparos, auténticas ráfagas con destino a las imágenes. El Cojo temió que le confundieran con un santo. «¡Cuidado!» Y pegó un salto. La madera del altar cedió bajo sus pies y se encontró hundido hasta medio cuerpo, causándose rasguños de los que brotó sangre. Aquello desató su ira. Pudo liberarse con la ayuda de varios camaradas. Al pisar terreno firme vio un marco y un cristal que relucían en el suelo. Los destrozó de un taconazo. Era el Evangelio de San Juan.

Este grupo de asaltantes parecía tener más imaginación. A los de Cosme Vila, en realidad, había terminado por deslumbrarles el oro. El oro de los candelabros, de las coronas, de la custodia. Moverse entre objetos de oro pudiendo destrozarlos; el Cojo y sus huestes se inclinaron más bien por la parodia. Atacaron al hombre posible mejor que a los objetos. Así que, en vez de sacar a la calle el mayor Crucifijo, sacaron dos confesonarios. Y un comunista salió del interior de uno de ellos mostrando a los transeúntes una colección de postales pornográficas y diciendo que las había encontrado allí. Del otro confesonario otro individuo sacó un porrón. «¡Eh, eh, para rociar los pecados!» Se puso a beber. Todos querían participar de la ronda. Algunos transeúntes se reían. La mujer de Casal —su piso estaba allí mismo— había salido a la ventana y preguntaba: «¿Sabéis dónde está Casal, sabéis dónde está Casal?»

Nadie la oía. Del interior del templo surgían también llamas. Unas llamas inmensas, lenguas de monstruo, de tonos diversos. El material parecía más combustible que el del Sagrado Corazón; los olores menos penetrantes.

En toda la ciudad se estableció una suerte de competencia. Lo que empezó siendo una multitud, eran ahora grupos dispersos de cincuenta a cien individuos. La sensación de que eran libres había despertado en muchos de ellos la idea de constituirse en jefes. No se resignaron a ayudar a Porvenir a tirar a Cristo al río. Quisieron obrar por su cuenta.

Ello originó que en dos horas escasas fueran ocho las iglesias que se incendiaran en la ciudad. Y tres conventos de monjas —el de Pilar, las Dominicas y las Escolapias— habían quedado destrozados. ¡El pupitre en el que Pilar había estudiado, hecho astillas! Y las camas virginales de las monjas, orinadas. Y los pianos. Los pianos de aquellos conventos cuya Madre Superiora no quiso seguir el consejo de mosén Alberto. ¿Y dónde se habían metido las monjas? Los milicianos no encontraban una sola, pero, en cambio, descubrían sus secretos... En las Escolapias, víveres para cinco años; en el convento del Corazón de María... un pasadizo subterráneo.

«¡Las catacumbas, las catacumbas de que hablaban!» «Sí, sí, catacumbas, esto debe de comunicar con la sacristía de San Félix, con los curas. ¿O creéis que dormían solas?» El capitán de aquel grupo era Ideal. El chico, con una lámpara eléctrica, se internó por el oscuro pasillo. Adelante, adelante. Los demás le seguían con la seguridad de dar, ¡por fin!, con el centro vivo y oculto donde radicaban las orgías eclesiásticas y las torturas. De pronto notaron humedad. Agua, mucha agua. «¿Cómo puede ser si el nivel de esto es mucho más elevado que el río?» «¡Lo habrán inundado, lo habrán inundado para que no veamos nada!» Desesperados, tuvieron que regresar. Pero pronto descubrieron una bifurcación. Y entonces, a pocos pasos, hallaron una especie de patio rectangular en el que se veían losas adosadas a la pared y montones de tierra removida. Ideal se detuvo. Le acompañaba el brigada Molina, de la Milicia Popular. «¿Qué hay aquí?» Alguien trajo un pico y un martillo. Con el pico despegaron una de las losas, que cedió con facilidad y la atrajeron hacia sí. «¡Esqueletos!» ¡Allí estaban! «¡Miserables!» «¡Allí escondían los cadáveres!» Alguien dijo: «Los cadáveres de los críos que tenían de extrangis». Bien claro se veía. Eran esqueletos raquíticos, como encogidos. Una a una fueron despegando las losas. Ideal hundió sus manos entre los huesos de un esqueleto y el armazón se desmoronó. En cambio, otros se conservaban enteros dentro de ataúdes de madera. «¡Afuera con eso, afuera con eso!» Sacaron los ataúdes. Subieron con ellos al convento. Salieron. «¿Dónde los dejamos?» «¡Ahí en la acera, para que todo el mundo los vea!» «¡Puercas, cochinas!» «¡Traed aquel del crío, el pequeño!»

La exposición de los esqueletos en la acera desató la imaginación de todos. Murillo, que capitaneando su célula trotskista era quien trabajaba en el convento de enfrente, en el rico convento de las Escolapias, fue informado del hallazgo en el convento del Corazón de María. Le pareció que limitándose a no dejar títere con cabeza y a comerse los víveres de cinco años, hacía el ridículo. ¡Un disidente tenía que superar a los adversarios en todo! Su lugarteniente era Salvio, el novio de la criada de Mateo. Murillo había visto demasiado yeso roto en sus tiempos de decorador para que derribar imágenes o fusilarlas le impresionara. Por lo demás, desde aquella parte de la ciudad se veían cuatro incendios. El más cercano, el de San Félix. De modo que quiso superarse. La plaza del convento era la de las escalinatas de la Catedral. El decorado era, pues, grandioso. Entró en la sacristía con un grupo y todos se pusieron las vestiduras sagradas. Murillo un alba que le llegaba a media pierna y luego la casulla más dorada que encontró y un bonete viejo que colgaba en el perchero. Salvio se puso una sobrepelliz y se enroscó una faja roja en la cintura. Y otra casulla. Ni uno solo dejó de ponerse casulla. Tomaron el hisopo, dos incensarios y misales. Y luego el palio. Alguien descubrió un pequeño palio que las monjas utilizaban cuando el obispo visitaba su capilla. Y luego la custodia, que Murillo tomó en sus manos. Y de este modo salieron fuera.

Al otro lado, en la acera, los esqueletos. A este lado la procesión improvisada, cantando *Miserere nobis*. Todos cantaban *Miserere nobis*. En el centro, la inmensa escalinata de la Catedral y luego la fachada, altísima, majestuosa, y luego el campanario, que continuaba dando las horas como siempre, como cuando las oía Matías Alvear, de noche, desde la cama.

Ideal fue informado a su vez. Salió con los demás a contemplar la farsa. Murillo, bajo palio, subía ya los peldaños de la escalinata. Los incensarios bamboleaban en el aire. Sus poseedores eran inhábiles en el manejo y se golpeaban las rodillas, lo cual provocaba hilaridad. De pronto Murillo se volvió con la custodia. Sus grandes bigotes le daban aspecto feroz. Y en aquel momento se cansó de todo aquello. Le pareció que, en realidad, aquello no era nada al lado de los esqueletos que había encontrado Ideal. Lanzó la custodia al aire y quiso bajar de prisa como poseído repentinamente de una idea. Pero la casulla le estorbaba. Todo el mundo se rió. Los del palio se sintieron desamparados. Por suerte, alguien con un cáliz iba repartiendo vino. Aquello alegró a todos, aunque pronto unos y otros volvieron a mirar a uno y otro lado, como queriendo contemplar de nuevo lo hecho, e imaginar nuevas cosas que hacer.

En realidad, era increíble lo poco que daba de sí una custodia. Ideal hubiera creído que uno podía mofarse de ella durante toda una vida; una vez rota no era nada, no se diferenciaba de cualquier trasto de los que Blasco tenía en su habitación.

Sin embargo, los cuatro incendios crecían en tamaño y mantenían aquel estado de ánimo. «¡A ver lo que ha pasado en San Félix!» Todos juntos, Murillo y los suyos, anarquistas y el resto se lanzaron pendiente abajo. Sólo dos o tres mujeres permanecieron ante los esqueletos, montando guardia a los huesos y repitiendo: «Hay que ver, esas cochinas».

La iglesia de San Félix olía a sangre. Las llamas brotaban de aberturas inverosímiles y mucha gente se había congregado en la plaza contemplándolo. El campanario era hermoso como cuando, en otros tiempos, en la noche de San Juan, lo iluminaban con focos desde abajo.

En el centro de la muchedumbre congregada destacaba por encima de toda ella un hombre, un gigante: Teo. A las nueve de la mañana había salido liberado junto con el gitano y el mozo que persiguió a un hermano suyo con una hoz. Teo sabía que Cosme Vila había dado la orden de liberación; pero no se lo agradeció. ¡Días y días olvidado! No quiso presentarse a Cosme Vila. Contempló el paso de los oficiales desde el balcón de un amigo. Y luego vio que la multitud se dirigía al templo del Sagrado Corazón... sin contar con él. Ni una vez se había vuelto Cosme Vila para preguntar: «¿Dónde está Teo?»

Entonces Teo obró por cuenta propia. Bajó a la calle en el momento en que el Responsable había formado su columna dirigiéndose hacia el convento de las Dominicas. La imponente humanidad de Teo consiguió arrastrar consigo unos cincuenta de estos hombres y dirigirse a San Félix. «¡Después de la Catedral es lo más importante!» Antes hubiera querido ir al piso de «La Voz de Alerta» y al de don Jorge, pero comprendió que la gente exigía trabajos de importancia.

Por ello San Félix olía ahora a sangre. Porque los que siguieron a Teo, casi en bloque, fueron los murcianos. Cosme Vila los intimidaba, pero no a Teo. De modo que al penetrar en el templo y descubrir que, contrariamente a lo ocurrido en el Sagrado Corazón, los bancos no estaban desiertos, todo el sol que había caído sobre sus cabezas en la plaza de S'Agaró, todas sus súplicas al arquitecto para obtener agua potable, todas las escenas de su infancia en su tierra pusieron una venda ante sus ojos, los cegaron y apenas se dieron cuenta de lo que hacían.

Se acercaron a los bancos, antes de incendiar nada. Cada uno llevaba un fusil ametrallador: en el cuartel habían sido «de los sagaces». Y en los bancos hicieron otro descubrimiento: las personas que había allí arrodilladas no eran personas como ellos las entendían, no eran como sus hermanas o sus mujeres: eran monjas. Y los murcianos, contrariamente a Ideal, que acusaba a éstas de tener bebés en los pasadizos subterráneos, las acusaban de no querer tenerlos, de no querer ser madres, de traicionar a la humanidad. Por ello, y por sus moños ridículos, y por sus vestidos largos, y por sus aires de moscas muertas, y por el pánico de sus ojos al volverse y ver aquellos hombres con pañuelos rojos en la cabeza, y por los diminutos puntos luminosos de los ·rosarios que tenían en las manos, las acribillaron a balazos. No sabían cuántas eran; cinco o seis. Unas se doblaron hacia delante, apoyadas en el banco de enfrente como si continuaran rezando. Otras se cayeron de lado, sobre las piernas de las primeras. Una, la más joven, se echó para atrás y su cara, chata, desorbitada, se quedó contemplando la bóveda del templo, extendidos los brazos.

Teo no supo si aquello era bueno o malo. En todo caso, algo, era un acierto: se había hecho sin tener orden de Cosme Vila. Por lo demás, ¿qué más daba? ¿No creían en el cielo? Allá se encontrarían con el hermano Alfredo. Por más que, según decían, a éste no le gustaban las mujeres...

De todos modos, a Teo el espectáculo le desagradó. Llevaba días sin ver la plataforma gigantesca de su carro y no creía ya en una disciplina que aconsejaba a su jefe abandonar en la cárcel a un militante como él. Su alma individual se había reencontrado a sí misma. De modo que no pudo resistir la visión de los murcianos introduciendo las manos entre los vestidos de las monjas para ver qué había dentro, si joyas o carne que no era de mujer. Y decidió quemar la iglesia. Lo decidió sin que ello hubiera sido su intención al ponerse en cabeza de la columna. Su intención había sido simplemente comprobar una cosa que le torturaba desde su infancia: la historia de la incorruptibilidad del cuerpo de San Narciso, que era el patrón de la ciudad y que guardaban en una urna de cristal en aquella iglesia, tras el altar que llevaba el nombre del Santo. Teo recordaba que su madre, cuando las Ferias, los había llevado allí a él y a su hermano y les hacía besar el relicario. ¡Quería conocer la verdad! Porque estaba seguro de que todo el cuerpo era de madera. No le quedaba más remedio que quemar la iglesia, para que el espectáculo de las monjas muertas no le persiguiera y para no ver a los murcianos haciendo tonterías. Ahora bien... ¿por qué no sacar antes, afuera, la urna con el cuerpo del Santo e incendiar la iglesia luego? «¡Eh, eh...!» Llamó a los más forzudos. Todos querían ayudarles. Les costó horrores, la urna estaba empotrada. Pero lo consiguieron. Teo era un gigante. «¡A mi casa, a mi casa!» Teo vivía allí mismo, al comenzar la calle de la Barca. Subieron a su casa y abandonaron la reliquia. Y cuando regresaron al templo, ya éste ardía por dentro, ya las llamas brotaban de inverosímiles aberturas.

Aquello olía a sangre... y no a madera ni a incienso. Olía a sangre para los murcianos y para Teo, los únicos que conocían la verdad. Murillo, al ver al gigante, retrocedió. Recordó que cuando su expulsión en la Asamblea, al escapar del escenario, Teo había intentado hacerle la zancadilla. Y, sin embargo, ahora todo ocurría de otro modo. Teo también le había visto, y al descubrir la casulla, el alba hasta media pierna y el bonete en la cabeza, todos sus resquemores desaparecieron y hasta el desagrado por los cinco —o seis— asesinatos. Teo lanzó una carcajada. «¡El obispo, el obispo!» Se acercó a. Murillo. Todo el mundo le siguió. Teo recordó que Murillo odiaba a Cosme Vila. Le abrazó. Murillo no comprendía. Detrás de él, Ideal, con su hisopo, bendecía la escena.

La ciudad entera parecía un campo volcánico del que de pronto pudiera surgir la última llama, la grandiosa y definitiva. Docenas de corazones sentían en su centro, en ese diminuto y exacto centro sólo perceptible en las grandes ocasiones, que la humanidad del hombre había muerto, que en su lugar se había introducido entre los huesos algo inferior, ajeno a él, participante a la vez del estado primitivo y del que tal vez dominara en los últimos instantes del universo, que le convertía en un ente desenfrenado, que buscaba saciar su sed precipitando al abismo el agua de todas las fuentes.

Mosén Francisco, desde una ventana de cocina parecida a la que se asomó tantas veces Mateo en casa de Pedro, había visto a Teo sacando en hombros la urna del cuerpo de San Narciso, y luego vio las llamas brotar del templo. Se arrodilló en el suelo de la cocina, con las manos en el rostro, y sus sollozos inundaron la casa y un gato que había allí, sobre los fogones, le miró como electrizado y se le acercó, restregando su pelo suave en su sotana. De pronto mosén Francisco se levantó y quiso lanzarse escaleras abajo, como si recordara la frase del Caíd que César le había aplicado desde el fondo de su memoria; pero los dueños de la casa le detuvieron. Le dijeron que era demasiado joven para morir. Mosén Francisco quería salvar la Custodia, el cáliz, el cuerpo de San Narciso, a Teo y al mundo; el dueño de la casa pidió una cuerda a su esposa y ató el vicario a una silla. Le ató las manos y los pies y le puso en un rincón. Mosén Francisco entendió que la voluntad de Dios era que continuara vivo y entonces dejó de presionar con sus brazos para romper las cuerdas. Sonrió. Dijo:

763

«Hágase tu voluntad». Y rogó al dueño que le liberara una mano, una mano tan sólo para acariciar al gato.

Docenas de personas seguían con angustia la división de las columnas por la ciudad, y sabían que el Responsable, en las Dominicas, incendiaba no sólo la capilla, sino el edificio entero, e Ignacio había visto al huir del Banco —¡el Banco trabajaba, a pesar de todo!— que Cosme Vila subía en persona, escoltado por seis milicianos, al domicilio de don Jorge, y otros al de «La Voz de Alerta» y otros al de don Santiago Estrada, y cómo inesperadamente, de una tienda de música brotaban guitarras, violines —¡y pianos!— e iban a parar al río, donde unos se hundían en el barro hasta quedar ocultos y otros se clavaban en él como el Cristo del Sagrado Corazón.

Todo el mundo sabía que el general y los veinte oficiales habían llegado ya al cuartel de Infantería y que los veinte detenidos habían quedado encerrados en el calabozo, sin estrellas, sin guantes blancos. Todo el mundo sabía que Julio había salido alocado, echándose el sombrero a uno y otro lado, en busca de Cosme Vila, para que pusiera coto a su obra demoledora. Todo el mundo sabía que en muchas ciudades de España los combates continuaban, que en Barcelona los anarquistas habían llevado el peso de la batalla, que otros como Cosme Vila y el Responsable alcanzaban su plenitud revolucionaria, que misteriosas radios anunciaban que en el puerto de Cartagena los marineros se habían sublevado contra los oficiales y los habían tirado uno a uno con piedras y bolas de hierro atadas al cuello y en los pies, al mar, al Mediterráneo que tanto amaba el profesor Civil, y aquella noticia había paralizado el corazón de don Emilio Santos, pensando que su hijo mayor estaba allí, y, en cambio, había llenado de gozo a su criada, la cual por primera vez desde que estaba a su servicio le dijo a don Emilio que le odiaba, «por fascista».

Cosme Vila y el Responsable sabían todo eso y más. Ahora sabían que por el lado de la Catedral se habían hecho sensacionales descubrimientos: víveres para cinco años... y esqueletos. Esqueletos de bebés en las monjas. Se decía que estaban expuestos a los pies de las escalinatas de la Catedral. ¡Era preciso ir a verlos! Era preciso comprobar aquello, hacer fotografías, informar a Vasiliev, a los anarquistas de Barcelona, a Rusia, al mundo entero. «¡Víctor, trae tu máquina fotográfica!» El Responsable prepararía su andar incontenible. «Reunidos todos los hombres y en marcha hacia los esqueletos, a los pies de las escalinatas de la Catedral.»

Así se hizo. Y aquella consigna que recorrió las calles volvió a reunir a todo el mundo. De un golpe, sin saber cómo, los mil hombres y mujeres —los dos mil quizá— que cuando la rendición de los oficiales se habían congregado ante el cuartel, se encontraron de nuevo todos sin que faltara uno solo, en la plaza de la Catedral, dispuestos a contemplar los esqueletos.

Pero todos tuvieron una decepción. Eran huesos, pobres huesos nada más. Todos se dieron cuenta de que un esqueleto, fuera de monja o de hijo clandestino, no era más que un montón de huesos como el que cada uno llevaba consigo, que con sólo tocarlo se desmoronaba. Además... ¿quién decía que eran de bebé? El tamaño no correspondía; a menos que las monjas, por gracia especial, dieran a luz cuerpos ya crecidos.

La decepción ante el espectáculo de lo muerto dirigió la mirada y el pensamiento de todos hacia lo vivo. Se interrogaban unos a otros. ¿Qué había, próximo a ellos, que estuviera vivo? ¿Lo más vivo posible, el mismísimo símbolo de la vida, de la fuerza, de lo que perdura por encima de los años? ¡La Catedral! Fue un grito que salió del fondo de alguna garganta reseca, que no había participado ni de la ronda de porrón en la iglesia del Carmen ni de la de cáliz que organizó Murillo. ¡La Catedral! Todos miraron las inmensas escalinatas, en uno de cuyos peldaños brillaba abandonada una casulla. Y vieron la fachada y luego el campanario. La cima de éste era la cima de la ciudad. Era lo más alto, lo que presidía, era el principio de vida. A su altura ningún hombre, ni siquiera Teo. Sólo las montañas del Pirineo, visibles al fondo de los meandros del Ter.

Cosme Vila y el Responsable se miraron. ¡A la Catedral! Santi llevaba una bandera roja. Se hubiera dicho que las fabricaba con su propia carne, o con la sangre que había brotado del Cojo al saltar éste desde la hornacina de la Virgen del Carmen. Todos juntos empezaron a subir, en filas compactas, las escalinatas. Cosme Vila tenía un presentimiento: no llegarían arriba sin que ocurriera algo. ¿Cuántos peldaños había? Los chicos del Instituto aseguraban que noventa, otros decían que ciento. En todo caso eran muchos y el sol caía sobre ellos y la calva de Cosme Vila.

Cosme Vila tenía el presentimiento de que ese algo que ocurriría sería la aparición del señor obispo. El señor obispo habría sido informado del incendio de esto y lo otro, de los jesuitas, de las Dominicas. El señor obispo era de prever que lo permitiría todo excepto eso: que le incendiaran la Catedral. Para él la Catedral debía de ser lo que para Cosme Vila sería el Kremlin, llegado el caso. ¿Qué no haría Cosme Vila por salvar el Kremlin?

Los mil hombres y mujeres —dos mil quizá— subían lentamente los peldaños ajenos a los pensamientos de Cosme Vila. Y, no obstante, y como siempre, fue éste quien tuvo razón. Antes de llegar arriba apareció alguien. No era el obispo: eran los arquitectos Massana y Ribas, delegados de Cultura de la Generalidad. Y a su lado otro hombre, con un libro en la mano: el catedrático Morales.

¿Qué ocurría? Los tres hombres extendieron sus brazos en lo alto de la escalinata indicando con ello que querían hablar a la multitud. Todo el mundo se detuvo y ellos hablaron. Comprendían los sentimientos que inspiraban al pueblo, su propósito de tomar venganza, pero... aquello sería un error fatal y la revolución tenía que ser constructiva y no destructora. ¿Qué sacarían con incendiar la Catedral? El mundo entero hablaría de ello. Si como iglesia merecía ser incendiada, como obra arquitectónica, especialmente por la amplitud de su nave, era única en la tierra y por eso tenía que ser guardada y convertida en Museo del Pueblo. Se incendiaría todo lo que hubiera en ella de religioso: altares, imágenes, misales; se fundirían incluso las campanas para fabricar armas con su bronce, armas con que sostener al pueblo donde le hiciera falta, en Zaragoza, Castilla o en Madrid, en el cuartel de la Montaña. Pero el edificio tenía que ser respetado y convertido en Museo del Pueblo, instalando allí todos los trofeos y la historia viva de las conquistas de la revolución. Cataluña entera se lo agradecería. Sería una honra para Cataluña. «¡Viva la Revolución, viva Cataluña, viva el Museo del Pueblo!»

La voz del arquitecto Ribas obró el milagro. Enardeció al propio Cosme Vila. Éste comprendió que el arquitecto tenía razón y el asentimiento del catedrático Morales a sus palabras le confirmaron en ello. ¡Museo del Pueblo...! Idea excelente. Llevarían allí el árbol genealógico de don Jorge, el sillón de dentista de «La Voz de Alerta», que parecía un sillón de tortura, el cuerpo «incorrupto», de San Narciso.

Cosme Vila se volvió de cara a la multitud.

—¡Camaradas! ¡El camarada Ribas tiene razón! ¡Dispersarse! ¡Basta por hoy! ¡Él, el arquitecto Massana y representantes del pueblo se encargarán de este Museo! ¡Por ello el arquitecto Massana acepta presentar su dimisión de alcalde, porque tendrá que encargarse de este Museo! ¡Por ello propone como sustituto el camarada Gorki, y éste también acepta! ¡Camaradas, a las seis todos en la Plaza Municipal! —Cosme Vila sentía que debía decir algo para contentar al Responsable y a los anarquistas—. ¡Nos hemos unido todos para hacer frente al enemigo común! ¡La Cooperativa continuará funcionando para todos! ¡Que las mujeres vayan a buscar lo que les haga falta! Ahora mismo, los encargados de ella se dirigen a abrir las puertas. ¡Salud! ¡Viva la Revolución!

CAPÍTULO LXXXVIII

No hubo descanso para la ciudad, para los doscientos treinta y cinco hombres sublevados y sus familias, para los sacerdotes, monjas y militares, para todo aquel que tuviera manos finas, llevara pulsera de oro o sombrero.

La transformación había sido tal en pocas horas, que todo el mundo se sentía flotar en el aire, lo mismo los que atacaban que los que se defendían; todo el mundo excepto Cosme Vila, el Responsable, Casal, y David y Olga y los hombres que, de pronto, en las barricadas de Gerona y en los pueblos limítrofes, se constituyeron en jefes, se sentaron en la alcaldía y nombraron un Comité Revolucionario.

Acaso fuera esto último lo que dio a Cosme Vila más clara sensación de que el momento había llegado: la simultaneidad con que en el cinturón de la ciudad brotaran pequeños Comités, los Comités revolucionarios, comités que a medida que se abría el campo erigían en sus locales símbolos agrícolas, que ganaban la provincia, los mansos, la tierra y los postes telegráficos. En un santiamén cada célula comunista de campesinos quedó convertida en Comité, en unión de los anarquistas. Del cobertizo o la era pasaron a instalarse en un lugar céntrico, de lo anónimo a la dirección visible del pueblo.

Por otra parte, las radios eran implacables. El director de la Emisora gerundense se había presentado a Cosme Vila, al descender éste de la Catedral: «Camaradas, leeremos los textos que tú nos des. El catedrático Morales podría formar parte de la emisora». El catedrático Morales, mucho antes de que la multitud, a las seis en punto de la tarde, proclamara alcalde a Gorki, informó a los gerundenses de que Barcelona estaba completamente dominada, que en Madrid los militares se habían rendido en el Cuartel de la Montaña, que el Gobierno contaba con el oro, la fuerza, la moral, las simpatías de Rusia, Francia, Inglaterra y todas las grandes democracias del mundo; que aquello, en fin, había constituido un fracaso sin precedentes en la historia de los levantamientos militares. El catedrático Morales había dicho: «Antes de ocho días no quedará un solo foco faccioso en todo el territorio».

Por ello los ocho incendios de la ciudad y la noticia de que Cosme Vila, el Responsable y Casal constituirían aquella noche un Comité Revolucionario local, a imitación de los barrios y los pueblos, llevó al interior de las casas una cantidad de zozobra mayor que la que podían absorber sus habitantes. Por eso se veía a Laura corriendo desesperada en dirección a casa de sus hermanos; a las monjas del convento de clausura de San Daniel, buscando a tientas quién accedería a recogerlas; a Corbera, el de la fábrica de alpargatas, subiendo a Palacio con un mono azul para disfrazar al señor obispo y llevárselo a su casa en espera de un escondite mejor; a don Pedro Oriol negándose a salir del piso, a pesar de los ruegos de su esposa; a mosén Alberto y al matrimonio Noguer detenerse en taxi a veinte kilómetros de la frontera, y hablar con un hombre que les pedía dos mil pesetas a cada uno para conducirlos al otro lado de los Pirineos; a los dueños de la fábrica Soler haciendo planes para embarcarse en el puerto de Palamós; a Matías Alvear recibiendo en Telégrafos comunicaciones de este tono: «Felicitaciones triunfo proletariado, Vasiliev». «Llegaré mañana tarde incógnito, Vasiliev.»

Todo el mundo sintió que la eterna mesa con mantel amarillo y flores bordadas, alrededor de la cual, mejores o peores, amándose más o menos, se sentaban los seres queridos, se iba a convertir en una superficie plana con un plato vacío, o dos, y el comedor en una estancia con una o dos sillas que reclamarían inútilmente su complemento humano, aquel al que estaban habituadas.

En muchas familias las ausencias eran ya un hecho, como en casa del comandante Martínez de Soria, en casa de Mateo, en casa de don Jorge, del doctor Rosselló, de los albañiles y el electricista...

Estas familias, y muchas más, se hallaban en la situación de desear tener a los suyos a la vez próximos y lejanos. Lo más cerca posible de su corazón; lo más lejos posible de los fusiles ametralladores de los murcianos, del Comité Revolucionario que iban a constituir Cosme Vila, el Responsable, Casal.

La propia doña Amparo Campo tenía que lamentar en su piso una ausencia: la de Julio. Julio todavía no había regresado. Llevaba cuarenta y ocho horas fuera. La víspera de la sublevación se refugió en casa del doctor Rosselló. Al saber que los militares se habían rendido, se presentó en la Rambla junto con Cosme Vila y el Responsable; luego se fue a Jefatura y todavía no había regresado. Doña Amparo Campo le decía al coronel Muñoz: «Natural, quiere ver si consigue encauzar las cosas»; y el coronel Muñoz le contestaba: «La batalla ha sido demasiado dura en todas partes. Ha corrido demasiada sangre del pueblo».

El general lo veía todo fácil. «¡A la cárcel, a la cárcel!» Pero doña Amparo Campo tenía miedo y el propio Comisario se confesaba a sí mismo que disminuía de peso.

Julio era quien conservaba la serenidad, aun cuando en algunos instantes había estado a punto de perderla y en ninguno negó la gravedad de las circunstancias. Por de pronto, no creía ni en la cárcel ni en el procedimiento de perder peso para solucionar nada. ¿Por qué negarlo? Los hechos eran amargos, no tanto por sus defectos como por sus causas. Porque lo que en realidad inspiraba temor a Julio era la trasmutación total, absoluta, de valores, de la escala jerárquica. En otras palabras, que Comisaría y Jefatura se hubieran convertido por arte de magia en despachos muertos. Que en otros lugares de la ciudad brotaran, independientes, como plantas salvajes, otros organismos que se arrogaran sus derechos, que ni siquiera les pedían autorización para ello, que ni siquiera les informaban de sus decisiones. Que el nudo de la autoridad estuviera enteramente en manos de los Partidos Políticos y Sindicatos.

Todo aquello era grave. Julio sabía que él era la única esperanza para las familias de mantel amarillo, con uno o dos platos vacíos. Los ocho incendios y demás... mal menor. Ahora bien ¿qué vendría luego? Su fichero de suicidas le había enseñado muchas cosas. Sabía que los suicidas, cuando estaban hartos de destruir sus objetos, su casa y sus ambiciones se destruían a sí mismos. Del mismo modo cuando los Comités Revolucionarios se fatigaran de derribar piedras, se dedicarían a derribar hombres. Ya ante sí tenía un papel anónimo que decía: «¡Por Dios, no sabemos el paradero de seis monjas del Corazón de María!»

Seis monjas. ¿Dónde podían haberse escondido? ¿Tras las losas que Ideal despegó en el pasillo subterráneo? Y el obispo, ¿dónde estaría? ¿Y «La Voz de Alerta»? ¿Y el notario Noguer? ¿Y mosén Alberto? Todos habían desaparecido. ¡Especialmente Mateo y los suyos! Ni un solo falangista parecía vivir en la ciudad. O los luceros de que hablaban los habían atraído como atrae al mar la luna, o se hallaban en el monte; tal vez se escondieran cerca, tapiando brechas con pedazos de camisa azul.

Julio había recibido una orden del coronel Muñoz: custodiar a la esposa y a la hija del comandante Martínez de Soria, garantizar sus vidas. Julio había cumplido respecto a la esposa, la cual se hallaba en el piso rodeada de guardias de Asalto; también había cumplido respecto a Marta, haciéndola acompañar por los guardias adonde ella indicó, al salir del Cuartel.

Julio decidió poner de su parte cuanto pudiera para contener la marcha de las fuerzas que se llamaban revolucionarias y que él llamaba ciegas. Era preciso hacer un llamamiento al buen sentido de Cataluña, hablar de la Generalidad y no de Rusia, de los Costa y no del Responsable. ¡Massana y Ribas habían salvado la Catedral! La ciudad y el arte les deberían su existencia. El ejemplo era consolador. Era verdaderamente una lástima que se nombrara alcalde a Gorki, aragonés, y que el coche de don Pedro Oriol lo condujera ahora un andaluz. ¿Por qué permitir eso? Era la ocasión, para Cataluña, de demostrar su personalidad... Tendría que hablar con Cosme Vila, con el Responsable; y, sobre todo, con Casal y con David y Olga.

Una cosa le preocupaba: el agente Antonio Sánchez había visto a Pilar cuando se llevaba los dedos a los labios y mandaba un beso al coche en que pasaba el comandante Martínez de Soria. El agente Sánchez sabía que la familia Alvear era sagrada para Julio, y a pesar de eso había comunicado el hecho a los demás guardias de Asalto; y la mayoría de guardias de Asalto, según el coronel Muñoz, de no ser por él y el general, al conducir a los oficiales, a gusto se hubieran hecho el tonto, permitiendo que los mil puños en alto que los seguían cayeran sobre ellos, precisamente en el momento de cruzar el río...

Julio, no sabía por qué, pensaba ahora de una manera especial en la familia Alvear. ¡Cuántas partidas de dominó con Matías! Cuántos cafés preparados por Carmen Elgazu, la cual decía: «En seguida se lo traigo; me gusta dejar que se serene...» ¿Quién los llevó a enamorarse de Mateo, de la hija del comandante? Todo aquello era ahora un lío, teniendo en cuenta la constitución del Comité Revolucionario. Y con César, a quien nadie impediría intentar poner a salvo... ¡quién sabe qué!, a lo mejor el mismísimo Museo Diocesano.

—¡Sánchez, cierre la radio!

La voz del catedrático Morales hería los tímpanos de Julio.

CAPÍTULO LXXXIX

Los doscientos treinta y cinco hombres que habían salido a la calle con armas y que se habían retirado por orden del comandante Martínez de Soria, habían desaparecido de las calles. Fueron muy pocos los que se hicieron ilusiones; la mayor parte de ellos ya antes de que se produjera la detención de los oficiales y los incendios, comprendió, como «La Voz de Alerta», que no quedaba otro remedio que ocultarse o huir.

Huir de la decisión que tomó Mateo. Antes de que apareciera la bandera blanca en el cuartel y en cuanto se hubo despedido de los camaradas, fue a su casa. Don Emilio Santos le abrió la puerta. Cerraron por dentro. Don Emilio Santos le abrazó.

—Padre, no puedo hacer nada por mis camaradas, tengo que huir..
Don Emilio Santos no podía con su alma.
—¿Huir adónde, hijo mío? ¿Y cómo?
—Tengo que pasar la frontera.
—¿A pie...?
—A pie, naturalmente... Las montañas se ven allá arriba.
Padre e hijo hubieran querido prolongar la escena, el abrazo, decirse muchas cosas. Pero se daban cuenta de que no había tiempo que perder. Miraban a través de la ventana. La ciudad estaba tranquila aún. Todavía la bandera blanca no había sido izada.
Don Emilio Santos le dijo, separándose por fin de Mateo:
—Deberías buscar un guía. Te daré dinero.
—Dame un poco de dinero, pero no tengo confianza en ningún guía.
Mateo expresó a su padre la seguridad que tenía en el triunfo final, en que volverían a verse. Le aconsejó que se escondiera a su vez. «Tienes que buscar un lugar seguro, salir de Gerona.» Luego añadió:
—Prométemelo.
Don Emilio Santos le contestó una y otra vez: «No te preocupes por mí».
Don Emilio Santos hablaba y no tenía conciencia clara de que se estaba despidiendo de su hijo. ¡Qué rápido iba todo aquello! Hasta que Mateo, de repente, sintió que los ojos se le llenaban de lágrimas. Se echó de nuevo en los brazos de su padre. Éste le dijo: «Que Dios te bendiga». Y luego le abrazó fuerte, respirando también fuerte, como llevaba tiempo sin respirar. Sentía que su hijo entraba en una etapa más dura aún que las precedentes y quería darle ánimo, que no se perdiera por él.
Imposible prolongar la escena. No había tiempo que perder. Mateo, súbitamente decidido, abrió de un empujón la puerta de su despacho sellado y lo contempló por última vez. Los libros estaban allí. Polvo, mucho polvo. Luego miró el comedor. Luego entró en su dormitorio. Luego, sin mirar a su padre, le estrechó la mano y salió, en dirección a la casa de los Alvear.
Subió la escalera de prisa y llamó. Tardaron en abrir. Una voz preguntó:
—¿Quién es?
—Soy Mateo.
La puerta se abrió y Mateo se encontró cara a cara con Pilar. Pilar le abrazó a su vez: era la primera vez que le abrazaba. Con la mano le acarició los larguísimos cabellos de la nuca; sólo pudo balbucear: «Mateo, Mateo...»
El muchacho penetró en el piso, hacia el comedor. Ignacio estaba

en el Banco, César en el Museo ayudando a mosén Alberto a hacer las maletas y a esconder en algún sitio la cama del Beato Padre Claret.

Carmen Elgazu le sirvió café. Matías Alvear le dijo que todo aquello había sido una imprudencia, que los militares debían haber esperado un mes más y asegurar el golpe de Barcelona y Madrid. Mateo le contestó: «Ya no hubiera dado tiempo».

Luego Mateo les expuso su proyecto.

—En cuanto icen la bandera, la turba invadirá la ciudad. Tengo que huir a Francia.

La noticia los dejó estupefactos. A Pilar le dio un miedo infinito que Mateo «echara a andar en dirección a las montañas...» Además, se daba cuenta de que aquello significaba la separación definitiva. Continuaba pensando en que debía irse a una gran ciudad. Tal vez Madrid...

—¿Madrid? —Mateo suponía que en Madrid las represalias adquirirían caracteres dantescos.

Matías aprobó el proyecto de huida pero desaprobó el plan de salir a trompicones, sin conocer la provincia.

—Hay sesenta kilómetros lo menos. Te harás sospechoso. Y luego la montaña es traidora... —A su entender debía llevar un compañero. «¿No hay ninguno de tus falangistas que conozca los Pirineos?»

—¡Jorge! —gritó—. Jorge ha ido de caza por allí.

Era cierto. Mateo enarcó las cejas. Podía ser una idea. Don Jorge tenía propiedades cerca de los Pirineos.

—Y me gustaría llevarme también a Rosselló.

La cuestión era dar con ellos.

—Jorge habrá ido a su casa. Su padre... ¡supongo!, le habrá perdonado. Rosselló no creo que haya querido ver a los suyos. Debe de estar en la fonda con Octavio.

Pilar retenía la mano de Mateo. Todos le miraban, a pesar de sentir que prolongar la escena era imprudente, que era preciso aprovechar aquel par de horas. Hasta que Matías Alvear ordenó a Pilar que saliera en busca de los dos falangistas.

Pilar obedeció y regresó con ellos —Jorge y Rosselló— y con el propio Octavio. Octavio también quería marcharse, aun cuando su novia le había asegurado que podían esconderse en lugar seguro.

Matías Alvear hizo un gesto dando a entender que los consideraba locos.

—¡Estáis locos! ¿Dónde queréis ir cuatro hombres juntos? No llegaríais ni a diez kilómetros de aquí.

—Es verdad. Somos demasiados.

—Dividíos en dos grupos. Separados. De dos en dos.

Se convino así. Rosselló también conocía algo los caminos, o por lo menos, así lo dijo. Acompañaría a Octavio.

—¿Y Roca, y los dos albañiles, y...?

Rosselló dijo: «Me parece que todos tienen la misma idea. ¡A ver si nos encontramos todos en Perpiñán!»

Pilar se desesperaba viendo que todo iba tan de prisa, y que la despedida había de efectuarse ante tanta gente. No podía manifestar lo que sentía. Volvió a abrazar a Mateo. Mateo le dio un beso en la frente. Uno y otro revivieron en un segundo los meses pasados juntos, la fidelidad que se habían jurado sus corazones.

—Volveré.

—¡No, no, no volverás!

La respetuosa actitud de los demás violentaba la escena.

Por fin Mateo se separó de Pilar y acercándose a Carmen Elgazu le pidió que le diera un beso. Ella se lo dio y le colgó una medalla. Estaba emocionada. Mientras duró la discusión les había preparado una buena merienda a cada uno. Cuatro paquetes.

Matías les preguntó:

—¿Hay alguno que no tenga dinero...?

Rosselló. Rosselló no tenía un céntimo.

—Espera un momento. —Matías entró en su cuarto y salió con cien pesetas—. No puedo darte más.

Rosselló se lo agradeció.

Salieron uno a uno, con intervalos de diez minutos. El primero que salió fue Jorge. Las parejas se formarían a la salida de la ciudad. Tomaron la dirección de la Dehesa, carretera adelante... Pilar murmuró desde el balcón: «Que Dios os bendiga...» Y luego fue a su cuarto y se desplomó sobre la cama.

*　*　*

En cuanto a Ignacio, no había podido despedirse de Mateo. Había salido para ir al Banco en el momento en que las tropas se retiraban y corría la voz de rendición. Al instante su preocupación había sido Marta, ¡de quien todavía no sabía nada!

En la puerta del Banco le dieron la noticia de que los anarquistas y comunistas se concentraban ante la bandera blanca en los cuarteles. Ignacio no entró siquiera. Se dirigió a casa de Marta. La madre de la chica le dijo: «Se ha ido con su padre a los cuarteles».

¡Válgame Dios! Ignacio sintió un pánico cerval, pero se dominó al instante, pues la madre de Marta le miraba con ojos de súplica.

—No se preocupe —dijo el muchacho—. Se la traeré, sea como sea. —Iba a salir cuando sonó el teléfono. El coronel Muñoz informaba a la esposa del comandante de que unos guardias de Asalto se dirigían a su piso para custodiarla. Le dio toda clase de seguridades...

Ignacio salió, bajando la escalera a saltos. Su primera intención fue ir a los cuarteles, pero pronto comprendió que si le veían sería peor. Entonces se dijo: «No hay otro remedio que hablar con David y Olga...»

Se dirigió a la UGT. ¡Cuánto tiempo llevaba sin subir aquellas escaleras! Preguntó por los maestros. Éstos salieron. Al verle no pudieron reprimir una expresión de gran sorpresa.

—¿Tú por aquí?

En aquel momento Ignacio se dio cuenta de lo incongruente de la situación, de que había obrado sin pensar si todo aquello era lógico o no. ¡Qué mutaciones más extraordinarias! David y Olga, que no tenían nada que ver con el asunto, arrancados de sus planes revolucionarios para preocuparse de la hija del comandante Martínez de Soria. Ignacio no se arredró. Sintió que todavía creía en las cosas extraordinarias. Miró fijamente a los maestros. Y les explicó.

Los hombres de David y Olga se acercaron mutuamente, como siempre que los maestros oían algo insólito.

—¿Te das cuenta de lo que nos pides?

—Sí.

Y sin embargo, a la maestra le bastó un segundo para dominar su sorpresa. Inmediatamente reaccionó. Pensó que tal vez la vida no fuera tan rígida como ellos a veces habían creído.

—De acuerdo. Que vaya a casa.

Ignacio dijo:

—Pero... es que está en los cuarteles.

¡En los cuarteles! Los maestros se miraron. No había tiempo que perder. Olga salió, seguida a corta distancia por Ignacio. Al llegar al Puente de Piedra vieron la multitud que se acercaba, conduciendo los oficiales hacia los calabozos del cuartel de Infantería.

Olga se dirigió a un oficial de Asalto. Éste le dijo: «La muchacha ha pedido que la acompañen al cuartel de la Guardia Civil. Allí estará».

Ignacio se reunió con Olga y propuso alquilar un coche e ir a buscarla en seguida. Así lo hicieron. Subieron a un taxi sin perder un segundo y se detuvieron en una esquina próxima al cuartel. En efecto, en él encontraron a Marta, sentada entre Padilla y Rodríguez.

Marta, al ver a Ignacio, se levantó, esperanzada. Pero en cuanto vio aparecer a Olga cambió inmediatamente de expresión. Iba a decir algo, pero Ignacio se le acercó y la asió de la muñeca con ademán conminatorio. Olga, sin inmutarse dijo: «Hay que disfrazarla». Padilla, que guardaba toda su compostura, pidió que esperaran un momento. Salió y volvió con unas trenzas que acababa de cortarle a su hija... Olga le puso las trenzas, atándolas con unas cintas... Luego, una falda de flores verdes... Y Olga se la llevó en el coche, hacia la escuela...

E Ignacio quedó solo, recorriendo la ciudad, en el momento en que comenzaban los incendios.

El rasgo de Olga y la sangre fría de Padilla superaron sus posibilidades de asombro. Fue testigo de cuanto ocurría. Vio la cruz en el río, vio formarse la columna del Responsable, las otras columnas, vio salir llamas de todas partes, vio los esqueletos a los pies de la Catedral. Su dolor fue total y comprendió que el temor había reventado. Entonces sintió que le ganaba el sentido de responsabilidad. ¡Ya había puesto a salvo a Marta! Era preciso defender la familia... y a Mateo. Se dirigió a su casa. Mateo se encontraba ya con el paquete de la merienda y las alpargatas camino de los Pirineos. ¡Era preciso salvar a César! Fue al Museo. Mosén Alberto ya estaba fuera. Y se llevó a César a casa. ¡Era preciso salvar a la sirvienta! Volvió al Museo y la llevó, sin pedir permiso, a casa de Julio, diciendo a doña Amparo: «Supongo que no hay nada en contra...» ¡Era preciso salvar a don Emilio Santos! Fue al piso de la estación y se lo llevó consigo al piso de la Rambla.

Pensó en el subdirector, cuyo sillón había visto vacío al llegar a la puerta del Banco. Se dirigió a su casa. Llamó y una voz preguntó:

—¿Quién es...?

—Soy Ignacio, del Banco.

Al cabo de treinta segundos la puerta se abrió. Ignacio vio al subdirector, con aire sorprendentemente digno. Éste le acompañó al comedor y le presentó al hermano Juan, de los Hermanos de la Doctrina Cristiana, el cual se encontraba pegado a la radio.

El subdirector no le dejó hablar. Parecía no comprender que Ignacio había ido a advertirle que tenían que huir del piso, esconderse en algún sitio. El subdirector no pensaba sino en la radio, en las emisoras de onda corta. Le ordenó que se sentara y le obligó a escuchar un extraño locutor que aseguraba hablar desde Jaca. La voz decía que el triunfo militar era seguro, a pesar de que el Alzamiento hubiera fracasado, por traición, en algunas plazas. Repetía una y mil veces que toda Castilla estaba en poder de los militares, toda Galicia y parte del Sur. Daba gritos de ¡Viva España! y ponía compases de himnos marciales: el de la Legión, el de Falange.

Ignacio se impacientó y le dijo al subdirector:

—Todo eso está muy bien... ¡Pero pónganse ustedes a salvo!

El subdirector no reaccionaba. Estaba absorto con la radio. El hermano Juan tenía la vista baja, y se le veía pendiente del subdirector.

Ignacio asió a su superior en el Banco por las solapas.

—¡Ande a disfrazarse y a casa de la Torre de Babel! Yo saldré primero y abriré camino. Allá estará usted seguro.

El subdirector sonrió.

—Yo no me moveré de aquí —sentenció.

—¿Pero no comprende que es una locura?

Al subdirector le parecía que huir del piso era desertar.

—No sea usted tonto. Todo el mundo se está marchando. Supongo que don Santiago Estrada ya estará quién sabe dónde.

El subdirector le miró por última vez.

—Los demás que hagan lo que les parezca. Yo no me moveré de aquí.

Ignacio, furioso, dijo:

—Pues vendremos a buscarlos.

Salió. No sabía lo que le ocurría. Tenía el presentimiento de que sucedería algo horrible y cada persona, aunque no le unieran a ella lazos próximos, le parecía sagrada, precisamente porque entendía que su vida pendía de un hilo. Se dirigió al Banco en el momento en que los empleados salían por la puerta trasera, terminado el trabajo de la mañana.

Se extrañaron al verle llegar con tanta prisa y sudoroso. Ignacio pensó:

—Tal vez no sepan nada de los incendios.

Por el contrario oyó que hablaban de ellos en términos de absoluta indiferencia.

Se mordió los labios y llamó, aparte, a la Torre de Babel. Le describió la situación del subdirector, el peligro que corría.

—Llévatelo a tu casa.

La Torre de Babel le miró desde su enorme estatura.

—¿Yo...?

—Sí. En tu casa estará seguro.

La Torre de Babel le miraba como si Ignacio estuviera loco.

—Pero ¿por qué? ¿Qué peligro corre?

—¿Qué peligro...? ¿No comprendes que ha salido con armas?

—¿Y eso qué tiene que ver?

—Pues... que los matarán a todos.

—¿Que los matarán...? —La Torre de Babel reanudó su marcha—. Anda, Ignacio. Tú confundes el pueblo con los militares.

No logró convencerle. Ignacio quedó desconcertado un momento. Pensaba otro plan, pero de pronto vio pasar a Blasco seguido de unos limpiabotas. Sus rostros resultaban extraños, sus cinturas aparecían rodeadas de pistolas y puñales. Le miraron de extraña manera. Ignacio pensó que en su propia casa estarían inquietos y tomó la dirección de la Rambla. Los himnos de la emisora de Jaca le zumbaban en los oídos.

* * *

Entretanto Mateo y Jorge, con los pantalones medio rotos, veían campanarios de Gerona a lo lejos, y humo... Humo que salía del centro de la ciudad.

Mateo le decía a Jorge:

—Sí, ya sé. España está ardiendo. Pero España ¿ves...? —Le enseñaba un mapa cosido en el interior de la camisa— es un destino en...

Jorge le interrumpía:

—Ale, Mateo, que los Pirineos ¿un más verticales que tu Sindicato.

CAPÍTULO XC

A las scis, Gorki fue nombrado alcalde. La multitud irrumpió en el edificio municipal, tirando a la calle los retratos de hombres ilustres cuya imagen les resultó desconocida. El perfumista vio, en el despacho que le estaba preparado, el inmenso sillón de la alcaldía rodeado de tapices heroicos. Estaba eufórico. Se dirigió a todos los que habían subido al despacho. «¡Camaradas, los antifascistas de Gerona tendréis agua, gas y electricidad gratis! ¡El Municipio al servicio de los ciudadanos y no los ciudadanos al servicio del Municipio!» Cosme Vila nombró los consejeros de Gorki: el catedrático Morales y el brigada Molina. En un cajón del escritorio, este último descubrió un paquete de cigarrillos rubios. Gorki lo levantó, mostrándolo a todos... «¡Pitillos rubios, pitillos rubios!» La carcajada fue unánime, dedicada al alcalde dimisionario, arquitecto Massana.

Afuera, simultáneamente, se efectuaba otra ceremonia que el instinto popular adivinó de primerísima importancia: la requisa de coches. Dos horas le bastaron a la multitud para hacerse con casi todos los coches de la ciudad. En realidad, el primero en apropiarse de uno había sido un andaluz, Alfredo, eligiendo el de don Pedro Oriol. Luego vaciaron todos los garajes de la ciudad. Porvenir requisó una camioneta que repartía café. Cosme Vila había dado orden para que lo menos tres coches fueran puestos al servicio del Partido Comunista. El Responsable había previsto por su parte muchos viajes. Murillo, cuya célula se manifestaba muy activa, se hizo con dos Buicks: el del notario Noguer y otro. ¡A Gorki le correspondía, por derecho propio, el Ford del Ayuntamiento! La valenciana estaba harta de montar en camiones que olían a ajo y esperaba que Teo dejaría de hacer bobadas y le ofrecería algo mejor. El Balilla de don Santiago Estrada fue requisado por la UGT.

En los garajes hubo altercados.

—¿De parte de quién?

—Del Comité Revolucionario Antifascista.

—¿Qué Comité es ése?

—Pronto lo sabréis.

Algunos patronos ofrecían resistencia, a pesar de todo. Los milicianos decían:

—¿Eres de los que llevaban arma o qué?

La razón era convincente. Los garajes, cerrados por la huelga, fueron abiertos violentamente, lo mismo que los particulares. Cuando el conductor en su primera maniobra mostraba ser experto, los dueños de los garajes suspiraban con un hilo de esperanza, pero con frecuencia ocurría lo contrario.

A las siete de la tarde la ciudad era un autódromo. Coches de todas marcas y tamaños iban y venían a velocidades increíbles. El pánico de los transeúntes se acentuó hasta lo inverosímil, pues en un santiamén el aspecto de los vehículos habían cambiado por completo. Ondeaban banderas sobre los chasis; en todas partes inscripciones, preferentemente macabras. Porvenir había atado a la camioneta una tibia, que iba chocando con la madera de atrás. Los limpiabotas habían irrumpido de nuevo en el primer plano y uno de ellos había dibujado, en el parabrisas de su Renault, una calavera. Pero sobre todo, los fusiles. Los cristales del coche bajos, y cañones asomando por las ventanillas laterales. De todos los coches brotaban fusiles. Imposible salir al balcón y no sentirse apuntado desde la calle por docenas de fusiles que pasaban unos tras otros. De repente, un frenazo y milicianos que se apeaban. ¿Para qué? No se sabía. Algo importante.

La posesión de los coches dio a todos una gran seguridad. Los puestos de gasolina recibieron la orden de no agotarse. Las mujeres de los milicianos empezaron a admirar a sus hombres y a creer que verdaderamente la revolución iba en serio. Pero muchos de éstos les decían: «¡Te equivocas si crees que lo he requisado para divertirme! ¡Hay mucho que hacer, mucho que hacer!» Era lo que Julio temía, coincidiendo en ello con el profesor Civil: que la necesidad de justificar el coche llevara a correrías desenfrenadas...

Cosme Vila hubiera querido organizar todo aquello sistemáticamente y al efecto había constituido el Comité Revolucionario Antifascista de Gerona bajo su presidencia y la de Gorki, con el Responsable y Porvenir en representación de CNT-FAI, Casal y David por la UGT, y Alfredo, el andaluz, en representación directa del pueblo. Este Comité tendría poderes lo mismo para dar órdenes que para castigar abusos. Y, sin embargo, toda sistematización se reveló imposible. La reunión se celebró a las siete, en el local que por la mañana era de la Liga Catalana. Todos los miembros acudieron, excepto David, y el Comité Revolucionario Antifascista redactó un mensaje que iba a ser leído por radio. Pero con sólo salir al balcón se veía que a la masa le importaban un bledo los mensajes, que los milicianos se bastaban para planear y realizar sus operaciones revolucionarias. Las noticias que llegaban de fuera eran contradictorias; algunas hablaban de resistencia feroz por parte de los fascistas y aquello desataba los ánimos más aún. Otras ocho iglesias ardían, unas enteramente, otras sólo los altares, y los Comités Revolucionarios de los alrededores iban y venían de sus pueblos al centro de la ciudad informando de las medidas que ellos habían tomado. En seguida destacó el Comité del pueblo de Salt, cuyos dos coches, eternamente uno tras otro, fueron llamados pronto los coches de la muerte, pues en la bandera unas letras negras decían «Muerte a los fascistas». Los componentes del Comité de Salt exaltaban hasta lo indecible a los de Gerona. Ellos no sólo habían quemado la iglesia sino que al cura le habían cortado lo que le hacía hombre y luego le habían colgado en la fuente de la plaza, con los pies en el agua. ¡Podían ir a verlo! Todavía estaba allí. También habían saneado el Manicomio sacando a las monjas en un carro. ¡No hacían más que embaucar a los locos con jaculatorias, aprovechando que estaban locos! Ahora hacían trabajos útiles para la población. Algunas limpiaban los waters del cine, del café, del local del Comité Revolucionario, otras fregaban el suelo en casas de obreros y desde luego todas tendrían que ir a la fuente de la plaza todos los días y bailar un poco ante el cura colgado en ella.

Algunos milicianos de Gerona alzaban los hombros. «¿Y eso qué es? Veréis lo que pasa aquí esta noche.» Les molestaba que se las dieran de listos porque conducían coches que eran llamados de la muerte. ¡Iban a ver los nombres que daban a los suyos! Por de pronto se procedía a completar las listas, que no lo estaban. ¿Cuántos habían salido con armas? ¿Cuatrocientos, quinientos? ¿Y los de Liga

Catalana? ¿Y los guardias civiles que todavía estaban en el cuartel? ¡No tantos humos porque habían mojado los pies de un cura!

A otros les hacía mucha gracia oír hablar de listas. Como si los nombres no fueran conocidos de memoria, o como si no bastara con oler para reconocer a los fascistas.

Los criterios no eran unánimes y bastaba una frase en voz alta para que esta frase fuera repetida por la población y considerada una orden. Corrían rumores de todas clases. «¡Dicen que hay que entregar todas las radios! ¡Piden las botellas vacías, no se sabe por qué! ¡Los patronos tendrán que presentarse al Comité Revolucionario para ser juzgados!» Muchas de estas órdenes eran desmentidas luego, otras quedaban en pie.

Una de ellas quedó en pie, pues no había salido de un grupo cualquiera sino del que capitaneaba el Cojo, el cual iba respaldado por una masa considerable de anarquistas. Se refería a las imágenes que hubiera en las casas particulares. Las familias tenían de plazo hasta medianoche para llevar las imágenes a la Rambla. A medianoche se haría con ellas una hoguera monumental. Y, al efecto, el Cojo y Santi, que dirigían las operaciones, habían trazado con tiza en el suelo, en el centro de la Rambla, una inmensa circunferencia.

En las familias hubo discusiones y forcejeos. Muchas mujeres consideraron pecado mortal entregar las imágenes. Salieron con sus capazos como para ir de compras y se dirigieron a las afueras de la ciudad, a enterrar a San Antonio, o a Santa Teresita del Niño Jesús en un campo, fijando en la memoria el lugar exacto. Otras las disfrazaron. Algunos Niños Jesús se convirtieron en rechonchos muñecos de largas pestañas. Muchas vírgenes vieron que les calzaban alpargatas rojas y que cintas de bailarina se enroscaban en sus piernas. El pie pisando la cabeza de la serpiente simulaba a la perfección el paso de la danza.

Matías Alvear llegó de Telégrafos diciendo que habían empezado las detenciones y que el Comité había decidido utilizar como cárcel el Seminario, del que habían evacuado todo el material, dejando los salones y las celdas libres.

También habían empezado los registros. En la calle del Progreso los milicianos subían piso por piso y Matías había visto por sus propios ojos a Porvenir lanzando a la calle, desde el balcón de un abogado, los tomos de la Enciclopedia Espasa uno por uno. Docenas de personas contemplaban el espectáculo, como esperando que de un momento a otro lanzaran al propio abogado.

Pilar salió un momento, a comprar tabaco para don Emilio Santos, y oyó que el altavoz del Cataluña repetía sin cesar: «¡Hay que dar con el paradero de los de Falange!» «¡Atención, atención!» Y daban las señas de los afiliados, uno por uno.

A última hora Ignacio volvió a salir y, entre coches que zigzagueaban a velocidades estremecedoras, se dirigió a la calle en que estaba la UGT, con la intención de esperar a que David y Olga bajaran y preguntarles si podía ir con ellos a la Escuela, a ver a Marta.

Al cabo de mucho rato bajó David y no halló inconveniente alguno. Todo el mundo sabía que habían continuado siendo amigos. En el camino David le contó que había rehusado formar parte del Comité Antifascista de Gerona porque no le gustaba el cariz que tomaba la cosa.

Ignacio apenas hablaba. Consideraba a David gran responsable y no quería hablar. Había aceptado de sus manos el favor de ocultar a Marta, pero entendía que ello no le obligaba sino a ser correcto. De hablar, diría cosas demasiado duras.

Pero el maestro parecía no darse cuenta, como si monologara en voz alta. Su obsesión eran los coches que pasaban con los fusiles, y su gran temor la llegada de la noche.

—Esta noche van a cometer alguna barbaridad —decía—. Casal intentará impedirlo, pero no sé, no sé.

Ignacio andaba por la orilla del río, adelante, recordando los tiempos en que iba a la Escuela a estudiar Bachillerato. Mil pensamientos cruzaban su mente. Pensaba en Mateo, en las montañas. Pensaba en la iglesia de San Félix —donde se había confesado con mosén Francisco—, ahora quemada. ¿Qué había ocurrido en el mundo? «¡Cuando vea claro lucharé...!» ¡En la calle de la Rutlla recordó que él mismo había conspirado con el Responsable, con el Cojo, en el comedor, con una estufa al rojo vivo! La angustia le había atenazado el corazón. Y la necesidad de rescatarse, de rescatar tanta locura. De salvar. ¡Intentaría de nuevo ver al subdirector! ¡Subiría a casa del profesor Civil y lo llevaría a otro sitio, pues siendo padre de un falangista corría peligro! Las dos ideas colosales de que hablaba Julio... frente a frente. ¡Lo malo es que no estaban frente a frente, sino una encima de otra! Cuando el comandante Martínez de Soria leía el bando declarando el estado de guerra desde el caballo, Cosme Vila estaba detenido en su casa; ahora que Cosme Vila era el astro de la ciudad, el comandante Martínez de Soria dormía sobre paja en un calabozo. ¿Todo aquello duraría poco o mucho? ¿Ocurriría algún milagro y España volvería a vivir en paz? ¡Pobre España! ¿Qué ocurrirá en Málaga..., qué estaría haciendo en Madrid su primo José, qué actitud habían tomado los de Bilbao...? Llevaba impresas en la retina las expresiones de los rostros envueltos en pañuelos rojos. Todo aquello era infrahumano; el hombre había renunciado a sí mismo. Ignacio sintió que una indomable voluntad penetraba en él. Ni estaba desconcertado ni tenía miedo. ¿El fuego estaba allí, las pistolas estaban allí...? Allí estaban. Haría frente a todo y salvaría cuanto pudiera de los que de una forma u otra esperaban de él. El sentido de responsabilidad. Su padre estaba demasiado abatido y su madre tal vez cometiera alguna imprudencia. ¡Pobre Pilar, lloriqueando en la cama! Monstruosos planes le vinieron a la mente. Pensó en Cosme Vila, le recordó en el Banco Arús, tecleando a máquina, y se preguntaba si sería lícito pegarle un tiro... Y otro al Responsable... Y otro a éste, a aquél... ¿Por qué pensaba en aquellas cosas sin sentir escalofríos? ¿Y dónde estaba el arma? ¿Era lícito o no era lícito? ¿Y la infancia de aquellos seres...? ¿Y el hambre...? ¿Serviría de algo? ¿Cuántos Cosme Vila saldrían, cuántos Responsables? ¿Es que iba a matar a toda una multitud?

David, a su lado, continuaba diciendo:

—Cosme Vila y el Responsable, por desgracia, se bastarán...

CAPÍTULO XCI

Con CNT-FAI y el Partido Comunista hubo bastante. Apenas las estrellas fueron dueñas absolutas del firmamento, sin nubarrones ni siquiera luna; apenas el montón de imágenes de la Rambla quedó reducido a un rescoldo negro y húmedo por la purpurina derretida; apenas todos los hombres de la edad de Matías Alvear oyeron, desde sus casas, dar lentamente las tres de la madrugada en la Catedral, CNT-FAI y el Partido Comunista abrieron para la ciudad la gran puerta del cementerio.

Las gestiones de Julio, que, al igual que David, había temido aquella noche como ninguna en su vida; el optimismo del general, que creía que juzgando pronto a los militares no pasaría nada; los interrogatorios que Casal se hacía a sí mismo, poniendo en un plato de la balanza su indignación por «el alzamiento contra la República» y en el otro el verdadero valor de una vida humana, no sirvieron para impedir que se abriera para la ciudad la gran puerta del cementerio. Tampoco las gestiones de los Costa ni de la Junta en pleno de Izquierda Republicana, que acudieron a Comisaría y luego al local del Comité Revolucionario Antifascista, diciendo que la defensa de la República no tenía nada que ver con todo aquello. Nada se consiguió. Los arquitectos Massana y Ribas habían salvado la Catedral, pero no pudieron salvar los hombres, los cuerpos. Los cuerpos de don Santiago Estrada y su mujer; los del subdirector del Banco y el hermano Juan; el de don Pedro Oriol; los de don Jorge, su esposa, todos sus hijos y sirvientas, excepto Jorge, que se hallaba en los Pirineos; el del capitán Roberto, de la Guardia Civil; los de Padilla y Rodríguez, reconocidos por un camarero como atacantes del doctor Relken juntamente con Mateo; el del cura párroco de San Félix y los tres sacerdotes de la ciudad; los de tres médicos y el del abogado de la Enciclopedia Espasa; el de Benito, hijo del profesor Civil, y los Roca y Haro: un total de treinta y seis cuerpos fueron convertidos en pasto de gusanos, porque no podían ser utilizados, como la Catedral, para Museo, ni contener nada útil al pueblo.

Fueron los coches, los fusiles que salían de éstos, los militantes que había dentro, el Partido Comunista y CNT-FAI. Cosme Vila y el Responsable habían planeado la operación desde el despacho presidencial de Liga Catalana, desde el sillón que había ocupado el notario Noguer. A las tres en punto el primer coche se detuvo ante el domicilio de don Santiago Estrada. Subieron al piso, llamaron; como nadie abría, volvieron a llamar; por fin salió el jefe de la CEDA y en el acto fue invitado a que se entregara, con la esposa y los hijos.

—¿De parte de quién?

—Del Comité Revolucionario Antifascista.

Los hijos no estaban. Don Santiago Estrada comprendió. Su esposa estaba en cama; no le dio tiempo a vestirse. Sintió unos brazos forzudos, los de Blasco, que la empujaban hacia el pasillo, escaleras abajo, que la introducían en un coche junto a su esposo. Don Santiago Estrada y ella se miraron y cada uno leyó en el otro el miedo absoluto. Todo ocurría con sencillez abrumadora, en el silencio de la noche: el chirriar de los neumáticos, la sensación de frío, los empujones hacia la pared en la que adivinaban nichos, el vago temblor de unos cipreses, pisadas, ruido de cerrojos, el abrazo mutuo, una descarga y la muerte.

La mujer de don Pedro Oriol quería que la llevaran con éste. Porvenir dijo: «Tú no, tú no has hecho nada». Don Pedro Oriol le dijo a su esposa: «¡Quédate, y reza por mí!»

Don Jorge los recibió con solemnidad. Nadie se había acostado aquella noche. Una de las sirvientas abrió al oír los golpes y preguntó: «¿Qué desean?» «Hablar un momento con tu amo». Cuatro murcianos y Cosme Vila en persona entraron y siguieron a la sirvienta. A Cosme Vila le extrañó tanta ceremonia y empujó a los murcianos por delante. La sirvienta abrió una puerta y en el acto sonó un disparo, y luego otro y luego otro. Tres de los murcianos cayeron gritando. Cosme Vila vio a don Jorge con un fusil en la mano, guantes, botines, en actitud tranquila. A su lado toda la familia en pie, la esposa con unos rosarios colgándole de los dedos. Cosme Vila se arrimó a una pared y puso en marcha su fusil ametrallador. «Ta-ta-ta-ta.» La familia fue cayendo. Las sirvientas hicieron un movimiento para arrodillarse o huir, y fueron alcanzadas a su vez. Cosme Vila entró en la habitación y el murciano remató los cuerpos, que yacían unos sobre otros. Cosme Vila le ordenó: «Quédate aquí de guardia. Voy a buscar gente para llevar ésos al Hospital». Dos de los murcianos gemían en el suelo, el tercero estaba inmóvil.

Treinta y seis cuerpos fueron arrancados de sus casas y llevados al cementerio. Unos murieron con pánico, otros valientemente. Roca y Haro gritando «¡Arriba España!» Benito Civil llamando a su mujer; los tres médicos con el estupor retratado en el semblante; el cura de San Félix deseando perdonar a sus agresores, sin conseguirlo; el abogado de la Enciclopedia Espasa pidiendo de rodillas que le respetaran la vida; Padilla despidiéndose de su mujer con las palabras: «Que la pequeña se deje crecer las trenzas otra vez»; Rodríguez diciéndoles a los milicianos: «Pero España ganará, no os hagáis ilusiones»; el subdirector convencido de que quien había decretado su muerte era la Logia de la calle del Pavo.

La mitad de la ciudad se enteró, durante la noche, de lo que ocurría. Los vecinos de los que eran sacados de sus casas, los que se asomaban secretamente a las ventanas al oír frenar los coches, los que oían los gritos de las víctimas en la escalera, los que percibían algo doloroso, insólito, en los portazos, los que sin moverse de la cama reconocían en las pisadas de la acera algo duro, bélico, de sentencia inapelable. La otra mitad no se enteró de nada. Supuso que los registros continuaban, que los milicianos se emborrachaban del placer de conducir un Fiat o un Cadillac, que andaban mujeres de por medio.

La mayor parte de los milicianos quedaron sorprendidos al ver que matar un hombre, o cinco, era tan fácil. Pensar en la palabra «fascista», apuntar al corazón o a la cabeza y disparar, nada más. Por lo demás, la noche, a pesar de las estrellas, velaba muchas cosas en el cementerio. No se veían los ojos del condenado; eso era lo principal. Se veía un bulto pegado a los nichos, y algunas cosas que brillaban, casi siempre objetos: un botón, la pulsera, la pluma estilográfica. Pero lo principal era no ver los ojos; los ojos de don Pedro Oriol, por ejemplo.

Lo que la oscuridad no conseguía velar, sin embargo, eran las palabras. Las palabras brotaban con claridad perfecta. Invocaciones a Dios —¿quién había visto a Dios?—, amenazas como las de Rodríguez, gritos de ¡Viva España!, peticiones de clemencia. Pero, sobre todo, el tono de las voces .. Alguna voz había sonado de una manera particular entre los nichos y .·s cipreses. Por ejemplo, la del hermano Juan. El hermano Juan era francés y exclamó: «*Mon Seigneur et mon Dieu*». Ideal no comprendió el significado de aquellas palabras, pero el·timbre de la voz le dio, por un momento, escalofrío. Porque le pareció que el Hermano había hablado cuando ya estaba muerto, cuando él mismo y Santi se le habían acercado y le habían rematado a boca de jarro. Mucho rato después, cuando se detuvieron con el coche en el Puente de Piedra y Santi dijo: «Tengo sed», todavía Ideal oía: «*Mon Seigneur et mon Dieu*», y pensaba preguntar a las hijas del Responsable qué significaba aquello. No lo preguntaría en seguida, pero sí al cabo de unos días.

Quien no tuvo miedo fue el Responsable. El Responsable, por el contrario, hubiera deseado que hubiese luz, y no oscuridad. A él le molestaba no ver los ojos, aunque estaba seguro de que los hombres alineados en la pared veían los suyos. En el tercer viaje que hizo, al acercarse a tres hombres del Partido Tradicionalista para darles el golpe de gracia, de pronto sintió ganas de hundir su mano en la sangre. Fue algo más fuerte que él. Se agachó, vio una herida, no sabía en qué parte del cuerpo, no sabía de quién y aplicó la palma de su mano deseando oír: ¡chap! No lo oyó, y aquello le enfureció.

Los que más se exaltaron fueron los que cumplieron su misión cuando ya amanecía. Entonces no había trampa ni líneas difusas ni vaguedad. Aquello que tenían enfrente no era un bulto: era una persona. Con toda su pequeñez y toda su grandiosidad. La inminencia de la muerte daba a los gestos de los condenados un inusitado relieve, una rara importancia. Algunos se arrastraban como lagartijas, daban asco. Por el contrario, otros mostraban una calma insondable y una extraña precisión en cada movimiento. Como si cada uno de sus gestos hubiera sido meditado durante años. Especialmente la manera de avanzar el pie al dirigirse al lugar elegido, y la inclinación de la cabeza. Algo como el instante de la absoluta concentración.

El amanecer ponía al descubierto todos aquellos detalles agravados por el hecho de que el decorado también era otro. En efecto, con la llegada de la luz nadie se atrevió a continuar esperando en el cementerio. Estaban tan llenas las vías a derecha e izquierda, que el espectáculo era nauseabundo, además de que el sepulturero decía: «Ya está bien, ya está bien».

Por ello decidieron —Blasco fue el primero— no detenerse allí, seguir carretera adelante y cumplir su misión en las cunetas, o en un árbol que de repente asomara en un viraje y se mostrara propicio, irguiéndose en un terraplén adecuado.

Todo ello hizo que el significado de la acción cambiara. En el cementerio había un punto de lógica en la siega de las vidas. ¡Todo aquello olía a muerto, la tierra contenía sus jugos, allá estaban Joaquín Santaló y Jaime Arias! Pero en pleno paisaje, en un árbol o en un bosquecillo...

Carretera adelante se encontraban bosquecillos alados y poéticos a la luz del amanecer. En ellos los pasos de los condenados cobraban más solemnidad aún, al dirigirse al tronco elegido. La naturaleza entera despertaba con la jornada, empezaba a vivir y he aquí que había que matar a aquellos hombres. Entonces costaba un poco más apretar el gatillo, excepto contra aquellos que se arrastraban como lagartijas y se mordían el puño.

Hubo casos en que el decorado impresionó de tal suerte a los milicianos que les entró una especie de terror y no consiguieron dominarse. Así Blasco y Porvenir, después de frenar el coche en su último viaje y obligar al abogado de la Enciclopedia Espasa y a dos curas que habían sorprendido en casa de una vieja beata a que se apearan, no pudieron esperar los instantes que se requerían para que los condenados cruzaran la cuneta y se situaran al otro lado. Algo que había en el ambiente los cegó. Y entonces les dispararon por la espalda desde el interior del coche, sin bajarse siquiera de él. Y acto seguido dieron media vuelta rápida, en dos maniobras escalofriantes, y se volvieron sin acordarse de los tiros de gracia.

Así ocurrió. A partir del alba todos los demás, hasta llegar a treinta y seis, fueron asesinados en las cunetas o en los árboles de la carretera, y dejados allá sin enterrar. Lo cual no era agradable, pues en los caseríos la vida continuaba y transitaban cerca muchachas con cántaros de leche, y algún pequeñuelo con vacas o cabras. Alguno de ellos quedó horrorizado al descubrir aquellos cuerpos y echó a correr, dándoles inconscientes bastonazos a los animales. Fue a avisar a los suyos. La gente mayor había oído los disparos. Algunos habían supuesto que eran cazadores, otros habían adivinado. En todo caso, nadie se atrevió a acercarse a aquellos lugares, pues la llegada de los coches continuaba.

No hubo dos milicianos que experimentaran sensaciones idénticas. Hubo personas, como el Cojo, que, al tiempo que sentían un gusto amargo en el paladar, se molestaban porque los cuerpos se caían. Hubieran deseado que continuaran en pie, que pudiera continuarse disparando, como en las ferias. Otros intentaban recordar los motivos por los cuales cometían aquello, y no conseguían dar con ellos. No recordaban sino motivos fútiles, como le ocurrió a Porvenir al disparar contra don Pedro Oriol. No recordó sino que un día le vio en una acera recogiendo un pedazo de papel que se le había caído. ¡Imposible recordar nada más, ni *El Tradicionalista* ni los bosques de su propiedad! Lo mismo que le ocurrió a Cosme Vila en casa de don Jorge. Al ver a don Jorge tranquilo, con guantes, botines y un fusil en la mano, a pesar de la rabia que este fusil le dio y del sabor a caciquismo de toda aquella casa, en el momento de disparar —ta-ta-ta-ta-ta— la imagen que vio como un relámpago que le cruzó la mente, fue simplemente la de don Jorge preguntándole un día, en el Banco Arús, dónde estaban los lavabos.

Hubo impresiones cambiantes, que se sucedieron como olas en el mar. Murillo fue pasto de ellas, en forma extraña. Murillo, por su cuenta y riesgo, en unión de Salvio y camaradas, había llevado a la cuneta a un agente de Bolsa y a dos abogados, todos de la CEDA. Y en el momento de disparar descubrió que el agente de Bolsa se parecía extraordinariamente a Cosme Vila. Enorme cabeza, calvicie prematura, delgada boca horizontal. Entonces, sin saber por qué, en vez de apuntar al corazón apuntó a la cabeza.

La única mujer que intervino en todo aquello fue la valenciana. Sólo en dos viajes. Cosme Vila, antes de ir por don Jorge, había ordenado a dos patrullas de la Milicia Popular que se encargaran de los tres médicos. La valenciana quiso seguirlos porque odiaba a los médicos. Nunca la habían curado cuando los necesitó; y en sus cinco partos tuvo que arreglárselas ella sola, jamás la ayudaron.

La valenciana no disparó, porque contrariamente a lo que suponían Gorki y Teo no sabía manejar un fusil; pero en cada viaje abrió la portezuela a los médicos y los invitó galantemente a apearse. Todo el rato los trató con extrema cortesía, a veces con refinamiento, y en el último viaje reconoció que uno y otro médico tenían aspecto venerable, de hombres con los que de joven tal vez hubiera deseado casarse.

Luego se rió, y tuvo valor después para llevarse los relojes de pulsera y los anillos; de lo cual no fue capaz nunca Blasco, ni Gorki tampoco en la vez en que intervino. En realidad, sólo saquearon objetos personales la valenciana, Porvenir, el Cojo, Santi, los murcianos y Cosme Vila. Cosme Vila, en el piso de don Jorge, al marcharse, y un momento después de haber cruzado el umbral, retrocedió y se llevó el mapa genealógico, pues recordó que se lo había prometido al Museo del Pueblo.

Los murcianos fueron, acaso, los más espontáneos. Realizaron su labor con una especie de alegría primitiva y animal. Estaban convencidos de que cumplían un deber, una importante operación quirúrgica en beneficio del obrero y la sociedad. Las calaveras de los parabrisas les parecían símbolos del bienestar futuro, la muerte de la miseria.

Para ellos no contaban ni las palabras, ni los ojos, ni las frases en francés, ni los bultos ni los cambios de luz y decorado. Lo hubieran hecho todo, siempre de idéntica manera, a cualquier hora y en cualquier lugar. Y no sólo les parecía lógico quedarse con las carteras, sino con las muelas de oro.

Por eso les dolió no encontrar en su domicilio a «La Voz de Alerta». Fue el gran fracaso de la noche estrellada y revolucionaria, sin nubarrones. Todos habían imaginado que la muerte de «La Voz de Alerta», con sus lentes de oro, su sonrisita de oro, su reloj de oro, sería verdaderamente sensacional, y encontraron el piso vacío. Fue la gran decepción. Lo mismo les ocurrió a Cosme Vila, al Responsable, al Cojo y a todos. El piso de «La Voz de Alerta» fue visitado por todas las patrullas, una tras otra; y a todas les sucedió lo mismo. Puerta abierta, clínica dental, instrumentos de tortura. Los murcianos encontraron en la pared un retrato de un general carlista; los que llegaron después, lo encontraron, roto, en un rincón.

Lo de mosén Alberto fue distinto, porque a todos les cupo la esperanza de que la presa no se había escapado. Lo que ocurrió fue que el Museo lo custodiaban guardias de Asalto, respaldados por los arquitectos Massana y Ribas, delegados de Cultura de la Generalidad. Ni una sola de sus patrullas dio crédito a las palabras del oficial: «Mosén Alberto no está». Pero no era cosa de empezar a tiros con ellos. Así que tiempo habría; bastaba con situar centinelas en la Plaza, bajo los arcos.

Algunas personas se inhibieron, no participaron en la matanza, como se hubiera podido esperar. Víctor trabajó toda la noche en *El Proletario*; el catedrático Morales estaba tan cansado de hablar por radio, que se había ido a dormir.

Lo mismo que Casal. Casal sabía que ocurriría aquello, pero nada podía hacer. Estaba intranquilo porque su combate interior no había terminado. De un lado, la medida le parecía monstruosa; de otro se decía: «Tal vez sea necesario». De todos modos, le confesó a su mujer que por primera vez en su vida había oído unas cifras que le daban vértigo.

Con las cifras se refería «a lo que quedaba por hacer». Porque era evidente que aquella noche no era sino el comienzo, y que sus grandes triunfadores, sus triunfadores indiscutibles —Cosme Vila y el Responsable— tenían en el meollo otros planes que se irían llevando a cabo en etapas sucesivas. La diferencia entre los dos jefes estribaba en que Cosme Vila aceptaba de buen grado los plazos. Comprendía que nada en el mundo, ni siquiera una bala disparada a sangre fría, puede atravesar de un golpe más de un corazón, tal vez dos. De modo que admitía como un hecho necesario que, dado el número de corazones, harían falta muchas noches y muchas balas; en cambio, el Responsable vio que se le escurrían las horas por entre los dedos, como le había ocurrido con la sangre, y se rebelaba contra este hecho. Llegó el alba y no se había avanzado casi nada en la labor. Ahora ya despertaba la ciudad, en las carreteras pasaban bicicletas, sería preciso esperar la noche próxima. ¿Por qué no podría detenerse el tiempo?

Sus hijas repitieron la frase del sepulturero: «Ya está bien, ya está bien».

El Responsable comprendió que tenían razón. Él era un triunfador. El fracasado era el sargento, el novio de su hija mayor, al que se le atascó el fusil tres veces, como si una maldición le impidiera disparar. La fracasada era su mujer, que en el Manicomio continuaba rezando el Rosario todo el día y a la que el Comité Revolucionario de Salt había arrancado ¡por fin! las cuentas de las manos. Los fracasados eran los treinta y seis que habían sentido en sus carnes la justicia del pueblo.

El Responsable hablaba de los muertos, de su mujer y del sargento porque no conocía el verdadero fracasado de la noche, el que más raquítico se sintió, más hundido y poca cosa, más avergonzado de ser hombre: Teo.

Teo fue el gran fracasado de la noche. Porque, al fin y al cabo, los que murieron, no fueron abandonados por el hecho ·de morir, sino que se llevaron de los vivos, y dejaron entre ellos, algo consubstancial. Por otra parte, ni uno solo, entre los treinta y seis, murió sin compañía, excepción hecha de don Pedro Oriol.

En cambio, Teo se encontró solo, absolutamente solo. Sin coche, sin patrulla, sin objetivo fijo. Murillo le había seguido las bromas mientras llevó alba, casulla, bonete, encuadrando sus feroces bigotes; pero llegada la noche se había separado de él.

Teo había hecho mil cálculos y todos le fallaron. Imaginó que le bastaría un gesto para que la valenciana acudiera a su lado, y no fue así. La vio un momento y ella volvió la cabeza, con coquetería, y prosiguió su marcha. También había supuesto que los murcianos le pedirían que les capitanease, como en el incendio de San Félix; tampoco fue así. Los murcianos, desde la requisa de coches, habían cambiado mucho, y parecían valerse por sí mismos.

De modo que Teo se encontró solo. Se había dirigido a su casa para cenar algo, pensando que tal vez a última hora, cuando las operaciones empezaran, encontraría el apoyo de alguien, tal vez de algún taxista. De modo que se decía: «¡Claro que sí!» Pero... no contaba con San Narciso. Al abrir la puerta del piso se encontró, inesperadamente, con la urna que contenía el cuerpo de San Narciso. La impresión que recibió fue extraordinaria, porque la posición del Santo, con las manos cruzadas sobre el pecho, era de un patetismo insólito, a pesar de que, de niño, Teo había oído que su madre decía: «Parece que duerme».

Teo quiso sobreponerse aún, vencer el miedo atacándole de frente, acercarse al santo y contemplarle sin ambages, de tú a tú, con lo cual se cercioraría de que era de madera y todo aquello desaparecería. Pero entonces le ocurrió lo doblemente singular. No sólo le pareció que el rostro no era de madera, que era realmente de carne, sino que aquella carne no estaba muerta. Le pareció que era un rostro vivo, que los labios balbuceaban algo. Algo así como «ba, bo...» Entonces, quien sintió que sus músculos se agarrotaban fue él. La gorra impidió que se le erizaran visiblemente los cabellos. No pudo cenar. Salió dando un portazo. Le pareció que soñaba. Y pasó toda la noche vagando solo, sin atreverse a hablar con ningún taxista ni participar en ninguna operación. Ello le permitió ser testigo y fiscalizar muchas cosas. El guiño constante de las estrellas, la impenetrabilidad de las piedras, las llamas lentas y pobres de todos los edificios desmoronados por los incendios, convertidos en solares. Teo recorrió toda la ciudad. Veía cómo los coches se detenían y por las siluetas reconocía a los ocupantes. «Éste es Blasco, éste es Santi.» A Santi le reconocía porque entraba en las escaleras dando un salto, al Cojo por su cojera, a la valenciana porque su escote brillaba... Se ocultaba en los portales, en las esquinas. Vio que trasladaban alguien al Hospital, procedente del domicilio de don Jorge. No comprendió. Vio los esqueletos ante el convento del Corazón de María. ¡De repente, en el río, alguien erecto, con los brazos en cruz! Era el Cristo de la iglesia de los jesuitas, que continuaba cabeza abajo. La soledad de Cristo en el río fangoso era indescriptible. Teo se apoyó en la barandilla y lo contempló. También le pareció que balbuceaba algunas sílabas. Entonces temió volverse loco. Escupió. Finalmente, agotado, se fue a la cuadra donde dormitaban sus dos caballos y el carro. Allá encontró respiraciones amigas y consiguió dormir.

CAPÍTULO XCII

A media mañana, el fantasma de la muerte recorría la ciudad. Una sensación colectiva de responsabilidad flotaba a ras de las cabezas. En realidad, los treinta y seis no se habían ido: estaban presentes, tanto más cuanto que su marcha se produjo con tanta sencillez.

La gente se daba cuenta de que los enemigos contaban en la ciudad y en la vida de cada uno. Seccionados, quedaba un vacío. Las mujeres de los milicianos se sentían incompletas sin don Santiago Estrada.

Fue una mañana lenta, en la que las heridas de la víspera se abrieron a plena luz. Los edificios incendiados, los pianos en el río, un pez dormitando en las teclas de uno de ellos, la horrible mancha negra de las imágenes en la Rambla, con la torpe circunferencia trazada por Santi; una bandera roja coronando la Catedral; cerca de la estación, dos coches flamantes convertidos en chatarra.

A las once el decorado cambió. Los milicianos volvieron a salir. Habían dormido unas horas, empezaba otra jornada. Con ellos reaparecieron los coches, en los que se veían, excitadas, muchas mujeres llevando también mono azul. De pronto, las mujeres se apeaban y detenían a los transeúntes clavándoles una banderita. «Socorro Rojo Internacional.» «Para la Milicia Popular.» Los dos confesonarios del Carmen habían sido colocados a ambos lados del Puente de Piedra, a modo de garitas de arbitrios, y dos milicianas sentadas en ellos admitían donativos.

La ciudad volvió a llenarse de ruidos, en tanto que la gente iba de prisa, excepto aquellas personas que se regocijaban de lo que había ocurrido o lo juzgaban natural. Entre estas personas se contaban muchas de las que nunca se hubiera sospechado. Uno de los carteros, amigo de Matías, le cortó a éste la respiración cuando le dijo: «¡Bueno, por fin habrá pisos que se alquilen!» Otras habían comprado *El Proletario* y leían con sorprendente fruición las listas de las personas consideradas facciosas de la ciudad.

Los cafés y barberías habían abierto y se llenaron de milicianos, algunos de los cuales aseguraban que los militares no habían sido derrotados, ni mucho menos, en todas partes. Que en muchos lugares de España dominaban la situación y que en otros el pueblo continuaba combatiendo. Aquello ponía furiosos a los oyentes, pensando que el comandante Martínez de Soria y los demás oficiales continuaban protegidos por las autoridades. No se hacían a la idea de que pudieran matar curas, pero no a los principales responsables. ¡Y no sólo eso, sino que los familiares de éstos gozaban también de protección oficial! La esposa del comandante Martínez de Soria, Marta... Todo el mundo creía que Marta continuaba tranquilamente en su casa.

Un hecho era evidente: la gente quería pensar en los rostros conocidos que no volverían a ser vistos nunca más, y no podía. Leyes imperiosas, de defensa propia, se imponían a todo otro pensamiento. Los coches volvían a constituir una obsesión —muchos de ellos ya bautizados con nombres parecidos a los del Comité de Salt—. Y más aún que los coches, las órdenes que continuamente salían del Comité Revolucionario Antifascista. Prohibido llevar luto, prohibido preguntar por un desaparecido, prohibido investigar en las carreteras, prohibido salir de Gerona sin un salvoconducto con el sello del Comité. Acababan de constituirse los controles. A cada salida de la ciudad, centinelas armados vigilarían el paso de los vehículos y personas, pidiéndoles este salvoconducto. Bandos pegados en los muros informaban que el Comité Revolucionario Antifascista había instalado las oficinas necesarias para asegurar el funcionamiento de este servicio. «¿Sabéis si está permitido ir a tal barrio...?» «Parece que no.» Todo el mundo, instintivamente, dejó de llevar sombrero. El sombrero desentonaba en medio de los monos azules de los milicianos. Acaso los únicos sombreros que quedaran en la ciudad fueron el de Julio García, ladeado, y el de Matías Alvear.

En seguida fue localizado uno de los grandes peligros: las criadas. Las criadas eran las que se dedicaban a denunciar quiénes escondían a quién. Salían, detenían a un miliciano por la calle y le decían: «En el tercer piso se esconde un cura».

Ello ocasionó un pánico indescriptible. Las personas flotantes, en busca de refugio, se contaban por docenas. Llegaban monjas de fuera, de pueblos lejanos, disfrazadas como podían, y llamaban a la puerta de los parientes. «¡Santo Dios! ¿Tú aquí...?» Las criadas, las criadas habían observado su entrada.

La criada de don Emilio Santos denunció ante Salvio a tres fabricantes procedentes de Barcelona, que con bigote postizo y cazadora de cuero habían entrado en el inmueble vecino.

Continuamente pasaban milicianos conduciendo detenidos hacia el Seminario, convertido en cárcel. Por ello muchas personas abandonaron sus pisos, que eran ocupados por los milicianos o para instalar algún servicio revolucionario. Blasco y el Cojo se instalaron en el domicilio del notario Noguer, donde se enteraron con estupor, gracias a unos papeles que había encima de la mesa, de que don Jorge había desheredado a su hijo, Jorge, por haber ingresado éste en Falange.

Todo el mundo estaba convencido de que los detenidos iban a ser fusilados a la noche. De modo que los allegados, en cuanto se les llevaban el padre o el hermano, comprendían que sólo existía una posibilidad de salvar al ausente: conseguir que uno de los milicianos se interesara por él y tomara personalmente su defensa, alegando que le debía algún favor.

Ello originó una gran conmoción. Todo el mundo hurgaba en la memoria para recordar si en alguna ocasión había hecho un favor a éste o a aquél, a un obrero, al Cojo, a un pobre... En muchos casos, el desconsuelo era absoluto, pues el examen revelaba que no; en otros se oía un grito de esperanza. «¡Un día se había dado una propina crecida a Blasco, se había conseguido que la mujer de Alfredo, el andaluz, fuera operada gratis de apendicitis!»

Los milicianos, al recibir la visita, tiraban la colilla al suelo y la aplastaban con la punta del pie. Algunos hinchaban el pecho para meditar y luego contestaban: «De acuerdo. Estad tranquilos. Salid lo menos posible». Otros, de pronto, reaccionaban con violencia inaudita: «¿Qué os habéis creído? Si algo habéis hecho, allá vosotros». Alfredo, el andaluz, repitió a todos la misma frase: «Lo siento, pero la mitad tiene que pringar para que la otra mitad viva».

Doña Amparo Campo recibía muchas visitas, a las que contestaba: «Hija mía, vamos a ver, vamos a ver lo que puede hacerse. A Julio voluntad no le falta. De lo que nosotros dependa...» También Olga fue asaltada por toda suerte de personas, que suponían que David había aceptado formar parte del Comité, lo cual no era cierto. Olga las desengañaba: «De todos modos —decía al final—, no hay por qué alarmarse tanto. Los primeros momentos son duros, en todas las revoluciones. Pero todo esto se despejará pronto». La preocupación de Olga era que alguien sospechara la presencia de Marta en la cocina de la Escuela. Marta permanecía inmóvil, absolutamente inmóvil; pero una tos inoportuna, un accidente... Por eso Olga decía a todo el mundo: «Otra vez, id a verme a la UGT y no aquí».

✛ ✛ ✛

Entre las familias que buscaban un protector... se contaba la familia Alvear. Julio les había mandado un aviso: «Tomad precauciones. Se busca a Mateo y a Marta, y os harán un registro. Cuidado con Ignacio, cuidado con César».

Era de esperar. Carmen Elgazu sintió en el pecho que la cosa se acercaba. Y se dispuso a defender a los suyos con las uñas. No le dio por lloriquear. Estaba dispuesta a salvar a sus hijos y decidió ir en persona a ver a Julio y decirle: «Tiene usted ocasión de lavar un poco su alma. Guárdelos usted mismo en la Jefatura de Policía». La humillación que esto representaba no le importaba. Las vidas de Ignacio y César valían más que todo. Por otra parte, estaba con ellos don Emilio Santos, el cual decía: «Yo me iré, me iré, no quiero comprometerlos».

Carmen Elgazu se disponía a salir cuando Matías Alvear la detuvo. El hombre, al recibir la nota de Julio, se había concentrado de tal modo que le pareció haber dado con la solución, con el punto luminoso que le esperaba al otro confín de la memoria... ¡Ignacio había dado un día sangre en el Hospital! Matías no recordaba a quién... Pero estaba seguro de que era alguien... extraño..., alguien que sin duda alguna ahora...

—Espera un momento —le dijo a su mujer—. Ignacio, ¿cómo se llamaba el hombre al que diste sangre en el Hospital?

Ignacio no perdía gesto de sus padres, esperando que ellos terminaran para poner en práctica sus proyectos, pues también tenía el suyo... Contestó:

—Dimas. Se llamaba Dimas.

—¿Y de dónde era?

—De Salt.

¡Dimas, y de Salt...! ¡Del pueblo cuyo Comité...! Matías les dijo:

—No os mováis de aquí. Esperad un cuarto de hora. Vamos a ver si lo solucionamos todo de un golpe. Los registros en la Rambla todavía no han empezado, y me dará tiempo.

Era tal su entusiasmo y tal su decisión, que todos se dispusieron a obedecerle.

Matías salió y a la media hora justa regresó... de forma espectacular. El corazón le latía con fuerza inaudita. Todavía no se explicaba cómo había pensado en ello, por qué... Un toque de gracia. Al leer la nota de Julio deseó tanto salvar a sus hijos que dio con la solución.

Lo cierto es que regresó con un hombre alto, sin afeitar, que llevaba dos pistolones. Dimas, el de Salt. Y al lado de éste otro miliciano, bajo, de dientes blanquísimos, que le daban aspecto agradable. Dimas rezongaba:

—¡Haberlo dicho, haberlo dicho! Aquí no entrará ni Dios.

Carmen Elgazu y César quedaron paralizados al oír aquellas palabras. Pero comprendieron. Lo mismo que Ignacio, lo mismo que Pilar. Matías se había quitado tal peso de encima, que el lenguaje de Dimas le hacía gracia.

La presencia de don Emilio Santos molestó a los dos hombres. Al saber quién era, Dimas miró a su secretario: «Eso ya...» Pero el recuerdo de Ignacio lo borró todo. «Nada, nada. No discuto. Aquí no entrará ni Dios».

Dimas llevaba más de treinta horas efectuando registros y no conseguía hacerse a la idea de que en aquella casa no podía abrir los cajones ni echarlo todo a rodar. Por ello miraba sin querer a derecha e izquierda. Carmen Elgazu, al verle de perfil, se horrorizaba. Dimas tenía un perfil de enfermo o de criminal. En una de las miradas descubrió una pequeña figura con barretina, de pie en el trinchero. Dimas se acercó y dio un silbido. «Anda, anda —dijo—. La Virgen.» Pero no la derribó.

A César, aquel hombre le daba una lástima infinita. ¿Por qué hablaba de aquella manera? ¿Por qué llevaba aquellas patillas, y aquellas pistolas? ¿Cómo se las arreglaría, el pobre, para impedir que entrara Dios? ¿Y si Dios se había servido de él para entrar?

Carmen Elgazu dominó su repugnancia y tomó la palabra. Le pidió a Dimas que garantizara la vida de sus hijos y la de don Emilio Santos. Le dijo que nunca se arrepentiría de una buena acción, y que sabría que en ellos tenía unos amigos. «Ya ve usted que en la vida vamos necesitándonos unos a otros.»

Dimas asentía sin dificultad. Su secretario sonreía. No hacía sino mirar a Pilar. A Dimas la seguridad de Carmen Elgazu le imponía, además de que la mujer era la única persona en el mundo que le trataba de usted.

Matías le preguntó qué pensaba hacer para «garantizarlos».

Dimas le miró ofendido.

—El Comité Revolucionario de Salt da su palabra.

Matías no lo dudó, pero insistió en preguntar qué pensaba hacer. El secretario de Dimas dijo:

—Pues... uno de nosotros se quedará aquí de guardia, siempre.

Carmen Elgazu palideció.

—¿Sólo uno...?

Dimas le contestó que si quería un batallón. Matías dijo:

—No seas tonta, mujer. Con uno basta. Es la presencia.

La frase gustó a Dimas.

—Tú lo has dicho. Es la presencia.

Dimas se fue, y se quedó su secretario, que dijo llamarse Agustín. Carmen Elgazu le preparó café. Sería horrible tener siempre un miliciano en casa; pero... era la presencia.

Agustín dio tal sensación de seguridad a todos, que en el acto la familia dejó de pensar en sí misma. La memoria los llevó hacia todo lo ocurrido afuera, hacia los que habían muerto, hacia los que huían a través de los Pirineos, hacia Marta, inmóvil ante el acuario.

Todos pensaron en que era preciso aprovechar y ayudar a los demás. Matías salió un momento, se fue a Telégrafos, pensando a quién podría recoger. En Telégrafos escondió dos imágenes: el San Francisco de Asís y la Santa Clara. Las encerró en una caja de hierro que llevaba meses en un rincón.

De vuelta al piso, tuvo la gran sorpresa: Ignacio y César habían desaparecido.

Ignacio había cobrado tal seguridad, además de que Agustín le confirmó que «los paseos» sólo se darían por la noche, que quiso ir a ver a Marta de nuevo, pues sin noticias suyas no podía vivir; y en cuanto a César, por primera vez había cometido una falta grave: se había escapado... a pesar de tener orden de no moverse. Carmen Elgazu no acertaba a explicárselo. Pilar tampoco. El propio Agustín, con el fusil en la mano, se preguntaba por qué diablos habría hecho aquello.

—Ha mirado el periódico y ha salido pitando —repetía sin cesar.

—¿El periódico...?

Fue Matías quien repitió esta pregunta. Y la repitió porque le pareció comprender. Matías había visto que César se afectaba mucho al leer la lista de las iglesias incendiadas. Habría querido ir a verlas. ¡Santo Dios...! Quién sabe si se le habría ocurrido intentar salvar algo de las que quedaban sin destruir...

Matías volvió a salir en busca de su hijo. «¡Con su cabeza al rape!» Desde que se marchó el doctor Relken, la de César era la única de la ciudad. Además de que todo el mundo le conocía. Matías, jadeante por las calles, volvía a percibir, por segunda vez en pocas horas, una honda sensación de paternidad.

Pero no había peligro. Ni para César ni para Ignacio. Agustín tenía razón: «los paseos» se darían por la noche. Había tanta gente por las calles, que casi era el lugar más seguro. Un transeúnte más no importaba, a condición de no llevar sombrero... De modo que a Matías, que llevaba el suyo, le miraban con mucha mayor insistencia que a Ignacio y a César.

Regresó sin dar con su hijo. No había más remedio que esperar. ¡Qué locura, santo Dios! Ni César ni Ignacio debieron salir. Matías no pudo reprimir una mirada de súplica en dirección a la payesa con barretina que presidía el comedor.

Ignacio había llegado a la Escuela sin novedad. Marta, al verle, se le echó en brazos. La chica perdió toda la energía de que daba prueba al estar sola o con los maestros, y rompió a llorar: «Ignacio, Ignacio...» Estaba en la cocina, no se movía de allí, dormía allí. Por la noche, le daban miedo las cucarachas...

—¿Qué hay, qué pasa en la ciudad?

Ignacio se dio cuenta en seguida de que Marta no sabía absolutamente nada de los muertos. Ni siquiera de los incendios. La ventana de la cocina no estaba orientada hacia la ciudad. La ventana daba a los campos, al río... y al cementerio. Pero ¿quién hubiera notado nada en el cementerio? La tapia era impenetrable, como siempre.

—Esta noche me ha parecido oír...

«Nada, nada.» Ignacio la tranquilizó. Pensó decir a los maestros que no le dieran nunca a leer el periódico. La tendría engañada.

—¿Y mi madre...? ¿Y mi padre...? ¿Y Padilla y Rodríguez?

—Bien, bien. Todos bien... Tu madre está tranquila, los guardias se llevan bien con ella. Tu padre... en Infantería, ya sabes. Por el momento no se habla de nada. Mateo, a estas horas, tal vez ya esté en Perpiñán... Padilla y Rodríguez bien. Consiguieron marchar en coche, no sé cómo se las arreglaron.

—¿Adónde...?

—No sé. Creo que a Barcelona.

Marta se le comía con los ojos. Le daba vergüenza llevar aquellas trenzas de la hija de Padilla y la falda de flores. «Debo de estar feísima.» Ignacio sólo la reconocía por la voz. Por la voz y por la mirada, y por el alma que ponía en cada palabra.

—¿Y tú...? —preguntó Marta cruzando las manos en la nuca de Ignacio.

—Tranquilo, ya lo ves. Esperando. —Ignacio repitió—: Esperando.

Marta, entonces, habló de los maestros. «¡Son unos canallas, ya te lo dije! Gente turbia, resentida. No hay más que verlos comer. Además, duermen aquí al lado y te juro que son unos cochinos.»

Ignacio hizo una mueca de desagrado. Marta no quiso insistir. Entonces le dijo:

—¿Sabes...? Me ocurre lo que a Pedro: mi único consuelo —además del acuario, claro está— es la radio.

Olga le había llevado un aparato pequeño a la cocina. Y con paciencia, de vez en cuando, conseguía oír emisoras lejanas, incluso África.

—No está perdido, Ignacio, ¿sabes? ¡Ni mucho menos! Claro que se ha perdido lo más importante, pero... ¿sabes cuántas capitales de provincia están en nuestras manos?

—No sé.

—¡Veintitrés! Contando Mallorca. Y otros puntos aislados de resistencia como, en Toledo, el Alcázar.

Ignacio no compartía su optimismo, pero por nada del mundo la hubiera decepcionado. Ignacio había prestado mucha atención a las últimas declaraciones de Prieto: «¿Qué pretenden los militares? Lo tenemos todo. Tenemos el oro...»

Ignacio permaneció al lado de Marta hasta que David regresó. Quiso esperar al maestro para darle las gracias de nuevo y para pedirle que le acompañara unos quinientos metros. «Que no me vean salir solo.»

David se puso furioso al verle. En el camino le dijo: «No vengas más. ¿No comprendes que sospecharán?» Ante la expresión de sufrimiento de Ignacio añadió: «Si acaso, yo iré a buscarte de vez en cuando y te vendrás conmigo».

Ignacio vio que David había llegado en coche, en el Balilla de la UGT.

Al llegar a casa encontró a todos en la mayor zozobra. El día iba cayendo, la cárcel se llenaba y César no había vuelto.

—¡Agustín, por Dios, salga a ver si le encuentra! —le decía Carmen Elgazu al miliciano. Pero éste intentaba convencerla de que sería una imprudencia dejarles solos en el piso.

—El chico es uno solo y ustedes aquí son cinco.

A Carmen Elgazu le parecía que tenía el mismo valor cada uno de ellos que el resto de la familia.

Ignacio quería salir en busca de César, pero Agustín se situó en la puerta con su fusil, y se lo impidió.

CAPÍTULO XCIII

Cuando las sombras invadieron la ciudad, los coches de la muerte encendieron de nuevo sus faros. Las familias veían con angustia avanzar las horas. ¿Cuándo empezaría la razzia? ¿A quién tocaría? Los cientos setenta detenidos en el Seminario y las veintidós mujeres detenidas en la cárcel rezaban el Rosario.

Había sido necesario requisar más coches pues varios de ellos se habían estrellado durante la jornada. Julio, junto con los Costa, había ido a ver al general pues todo aquello le daba miedo; pero Cosme Vila le había dicho: «Si intentáis algo, sacamos las ametralladoras».

Julio se dio cuenta en seguida de que él mismo estaba en peligro si no tomaba una determinación. Los guardias de Asalto de Jefatura estaban nerviosísimos y se quejaban de que a aquellas alturas tuvieran que custodiar a la esposa del comandante Martínez de Soria y el Museo Diocesano. Estaba visto que no dispararían contra el pueblo jamás. La mayoría era de origen humilde, todos ardían en deseos de adherirse a aquél.

Julio vio que los coches de la muerte encendían los faros y acarició a *Berta*. También los Costa estaban desesperados. Habían acudido de nuevo al Comité Revolucionario Antifascista para protestar. Sólo pudieron ver a Casal, a quien si bien las cifras que oía continuaban dándole vértigo, e intentaba frenar a Cosme Vila y al Responsable, no dejaba de tener presentes los muertos que la sublevación militar había ocasionado entre el pueblo. Casal les contestó:

—¡No sean ustedes ingenuos! ¡Protestar a estas horas! Vayan ustedes a Barcelona y entérense del número de obreros que han muerto en los combates. Y en Madrid, y en Oviedo. —Finalmente, les dijo—: Lo mejor que ustedes pueden hacer es salir poco de casa...

Los milicianos cenaron bien y bebieron lo suyo. La labor iba a ser ardua. Se sabía que mucha gente estaba oculta en huecos inverosímiles. «Han tapiado paredes, puertas secretas.» ¡Con las puertas secretas que había en Gerona!

A medianoche no podían soportar la espera. Las calles, desiertas, Alfredo el andaluz subió al piso del Delegado de Hacienda, llevó a éste al cementerio, le cortó las orejas y le mató.

A la una, Gorki y tres milicianos subieron al piso del juez de Primera Instancia, que quiso conservar su puesto cuando las bases. El hombre, en pijama, se sintió transportado al cementerio. Era el mejor amigo del Delegado de Hacienda. Le reconoció. Gritó algo. Cayó a su lado.

A la una y media, el presidente de la Audiencia. Se encargaron de él el Responsable y Porvenir, que aquella noche habían decidido trabajar juntos. Las hijas les habían dicho: «No nos gusta que os separéis. Podría ocurrir algo».

El Jefe de Telégrafos, el de Teléfonos, el de la Estación. Otros dos médicos.

El catedrático Morales sabía que todo aquello era el principio, que la gran operación estaba prevista para las cuatro de la mañana, y se había dicho a sí mismo que faltaba gente fuerte. Los milicianos, en general, no le inspiraban confianza. Estaban borrachos. Todo el día habían estado bebiendo en compañía de los Comités de los pueblos vecinos y ahora, en el coche, llevaban el porrón. Las mujeres eran las primeras en incitarlos a beber.

Por ello se habían procurado un gran refuerzo para las patrullas seleccionadas: Teo. Se dijo que la ayuda de Teo iba a ser indispensable. Por su fuerza, entusiasmo y experiencia. Además de que el gigante daba lástima andando solo. Durante el día había salido con su carro y había hecho un viaje a la estación, como dando a entender que se inhibía de todo; pero en la estación llevaban una semana sin ver un tren y regresó de vacío.

Morales fue a ver a Teo. Le dijo: «Vengo de parte de Cosme Vila. Reconoce que tienes razón, aunque ya sabes que la disciplina...» Teo empequeñeció sus ojos.

—¿Vienes de parte de Cosme Vila?

—Me ha ordenado que viniera personalmente, y que te esperamos. Además, quiere organizar un homenaje a la memoria de tu hermano, en el cementerio.

Estás últimas palabras hundieron a Teo, toda su resistencia cedió. Barbotó algo, sin duda alguna expresión alegre. Empezó a creer que sí, que Cosme Vila le llamaba. Empezó a sospechar que era lógico, que le necesitaban. El catedrático Morales añadió:

—Si no vienes, tendremos que llevar la valenciana al Manicomio.

Teo pegó tal puñetazo a la urna de San Narciso, que casi rompió el cristal. Morales le dijo: «Anda, vamos, ya volveré yo por este Santo». Se lo llevó. Se llevó a Teo al Comité Revolucionario Antifascista. Cosme Vila, al verle y ver el signo de inteligencia que le hacía el catedrático Morales, sonrió. «¡Salud!» Levantó el puño. La valenciana estiró las piernas. «Salud, fascista.»

Teo estrujaba la gorra entre sus dedos. Miró el despacho que fue del jefe de la Liga Catalana. En la pared vio un pequeño papel: «Instrucciones para el homenaje al hermano de Teo».

No decía: «Jaime Arias»; decía «hermano de Teo». Su entusiasmo fue tal que se puso al frente de la gran operación, la que el catedrático Morales sabía que se preparaba para las cuatro de la madrugada. El Responsable y Alfredo el andaluz le consideraron un competidor de categoría. Lo mismo que Porvenir. De todos modos, pensaban: «Habrá trabajo para todos».

Nunca más andaría Teo solo por la ciudad, expuesto al sentimentalismo y a la locura. El catedrático Morales le dijo: «Escucha la radio». A los diez minutos oyó: «El Partido Comunista saluda a Teo». El gigante tomó el sello del Comité Revolucionario Antifascista, sopló en él y abriéndose la camisa se tatuó el pecho; aunque era demasiado peludo, y la valenciana le dijo, entre carcajadas: «Yo te tatuaré luego, guapo».

Los coches iban de acá para allá, frenando ante las casas de la ciudad. El pánico era absoluto y cada persona daba lo mejor o lo peor de sí misma. Teo iba a dar lo peor, lo mismo que estaban haciendo el catedrático Morales y Julio, lo mismo que se disponía a hacer Pedro, el disidente; otros daban lo mejor, y entre ellos se contaban Dimas, el miliciano, Agustín, su secretario; mosén Francisco y César.

Mosén Francisco no había aceptado la propuesta de Laura de refugiarse en casa de los Costa. Mosén Francisco no tenía más que una idea, sobre todo desde que su párroco había muerto: continuar ejerciendo su ministerio. Los dueños del piso en que vivía habían desistido de atarle de nuevo a la silla como hicieron cuando el incendio de

San Félix. «Si hacéis eso, seréis responsables de muchas cosas». Mosén Francisco se había disfrazado de miliciano, mono azul, gorro, correaje, pañuelo rojo, pulsera de oro. Todo se lo había proporcionado la Andaluza, a la que mandó llamar. Ahora esperaba que llegara la madrugada para poner en práctica su plan, aunque la Andaluza le decía: «Es una locura, es una locura».

A Pedro el disidente le había ocurrido algo absolutamente inesperado: Radio Moscú se había puesto al lado del Comité Revolucionario Antifascista y el muchacho entendió que, por lo tanto, su obligación era colaborar; y sintió remordimientos graves por haber ocultado a Mateo. Radio Moscú no citó expresamente al Comité Revolucionario de Gerona, pero los citó a todos al hablar del Partido Comunista Español. Pedro comió un par de sardinas, tomó un vaso de vino y se presentó en el local del Comité media hora antes del reingreso de Teo. Cosme Vila, al verle, arrugó el entrecejo: «¿Qué te pasa, chaval?» «Vengo a ofrecerme.» Cosme Vila se mordió los labios. «Bien, bien, ponte a las órdenes del camarada Molina.» El brigada Molina le preguntó a Pedro: «¿Tienes arma?» «No.» «Entra ahí y toma un fusil. Y a las tres y media te vienes.»

Pedro iba a dar lo peor de sí mismo aquella noche. En cambio, Dimas y Agustín hacían honor a su palabra. César no había vuelto. La desesperación de la familia Alvear era absoluta, pero el hecho era que César había mirado el periódico, y salido, y ya no había vuelto. Toda la familia se había reunido en el comedor, ante una vela encendida a la única imagen de la casa, la Virgen del Pilar disfrazada de payesa catalana. Se rezaba llorando; don Emilio Santos también lloraba. Carmen Elgazu hundía todo el poder de sus ojos de madre en la pequeña imagen, sus fuertes brazos habían caído a lo largo del cuerpo pidiendo protección, que le devolvieran a su hijo. Matías se había arrodillado contra su costumbre y contestaba en voz más alta que de ordinario a los rezos de su mujer. Pilar hipaba, recordando a César, le veía todavía allí, en el comedor, sentado, con su cara ingenua, sus grandes orejas, escuchando perplejo a unos y otros. ¡Cuánto quería a su hermano! Mateo siempre había dicho de él: «Es un santo que corre por la tierra». Ignacio había perdido la respiración. Habían tenido que sujetarle para impedir que saliera. Era el que más convencido estaba de que a César le había ocurrido algo malo. César no le había ocultado a Ignacio cuál era su deseo. «Siento que el Señor me llama.» ¿Qué había hecho, Señor, adónde se habría ido? Ignacio rezaba también en voz alta: «Acordaos, piadosísima Virgen María...»

Dimas y Agustín les habían ordenado que no salieran. Llevaron al piso otro miliciano de Salt, para que los custodiara. Un hombre silencioso, que se sentó en el vestíbulo, fusil en mano, como cumpliendo un rutinario deber. Y Dimas y Agustín habían salido en busca de César, a dar lo mejor que había en ellos.

Siguiendo las indicaciones de Matías Alvear, habían recorrido una por una las iglesias destruidas. Saltaban entre los escombros, entraban en las sacristías ahumadas, levantaban los bancos. César era capaz de haberse arrodillado allí, apretando contra el pecho algún objeto sagrado. En San Félix les pareció oír ruido detrás del altar de San Narciso y gritaron: «¿Quién va?» Entonces avanzaron y en el momento de asomar las cabezas vieron una pared que se desplomaba.

Luego recorrieron las tres capillas de la ciudad que habían quedado intactas, cuyos altares relucían de oro aún. Y en una de ellas, la de las Hermanas Veladoras, encontraron huellas de su paso: vieron una ventana rota. Se introdujeron por ella. Se acercaron al altar mayor, abrieron el Sagrario. ¡Nada! El copón había desaparecido. Ignacio les había dicho: «Habrá intentado salvar los copones con las Sagradas Formas».

Volvieron a salir, por la ventana, después de disparar contra la imagen del altar. En la segunda capilla había ocurrido lo mismo: faltaba el copón. En la tercera, la del Asilo de los curas, al otro extremo de la ciudad —¡lo que habría corrido el chico!— una vecina le dijo: «¡Ah, ya sé quién es! Le han sorprendido ahí dentro, tragándose las Hostias. Se lo han llevado».

—¿Dónde...? —preguntó Dimas, mirando la carretera del cementerio.

—No, no, a la cárcel, a la cárcel. O por lo menos han tomado aquella dirección.

«Tragándose las Hostias.» Dimas no comprendía. Su secretario le dijo: «Sí, ya sé que lo hacen». Eran las once de la noche. Se dirigieron como flechas al Seminario, que servía de cárcel. ¡Si llegaran a tiempo! Tres milicianos montaban guardia en la puerta.

—Somos del Comité de Salt. Venimos a ver si hay aquí un tal César. César Alvear.

Uno de los milicianos ocupó el centro de la puerta.

—Papeles.

Dimas se llevó la mano al cinto.

—¿No te basta con esto?

Agustín sacó un papel y se lo dio al miliciano. «¡Jefe del Comité de Salt!» El miliciano dijo a Dimas:

—Espera un momento, camarada.

Entraron todos juntos en el vestíbulo. Los timbres en la pared decían aún: «Director, Sacristía, Biblioteca». El miliciano consultó una lista que llenaba una página.

—Pero... ¿los tenéis todos anotados?

—¡Qué va! Los primeros.

Dimas se enfureció. El Comité de Salt llevaba aquello con mayor seriedad.

Se detenían coches e iban entrando nuevos detenidos. El miliciano le dijo:

—Mira. Lo mejor es que subas y le busques por tu cuenta. Yo no puedo atenderte.

Dimas y Agustín atacaron la escalera con lo mejor de su alma. Uno y otro procuraban retener la imagen de César. Especialmente, Agustín le recordaba muy bien. «Tiene las orejas muy grandes», dijo.

Llegados al primer piso empezaron a tropezar con detenidos. Los pasillos estaban llenos, las celdas. Había poca luz. Agustín sacó una linterna y se decidió a proyectarla en los rostros. Entonces empezó el desfile espectral. La presencia de los dos milicianos, y sobre todo el aspecto indescriptible de Dimas, sembraron el terror entre los detenidos. Cada uno supuso que iba a comenzar la matanza y al sentir el foco de luz en los ojos, cada cual se decía: «Ya está». Era el desfile, el desfile de ojos aterrorizados, el del sudor. Dimas iba barbotando blasfemias. «¡Sois unos conejos! ¡Caray con el canguelo!»

No daban con César. Recorrieron celda por celda y no estaba. Subieron al segundo piso. Agustín dijo: «Mejor sería llamarle». Dimas obedeció.

—¡Silencio! —gritó. El corazón de los detenidos se detuvo—. ¡César Alvear! ¡Que se presente César Alvear!

Nadie respondió. En el fondo de la inmensa sala, casi oscura, que había sido dormitorio mayor, en la sala en que Ignacio había dormido cuando fue seminarista, César había oído aquella voz y había querido levantarse, para acudir a la llamada. Pero a su lado dos manos le detuvieron. Una le asió violentamente del brazo y la otra le tapó la boca para que no se delatase.

—¡César Alvear! ¡Seminarista...!

Quien detenía a César y le amordazaba era el profesor Civil. El profesor Civil había sido detenido a las diez de la noche y al ver entrar a César se puso a su lado porque le daba lástima. La consigna que había corrido por la cárcel era ésta: «¡No presentarse!» Los milicianos a veces se cansaban y aquello podía salvar a más de uno.

—¡César Alvear!

Agustín dijo:

—Debe de estar en las celdas.

Dimas barbotó otro juramento y salieron. Gritaron el nombre de

César por todos los pasillos, abrieron todas las puertas. Otra vez la linterna. Nadie le había visto.

Bajaron al vestíbulo. Hablaron con el miliciano.

—¿No te acuerdas si...?

—¿Cómo me voy a acordar? Hay más de trescientos.

Dimas se sintió anonadado. Con tenacidad fanática se dirigieron al Comité Revolucionario Antifascista. Allí había sesión plenaria. Era medianoche. Casal ya se había ido, pero Cosme Vila y el Responsable fumaban, en compañía de Teo, del brigada Molina, de la valenciana, de unos veinte milicianos.

Dimas se dirigió a Cosme Vila. Éste le conocía de antiguo.

—¡Salud al Comité de Salt! —dijo Cosme.

Dimas le contó... a medias lo que ocurría. Supuso que si hablaba de respetar a César, Cosme Vila no se lo entregaría, si es que el chico estaba vivo aún... Prefirió decir que el Comité de Salt «lo reclamaba», que tenía unas cuentas pendientes con él.

Cosme Vila le miró.

—¿El seminarista del Collell...?

—No sé de dónde. El seminarista de la Rambla.

Cosme Vila se preguntó a sí mismo: «¿Para qué lo reclamará el Comité de Salt?» Dijo:

—Espera un momento.

Se sacó un papel del bolsillo. Lo miró. Luego informó, levantando la cabeza.

—Lo siento, camarada. Llegas tarde.

Dimas soltó una blasfemia horrible. Pataleó como un niño. La valenciana se le acercó.

—¿Tanto le querías?

Agustín había asido a Dimas del correaje y le sacaba de la habitación.

—¡Brutos! —gritaba Dimas—. Era un crío. ¡Nos veremos las caras!

Teo se levantó dispuesto a actuar. Gorki dio un empujón a los dos milicianos y cerró violentamente la puerta.

Dimas no se atrevía a ir al piso de los Alvear a dar la noticia.

—¡Les había dado mi palabra! ¡El otro crío me dio su sangre!

Agustín decía:

—Ha sido culpa suya. Fue un loco decidiéndose a salir.

—¡Para comerse las hostias! —repetía Dimas.

No se atrevió a ir. Tomó, a pie, el camino de Salt, en la oscuridad de la noche. Su perfil enfermo o criminal se dibujaba al pasar bajo los faroles. Le ordenó a Agustín:

—Vete tú.

Agustín fue el encargado de llevar la noticia. Agustín se dirigió a la Rambla latiéndole el corazón. Sabía que en cuanto abría la boca para hablar resplandecían sus dientes y se hubiera dicho que sonreía. ¿Cómo darles la noticia sin que supusieran que sonreía?

Al llamar a la puerta le abrió el miliciano que montaba guardia en forma rutinaria. Agustín se dirigió al comedor y encontró a la familia de pie en el pasillo, mirándole. Agustín dijo:

—Llegamos tarde.

＊ ＊ ＊

La gran operación se verificó a las cuatro en punto de la mañana. Las patrullas independientes habían obrado por su cuenta desde las doce, desde que Alfredo fue a buscar al Delegado de Hacienda. El Comité había esperado en el despacho en que habían entrado Dimas y Agustín, hablando y escuchando la radio. Cosme Vila no había querido beber nada, el Responsable tampoco. Porvenir, sí, y le gastaba bromas a la valenciana. Teo les había contado: «El San Narciso de marras no es de madera; es de serrín».

Una emisora desconocida los excitó lo indecible a eso de las tres. Era una «emisora fascista», instalada en algún lugar del Sur. Oyeron una voz que dijo ser la del general Queipo de Llano, el general sublevado en Sevilla. Dijo que sus tropas se desplegaban por la provincia, se dirigían hacia Huelva y Badajoz. Dijo que su propósito era enlazar con el Ejército que había consolidado todas sus bases y posiciones en el Norte, en Galicia, Castilla, Navarra y Aragón. Dijo que cuando las fuerzas del Sur confluyeran con éstas, al oeste de Madrid, se formaría el frente continuo que se dirigiría contra el país vasco, contra Madrid y luego hacia el Mediterráneo. Hizo elogios del espíritu combativo de los moros, de los legionarios, de la Mehalla, de Falange. Terminó dirigiéndose a todas las personas ocultas «en zona roja», a todos los que sufrían persecución y torturas, diciendo que confiaran en el triunfo del Ejército Salvador, «que si los rojos tenían el oro, ellos tenían la experiencia militar y la moral de miles de voluntarios que se presentaban a medida que ocupaban el territorio».

El Responsable había intentado cerrar el aparato de radio varias veces, pero Cosme Vila negaba con la cabeza. Quiso oírlo todo e iba dando golpes en el escritorio, con un lápiz. Se reía, refiriéndose a la voz aguardentosa del general.

La exaltación del Comité y de las patrullas seleccionadas que esperaban en los salones contiguos era indescriptible. Al dar las cuatro, Cosme Vila se levantó.

—¡Camaradas! ¡Por la Revolución!

Todo el mundo se puso en pie. Todo el mundo tomó el fusil ametrallador. Algunos milicianos, como Pedro, el fusil. La rapidez de movimientos era extraordinaria; cada uno conocía su puesto. Cosme Vila los despidió y con un gesto confirmó en el mando de la operación al Responsable y a Teo. Los despidió en el hueco de la escalera. Las Patrullas descendieron levantando un ruido ensordecedor. En el Comité sólo quedaron Cosme Vila, el catedrático Morales y un par de milicianos de guardia.

La columna se dirigió al Seminario. La noche era estrellada como la anterior. Los milicianos de guardia en la puerta los oyeron acercarse. Estaban sobre aviso. «¡Abrir las puertas!» Sólo había una. La abrieron de par en par. Seis camiones esperaban alineados.

El Responsable y Teo subieron por las escalinatas de Santo Domingo y alcanzaron la acera del edificio. Al llegar al vestíbulo saludaron: «Salud, camaradas». «Salud.»

Eran unos cincuenta hombres los que subieron al primer piso. Los detenidos oyeron los pasos en la escalera, y sus rezos, pensamientos o sueño se interrumpieron. Se miraron unos a otros. «Ya está.»

—¡Concentrarse todos en la Biblioteca!

La estancia mayor, conocida de todos, era la Biblioteca. Al desaparecer los libros se había visto cuán grande era la sala. La voz del Responsable fue oída por todos los detenidos en los pasillos y celdas próximas. Los milicianos avanzaron y a culatazos los iban llevando por delante. Se habían encendido las luces. Entraban en las celdas y a puntapiés levantaban a los soñolientos. «¡A la Biblioteca!»

En cinco minutos todo el primer piso quedó concentrado allí. Ciento cuarenta y siete hombres, alineados en la pared del fondo y en la lateral derecha.

El Responsable sacó una lista.

—¡Los que nombre, que se alineen a la izquierda!

Y la lista comenzó. El primer nombre tronó en el aire.

—¡Juan Ferrer!

Nadie se movió. Era la consigna. Nadie debía presentarse.

Pero Juan Ferrer estaba en primera fila y Porvenir dijo:

—¡Eh, no te hagas el sordo!

Juan Ferrer bajó la cabeza y se fue a la pared izquierda.

Uno a uno fueron cayendo los nombres, hasta ciento, que era la cifra prevista. Imposible escapar. Nunca faltaba un miliciano que los reconocía. Los que verdaderamente no estaban, era porque se hallaban en el segundo piso. A medida que se alineaban, Teo iba atándolos unos contra otros, pasándoles una cuerda por la muñeca. Había empezado por las muñecas izquierdas, pero en muchas de ellas estaba el reloj de pulsera, que molestaba. Los ató por la muñeca derecha. Hizo tres grupos, dos de quince hombres y uno de dieciséis.

Recogieron cuarenta y seis hombres. Entonces el Responsable se dirigió a todos:

—No temáis nada. Hay que despejar esto. Seréis trasladados a la Cárcel Modelo, de Barcelona.

Los detenidos se miraron. Nadie daba crédito a sus palabras. Y sin embargo...

Teo dijo a Porvenir:

—¿Están los camiones abajo?

Porvenir hizo un gesto de asombro.

—¿No los has visto...?

Los detenidos fueron conducidos abajo y montados en tres camiones llenos de milicianos. Los camiones se pusieron en marcha.

El Responsable y los demás subieron al segundo piso y repitieron la escena, esta vez en el dormitorio mayor.

—¡Todos al dormitorio!

También se habían encendido las luces.

Ciento doce hombres se alinearon en la pared del fondo. El Responsable había observado que en el primer piso sólo había un cura. Se dio cuenta porque en la lista los curas figuraban con una cruz.

—¡Los que nombre que se alineen a la izquierda!

La labor fue más penosa. A muchos de los curas no los conocía nadie, ni siquiera los milicianos. Vestidos de paisano, los sacerdotes estaban transformados. De todos modos, casi todos respondían a la llamada, a pesar de la consigna. Lo hacían porque si al nombre cantado por el Responsable seguía el silencio, los ojos de éste despedían fuego, y los sacerdotes temían que ello significara un nuevo nombre en la lista. A veces el Responsable y Teo se acercaban a las filas y les interrogaban, uno por uno, y los obligaban a dar media vuelta para ver la tonsura.

—¿No eres tú el cura Morató? ¿No eres tú el cura Morató? —Y luego—: ¿No eres tú el parroco de la Catedral?

Al cura Morató le descubrieron porque fueron pidiendo la cartera de cada uno y entre los papeles estaba la cédula: «Jaime Morató, presbítero». Al párroco de la Catedral no hubo necesidad de pedirle documentación. El hombre no había respondido a la llamada de su nombre: Eusebio Turón; en cambio al oír: «¿No eres tú el párroco de la Catedral?», estiró el cuello y dio un paso al frente. «Sí, yo soy.»

—¡Pues a la izquierda!

Y fue atado con los demás.

El profesor Civil no fue llamado; pero sí César.

—¡César Alvear! —En la lista figuraba con el número 78 y al lado del nombre también había una cruz.

César dio un paso al frente. El profesor Civil le retenía la mano. César le dijo: «Déjeme, déjeme, me llaman».

César había reconocido entre los llamados, a varias personas. Un hombre que siempre iba al Museo a preguntar. «¿Podría ver el retablo del martirio de San Esteban?» Otro que siempre estaba en el Neutral resolviendo crucigramas. Luego al señor Corbera, de la fábrica de alpargatas.

Este hombre había producido gran expectación, porque todo el mundo sabía que había sido patrono del Responsable. El señor Corbera se alineó a la izquierda mirando a su ex empleado con una sonrisa indefinible. Cuando estuvo en su sitio dijo:

—Responsable...

—¿Qué hay?

—Que Dios te maldiga.

A César aquello le había dolido en el alma. Hasta entonces le había afectado particularmente la llamada de los sacerdotes. Sabía la falta que hacían en la Diócesis, donde alguno tenía que cuidar hasta de dos parroquias. Si se iban tantos... También le había afectado la presencia de otro seminarista, al que conocía sólo de vista, pero que sabía que estudiaba dos cursos más adelantados que él; pero al oír las palabras del señor Corbera...

A César le hubiera gustado que le ataran junto a él. Que su muñeca tocara la del señor Corbera. La del señor Corbera y, al otro lado, la de cualquier sacerdote: el párroco de la Catedral, por ejemplo. De este modo podía conseguir dos cosas. Pedir la bendición sacerdotal en el último momento y decirle al señor Corbera: «Señor, señor, tan cerca de la muerte no maldiga a nadie...»

Pero no tuvo suerte. Ni uno ni otro. Teo le ató entre dos desconocidos que lloraban en silencio. Uno y otro balbuceaban: «Criminales, criminales».

Ésta fue la palabra que oyó César cuando a una orden del Responsable los tres grupos se pusieron en marcha; cuando sintió que detrás de él las luces se iban apagando y dejaban al profesor Civil y a los demás «no llamados» sin sangre en las venas; cuando bajó la escalera y salió fuera; cuando subió al camión que le correspondía y tuvieron que ayudarle, pues era inhábil para ejecutar el salto.

¡El Seminario! Le parecía una gracia especialísima del Señor que su última morada hubiera sido el Seminario. Pensó en las palabras de Dimas: «Aquí no entrará ni Dios». Pero he aquí que le detenían y le llevaban al Seminario. El Señor conducía a cada cual donde deseaba.

Hubiera querido pedirle al conductor que pasara por la Rambla, para saludar por última vez el balcón de su casa; pero a su lado oía: «Criminales, criminales». El camión —el último de los tres— seguía por la calle de Ciudadanos —¡el Banco Arús!—, entraba en la Plaza Municipal —¡el Museo Diocesano!—, tomaba la orilla del río —¡el crucifijo del Sagrado Corazón!— y enfilaba por último la carretera del cementerio.

El viento les daba a todos en la cara y César, de pronto, sin saber por qué, miró las estrellas, que ya palidecían, y luego pensó en la edad que tenía. Exactamente... dieciséis años, tres meses y dos días... Luego pensó en los copones que había escondido en las murallas. «Hoy he comulgado sesenta veces...», se decía.

Al doblar la última curva hacia el cementerio, pensó en los suyos, en su madre, Carmen Elgazu; en su padre, Matías; en Pilar, en Ignacio. También en José, de Madrid, y en tío Santiago. «¡Cuántas almas, Señor, cuántas almas!» Y luego pensó en Dimas y Agustín. ¿Cómo era posible que Dimas y Agustín, que «habían dado su palabra» hubieran ido a la cárcel para matarle? Les perdonó. Sentía que le quedaran pocos minutos de vida porque apenas si podría rogar por ellos.

La gran verja estaba abierta de par en par. En aquel momento los tres camiones que los habían precedido —los del primer piso— habían dado ya media vuelta y se volvían. Los milicianos se saludaron. «¡Salud, camaradas!» «¡Salud!»

César había guardado una Hostia, una sola, en el interior del chaleco. Al sentir que le alineaban entre los nichos, entrando a la izquierda, y ver que se formaban los piquetes, con su mano libre la cogió. Se disponía a llevarla a la boca e ingerirla lentamente, perdonando a los milicianos. A su lado oía sollozos y las voces de siempre: «Criminales, criminales». Se volvió y dijo al sacerdote más próximo: «Me arrepiento de mis pecados. ¿Quiere darme la absolución, padre?...» Luego vio al señor Corbera, cuyos ojos despedían ira. «Tome», le dijo de repente. Y levantó la Sagrada Forma, sosteniéndola con unción entre los dedos pulgar e índice.

El señor Corbera parpadeó tres veces consecutivas y de pronto, comprendiendo, comulgó.

Entonces César oyó una descarga y sintió que algo dulce penetraba en su piel.

* * *

Minutos después oyó una voz que decía:

—Yo te absuelvo en nombre del Padre, del Hijo y del Espíritu Santo. —Una voz que se iba acercando y repetía—: Yo te absuelvo en nombre del Padre, del Hijo y del Espíritu Santo. —También oía gemidos. Abrió un momento los ojos. Vio un miliciano de rodillas, que iba sacando de su reloj de pulsera pequeñas Hostias y que las introducía en la boca de sus vecinos caídos. Reconoció, en el miliciano, a mosén Francisco. Luego, sus ojos se cerraron. Sintió un beso en la frente. Luego se cerró su corazón.

París, Villefranche-sur-Mer, París.
Abril de 1949 a marzo de 1952.

Índice